EFFETS DE COMMERCE

CHEQUES

CARTE DE PAIEMENT ET DE CREDIT

Dans la même collection

Chr. GAVALDA et J. STOUFFLET, Droit du crédit : tome 1, *Les institutions*

Christian GAVALDA
Professeur émérite
à la Faculté de droit
de l'Université de Paris I
(Panthéon-Sorbonne)

Jean STOUFFLET
Professeur émérite
à la Faculté de droit et de science politique
de l'Université de Clermont-Ferrand I
Doyen honoraire de la Faculté

EFFETS DE COMMERCE
CHEQUES
CARTE DE PAIEMENT ET DE CREDIT

TROISIÈME ÉDITION

Libraire de la Cour de cassation
27, place Dauphine - 75001 Paris

Le logo qui figure sur la couverture de ce livre mérite une explication. Son objet est d'alerter le lecteur sur la menace que représente pour l'avenir de l'écrit, tout particulièrement dans les domaines du droit, de l'économie et de la gestion, le développement massif du photocopillage.

Le Code de la propriété intellectuelle du 1er juillet 1992 interdit en effet expressément la photocopie à usage collectif sans autorisation des ayants droit. Or, cette pratique s'est généralisée dans les établissements d'enseignement supérieur, provoquant une baisse brutale des achats de livres au point que la possibilité même pour les auteurs de créer des œuvres nouvelles et de les faire éditer correctement est aujourd'hui menacée.

Siège social : 141, rue de Javel, 75015 Paris

ISBN 2-7111-2871-7

SOMMAIRE (*)

(*) Les tables détaillées sont en fin d'ouvrage.

PRINCIPALES ABRÉVIATIONS

Administrer	Revue Administrer
Ann. dr. com.	Annales de droit commercial
Arr.	Arrêté
Ass. plén.	Assemblée plénière
Banque	Revue Banque
Bull. civ.	Bulletin des arrêts des Chambres civiles de la Cour de cassation
Bull. crim.	Bulletin des arrêts de la Chambre criminelle de la Cour de cassation
C. civ.	Code civil
C. com.	Code de commerce
CGI	Code général des impôts
C. pén.	Code pénal
C. P et T	Code des Postes et Télécommunications
Cass. civ.	Arrêts des Chambres civiles de la Cour de cassation
Cass. com.	Arrêts de la Chambre commerciale de la Cour de cassation
Cass. crim.	Arrêts de la Chambre criminelle de la Cour de cassation
Cass. soc.	Arrêts de la Chambre sociale de la Cour de cassation
Cons. d'Etat	Arrêts du Conseil d'Etat
Circ.	Circulaire
Chron.	Chronique
Comp.	Comparer
Cons. cons.	Conseil constitutionnel
D.	Décret
D.	Recueil Dalloz-Sirey
D.-L.	Décret-Loi
Defrénois	Répertoire du notariat Defrénois
Direct.	Directive
Gaz. Pal.	Gazette du Palais
Instr.	Instruction
J.-Cl.	Juris-Classeur
JCP	Juris-Classeur périodique (la semaine juridique)
JDI	Journal du droit international

JO	Journal officiel
JO déb. Ass. nat.	Journal officiel des débats de l'Assemblée nationale
JO déb. Sénat	Journal officiel des débats du Sénat
Quot. jur.	Quotidien juridique
RD bancaire et bourse .	Revue de droit bancaire et de la bourse
Rec. Cons. d'Etat	Recueil des arrêts du Conseil d'Etat (Recueil Lebon)
Rép. com.	Répertoire de droit commercial
Rép. min.	Réponse ministérielle
RJ com.	Revue de jurisprudence commerciale
RJDA	Revue de jurisprudence de droit des affaires
RTD civ.	Revue trimestrielle de droit civil
RTD com.	Revue trimestrielle de droit commercial
Rev. crit. DIP	Revue critique de droit international privé
Trib. adm.	Tribunal administratif
Trib. com.	Tribunal de commerce
Trib. gr. inst.	Tribunal de grande instance
V.	Voir

INTRODUCTION

§ 1. — Définition des effets de commerce

1. — Les effets de commerce appartiennent à la catégorie des *titres négociables* qui permettent une circulation aisée des richesses et facilitent ainsi leur mobilisation par différentes techniques de crédit. Est dit « négociable » un titre transmissible par l'un des procédés simplifiés que la pratique a imaginés et le droit reconnus : endossement, tradition, transfert et virement pour les titres inscrits en compte. Les droits représentés par ces titres sont d'une grande variété. Parfois il s'agit de la propriété ou de la possession de meubles corporels (connaissement, récépissé négociable). Dans d'autres cas c'est le bénéfice d'un contrat qui est inclus dans le titre (police d'assurance négociable), ou un droit d'associé (action). Le plus souvent le titre négociable représente une créance de somme d'argent. C'est dans cette dernière catégorie que se rangent les effets de commerce et les chèques qui, s'ils ne sont pas ordinairement classés parmi les effets de commerce, en sont très proches à la fois par leur origine historique et par leurs caractères juridiques.

Si les effets de commerce présentent des caractères suffisamment définis pour que l'on puisse déterminer avec une marge limitée de doute quels sont les titres méritant cette qualification, la loi n'en donne pas de définition générique et la notion est essentiellement coutumière. Il n'existe d'ailleurs pas de statut légal commun aux effets de commerce, encore que le droit applicable à la lettre de change puisse être, dans une large mesure, considéré comme le droit commun des effets de commerce et même des titres négociables, celui auquel il y a lieu de se référer à défaut de dispositions spéciales.

L'expression effets de commerce elle-même n'apparaît que dans un nombre limité de textes légaux. L'article 107-4° de la loi du 25 janvier 1985 sur le redressement judiciaire fait mention des paiements en effets de commerce et l'article 120 de la même loi traite de la revendication des effets de commerce. L'article 439 de l'ancien Code pénal réprimait la destruction des effets de commerce. Enfin la loi fiscale utilise la notion dans les textes sur le timbre (CGI, art. 910 aujourd'hui abrogé). Encore convient-il de noter que ces textes, pour la plupart, utilisent le concept d'effet de commerce non pas seul, mais à côté d'autres notions (« ou autres titres » : L. 1985, art. 120 : « billets, lettres de change, effets de commerce ou de banque » : C. pén., art. 439), le marquant ainsi de flou.

On pourrait donc dire que la loi connaît des effets de commerce et non pas l'effet de commerce puisque c'est de manière exceptionnelle que l'application d'une disposition légale dépend de cette qualification. Il reste que du point de vue scientifique il est du plus haut intérêt de dégager les caractères distinctifs de l'effet de commerce. Ces caractères sont étroitement liés à la fonction économique des effets de commerce qui, elle-même, commande et éclaire leur régime juridique dont l'originalité est profonde.

Si l'on met à part les définitions extensives proposées par certains pénalistes, inspirés par les exigences de la répression (Garraud, *Traité de droit pénal*, t. IV, n. 1439. — Véron, *Droit pénal spécial*, p. 95), on relève en doctrine, sinon une uniformité parfaite, du moins une large convergence dans la formulation des critères de l'effet de commerce (Wahl, *Précis de droit commercial*, n. 1791. — Lyon-Caen et Renault, *Traité de droit commercial*, t. IV, 5e éd., n. 3. — Thaller et Percerou, *Traité élémentaire de droit commercial*, 8e éd., n. 1232. — Lescot et Roblot, *Les effets de commerce*, t. I, n. 4).

Cinq caractéristiques peuvent être considérées comme nécessaires pour qu'un titre constitue un effet de commerce. Elles se réfèrent largement aux qualités de la *monnaie*. Cette référence ne saurait étonner. La fonction économique assignée par la pratique aux effets de commerce implique qu'ils circulent aussi facilement que la monnaie et puissent lui être substitués. Encore faut-il souligner, pour éviter toute interprétation inexacte, que cette fonction ne se limite pas au paiement, mais inclut le crédit qui est, il est vrai, anticipation d'une prestation monétaire ou d'un gain de monnaie.

a) Négociabilité

Seuls peuvent constituer des effets de commerce des titres au porteur ou à ordre susceptibles de circuler autrement que par une cession ordinaire et comportant selon une formule classique une incorporation du droit au titre (Hamel, Lagarde et Jauffret, *Traité de droit commercial*, t. II, n. 1332). On notera que le procédé du transfert n'est pas utilisé pour les effets de commerce, mais seulement pour les valeurs mobilières (V. *infra*). La négociabilité permet une circulation plus simple, mais aussi plus sûre, du fait que le droit du cessionnaire n'est pas sous la dépendance du droit du cédant. Ainsi le titre pourra-t-il avoir une valeur monétaire.

Un titre est négociable si la loi lui reconnaît ce caractère (lettre de change) ou s'il contient une clause de négociabilité (clause à ordre ou au porteur).

N'est pas négociable un titre incomplet dont le nom du bénéficiaire a été laissé en blanc, à moins que l'usage lui reconnaisse ce caractère.

b) Objet monétaire

Le titre ne peut équivaloir à la monnaie que s'il a un objet monétaire, c'est-à-dire s'il constate le droit à la remise d'une somme d'argent et si le montant en est exprimé. Une simple évaluation d'un objet non monétaire ne suffit pas à justifier la qualification d'effet de commerce (ex. : récépissé de marchandise négociable comprenant une estimation).

c) Engagement de payer

L'effet de commerce constate l'engagement de payer une somme d'argent souscrit par l'émetteur. Une simple cession de créance au porteur ou à ordre ne répond pas à cette condition si le cédant n'en garantit pas le règlement à tout porteur.

d) Court terme

Ce n'est que si l'échéance de la créance est suffisamment proche que le titre sera reçu en paiement ou aisément mobilisable. On s'accorde, dès lors, à reconnaître que seuls les titres de créance à court terme sont susceptibles d'être classés parmi les effets de commerce. Fixer une limite précise est cependant difficile. On indiquera seulement que si elle fournit un ordre de grandeur, la limite de quatre-vingt-dix jours que la Banque de France fixe en principe pour l'escompte commercial n'est pas à retenir comme critère. Une date d'exigibilité sensiblement plus éloignée n'est pas exclusive de l'appartenance à la catégorie des effets de commerce. Seul l'usage permet de trancher.

e) Usage de recevoir le titre en paiement

Si l'on définit l'effet de commerce en se référant au paiement et au crédit à court terme, on ne peut se contenter de prendre en considération les caractères objectifs d'un titre pour décider de sa nature d'effet de commerce. Il faut, constatent Lescot et Roblot (t. I, p. 9), tenir compte de la pratique qui reconnaît à certains titres pouvoir libératoire (même s'ils ne l'ont pas en droit) ou les considère comme de la quasi-monnaie grâce aux facilités de mobilisation qu'ils comportent, tandis que d'autres titres sont écartés de tels emplois bien que leurs caractéristiques objectives ne les en excluent pas.

2. — Certains titres négociables répondent indiscutablement aux critères précédents et sont classés par l'unanimité des auteurs parmi les effets de commerce. C'est le cas, en tout premier lieu, de la *lettre de change*, l'écrit par lequel un tireur invite un tiré à verser une somme d'argent à l'ordre d'un preneur ou bénéficiaire, à une date déterminée et s'oblige à payer si le tiré ne le fait pas.

Est également d'une manière certaine un effet de commerce le *billet à ordre*, écrit par lequel un souscripteur s'oblige à payer une somme d'argent à l'ordre d'un bénéficiaire, à une date déterminée. La même qualification s'impose pour le *warrant* qui s'analyse en un billet à ordre garanti par un gage sur des marchandises déposées, en principe, dans un magasin public.

Le *billet au porteur* est un effet de commerce comme le billet à ordre car il est comme lui négociable. Il n'y a pas lieu, pour sa qualification, de retenir la circonstance que le billet au porteur n'est l'objet d'aucune réglementation particulière.

Dans la rigueur des principes, on devrait décider que la lettre de change n'est pas un effet de commerce quand elle est stipulée « non à ordre » et ne peut circuler que par voie de cession ordinaire. Il est, cependant, préférable de maintenir la qualification d'effet de commerce dans ce cas — exceptionnel d'ailleurs — étant donné que sa nature juridique et son régime ne sont pas modifiés par cette clause. La forme l'emporte en l'occurrence.

D'autres espèces de titres négociables sont, en revanche, certainement à exclure de la catégorie des effets de commerce. Il en est ainsi de tous les titres n'ayant pas pour objet une somme d'argent (titres de transport, reçus négociables de marchandises...). C'est le cas également des titres représentant une somme d'argent mais dont l'échéance est éloignée (obligations, actions). Ces derniers titres constituent la catégorie des *valeurs mobilières* dont la fonction économique est très différente de celle des effets de commerce, et qui présentent au surplus la particularité d'être émis en série alors que les effets de commerce donnent lieu, en général, à une émission isolée. Certains titres ont un objet monétaire et sont à court terme mais on ne les considère pas en général comme des effets de commerce parce qu'il n'est pas d'usage de les recevoir en paiement ou de les escompter. Il en est ainsi des coupons de valeurs mobilières (Lescot et Roblot, *op. cit.*, p. 9). L'inscription en compte des valeurs mobilières (dématérialisation) imposée par la loi du 30 décembre 1981 a accru l'intérêt de la distinction entre valeur mobilière et effet de commerce puisque ceux-ci ne sont pas soumis à l'inscription en compte.

3. — Plusieurs titres suscitent l'hésitation. Ainsi la nature du *chèque* a été parfois discutée. Titre dont la structure est analogue à celle de la lettre de change mais qui ne peut être tiré que sur un établissement de crédit ou un établissement assimilé et qui est obligatoirement payable à vue, le chèque est considéré par la doctrine contemporaine comme très proche des effets de commerce (Roblot, *Les effets de commerce*, n. 11. — Hamel, Lagarde et Jauffret, *op. cit.*, n. 1654). Il répond aux caractères distinctifs de l'effet et sa fonction d'instrument de paiement rend acceptable cette qualification même si les auteurs le mettent souvent à part pour souligner les différences existant sur certains points entre son régime juridique et celui de la lettre de change.

La nature du *chèque postal* est beaucoup plus douteuse. Le défaut habituel de négociabilité interdit d'y voir un effet de commerce, mais il en est autrement quand il est émis sans désignation de bénéficiaire et peut ainsi circuler comme un titre au porteur. Cette distinction est à faire également pour les *ordres de virement*.

Ont pu également être considérés comme proches des effets de commerce les factures et bordereaux protestables créés par une ordonnance du 28 septembre 1967 et cela, bien que leur circulation fût limitée quant au nombre des transmissions (deux) et à la qualité des porteurs (banques et établissements financiers), V. Becqué, Cabrillac et Rives-Lange : *JCP* 68, I, 2131, n. 84 et s.

Ces titres ont été supprimés par une loi du 2 janvier 1981, votée sur la proposition du sénateur Dailly, qui consacre une nouvelle forme de transmission et de nantissement des créances de sommes d'argent à l'aide d'un *bordereau dénommé acte de cession ou acte de nantissement de créance professionnelle*.

Quoique cet acte soit soumis à un formalisme proche du formalisme cambiaire et qu'il puisse comporter une clause à ordre autorisant l'endossement, il n'inclut pas un engagement de payer et ne paraît pas pouvoir être rangé parmi les effets de commerce.

Les *bons de caisse* sont souvent considérés comme des effets de commerce. En réalité tout dépend de leurs caractéristiques. S'ils sont émis pour des valeurs uniformes et pour une durée excédant le court terme, ils s'apparentent aux obligations. Au contraire, s'il n'y a pas émission en série et si le montant est variable, il s'agit d'effets de commerce (V. Hamel, Lagarde et Jauffret, n. 1647. — Roblot, p. 5, n. 1. — Gavalda et Stoufflet, *Droit bancaire*, 3e éd., n. 236).

Les *titres de créance négociables* émis en application de la loi du 26 juillet 1991 et du décret du 13 février 1992, titres au porteur soumis à l'inscription en compte, sont à assimiler aux valeurs mobilières et non aux effets de commerce.

On notera que les *billets de banque* ne sont pas des effets de commerce. Créés en série, sans valeur fournie, dépourvus d'échéance, non remboursables, d'ailleurs, depuis que leur convertibilité a été supprimée, ils présentent des caractéristiques différentes de celles des effets de commerce (V. Cass. civ., 18 déc. 1850 : *D.* 1851, 1, 30 ; concernant l'étendue du privilège d'émission de la Banque de France, Roblot, n. 5). Il demeure que la fonction économique de l'effet rejoint celle du billet de banque (V. Beaulieu, *Le billet de banque*, thèse dactylographiée, Paris I, 1976).

Les *lettres de crédit « stand by »* et les garanties à première demande, non négociables, ne sont pas non plus des effets de commerce.

§ 2. — Origine historique et rôle économique des effets de commerce

4. — Les effets de commerce sont une création de la pratique commerciale et leur évolution est intimement liée à l'usage, progressivement diversifié, qui en est fait dans la vie commerciale et financière. La loi les a assez tôt réglementés (*infra*, n. 5) mais, bien loin de paralyser leur essor, cette réglementation génératrice de sécurité pour les porteurs a, au contraire, favorisé leur diffusion et facilité de nouvelles applications. Le législateur a d'ailleurs su se prêter aux adaptations nécessaires soit en supprimant certaines exigences devenues contraintes inutiles, soit en consacrant de nouveaux types d'effets pour répondre à l'évolution des techniques commerciales.

La lettre de change semble être apparue au Moyen Âge. On en trouve trace dans la pratique des foires au XIVe siècle. Initialement elle fut essentiellement utilisée pour réaliser un transfert de fonds et une conversion de monnaie. L'émetteur demandait à un correspondant sur une autre place de remettre une somme d'argent en monnaie locale au porteur (nommé) de la lettre. Ultérieurement apparurent l'acceptation puis l'endossement qui dans un premier temps fut probablement un simple mandat d'encaissement donné à un tiers (sur l'origine de la lettre de change, V. R. de Roover, *L'évolution de la lettre de change*, 1953. — Le Goff, *Marchands et banquiers du Moyen Âge*, PUF, Coll. « Que sais-je ? », 1972).

La fonction initiale *d'instrument de transfert de fonds* subsista durant des siècles. Un voyageur ou un commerçant européen désirant disposer de fonds à New York achetait une lettre de change en dollars des Etats-Unis payable sur la place américaine. Ainsi se prémunissait-t-il contre les aléas du cours des changes et il s'épargnait les risques d'un transport d'espèces.

Des procédés plus modernes de transfert de fonds ont aujourd'hui pris le relais de la lettre de change qui n'est plus utilisée à cette fin. Certains de ces procédés relèvent de la catégorie des effets de commerce, tel le chèque de voyage ou traveller's chèque. D'autres — les plus utilisés — ne comportent pas la création de titres négociables : les virements et transferts entre banques ou par l'intermédiaire de banques, réalisés par les procédés modernes de transmission (téléphone, télex). (V. sur le réseau international interbancaire de télécommunications créé sous le sigle SWIFT : J.-C. Moniez, « Un exemple de coopération bancaire internationale » : revue *Banque* 1976, p. 1003. — *Note information Banque de France*, n. 61 et sur le système national SAGITAIRE, *Note d'information*, n. 63).

Supplantés en tant que moyens de transfert, les effets de commerce demeurent tant dans le commerce international que dans le commerce interne des *instruments très importants de paiement* appréciés, comme en matière de transfert, pour la sécurité qu'ils offrent. Une évolution s'est cependant produite à cet égard. Depuis l'apparition du chèque au milieu du XIXe siècle, c'est ce titre qui tend à être utilisé pour la réalisation des paiements, tandis que la lettre de change et le billet à ordre, employés jusque-là, servent d'instrument financier aux opérations comportant un crédit (paiement différé). Il est à noter que le législateur encourage et, parfois, impose le paiement par chèque à raison des contrôles qu'il permet (V. L. 22 oct. 1940). Pour les paiements, le chèque se trouve en concurrence avec les procédés scripturaux qui se prêtent mieux à un traitement informatisé, tels que le virement et les cartes de paiement. Il conserve pourtant en France un rôle extrêmement important.

Le chèque étant mis à part, les effets de commerce sont devenus, aujourd'hui, essentiellement des *instruments de crédit*. Leurs caractéristiques techniques et leur statut juridique sont particulièrement bien adaptés à une telle utilisation et les procédures de crédit mettant en œuvre la lettre de change, le billet à ordre, le warrant se sont multipliées et perfectionnées.

Parfois l'effet de commerce sert de *moyen de réalisation d'un crédit*. Relèvent de cette catégorie les effets d'ouverture de crédit. Le donneur de crédit appose sa signature sur une lettre de change ou un billet à ordre en exécution d'un crédit qu'il a promis. C'est le cas dans le crédit d'acceptation qui permet au bénéficiaire de se procurer des fonds en négociant l'effet. Le crédit d'acceptation connaît un grand développement aux Etats-Unis (V. R. Tancrède, « Le marché des bankers' acceptances aux Etats-Unis » : revue *Banque* 1977, p. 1344). Servent également de support à un crédit les effets dits « de cautionnement » que signe une personne — souvent un banquier — pour faciliter leur circulation.

Les crédits se réalisant par la signature d'un effet de commerce sont appelés *crédits par signature* quand il est convenu que le signataire n'aura pas à faire d'avance de fonds, les fonds nécessaires au paiement lui étant, le cas échéant, remis avant l'échéance (Galvada et Stoufflet, *Droit du crédit*, t. I, n. 89). On dénomme *effets financiers* les effets émis, non à la suite d'une opération commerciale portant sur des marchandises et des services, mais comme instruments d'un crédit.

Les effets de commerce sont, dans d'autres cas, employés pour la *garantie* d'un crédit. Le seul fait qu'un débiteur signe, en représentation de son obligation, un effet apporte au créancier un surcroît de garantie à raison de la rigueur d'exécution des obligations dérivant d'un effet (obligation cambiaire). Le créancier y trouve, toutefois, un autre avantage, plus précieux encore. Aisément transmissible, offrant au tiers qui l'acquiert des droits très forts, l'effet de commerce peut être négocié auprès d'une banque qui en avancera le montant (escompte) ou remis en gage. Une partie importante des crédits commerciaux à court terme emprunte cette technique dont relève l'escompte. L'escompte porte sur des lettres de change, des billets à ordre et des warrants.

Les effets de commerce servent également de supports aux *refinancements des crédits* par la Banque de France et aux opérations sur le marché monétaire qui est le marché où se négocient, essentiellement entre banques, des crédits à court terme (Galvada et Stoufflet, *Droit du crédit*, t. I, n. 462 et s.).

§ 3. — Droit applicable aux effets de commerce

A. — Source du droit régissant les effets de commerce

5. — Le droit cambiaire a été codifié très tôt. Dès le XVIIᵉ siècle, des législations apparaissent dans plusieurs pays européens (Pays-Bas, Suède...). En France, l'Ordonnance de 1673 sur le commerce de terre comprend 43 articles consacrés à la lettre de change et au billet de change, type d'effet aujourd'hui disparu.

Le Code de commerce s'inspira largement des dispositions de l'Ordonnance, en supprimant toutefois certaines entraves à la circulation des effets. On laissa cependant subsister l'obligation de la « remise de place à place » qui empêche de rendre l'effet payable au lieu de l'émission. Manifestation surannée de la fonction initiale de la lettre et de la crainte ancienne que la lettre de change serve à masquer un prêt usuraire, cette obligation ne fut supprimée que par une loi du 7 juin 1894. Une loi du 8 février 1922 a simplifié la forme de la lettre de change et de l'endossement.

Tandis qu'étaient aménagés (dans une mesure limitée) postérieurement au Code de commerce, les textes relatifs à la lettre de change, de nouveaux effets étaient reconnus par la loi : le chèque (L. 14 juin 1865), le warrant (L. 28 mai 1858 remplacée par l'ordonnance du 6 août 1945 et complétée par des textes sur les warrants spéciaux : warrant agricole, warrant hôtelier, warrant pétrolier...) et beaucoup plus récemment la facture et le bordereau protestables (Ord. 28 sept. 1967) qui n'ont eu qu'une existence éphémère.

Le phénomène législatif le plus remarquable en matière d'effets de commerce est certainement l'*unification internationale* obtenue spontanément au Moyen Âge par voie coutumière, brisée par les codifications, puis en partie retrouvée à l'époque moderne grâce à l'action d'institutions scientifiques internationales suivies, non sans prudence et timidité, par les Etats. La difficulté de l'unification tenait non seulement à la non-concordance des solutions apportées par les législations nationales sur tel ou tel point de la technique cambiaire, mais à la diversité des conceptions quant à la nature même de l'effet de commerce, diversité allant jusqu'à une totale opposition dans le cas du droit germanique et des droits latins (*infra*, n. 7). L'unification était si nécessaire au développement et à la sécurité du commerce international que ces obstacles furent, au moins en partie, surmontés.

Dès 1876, l'*International Law Association* adopta des règles constituant les principes directeurs d'une législation uniforme. De son côté, l'Institut du Droit international mit au point en 1885 un projet de loi très complet en 106 articles.

En 1910 fut convoquée à La Haye par le gouvernement des Pays-Bas une conférence diplomatique en vue de l'unification du droit de change. Trente-deux Etats y participèrent. Un projet de règlement uniforme pour la lettre de change et le billet à ordre fut approuvé en 1912 à l'issue d'une seconde conférence.

Après la guerre les travaux reprirent sous l'égide de la Société des Nations et au cours d'une conférence internationale tenue à Genève en 1930 fut adoptée une série de trois conventions :

— une convention à laquelle est annexé le texte d'une loi uniforme sur la lettre de change et le billet à ordre que les Etats signataires s'engagèrent à introduire dans leur législation nationale. L'unification réalisée par cette loi n'est cependant pas complète. D'une part, certaines questions essentielles, comme celle de la provision de la lettre de change, ont été laissées en dehors du texte uniforme et elles continuent à relever des droits nationaux. Par ailleurs, des réserves sont prévues. Il s'agit de questions sur lesquelles les Etats peuvent écarter les dispositions de la loi uniforme au profit de solutions nationales ;

— une convention réglant les principaux conflits de lois en matière de lettre de change et de billet à ordre ;

— une convention par laquelle les Etats signataires s'obligent à ne pas faire dépendre la validité des obligations cambiaires du respect des prescriptions des législations nationales sur le timbre.

Une seconde conférence se tint à Genève en 1931 qui adopta trois conventions identiques sur le chèque.

La conventions portant loi uniforme sur la lettre de change et le billet à ordre a été signée par 29 Etats et ratifiée par 20. Ni la Grande-Bretagne, ni les Etats-Unis, ni les pays d'Amérique du Sud, à l'exception du Brésil, n'y ont adhéré. L'Espagne l'a signée mais non ratifiée ; toutefois elle vient de se doter d'une législation interne calquée sur la loi uniforme. En France, elle a été introduite dans la législation nationale par un décret-loi du 30 octobre 1935 qui a refondu les articles 110 à 189 du Code de commerce. Certaines réserves ont accompagné la ratification.

La loi uniforme sur le chèque a été adoptée par 13 pays. En France, elle a été mise en vigueur en même temps que la loi sur la lettre de change et le billet à ordre.

Les conventions de Genève ne prévoient aucune mesure pour assurer l'unité d'interprétation des lois uniformes par les juges nationaux, bien que les négociateurs aient été conscients du problème. En fait, les divergences sont importantes. Les principales décisions nationales en la matière sont publiées dans la *Revue de droit uniforme* éditée par l'Institut international pour l'unification du droit privé (Unidroit).

En dehors de l'unification réalisée par les conventions de Genève, il convient de signaler les travaux menés par les pays d'Amérique latine (Roblot, n. 54).

Enfin, une convention a été élaborée par la Commission des Nations Unies pour le droit commercial international (CNUDCI) tendant à la création d'une lettre de change et d'un billet à ordre à usage international dont le régime juridique pourrait recueillir l'approbation des pays non signataires des conventions de Genève, notamment les pays anglo-saxons. Cette convention n'a jusqu'à présent été signée que par un nombre limité d'Etats, dont les Etats-Unis, le Canada et l'URSS. Son entrée en vigueur est subordonnée à une ratification par dix Etats. V. Sur ce texte, Roblot, n. 55. — P. Bloch, « Le projet de convention sur les lettres de change internationales et les billets à ordre internationaux » : *JDI* 1979, p. 770 ; *Convention des Nations Unies sur les lettres de change et billets à ordre internationaux* (New York 9 déc. 1988) : *Rev. de droit uniforme* 1988, I ; *JDI* 1992, p. 907 ; Doc. CNUDCI. 27e session, n. A/CN9/38 L, 16 nov. 1993. La signature du texte par la France est douteuse.

B. — CARACTÈRE DU DROIT RÉGISSANT LES EFFETS DE COMMERCE

6. — Le droit des effets de commerce se rattache au droit des obligations, mais les solutions qu'il consacre s'écartent profondément, sur de nombreux points, du droit commun, cela pour assurer la sécurité des porteurs. Il faut ajouter, pour le chèque, l'incidence de la fonction d'instrument de paiement assignée à ce titre qui a conduit le législateur à renforcer, par des mesures préventives et répressives originales, la protection du bénéficiaire.

La spécificité du droit des effets de commerce par rapport au droit commun des obligations se traduit par un équilibre différent entre forme et volonté. En droit commun, le débiteur est obligé parce qu'il l'a voulu et dans la mesure où il y a consenti. La déclaration de sa volonté se situe au second plan, bien qu'elle soit nécessaire. Sauf exception, la déclaration peut revêtir une forme quelconque. Protecteur des débiteurs, ce système est générateur d'insécurité pour les créanciers. Il n'est pas praticable quand l'engagement s'intègre dans un titre appelé à circuler. La déclaration doit alors prendre le pas sur le consentement, même si celui-ci conserve un rôle important. La mise au premier plan du *titre* est une constante du droit des effets de commerce. Elle a été accusée par la législation de Genève, sous l'influence du droit allemand, dont la tradition est, plus résolument que celle du droit français, orientée vers la protection du crédit et, par conséquent, la sécurité du créancier et qui, en matière d'effets de commerce, a fait prévaloir une conception abstraite de l'obligation cambiaire fondée sur le titre.

Cette tendance se manifeste tout d'abord par le *caractère littéral* des obligations nées d'un effet de commerce. Le droit cambiaire est un droit *formaliste*. La validité de l'obligation est subordonnée au respect de formes strictement définies par la loi. C'est la forme du titre qui détermine la nature et l'étendue de l'engagement contracté. La transmission des droits attachés au titre se réalise elle-même par des procédés simples, mais très sûrs pour l'acquéreur (tradition, endossement) qui reposent sur une appréciation selon des critères formels des droits du cédant. La formule l'emporte sur la réalité des droits. Grâce à quoi le titre circulera aisément, qu'il soit utilisé comme instrument de paiement ou de crédit.

La prééminence du titre touche au fond du droit. Elle implique que les engagements constatés dans le titre ne soient, dans la mesure au moins où les intérêts des tiers (porteurs) sont engagés, ni quant à leur validité, ni quant à leur exécution, sous la dépendance de rapports juridiques extérieurs au titre. Cette nécessité s'exprime dans le principe capital de l'inopposabilité des exceptions au porteur de bonne foi qui confère aux obligations cambiaires un certain degré d'abstraction. Conception remarquable, à l'opposé de celle du droit commun français des obligations qui fait une large place à la théorie de la *cause* dont dépend l'existence et la validité de l'obligation.

La force de l'obligation cambiaire est accentuée par une rigueur d'exécution et des *garanties* renforcées en faveur du porteur de l'effet : exclusion de toute condition qui affaiblirait l'obligation, solidarité des débiteurs, caractère impératif de l'échéance marqué notamment par le refus des délais de grâce et le caractère automatique des intérêts moratoires, procédures d'exécution rapides.

La *commercialité* formelle — limitée toutefois à la lettre de change — des engagements résultant d'un effet de commerce est une autre manifestation de la rigueur des obligations cambiaires.

En application de l'article 632, alinéa final du Code de commerce, la lettre de change est commerciale entre toute personne. Il en découle une compétence du tribunal de commerce, même au regard d'un signataire non commerçant. Cette commercialité, assez artificielle, n'est guère justifiée (Y. Reinhard, *Droit commercial*, 3e éd., n. 184). Elle n'a, d'ailleurs, que des conséquences limitées. La souscription, même répétée, de lettres de change ne confère pas la qualité de commerçant au signataire et ne l'expose pas à une procédure collective (Aix, 28 fév. 1973 : *D.* 1973, somm. 3 ; *RTD com.* 1973, 878, obs. Houin. — Paris, 14 janv. 1987 : *D.* 1987, IR 38). Il n'en serait autrement que si les effets étaient l'instrument d'opérations de banque au sens de la loi du 24 janvier 1984.

C. — Analyse juridique de la technique cambiaire

7. — L'originalité, qui vient d'être soulignée, de la technique cambiaire devait conduire les auteurs à en rechercher la nature juridique. Cette recherche n'est pas strictement nécessaire à la détermination du régime juridique des principaux effets de commerce, minutieusement réglementés par la loi. Une réflexion à ce propos n'est pourtant pas inutile. Elle revêt un indéniable intérêt théorique et elle peut, en outre, fournir des directives pour l'interprétation des textes légaux et éclairer le statut des titres non dotés d'une réglementation particulière.

La question à résoudre est celle de savoir quel est le fondement de l'obligation des signataires envers le porteur d'un effet de commerce. Il est exclu de voir dans le paiement de l'effet la simple exécution des obligations préexistantes entre les parties, obligations qui, d'ailleurs, n'existent pas toujours et sont, de toute manière, extérieures au mécanisme cambiaire même si le porteur peut y puiser une garantie (transfert de la provision).

Deux directions de recherche ont été suivies par les auteurs pour rendre compte de l'effet de commerce. Les uns, suivant une démarche tout à fait classique, voient dans les techniques du droit commun des obligations le fondement des obligations attachées à l'effet. Les autres tiennent le titre lui-même pour la source de ces obligations. Ce dernier point de vue est dominant dans la doctrine allemande dont l'influence a été considérable sur le droit allemand et sur la loi uniforme.

Le premier type d'explication comporte bien des variantes. La construction la plus élaborée et la plus connue est celle de Thaller ; son pivot est constitué par la délégation prévue aux articles 1275 et s. du Code civil (Thaller, *De la nature juridique du titre de crédit : Annales de droit commercial*, 1906 et 1907). Cet auteur fait porter sa recherche sur l'émission et l'endossement de la lettre de change, mais l'analyse proposée vaut également pour l'émission du chèque et l'endossement de tout effet. Le tireur qui émet une lettre de change souscrit, selon Thaller, au bénéfice du preneur une *délégation* de ses droits envers le tiré. Pour répondre à l'objection selon laquelle le bénéficiaire de la délégation ne peut recevoir paiement qu'à l'échéance, Thaller observe que la délégation a pour objet non le montant de l'effet, mais la promesse de payer à l'échéance que le bénéficiaire (délégataire) obtient du tiré (délégué) grâce à l'acceptation. Cette acceptation réaliserait au surplus un véritable *cautionnement*. La même opération se renouvellerait à chaque transmission de l'effet.

La faiblesse de la théorie de Thaller provient d'une part de ce qu'elle met en premier plan l'acceptation alors que la lettre de change non acceptée est juridiquement parfaite ; elle repose sur la signature du tireur. D'autre part, ainsi que l'observe Roblot (*op. cit.*, n. 87), la délégation ne peut rendre compte des endossements alors que ni les endosseurs antérieurs, ni le tireur n'interviennent à un endossement. Or la délégation requiert le consentement de toutes les parties ; un consentement anticipé n'est pas compatible avec la nature contractuelle de la délégation. Plus artificielle encore est l'explication par le cautionnement de la garantie que doit chaque signataire de l'effet. La volonté de cautionner est divinatoire. Au surplus, la garantie due par le signataire d'une lettre de change est principale, alors que la caution ne contracte jamais qu'une obligation subsidiaire. Au-delà de ces objections d'ordre technique — très fortes — c'est le principe même d'une explication tirée du droit des obligations qui appelle des réserves parce qu'elle néglige le titre.

C'est précisément dans le titre que la plupart des auteurs allemands voient la source des droits du porteur et celle des obligations des signataires envers ce porteur. Selon la théorie dite du *Wertpapier* ou papier-valeur, le droit est incorporé au titre et la formule n'est pas à prendre en tant qu'image mais comme l'expression d'une réalité juridique. Le titre absorbe les obligations abstraites de payer dont sont tenus les signataires, obligations qui procèdent selon les uns de déclarations unilatérales de volonté, selon d'autres de contrats formels ayant pour seul objet la création ou la transmission du titre, totalement indépendants des rapports fondamentaux (V. la présentation de ces analyses dans Lescot et Roblot, t. I, n. 104 et s.).

Ces théories ont eu le grand mérite de mettre en évidence le rôle capital du titre qui domine tout le régime juridique des effets de commerce et que la doctrine classique française n'avait pas suffisamment dégagé et reconnu. Il n'est pas sûr, toutefois, que la théorie de l'engagement abstrait, sous une forme unilatérale ou contractuelle, qui fait des obligations cambiaires de simples accessoires du titre, suffise à rendre compte de la situation des débiteurs de l'effet. Les obligations cambiaires procèdent de la volonté qui doit être réelle et présenter les qualités requises par le droit commun. C'est la position de la jurisprudence française. Seulement, pour que le titre puisse circuler, le droit a dû faire bénéficier le porteur d'une protection que ne lui assure pas le droit commun, s'il s'est légitimement fié aux énonciations du titre. Ainsi est reconnu aux obligations cambiaires un certain degré d'abstraction. Beaucoup d'auteurs modernes rattachent la solution à la théorie de l'apparence.

La référence n'est pas à rejeter, mais elle appelle une précision. Ordinairement, un tiers est protégé par l'apparence lorsqu'il a été victime d'une erreur invincible et la théorie est appliquée pour régler des situations exceptionnelles, accidentelles. En matière d'effets de commerce, le tiers porteur est légalement fondé à se fier à l'apparence du titre, sans être tenu d'aucune diligence pour connaître la situation réelle à laquelle il est étranger. L'apparence fait droit d'une manière habituelle et normale. Il n'en est autrement que si la mauvaise foi du tiers porteur est démontrée. Alors il n'est pas digne de protection.

D. — AVENIR DES EFFETS DE COMMERCE

1. — CRITIQUES FORMULÉES CONTRE LES EFFETS DE COMMERCE

8. — Depuis une vingtaine d'années, les effets de commerce, et spécialement les plus utilisés d'entre eux, la lettre de change et le chèque, sont l'objet de vives critiques. Il leur est reproché d'être complexes et de ne pas se prêter à un traitement informatisé, seul susceptible d'alléger le coût des opérations bancaires de paiement et de crédit que l'augmentation du prix et de la main-d'œuvre rend très lourd pour l'économie.

Une analyse des inconvénients que présente un usage systématique des effets de commerce dans les rapports commerciaux figure dans le rapport de la Commission sur la réforme du crédit commercial à court terme présidée par M. Gilet (*Notes et Études documentaires*, 14 juill. 1967, n. 3354. — revue *Banque* 1967, 5. — Gavalda et Stoufflet, *Droit bancaire*, n. 421 et s.).

La Commission a formulé des propositions pour restreindre l'usage des lettres de change et depuis 1967 les efforts n'ont pas cessé en vue d'alléger le coût des opérations bancaires. De nouvelles techniques ont été développées. Certaines tendent à l'adaptation de l'effet de commerce ; d'autres sont des techniques concurrentes de l'effet de commerce.

2. — NOUVELLES TECHNIQUES

8-1. — Pour remplacer les effets de commerce dans leur *fonction d'instrument de crédit*, la Commission Gilet avait suggéré l'institution d'un titre nouveau, la facture protestable, susceptible d'être utilisé pour la garantie d'une forme nouvelle de crédit de mobilisation destinée à se substituer à l'escompte : le crédit de mobilisation de créances commerciales (CMCC). Une ordonnance du 28 septembre 1967 créa la facture et le bordereau protestables, mais ces instruments eurent très peu de succès et le CMCC ne connut d'application que dans sa forme non garantie.

La pratique imagina alors d'adapter la technique cambiaire aux exigences du traitement informatisé. Ainsi furent conçus la lettre de chaque relevé (LCR) et le billet à ordre relevé (BOR) qui sont une transcription du support magnétique de titres cambiaires. Leur circulation s'opère exclusivement dans des circuits informatiques ce qui réduit notablement le coût du traitement.

L'instrument est ingénieux et la pratique l'a accueilli avec faveur et le procédé tend à se généraliser mais il s'agit d'une demi-mesure en ce sens que pour conserver les avantages juridiques des titres cambiaires, il est indispensable d'émettre un titre papier, quitte à ne pas le faire circuler. Le titre « émis » en forme magnétique n'est pas une lettre de change ou un billet à ordre au sens de la loi.

Une réforme plus radicale fut réalisée à l'initiative du sénateur Dailly par une loi du 2 janvier 1981 qui a créé un nouveau procédé de transmission des créances aux fins de cession ou de nantissement : *la transmission par remise d'un bordereau* dénommé acte de cession ou de nantissement de créances professionnelles. Cet instrument n'est pas d'application générale. Il ne peut être employé que pour transmettre des créances professionnelles ou des créances appartenant à une personne morale, à un établissement de crédit à l'occasion de certains crédits. Son intérêt pratique n'en est pas moins considérable. Le bordereau pourrait dans de nombreux cas être préféré à la lettre de change. Il permet de transmettre à un établissement de crédit, à des fins de mobilisation ou de garantie d'un crédit, un nombre non limité de créances sur plusieurs débiteurs.

Le bordereau Dailly sert notamment à garantir des opérations de mobilisation effectuées à l'aide de lettres de change relevé magnétiques (V. *J.-Cl. Banque et Crédit*. fasc. 570 par J. Stoufflet).

La fonction *d'instrument de transfert de fonds* des effets de commerce est en déclin. Ainsi qu'il a été indiqué (*supra*, n. 4), le virement, surtout dans la forme moderne de transfert électronique, est aujourd'hui le plus souvent adopté. Il est plus rapide et d'un coût bien moins élevé. L'avis de prélèvement en est une variété qui offre cette particularité d'être mise en œuvre à l'initiative du créancier.

Dans leur fonction *d'instrument de paiement* les effets de commerce sont aussi mis en cause. C'est l'avenir du chèque, principal titre de paiement, qui est ici en question (V. La modernisation de moyens de paiement. Rapport V. Viandier au Conseil économique et social : *JO* Avis et rapports de CES, séance 13-14 oct. 1992). Les banques françaises qui ont dans un premier temps encouragé leurs clients à user largement du chèque, s'efforcent présentement d'en contenir le développement générateur pour elles de charges très lourdes. Elles incitent leurs clients à employer plutôt pour les paiements courants *les cartes de paiement et de crédit* qui, pour la plupart, servent aussi au retrait d'espèces à des distributeurs automatiques ou guichets automatiques. Les opérations de paiement et de retrait ainsi réalisées le sont par des procédures informatisées.

Le succès des cartes de paiement et de crédit est important. Leur utilisation est appelée à se développer encore pour les dépenses de la vie courante sous la forme de paiement télématique. La variante que constitue le porte-monnaie électronique est aussi à mentionner. Le chèque reste difficilement remplaçable

— sinon par le virement — pour les paiements importants et ceux de caractère professionnel.

La profession bancaire s'est d'ailleurs employée à réduire le coût de traitement des chèques en modernisant et en rationalisant le système de compensation qui permet un règlement simple entre banques des chèques que les établissements de crédit sont chargés de payer ou de recouvrer (chèques, effets, virements interbancaires). Sur le règlement interbancaire des chèques et effets V. El Kaliouby, 1986. *L'encaissement par la banque des chèques et effets de commerce*, thèse dactylographiée, Clermont 1986.

8.2. — Il est donc vraisemblable que la place des effets de commerce dans leurs différentes fonctions est appelée à décliner. Le mouvement a commencé, mais de manière encore limitée et il sera lent tant sont importantes les garanties qui s'attachent à l'instrument. Les statistiques (v. ci-dessous) montrent que les effets de commerce et le chèque restent bien vivants.

Il est d'ailleurs intéressant de noter que les techniques nouvelles (bordereau Dailly, cartes de crédit et de paiement) empruntent plus ou moins à la technique cambiaire, ce qui montre qu'elle est difficilement remplaçable.

Les moyens de paiement échangés (*) dans les circuits interbancaires

	Nombre d'opérations (en millions)		Répartition (en pourcentage) (a)	Montant (en milliards de francs)		Répartition (en pourcentage) (a)
	1995	1996		1995	1996	
Chèques	3 863,8	3 922,2	47,0	11 180,3	11 791,2	13,4
Chèques « papier »	*3 582,1*	*3 630,3*	*43,5*	*11 025,3*	*11 629,9*	*13,2*
Images-chèques	*281,7*	*291,9*	*3,5*	*155,0*	*161,3*	*0,2*
Virements	1 114,5	1 181,3	14,1	69 755,4	71 265,1	80,9
Virements « papier »	*33,7*	*17,5*	*0,2*	*64 873,9*	*65 533,5*	*74,4*
Virements automatisés	*1 080,8*	*1 163,8*	*13,9*	*4 881,5*	*5 731,6*	*6,5*
Effets de commerce	129,3	129,3	1,5	2 950,8	2 947,9	3,3
Effets « papier »	—	—	—	—	—	—
LCR	*129,3*	*129,3*	*1,5*	*2 950,8*	*2 947,9*	*3,3*
Avis de prélèvement	850,3	927,6	11,0	1 247,8	1 358,3	1,5
Titres interbancaires de paiement	91,1	114,4	1,4	112,5	179,1	0,2
Paiements par cartes	1 866,8	2 084,3	25,0	590,2	656,0	0,7
Total	**7 915,8**	**8 359,1**	**100,0**	**85 837,0**	**88 197,6**	**100,0**

(a) Répartition en 1996

Sources : Banque de France — Groupement des cartes bancaires — SIT
Réalisation : Banque de France
DMPE — CLIP

Opérations remises à la Banque de France (*)

	Nombre d'opérations (en millions)		Variation 1996/1995 (b)	Montant (en milliards de francs)		Variation 1996/1995 (b)
	1995	1996 (a)		1995	1996 (a)	
Chèques recouvrés pour le compte du Trésor public	220,1	221,4	0,6	2 346,3	2 347,0	3,9
Avis de prélèvement traités	287,4	323,2	12,5	334,7	404,5	20,9
Titres interbancaires de paiement traités	26,5	40,2	51,7	26,3	86,1	227,4
Virements présentés	242,4	252,8	4,3	1 785,6	2 158,1	20,9
dont :						
Virements reçus sur bande magnétique	*215,1*	*239,0*	*11,1*	*1 315,1*	*1 677,9*	*27,6*

(a) Estimations
(b) En pourcentage

Source et réalisation : Banque de France
DMPE — CLIP

(*) Tableaux extraits du Rapport de la Banque de France pour 1996, p. 139-140.

CONTENU DE L'OUVRAGE ET PLAN

Parmi les titres négociables, le chèque occupe une place à part de par sa fonction économique d'instrument de paiement. Bien que répondant à des principes très proches de ceux applicables aux effets de commerce, il est soumis à des textes particuliers.

On traitera donc séparément des effets de commerce (première partie) et du chèque (deuxième partie). A chacune de ces parties sera rattachée la présentation de titres qui, bien que non considérés généralement comme des effets de commerce ou des chèques, n'en présentent pas moins des caractères voisins des uns ou des autres (ordre de virement, grosse au porteur, chèque de voyage, chèque postal).

Une troisième partie de l'ouvrage sera consacrée aux cartes de crédit et de paiement qui ont une fonction comparable à celle du chèque et qui parfois même lui sont associées (carte de garantie de chèque).

La fonction du virement aurait pu justifier son inclusion dans l'ouvrage. Son mécanisme est toutefois étroitement lié au fonctionnement des comptes bancaires et il a semblé préférable d'en renvoyer l'étude à un volume consacré aux opérations de banque.

Spécimen de lettre de change

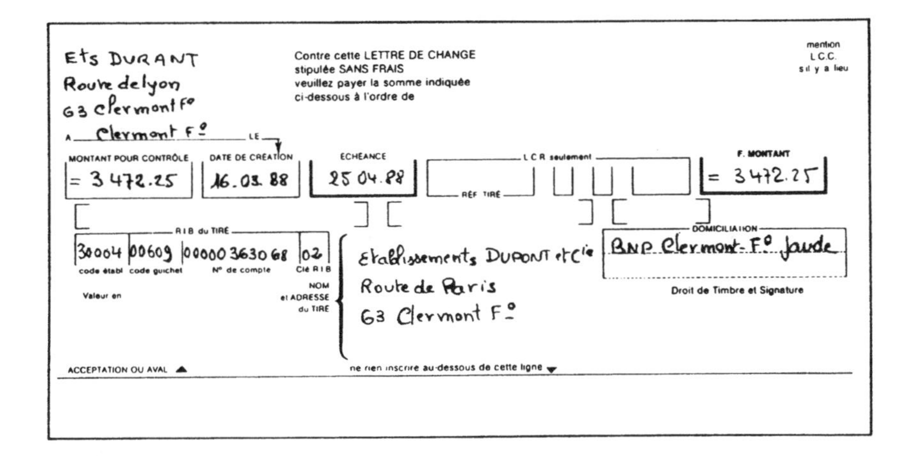
Ets DURANT
Route de lyon
63 Clermont F°

Contre cette LETTRE DE CHANGE
stipulée SANS FRAIS
veuillez payer la somme indiquée
ci-dessous à l'ordre de

mention
L.C.C.
s'il y a lieu

A Clermont F° LE

MONTANT POUR CONTRÔLE: = 3 472.25
DATE DE CRÉATION: 16.03.88
ÉCHÉANCE: 25.04.88
L C R seulement
RÉF. TIRÉ
F. MONTANT: = 3472.25

R I B du TIRÉ
30004 | 00609 | 00000363068 | 02
code établ | code guichet | N° de compte | Clé R I B

NOM et ADRESSE du TIRÉ: Etablissements DUPONT et Cie
Route de Paris
63 Clermont F°

DOMICILIATION: BNP Clermont-F° Jaude

Valeur en

Droit de Timbre et Signature

ACCEPTATION OU AVAL ▲

ne rien inscrire au-dessous de cette ligne ▼

PREMIÈRE PARTIE

EFFETS DE COMMERCE

CHAPITRE Ier

LETTRE DE CHANGE

Orientation bibliographique

ESCARRA, *Manuel de droit commercial*, t. II, Sirey, 1948, p. 681 et s. — HAMEL, LAGARDE et JAUFFRET, *Traité de droit commercial*, t. II, 1966, p. 408 et s. — RIPERT et ROBLOT, *Traité élémentaire de droit commercial*, t. II, 13e éd., par Ph. DELEBECQUE et M. GERMAIN, 1996, p. 162 et s.

• Livres spéciaux

BÉNABENT, « Lettre de change » : *J.-Cl. Com.*, art. 140. — M. CABRILLAC, *La lettre de change dans la jurisprudence*, recueil systématique de jurisprudence commentée sous la direction du Pr M. ROTONDI, 1979, 2e éd. — CHAPUT, *Effet de commerce, chèques*, 1992. — ISSA-SAYEGH, « Lettre de change » : *J.-Cl. Com.*, art. 130. — Michel JEANTIN, « Lettre de change (généralités-création-intervention) » : *J.-Cl. Com.*, fasc. 405, 410, 470-475. — *Instruments de paiement et de crédit (entreprises en difficultés)*, Précis Dalloz, 4e éd., 1995. — De JUGLART et IPPOLITO, *Traité de droit commercial*, t. II, *Les effets de commerce*, 3e éd., par J. DUPICHOT et D. GUÉVEL, 1996. — DEVEZE et PETEL, *Instruments de paiement et de crédit,* Montchrestien, 1992. — LABRUSSE « Lettre de change » : *J.-Cl. Com.*, art. 110 à 115. — LESCOT et ROBLOT, *Les effets de commerce*, 2 vol., 1953, t. I. — Didier MARTIN, « La lettre de change » : *RD bancaire et bourse* 1987, n. 2, p. 38. — MESTRE, « Lettre de change » : *J.-Cl. Com.*, art. 116, art. 179. — ROBLOT, *Les effets de commerce*, Sirey, 1975. — ROBLOT, *Rép. com.* Dalloz, Vis *Effets de commerce* ; *Lettre de change*, t. II et III. — SCHAPIRA, « Effets de commerce (droit international commercial) » : *J.-Cl. Com.*, art. 100-189. — Nuri RODRIGUEZ OLIVERA, *Acciones y exceptiones cambiarias*, Montevideo, 1987. — G. SUANT, M. PERDRIX, D. BARTHARES, « Effets de commerce, compensation, LCR, réformes techniques en cours » : revue *Banque* 1983, 989. — TOUJAS, « Lettre de change » : *J.-Cl. Com.*, art. 117 à 129, art. 131 à 139. — TOUJAS, *Traité des effets de commerce*, 1936. — VAN RYN et HEENEN, *Principes de droit commercial*, t. III, 2e éd., Bruxelles, Bruylant, 1981. — VUITTON, *Réglementation des effets de commerce et des titres et instruments voisins*, La Documentation pratique, 1979, coll. « Activités ».

• Revues

Bancatique ; revue *Banque*, chronique par J.-L. GUILLOT. — *Banque et droit* (annexe bimensuelle à revue *Banque*). — *Bulletin d'information* (Unidroit) ; *Dalloz, Chronique, Effets de commerce* (IR), par M. CABRILLAC. — *Revue de droit bancaire et de bourse*. — *Revue de droit uniforme* (Unidroit). — *Revue de jurisprudence commerciale* (ancien journal des agréés) ; *RTD com.*, chronique par M. CABRILLAC (crédit et titres de crédit, effets de commerce).

9. — *Définition et plan de l'étude*. La lettre de change, souvent appelée « traite » dans la pratique des affaires, est le titre par lequel une personne dénommée *tireur* invite une autre personne dénommée *tiré* à payer une somme d'argent à une date déterminée à l'ordre d'un bénéficiaire désigné.

Cette définition n'est pas donnée dans la loi, mais les éléments en sont inscrits à l'article 110 du Code de commerce qui règle le *contenu* de la lettre de change. L'article 632 *in fine* précise, de son côté, que la lettre est *commerciale* entre toute personne (*supra*, n. 6).

Le bénéficiaire peut conserver la lettre de change en portefeuille jusqu'à l'échéance et la recouvrer lui-même. Cette façon de faire est loin d'être exceptionnelle. Souvent, même, le tireur se désigne lui-même comme bénéficiaire ainsi qu'il en a la possibilité et c'est lui qui présente la lettre au paiement. On doit, toutefois, convenir que le bénéficiaire se prive alors d'une part des avantages de la lettre de change. Pour les mettre à profit il lui faut transmettre l'effet, ce qui est aisé grâce à la technique simple et efficace de l'endossement. La circulation de la lettre de change est facilitée par l'acceptation qui lie cambiairement le tiré et par certaines garanties dont peut bénéficier le porteur.

Ainsi la vie juridique et financière de la lettre de change, parfois limitée à l'*émission* et au *paiement*, n'est complète que si l'effet est mis en circulation par *endossement* et soumis à l'*acceptation* du tiré. L'étude de ces différents éléments de l'opération cambiaire sera complétée par celle des *garanties*.

§ 1. — Émission de la lettre de change

Orientation bibliographique

Y. BERTAUDON, « Les effets de complaisance » : *Les Petites Affiches*, 1979, n. 39. — CABRILLAC et MOULY, *Droit pénal de la banque et du crédit*, 1982. — HAMEL, « Comment défendre l'escompte contre la cavalerie » : *D.* 1933, chron. 85. — F. GOYER, ROUSSELET, ARPAILANGE et PATIN, *Droit pénal spécial*, 8e éd., 1972, p. 668, spéc. n. 3. — LARGUIER, *Droit pénal des affaires*, 1983, coll. « U », p. 9 et s. — DELMAS-MARTY, *Droit pénal des affaires*, PUF, 1981, p. 87. — DONNEDIEU DE VABRES, « L'acceptation par le tiré d'une traite de complaisance est-elle une manœuvre frauduleuse constitutive de l'escroquerie ? » in *Études de science criminelle*, p. 290. — DONNEDIEU DE VABRES, « Sous quelles conditions l'émission de traites fictives constitue-t-elle le délit d'escroquerie ? » : *Rev. jurispr.* in *Rev. sc. crim.* 1936, p. 554. — TOUJAS :

J.-Cl. Com., art. 116 : Lettre de change (théorie de la provision), n. 120 et s. — A. VIANDIER, « La complaisance » : *JCP* 81, I, 384.

- **Thèses**

BABON, *Les effets de complaisance*, Nancy, 1928. — HEMARD, *Des effets de complaisance*, Paris, 1900. — MENEZ, *Chèques sans provision et effets de complaisance devant les tribunaux répressifs*, Rennes, 1933.

10. — En tant qu'effet de commerce (V. définition *supra*, n. 1) la lettre de change est avant tout un *titre*, ce qui met au premier plan, dans son régime juridique, l'aspect formel. Les dispositions particulières du droit cambiaire s'appliquent par l'intermédiaire du titre. Il serait faux cependant de penser que le titre absorbe toute la substance juridique de la lettre de change. Source et support d'obligations, elle n'échappe pas aux *conditions de fond*, communes aux actes juridiques (consentement, pouvoir, objet, cause), même si ces conditions sont partiellement mises en échec par la nécessité de protéger les tiers porteurs de l'effet.

Là ne se limite pas, d'ailleurs, le contact entre le droit commun des obligations et la lettre de change. L'émission d'un effet de commerce n'est pas une opération autonome. L'effet est l'instrument d'une autre opération dont il assure le financement ou le règlement. Il n'est pas surprenant, dans ces conditions, que des *liens existent entre les obligations cambiaires et celles résultant de ces rapports juridiques dits fondamentaux.*

A. — CONDITIONS DE FORME ET RÉDACTION DE LA LETTRE DE CHANGE

11. — Pour des raisons que l'on a déjà exposées (*supra*, n. 6) et qui se rattachent à la circulation de l'effet, la lettre de change doit se suffire à elle-même, c'est-à-dire contenir toutes les mentions nécessaires pour qu'un porteur soit en mesure d'en déterminer aisément la nature, d'apprécier la consistance des droits qui y sont attachés et de connaître les conditions de leur mise en œuvre (lieu, date de paiement...).

A cette fin, la loi réglemente avec une grande minutie la rédaction du titre en des dispositions associant intimement la forme au sens strict du terme et le contenu des clauses et mentions qui doivent être insérées dans la lettre de change. Pour autant, d'ailleurs, le formalisme cambiaire n'est pas totalement exempt de souplesse. La loi elle-même et la jurisprudence permettent de sauver des lettres de change qui ne répondent pas entièrement aux prescriptions des textes. Au surplus, le tireur dispose d'une marge de liberté non négligeable pour adapter la lettre de change aux circonstances particulières de l'affaire, notamment en y insérant des mentions supplémentaires ou en modifiant, au moyen d'énonciations appropriées, le fonctionnement normal du mécanisme cambiaire.

1. — Formes obligatoires de la lettre de change

a) Détermination des formes obligatoires

Forme écrite

12. — La forme écrite n'est pas explicitement imposée par les textes, mais on ne saurait douter que l'intention du législateur a été de la rendre obligatoire. La nécessité de faire figurer dans la lettre de change certaines mentions, le mode de circulation de l'effet, démontrent qu'un support concret, matériel, donc un écrit, est indispensable. La preuve d'une lettre de change ne peut être rapportée par un autre moyen, même l'aveu ou le serment (en ce sens Roblot, n. 120). Pour la preuve d'une lettre de change perdue ou volée, V. *infra*, n. 114. La constatation écrite de la lettre de change a pu sembler une évidence jusqu'à une époque récente. L'apparition d'autres moyens d'enregistrement des informations remet en cause le monopole de l'écrit. Transcrite sur un support magnétique, la lettre de change peut être traitée par les ordinateurs. Une lettre de change « informatisée » a été mise au point, *la lettre de change relevé* (*infra*, n. 134 et s.). Il est douteux qu'elle mérite, en droit, la qualification de lettre de change si un titre papier n'a pas été créé.

L'exigence d'un écrit ne doit pas être entendue seulement comme l'exclusion de certains modes de preuve. Elle implique l'unité matérielle de l'effet. Il ne serait donc pas possible de compléter les énonciations d'une lettre de change en faisant appel aux énonciations d'un autre écrit, celles-ci seraient-elles connues du porteur. La reconnaissance de l'aval par acte séparé a un caractère exceptionnel (*infra*, n. 94). Il est significatif que l'acceptation soit obligatoirement donnée sur le titre (*infra*, n. 70). Bien entendu, l'utilisation, en cas de manque de place, d'une allonge assujettie au titre est régulière.

L'écrit portant la lettre de change peut être authentique. Dans la pratique contemporaine cette forme n'est que très rarement employée. Les lettres de change sont émises en forme sous seing privé. Pour autant, d'ailleurs, elles ne sont pas soumises à la formalité prévue à l'article 1326 du Code civil (indication de la main de celui qui s'oblige du montant en toutes lettres et en chiffres) (V. pour l'acceptation *infra*, n. 70). La solution n'est pas liée à la commercialité de la lettre de change — elle vaut aussi pour les effets qui ne sont pas toujours commerciaux comme le billet à ordre ou le chèque — mais au fait que la forme de la lettre de change relève de dispositions spécifiques et échappe entièrement au droit commun des actes sous seing privé.

Le mode d'établissement de l'écrit est indifférent : rédaction manuscrite, dactylographie, utilisation de formules imprimées. La rédaction à l'aide d'un crayon est licite, mais, à l'évidence, à déconseiller à raison de la facilité de la falsification (rappr. Cass. com., 8 oct. 1996 : *D.* 1997, J, SOS, M. Fauchon) Pour la signature V. *infra*, n. 14. Rien ne s'oppose à ce que l'effet soit rédigé par un tiers (Aix, 18 mars 1964 : revue *Banque* 1964, 317, obs. Marin). Seule la signature doit émaner du tireur. Dans le cas de l'escompte indirect (V. Gavalda et Stoufflet, *Manuel de droit bancaire*, 3e éd., n. 416), il arrive que le tiré rédige l'effet qu'il se charge de faire escompter, le tireur se bornant à le signer. La disposition du titre est librement aménagée par l'émetteur sous réserve des conséquences attachées par la loi à l'emplacement de certaines mentions telle que celle d'endossement (*infra*, n. 44 et s.). Il existe toutefois une norme officielle pour les lettres de change (norme NF K 11-030 rendue obligatoire par un arrêté du 5 nov. 1982 : *JO* 10 nov. 1982). V. G. Suant, « Les nouvelles normes des effets de commerce » : revue *Banque* 1983, 989 ; mais le non-respect de la norme n'est pas une cause de nullité.

Régime fiscal. Droite de timbre. — La lettre de change n'est pas soumise à l'enregistrement, sauf si elle est établie en forme notariée (sur le protêt, V. *infra*, n. 121).

Elle était, en revanche, passible d'un droit de timbre. Les articles 910 et suivants du Code général des impôts qui instituaient ce droit ont été abrogés par l'article 38 de la loi

n. 96-1181 du 30 décembre 1996. Le droit de timbre qui frappait la lettre de change et les autres effets de commerce est donc supprimé et, par voie de conséquence, disparaissent les sanctions civiles applicables quand le droit de timbre n'a pas été acquitté. Il est à noter que les acquits de lettre de change apposés sur le titre sont aussi dispensés du droit de timbre (CGI, art. 922-1°).

Énonciations obligatoires

13. — Une longue liste de mentions devant figurer dans la lettre de change est donnée à l'article 110 du Code de commerce. Cette liste est, bien entendu, limitative en ce sens qu'aucune autre énonciation n'est requise pour la validité ou la pleine efficacité de l'effet, telle celle du « bon pour » (*supra*, n. 12). En revanche, certaines autres mentions peuvent être ajoutées au texte (*infra*, n. 22 et s.).

Dénomination de « lettre de change ». — La qualification expresse du titre assure l'information des tiers. Ceux qui le reçoivent en connaîtront sans recherches approfondies la nature — ce qui est propre à faciliter sa circulation — et ceux qui le souscrivent (accepteurs, endosseurs, avaliseurs) pourront prendre conscience du caractère cambiaire et par conséquent rigoureux de leur engagement. Formalisme strict, mais répondant étroitement aux fonctions de la lettre de change.

La dénomination « lettre de change » doit figurer dans le texte de la lettre. Il ne suffirait pas d'en faire un intitulé hors texte. La loi exige, en outre, qu'elle soit exprimée dans la langue employée pour la rédaction du titre, ce qui doit être compris comme la langue utilisée pour la formulation de l'ordre à payer (Roblot, n. 122).

Le mot *traite* est tellement passé dans l'usage pour désigner la lettre de change qu'on hésite à décider qu'il vicie le titre où il est utilisé à la place de l'expression « lettre de change ». Il figure même dans les textes du Code de commerce. (V. art. 162). Pour l'équivalence : Montpellier, 24 nov. 1953 : revue *Banque* 1956, p. 520, obs. Marin, qui illustre une tendance de la jurisprudence à atténuer certaines manifestations extrêmes du formalisme cambiaire. La doctrine formule toutefois des réserves à l'égard de cette attitude jurisprudentielle : Roblot, p. 113, note 1.

Mandat pur et simple de payer une somme déterminée. — Le mandat dont il s'agit ici est un ordre de payer qui peut être exprimé en des termes quelconques dès lors qu'il est dépourvu d'obscurité et d'ambiguïté. Les termes « payez » ou « veuillez payer » sont les plus usuels.

Le mandat de payer doit être *pur et simple*. Un ordre de payer conditionnel ne serait pas acceptable car il rendrait aléatoire le paiement à l'échéance et, de ce fait, il entraverait la circulation des lettres de change. Il faut, cependant, comprendre que la prohibition ne s'applique qu'aux conditions affectant l'ordre de payer du genre : « Payez si vous recevez avant l'échéance telles marchandises ». La disposition, ainsi comprise, se justifie aisément. On ne peut contraindre les porteurs de la lettre de change à vérifier qu'une telle condition est remplie. En revanche, rien ne s'oppose à ce qu'une obligation soit imposée au porteur, telle la remise de documents au tiré à l'échéance (cas classique des traites documentaires ; V. *infra*, n. 98).

L'ordre a nécessairement pour objet *le paiement d'une somme déterminée*. La formule interdit qu'une lettre de change ait pour objet une prestation non monétaire, même si une évaluation en monnaie en est donnée. Elle impose la mention sur le titre de la somme à remettre au bénéficiaire à l'échéance. Il s'agit, ici encore, de faciliter la circulation de l'effet en dispensant celui qui le reçoit de tout calcul.

L'indication de la somme peut être faite indifféremment en chiffres ou en lettres. Pour rendre plus difficiles les falsifications, il est d'usage de mentionner la somme cumulativement en chiffres et en lettres. En application de l'article 113 du Code de commerce, la somme inscrite en toutes lettres prévaut en cas de non-concordance. Selon le même texte, la lettre de change dont le montant est écrit plusieurs fois, soit en toutes lettres, soit en chiffres, ne vaut, en cas de différence, que pour le moindre chiffre.

L'obligation de mentionner la somme à payer interdit la *stipulation d'intérêts* qui rendrait indéterminé le montant de la lettre de change (C. com., art. 112, al. 1). Il est d'ailleurs aisé au tireur de calculer les intérêts à courir jusqu'à l'échéance et de les inclure dans le montant de l'effet. Cela ne lui est impossible que dans le cas des lettres de change payables à vue ou à un certain délai de vue dont la date d'exigibilité n'est pas connue au moment de l'émission. Aussi bien, dans ces hypothèses, l'article 112 du Code de commerce autorise-t-il exceptionnellement la stipulation d'intérêts ; mais la clause est réputée non écrite si le taux n'en est pas mentionné dans la lettre car il faut que la somme à payer soit au moins déterminable à l'aide de données à la disposition du porteur. De même, il convient d'indiquer la date à partir de laquelle courent les intérêts ; toutefois, sur ce point, l'article 112 fournit une règle supplétive : si une autre date n'est pas indiquée les intérêts courent à compter de la date de la lettre de change.

Une lettre de change peut être libellée en *monnaie étrangère* dans les mêmes conditions que toute autre obligation à objet monétaire. Une telle stipulation n'implique pas nécessairement un règlement effectif en monnaie étrangère (*infra*, n. 107). On notera que si la réglementation des changes, aujourd'hui abrogée, n'autorisait les paiements en monnaie étrangère que pour les opérations internationales et à la condition que les formalités qu'elle prescrit aient été remplies, elle n'apportait pas de restriction à l'utilisation d'une unité monétaire étrangère comme monnaie de compte, le règlement se faisant en monnaie nationale (Cass. civ. 1re, 10 mai 1966 : *D.* 1966, J, 497, note Malaurie : *JCP* 66, II, 14871, note Lévy. — *Rev. crit. DIP* 1967, p. 709. — 4 fév. 1969 : *Rev. crit. DIP* 1970, note Eck). L'emploi de la monnaie étrangère, même comme monnaie de compte, ne tombe-t-il pas cependant, au moins pour les opérations internes, sous le coup des dispositions des ordonnances des 30 décembre 1958 et 4 février 1959 réglementant les indexations ? La Cour de cassation a répondu affirmativement (Cass. civ. 1re, 12 janv. 1988 : *D.* 1989, J, 89, note Malaurie. — 11 oct. 1989 : *JCP* 90, II, 21393, note J.-Ph. Lévy). Ne peut-on, pourtant, considérer que l'article 138 du Code de commerce (V. sur ce texte *infra*, n. 107) déroge, en ce qui concerne les lettres de change, aux dispositions légales s'opposant à l'indexation sur le cours d'une monnaie étrangère ? Cela est douteux car le texte qui traite du paiement des lettres de change libellées en une monnaie autre que celle ayant cours au lieu de paiement, ne préjuge pas de la validité du choix de cette monnaie.

Une lettre de change ne saurait être valablement libellée en une monnaie purement conventionnelle. La somme à payer doit être fixée en unités monétaires étatiques.

L'utilisation de l'*écu européen* est possible sur le fondement de l'article 14 de la loi n. 92-666 du 16 juillet 1992 aux termes duquel « les obligations peuvent être libellées et payées en écus ». L'euro sera utilisable, facultativement à compter du 1er janvier 1999 et il remplacera complètement les monnaies nationales des pays adhérents à compter du 1er janvier 2002.

Nom de celui qui doit payer (tiré). — La désignation du tiré est indispensable puisque c'est à lui que le porteur à l'échéance devra présenter l'effet pour recueillir le paiement. L'article 110 n'impose pas la mention de l'adresse du tiré. Son absence ne compromet pas la validité de la lettre de change, mais l'indication n'en est pas moins nécessaire en pratique.

La signature d'acceptation ne répond pas à l'exigence légale même si elle est lisible. Le formalisme cambiaire rend difficilement admissible une telle équivalence. Seule l'indication du tiré dans le texte du titre permet de s'assurer que l'acceptation émane bien de lui. *Contra*, cependant, Paris, 7 fév. 1962 : *JCP* 62, II, 12956, note Lescot.

La possibilité pour le tireur de se désigner lui-même comme tiré avait été mise en doute sous l'empire du Code de commerce, au motif que l'effet serait alors, en réalité, un billet à ordre. Faisant dépendre la qualification de la lettre de change de sa structure formelle, la loi uniforme de Genève a admis que le tireur soit en même temps le tiré (C. com., art. 111, al. 2). Cette modalité permet aux entreprises à succursales (banques) d'effectuer des tirages entre succursales.

Le tirage sur le bénéficiaire est implicitement reconnu licite par l'article 117, alinéa 3 du Code de commerce, permettant l'endossement en faveur du tiré qui entraîne confusion des qualités de porteur et de tiré. Ce genre de tirage est utilisé dans certains types de crédits par acceptation (Lescot et Roblot, n. 175).

Rien ne s'oppose à ce que plusieurs personnes soient désignées comme tirés dès lors que le mandat de payer est adressé à chacune d'elles et que le porteur peut, en conséquence, s'adresser à l'une ou à l'autre pour obtenir paiement à l'échéance.

Indication de l'échéance. — La mention de l'échéance est évidemment nécessaire pour que le porteur sache à quelle date il peut et doit demander paiement.

La date du paiement doit impérativement être fixée selon l'un des quatre procédés prévus par l'article 131 du Code de commerce. Une lettre de change peut être tirée à vue, à un certain délai de vue, à un certain délai de date ou à jour fixe. Les lettres de change à d'autres échéances ou à échéances successives sont nulles (Pau, 5 fév. 1987 : revue *Banque* 1987, p. 521, obs. Rives-Lange).

La lettre de change à vue (C. com., art. 132) est payable à présentation au tiré. Cette présentation peut avoir lieu en principe dès l'émission et elle doit être faite dans un délai d'un an à compter de la date d'émission. L'article 132 prévoit cependant que le délai d'un an peut être abrégé ou allongé par le tireur. Les endosseurs ont seulement la faculté de l'abréger. Il est aussi permis de stipuler que l'effet ne peut être présenté au paiement avant une date déterminée. Alors, le délai de présentation ne court que de cette date. Sur les conséquences d'une présentation tardive, V. *infra*, n. 103

Le délai de vue, autre modalité de fixation de l'échéance de la lettre de change, court du jour de la présentation de l'effet au tiré pour acceptation ou, en cas de refus d'acceptation, de la date du protêt (C. com., art. 133). Pour permettre la détermination de l'échéance, l'acceptation doit être datée (C. com., art. 126). Si elle ne l'est pas, et à défaut du protêt prévu à l'article 126, alinéa 2 du Code de commerce, elle est réputée, à l'égard de l'accepteur, avoir été donnée le dernier jour du délai prévu pour la présentation à l'acceptation. (Sur ce délai V. art. 124, al. 6, et *infra*, n. 67). La présomption est considérée comme irréfragable (Roblot, n. 313). Lorsqu'une traite payable à un certain délai de vue est dispensée de protêt et n'a pas été acceptée, il incombe au porteur qui demande paiement d'établir la date de la présentation.

Le délai de vue est exprimé d'une manière quelconque par le tireur. Il suffit que les termes utilisés soient exempts d'ambiguïté. L'article 133 du Code de commerce formule quelques règles d'interprétation à cet égard. L'échéance d'une lettre de change tirée à un ou plusieurs mois de vue a lieu à la date correspondante du mois où le paiement doit être effectué. A défaut de date correspondante, l'échéance a lieu le dernier jour du mois. Quand une lettre de change est tirée à un ou plusieurs mois et demi de vue, on compte d'abord les mois entiers. Les expressions « huit jours » ou « quinze jours » s'entendent, non d'une ou deux semaines, mais d'un délai de huit ou quinze jours effectifs. L'expression demi-mois indique un délai de quinze jours.

Le délai de date a pour point de départ le jour de l'émission de la lettre de change qui figure obligatoirement sur le titre (*infra*). Comme le délai de vue, il est librement fixé par le tireur. Les règles d'interprétation concernant le délai de vue sont applicables.

La forme la plus simple de l'échéance est la *date fixe*. Il faut entendre par là le quantième d'un mois ou une fête déterminée. Un événement dont la réalisation est certaine mais la date indéterminée (décès du tireur par exemple) ne saurait constituer l'échéance d'une lettre de change. Aux termes de l'article 133, alinéa 5 du Code de commerce, si l'échéance est fixée au commencement, au milieu (mi-janvier, mi-février, etc.) ou à la fin du mois, on entend par ces termes le 1er, le 15 ou le dernier jour du mois.

Les difficultés tenant à la diversité des calendriers en usage sont réglées à l'article 134 du Code de commerce. Quand une lettre de change est payable à jour fixe dans un lieu où le calendrier est différent de celui du lieu de l'émission, la date de l'échéance est considérée comme fixée d'après le calendrier du lieu de paiement. Quand une lettre de change tirée entre deux places ayant des calendriers différents est payable à un certain délai de date, le jour de l'émission est ramené au jour correspondant du calendrier du lieu de paiement et l'échéance est fixée en conséquence. Ces solutions sont écartées si une clause expresse ou même les énonciations du titre indiquent que l'intention du tireur a été d'en adopter de différentes.

Tout autre mode de fixation de l'échéance est prohibé. En particulier, comme l'exprime l'article 131 *in fine*, la stipulation d'échéances successives est impossible. Cette rigidité s'explique par le souci de faciliter la circulation des effets, de permettre notamment un calcul aisé de leur valeur actuelle. Il reste qu'en pratique elle n'est pas exempte d'inconvénients. Quand une dette est payable par fractions (cas des ventes à tempérament), il est nécessaire d'émettre des effets multiples correspondant à chacune des échéances, ce qui est source de complications et de frais.

La pratique ne respecte pas toujours la prohibition de l'article 131, au moins dans le commerce international (Roblot, p. 273, n. 2). On notera que si le tiré accepte à des échéances multiples, il est obligé cambiairement dans les termes de son acceptation en application de l'article 126 du Code de commerce (*infra*, n. 72).

L'article 182, alinéa 1 du Code de commerce formule pour le calcul des délais cambiaires et notamment pour la détermination de l'échéance, une solution de portée générale : les délais légaux ou conventionnels ne comprennent pas le jour qui leur sert de point de départ.

Indication du lieu où le paiement doit s'effectuer. — La connaissance du lieu de paiement est indispensable pour le porteur, tenu de demander paiement à l'échéance. Elle doit être indiquée dans l'effet avec suffisamment de précision pour que le porteur sache où il convient d'effectuer la présentation. Il est généralement admis que plusieurs lieux de paiement peuvent être désignés, un choix étant laissé au porteur (Roblot, n. 126). Ce genre de clause est exceptionnel dans les lettres de change. On la rencontre plus fréquemment dans les chèques.

Dans l'esprit des rédacteurs de l'article 110, il était sans doute naturel que soit désigné comme lieu de paiement le domicile civil ou commercial du tiré, encore que le tireur ait juridiquement toute liberté à cet égard. Aujourd'hui les lettres de change sont pratiquement toujours rendues payables aux caisses d'un établissement bancaire ou financier ou dans un centre de chèques postaux par une clause dite de « domiciliation » (art. 111, al. 4, et *infra*, n. 23).

Nom de celui auquel ou à l'ordre duquel le paiement doit être fait. — Cette formule qui forme la 6° de l'article 110 comprend deux éléments bien distincts : le nom du bénéficiaire et la clause à ordre.

La loi exige l'indication du nom du bénéficiaire, excluant ainsi l'émission de la lettre de change au porteur ou en blanc. Solution difficile à justifier et qu'il est aisé de tourner : il suffit que le tireur se désigne comme bénéficiaire

— ce que la loi permet (C. com., art. 111, al. 1) — et revête l'effet d'un endossement au porteur ou en blanc, ce qui est également licite (*infra*, n. 44). Des initiales ne suffiraient pas pour la désignation du bénéficiaire. Il en est cependant autrement quand il s'agit d'une personne morale connue par ses initiales (Cass. com., 12 nov. 1992 : *Bull. civ.* IV, n. 349 ; *D.* 1993, somm. comm. 317, obs. Cabrillac. — Trib. com. Chaumont, 21 avril 1967 : revue *Banque* 1968, p. 141, obs. Marin).

L'article 110-6° prévoit, en second lieu, la clause à ordre : « Le nom de celui à l'ordre duquel... ». En réalité cette clause n'est pas essentielle puisque l'article 117, alinéa 1, dispose que toute lettre de change, même non expressément tirée à ordre, est transmissible par la voie de l'endossement. La clause à ordre est donc sous-entendue et seule une clause expresse dite « non à ordre » interdit l'endossement. Dans la pratique, il est d'usage de faire figurer la clause à ordre dans les lettres de change sous la forme suivante : « Veuillez payer à l'ordre de X... (bénéficiaire)... »

Rien ne s'oppose à ce que plusieurs bénéficiaires soient désignés pour recevoir paiement de la lettre de change collectivement ou individuellement (Roblot, n. 127).

Indication de la date et du lieu où la lettre de change a été créée. — La mention de la date d'émission présente une utilité certaine. Elle permet de vérifier la capacité et, éventuellement, les pouvoirs du tireur. La date d'émission est le point de départ du délai de présentation au paiement pour la lettre de change à vue et de présentation à l'acceptation pour la lettre de change payable à un certain délai de vue. Elle commande l'échéance pour l'effet payable à un certain délai de date. La date de l'acceptation ne peut remplacer la datation de l'ordre de paiement inclus dans le titre (Paris, 3e Ch. A, 12 sept. 1995, *SARL Les Parallèles* c. *CIC Paris*, inédit). L'effet non daté ne vaut pas comme lettre de change, mais tout au plus comme reconnaissance de dette s'il est accepté (V. *infra*, n. 17).

La date peut figurer à un endroit quelconque du titre et être indiquée d'une manière quelconque.

L'opposabilité aux tiers de la date de l'effet n'est pas subordonnée à l'enregistrement non pas parce que la lettre de change est commerciale et échappe à l'application des dispositions de l'article 1328 du Code civil sur la date certaine, mais parce que les effets de commerce et les chèques, même non commerciaux, y sont soustraits (Paris, 28 janv. 1931 : *Gaz. Pal.* 1931, 2, 95, qui se fonde toutefois sur la commercialité de l'effet ; V. pour l'endossement, *infra*, n. 45). La preuve de l'inexactitude de la date peut être faite par tout moyen (Roblot, n. 130).

L'indication du *lieu d'émission* offre un intérêt moins évident. Imposée par le Code de commerce de 1807 pour permettre le contrôle du respect de l'obligation de la remise de place à place, elle fut rayée de la liste des mentions obligatoires par une loi du 7 juin 1894. La loi uniforme de Genève l'a imposée à des fins tout à fait différentes. Il s'agit de faciliter la détermination de la loi du lieu d'émission en faveur de laquelle sont tranchés certains conflits de lois (*infra*, chap. 6).

14. — *Signature de celui qui émet la lettre de change (tireur).* La signature du tireur est indispensable à la fois parce que l'émission de la lettre de change est source d'obligations pour lui — il garantit le paiement de l'effet — et parce que la lettre de change est un titre négociable qui ne peut être authentifié que par la signature de celui qui le crée et le met en circulation.

La loi n'exige que la signature et non l'indication du nom et de l'adresse du tireur. La mention du nom est indispensable si la signature n'est pas lisible. Celle de l'adresse est souvent nécessaire pour parfaire l'identification du tireur. A défaut, la circulation de l'effet serait difficile.

La forme de la signature a donné lieu à d'âpres discussions. La pratique faisait un large usage, pour la signature des lettres de change, des procédés non manuscrits (griffe...). Dans les grandes entreprises qui émettent un nombre élevé d'effets, l'obligation de la signature autographe n'était pas supportable. La Banque de France, sous réserve il est vrai d'un accord spécial de sa part, consentait à prendre au réescompte des effets portant une signature de tireur non manuscrite. Les travaux préparatoires de la loi uniforme de Genève font apparaître qu'il n'a pas été dans l'intention de ses rédacteurs d'imposer d'une manière absolue la signature manuscrite. La Cour de cassation adopta cependant une position de rigueur par un arrêt du 27 juin 1961 (*JCP* 61, II, 12281, note Gavalda ; revue *Banque* 1961, p. 752, obs. Marin ; *RTD com.* 1962, p. 89, obs. Becque et Cabrillac). La Chambre commerciale a jugé que seule une signature tracée à la main par le tireur est régulière (V. sur ce problème, Hamel, « Consultation » : revue *Banque* 1962, p. 47. Chr. Gavalda, « La signature par griffe » : *JCP* 60, I, 1579).

Le législateur est finalement intervenu. Une loi du 16 juin 1966, complétant l'article 110, autorise l'emploi de tout procédé non manuscrit, donc non seulement le cachet et la griffe, mais aussi l'impression, pour la signature du tireur (Gavalda, « La validité de certaines signatures à la griffe d'effets de commerce » : *JCP* 66, I, 2034. — X. Marin, « Signatures à la griffe » : revue *Banque* 1966, p. 472).

De redoutables difficultés s'élèveraient s'il était fait un usage abusif d'une griffe. Le tireur apparent n'est certainement pas obligé par une signature qui n'exprime pas sa volonté de s'engager (rappr. pour la fausse signature, *infra*, n. 31) ; mais il lui incombe d'établir que sa griffe a été frauduleusement utilisée. Il pourrait, en revanche, être considéré comme engagé par application des principes de la responsabilité civile s'il n'a pas apporté le soin qui convient à la conservation de la griffe ou de formules de lettres de change portant sa signature imprimée (Gavalda, *Chronique précitée* : *JCP* 66, I, 2034, n. 26, qui examine également la question de la responsabilité du banquier chargé d'encaisser ou de payer un effet signé à la griffe). En l'absence de faute, une obligation pourrait-elle se déduire de la théorie de l'apparence ? Il est permis de ne pas l'exclure dans la mesure où, selon la jurisprudence, la théorie de l'apparence est indépendante de la responsabilité civile et constitue une véritable source d'obligations (rappr. *infra*, n. 29, et la jurisprudence citée).

L'article 151-1 du Code pénal punissait des peines du faux en écriture privée de commerce et de banque celui qui a apposé ou tenté d'apposer frauduleusement une signature sur un effet de commerce au moyen d'un procédé non manuscrit. Était également punissable l'usage ou la tentative d'usage d'effets signés dans ces conditions (art. 151-1, al. 2). Ces textes n'ont pas été repris en l'état dans le nouveau Code pénal, mais les pratiques visées sont couvertes par la disposition générale sur le faux de l'article 441-1 (V. Circ. 14 mai 1992, titre IV, chap. 1er, A).

La loi de 1966 a apporté un assouplissement en ce qui concerne le *mode d'apposition* de la signature. La nécessité d'une *véritable signature*, c'est-à-dire d'un graphisme propre à son auteur, subsiste. La simple indication du nom du tireur ne répond pas à l'exigence légale (*contra*, Reims, 26 fév. 1980 : *RTD com.* 1981, p. 566, obs. Cabrillac et Teyssié). Un code chiffré ne serait pas davantage assimilable à une signature (*Contra*, Paris, 1re Ch. D, 11 janv. 1995 : *D.* 1996, somm. comm. 36, obs. Cabrillac).

L'emplacement de la signature n'est pas défini par la loi. Il est d'usage, pour la lettre de change comme pour les autres actes, de l'apposer en bas du document, ce qui marque sans discussion possible l'intention du signataire d'approuver l'ensemble de ce qui y est énoncé. Le choix d'un autre emplacement ne serait pas générateur d'une irrégularité de *forme* de la lettre de change mais pourrait créer un doute sur la portée de la signature au moins en ce qui concerne les mentions facultatives. Pour les actes sous seing privé en général, V. Goubeaux et Bihr, *Rép. civ.* Dalloz, 2e éd. ; V. *Preuve*, n. 649 et s.

Avant la suppression du droit de timbre par la loi du 30 décembre 1996, on s'était demandé si la signature apposée sur le timbre fiscal valait signature de la lettre de change. Il y avait de bonnes raisons de répondre négativement. D'une part, la signature tracée sur le timbre n'est pas portée sur l'effet. D'autre part, elle ne témoigne pas indubitablement de la volonté d'approuver le texte de la lettre et d'en assumer les obligations. La jurisprudence était divisée (Paris, 2 juill. 1996 : *D.* 1996, J, 589. — 17 mai 1967 : revue *Banque* 1969, p. 722, obs. Marin. — Bordeaux, 10 mai 1950 : revue *Banque* 1951, p. 364, obs. Marin).

Des réserves sont à faire sur l'assimilation d'une signature d'endossement à une signature d'émission qu'a admise la cour de Paris (Paris, 5e Ch., 25 juin 1982 : *D.* 1982, IR, 427). La Cour de cassation a refusé de reconnaître cette application du formalisme par équivalent (Cass. com., 29 nov. 1994 : *D.* 1995, IR, 18. V. *infra*, n. 16).

b) Irrégularités de forme et sanction

15. — Il est classique de distinguer deux types d'irrégularités formelles des lettres de change : l'*omission* d'une mention obligatoire et l'inexactitude d'une mention, traditionnellement appelée *supposition.* La première affecte directement la forme du titre et relève de dispositions légales spécifiques ; la seconde met en cause la crédibilité du titre mais touche davantage à la substance de l'opération juridique et les effets en sont définis par application des principes du droit commun des obligations.

Omissions de mention obligatoire

16. — La lettre de change ne comportant pas l'ensemble des mentions énumérées à l'article 110, souvent dénommée « lettre de change en blanc », est, en principe, frappée de nullité. Aux termes de l'article 110, « le titre dans lequel une des énonciations indiquées aux alinéas précédents fait défaut ne vaut pas comme lettre de change... ».

Suppléance légale. — Dans certains cas, cependant, la loi écarte la nullité en établissant une équivalence entre la mention omise et une énonciation figurant dans le titre. Les cas de suppléance légale sont définis limitativement dans les trois derniers alinéas de l'article 110.

La lettre de change dont l'échéance n'est pas indiquée est considérée comme payable à vue. Le défaut de mention de la date du paiement n'a donc pas pour conséquence de priver de valeur la lettre de change mais, tout au plus, de rendre inopérante l'échéance dont avaient convenu le tireur et le tiré. Encore la stipulation peut-elle valoir comme convention extra cambiaire valable entre les parties qui l'ont conclue.

Second cas de suppléance légale : à défaut d'indication spéciale, le lieu désigné à côté du nom du tiré est réputé être le lieu de paiement et, en même temps, le lieu du domicile du tiré. Cette disposition est d'application courante car il est rare — hormis le cas de domiciliation — qu'un lieu de paiement soit explicitement indiqué.

Enfin, la lettre de change n'indiquant pas le lieu de sa création est considérée comme souscrite au lieu désigné à côté du nom du tireur. Il s'agit également d'une disposition qui joue souvent dans la pratique.

Formalisme par équivalent. — De la suppléance légale on rapproche parfois des équivalences reconnues, pour certaines formes, par la jurisprudence. L'effet est valable, malgré l'absence d'une mention, parce qu'une mention jugée équivalente existe. Ainsi l'absence du nom du bénéficiaire a été jugée utilement palliée par la mention du nom du premier endosseur (V. par exemple Cass. com., 9 nov. 1970 : *Bull. civ.* IV, n. 297, p. 260). On pourrait citer également comme exemple la prise en considération par quelques décisions de la signature apposée par le tireur sur le timbre (*supra*, n. 14. *Contra* pour la date d'oblitération du timbre qui ne peut remplacer la mention de date non apposée sur l'effet :

Amiens, 31 oct. 1973 : *JCP* 74, IV, 201 ; *RTD com.* 1975, p. 305. Rouen, 30 janv. 1976 : *D.* 1976, somm. 27. — V. cependant Colmar, 7 juill. 1952 : revue *Banque* 1954, p. 316). Il a été admis aussi que la signature d'acceptation remplacerait l'indication du nom du tiré (Paris, 7 fév. 1962 : *JCP* 62, II, 12956, note Lescot). Pour un cas d'indication incomplète de l'échéance, V. Aix, 18 mars 1964 : revue *Banque* 1964, p. 317, obs. Marin. En réalité, ces solutions sont trop isolées pour être considérées comme l'expression d'une construction systématique. Elles sont d'ailleurs discutées (signature du tireur) et discutables. Le formalisme cambiaire est strict et ne se prête guère à l'interprétation jurisprudentielle. On comprend que les tribunaux réagissent contre la manœuvre de débiteurs cherchant à se soustraire à leurs engagements en invoquant un vice de forme. Mais quelles que soient les intentions, les efforts des juges sont souvent contestables. Ainsi, il est douteux que la première signature d'endossement puisse remplacer le nom du bénéficiaire car le porteur légitime qui peut prétendre au paiement (*infra*, n. 100) est celui qui justifie d'une chaîne ininterrompue d'endossements entre le premier et lui-même. Si le premier maillon de la chaîne fait défaut, le contrôle de la continuité des endossements devient impossible (Cass. com., 13 mai 1986 : *Bull. civ.* IV, n. 89, p. 77 ; *JCP* 86, IV, 206. 14 nov. 1989, *Dubus* c. *Groupement d'industries du bâtiment*).

17. — *Nullité pour omission d'une mention obligatoire.* — La lettre de change incomplète est nulle lorsque ne peut jouer une suppléance légale (Cass. com., 26 nov. 1990, *Orsini* c. *Comptoir corse de l'automatique.* — Paris, 3e Ch. A, 12 sept. 1995, *Soc. les Parallèles* c. *CIC*, inédit). La nullité est de droit : le juge n'a pas de pouvoir d'appréciation, encore qu'en fait il essaie parfois par un jeu d'équivalences d'atténuer la rigueur de la loi (V. *supra*). La nullité étant inspirée par le souci de protéger les porteurs d'effets, donc de garantir le crédit, elle ne peut avoir qu'un caractère d'ordre public. De la sorte, non seulement tout intéressé peut invoquer la nullité, mais le juge peut la soulever d'office (Cass. com., 16 juill. 1973 : *Bull. civ.* IV, n. 243, p. 220). Il a été jugé cependant que le moyen tiré de la nullité pour vice de forme ne peut être invoqué pour la première fois devant la Cour de cassation (Cass. com., 25 oct. 1972 : *Bull. civ.* IV, n. 264, p. 249).

Si la nullité est indiscutablement la sanction portée par l'article 110 en cas d'omission d'une mention obligatoire, la formule utilisée pour la définir n'est pas classique : « La lettre... ne vaut pas comme lettre de change ». La jurisprudence admet effectivement que le titre peut avoir une valeur juridique sous une autre qualification, mais une valeur ordinairement réduite. Selon une expression classique, l'irrégularité entraîne réduction par conversion de l'acte. On peut dire que la nullité est « relative », le qualificatif s'appliquant ici non aux personnes qui peuvent s'en prévaloir, mais à la nature de l'acte.

Selon le cas, le titre nul en tant que lettre de change vaut comme billet à ordre, comme simple promesse civile ou commerciale, reconnaissance de dette, ou comme commencement de preuve par écrit. Les tribunaux ont souvent utilisé la possibilité de reconnaître une valeur juridique à une lettre de change irrégulière. V. notamment : Cass. com., 18 mars 1959 : *Bull. civ.* III, n. 148, p. 136 : *RTD com.* 1959, p. 909, obs. Becque et Cabrillac. — Orléans, 6 mars 1963 : *JCP* 64, II, 13618, note Gavalda ; revue *Banque* 1963, p. 484, obs. Marin (validité comme billet à ordre). — Cass. civ., 7 fév. 1934. *Gaz. Pal.* 1934, 1, 721. — Cass. com., 10 fév. 1971 : *Bull. civ.* IV, n. 42, p. 41 (simple promesse). — Paris, 3e Ch. A, 12 sept. 1995, *Soc. Les Parallèles* c. *CIC*, inédit. — Cass. com., 14 oct. 1997, *Mizon* c. *CRCA de l'Yonne*, arrêt 1997 D (preuve d'une obligation de droit commun). V. aussi Pau, 5 fév. 1987 : revue *Banque* 1987, p. 521, obs. Rives-Lange, écartant la qualification de délégation.

Les conséquences de la nullité pour vice de forme ne peuvent-elles être limitées par application du principe de l'indépendance des signatures que formule l'article 114 du Code de commerce (*infra*, n. 27) ? La question pourrait se poser en l'absence de la signature du tireur. Le principe ne s'applique pas en cas de vice de forme. Un engagement cambiaire ne peut se former valablement sur une lettre de change incomplète (Cass. com., 29 nov. 1994 : *D.* 1995, IR, 18).

18. — *Régularisation de la lettre de change en blanc. Principe.* La nullité peut-elle être couverte par une régularisation, c'est-à-dire par l'apposition de la mention manquante ? L'article 10 de la loi uniforme de Genève définit les effets de la régularisation effectuée contrairement aux accords intervenus entre les intéressés (tireur, tiré ou tireur, bénéficiaire) reconnaissant ainsi la possibilité d'une telle régularisation. La France, cependant, usant de la faculté de réserve prévue sur ce point par la Convention, n'a pas adopté l'article 10. La question de la régularisation n'est pas réglée par la loi française et la jurisprudence a dû la résoudre.

Le principe de la régularisation fait difficulté. Les conditions de validité d'un acte juridique s'apprécient au jour de sa conclusion. Au surplus, s'agissant d'un titre appelé à être transmis, il paraît rationnel d'exiger qu'il soit complet dès son émission. Il est fâcheux de permettre la mise en circulation d'effets ne répondant pas aux exigences légales et n'offrant pas toutes garanties de sécurité aux tiers. D'un autre côté, il est parfois commode pour le tireur de transmettre un effet en blanc. Dans la pratique c'est le plus souvent le nom du bénéficiaire qui fait défaut. Le tiers (banquier escompteur), à qui l'effet est remis, le complète.

Les tribunaux se sont montrés libéraux. Ils jugent que la régularité de la lettre de change ne s'apprécie pas au jour de l'émission, mais au jour de la présentation au paiement (et non pas à la date de l'échéance). Dans de nombreux arrêts, la Cour de cassation s'est prononcée en ce sens à propos de l'indication du nom du bénéficiaire. V. Cass. com., 19 oct. 1965 : *D.* 1966, J, 25 ; revue *Banque* 1966, p. 51, obs. Marin ; *RTD com.* 1966, p. 88, obs. Cabrillac et Becque. — 9 mars 1976 : *Bull. civ.* IV, n. 85, p. 72 ; *RTD com.* 1976, 754. — 12 oct. 1993 : *JCP* 95, II, 22378, note Bazin. La présentation marque toutefois la limite de la possibilité de régularisation. Passé ce moment, la lettre de change est inéluctablement nulle (Cabrillac, *Jur. Lettre de change*, p. 50-51. — Crionnet, « De l'omission des mentions obligatoires de la lettre de change » : *D.* 1989, chron. 129).

Selon beaucoup d'auteurs, serait toutefois seul régularisable le titre portant certaines mentions essentielles : la dénomination « lettre de change » et la signature du tireur. En ce sens : Cabrillac, *Jur. Lettre de change*, p. 45, s'appuyant sur Cass. com., 23 nov. 1970 : *D.* 1971, J, 396 ; *RTD com.* 1971, p. 745, obs. Cabrillac et Rives-Lange. — *Contra* Aix, 19 mars 1964 (motifs) : revue *Banque* 1964, p. 317, obs. Marin. — Paris, 25e Ch. B, 23 fév. 1979 : *JCP* 80, II, 19326, note J. Stoufflet Dans ses arrêts les plus récents, la Cour de cassation a adopté une position nettement restrictive. Elle a considéré comme inopérante l'indication à l'initiative du porteur, après acceptation, du lieu et de la date d'émission qui avaient été laissés en blanc (Cass. com., 25 mai 1988 : *JCP* 89, II, 21345, 1re espèce, note E. Putman). Il est, en tout cas, indispensable que le souscripteur ait entendu s'engager cambiairement (Cass. com., 28 fév. 1983 : *Bull. civ.* IV, n. 87, p. 74 ; *RTD com.* 1983, p. 580, obs. Cabrillac et Teyssié. — 25 mars 1991, *Soc. KHD France* c. *Advenier.* — 12 oct. 1993 : *JCP* 95, II, 22378 note Bazin. — Comp. Cass. com., 29 juin 1983 : *Gaz. Pal.* 1984, 1, pan. jur. 27, obs. Dupichot).

Ainsi qu'on l'a souligné (E. Putman, note : *JCP* 89, II, 21345), la question de la régularisation est à peu près insoluble si on ne fait pas intervenir la qualité de celui qui régularise et la qualité de celui qui se prévaut de la régularisation. Les effets de la régularisation ne sont pas uniformes.

19. — *Effets de la régularisation.* Si la régularisation a été opérée conformément à ce qui avait été convenu entre les intéressés, elle a une pleine efficacité. La traite est, au regard de tous, réputée avoir été régulière *ab initio* et les débiteurs cambiaires sont obligés dans les termes de l'effet tel qu'il se présente après régularisation. En est-il de même si, volontairement ou non, l'auteur de la régularisation ne s'est pas conformé à ce qui avait été convenu ? Une conciliation délicate doit être opérée entre les principes du droit des obligations et les intérêts des tiers qui ont reçu l'effet de bonne foi après régularisation.

Dans les rapports entre un débiteur cambiaire et son cocontractant (tireur et bénéficiaire), si ce dernier a complété l'effet sans respecter la convention intervenue, il ne peut se prévaloir de la lettre de change contre le tireur. En cas de non-paiement par le tiré, le bénéficiaire n'a pas de recours contre le tireur (Cass. com., 22 nov. 1977 : *Bull. civ.* IV, n. 274, p. 232. — Lescot et Roblot, n. 203. — Cabrillac, p. 47).

Dans les rapports entre un débiteur de la lettre de change et un porteur qui a reçu l'effet postérieurement à la régularisation, on doit s'en tenir aux termes de l'effet régularisé, même s'il n'est pas conforme aux accords intervenus, dès lors que le porteur était de bonne foi quand il a reçu le titre, c'est-à-dire a ignoré l'abus commis (Cass. com., 28 mai 1968 : *D.* 1968, J, 753. — Grenoble, 28 mai 1963 : *JCP* 64, II, 13503, note P. L.). La connaissance de la régularisation (qui doit être prouvée par le débiteur cambiaire : Cass. com., 10 oct. 1989 : *D.* 1989, IR, 271 ; *RD bancaire et bourse* 1990, p. 127, obs. Crédot et Gérard), mais non de l'abus, ne caractérise pas la mauvaise foi (Roblot, n. 141). Le débiteur cambiaire peut donc se trouver obligé sans l'avoir voulu ou au-delà de ce qu'il a voulu. Le fondement de cette obligation pourrait être la faute commise en mettant ou remettant en circulation une traite en blanc.

Sont enfin à envisager les rapports entre un débiteur cambiaire et un porteur qui a reçu la lettre de change en blanc et l'a régularisée en contravention avec l'accord existant entre son propre cédant et le débiteur cambiaire. Si ce porteur a sciemment violé l'accord, la traite ne peut être considérée comme régulière à son égard (Cass. com., 7 fév. 1983 : *Bull. civ.* IV, n. 51, p. 41 ; *D.* 1983, IR, 247, obs. Cabrillac. — 26 nov. 1990, *Orsini* c. *Comptoir corse de l'automatique*). Mais qu'en est-il s'il est de bonne foi ? La Cour de cassation, statuant à propos de l'indication du nom du bénéficiaire, a reconnu l'efficacité de la régularisation. Le banquier qui reçoit du tireur une lettre de change sans mention du bénéficiaire et qui inscrit son nom comme bénéficiaire a une action cambiaire contre le tiré accepteur quand bien même il aurait été convenu entre ce tiré et le tireur que l'effet ne serait pas mis en circulation : Cass. com., 9 mars 1971 : *JCP* 71, II, 16900, note Groslière ; *Gaz. Pal.* 1971, 2, 454, note Desforges ; *RTD com.* 1971, p. 1049, obs. Cabrillac et Rives-Lange. — 4 oct. 1971 : *Bull. civ.* IV, n. 223, p. 208. La solution est-elle propre au cas d'omission du nom du bénéficiaire ou doit-elle être étendue à l'absence d'une mention telle que la somme à payer ou l'échéance ? M. Cabrillac (*Jur. Lettre de change*, p. 49) considère qu'en une telle hypothèse le porteur commet une imprudence en ne s'informant pas sur le contenu de la convention prévoyant la régularisation. Il ne saurait donc se prévaloir de son ignorance si cette convention n'a pas été respectée. Ne peut-on objecter qu'il est un peu arbitraire de classer les mentions de la lettre de change en mentions importantes et mentions secondaires ? Par ailleurs, est-il juste de faire abstraction de la négligence du débiteur cambiaire, par exemple de celle de l'accepteur, qui a consenti à signer un effet en blanc ? Il est à noter que la régularité *ab initio* du titre doit toujours être présumée. La charge de la preuve incombe à celui qui se prévaut d'une régularisation abusive.

Supposition

20. — On appelle supposition une mention mensongère. La lettre de change est complète, mais une ou plusieurs des énonciations qui y figurent ne correspondent pas à la vérité. Parfois, malgré l'inexactitude, le titre répond à toutes les conditions requises pour qu'il constitue une lettre de change valable (ex. : supposition du lieu d'émission). Plus souvent, la supposition tend à dissimuler l'absence d'une condition de validité (ex. : supposition de date pour faire échec à un régime d'incapacité).

A la différence de l'ancien article 112 du Code de commerce qui frappait de nullité la lettre de change comportant certaines énonciations mensongères, les textes issus de la loi uniforme de Genève n'envisagent pas les suppositions, à la seule exception de l'article 114, alinéa 3, relatif à la supposition de la qualité de représentant (*infra*, n. 28). En application des principes généraux du droit des obligations, la situation se règle de la manière suivante. La supposition destinée à dissimuler l'absence d'une condition de validité de la lettre de change est une cause de nullité. Il se peut d'ailleurs que le titre vaille comme promesse ordinaire de payer. En outre, la nullité peut ne pas être opposable aux tiers porteurs (*infra*, n. 53). Dans les autres cas, la supposition est traitée comme une simulation. L'effet est valable, mais selon l'article 1321 du Code civil, les parties ne peuvent opposer aux tiers la clause mensongère, ces tiers pouvant à leur choix invoquer la réalité ou la clause mensongère.

La supposition peut être constitutive d'un délit pénal. Le délit d'escroquerie doit être relevé quand une supposition de nom ou de qualité (profession...) a permis au tireur de négocier la traite et de se faire remettre des fonds (Roblot, n. 145. — Jeandidier, *Droit pénal des affaires*, 2e éd., n. 9. — Véron, *Droit pénal spécial*, 1976, p. 29 ; *Rép. pén.* Dalloz, 2e éd. *V° Escroquerie*, par B. Bouloc, n. 228). Il en irait autrement d'une simple mention mensongère qui n'est pas une manœuvre frauduleuse au sens de l'article 313-1 du nouveau Code pénal. Le faux en écriture (nouv. C. pén., art. 441-1), en revanche, est éventuellement constitué quand une mention de la lettre de change relate inexactement un fait que le titre avait pour objet de constater (en ce sens pour l'indication inexacte d'une valeur fournie, malgré le caractère facultatif de la mention et le fait qu'elle ait été ajoutée par un porteur : Paris, 18 avril 1970 : *JCP* 71, II, 16601, note Gavalda ; *D.* 1970, J, 595, note Vasseur ; *RTD com.* 1971, p. 146, obs. Cabrillac et Rives-Lange. — V. aussi Cass. crim., 18 janv. 1961 : *Bull. crim.* n. 33).

2. — *FORMALITÉS ET MENTIONS FACULTATIVES*

a) Émission de la lettre de change en plusieurs exemplaires originaux et établissement de copies

Pluralité d'exemplaires

21. — Dans la pratique contemporaine, la lettre de change n'est ordinairement tirée qu'en un seul exemplaire. L'article 173 du Code de commerce autorise, toutefois, la création de plusieurs exemplaires originaux qui permet de hâter la négociation de l'effet, un exemplaire étant mis en circulation tandis que l'autre est adressé au tiré en vue de l'acceptation.

La loi soumet l'émission en plusieurs exemplaires à des conditions qui tendent à protéger les tiers contre les fraudes dont elle pourrait être l'instrument. Les exemplaires doivent avoir le même contenu (mêmes énonciations, mêmes signatures originales). En outre, l'article 173 exige que les différents exemplaires soient numérotés dans le texte même, faute de quoi ils seraient considérés comme des lettres de change distinctes ; la mention du nombre des exemplaires émis n'est toutefois pas imposée.

L'initiative de la création de plusieurs exemplaires appartient au tireur ou à un porteur qui, selon l'article 173, a la faculté de demander la création d'autres exemplaires à ses frais si l'effet n'indique pas qu'il a été tiré en un exemplaire unique. Le porteur s'adresse à son endosseur immédiat qui est tenu de lui prêter ses soins pour agir contre son propre endosseur et ainsi de suite jusqu'au tireur. Les endosseurs sont obligés de reproduire les endossements sur les nouveaux exemplaires.

La loi fixe les conditions de l'*acceptation et du paiement* de la traite à exemplaires multiples. L'acceptation peut être recueillie sur l'un quelconque des exemplaires. En application de l'article 175 du Code de commerce, celui qui a envoyé un des exemplaires à l'acceptation doit indiquer sur les autres exemplaires le nom de la personne entre les mains de laquelle cet exemplaire se trouve. Celle-ci est tenue de le remettre au porteur légitime d'un autre exemplaire au sens de l'article 120 du Code de commerce. Ainsi le porteur de l'effet pourra-t-il obtenir la remise de l'exemplaire accepté nécessaire pour recueillir le paiement à l'échéance. Si le détenteur de l'exemplaire accepté refuse de le remettre au porteur, celui-ci ne peut exercer de recours qu'après avoir fait constater par protêt que l'exemplaire envoyé à l'acceptation ne lui a pas été remis sur sa demande et que l'acceptation ou le paiement n'a pas pu être obtenu sur un autre exemplaire.

Le paiement fait sur l'un des exemplaires est libératoire alors même qu'il n'est pas stipulé que ce paiement annule l'effet des autres exemplaires (C. com., art. 174). Toutefois le tiré reste tenu à raison de chaque exemplaire accepté dont il n'a pas obtenu la restitution. Par conséquent, le tiré agit prudemment en ne mentionnant son acceptation que sur un seul exemplaire et en ne payant que sur remise de l'exemplaire portant l'acceptation.

Si un porteur transfère les exemplaires à différentes personnes — ce qui est une fraude — lui-même et les endosseurs subséquents sont tenus à raison de tous les exemplaires portant leur signature et qui n'ont pas été restitués (art. 174, al. 2).

Copies

Au lieu de demander au tireur ou aux endosseurs l'établissement de nouveaux exemplaires originaux de la lettre de change, le porteur peut, en application de l'article 176, alinéa 1 du Code de commerce, en établir des copies. En pratique, tout comme les exemplaires multiples, les copies sont très rares.

La copie doit reproduire exactement le texte de l'original avec les endossements et les autres mentions qui y figurent. Elle doit indiquer où elle s'arrête, c'est-à-dire que la partie du texte constituant une simple copie doit clairement apparaître. La copie peut, en effet, comporter en outre des mentions originales d'endossement ou d'aval. Le détenteur de l'original est désigné sur la copie.

La copie peut être endossée et recevoir une mention d'aval avec les mêmes effets que l'original (C. com., art. 176, al. 3). L'acceptation, en revanche, ne peut être requise que sur l'original. De même, le porteur d'une copie ne saurait exiger le paiement que s'il présente au tiré l'original. Si le détenteur de cet original refuse de le lui remettre, l'exercice des recours contre les endosseurs et avaliseurs d'une copie est subordonné à l'établissement d'un protêt constatant que l'original ne lui a pas été remis sur sa demande.

Pour éviter les conflits entre porteur de l'original et porteur de la copie endossés séparément, il peut être mentionné sur l'original après établissement de la copie : « A partir d'ici, l'endossement ne vaut que sur la copie » ou toute autre formule équivalente. Un endossement signé ultérieurement sur l'original serait alors nul (C. com., art. 177, al. 3). Sur le règlement de la situation à défaut d'une telle mention, V. *infra*, n. 48.

Sur les photocopies de lettres de change, V. *infra*, n. 100.

b) Mentions facultatives

22. — *Objet des clauses facultatives et limites de la liberté en la matière.* Le formalisme cambiaire n'a pas une rigidité telle qu'aucune marge de liberté ne soit laissée aux émetteurs de lettres de change, voire aux endosseurs. De multiples clauses facultatives peuvent être insérées dans les traites. Certaines ont pour objet, en quelque sorte, d'enrichir le mécanisme cambiaire, notamment en vue de parfaire la sécurité du porteur. Telles sont certaines clauses relatives à la provision. D'autres mentions facultatives portent aménagement du mécanisme cambiaire légal dont tous les éléments ne sont pas d'ordre public. On citera comme exemples la dispense de protêt, les clauses déjà mentionnées allongeant ou abrégeant le délai légal de présentation des lettres de change à vue, la clause non endossable...

La liberté en la matière connaît néanmoins des limites. Outre les clauses qui seraient en elles-mêmes contraires aux bonnes mœurs ou à l'ordre public et qui tomberaient sous le coup de l'article 6 du Code civil (ex. : clause portant atteinte à la réglementation des changes ou au droit monétaire), sont nulles les mentions contraires aux principes fondamentaux du droit cambiaire. Plusieurs sont expressément condamnées par la loi, telles (sauf exception) la stipulation d'intérêts, l'exclusion par le tireur de la garantie du paiement (C. com., art. 115), le mandat de paiement conditionnel (C. com., art. 110-2°), la stipulation d'échéances multiples. En l'absence même d'un texte formel il conviendrait d'annuler une clause incompatible avec les principes du droit cambiaire, celle qui dérogerait, par exemple, à l'inopposabilité des exceptions au porteur de bonne foi.

Mentions facultatives les plus courantes. Mention de la valeur fournie ou de la provision. — La valeur fournie, c'est la prestation fournie ou à fournir par le bénéficiaire en contrepartie de l'émission à son profit de la lettre de change. L'Ordonnance de 1673 et le Code de commerce de 1807 en imposaient l'indication dans la lettre de change : valeur en espèces, en marchandises, en compte (le montant de l'effet étant porté au crédit du compte du tireur chez le bénéficiaire). L'exigence a été supprimée par la loi du 8 février 1922 et n'a pas été reprise dans la loi uniforme. Elle se justifiait à une époque où la lettre de change n'était qu'un instrument de transfert de fonds. L'on redoutait qu'elle serve à réaliser une opération prohibée, spécialement un prêt usuraire. Son maintien dans le droit moderne ne se conçoit pas.

L'indication de la valeur fournie demeure, néanmoins, possible et présente de réels intérêts. D'une part, si la créance du preneur sur le tireur dont la lettre de change assurera le paiement est assortie de privilèges ou de sûretés, on admet que son indication comme valeur fournie dans l'effet implique la transmission de ces garanties aux porteurs successifs de l'effet. D'autre part, la mention de la valeur fournie atteste aux yeux de tous porteurs (banques) le sérieux de l'effet.

La mention de la provision est facultative également ; elle n'est pas la condition de son transfert au porteur. Toutefois, elle informe utilement ce dernier sur la cause de la traite et l'aide à apprécier s'il s'agit d'un effet sérieux ou de complaisance.

Ainsi s'explique que l'indication de la provision ou de la valeur fournie soit parfois imposée. Tel est le cas pour les billets de mobilisation d'un crédit de mobilisation de créances commerciales (CMCC). V. Gavalda et Stoufflet, *op. cit.*, n. 427 ; rappr. en matière de mobilisation des crédits à moyen terme, *infra*, n. 58. On a pu noter que la pratique confond souvent la mention de la valeur fournie et celle de la provision (Roblot, n. 180. — V. par ex. Paris, 18 avril 1970, cité *supra*, n. 20).

L'indication d'une valeur fournie ou d'une provision inexistante ou inexacte pour faciliter la négociation de l'effet peut être constitutive d'escroquerie (Riom, 4 mars 1964 : *Gaz. Pal.* 1964, 2, 55).

Clause non à ordre. — La lettre de change est transmissible par endossement même si une clause à ordre n'y figure pas (*supra*, n. 13). Il est, toutefois, possible par une clause expresse, dite clause « non à ordre », d'exclure l'endossement, ce qui ne laisse ouverte que la possibilité d'une cession civile. L'effet stipulé non endossable est parfois dénommé en pratique « traite *pro forma* ». Aucune formule sacramentelle n'est imposée pour atteindre ce résultat (C. com., art. 117, al. 2). On discute de la validité de l'endossement de procuration quand l'effet a été stipulé « non à ordre » (Lescot et Roblot, t. I, n. 255). On ne voit pas rationnellement quelles raisons le tireur pourrait avoir de proscrire cette forme simplifiée de mandat.

Clause suivant avis. — Par cette clause, il est défendu au tiré d'accepter ou de payer avant d'avoir reçu du tireur un avis séparé l'autorisant à le faire. Cet avis doit évidemment identifier l'effet d'une manière suffisante. La clause est une garantie contre les faux. Le paiement accompli en l'absence d'avis est fautif au regard du tireur. L'acceptation donnée sans avis engage le tiré vis-à-vis des porteurs.

Clauses relatives à l'acceptation. — Diverses clauses peuvent modifier les conditions ordinaires de l'acceptation. L'article 124 du Code de commerce mentionne les plus importantes : clause interdisant la présentation à l'acceptation (l'effet est dit « non acceptable ») ; clause interdisant la présentation à l'acceptation avant un terme indiqué. A l'inverse, il pourrait être imposé au porteur une présentation à l'acceptation avant une certaine date (sur ces clauses V. *infra*, n. 67).

Clause de recommandation. — Cette clause est liée à l'intervention, réglementée par les articles 166 et suivants du Code de commerce, par laquelle une personne appelée intervenant accepte (*infra*, n. 78 et s.) ou paie (*infra*, n. 111) une lettre de change à la place du tiré pour éviter au débiteur cambiaire bénéficiaire de l'intervention de subir le recours qu'aurait ouvert le défaut d'acceptation ou de paiement.

La clause de recommandation désigne une personne appelée recommandataire ou besoin, chargée d'accepter ou de payer l'effet si le tiré refuse d'accepter ou de payer. M. Roblot (*op. cit.*, n. 154) note que la clause est rare dans le commerce interne parce qu'elle laisse planer un doute sur la possibilité ou la volonté de payer du tiré. Elle est moins exceptionnelle dans les relations internationales, les parties se connaissant plus mal ; elle facilite la négociation de la lettre de change.

Aux termes de l'article 166 du Code de commerce, le recommandataire peut être désigné par le tireur en une mention incluse dans le texte de la lettre de change, mais aussi par un endosseur ou un avaliseur. Le tiré n'est pas admis à le faire. L'intervenant est un tiers ou une personne déjà obligée en vertu de la lettre de change, c'est-à-dire l'ayant signée (endosseur). Le tiré qui a la faculté d'accepter ou de payer spontanément par intervention (*infra*, n. 79 et 111), ne peut être désigné comme recommandataire ; une telle désignation ne présenterait aucun intérêt pour le porteur.

Le recommandataire n'est pas cambiairement tenu tant qu'il n'a pas accepté l'effet. Il peut, en revanche, être obligé sur un plan extracambiaire en vertu d'une convention intervenue entre lui et le tireur ou l'endosseur ou l'avaliseur qui a inséré dans l'effet la clause de recommandation. Quant au porteur, il est tenu de solliciter l'acceptation par le recommandataire avant d'exercer un recours contre le bénéficiaire de l'intervention et les signataires subséquents (C. com., art. 167, al. 2). Il est, de même, tenu de demander paiement au recommandataire domicilié au lieu de paiement ; à défaut, celui qui a désigné le recommandataire et les endosseurs ultérieurs cessent d'être obligés (C. com., art. 169).

23. — *Clause de domiciliation.* La domiciliation consiste à rendre l'effet payable non au domicile du tiré, mais chez une autre personne. Une telle modalité est prévue à l'article 111, alinéa 4, du Code de commerce prévoyant que la lettre de change peut être payable au domicile d'un tiers, soit dans la localité où le tiré a son domicile, soit dans une autre localité. Théoriquement, le tireur peut arbitrairement choisir le lieu de paiement et de domiciliation. L'article 127 dispose, toutefois, que lorsque le tireur a indiqué dans la lettre un lieu de paiement autre que le domicile du tiré, sans désigner un tiers chez qui le paiement doit être effectué, le tiré peut l'indiquer lors de l'acceptation. A défaut de cette indication, le tiré accepteur est réputé s'être obligé à payer lui-même au lieu de paiement. Si le titre est payable au domicile du tiré, celui-ci peut, dans l'acceptation, indiquer une adresse de la même localité où le paiement doit être effectué. La doctrine admet que le tiré a la faculté, malgré le silence des textes, de modifier la domiciliation en acceptant l'effet, dans les limites de la localité désignée par le tireur (Roblot, n. 151).

Pratiquement, la domiciliation n'est jamais opérée unilatéralement par le tireur. Le tiré indique à ses créanciers chez quel domiciliataire doivent être rendus payables les effets tirés sur lui. Il s'agit ordinairement d'établissements de crédit ou centres de chèques postaux. La domiciliation bancaire des commerçants est souvent mentionnée sur leur papier commercial.

La domiciliation dans les établissements de crédit ou les centres de chèques postaux est commode pour les porteurs puisqu'elle facilite le recouvrement et pour les tirés qui sont déchargés du souci de se tenir personnellement à même de payer à l'échéance. Le législateur la favorise dans la mesure où elle conduit à un règlement par l'intermédiaire de comptes bancaires, souvent par compensation, et facilite de ce fait les contrôles. Les effets domiciliés dès leur création dans un établissement de crédit ou un centre de chèques postaux étaient soumis à un droit de timbre réduit avant la suppression de ce droit (*supra*, n. 12). Une loi du 4 septembre 1947 avait même imposé une telle domiciliation. Outre les inconvénients pratiques de la mesure à une époque où de nombreux débiteurs n'étaient pas titulaires de compte, on pouvait faire valoir que le législateur français avait méconnu les dispositions de la loi uniforme de Genève (Houin, « La loi inconstitutionnelle du 4 septembre 1947 » : *RTD com.* 1948, p. 209). Une loi du 20 juillet 1949 a abrogé celle de 1947.

Il est à noter que les lettres de change relevé sont obligatoirement domiciliées en banque dès leur création (*infra*, n. 134 et s.).

Le domiciliataire, bien que désigné dans la lettre de change, n'est pas partie à l'opération cambiaire. Il agit seulement comme mandataire ou gérant d'affaires du tiré (*infra*, n. 109).

24. — *Clause « retour sans frais » ou « sans protêt »*. Le non-paiement ou le refus d'acceptation d'une lettre de change est normalement constaté par un protêt — acte dressé par un officier ministériel — dont l'établissement est une condition d'exercice des recours contre les garants (*infra*, n. 119 et s.). Le protêt, cependant, est souvent inutile, d'un coût disproportionné au montant de l'effet et offensant pour le tiré. Aussi la plupart des lettres de change comportent-elles une clause de dispense de protêt, souvent appelée de « retour sans frais ». Cette clause, la plus fréquente sans doute de toutes les mentions facultatives avec la clause de domiciliation, est prévue à l'article 150 du Code de commerce.

Aucune formule particulière n'est imposée. La clause figure généralement dans le texte initial de la lettre de change et a, alors, pour auteur le tireur. Elle peut aussi être ajoutée par un endosseur ou un avaliseur. Une signature distincte n'est requise que si la clause n'est pas insérée dans le texte de la lettre, de l'endossement ou de l'aval.

Si la clause est insérée par le tireur, elle a effet à l'égard de tous les signataires de la lettre de change ; si elle émane d'un endosseur ou d'un avaliseur, elle produit effet seulement à son égard. Si malgré la clause inscrite par le tireur le porteur fait dresser protêt, les frais en restent à sa charge. Quand la clause émane d'un endosseur ou d'un avaliseur, les frais de protêt, s'il en est dressé un, peuvent être recouvrés contre tous les signataires car le protêt demeure nécessaire pour l'exercice des recours cambiaires contre les garants autres que le stipulant. Bien que l'article 150 n'en fasse pas mention, le protêt pourrait donner lieu en outre à une responsabilité du porteur envers le tiré. Il y a toutefois discussion sur ce point (*infra*, n. 119).

B. — Conditions de fond de la lettre de change

25. — La lettre de change est un acte juridique qui doit répondre aux conditions générales de validité de ces actes touchant la capacité, les pouvoirs, le consentement, l'objet et la cause. Cet acte juridique, toutefois, présente une originalité marquée qui rend difficile la mise en œuvre du principe. D'une part, dans la mesure où la lettre de change se greffe sur d'autres rapports juridiques, ordinairement préexistants, il est nécessaire de définir exactement quelle est leur influence sur sa validité et son exécution. D'autre part, la lettre de change constitue un titre circulant qui a plusieurs débiteurs et une succession de créanciers, et la question se pose de savoir si les conditions de validité sont appréciées globalement ou au regard de chaque débiteur ou créancier. Il est aisé de comprendre que la seconde solution est plus favorable au crédit. Aussi bien est-ce celle que la loi consacre.

1. — Capacité

26. — Quelle est la capacité requise pour contracter un engagement cambiaire ? La question se pose pour le tireur qui garantit légalement le paiement de la lettre de change. Elle se pose dans les mêmes termes pour l'accepteur, les endosseurs et les avaliseurs. Aucune condition de capacité n'est, en revanche, requise du tiré qui, en tant que tel, ne contracte aucune obligation. On notera seulement que les règles de la comptabilité publique excluent le tirage de lettres de change sur les débiteurs publics. C'est pour pallier les inconvénients qui en résultent pour les créanciers, mis dans l'impossibilité de mobiliser leur créance, qu'a été créée la Caisse nationale des marchés de l'Etat (aujourd'hui Banque de développement des PME) qui peut souscrire des effets émis par certains créanciers de l'Etat ou des collectivités publiques (Gavalda et Stoufflet, *op. cit.*, n. 675).

Une des données essentielles du problème de la capacité cambiaire est la nature commerciale de la lettre de change.

Le tireur doit avoir la capacité commerciale. Il en est de même de tout signataire de l'effet (endosseur, avaliseur,...). Il n'est pas nécessaire, toutefois, que l'intéressé ait la qualité de commerçant (Cass. com., 1er oct. 1996 : *RTD com.* 1997, p. 120, obs. Cabrillac ; *D.* 1996, IR, 241 ; *JCP* 96, éd. E, Pan., 1173).

Le Code de commerce de 1807 interdisait aux femmes non commerçantes de signer une lettre de change. La disposition a été abrogée par la loi du 8 février 1922. Il ne subsiste donc que les incapacités d'exercice de droit commun auxquelles est toutefois ajoutée (C. consommation, art. 313-13) l'interdiction de faire souscrire une lettre de change ou un billet à ordre à l'occasion d'une opération de crédit à la consommation régie par les articles 311-2, 311-3, 312-1, 312-2 et 312-3 du Code de la consommation (V. *infra*, n. 27).

Incapacité du mineur. — L'article 114, alinéa 1, du Code de commerce dispose que les lettres de change souscrites par des mineurs non négociants sont nulles à leur égard. Il en résulte qu'un mineur, fût-il émancipé, ne peut souscrire une lettre de change, même occasionnellement, puisqu'il ne lui est pas permis d'être commerçant (Roblot, n. 97).

L'incapacité du mineur ne peut être couverte par une autorisation paternelle (Cass. civ., 7 mars 1922 : *D.* 1922, 1, 169). Le tuteur ou l'administrateur légal pourrait-il signer une lettre de change pour le compte du mineur en se munissant, le cas échéant, des autorisations nécessaires ? Il était souvent admis dans le passé que le représentant légal du mineur ne pouvait accomplir en son nom des actes de commerce, même à titre isolé (Lescot et Roblot, t. I, n. 133. — Hamel, Lagarde et Jauffret, p. 464. — V. toutefois en faveur de la validité d'un aval contracté pour un mineur avec une autorisation judiciaire : Trib. gr. inst. Saintes, 1er fév. 1966 : *JCP* 67, II, 14989 ; *D.* 1967, somm. 73). L'abrogation par la loi du 5 juillet 1974 de l'article 3 du Code de commerce d'où l'on déduisait la solution précédente a conduit la doctrine à considérer que, désormais, la signature du représentant légal serait valable (Marty et Raynaud, *Les personnes*, 3e éd., p. 657. — *Contra*, Ripert et Roblot, t. II, 15e éd., par Ph. Delebecque et M. Germain, n. 1959.

La nullité de l'engagement cambiaire du mineur a un caractère relatif, conformément au droit commun des obligations. L'article 114 énonce que les lettres de change souscrites par des mineurs sont nulles « à leur égard ». Le mineur ou son représentant a donc seul l'exercice de l'action en nullité. Le tireur peut, quand il a atteint l'âge de la majorité, confirmer l'acte.

La loi ne s'explique pas sur les effets de la nullité au regard des tiers porteurs de l'effet. La question est délicate car le vice est non apparent et peut être ignoré du porteur. Or il est de règle que les vices non apparents sont inopposables aux porteurs de bonne foi (C. com., art. 121 et *infra*, n. 53). La jurisprudence fait cependant prévaloir les intérêts de l'incapable et admet qu'il oppose au porteur son incapacité et la nullité qu'elle engendre : Cass. com., 19 fév. 1856 : *D.* 1856, 1, 86. — Paris, 17 juill. 1894 : *D.* 1895, 2, 25, note Thaller. — 10 nov. 1925 : *D.* 1926, 2, 139, note H. L.

27. — L'inconvénient pour les tiers de l'opposabilité de la nullité se trouve atténuée par le *principe d'indépendance des signatures* inscrit à l'article 114, alinéa 2 du Code de commerce. Si la lettre de change porte des signatures de personnes incapables de s'obliger par lettre de change, les obligations des autres signataires n'en sont pas moins valables. Ainsi, et cela confirme la grande originalité de l'opération cambiaire, l'incapacité du tireur et la nullité du titre à son égard ne condamnent pas l'effet au néant bien qu'*a priori* on puisse penser que l'effet repose en quelque sorte sur l'opération d'émission. En réalité, il est artificiel d'opposer les diverses signatures. Chacune d'elles soutient le titre et suffit à lui donner vie, quelle que soit la qualité en laquelle elle est souscrite. Cette analyse est celle qui correspond le plus exactement au sentiment des porteurs et celle qui répond le mieux aux besoins du crédit.

Au regard du mineur lui-même, la nullité peut ne pas faire disparaître toute obligation. L'article 114, alinéa 1, fait réserve des droits respectifs des parties, conformément à l'article 1312 du Code civil. Il résulte de ce texte que si le mineur souscripteur de la lettre de change en a tiré profit, il peut lui être demandé par le porteur la restitution de ce dont il s'est enrichi.

Est aussi applicable l'article 1310 du Code civil aux termes duquel le mineur « n'est point restituable contre les obligations résultant de son délit ou quasi-délit ». Si, à l'occasion de la signature d'une lettre de change, le mineur commet une faute préjudiciable au créancier cambiaire, il doit réparation malgré la nullité de l'effet à son égard. Une manœuvre tendant à dissimuler la minorité peut constituer cette faute et justifier une condamnation au paiement, à titre de réparation. Le fait de postdater frauduleusement un effet justifie une telle condamnation : Req., 21 mars 1899 : *D.* 1899, 1, 192 ; *S.* 1899, 1, 225, note Wahl. Le seul silence conservé par le souscripteur d'une lettre de change sur sa minorité n'est pas de nature à entraîner l'application de l'article 1310 (Cass. com., 28 oct. 1969 : revue *Banque* 170, p. 706, obs. Marin). Une déclaration de majorité ne constituerait pas davantage un dol, à moins que la preuve soit rapportée que le mineur avait conscience de la faute qu'il commettait (Req., 15 nov. 1898 et 21 mars 1899 : *S.* 1899, 1, 225, note Wahl ; *D.* 1899, 1, 192, précité, motifs).

Majeur en tutelle. — Le majeur en tutelle, frappé d'une incapacité générale par l'article 502 du Code civil, ne peut émettre ou signer à un titre quelconque une lettre de change. Son engagement cambiaire est nul. Le principe d'indépendance des signatures s'applique dans ce cas, de même que la disposition de l'article 1312 du Code civil limitant le droit à restitution des sommes payées en exécution de la lettre de change. Sur la prise d'effet du jugement établissant la tutelle V. C. civ., art. 492-2 et 503.

Le tuteur de l'incapable majeur a les mêmes pouvoirs que celui du mineur (*infra*, n. 26).

Le régime précédent n'est applicable qu'aux personnes placées sous le régime de la tutelle par une décision de justice. Si un malade mental non soumis à la tutelle souscrit une lettre de change, l'annulation de l'engagement cambiaire est subordonnée à la preuve par l'intéressé ou son représentant de l'existence d'un trouble mental au moment de l'acte (C. civ., art. 489). Sur la recevabilité de la demande postérieurement au décès V. C. civ., art. 489-1.

Majeur en curatelle. — Il avait été jugé avant la réforme du droit des incapables majeurs réalisée par la loi du 3 janvier 1968, que le prodigue pouvait souscrire une lettre de change avec l'assistance de son conseil judiciaire (Cass. civ., 1er août 1860 : *D.* 1860, 1, 316 ; *S.* 1860, 1, 929. — Rappr. Cass. civ., 24 juin 1913 : *D.* 1917, 1, 39). La solution demeure valable dans le régime actuel de la curatelle. Le majeur en curatelle peut valablement signer une lettre de change avec l'assistance de son curateur (Roblot, n. 102) ou, en cas de refus, l'autorisation du juge des tutelles (C. civ., art. 510, al. 2).

Majeur placé sous la sauvegarde de justice. — N'étant frappé d'aucune incapacité (C. civ., art. 491-2) le majeur placé sous la sauvegarde de justice peut émettre ou signer une lettre de change. L'engagement n'échappe pas cependant à l'application de l'article 491-2 du Code civil ouvrant une possibilité de rescision pour lésion ou de réduction pour excès même lorsque l'acte n'a pas été fait en état d'inconscience, laquelle justifierait l'annulation en application de l'article 489.

Majeur bénéficiaire d'un crédit à la consommation. — Afin d'éviter que le dispositif de protection des consommateurs utilisateurs de crédit soit tourné par la signature de lettres de change ou de billets à ordre, l'article 17 de la loi 78-22 du 10 janvier 1978 (C. consomm., art. L. 313-13) interdit, en des termes dont l'hermétisme ne laissera pas de surprendre, la souscription par l'emprunteur ou le bénéficiaire d'un crédit à la consommation relevant de la loi, la souscription d'un tel effet : « Les dispositions de l'article 114 du Code de commerce sont applicables aux lettres de change et billets à ordre souscrits ou avalisés par des emprunteurs même majeurs à l'occasion des opérations de crédit régies par la présente loi ». L'engagement cambiaire contracté au mépris de l'article 17 est frappé de nullité : le consommateur est assimilé à un mineur. La nullité s'applique à toute promesse cambiaire : celle attachée à l'émission ou à l'aval, mais aussi à l'acceptation et l'endossement. Elle a été appliquée à des effets souscrits à l'occasion du rééchelonnement d'une dette (Bourges, 1re Ch., 22 juill. 1993, *Comte* c. *CCF*, inédit. — Cass. civ. 1re, 30 sept. 1997 : *D.* 1997, IR, 215 ; *RTD com.* 1998, p. 181 ; *JCP* 97, IV, 221 ; *D.* 1997, IR, 215). Elle est opposable comme celle sanctionnant l'incapacité du mineur, à tout porteur de l'effet, même s'il est de bonne foi. Seul, cependant, est nul l'engagement cambiaire du consommateur. Les autres signataires de l'effet sont valablement obligés (principe d'indépendance des signatures). Par ailleurs, il y a lieu, comme pour le mineur, de faire application de l'article 1312 du Code civil auquel renvoie l'article 114 du Code de commerce.

Celui qui fait souscrire ou avaliser ou accepter par l'emprunteur ou l'acheteur une lettre de change ou un billet à ordre encourt une peine d'amende (article 25 de la loi).

On rappellera que la loi du 10 janvier 1978 est applicable, en principe, à toute opération de crédit (prêt d'argent, location-vente, location assortie d'une promesse de vente, crédit lié à une vente ou prestation de services...), qu'elle comporte ou non une stipulation d'intérêts, dès lors que le prêteur pratique le crédit d'une manière habituelle. Y échappent cependant : les prêts passés en forme authentique, ceux contractés pour une durée inférieure ou égale à trois mois et ceux dont le montant est supérieur à une somme fixée par décret (140 000 F : *D.* 25 mars 1988), les crédits destinés à financer une activité professionnelle et les prêts aux personnes morales de droit public. L'article 35 de la loi du 13 juillet 1979 relative aux crédits à destination immobilière interdit également la souscription d'effets de commerce par l'emprunteur. L'interdiction résulte aujourd'hui de l'article 313-13 du Code de la consommation.

2. — *Pouvoirs*

28. — Les lettres de change, comme nombre d'actes juridiques, sont souvent souscrites pour autrui. Dans la plupart des cas la qualité de représentant du signataire est exprimée et il est, en tout cas, manifeste que le signataire n'a pas l'intention de s'obliger lui-même : il s'agit d'une représentation classique. Le droit cambiaire connaît, cependant, une autre combinaison, celle du tirage pour compte, où le représentant tire l'effet en son propre nom sans révéler sa qualité.

a) Représentation classique

Les pouvoirs de celui qui signe une lettre de change pour le compte d'autrui en qualité de tireur, mais aussi d'accepteur, d'avaliseur ou d'endosseur, ont leurs sources dans la loi, dans la convention (mandat) ou une décision de justice (administrateur provisoire ou administrateur judiciaire en cas de redressement judiciaire d'une entreprise).

L'engagement des biens des époux par la signature cambiaire de l'un d'eux est réglé par le régime matrimonial (Cass. com., 7 nov. 1979 : *Bull. civ.* IV, n. 281).

Un cas de représentation particulièrement important en pratique est celui des personnes morales qui souscrivent les lettres de change par l'intermédiaire de leurs représentants légaux. Un simple associé n'engage pas la société s'il n'a pas reçu un mandat dont la preuve incombe au porteur (Cass. com., 28 mars 1977 : *Bull. civ.* IV, n. 98).

L'appréciation des pouvoirs du représentant d'une personne morale relève du droit commun. Il suffira de rappeler, s'agissant des sociétés commerciales, que le pouvoir de représentation des dirigeants échappent à la liberté contractuelle. Les clauses statutaires ou délibérations limitant les pouvoirs de représentation des dirigeants sont inopposables aux tiers (V. spécialement L. 24 juill. 1966, art. 14, 49, 113, 124). Il n'en est autrement que pour les cautionnements et avals dans le cas de sociétés par actions (L. 24 juill. 1966, art. 98, *in fine* et art. 128, al. 2).

Il y a lieu aussi de faire mention des importantes dispositions de l'article 8 de la loi du 24 juillet 1966. La société ne peut se soustraire aux engagements contractés en son nom en invoquant une irrégularité de la nomination de la personne ayant usé de la signature sociale, lorsque cette nomination a été publiée. En outre, la société ne peut se prévaloir, à l'égard des tiers, des cessations de fonctions de ses dirigeants tant qu'elles n'ont pas été régulièrement publiées. Les pouvoirs de celui qui appose la signature d'émission s'apprécient, bien entendu, à la date de l'émission et leur extinction n'affecte pas les droits d'un porteur, même s'il a reçu l'effet par un endossement postérieur à cette extinction (Cass. civ. 1re, 15 déc. 1976 : *D.* 1977, IR, 160).

Habituellement, le représentant marque sa qualité en faisant précéder sa signature de l'indication de la personne physique ou morale pour laquelle il émet la lettre de change ou signe à un autre titre (acceptation, aval...). S'il s'agit du représentant d'une société, il utilise la signature sociale. Cette indication n'a, toutefois, qu'une fonction probatoire. Elle ne répond à aucune exigence relevant du formalisme cambiaire. La preuve pourrait, dès lors, être faite que le signataire a agi ès qualités (Cass. com., 24 juin 1980 : *Bull. civ.* IV, n. 269). S'agissant de la signature d'émission, la preuve résulte normalement du fait que la personne morale est désignée comme tireur. Il peut y avoir, en revanche, des difficultés pour l'aval. En cas de contestation, le porteur doit établir l'existence d'un mandat s'il prétend poursuivre le prétendu mandant

(Cass. com., 28 mars 1977 : *Bull. civ.* IV, n. 98). En revanche, un signataire doit prouver qu'il a agi comme représentant s'il veut échapper à une obligation cambiaire (26 janv. 1993 : *RD bancaire et bourse*, juill.-août 1993, p. 157).

Le mandataire, en principe non obligé personnellement, peut l'être en raison de la fausse apparence créée. La jurisprudence n'impose pas au porteur de vérifier les pouvoirs du signataire qui a souscrit l'effet au nom d'un groupement (Cass. com., 13 déc. 1994 : *Bull. civ.* IV, n. 378 ; *JCP* 95, IV, 403, relatif à un syndicat).

La détermination de la qualité de celui qui a signé comme émetteur est essentielle pour décider si le signataire garantit ou non le paiement de l'effet (*infra*, n. 90). Elle a aussi une incidence sur le jeu de l'inopposabilité des exceptions (*infra*, n. 52 et s.). Le tireur devenu porteur de l'effet sera ou non considéré comme un tiers porteur, bénéficiaire de l'inopposabilité, selon qu'il a émis l'effet pour son propre compte ou comme représentant d'un tiers (Cass. com., 6 avril 1993 : *Bull. civ.* IV, n. 139 ; *RD bancaire et bourse,* juill.-août 1993, p. 157, obs. Crédot et Gérard. V. aussi *infra*, n. 55-2).

Absence de pouvoirs. — Les conditions dans lesquelles sont émises et circulent les lettres de change ne permettent pas toujours de vérifier les pouvoirs de celui qui a souscrit l'effet comme représentant. Pour autant, il était difficilement admissible que le prétendu représenté fût engagé contre sa volonté. L'article 114, alinéa 3, du Code de commerce règle la situation résultant de *l'absence ou de l'insuffisance des pouvoirs du signataire* avec le souci de concilier ces deux données. Quiconque appose sa signature sur une lettre de change comme représentant d'une personne pour laquelle il n'a pas le pouvoir d'agir est obligé lui-même en vertu de la lettre et, s'il a payé, a les mêmes droits qu'aurait eus le prétendu représenté. Il en est de même du représentant qui a dépassé ses pouvoirs (Cass. com., 19 mars 1958 : *D.* 1958, J, 354 ; revue *Banque* 1958, p. 509, obs. Marin).

Le texte a un domaine d'application étendu. Il vise à la fois les cas d'absence et de dépassement de pouvoirs. Il y a lieu d'y assimiler le cas de pouvoirs expirés. Sa rédaction est suffisamment générale pour couvrir la représentation des personnes morales aussi bien que le mandat *stricto sensu.*

La jurisprudence tend à appliquer très largement l'article 114, alinéa 3, V. Orléans, 6 mars 1963 (*RTD com.* 1964, p. 367, obs. Becqué et Cabrillac), le faisant jouer à l'égard du gérant d'une société nulle ayant souscrit une lettre de change au nom de la société. Il s'agissait pourtant d'une situation bien différente de celle envisagée par les rédacteurs de l'article 114, alinéa 3 : inexistence du représenté et non absence de pouvoirs de représentation.

L'article 114, alinéa 3, respecte les principes du droit des obligations en disposant que le prétendu représenté n'est pas obligé cambiairement dans la mesure où le signataire a agi sans pouvoirs. Celui-ci, en revanche, sera tenu comme s'il avait signé la lettre de change pour son propre compte. On en déduit qu'il n'assume cette obligation que s'il a la capacité commerciale.

Les conséquences du principe posé diffèrent évidemment selon qu'il y a absence totale de pouvoirs ou seulement dépassement. Dans le premier cas, le prétendu représenté n'assume aucune obligation ; le signataire est seul obligé. Dans le second, le représenté est tenu dans la limite des pouvoirs dont était investi le signataire. Ce dernier, quant à lui, est considéré comme tenu pour le tout afin que le porteur n'ait pas à diviser son action. C'est ainsi qu'est très généralement interprété l'article 114, alinéa 3 (Lescot et Roblot, n. 146).

Le pseudo-représentant qui a payé devient porteur et peut exercer les recours cambiaires qui auraient été ouverts à celui pour qui il prétendait agir. On admet, par ailleurs, dans les rapports entre le prétendu représentant et le pseudo-représenté, la possibilité d'un recours de droit commun fondé sur la gestion d'affaires (Roblot, n. 111).

29. — Normalement privé de toute action contre le prétendu représenté qui, en réalité, n'a conféré aucun mandat, le porteur peut néanmoins dans certains cas agir sur le fondement de l'*apparence*. La jurisprudence a eu fréquemment l'occasion d'en faire application aux obligations cambiaires, plus souvent à celle du tiré accepteur qu'à celle du tireur, mais les principes applicables sont exactement les mêmes. On sait que la Cour de cassation a reconnu à l'apparence une grande force créatrice de droit en en faisant une source d'obligation indépendante de la responsabilité civile (Ass. plén., 13 déc. 1963 ; *D.* 1963, J, 277, note Calais-Auloy ; *JCP* 63, II, 13105, note Esmein). Il suffit pour qu'une personne soit engagée par un tiers ayant agi en son nom sans mandat que celui qui a traité avec le pseudo-mandataire établisse qu'une fausse apparence de pouvoirs a été créée et qu'il a été victime d'une erreur légitime (V. en particulier sur le mandat apparent : Derrida : *Rép. civ.* Dalloz, 2e éd., V° *Apparence*. — Ghestin et Goubeaux, *Traité de droit civil*, Introduction générale, n. 793 et s. — Lescot, « Le mandat apparent » : *JCP* 64, I, 1826). Les tribunaux ont, en s'appuyant sur l'apparence, déclaré une personne obligée cambiairement par un mandataire dont les pouvoirs étaient expirés (Cass. civ. 1re, 15 déc. 1976 : *D.* 1977, IR, 163), ou par une personne se présentant faussement comme directeur commercial d'une entreprise (Cass. civ. 2e, 8 nov. 1957 : *Bull. civ.* II, n. 686, p. 442 ; *RTD com.* 1958, p. 352, obs. Becqué et Cabrillac), ou par un associé non gérant (Paris, 13 fév. 1976 : *Gaz. Pal.* 1976, 2, 507. — Rappr. Cass. civ. 1re, 3 mai 1972. — Cass. com. 5 juin 1972 : revue *Banque* 1973, p. 296). La qualité de mandataire apparent pourrait être déduite de certaines fonctions exercées par celui qui a signé une lettre de change au nom d'autrui (Toulouse, 14 nov. 1946 : *JCP* 48, II, 4082, note Toujas).

On a cru pouvoir discerner une tendance restrictive dans un arrêt de la Chambre commerciale du 27 mars 1974 (*D.* 1977, J, 421, note Arrighi) subordonnant la prise en considération des pouvoirs apparents à la condition qu'un rapport ait existé entre le prétendu représenté et le demandeur (V. déjà en ce sens : Cass. com. 1973 : *Bull. civ.* IV, n. 361, p. 321 ; revue *Banque* 1974, p. 644, obs. Martin ; *RTD com.* 1974, p. 306, obs. Cabrillac et Rives-Lange). Statuant à propos de l'acceptation d'une lettre de change par une personne sans qualité, la Cour de cassation a jugé, bien qu'il fût le père du gérant, que le signataire était étranger à la société tirée et n'avait pu dans ces conditions l'engager.

Il n'est pas du tout certain que la Cour ait effectivement entendu modifier la position adoptée dans l'arrêt de 1962. On peut penser que la Cour de cassation a seulement voulu marquer que le pseudo-mandant n'est obligé que si l'existence d'un mandat présente un degré suffisant de vraisemblance. Des éléments autres que l'affirmation du pseudo-mandataire doivent accréditer l'existence d'un pouvoir. Parfois même les circonstances peuvent imposer un contrôle des pouvoirs du signataire (Cass. com., 11 fév. 1974 : *Bull. civ.* IV, n. 53, p. 41 ; *RTD com.* 1974, p. 558).

Bien entendu le pseudo-représenté est engagé s'il a ratifié l'acte même tacitement (Trib. gr. inst. Troyes, 8 nov. 1967 : revue *Banque* 1969, p. 616).

Abus de pouvoirs. — La situation qui vient d'être examinée, caractérisée par l'absence ou l'insuffisance des pouvoirs du prétendu représentant, ne doit pas être confondue avec le cas d'abus ou détournement de pouvoirs, le mandataire utilisant des pouvoirs qui lui ont été réellement confiés, dans son intérêt personnel. Ainsi le représentant légal d'une personne morale émet une lettre de change au nom de la personne morale, dans son intérêt personnel. Le mandant est obligé sauf si le tiers avec qui le mandataire a traité est de mauvaise foi c'est-à-dire s'il a connu le détournement de pouvoirs (V. pour les gérants de sociétés Houpin et Bosvieux, *Traité des sociétés*, 7e éd., n. 269). Tel serait le cas si la preuve était faite que le bénéficiaire d'une lettre de change émise dans un intérêt personnel par le dirigeant d'une société a, au moment où il l'a reçue, été conscient du comportement indélicat du signataire de l'effet. On notera que le délit d'abus des biens et du crédit de la société peut, en une telle occurrence, être relevé (L. 24 juill. 1966, art. 425-4° et 427-3°).

Représentation du bénéficiaire. — Bien qu'il ne soit pas, en tant que tel, débiteur cambiaire, il est intéressant de noter que le bénéficiaire peut, comme les autres intervenants à l'opération cambiaire, être représenté par un mandataire. Si la qualité de mandataire de celui qui apparaît sur le titre comme bénéficiaire n'est pas précisée, on est en présence d'une simulation à traiter conformément à l'article 1321 du Code civil.

b) Tirage pour compte

30. — L'article 111, alinéa 3, du Code de commerce dispose que la lettre de change « peut être tirée pour le compte d'un tiers ». Le texte n'a pas pour objet de consacrer la possibilité — évidente — de la représentation en matière d'émission de la lettre de change. Il se réfère à une modalité plus originale constituant une forme de représentation imparfaite. Le mandataire signe l'effet en tant que tireur, comme s'il agissait pour son propre compte, alors qu'en réalité il le fait pour le compte d'autrui. La situation n'est pas sans analogie avec la commission, autre application de la représentation imparfaite.

La combinaison répond généralement à de légitimes préoccupations qui expliquent que les rédacteurs de la loi uniforme l'aient prise en considération. Si le véritable tireur ne souscrit pas l'effet ce peut être à raison de la nature de sa profession qui s'accommode mal de la présence de sa signature sur un titre appelé à circuler. Parfois il s'agit simplement de ne pas révéler, pour des raisons de politique ou de stratégie commerciale, la participation d'une personne à telle opération. Il faut ajouter que dans la conception formaliste de la lettre de change, la lettre de change tirée pour compte peut difficilement être considérée comme irrégulière, dès lors qu'elle porte une signature régulière de tireur. La seule attitude rationnelle est de faire en sorte que le mandat ne nuise pas aux tiers porteurs.

La convention de tirage pour compte n'apparaît pas, normalement, dans le texte de la lettre de change ; elle est une convention extra-cambiaire (Cass. com., 19 fév. 1968 : *JCP* 69, II, 15730, note Lescot ; *RTD com.* 1969, p. 130, obs. Cabrillac et Rives-Lange). Il arrive, cependant, que pour faciliter l'identification par le tiré de l'effet tiré pour compte, le nom du donneur d'ordre soit mentionné intégralement ou par initiales. Cette indication ne modifie en rien les effets du tirage pour compte.

Vis-à-vis du bénéficiaire et des porteurs de l'effet, le tireur pour compte est tenu comme tout tireur de lettre de change : il garantit l'acceptation et le paiement de l'effet. La solution se justifie non par l'ignorance du mandat par le porteur (tel n'est pas nécessairement le cas) mais par le fait que le tireur pour compte, en signant l'effet, s'est personnellement engagé dans l'opération cambiaire. A l'inverse, le donneur d'ordre (mandant), parce qu'il n'a pas signé, n'est pas tenu cambiairement. Le porteur n'a contre lui que l'action oblique prévue à l'article 1166 du Code civil.

Dans les rapports entre le tireur pour compte et le donneur d'ordre, les principes du mandant s'appliquent intégralement. Le tireur doit rédiger la lettre de change conformément aux instructions données par le donneur d'ordre ; il a droit au remboursement des sommes qu'il a avancées.

Les règles du mandat jouent également dans les relations entre donneur d'ordre et tireur pour compte, d'une part, et tiré, d'autre part. L'article 116, alinéa 1, relatif à la provision, tranche nettement en ce sens les hésitations antérieures : c'est au donneur d'ordre (et non au tireur pour compte) qu'il incombe de fournir la provision (V. toutefois, *infra*, n. 84). Par conséquent, si le tiré a payé à découvert, il n'a de recours qu'à l'encontre du donneur d'ordre.

La situation résultant du tirage pour compte se complique quand le donneur d'ordre devient porteur de l'effet et le signe comme endosseur. La convention de tirage pour compte a une incidence sur la situation du porteur bien que celui-ci se présente comme titulaire des droits cambiaires. Cette convention fournit au tireur pour compte une exception personnelle qu'il peut opposer au donneur d'ordre-porteur (Cass. com., 19 fév. 1968, précité. — Cabrillac, *Jur. Lettre de change*, n. 17 *bis*). Il a été jugé par ailleurs que le tiré peut opposer au donneur d'ordre, endossataire de la lettre de change, le paiement anticipé accompli entre les mains du tireur pour compte (Cass. com., 10 mars 1970 : *Bull. civ.* IV, n. 91, p. 87 ; *RTD com.* 1971, p. 146, obs. Cabrillac et Rives-Lange). Le tiré est fondé à se prévaloir du mandat existant entre donneur d'ordre et tireur pour compte, bien que ce mandat ne résulte pas des énonciations de la lettre de change et que le donneur d'ordre se présente comme tiers porteur (V. les réserves de M. Cabrillac, *op. cit.*, p. 58).

Sur le cas où le tireur pour compte est demeuré porteur, V. Paris, 3e Ch. A, 2 mars 1982 : *RTD com.* 1982, p. 269, obs. Cabrillac et Teyssié. — Gavalda et Stoufflet, « Chron. dr. bancaire » : *JCP* 83, éd. CI, 14001, n. 101.

3. — Consentement

31. — L'émission de la lettre de change et, plus largement, toute souscription à un titre quelconque, de la lettre de change, constitue un acte juridique qui repose sur le consentement du signataire. Les exigences formelles de la loi ne doivent pas masquer cette donnée essentielle. Le tireur, comme l'accepteur, est obligé au paiement de l'effet, non parce qu'il l'a signé mais parce qu'il a voulu s'obliger. Le consentement du signataire doit répondre aux conditions générales requises par le droit commun des obligations : être réel et exempt de vices. En ce qui concerne les vices du consentement, la seule difficulté qui ait surgi a trait à l'opposabilité au tiers porteur de bonne foi de la nullité qui s'y attache (*infra*, n. 53). Les questions les plus délicates touchant le consentement portent sur la fausse signature et l'altération du texte de l'effet. Alors l'effet ne correspond pas ou ne correspond pas totalement à la volonté du souscripteur.

a) Fausse signature

32. — Le tireur dont la signature a été contrefaite est-il obligé ? Une réponse négative s'impose à l'évidence puisque son consentement fait totalement défaut, même si le porteur a acquis la lettre de change de bonne foi. Tout au plus peut-on concevoir une responsabilité civile du tireur envers le porteur s'il a par son imprudence rendu possible ou facilité le faux, par exemple si celui-ci a été commis par un comptable engagé sans précautions suffisantes. Pour les cas d'usage abusif d'une griffe, V. *supra*, n. 14.

La cour d'appel de Paris avait, dans un arrêt vivement critiqué par la doctrine, jugé que le défaut de consentement est un vice inopposable au porteur de bonne foi, c'est-à-dire au porteur qui a pu croire à l'authenticité de la signature d'émission (Paris, 12 mars 1958 : *D.* 1958, J, 641, note Goré). Elle est revenue ultérieurement sur cette position, contraire d'ailleurs à la jurisprudence plus ancienne (Paris, 9 fév. 1963 : *JCP* 63, II, 13133, note

Goré). Outre les principes du droit des obligations, on pouvait faire valoir contre l'arrêt de 1958 qu'en cas d'excès de pouvoir l'article 114, alinéa 3 écarte toute obligation cambiaire du pseudo-représenté (*supra*, n. 28). Il n'y a aucune raison de ne pas appliquer une solution identique au cas de contrefaçon de signature. La nécessaire protection du porteur ne peut justifier qu'une obligation soit mise à la charge d'une personne qui n'a en aucune manière entendu s'obliger et n'a accompli aucun acte impliquant le contraire.

On pourrait penser que la nullité (ou plutôt l'inexistence) résultant de la contrefaçon de la signature du tireur s'étend à l'ensemble de l'opération cambiaire, c'est-à-dire que l'effet est dépourvu de valeur à l'égard de l'ensemble des signataires. Cette solution d'apparence rationnelle est heureusement écartée par l'article 114, alinéa 2. Le principe de l'*indépendance des signatures* qui y est exprimé trouve indiscutablement application dans la situation étudiée (sur ce principe V. *supra*, n. 27). Le texte vise explicitement l'hypothèse où l'effet porte une signature fausse ou la signature d'une personne imaginaire (Cass. com., 21 déc. 1959 : *D.* 1960, J, 262). L'apposition sur une lettre de change d'une fausse signature peut être constitutive des délits d'escroquerie ou de faux (Trib. com. Seine, 25 mars 1966 : *RTD com.* 1966, p. 972).

Si le tireur ou tout autre signataire apparent d'un effet conteste l'authenticité d'une signature, la procédure de vérification d'écriture prévue aux articles 1323 du Code civil et 287 et suivants du Nouveau Code de procédure civile doit être suivie, à moins que la contestation apparaisse d'emblée dépourvue de sérieux (Cass. com. 3 avril 1990 : *JCP* 90, IV, 214. — 9 oct. 1990, *Leborgne* c. *Kredietbank*. — 20 nov. 1990, *Hadoues* c. *Banque Louis Dreyfus*).

b) Altération de la lettre de change

33. — Des modifications peuvent être apportées au texte d'une lettre de change avec l'accord de tous ceux qui l'ont signée et, notamment, du tireur. Une signature spéciale d'approbation du texte modifié par les intéressés est indispensable.

Qu'en est-il si la lettre est modifiée postérieurement à son émission sans le consentement du tireur ? Le texte modifié ne correspond plus au consentement donné par ce dernier. Est-il engagé selon le texte initial ou le texte altéré ? Le problème se pose en des termes comparables pour tous les souscripteurs de la lettre de change. L'altération peut porter sur un élément quelconque de l'opération cambiaire : nom du bénéficiaire, échéance, montant... Il peut y avoir suppression d'une mention ou adjonction d'une mention au texte initial. On notera, cependant, que certaines altérations ne modifient pas l'étendue de l'engagement d'un débiteur. Tel est le cas de l'addition de la mention de la provision ou de la valeur fournie. Le cas échéant, on sera en présence d'une supposition (*supra*, n. 20).

L'article 178 du Code de commerce règle les conséquences de l'altération sur les obligations des débiteurs cambiaires. « En cas d'altération du texte d'une lettre de change, les signataires postérieurs à cette obligation sont tenus dans les termes du texte altéré ; les signataires antérieurs le sont dans les termes du texte originaire. » La limitation de l'obligation du signataire antérieur à l'altération à la mesure définie par le texte initial joue même en cas de bonne foi du porteur : Com., 11 janv. 1972 : *Bull. civ.* 1972, IV, n. 17, p. 15 ; 12 nov. 1973 : *Bull. civ.* 1973, IV, n. 320, p. 286.

Dans le cas le plus fréquent, celui de majoration du montant de l'effet. l'article 178 conduit aux solutions suivants. Le porteur ne peut demander au tireur que le montant initial de la lettre de change puisque l'altération est, par définition, postérieure à l'émission. Au contraire, il a droit au paiement du montant majoré par le tiré accepteur si l'acceptation est postérieure à l'altération. Les endosseurs intermédiaires sont garants pour le montant initial ou le montant majoré selon la date de l'endossement.

En application du même article 178 la prorogation d'échéance non acceptée par le tiré lui est inopposable, bien qu'elle lui soit *a priori* favorable (Cass. com., 23 mars 1993 : *Bull. civ.* IV, n. 115 ; *RD bancaire et bourse*, juill.-août 1993, p. 157 ; *D.* 1993, somm. comm. 318).

Il pourrait, de prime abord, sembler aller de soi que le porteur d'une lettre de change ayant subi une altération ne peut invoquer le texte altéré que s'il ignorait l'altération au moment où il a acquis l'effet. La solution est, en réalité, à écarter. Dans le système légal, chaque débiteur cambiaire est obligé dans une mesure correspondant à sa volonté effective. Peu importe donc que le porteur ait connu ou ignoré l'altération.

Le système légal est fondé sur le rapprochement de la date de la signature de la lettre de change et de celle de l'altération. Ces dates sont le plus souvent inconnues et il peut même y avoir discussion sur la réalité de l'altération : une rectification peut avoir été faite par le tireur lui même *ab initio*. La difficulté se résout sur la base de la distinction suivante. Si l'altération est non apparente, provision est due au titre et il incombe au débiteur cambiaire, prétendant être engagé dans des conditions différentes de celles résultant du titre ou dans une moindre mesure, de prouver l'altération et d'établir qu'elle a eu lieu postérieurement à la signature par lui de la lettre de change. S'il s'agit, au contraire, d'une altération apparente (surcharges, ratures...) et si le texte initial peut être reconstitué, on doit présumer que le débiteur n'est tenu que dans la mesure définie par ce texte initial. La solution peut s'appuyer sur l'article 1162 du Code civil selon lequel la convention s'interprète, en cas d'obscurité, en faveur du débiteur.

Le signataire d'une lettre de change qui ne subit pas, en principe, les conséquences d'une altération postérieure à la signature par lui de l'effet, peut cependant être obligé à titre de réparation s'il a, par son imprudence, facilité l'altération. La jurisprudence ne témoigne cependant pas d'une rigueur très grande à l'égard des débiteurs. Ainsi il a été jugé que le fait que des blancs aient été laissés sur la formule de lettre de change ne constitue pas une faute (Cass. civ., 17 déc. 1884 : *D.* 1885, 1, 102. — Req., 13 fév. 1932 ; *D.* 1932, 281). Serait certainement fautive l'utilisation pour l'indication du montant de la lettre de change d'un procédé d'écriture tel que le crayon rendant particulièrement aisée l'altération.

L'altération d'une lettre de change peut constituer le délit de faux (nouv. C. pén., art. 441-1)

4. — Objet et cause

a) Généralités

34. — L'*objet* de l'obligation cambiaire ne soulève guère de difficultés. Il s'agit nécessairement d'une somme d'argent, de telle sorte que sa licéité n'est pas discutable. Il n'en serait autrement que si une lettre de change était libellée en monnaie étrangère, au mépris d'une prohibition de la législation des changes (*supra*, n. 13).

La *cause* de l'engagement cambiaire soulève de plus délicates questions. Cette cause se trouve en dehors de l'opération cambiaire, de telle sorte que son existence et sa licéité peuvent prêter à discussion comme pour toute obligation. Ainsi l'engagement cambiaire du tireur trouve sa cause dans un rapport juridique entre le preneur et le tireur (valeur fournie). Que ce rapport juridique fasse défaut ou qu'il soit illicite ou immoral, l'obligation du tireur est nulle en application de l'article 1131 du Code civil. On citera à titre d'exemple la lettre émise en vue du règlement du prix d'une clientèle médicale, hors commerce ; celle tendant à réaliser une donation prohibée ; l'effet émis en vue d'une dissimulation fiscale (Cass. com., 19 juill. 1982 : *Bull. civ.* IV, n. 279, p. 240). La solution est la même pour toute obligation cambiaire, celle de l'accepteur ou de l'avaliseur notamment (Cass. com., 4 juill. 1966 : *JCP* 67, II, 15037, note Lescot, *D.* 1967, J, 144. — 15 mars 1974 : *Bull. civ.* IV, n. 105, p. 84 ; *RTD com.* 1975, p. 558. — 8 juin 1982 : *Bull. civ.* IV, n. 223, p. 196). Les conséquences de la nullité se trouvent, cependant, doublement limitées. D'une part, la nullité pour illicéité de la cause (ou de l'objet), ou absence de cause, est inopposable à un porteur de bonne foi de l'effet, en application de l'article 121 du Code de commerce (*infra*, n. 53). D'autre part, le principe de l'indépendance des signatures (C. com., art. 114, al. 2) est applicable dans ce cas. Les signataires qui ont signé l'effet sur une cause régulière sont obligés (Lescot et Roblot, *op. cit.*, t. I, n. 76).

b) Application de la théorie de la cause : la nullité des effets de complaisance

Notion d'effet de complaisance

35. — Si l'expression « effet de complaisance » appartient aussi bien au langage des affaires qu'à la terminologie juridique, il n'en existe pas de définition légale. La situation type est la suivante. Un commerçant connaissant une gêne financière demande à un ami de l'autoriser à tirer sur lui une lettre de change bien qu'il ne soit titulaire à son égard d'aucune créance, ni présente ni en formation. Il promet de lui fournir avant l'échéance la somme nécessaire au paiement de l'effet ou de le retirer de la circulation. La traite est, en général, acceptée par le tiré, puis elle est négociée auprès d'une banque laissée, bien entendu, dans l'ignorance des conditions de l'émission. Ainsi le tireur, souvent appelé *complu*, obtient, grâce au tiré *complaisant*, les liquidités qui lui manquent.

Le montage est susceptible de bien des modalités et de multiples variantes. La complaisance peut être réciproque. Chacun des intéressés émet une lettre de change sur l'autre. On parle de *tirages croisés*. Souvent, le tirage est renouvelé. Avant l'échéance l'effet de complaisance est retiré de la circulation et remplacé par un autre effet de même montant ou d'un montant majorité des frais des négociation. Cette pratique est connue sous l'appellation imagée de *cavalerie*, les lettres de change se « chevauchant » les unes les autres.

Le complaisant, au lieu de jouer le rôle de tiré, joue parfois celui de tireur et c'est lui qui négocie l'effet et en remet le montant au complu. Il arrive aussi qu'il y ait deux complaisants, l'un tirant sur l'autre à l'ordre du complu, ce qui a le double avantage de donner plus de crédit au titre et de rendre plus malaisément décelable la combinaison.

D'une manière générale, on peut dire que ce qui caractérise l'effet de complaisance c'est l'intention de tromper les tiers, et spécialement les banques, sur les véritables rapports existant entre les signataires ou certains des signataires et le fait que, dans l'intention des parties, l'effet n'aura pas à être payé par le complaisant à l'échéance. Des effets de complaisance, on peut rapprocher les *effets fictifs* tirés sur un débiteur imaginaire.

Le genre de pratique qui vient d'être décrite présente pour le commerce et le crédit des dangers graves qui ont été souvent dénoncés. Il y a danger, tout d'abord, pour les tiers porteurs d'un effet de complaisance, notamment les banques qui les négocient, du fait que le paiement à l'échéance en est fort improbable. Danger aussi pour le commerce, en général, dans la mesure où la mise en circulation d'effets de complaisance crée une apparence fallacieuse de prospérité chez le complu. Enfin, l'avantage qu'en retire le complu est illusoire ; grâce au crédit artificiel que lui procurent les effets de complaisance, il va souvent poursuivre une activité commerciale déficitaire et différer un dépôt de bilan inéluctable qui interviendra à un moment où la situation se sera dégradée davantage.

Les banques s'emploient à déceler les effets de complaisance que leurs clients cherchent à négocier auprès d'elles. Différents types d'effets sont examinés avec une attention particulière et donnent lieu, éventuellement, à des demandes de justification quant à leur cause (production des commandes, bordereaux d'expédition de marchandises...) : les effets tirés sur un parent, sur une autre société du groupe, sur une entreprise n'ayant pas normalement de relations d'affaires avec le tireur, les effets dont le montant est un chiffre rond. Les banques s'efforcent aussi de détecter les tirages croisés. Les demandes de prorogation d'échéance, les retours impayés justifient aussi un examen particulier. La Banque de France, de son côté, fait preuve de vigilance, non seulement par souci de sécurité, mais parce que l'effet de complaisance est une forme artificielle et malsaine de crédit, non fondée sur une activité économique réelle.

Les effets de complaisance semblent former une catégorie bien définie s'opposant aux effets commerciaux dont l'émission se greffe sur une opération commerciale sérieuse. En fait, la distinction n'est pas toujours facile. Certaines formes modernes d'utilisation de la lettre de change ne se distinguent pas *a priori* nettement de la pratique des effets de complaisance. Pourtant, il s'agit d'opérations tout à fait sérieuses et licites.

Ne sauraient être identifiés aux effets de complaisance *les effets de cautionnement ou d'ouverture de crédit.* La signature d'un effet de commerce est un moyen et, faut-il préciser, un moyen tout à fait licite de procurer un crédit à un tiers (*supra*, n. 4). Au lieu de remettre des fonds au crédité, celui qui fait crédit souscrit une lettre de change comme tireur ou accepteur, avaliseur, endosseur, et de ce fait s'en rend débiteur envers tout porteur. Ce genre d'effet est dénommé effet d'ouverture de crédit, ou effet financier (V. au sujet d'effets de mobilisation d'un crédit : Cass. civ., 17 mars 1942 : *JCP* 42, II, 1905, note Lescot). On peut également, par la souscription d'une lettre de change, garantir la dette d'un tiers. On parle dans ce cas *d'effet de cautionnement.* Dans la pratique, la distinction entre effet d'ouverture de crédit et effet de cautionnement n'est pas toujours très claire. Elle ne présente d'ailleurs pas d'intérêt majeur. Ces deux types d'effets ne doivent en aucun cas être traités comme des effets de complaisance (Req., 12 mars 1928 : *S.* 1928, 1, 361, note Lescot. — Cass. civ., 17 mars 1942 : *S.* 1942, II, 1905, note Lescot. — Cass. com., 1954 : *Gaz. Pal.* 1954, 2, 415 ; revue *Banque* 1956, p. 39, obs. Marin. — 23 juin 1971 : *JCP* 72, II, 17040, note Gavalda ; *D.* 1972, J, 175, note Cabrillac. — Cass. com., 11 mars 1959 : *Bull. civ.* III, n. 132, p. 122. — 12 juill. 1967 : *Bull. civ.* III, n. 291, p. 280. — 25 oct. 1976 : *D.* 1977, IR, 23. — Alger, 8 fév. 1955 : revue *Banque* 1956, p. 40. — Lyon, 30 juin 1965 : revue *Banque* 1965, p. 896. — Aix, 18 fév. 1976 : *D.* 1977, IR, 192. — Trib. com. Marseille, 13 avril 1967 : revue *Banque* 1967, 800).

La confusion procéderait de l'idée tout à fait fausse que seule une opération portant sur des marchandises ou, à la rigueur, des services peut servir de cause à un engagement cambiaire. En réalité, la volonté de faire crédit est une cause tout à fait régulière et exclut la qualification d'effet de complaisance. L'effet d'ouverture de crédit est d'une utilisation constante dans la pratique bancaire la plus orthodoxe. Il reste que dans certains cas — la convention de crédit n'étant soumise à aucune forme impérative — il est difficile de dire avec certitude si le débiteur cambiaire a eu l'intention de contracter un engagement sérieux, s'il avait réellement l'intention de payer l'effet en cas de besoin. Le seul fait qu'il n'y a pas eu paiement à l'échéance n'est pas exclusive de cette intention. Plus significative est la situation financière de l'intéressé au moment de la souscription par lui de la lettre de change. Si elle était si compromise qu'elle excluait toute possibilité de paiement de l'effet à l'échéance, la complaisance peut normalement être admise. Bien entendu, la souscription d'effets d'ouverture de crédit ou de cautionnement, fussent-ils sérieux, si elle a un caractère habituel, expose à des poursuites pour exercice illégal de l'activité d'établissement de crédit le souscripteur qui n'a pas reçu l'agrément du Comité des établissements de crédit (L. 24 janv. 1984, art. 3 et 10).

Il faut enfin se garder de voir des effets de complaisance dans les lettres de change dont l'émission est assortie d'une *convention de renouvellement.* Pour faciliter la mobilisation d'une créance de longue durée ou le refinancement du banquier mobilisateur, difficile ou même impossible si l'effet a une échéance trop lointaine, il est de pratique courante d'émettre en représentation de cette créance un effet à court terme (trois mois) et de convenir qu'avant l'échéance il sera retiré de la circulation et remplacé par un autre effet à trois mois, l'opération pouvant être indéfiniment renouvelée (sous réserve bien entendu de l'accord de l'organisme assurant la mobilisation ou le refinancement). Cette combinaison n'a rien à voir avec la cavalerie, dès lors qu'elle s'intègre dans une opération de crédit sérieuse. Généralement d'ailleurs, la convention de renouvellement est officialisée par un accord de l'organisme financier qui assure le refinancement (Banque de France). Le recours à des chaînes d'effets est devenu moins fréquent, les procédures de refinancements ayant été simplifiées.

Les effets de complaisance sont souvent rapprochés des *effets fictifs* tirés sur un débiteur imaginaire. La négociation d'effets de ce genre peut constituer, comme celle des effets de complaisance, une escroquerie, mais il va de soi que les problèmes de validité de l'obligation cambiaire ne se posent pas pour les effets fictifs.

Nullité des effets de complaisance

36. — La plupart des auteurs et la jurisprudence s'accordent à reconnaître la nullité des effets de complaisance (Cass. civ., 17 mars 1942 : *JCP* 42, II, 1905, note Lescot. — Riom, 3 mai 1932 : *D.* 1934, 284, note Pic. — Lescot et Roblot, *op. cit.*, t. II. n. 971. — Hamel, Lagarde et Jauffret, *op. cit.*, n. 1798). Certains estiment, toutefois, que la nullité est ici sans utilité, la mauvaise foi du porteur suffisant à le priver du droit au paiement en application de l'article 121 du Code de commerce (*infra*, n. 55) : de Juglart et Ippolito, *op. cit.*, p. 79. — Jeantin, *Instruments de paiement et de crédit*, Dalloz, n. 327. Mais quel est le fondement juridique de la sanction ? De la réponse apportée à cette question dépendent les caractères de la nullité. On a cherché dans diverses directions la justification. L'absence de provision a été invoquée, mais s'il est vrai que l'effet de complaisance n'est pas provisionné, cette circonstance n'est pas de nature à retentir sur sa validé car l'existence de la provision n'en est pas une condition (*infra*, n. 39). Pas davantage on ne saurait faire valoir que les engagements cambiaires inclus dans une lettre de change de complaisance sont dépourvus de cause. Le complaisant signe la lettre de change pour rendre service au complu, ce qui est une cause suffisante de son engagement. Quant au complu, s'il souscrit la lettre de change (comme tireur par exemple), c'est en vue de se procurer des fonds : ici encore l'existence de la cause ne prête guère à discussion.

C'est bien à la théorie de la cause qu'il convient de rattacher la nullité de l'effet de complaisance ; mais le vice affectant cet effet consiste non dans l'absence de cause, mais dans son caractère illicite, contraire à l'ordre public. C'est sur l'article 1131 du Code civil que repose la nullité. En effet, les parties, pour se procurer des fonds, trompent les tiers sur la véritable nature de leurs rapports ; elles s'emploient à présenter comme un effet sérieux une lettre de change qu'il n'est pas dans l'intention du souscripteur de payer à l'échéance. Cette manœuvre est contraire à l'ordre public et vicie la cause de l'acte qui en est l'instrument. En ce sens : Lescot et Roblot, *op. cit.*, n. 971. — Rappr. Hamel, Lagarde et Jauffret, *op. cit.*, n. 1798, qui préfèrent rattacher la nullité à l'article 6 du Code civil.

La nullité des effets de complaisance est donc une nullité d'ordre public avec les caractéristiques particulières qui s'y attachent (Riom, 3 mars 1932 : *D.* 1934, 2, 84, note Pic. — Marty et Raynaud, *Les obligations*, 2e éd., n. 218. — Flour et Aubert, *op. cit.*, n. 336).

La nullité ne développe, toutefois, toutes les conséquences qu'elle comporte en droit commun que dans les rapports entre complaisant et complu. A l'égard des tiers porteurs, la nécessité de ne pas entraver la circulation des effets de commerce les met parfois en échec.

Dans les rapports entre complaisant et complu, la nullité de la convention tendant à la mise en circulation de l'effet de complaisance, entraîne la nullité de l'obligation cambiaire. Le complaisant peut refuser d'exécuter son engagement, s'abstenir d'accepter l'effet et de le payer, même s'il l'a accepté. Le complaisant qui a dû payer à l'échéance a une action en remboursement contre le complu. Certes, l'opinion contraire a trouvé dans le passé des défenseurs, s'appuyant sur la maxime *Nemo auditur*. Il est, toutefois, admis aujourd'hui que cette maxime ne paralyse la répétition des prestations accomplies en exécution d'un contrat nul que si la nullité est fondée sur la contrariété aux bonnes mœurs. Tel n'est pas le cas de la nullité des effets de complaisance (Req., 21 mars 1910 : *D.* 1912, 1, 281, 2e espèce, note Lacour).

On pouvait se demander si la répétition ne se limitait pas à l'enrichissement obtenu par le complu, l'action étant fondée, non sur la nullité, mais sur l'enrichissement sans cause (V. Nancy, 14 mars 1952 : *JCP* 52, II, 7233, note Toujas). La Cour de cassation a formellement condamné cette position, jugeant que la nullité d'une convention d'escompte d'effets de complaisance ouvre au profit de l'escompteur qui n'a pu en obtenir paiement une action en répétition. Cette action est fondée exclusivement sur la nullité (Cass. com., 21 juin 1977 : *D.* 1978, J, 113, note De Leyssac, *Sogesta*). L'affaire, certes, ne mettait pas en cause les rapports entre complaisant et complu, mais les rapports entre complu et escompteur de mauvaise foi ; cependant les raisons de refuser l'action en répétition, si elles existent, jouent dans les deux cas.

A l'égard d'un tiers porteur de bonne foi, la nullité de l'effet de complaisance est sans conséquence. Elle ne paralyse pas son action en paiement contre un signataire de la lettre (accepteur, endosseur, avaliseur), que ce dernier soit de bonne foi ou non.

La solution semble être une application directe de l'article 121 du Code de commerce consacrant l'inopposabilité au porteur des exceptions fondées sur les rapports personnels du débiteur avec le tireur ou un porteur antérieur. L'inopposabilité s'applique aussi bien aux vices non apparents de l'obligation cambiaire qu'à ceux affectant les relations extracambiaires des parties (*infra*, n. 53). Telle est la position de la jurisprudence qui se réfère souvent à l'article 121 pour reconnaître au tiers porteur de la traite de complaisance le droit d'en demander paiement au tiré.

Un doute pourrait, cependant, naître du fait que la notion de mauvaise foi retenue par la jurisprudence en matière d'effets de complaisance n'est pas de prime abord exactement celle qui prévaut généralement pour l'application de l'article 121 (Lescot et Roblot, t. II, n. 975. — Roblot, n. 625. — Cabrillac, p. 143. — Hamel, Lagarde et Jauffret, *op. cit.*, n. 1758). La simple connaissance par le tiers du caractère de l'effet suffit à caractériser la mauvaise foi, alors que l'article 121 n'admet l'opposabilité d'une exception non apparente qu'au porteur qui a « agi sciemment au détriment du débiteur » (Req., 8 juin 1891 : *D.* 1892, 1, 336 Cass. civ., 3 nov. 1932 : *Gaz. Pal.* 1932, 1, 40. — Cass. com., 11 mars 1959 : *Bull. civ.* II, n. 132, p. 122. — 21 juin 1977 : *Bull. civ.* IV, n. 177, p. 152. Sur la notion de mauvaise foi en général, V. *infra*, n. 55). En réalité, il est douteux que le cas des effets de complaisance échappe au droit commun de l'article 121. Pour expliquer la position de la jurisprudence, il suffit d'observer que la nature d'effet de complaisance d'une lettre de change et la nullité qui en découle sont des exceptions que le débiteur cambiaire ne manque pas d'opposer. Il a été convenu, lors de l'émission de l'effet, que le complaisant ne paierait pas et on ne peut s'attendre à ce qu'il acquitte l'effet à l'échéance. Dès lors si le porteur en acquérant la lettre de change de complaisance a connaissance de son caractère, il sait agir au détriment du débiteur. Sa mauvaise foi est certaine. La nature de l'irrégularité impose l'identification de la connaissance à la mauvaise foi. Tel n'est pas le cas pour d'autres exceptions (*infra*, n. 55). Il est caractéristique que certains au moins des arrêts relatifs aux effets de complaisance apprécient les droits des tiers porteurs en se référant expressément à la formule de l'article 121 (V. Cass. com., 22 janv. 1974 : *D.* 1974, J, 408). Sur l'action en remboursement ouverte au porteur contre son remettant, V. *supra*.

On notera que seul un tiers porteur peut échapper aux conséquences de la nullité. Tel n'est pas le cas des créanciers en cas de redressement et de liquidation judiciaire du complu. Le dessaisissement ne leur confère pas la qualité de tiers (Cass. com., 8 janv. 1979 : *Bull. civ.*, IV, n. 7, p. 6).

37. — *Autres sanctions.* La gravité du manquement aux saines pratiques du commerce que constitue la mise en circulation d'effets de complaisance explique qu'elle puisse donner lieu à l'application de diverses sanctions civiles et répressives, spécialement en cas de redressement ou de liquidation judiciaire du complu. Tout d'abord, il faut relever que l'appel pour se procurer du crédit à l'escompte d'effets de complaisance est souvent considéré par la jurisprudence comme le signe de la cessation des paiements (Ripert et Roblot, *op. cit.*, t. II, 15ᵉ éd., par Ph. Delebecque et M. Germain, n. 2877. — Soinne, *Traité des procédures collectives*, 2ᵉ éd., n. 418), ce qui justifie un report de la date de cessation des paiements et une mise en œuvre des nullités de la période suspecte. Le banquier qui a sciemment ou même par légèreté pris à l'escompte des effets de complaisance et contribué par un crédit malsain et ruineux à différer l'ouverture d'une procédure collective à l'égard de son client peut voir sa responsabilité engagée envers les créanciers (Gavalda et Stoufflet, *Droit bancaire*, 3ᵉ éd., n. 395 et s. — Rives-Lange et Contamine-Raynaud, *Droit bancaire*, 6ᵉ éd., n. 650 et s. — Bonneau, *Droit bancaire*, n. 723. — J. Stoufflet, « L'ouverture du crédit peut-elle être source de responsabilité envers les tiers ? » : *JCP* 65, II, 1882, spéc. n. 7). Sur la question de la recevabilité de l'action V. Cass. com., 7 janv. 1976 : *D.* 1976, J, 277, note Derrida ; *JCP* 76, II, 18327, note Gavalda et Stoufflet ; *RTD com.* 1976, p. 171, obs. Cabrillac et Rives-Lange. Il a même parfois été jugé que la production du banquier tendant au remboursement de son avance doit être rejetée. La Cour de cassation a, à juste titre, refusé d'approuver cette position (Cass. com., 6 nov. 1968 : *JCP* 69, II, 15759 Rappr. Cass. com., 21 juin 1977, *Sogesta*).

En application de l'article 189-2° de la loi du 25 janvier 1985, la mise en circulation d'effets de complaisance en vue de retarder la constatation de la cessation des paiements constitue un cas de *faillite personnelle* facultative. Ce texte vise en effet spécialement « l'emploi de moyens ruineux pour se procurer des fonds ». Nul doute que le recours aux effets de complaisance présente ce caractère (en ce sens, pour la banqueroute : Cass. crim., 21 déc. 1937 : *Gaz. Pal.* 1938, 1, 148). Les dispositions précédentes sont applicables aux commerçants personnes physiques en état de redressement judiciaire et aux dirigeants de personnes morales.

Les comportements justifiant l'application de la faillite personnelle sont aussi susceptibles d'être incriminés comme délit de *banqueroute* (L. 25 janv. 1985, art. 197-1°). Le complaisant peut être condamné comme complice (C. pén., art. 403).

La mise en circulation d'effets de complaisance est, enfin, dans certaines conditions, constitutive d'escroquerie et punissable des peines édictées pour ce délit par le nouveau Code pénal (J. Larguier, *Droit pénal des affaires*, 7e éd., 1986, p. 97. — M. Delmas-Marty, *Droit pénal des affaires*, t. II, PUF, 1990, p. 31. — Jeandidier, *Droit pénal des affaires*, 2e éd., n. 9). Le délit n'est toutefois constitué que si l'agent a, pour se faire remettre des fonds, employé des moyens frauduleux et la jurisprudence considère que la seule négociation d'une traite dépourvue de cause ne répond pas à cette condition. Il faut une circonstance extérieure susceptible d'accréditer aux yeux de la victime le document mensonger : usage d'une fausse qualité, intervention d'un tiers sous forme de signature de l'effet, production de fausses factures... (Cass. crim., 19 juill. 1934 : *Gaz. Pal.* 1934, 2, 723. — Riom, 4 mars 1964 : *Gaz. Pal.* 1964, 2, 55. — Rappr. Cass. crim., 28 janv. 1959 : *JCP* 59, II, 11012, note Bouzat, relatif à un effet émis sur un débiteur imaginaire. — Cass. crim., 20 juin 1983 : *JCP* 83, IV, 277 ; *RTD com.* 1984, p. 492). Dès l'instant que le complaisant a signé l'effet, le délit est constitué (Cass. crim., 6 fév. et 5 août 1932 : *D.* 1933, I, 46, note Laurent).

C. — Rapports fondamentaux et obligations cambiaires

38. — La création de la lettre de change se greffe habituellement sur deux rapports préexistants : un rapport entre tireur et tiré, un rapport entre tireur et bénéficiaire. Le tireur est créancier du tiré ou destiné à le devenir avant la date d'échéance ; sa créance est dénommée *provision* de la lettre de change. Il est, par ailleurs, débiteur du bénéficiaire ou entend s'assurer un avoir sur lui : la prestation accomplie par le bénéficiaire en faveur du tireur est dénommée *valeur fournie*. Un rapport analogue à celui qui s'établit entre tireur et bénéficiaire se retrouve entre endosseur et endossataire lors de chaque endossement de l'effet. Ainsi la création (et la circulation) de la lettre de change engendre-t-elle des rapports cambiaires qui se doublent d'un réseau d'obligations de droit commun entre les intéressés. Ces obligations sont dénommées *rapports fondamentaux* ou *préexistants* ou *sous-jacents*. La première formule est plus satisfaisante parce que ces rapports peuvent ne se constituer ou ne devenir parfaits qu'après coup (provision fournie après l'émission). On notera que le rapport fondamental a généralement un caractère contractuel, mais que rien ne l'impose (règlement par lettre de change d'une dette délictuelle). Il revêt, selon le cas, un caractère onéreux ou gratuit (libéralité réalisée au moyen d'une lettre de change). La question de l'influence réciproque entre rapports cambiaires et fondamentaux est capitale. Elle met en évidence une certaine contradiction existant dans la lettre de change. L'effet doit être apte à circuler et, pour ce faire, il est nécessaire que son régime juridique soit « libéré » des rapports fondamentaux ; mais, d'un autre côté, il est inévitable que les obligations cambiaires soient liées, dans une certaine mesure, à chacun des rapports bilatéraux existant entre les participants à l'opération : tireur-tiré, tireur-bénéficiaire, endosseur-endossataire, avaliseur-débiteur garanti.

L'indépendance des obligations cambiaires est marquée par le fait que leur validité ne dépend ni de l'existence ni de la validité des rapports fondamentaux et que les modalités en sont autonomes. Pour autant, les deux rapports ne sont pas étrangers l'un à l'autre. Les conditions de leur exécution, en particulier, traduisent une indéniable influence réciproque.

L'attention a surtout été attirée sur les liens et l'influence possibles entre obligations cambiaires et rapports fondamentaux. Il ne faut pas ignorer l'incidence éventuelle des rapports juridiques existant entre une des parties à l'opération cambiaire — par exemple le tireur — et un tiers. Ces rapports peuvent créer un obstacle à l'émission d'une lettre de change. Tel est le cas lorsqu'un commerçant a recours au crédit de mobilisation des créances commerciales (CMCC). La convention qui l'unit au banquier lui interdit de mettre en circulation des lettres de change, sinon des effets servant seulement au recouvrement des créances mobilisées par la banque (Gavalda et Stoufflet, *op. cit.*, n. 471). De cette solution, on rapprochera celle qui figurait à l'article 8, aujourd'hui abrogé, de l'ordonnance n. 67-838 du 28 septembre 1967 interdisant l'émission d'une lettre de change quand une créance a donné lieu à la création d'une facture transmissible destinée à permettre sa mobilisation par une banque ou un établissement financier. L'interdiction de l'émission d'une lettre de change (ou d'un billet à ordre) formulée par le droit de la consommation (*supra*, n. 28) est également à mentionner.

1. — Existence, validité et modalités de l'obligation cambiaire et rapports fondamentaux. Principe d'indépendance

39. — On pourrait imaginer que la validité de la lettre de change dépende de l'existence des rapports fondamentaux : provision et valeur fournie. Dans une telle conception, la lettre de change serait l'instrument d'exécution — un instrument particulièrement commode et efficace — des obligations antérieures entre les parties. Historiquement, c'est, semble-t-il, ainsi qu'a été d'abord comprise la lettre de change, en tout cas sous le rapport de la provision. Cette analyse, cependant, fait une place insuffisante à la circulation de l'effet et elle est répudiée par le droit moderne.

La loi uniforme de Genève a consacré un système dans lequel le titre cambiaire est *indépendant* des rapports fondamentaux pouvant exister entre les parties, même si les législations nationales ont conservé la possibilité de leur faire jouer un certain rôle. Ni quant à son existence, ni quant à sa validité, la lettre de change n'en dépend. Sur le plan de la forme, la mention de la provision dans la lettre de change n'est pas nécessaire et il en est de même pour la valeur fournie qui n'a pas (comme c'était le cas en droit français avant la réforme opérée par la loi du 8 fév. 1922) à être indiquée. Au fond, l'absence de provision n'est pas une cause de nullité de la lettre de change pas plus que la nullité du rapport de provision ne retentit sur la validité de l'effet. Il n'en est pas autrement pour la valeur fournie. Le fait que la contre-prestation due par le bénéficiaire (ou l'endossataire) fasse défaut ou soit illicite ne rend pas nulle ou résoluble l'obligation cambiaire. Il convient, toutefois, d'assortir ces solutions de deux réserves importantes. Le vice — atteinte à l'ordre public — affectant le rapport fondamental peut entacher également l'obligation cambiaire et en provoquer la nullité (cas des effets de complaisance). Par ailleurs, dans les rapports entre les parties au rapport fondamental, le vice entachant ce rapport, ou son inexistence, peut fournir une exception de nature à paralyser l'exécution de l'obligation cambiaire (*infra*, n. 55).

Les modalités du rapport fondamental et les conditions diverses dont il est assorti sont sans influence sur l'obligation cambiaire (sur les effets d'une clause attributive de compétence, V. *infra*, n. 125).

2. — *INFLUENCES RÉCIPROQUES DE LA LETTRE DE CHANGE ET DES RAPPORTS FONDAMENTAUX*

a) Effets de l'émission ou de l'endossement de la lettre de change sur les rapports fondamentaux

Survie du rapport fondamental

40. — L'émission d'une lettre de change entraîne-t-elle l'extinction des rapports préexistants entre les parties ? La question, non résolue par la loi uniforme de Genève, ne relève pas en réalité essentiellement du droit cambiaire, mais du droit commun des obligations. Ainsi qu'il a été précédemment souligné (*supra*, n. 39) il est hors de question de considérer que la lettre de change n'est que l'intégration dans un titre de rapports juridiques préexistants entre les parties. La lettre est bien autre chose qu'un simple instrument, qu'un « habillage nouveau » d'obligations antérieures.

On pourrait néanmoins, au seul plan de l'exécution, et sans nier l'existence autonome des obligations cambiaires, concevoir que l'émission ou l'endossement de l'effet entraîne l'extinction des rapports préexistants par *novation*. Est-il concevable qu'un débiteur soit tenu envers un même créancier par deux liens d'obligation ayant le même objet, s'éteignant par un paiement unique ? C'est pourtant cette solution qui prévaut en droit français. Elle est à la fois solidement fondée juridiquement et pratiquement utile. En application de l'article 1273 du Code civil, la novation ne se présume pas ; la volonté de l'opérer doit résulter clairement de l'acte. Même si la jurisprudence n'exige pas de formule sacramentelle, il faut que l'intention de nover soit formellement exprimée. En fait, dans le cas de création d'une lettre de change, cette intention est bien peu vraisemblable. Quels que soient les avantages attachés aux obligations cambiaires, les facilités d'exécution qu'elles offrent, il est douteux que le créancier entende renoncer au bénéfice des actions nées du rapport fondamental et, éventuellement, aux sûretés et privilèges, qui s'éteindraient par l'effet de la novation, alors que l'obligation cambiaire est fragile. Il est à noter que l'article 62 du décret-loi du 30 octobre 1935 énonce « que la remise d'un chèque en paiement, acceptée par un créancier, n'entraîne pas novation ». La créance originaire subsiste avec toutes les garanties qui y sont attachées jusqu'à ce que le chèque soit payé. Il n'y a pas de raison d'en décider autrement pour la lettre de change. Donc le tiré, même s'il a accepté l'effet, reste tenu de sa dette préexistante éventuelle envers le tireur (ou envers le porteur s'il y a eu endossement et transfert de la provision : V. *infra*, n. 86 et s). Le bénéficiaire ou l'endossataire conservent, de même, leurs droits, s'il en existe, contre le tireur ou endosseur. Bien entendu, une convention claire peut modifier ces solutions. On n'en connaît guère d'exemples dans la pratique.

L'indépendance des deux rapports d'obligation a pour conséquence que ce qui a été jugé relativement à l'un d'eux n'a pas autorité à l'égard de l'autre (Cass. com., 12 juill. 1977 : *Bull. civ.* IV, n. 205, p. 175. — Bastia, 27 fév. 1979 : *D.* 1980, IR, 135, obs. Cabrillac).

Modification des conditions de mise en œuvre du rapport fondamental

Le créancier peut-il exercer indifféremment l'action née du rapport fondamental ou l'action cambiaire ? Il est conforme à l'intention des parties que le porteur de la lettre de change tente, tout d'abord, de la recouvrer. Il n'agira contre son débiteur initial sur le terrain extracambiaire que si l'effet n'est pas payé à l'échéance. Par voie de conséquence, l'échéance de la lettre de change est substituée à la date, supposée différente, d'exigibilité de l'obligation préexistante.

b) Influence des rapports fondamentaux sur les obligations cambiaires

41. — L'influence des rapports fondamentaux sur les obligations cambiaires ne peut être que limitée. S'il en était autrement, la lettre de change n'offrirait aucune sécurité. Cette influence n'est pourtant pas absente. A l'égard des tiers porteurs, au moins s'ils sont de bonne foi, les rapports fondamentaux ne sauraient mettre en échec les droits cambiaires. Mais les tiers peuvent tirer avantage de ces rapports. Ainsi, on le verra, la créance de provision et les garanties qui y sont attachées sont transmises aux porteurs successifs.

Dans les rapports entre les parties qui sont en relation juridique directe : tireur et tiré, tireur et preneur, la séparation est beaucoup moins marquée entre rapport fondamental et obligation cambiaire. L'influence du premier sur la seconde est importante. Le débiteur cambiaire peut opposer au créancier les exceptions nées du rapport fondamental (*infra*, n. 55). Ainsi en est-il, notamment, de l'absence de cause (V. pour le billet à ordre, *infra*, n. 142-1). On notera, cependant, que si le rapport fondamental trouve sa source dans un contrat entaché d'une nullité relative, la souscription de la lettre de change peut valoir confirmation de l'acte nul. Il suffit que les deux conditions requises par l'article 1338 du Code civil soient remplies : connaissance du vice par le débiteur au moment de la naissance de l'engagement cambiaire, intention de réparer l'irrégularité.

§ 2. — Circulation de la lettre de change

42. — La lettre de change circule normalement par *endossement*, procédé dont l'emploi est autorisé par la clause à ordre expresse ou sous-entendue (C. com., art. 117, al. 1). L'endossement permet de transmettre les droits attachés à la lettre de change (endossement translatif). Il permet aussi d'affecter en gage la lettre de change (endossement pignoratif). Enfin, on utilise l'endossement pour constituer un mandataire en vue, notamment, d'encaisser la lettre de change (endossement de procuration).

L'endossement translatif est le plus fréquemment utilisé. Il est l'instrument de l'escompte. Il ne constitue pas, cependant, le seul moyen de transmission des droits cambiaires. Tout d'abord, si la lettre de change n'est pas susceptible d'être émise au porteur (*supra*, n. 13), elle peut être endossée au porteur et elle circule alors par simple tradition. Il en est de même lorsqu'elle est endossée en blanc. En second lieu, il est admis que la lettre de change soit transmise au moyen d'une cession de créance ordinaire qui produit, toutefois, des effets plus restreints que ceux de l'endossement (Req., 1er fév. 1876 : *D.* 1878, 1, 229 ; *S.* 1876, 1, 149).

Enfin, la loi a institué pour certaines opérations financières un mode de transmission simplifié des droits cambiaires au profit des établissements de crédit. On ajoutera que la lettre de change est susceptible d'être transmise comme tout autre bien corporel ou incorporel dans le cadre d'une transmission universelle (succession, fusion de personnes morales). Aucune forme spécifique n'est imposée ; le successeur est tenu de justifier de ses droits dans les conditions ordinaires.

Les endossements pignoratifs et de procuration ne sont pas non plus des formes exclusives. Il est permis de leur préférer les procédés de droit commun de constitution du gage et du mandat.

On pourrait trouver anormal que l'endossement de procuration soit classé parmi les procédés de transmission de la lettre de change. En réalité, il y a une communauté de formes entre les trois types d'endossement et il serait artificiel de les séparer. Par ailleurs, la nature d'un endossement est parfois incertaine et l'on passe aisément d'un type à l'autre. Enfin, l'endossement de procuration est, au moins matériellement, un moyen de mettre en circulation l'effet qui peut d'ailleurs en cette circonstance servir de garantie à un crédit (avance bancaire sur encaissement).

A. — TRANSMISSION DES DROITS ATTACHÉS À LA LETTRE DE CHANGE ; ENDOSSEMENT TRANSLATIF

43. — L'utilisation, pour transmettre la lettre de change, de la cession de créance si elle est possible et, occasionnellement, pratiquée (elle est la seule possible quand l'effet est stipulé « non à ordre » : *supra*, n. 22), est peu adaptée aux nécessités du commerce. En la forme tout d'abord : aussi bien en matière commerciale qu'en matière civile, la cession de créance est soumise à la nécessité de l'écrit et aux formalités prévues à l'article 1690 du Code civil, conditions de son opposabilité aux tiers. On voit mal comment les effets de commerce pourraient couramment et rapidement circuler à un tel prix. Mais il y a plus. Le cession de créance n'offre au cessionnaire que des garanties limitées. Il ne recueille comme dans la vente que les droits du cédant, des droits soumis à toutes les limites, exposés à toutes les exceptions qui les affectaient entre les mains du cédant. Le cédant ne garantit même pas de plein droit la solvabilité du débiteur (C. civ., art. 1694). Le porteur d'une lettre de change recherche une autre sécurité. L'endossement la lui procure et son régime juridique permet à la lettre de change de circuler comme du papier-monnaie et de remplir son rôle d'instrument de paiement et de crédit.

Pour comprendre les effets de l'endossement translatif il faut faire abstraction de sa fonction économique de moyen de transmission de l'effet. Juridiquement, l'endossement s'apparente à l'émission. Parce qu'il remet l'effet en circulation, l'endosseur est soumis à des obligations très proches de celles pesant sur le tireur. Quant au fond, tout au moins, les conditions de l'endossement sont d'ailleurs analogues à celles applicables à l'émission.

1. — Conditions de l'endossement translatif

a) Forme de l'endossement translatif et contenu de la formule d'endossement

44. — L'article 138 du Code de commerce de 1807 était rigoureux quant au contenu de l'endossement. La mention d'endossement devait énoncer le nom de l'endossataire et la valeur fournie. La rédaction en était comparable au texte même de la lettre. L'endossement incomplet valait seulement à titre de procuration. La pratique tournait ces exigences. Les effets circulaient revêtus d'un endossement en blanc (simple signature) que le dernier porteur complétait par l'indication de son nom. La loi du 8 février 1922 régularisa cette façon de faire et la loi uniforme de Genève a fait preuve également d'un grand libéralisme quant à la forme de l'endossement. Selon l'article 117 du Code de commerce qui en est issu, l'endossement peut revêtir trois formes : nominative, en blanc et au porteur. L'étude de ces formes est importante car elle permet de définir le contenu minimal de la formule d'endossement. En outre, les conditions de remise en circulation ultérieure de l'effet dépendent dans une large mesure de la forme de l'endossement figurant sur le titre.

Endossement nominatif. — C'est la formule d'endossement la plus complète. Elle désigne l'endossataire. Dans la pratique la clause à ordre y figure bien que sa présence ne soit pas la condition d'un nouvel endossement. L'endossement est, en général, rédigé de la manière suivante : « Veuillez payer à l'ordre de X... ». C'est la réitération de l'ordre de payer du tireur, figurant au texte initial de la lettre. La signature de l'endosseur est indispensable, mais la loi du 16 juin 1966 rend facultative la signature manuscrite. La griffe ou un autre procédé non manuscrit peut être employé (*supra*, n. 14). L'endossement nominatif est normalement inscrit au dos du titre, mais la loi ne l'impose pas. S'il n'y a plus de place sur la lettre, la formule est apposée sur une feuille que l'on y attache, dénommée allonge (C. com., art. 117, al. 7). Il a été jugé qu'un bordereau de remise d'effet à une banque attaché à une lettre de change peut être considéré comme une allonge (Cass. com., 20 nov. 1990, *Parson France* c. *Société générale*, inédit, solution implicite).

Endossement en blanc. — Le dernier alinéa de l'article 117 consacre la validité de l'endossement en blanc. Celui-ci consiste soit en une formule d'endossement n'indiquant pas le nom de l'endossataire (« Veuillez payer à l'ordre de... ») signée par l'endosseur, soit simplement en cette signature. Dans les deux cas la signature non manuscrite est admise. La distinction entre les deux formes d'endossement en blanc ne présente d'intérêt que pour la détermination de l'emplacement de l'endossement. Quand l'endossement ne comporte que la signature de l'endosseur, il doit à peine de nullité être apposé au verso du titre ou sur l'allonge. Les rédacteurs de la loi uniforme ont craint une confusion avec l'aval. Lorsqu'il comprend un texte rédigé marquant la volonté de l'endosseur de transmettre le titre, l'endossement en blanc peut être inscrit à un emplacement quelconque comme un endossement nominatif.

L'article 118 du Code de commerce détaille les diverses possibilités qui s'offrent au porteur d'une lettre de change pourvue d'un endossement en blanc désirant la remettre en circulation. Il peut remplir le blanc de son nom ou du nom d'une autre personne à qui il veut transférer l'effet ; il peut endosser la lettre de nouveau en blanc ou à une autre personne, c'est-à-dire souscrire un endossement nouveau ; enfin, il lui est possible de remettre la lettre de change à un tiers sans remplir le blanc et sans l'endosser comme il le ferait si elle était au porteur, l'acquéreur complétant éventuellement l'endossement en blanc par l'indication de son nom. Ces diverses façons de procéder sont équivalentes pour ce qui est de l'effet translatif de l'endossement, mais pas en ce qui concerne la garantie de paiement. Si le porteur de l'effet appose sa signature pour endosser le titre, il devient garant de son paiement et même de son acceptation (*infra*, n. 51). Le cessionnaire a donc intérêt à ce que celui qui lui cède l'effet le lui endosse.

Endossement au porteur. — Insusceptible d'être émise au porteur, la lettre de change peut être endossée au porteur (C. com., art. 117, al. 6). L'endossement au porteur a la même valeur que l'endossement en blanc. La lettre de change qui en est pourvue peut circuler par tradition comme tout titre au porteur ou être l'objet de nouveaux endossements avec les avantages qu'offre pour les porteurs subséquents la présence de signatures d'endossement.

L'endossement « toute banque », fréquent en pratique, indique que seul peut être considéré comme un porteur légitime du titre un établissement bancaire ou assimilé ; mais aucune banque n'est spécialement désignée. La formule s'apparente à la fois à l'endossement au porteur et à l'endossement nominatif.

45. — *Mentions facultatives.* La formule d'endossement qui est réduite à sa plus simple expression dans le cas de l'endossement en blanc, est susceptible d'être enrichie de diverses mentions facultatives dont les effets juridiques sont parfois importants. La loi s'accommode, comme pour le texte de la lettre de change, de toutes les mentions qui ne sont pas incompatibles avec les caractères essentiels des obligations cambiaires. Aussi ne peut-on donner une liste limitative des clauses facultatives.

L'indication de la *date* de l'endossement n'est pas obligatoire, mais elle est utile, permettant de vérifier la capacité et les pouvoirs de l'endosseur et de s'assurer qu'il était *in bonis* au moment où il a endossé la lettre. En outre, on le verra, les effets de l'endossement sont réduits lorsqu'il est souscrit après protêt ou après l'expiration du délai fixé pour l'établissement du protêt (C. com., art. 123, al. 1). Il est compréhensible dans ces conditions que le législateur ait voulu que la date indiquée soit exacte. Aux termes de l'article 123, alinéa 3 du Code de commerce, il est interdit d'antidater les ordres (c'est-à-dire les endossements) à peine de faux. Le faux est punissable des peines édictées à l'article 441-1 du nouveau Code pénal. Seule, toutefois, l'antidate est réprimée. La postdate ne présente pas les mêmes dangers.

La date indiquée bénéficie d'une présomption d'exactitude même au regard des tiers ; mais ceux-ci peuvent établir par tout moyen qu'elle est inexacte.

L'indication de la *valeur fournie* par l'endossataire à l'endosseur est possible, mais rare (Roblot, n. 276).

L'endosseur a la faculté, par une clause de l'endossement, *d'exclure sa garantie*. Interdite ai tireur, l'exclusion de garantie est admise pour un endosseur.

Diverses clauses aménageant le mécanisme cambiaire sont susceptibles d'être incluses dans la formule d'endossement, comme dans la lettre de change elle-même, mais elles n'ont d'effet qu'à l'égard de l'endosseur. On peut citer la clause *sans frais* ou la clause *interdisant un nouvel endossement* qui n'empêche pas l'endossement, mais exclut la garantie de celui qui l'a insérée envers un porteur ultérieur (C. com., art. 119, al. 2).

Les clauses qui soumettraient l'endossement à des modalités illégales (ex. : endossement conditionnel) (*infra*, n. 48) sont évidemment interdites.

b) Conditions de fond de l'endossement translatif

46. — La possibilité d'endosser la lettre de change est largement ouverte puisqu'elle est endossable même en l'absence de clause à ordre dès lors que ce mode de transmission n'est pas expressément écarté (*supra*, n. 13). L'endossement est possible dès l'émission de l'effet et jusqu'à l'échéance ou même après l'échéance quoique, dans ce cas, avec des effets limités (*infra*, n. 57).

L'endossement translatif, qu'il soit accompli à titre de paiement d'une dette de l'endosseur envers l'endossataire, en exécution d'une opération de crédit (escompte) ou en tant que libéralité, est soumis à des conditions propres positives et négatives inhérentes au mécanisme cambiaire et indépendantes des conditions applicables aux rapports juridiques fondamentaux existant entre les intéressés. Alors que ces rapports n'ont pas d'incidence sur la situation des porteurs subséquents (sauf s'ils sont de mauvaise foi), le non-respect des conditions de l'endossement peut l'affecter. C'est précisément pour cette raison que la loi définit ces conditions de telle manière que les droits des porteurs ultérieurs soient aussi solides que possible dès lors qu'en recevant l'effet ils ont pris un minimum de précautions.

Conditions requises de l'endosseur

Qualité de porteur légitime. — Les conditions de l'endossement sont déterminées par la double nature de l'endossement : acte translatif de la lettre de change et engagement cambiaire lié à la signature de l'effet par l'endosseur.

En tant qu'acte translatif, l'endossement devrait n'être efficace que si l'endosseur est réellement propriétaire de la lettre de change. Sinon il y a « vente » de la chose d'autrui. La circulation des effets de commerce ne saurait, cependant, s'accommoder d'une telle condition dont l'application imposerait à celui qui reçoit une lettre de change de longues et difficiles vérifications sur les transmissions dont cette lettre de change a été antérieurement l'objet et qui l'exposerait à de multiples causes d'éviction.

Pour répondre à cette situation et à ses impératifs, l'article 120, alinéa 1 du Code de commerce dispose que le détenteur d'une lettre de change est considéré comme « porteur légitime » s'il justifie de son droit par une suite ininterrompue d'endossements, même si le dernier endossement est en blanc « et pour endosser valablement » et aussi, on le verra, pour recevoir paiement, il suffit d'être « porteur légitime ». Selon l'heureuse formule de M. Cabrillac (*Jur. Lettre de change*, p. 87) on se contente en la matière d'une « légitimité formelle ». Cette condition est suffisante, mais elle est nécessaire. Le détenteur d'une lettre de change non endossée à son profit ou revêtue d'un endossement en blanc ou au porteur n'est pas considéré comme porteur légitime, même s'il établit son droit sur l'effet par des moyens de preuve extérieurs à la lettre de change (Cass. com., 24 nov. 1992 : *Bull. civ.* IV, n. 370 ; *D.* 1993, somm. comm. 317, obs. Cabrillac). Le concept simple de porteur légitime, substitué par le droit cambiaire à celui de propriétaire ou de véritable créancier, ne trouve toutefois à s'appliquer que dans la mesure où les intérêts d'un tiers (endossataire, porteur subséquent, tiré) sont en cause. Les rapports entre un endosseur et un porteur dépossédé par exemple sont régis par le droit commun des obligations.

L'article 120 apporte quelques précisions importantes pour l'appréciation de la qualité de porteur légitime. Quand un endossement en blanc est suivi d'un autre endossement, le signataire de celui-ci est réputé avoir acquis la lettre par l'endossement en blanc. Par ailleurs, les endossements biffés sont, pour l'appréciation de la qualité de porteur légitime, réputés non écrits.

Ainsi l'endossataire peut-il aisément déterminer si l'endosseur a sur l'effet des droits suffisants pour le transmettre. Il lui suffit de se livrer à un contrôle purement formel qui lui permet de s'assurer que la chaîne des endossements n'a pas été interrompue, c'est-à-dire que le premier endossement porte bien une signature correspondant au nom du preneur et ainsi de suite pour chaque endossement, en tenant compte de la solution donnée à l'article 120 en ce qui concerne les endossements en blanc et qui peut être étendue à l'endossement au porteur assimilé à l'endossement en blanc par l'article 117, alinéa 6 du Code de commerce. (V. Cass. com., 19 juin 1979 : *Bull. civ.* IV, n. 205, p. 166. — 17 juill. 1980 : *Bull. civ.* IV, p. 248, n. 306).

La situation de l'endossataire est d'autant plus favorable que la loi ne subordonne pas l'acquisition par lui de la lettre de change à l'authenticité des signatures qui ont investi l'endosseur. L'article 137 *in fine* du Code de commerce dispose que celui qui paie la lettre de change « est obligé de vérifier la régularité de la suite des endossements, mais non la signature des endosseurs ». Cela implique que l'endossataire ne court pas de risque à ne pas contrôler ces signatures.

L'utilisation de la notion de porteur légitime allège considérablement la tâche de celui qui reçoit une lettre de change. Encore faut-il qu'il se livre à un contrôle attentif de la continuité des endossements antérieurs. Ce contrôle est limité, mais strictement nécessaire et, à défaut, il ne pourrait prétendre au paiement de l'effet. La Cour de cassation, pourtant, fait preuve de libéralisme, admettant que la chaîne des endossements n'est pas rompue lorsqu'une erreur manifeste s'est produite dans la rédaction des endossements (V. Cass. com., 9 mars 1976 : *Bull. civ.* IV, n. 85, p. 72 ; *RTD com.* 1976, p. 754, obs. Cabrillac et Rives-Lange).

Une difficulté s'est présentée au sujet des endossements donnés pour une personne morale. L'endossataire n'a sans doute pas à vérifier la réalité des pouvoirs de celui qui signe pour la personne morale ; mais ne faut-il pas exiger la mention de la qualité du signataire pour que soit assurée la continuité de la chaîne des endossements ? Sans doute peut-on considérer cette exigence comme très formaliste, mais le formalisme n'imprègne-t-il pas le droit cambiaire et la qualité de porteur légitime ne s'apprécie-t-elle pas selon des critères purement formels et qui appellent une application rigide ?

Statuant en matière de chèque, mais les principes applicables à la lettre de change sont les mêmes, la chambre commerciale de la Cour de cassation a jugé le 15 juin 1976 (*Bull. civ.* IV, n. 204, p. 176) que l'indication comme signataire du nom du président de la société bénéficiaire d'un chèque sans mention de la société ne peut être considérée comme un endossement par la société ; l'endossataire n'a donc pas la qualité de porteur légitime. Dans l'affaire, il est vrai, il ne s'agissait pas directement d'apprécier la validité de l'endossement, mais de déterminer si le banquier qui s'était chargé de l'encaissement du chèque n'avait pas commis de faute en ne relevant pas l'irrégularité. La solution posée n'en est pas moins claire. V. cependant en sens contraire : Trib. gr. inst. Lyon, 1er oct. 1975 : revue *Banque* 1976, p. 559, obs. Martin. Sur le conflit entre porteur actuel et porteur dépossédé de la lettre de change, V. *infra*, n. 113.

L'endossement souscrit par une personne n'ayant pas la qualité de porteur légitime est privé d'effet translatif. Mais il peut valoir reconnaissance de dette de l'endosseur envers l'endossataire, selon le droit commun des obligations (Cass. com., 14 oct. 1980 : *Bull. civ.* IV, n. 333, p. 268).

47. — *Capacité et pouvoirs.* L'endossement n'exige pas seulement la capacité de disposer mais également celle de s'obliger commercialement puisque l'endosseur garantit le paiement de l'effet.

Lorsque l'endosseur agit pour un tiers comme mandataire ou représentant d'une personne morale, il doit avoir des pouvoirs suffisants. Ces pouvoirs manquent au débiteur soumis à la liquidation des biens et en conséquence frappé de dessaisissement ; mais il n'en est ainsi qu'à compter du jugement déclaratif, la cessation des paiements ne portant pas atteinte à la validité de l'endossement (Cass. com., 18 juin 1979 : revue *Banque* 1979, p. 1504, obs. Martin). La même solution est applicable en cas de liquidation judiciaire (L. 25 janv. 1985, art. 152).

Les pouvoirs, de même que la capacité de l'endosseur, s'apprécient, bien entendu, à la date de cet endossement.

L'endossement souscrit par une personne sans pouvoir pose deux problèmes distincts : au regard de la garantie cambiaire et au regard de l'effet translatif de l'endossement. Sur le premier point il y a lieu d'appliquer la règle générale inscrite à l'article 114, alinéa 3 du Code de commerce, qui vaut pour tous les cas d'excès de pouvoir (*supra*, n. 28). Quant à l'effet translatif, il est certainement acquis au regard de porteurs subséquents dès lors qu'ils sont de bonne foi et n'ont pas commis de faute lourde en acquérant la lettre de change (C. com., art. 120, al. 2, et *infra*, n. 113). En est-il de même au regard de l'endossataire ? Il serait imaginable que celui-ci soit tenu de vérifier les pouvoirs de l'endosseur avec qui il est en rapport juridique personnel et direct. La solution doit toutefois être écartée, l'article 120 ne distinguant pas.

L'incapacité de l'endosseur interdit certainement qu'il soit obligé cambiairement et il est admis que l'exception tirée de l'incapacité est opposable même à un porteur de bonne foi (*infra*, n. 53). Cette incapacité fait également obstacle à une transmission efficace de l'effet. L'article 120, alinéa 2, ne vise pas cette situation et il est de principe que la protection de l'incapable prévaut sur les intérêts d'un porteur (Roblot, n. 456). La situation de l'endossataire est, on le notera, spécialement peu digne d'intérêt car il lui est facile de contrôler la capacité de l'endosseur. Ainsi l'endosseur incapable doit-il être admis à revendiquer la lettre de change contre son porteur actuel, sauf bien entendu à celui-ci à exercer un recours en garantie de droit commun contre celui qui lui a transmis l'effet.

Consentement. — Le consentement de l'endosseur est requis comme pour tout acte juridique. Il s'exprime par la signature, élément indispensable de l'endossement. En l'absence de consentement (cas de fausse signature), l'endosseur apparent n'est certainement pas obligé cambiairement (comp. ce qui a été dit précédemment au sujet du tireur : *supra* n. 32). Seule pourrait être ouverte à son encontre au porteur de la lettre de change, une action en responsabilité civile s'il a, par sa faute, rendu possible l'endossement frauduleux. L'effet translatif de l'endossement est, toutefois, obtenu au regard des porteurs (endossataire ou porteur subséquent) qui remplissent les conditions définies à l'article 120, alinéa 2, (Cass. com., 21 déc. 1959 : *D.* 1960, J, 262 ;

RTD com. 1960, p. 859, obs. Becqué et Cabrillac. — Roblot, n. 263 et *infra*, n. 113).

Le vice du consentement considéré par la jurisprudence comme une exception inopposable à un porteur de bonne foi (*infra*, n. 53) est sans incidence sur la situation d'un porteur subséquent qui peut se prévaloir de l'article 121. En revanche, il entache la transmission de l'effet d'une nullité relative dans les rapports entre l'endosseur et l'endossataire car dans ces rapports les principes du droit des obligations ne sont pas mis en échec par le mécanisme cambiaire. L'opposabilité des exceptions à caractère personnel est, on le verra (n. 53), maintenue par l'article 121 (en ce sens, pour les vices du consentement, Roblot, n. 263).

Qu'en est-il si l'endossement souscrit ne correspond pas à la volonté réelle de l'endosseur ? Ainsi, un effet est remis à une banque revêtu d'un endossement translatif alors qu'il est de l'intention commune des parties que la banque soit seulement chargée du recouvrement. Cette situation est fréquente. Un tiers porteur de bonne foi est certainement protégé par l'apparence, mais faut-il appliquer dans son ensemble la théorie de la simulation (C. civ., art. 1321) ? Un tiré pourrait ainsi, pour échapper à l'inopposabilité des exceptions, établir qu'il n'a été consenti par l'endosseur qu'un mandat. La jurisprudence se prononçait en ce sens avant l'entrée en vigueur de la loi uniforme (Req., 1er déc. 1879 : *S.* 1880, 1, 158. — Cass. civ., 18 juin 1927 : *D.* 1927, 465). La solution doit être maintenue (Cabrillac, *Jur. Lettre de change*, n. 25. — V. Cass. com., 23 fév. 1976 : *Bull. civ.* IV, n. 63, p. 55, qui ne comporte toutefois pas de référence à la théorie de la simulation).

Conditions requises de l'endossataire

48. — L'endossataire ne contracte pas d'engagement cambiaire. Il n'est donc pas nécessaire qu'il ait la capacité commerciale. L'endossement peut, en revanche, s'accompagner pour l'endossataire d'obligations extracambiaires ; la capacité pour les contracter s'apprécie selon le droit commun. Le consentement de l'endossataire est nécessaire mais il ne trouve pas d'expression dans le cadre du formalisme cambiaire. Généralement, il se confond avec le consentement donné à l'acte juridique en exécution duquel la traite est endossée. Il peut résulter simplement de la réception de l'effet et de sa non-restitution à bref délai (cas de l'escompte).

Les pouvoirs de celui qui reçoit l'effet ne sont que rarement une source de difficulté (V. cependant un cas où il était soutenu que le dirigeant d'une société avait agi hors de l'objet social : Cass. com., 1er oct. 1996 : chron. dr. bancaire, *JCP* 98, éd. E, I, 319, n. 1 ; *D.* 1997, J, 225, note D. Martin ; *JCP* 96, éd. E, II, 892, note Bonneau).

L'endossement peut être souscrit au profit d'un endossataire quelconque, y compris le tiré ou une personne obligée au paiement de l'effet parce qu'elle l'a signé. La question se pose alors de savoir si la lettre de change n'est pas éteinte par cet endossement, au moins dans le cas d'un endossement au tiré.

L'article 117, alinéa 3 du Code de commerce, apporte une réponse négative : « L'endossement peut être fait même au profit du tiré, accepteur ou non, du tireur ou de tout autre obligé. » La conséquence du principe est déduite dans la suite du texte : « Ces personnes peuvent endosser la lettre à nouveau. » La solution est parfaitement rationnelle. Le titre cambiaire fait obstacle à l'extinction par confusion de l'obligation, seul obstacle possible à un nouvel endossement. Il est à noter, toutefois, que l'endossement au tiré souscrit à partir de l'échéance doit être considéré comme un acquit. Un endossement par le tiré est alors exclu car la lettre de change est éteinte.

Il est admis en doctrine que l'endossement peut être consenti à plusieurs endossataires, soit collectivement, soit alternativement (Roblot, n. 269). Dans le premier cas, la signature de chacun d'eux serait nécessaire pour un nouvel endossement ; dans le second, une seule signature suffirait. Il est exclu, en revanche, que l'endossement soit fait au profit de plusieurs bénéficiaires avec fractionnement de l'effet. Cette modalité méconnaîtrait l'interdiction des endossements partiels (*infra*). Sur l'endossement « toute banque », V. *supra*, n. 44.

L'endossement translatif peut être assorti de toute *modalité* qui n'est pas incompatible avec le mécanisme cambiaire (*supra*, n. 45). Précisément parce qu'elles seraient de nature à entraver la circulation ultérieure de l'effet et pourraient donner lieu à des erreurs d'appréciation de la part des tiers sur la valeur du titre, la loi interdit certaines restrictions à la teneur des droits transmis à l'endossataire. Selon l'article 117, alinéa 4 du Code de commerce, l'endossement doit être pur et simple. Les conditions sont réputées non écrites. Par conséquent, elles n'entraînent pas la nullité de l'endossement. L'article 117, alinéa 5, prohibe l'endossement partiel et le frappe de nullité, ce qui a pour conséquence l'interruption de la chaîne des endossements et le refus à un porteur subséquent de la qualité de porteur légitime.

Il est, toutefois, à souligner que les deux textes qui viennent d'être cités ne concernent que l'aspect cambiaire de la cession de l'effet. Rien n'interdit aux parties d'aménager à leur convenance l'opération par une convention extra-cambiaire qui n'aurait pas le caractère d'une contre-lettre. Elles pourraient de la sorte prévoir une condition ou convenir que l'effet n'est transmis en propriété que pour partie et que pour le surplus l'endossataire sera un mandataire. Seulement, de telles conventions sont sans effet au regard des tiers, par exemple vis-à-vis d'un porteur subséquent.

Quand l'effet a été émis en plusieurs exemplaires ou quand des copies ont été établies (*supra*, n. 21), il importe évidemment qu'il ne soit pas l'objet d'endossements au profit de bénéficiaires différents, ce qui aurait pour conséquence en quelque sorte de le dédoubler. Des précautions, déjà exposées, sont prises pour l'éviter (V. *supra*, n. 21). Selon l'article 174, alinéa 2, l'endosseur qui a transféré les exemplaires à différentes personnes ainsi que les endosseurs subséquents sont tenus à raison de tous les exemplaires portant leur signature qui n'ont pas été restitués. Il est admis que ce texte est applicable également si l'original est endossé alors qu'une copie est elle-même en circulation parce que l'on a omis d'apposer sur cet original une mention indiquant qu'il ne doit plus être endossé (Lescot et Roblot, *op. cit.*, t. I, n. 286).

c) Rôle de l'endossement dans la transmission de la lettre de change

49. — La loi réglemente avec précision l'endossement comme mode de transmission de la lettre de change. Pourtant la place de l'endossement dans le mécanisme de transmission de l'effet n'apparaît pas parfaitement et il importe de bien la caractériser.

Il n'est pas douteux que l'endossement est, en principe, une *condition nécessaire* de la transmission de la lettre de change à ordre. Certes, elle peut être cédée par la voie de la cession de créance, mais comme on l'a déjà souligné, il s'agit d'une opération très différente, ne produisant que des effets restreints (*supra*, n. 43). La simple remise de l'effet non revêtu d'une formule régulière d'endossement est, par conséquent, impuissante à le transférer à celui qui le reçoit (Cass. com., 13 oct. 1970 : *Bull. civ.* IV, n. 265, p. 231 ; Cabrillac, *Jur. Lettre de change*, p. 59. — 20 nov. 1974 : *Bull. civ.* IV, n. 295, p. 244. — Rappr. 22 nov. 1976 : *Bull. civ.* IV, n. 292, p. 245 ; Chron. dr. bancaire, 1977 : *JCP* 78, éd. CI, 12622, n. 32, par Gavalda et Stoufflet. — 29 mai 1979 : *Bull. civ.* IV, n. 179, p. 145. — 11 juin 1979 : *Bull. civ.* IV, n. 190, p. 155 ; Chron. dr. bancaire : *JCP* 81, éd. CI, 13506, n. 55, 24 nov. 1992 : *Bull. civ.* IV, n. 370 ; *D.* 1993, somm. comm. 317, obs. Cabrillac. — Paris, 19 déc. 1984 ; *D.* 1985, IR, 419, obs. Cabrillac).

Il n'est fait exception à la nécessité de l'endos que dans deux hypothèses, d'ailleurs très différentes. Tout d'abord, la simple tradition du titre vaut transmission quand le dernier endossement est en blanc ou au porteur. La solution résulte de l'article 120, alinéa 1 du Code de commerce, selon lequel le détenteur d'une lettre de change est porteur légitime s'il justifie de son droit par une chaîne ininterrompue d'endossements, *même si le dernier endossement est en blanc* et de l'article 117, alinéa 6, assimilant l'endossement au porteur à l'endossement en blanc. Il a, cependant, été jugé que la remise d'un effet endossé en blanc ou au porteur est impuissante à transmettre l'effet si elle est opérée après protêt (Req., 28 mars 1944 : *JCP* 45, II, 2790, note Lescot ; *D.* 1945, J, 1, note Percerou). La remise après protêt est assimilable à un endossement après protêt qui ne produit que les effets d'une cession ordinaire (Cass. com., 10 janv. 1984 : *Bull. civ.* IV, n. 10, p. 8 ; *RTD com.* 1984, p. 491, obs. Cabrillac et Teyssié ; *D.* 1985, IR, 32, obs. Cabrillac). Il convient rationnellement d'en décider de même dans le cas de remise postérieure à l'expiration du délai de protêt ; mais la preuve de la date de la remise est évidemment dans ce cas difficile à rapporter.

Une autre exception à la nécessité de l'endos se rencontre dans le cas où un garant (endosseur par exemple) a payé l'effet sur recours du porteur. Il en recouvre de plein droit la propriété par le seul fait du paiement qu'il a accompli, sans qu'un endossement à son profit soit nécessaire (V. obs. Cabrillac et Rives-Lange : *RTD com.* 1976, p. 758).

Si l'endossement est, sauf exceptions, nécessaire, est-il *suffisant* pour transmettre l'effet ? Il ne s'agit pas ici de s'interroger sur la nécessité d'une convention entre l'endosseur et l'endossataire qui ne concerne que leurs rapports et non pas directement le mécanisme cambiaire qu'est l'endossement. La question porte sur la remise du titre à l'endossataire ou à une personne qualifiée pour le recevoir en son nom. Si l'effet est endossé en blanc ou au porteur, la tradition est sans aucun doute nécessaire puisqu'elle est la forme qui matérialise la transmission ; mais dans le cas de l'endossement nominatif, la forme n'est-elle pas scripturale de telle sorte que la remise serait dépourvue d'importance juridique ? Elle répondrait seulement à une nécessité pratique : s'il ne détient pas le titre, l'endossataire ne peut faire valoir les droits qui y sont attachés (en ce sens Cabrillac, *Jur. Lettre de change*, p. 89, V. Cass. com., 5 mars 1956 : *JCP* 56, II, 9369, note Roblot ; *RTD com.* 1956, p. 477, obs. Becqué et Cabrillac). Cette position appelle certaines réserves. Ce n'est pas minimiser le rôle de l'endos que de considérer que si le titre n'est pas remis à l'endossataire, celui-ci ne l'acquiert pas. La lettre de change est un titre qui n'est transmis que s'il est matériellement remis. Du reste, tant qu'il ne s'en est pas dessaisi, l'endosseur peut biffer la formule d'endos.

Ce point de vue n'est en rien en contradiction avec la solution précédemment exposée selon laquelle le bénéficiaire du dernier endossement reste porteur légitime si l'effet est détenu par un tiers sans endos à son profit. La question examinée est, en effet, celle de savoir si l'endossement est à lui seul translatif et non si la tradition suffit à transférer le titre, ce qui est évidemment exclu. Le point de vue précédent répond, on le notera, aux nécessités de la pratique. Tout comme les formules d'acquit (*infra*, n. 110), les endos peuvent être apposés à l'avance et ils n'ont pas grande signification par eux-mêmes si l'effet endossé n'est pas remis à l'endossataire.

2. — *EFFETS DE L'ENDOSSEMENT TRANSLATIF*

50. — L'endossement translatif a pour effet le plus visible celui qui répond à l'intention immédiate des parties : le transfert à l'endossataire de l'ensemble des droits attachés à la lettre de change. Il s'y ajoute cependant deux effets accessoires mais de très grande importance qui renforcent considérablement la situation de l'endossataire et marquent que l'endossement est bien autre chose qu'une cession de créance : la garantie de l'endosseur envers l'endossataire et les porteurs subséquents et surtout l'inopposabilité des exceptions. Ces effets accessoires sont cependant supprimés dans le cas de l'endossement tardif, accompli après protêt ou après l'expiration du délai de protêt.

Il convient de noter que si la théorie de la transmission de la lettre de change est présentée dans le Code de commerce à propos de l'endossement, la situation du preneur est, vis-à-vis du tireur et du tiré, très proche de celle de l'endossataire. Plus largement, les droits de tout porteur légitime de l'effet sont identiques ; ainsi ils bénéficient tous de l'inopposabilité des exceptions.

a) Effet translatif de l'endossement

Aux termes de l'article 118, alinéa 1 du Code de commerce : « L'endossement transmet tous les droits résultant de la lettre de change. » Entrent, bien entendu, dans les prévisions du texte l'ensemble des droits cambiaires : droit de demander l'acceptation et le paiement, droit d'endosser le titre, qui appartiennent à tout porteur.

Par convention extracambiaire la transmission des droits cambiaires peut être écartée. Une telle convention est évidemment inopposable aux tiers (Cabrillac, *Jur. Lettre de change*, n. 25).

L'endossataire recueille en outre les droits accessoires. Selon une disposition expresse de la loi (C. com., art. 116, al. 3), la créance de provision est transmise de plein droit aux porteurs successifs de la lettre de change : preneur puis endossataires (*infra*, n. 86 et s.). Cette transmission porte non seulement sur la créance elle-même mais sur les sûretés et privilèges qui en garantissent le paiement. Elle a un caractère automatique.

Il est également admis que l'endossement emporte transmission à l'endossataire du bénéfice des sûretés qui ont été spécialement constituées pour garantir le paiement de la lettre de change considérée. Créées initialement au profit du preneur, ces sûretés passent aux porteurs ultérieurs lors de chaque endossement (gage, hypothèque). Il en est de même des privilèges garantissant la créance cambiaire du preneur (privilège du vendeur d'immeuble ou du vendeur de fonds de commerce). Il a été, toutefois, jugé que le bénéfice d'une assurance crédit n'est pas transmis à l'endossataire d'une lettre de change parce que cette assurance n'est pas l'accessoire de l'effet (Cass. com., 25 fév. 1992 : *D.* 1992, J, 349, note Gavalda).

Une question à la fois théorique et pratique se pose en ce qui concerne la transmission des sûretés et privilèges. Est-elle subordonnée à la condition qu'il en soit fait mention dans le texte de la lettre de change ? Cette mention est fréquente dans la pratique car elle facilite la mobilisation de l'effet, mais est-elle nécessaire pour que les porteurs recueillent la garantie ? La question est débattue.

Les textes légaux qui prévoient la transmission des sûretés, et en confirment ainsi le principe, donnent des solutions opposées quant à la nécessité de mentionner leur existence dans la lettre de change. Selon l'article 6 de la loi du 18 janvier 1951 relative au nantissement de l'outillage et du matériel d'équipement, le bénéfice en est transmis de plein droit aux porteurs successifs des effets qu'il garantit, soit que ces effets aient été souscrits ou acceptés à l'ordre du vendeur ou du prêteur ayant fourni tout ou partie du prix, soit, plus généralement, qu'ils représentent la mobilisation d'une créance valablement gagée selon les dispositions de la loi. Il n'est pas exigé que le nantissement soit mentionné. L'article 60-1°, du décret du 14 octobre 1955 sur la publicité foncière, est plus formaliste. Non seulement il exige que l'acte constitutif de la créance hypothécaire constate expressément la création de billets et effets négociables représentatifs de cette créance, mais il subordonne la transmission du bénéfice de l'hypothèque aux porteurs de ces effets à la condition que chaque billet ou effet soit revêtu par le notaire rédacteur de l'acte constitutif d'une mention constatant qu'il a été créé en représentation de cette créance et qu'il bénéficie de la garantie y attachée. Cette mention rappelle la date de l'acte constitutif de la créance ainsi que le nom du notaire rédacteur et, dans le cas où la garantie privilégiée ou hypothécaire a été constituée par acte distinct, la date de cet acte et le nom du notaire qui l'a établi. La jurisprudence qui concerne, il est vrai, uniquement les billets à ordre — mais la solution donnée peut être généralisée — admet la transmission des garanties sans nécessité d'une mention lorsque la loi ne l'exige pas (Cass. civ., 20 juin 1854 : *D.* 1854, 1, 305 ; *S.* 1854, 1, 593, concernant les garanties attachées à la créance de provision. — Douai, 14 nov. 1901 : *D.* 1903, 2, 158. — Rappr. Req., 26 déc. 1871 : *D.* 1872, 1, 319. — Rappr. C. civ., art. 1692).

Il suffit que le lien soit établi entre la lettre de change et la garantie. Faut-il considérer avec le doyen Roblot (*op. cit.*, n. 281) que cette position est peu en harmonie avec l'esprit du droit cambiaire, particulièrement dans la version issue de la loi uniforme de Genève ? S'il est essentiel que les éléments susceptibles de compromettre ou de restreindre les droits du porteur soient mentionnés dans l'effet, c'est peut-être faire preuve d'un excès de formalisme que de subordonner à une telle mention le bénéfice d'une garantie.

Ainsi que le prévoit pour les hypothèques l'article 60 déjà cité du décret du 14 octobre 1955, le transfert de garanties peut être écarté par une clause de l'acte constitutif.

On mentionnera le cas particulier des traites documentaires qui sont assorties d'un titre négociable représentatif de marchandises (connaissement) et souvent d'un document d'assurance négociable. Ces documents circulent avec l'effet et procurent au porteur un gage et le droit au bénéfice de l'assurance. Dans cette combinaison, il n'y a pas mention de la garantie dans l'effet, mais des titres constituant cette garantie y sont attachés.

A quelle date se produit le transfert à l'endossataire des droits attachés à la lettre de change ? La question présente un intérêt, notamment en cas de liquidation des biens, de règlement judiciaire ou de redressement judiciaire de l'endosseur. C'est, en principe, à la date de la remise à l'endossataire du titre endossé que l'effet doit être considéré comme acquis par ce dernier (Cass. civ., 13 déc. 1948 : *RTD com.* 1949, p. 504, obs. Houin). Si le montant de l'effet est passé en compte courant, la date de l'inscription n'est pas à retenir car il ne s'agit que de constater la créance (V. à cet égard : Cass. com., 20 mars 1962 : *JCP* 62, II, 12747, note Rives-Lange ; *D.* 1962, J, 294 ; revue *Banque* 1962, p. 411. — 1er juin 1965 : revue *Banque* 1965, p. 820. — 30 janv. 1979 : *Bull. civ.* IV, n. 38, p. 30 ; revue *Banque* 1979, p. 1502, obs. Martin). Dans les rapports entre parties la date du transfert peut, toutefois, être différée. C'est ce qui se passe pratiquement en cas de remise à l'escompte. Le remettant adresse les effets endossés au banquier qui n'en devient propriétaire qu'au moment où, les ayant vérifiés, il manifeste son accord pour les escompter. Ce consentement résulte, en fait, de l'établissement d'un bordereau d'escompte.

b) Obligation de garantie de l'endosseur

51. — L'article 119 du Code de commerce fait de l'endosseur le garant de l'acceptation et du paiement de la lettre de change. Il garantit, selon la terminologie en usage dans la vie des affaires, la « bonne fin » de l'opération. Ayant remis l'effet en circulation, il en supporte normalement le risque. Comme la garantie due par un endosseur ne fait pas disparaître celle des endosseurs antérieurs, à chaque endossement l'effet s'enrichit d'une garantie supplémentaire qui accroît la sécurité du porteur et cela d'autant plus que la loi établit une solidarité entre tous les signataires (C. com., art. 151, *infra*, n. 90). L'endosseur, on le notera, est tenu d'une manière beaucoup plus stricte que le cédant d'une créance qui ne garantit que l'existence de la créance au jour de la cession et non la solvabilité du débiteur, à moins qu'il ne s'y soit engagé, et encore s'agit-il, *a priori*, seulement de la solvabilité actuelle (C. civ., art. 1693, 1694, 1695). Sur la mise en œuvre de la garantie sous forme de contre-passation en cas d'escompte en compte courant, V. Gavalda et Stoufflet, *Droit bancaire*, 3e éd., n. 305.

Si l'effet est endossé au profit d'une personne déjà obligée cambiairement, la garantie découlant de l'endossement est à combiner avec celle dont est tenue l'endossataire (Roblot, n. 286. — Cabrillac, *Jur. Lettre de change*, n. 21). Le tireur à qui l'effet a été endossé est dépourvu d'action en garantie contre son endosseur et les endosseurs antérieurs puisque, en tant que tireur, il leur doit garantie.

L'endosseur à qui l'effet a été transmis par un nouvel endossement ne peut prétendre à garantie de la part de son endosseur et de tous les endosseurs qui ont souscrit l'effet après lui, dont il est le garant.

Quant au tiré accepteur bénéficiaire d'un endossement, il ne dispose de ce chef d'aucun recours en garantie, étant le principal débiteur de la lettre de change. Le tiré non accepteur, non tenu cambiairement, se trouve au contraire dans la situation d'un endossataire ordinaire.

A la différence du tireur, l'article 115 du Code de commerce selon qui peut se dégager de la garantie de l'acceptation, mais pas de celle du paiement, l'endosseur est en droit de s'exonérer de ces deux garanties (art. 119, al. 1). Bien entendu, la clause de non-garantie doit être rédigée en termes clairs et être inscrite sur la lettre de change, faute de quoi elle ne pourrait valoir qu'en tant que convention extracambiaire entre endosseur et endossataire et n'aurait aucun effet au regard de porteurs subséquents. Il est à rappeler que selon l'article 119, alinéa 2 du Code de commerce, la clause par laquelle un endosseur interdit un nouvel endossement a pour effet de supprimer la garantie de cet endosseur envers les personnes auxquelles la lettre serait ultérieurement endossée. (V. pour une application au tireur : Paris, 11 déc. 1984 : *RTD com.* 1985, p. 330, obs. Cabrillac et Teyssié).

L'exclusion de garantie peut ne porter que sur l'acceptation ou sur le paiement. Quel qu'en soit l'objet, son effet est relatif en ce sens que les endosseurs subséquents ne peuvent s'en prévaloir. La stipulation est une modalité de l'endossement et non de la lettre de change.

Une jurisprudence ancienne, mais qui demeure valable, restreint quelque peu l'effet de l'exclusion de garantie. L'endosseur reste garant de l'existence de la créance et de son fait personnel. Il est obligé notamment en cas de nullité du titre (Cass. civ., 31 mai 1864 : *D.* 1864, 1, 285. — Req., 3 fév. 1885 : *D.* 1885, 1, 364). La garantie du fait personnel trouve à s'appliquer s'il y a collusion frauduleuse entre le tireur et l'endosseur pour la mise en circulation d'un effet fictif.

Dans la convention dite d'*escompte à forfait*, le banquier escompteur d'un effet de commerce renonce à tout recours contre le remettant. Cette renonciation, incluse dans une convention extracambiaire, est valable même si le remettant est le tireur, mais celle-ci n'a d'effet qu'entre les parties. Sous la dénomination de forfaitage ou « fortaiting » cette combinaison est utilisée dans le commerce international. Elle permet à un exportateur de se libérer des risques d'exportation (Pierre Chareyre, « Le forfaitage, une alternative compétitive pour le financement des exportations » : revue *Banque* 1987, p. 911).

Orientation bibliographique

BOUTERON, « De l'inopposabilité des exceptions à l'action directe du tireur d'une lettre de change acceptée » : *Gaz. Pal.* 1955, 1, doctr. 1. — CARRY, « La règle de l'inopposabilité des exceptions » *in Mélanges Simonius*, 1955. — J.-J. DAIGRE, « De la preuve des exceptions opposables par le débiteur d'une traite » : *RTD com.* 1977, p. 651. — DESBOIS, « De la règle de l'inopposabilité des exceptions dans l'endossement des titres civils » : *Rev. crit. DIP* 1931, p. 314. — DIENER, « La mauvaise foi du banquier au sens de l'article 212 du Code de commerce » : *D.* 1977, chron. 17. — DUGUET et LAMARCHE, « Les critères d'appréciation de la mauvaise foi du tiers porteur d'une lettre de change acceptée » (rapport à la conférence générale des tribunaux de commerce, 26 oct. 1979) : *Petites affiches*, 1979, n. 123 et 283 ; *Gaz. Pal.* 1979, 2, doctr. 536 ; V. aussi le commentaire de ce rapport par FANGAIN : *Gaz. Pal.* 1979, 2, doctr. 601. — X. MARIN, « L'inopposabilité des exceptions (interprétation et application de l'article 121 du Code de commerce) » : revue *Banque* 1963, p. 542. — REUTER, « La mauvaise foi de l'article 121 du Code de commerce » : *RTD com.* 1974, p. 439. — ROBLOT, « Application de la notion d'inopposabilité en droit commercial » *in Mélanges Voirin*, 1967, p. 710. — FRIEDEL, *De l'inopposabilité des exceptions en matière d'effets de commerce*, thèse, Paris, 1951.

c) Inopposabilité des exceptions

Généralités

52. — L'article 121 du Code de commerce pose le principe de l'inopposabilité des exceptions au porteur, le plus important sans doute de tous ceux régissant la lettre de change, celui, en tout cas, qui rend possible sa circulation : « Les personnes actionnées en vertu de la lettre de change ne peuvent opposer au porteur les exceptions fondées sur leurs rapports personnels avec le tireur ou avec les porteurs antérieurs, à moins que le porteur, en acquérant la lettre, n'ait agi sciemment au détriment du débiteur ».

Les recherches qui ont été menées pour déterminer la nature juridique de la lettre de change (*supra*, n. 7) tendaient, en fait, à expliquer l'inopposabilité des exceptions, ce qui prouve qu'elle est bien au centre du droit cambiaire. Ce qu'il faut, avant tout, souligner c'est que le principe répond à une nécessité pratique absolue. Celui qui reçoit une lettre de change comme preneur ou endossataire, à titre de paiement ou de garantie d'un crédit qu'il consent au remettant, est considéré comme étranger en droit aux rapports juridiques entre ce remettant et le tireur ou un porteur antérieur parce qu'il y est *en fait*, le plus souvent, étranger. Il ne connaît ordinairement rien de ces rapports et il n'est pas concevable qu'on le contraigne à s'informer à ce propos. La lettre de change ne peut remplir sa fonction économique que si elle est considérée comme un titre abstrait, indépendant des rapports juridiques qui lient entre elles les parties qui l'ont émise ou l'ont fait circuler. C'est cette nécessité que traduit l'inopposabilité des exceptions.

La règle, il faut bien le dire, a quelque peine à s'inscrire dans le tissu juridique français, fortement marqué par la théorie de la cause ; elle peut, il est vrai, conduire à des conséquences rigoureuses pour un débiteur cambiaire, obligé de payer un tiers porteur alors qu'il ne doit rien à celui avec qui il avait traité. Pour autant, elle n'est ni inacceptable, ni isolée. D'abord celui qui souscrit une lettre de change doit connaître la portée de son engagement et les risques qu'il assume en apposant sa signature sur un titre susceptible d'être mis en circulation. En second lieu, l'inopposabilité des exceptions n'est pas propre à la lettre de change ; non seulement elle s'applique à tous les effets de commerce, mais aucune valeur négociable n'échappe à des dispositions comparables. L'endossement purge le titre du cédant des vices qui pouvaient l'affecter. Il se produit une sorte de régénération du droit. En vérité, comme on l'a déjà dit, l'acquéreur du titre ne recueille pas un droit dérivé mais un droit nouveau. La situation n'est d'ailleurs pas sans analogie avec celle qui résulte, pour les meubles corporels, de l'article 1141 du Code civil.

On ajoutera que la technique de l'engagement abstrait n'est pas inconnue du droit français en dehors même du domaine des titres négociables. En plusieurs hypothèses où il est nécessaire de protéger une personne contre des exceptions tirées d'un rapport juridique auquel elle n'a pas été partie, il en est fait application. Tel est le cas de la délégation. Le délégué ne peut opposer au délégataire les exceptions issues de son rapport juridique avec le délégant (Marty et Raynaud, *op. cit.*, t. II, n. 842. — Malaurie et Aynès, *Les obligations*, 8e éd., 1998, n. 1253 et s.). De même, le bénéficiaire d'un crédit documentaire irrévocable ou d'une garantie à première demande acquiert un droit totalement indépendant des rapports juridiques entre le banquier donneur de crédit et le donneur d'ordre (Gavalda et Stoufflet, *Droit bancaire*, 3e éd., n. 615 et s. et 710 et s. — Rives-Lange, « Les engagements abstraits pris par le banquier » : revue *Banque* 1985, p. 902 et s.).

Les injustices susceptibles d'être engendrées par le principe d'inopposabilité sont, du reste, limitées au minimum nécessaire pour préserver les intérêts des tiers porteurs qui le méritent. Cela apparaît à l'examen des exceptions inopposables, des bénéficiaires de l'inopposabilité, et des débiteurs cambiaires auxquels les porteurs peuvent opposer l'inopposabilité.

Exceptions auxquelles s'applique le principe d'inopposabilité

53. — L'article 121 est rédigé en des termes qui ne sont pas parfaitement clairs. Il déclare inopposables les exceptions personnelles au tireur ou à un porteur antérieur et semble ainsi plutôt restrictif. En réalité, la portée du principe est très large. Sauf dans quelques cas limités, la jurisprudence déclare inopposables au porteur toutes les exceptions que celui-ci n'a pu déceler à l'examen du titre. Le principe est celui de l'inopposabilité ; ne sont opposables à tout porteur qu'un nombre restreint d'exceptions.

Est, en premier lieu, opposable à tout porteur l'exception tirée d'un *vice apparent* du titre. Ce type d'exception se distingue nettement des exceptions personnelles que l'article 121 déclare inopposables. Telle est la nullité résultant de l'omission d'une mention obligatoire : dénomination de lettre de change, désignation du bénéficiaire... (Cass, com., 22 nov. 1978 : *Bull. civ.* IV, n. 274, p. 225. — Rouen, 30 janv. 1976 : *D.* 1976, somm. 27). Il est légitime d'attendre de celui qui reçoit une lettre de change un examen sommaire de l'effet qui ne peut manquer de lui révéler l'irrégularité. S'il n'y procède pas ou passe outre, il ne mérite pas la protection légale.

Pour la même raison, un débiteur cambiaire est en droit de se prévaloir à l'égard de tout porteur des *clauses facultatives* insérées dans la lettre de change. Ainsi la clause de non-garantie de l'acceptation par le tireur. On rappellera, toutefois, que les clauses insérées après la mise en circulation de l'effet (clause incluse dans un endossement) ne sont opposables qu'aux porteurs postérieurs.

La difficulté est beaucoup plus grande pour certains vices non apparents. Ainsi le doute a surgi au sujet de *l'absence de consentement* qui se rencontre en cas de contrefaçon de signature. Il est admis que le signataire apparent peut opposer à tout porteur le défaut de consentement (*supra*, n. 32). La solution ne s'étend pas aux vices du consentement (V. *infra*).

Autre cas délicat, *l'incapacité du signataire* d'une lettre de change. Ayant à choisir entre les intérêts de l'incapable et ceux du porteur, c'est-à-dire l'intérêt du crédit, la jurisprudence a tranché en faveur du premier (*supra*, n. 26). Ce faisant, elle prévient une fraude qui permettrait de faire échec à la protection des incapables : pour échapper aux conséquences de l'incapacité de son débiteur, il suffirait au créancier de lui faire souscrire une lettre de change qu'il négocierait contre espèces auprès d'un tiers. La solution est à étendre au cas de signature d'une lettre de change à l'occasion d'un crédit à la consommation (V. *supra*, n. 27).

On sait que les inconvénients résultant pour le porteur de l'opposabilité du vice non apparent qu'est l'incapacité d'un souscripteur de la lettre de change sont tempérés par le principe d'indépendance des signatures et par la possibilité dans certains cas de mettre en jeu la responsabilité civile de l'incapable (*supra*, n. 27).

Sur la preuve des exceptions, V. Daigre, « De la preuve des exceptions opposables par le débiteur d'une traite » : *RTD com.* 1977, p. 651.

Exception inopposables à un porteur de bonne foi. — Toutes les exceptions autres que celles qui viennent d'être énumérées sont inopposables à un porteur de bonne foi. Il n'est pas strictement indispensable de les détailler ; toutefois, pour mieux apprécier la portée — considérable — du principe d'inopposabilité, il n'est pas sans intérêt d'indiquer quels en sont les principaux types.

L'inopposabilité s'applique, en premier lieu, aux *exceptions que le débiteur déduit d'une obligation extracambiaire* (rapport fondamental). Il s'agit typiquement, en effet, d'exceptions de caractère personnel puisqu'elles sont tirées d'un lien juridique, non intégré dans le mécanisme cambiaire, entre le débiteur de la lettre de change et le tireur ou un endosseur.

Les exemples d'exceptions de ce genre ne manquent pas. Un débiteur cambiaire ne peut opposer à un tiers porteur de la lettre de change l'exception tirée de l'absence de provision, de la nullité du rapport fondamental, même si elle a un caractère d'ordre public, ou de son extinction par résolution, compensation, paiement, remise de dette... (Cass. com., 12 déc. 1966 : *Bull. civ.* III, n. 489, p. 433. — 12 juill. 1961 : *Bull. civ.* III, n. 327, p. 283. — 31 janv. 1978 : *D.* 1978, IR, 337, obs. Cabrillac. — 18 mars 1978 : *Bull. civ.* IV, n. 137, p. 118). L'accepteur, notamment, n'est pas admis à se prévaloir de l'absence de provision pour échapper au paiement de l'effet. De même, le défaut de valeur fournie ne saurait être invoqué par un endosseur contre qui est exercé un recours cambiaire par un porteur subséquent. En cas d'escompte, le dépassement d'objet social entachant l'opération n'est opposable à l'escompteur que si sa mauvaise foi (V. ci-dessous) est démontrée (Cass. com., 25 juin 1985 : *Bull. civ.* IV, n. 196, p. 164 ; *D.* 1985, IR, 419, obs. Cabrillac).

L'inopposabilité des *exceptions fondées sur un vice non apparent de l'obligation cambiaire* est également admise par la jurisprudence d'une manière absolument constante. L'absence de cause ou la cause illicite par exemple ne sont pas opposables au porteur de bonne foi. L'application la plus notable de ce principe concerne les effets de complaisance dont la nullité, fondée sur la cause illicite, ne peut être invoquée pour mettre en échec les droits d'un porteur de bonne foi (*supra*, n. 36). La solution est applicable dans tous les cas, même si l'irrégularité invoquée est une atteinte à une loi d'ordre public (Cass. civ., 1er juill. 1931 : *D.* 1932, 1, 12, note Laurent ; *S.* 1932, 1, 64).

Il n'y a eu de discussion qu'au sujet de l'exception tirée d'un *vice du consentement* affectant l'engagement cambiaire. Se fondant, notamment, sur l'analogie existant entre le vice et le défaut de consentement que sépare une différence de degré plus que de nature, une partie de la doctrine soutient que le premier comme le second est opposable à tout porteur (V. Thaller et Percerou, *Traité élémentaire de droit commercial*, 8e éd., t. II, n. 1471 ; en faveur de l'inopposabilité : Lescot et Roblot, t. I, n. 311). Ce n'est pas le point de vue qui a prévalu dans la jurisprudence française. Déjà consacrée avant la loi uniforme de Genève (Cass. civ., 25 mai 1894 : *D.* 1894, 1, 447. — Amiens, 7 fév. 1894 : *D.* 1895, 2, 437) l'inopposabilité a été réaffirmée postérieurement à son entrée en vigueur (Cass. com., 2 juill. 1969 : *JCP* 70, II, 16427, note Langlois ; revue *Banque* 1969, p. 926, obs. Marin, rendu dans une affaire où était invoquée une erreur de l'accepteur sur l'existence de la provision, donc une erreur sur la cause de l'acceptation).

L'inopposabilité des exceptions fondées sur un vice non apparent de l'obligation cambiaire est certainement la solution la plus conforme aux intérêts du crédit. Est-elle imposée de manière évidente par le texte de l'article 121 ? Tout dépend du sens que l'on attache à la notion de « rapports personnels ». Si l'on entend par là les rapports extracambiaires, ce qui n'est pas absurde et aurait pour avantage de protéger les débiteurs et de réduire au minimum les dérogations au droit commun des obligations, la position de la jurisprudence appelle des réserves. Si on considère au contraire que les rapports personnels sont tous les aspects de l'opération qui n'apparaissent pas dans le titre, y compris la formation de l'obligation cambiaire, l'inopposabilité des exceptions tirées de l'obligation cambiaire s'impose, y compris celle de la nullité pour vice du consentement. Cette position est certainement la plus réaliste.

Conditions auxquelles doit répondre le porteur pour bénéficier de l'inopposabilité des exceptions

54. — Tout porteur n'est pas admis à se prévaloir de l'article 121. En bénéficient seuls ceux qui répondent à deux conditions : avoir la qualité de porteur légitime et ne pas être de mauvaise foi.

Porteur légitime. — La qualité de porteur légitime est définie à l'article 120 du Code de commerce (*supra*, n. 46). Elle ne peut être procurée que par un procédé cambiaire, y compris un endossement en blanc ou au porteur. Au contraire, celui qui a acquis la lettre de change par une cession ordinaire ne recueille que les droits de son auteur et les exceptions qui auraient pu être invoquées à l'encontre de ce dernier sont ouvertes envers lui (Cabrillac, *Jur. Lettre de change*, n. 27 ; V. en ce sens pour un effet escompté contrepassé puis inscrit à nouveau au compte après prorogation : Cass. com., 2 mai 1977 : *JCP* 77, IV, 164 : Chron. dr. bancaire, 1978, n. 32. — 29 mai 1979 : *Bull. civ.* IV, n. 179, p. 145. — 11 juin 1979 : *Bull. civ.* IV, n. 190, p. 155 ; Chron. dr. bancaire, *JCP* 81, éd. CI, I, 13506, n. 55). La solution, on le verra (*infra*, n. 57), s'applique à l'endossement tardif. Il en est de même en cas de transmission successorale d'une lettre de change. L'héritier ou légataire se trouve dans la même situation que le *de cujus* au regard d'un débiteur cambiaire (V. Cass. com., 5 fév. 1958 : *Bull. civ.*, III, n. 60, p. 50 ; *RTD com.* 1958, p. 792, obs. Becqué et Cabrillac), et la solution doit être étendue à tous les cas de transmission universelle (fusion de sociétés).

Assez curieusement, certains ont mis en doute la possibilité pour le preneur (bénéficiaire désigné dans la lettre de change) de se prévaloir de l'inopposabilité des exceptions. La jurisprudence lui reconnaît la qualité de porteur légitime bien qu'il ne tienne pas le titre d'un endossement. De toute évidence, l'article 120 qui fait référence à l'endossement ne doit pas être pris à la lettre et tous les procédés cambiaires d'acquisition de la lettre de change, y compris l'émission elle-même, confèrent la qualité de porteur légitime. Dès lors, le preneur a droit à la protection de l'article 121 (en ce sens : Cass. com., 7 oct. 1963 : *Bull. civ.* III, n. 391, p. 331. — 19 déc. 1966 : *Bull. civ.*, III, n. 489, p. 433. — 21 avril 1970 : *D.* 1970, J, 612. — 23 fév. 1976 : *RJ com.* 1976, 410). Il n'y a d'exception qu'en ce qui concerne le tireur demeuré porteur qui subit les exceptions tirées de ses rapports avec le tiré parce qu'elles ont un caractère personnel (*infra*, n. 55).

Parce qu'il a acquis l'effet par un procédé cambiaire, peut également invoquer l'article 121, encore qu'il n'y ait pas d'endossement à son profit, le garant qui, ayant payé la lettre de change, en est devenu (avaliseur) (Req., 8 fév. 1932 : *S.* 1932, 1, 27) ou redevenu (endosseur) porteur : il est un porteur légitime (Cass. com., 11 avril 1962 : *D.* 1962, J, 366. — Cabrillac, *Jur. Lettre de change*, p. 195. — Lescot et Roblot, n. 686 et *infra*, n. 230). Sur l'incidence de sa mauvaise foi, V. *infra*.

55. — *Absence de mauvaise foi du porteur.* — Les exceptions, même si elles ont un caractère personnel, sont opposables par un débiteur cambiaire, aux termes de l'article 121, à un porteur qui en acquérant la lettre a « agi sciemment au détriment du débiteur ». On dit habituellement que le porteur doit être de « bonne foi ». C'est une exigence essentielle. Le débiteur cambiaire qui se voit demander le paiement d'une lettre de change alors qu'il n'a pas reçu provision ou qu'il s'est obligé par erreur ou qu'il a déjà exécuté l'obligation née du rapport fondamental... a ordinairement pour seule ressource de prouver que le porteur qui réclame paiement est de mauvaise foi. C'est dire combien il est important de définir cette mauvaise foi. Une jurisprudence abondante existe à cet égard qui a clarifié certains points sans qu'aient pu être éliminées toutes les difficultés d'appréciation dans les situations particulières. Les affaires portant sur la question de mauvaise foi du porteur mettent le plus souvent en cause des établissements bancaires qui, en tant qu'escompteurs, se présentent comme porteurs. Cette circonstance n'est pas sans importance car le banquier a parfois des affaires de l'endosseur, son client, une connaissance que n'a pas un porteur quelconque et il sera intéressant de savoir si la jurisprudence tient compte de la qualité du porteur.

Si la jurisprudence a dû, sans le secours des textes, fort imprécis, définir la mauvaise foi, elle disposait d'éléments pour résoudre deux questions préalables : la *charge de la preuve* et la *date d'appréciation*. Est-il besoin de dire que la bonne et la mauvaise foi s'apprécient exclusivement en la personne du porteur qui demande paiement et non en la personne de ses auteurs ? Toute l'économie de la transmission par endossement l'impose. S'agissant d'une personne morale, seule la mauvaise foi des personnes ayant qualité pour la représenter peut être prise en considération. La mauvaise foi d'un simple préposé est sans influence (Cass. com., 15 juill. 1975 : *Bull. civ.* IV, n. 205, p. 169). Si l'effet est présenté par un mandataire, la mauvaise foi est appréciée en la personne du mandant.

Preuve de la mauvaise foi. — Conformément aux principes généraux, la bonne foi doit être présumée et il incombe au débiteur cambiaire prétendant échapper au paiement d'établir la mauvaise foi du porteur qui le demande (Cass. com., 16 oct. 1990, inédit, *SARL Réfractaire Industrie* c. *Banque populaire du Nord*). La preuve que les rédacteurs de la loi uniforme n'ont pas eu l'intention de s'écarter de la solution habituelle en la matière c'est que le texte fait mention de la mauvaise foi et non de la bonne foi (V. la fin de l'article 121). C'est, au surplus, l'interprétation la plus protectrice du porteur, donc du crédit. Etant donné la nature des faits à prouver, la preuve de la mauvaise foi peut être faite par tout moyen (Req., 19 oct. 1938 : *Gaz. Pal.* 1938, 2, 897). Les indices sont des moyens de preuve admissibles. Le débiteur peut aussi solliciter une expertise. Une expertise a été ordonnée dans la fameuse affaire *Salmson* (*infra*, n. 55). Il est cependant admis le plus souvent que l'expertise ne saurait être ordonnée que s'il existe un commencement de preuve de la mauvaise foi (V. les réserves formulées par G. Diener, « La mauvaise foi du banquier au sens de l'article 121 du Code de commerce » : *D.* 1977, chron. 97, n. 36). Il ne faut pas se méprendre sur la portée des solutions touchant les modes de preuve. Libérale quant aux moyens de preuve, la jurisprudence est, on le verra, exigeante quant au contenu de la preuve à faire (*infra*, n. 55). L'appréciation de la mauvaise foi est faite par les juges du fond sous le contrôle de la Cour de cassation : il s'agit en effet d'une question de droit (*infra*, n. 55). Le juge des référés est dépourvu de compétence à cet égard (Cass. com., 23 janv. 1963 : *Bull. civ.* III, n. 59, p. 47. — 22 janv. 1969 : *Bull. civ.* IV, n. 23, p. 23).

Date d'appréciation de la mauvaise foi. — Du texte même de l'article 121 il ressort clairement que la mauvaise foi n'affecte les droits du porteur que si elle existe au moment où il acquiert la lettre de change, c'est-à-dire au moment où celle-ci lui est remise (Cass. com., 29 juin 1964 : *JCP* 65, II, 13949, note Gavalda. — Cass. com., 22 janv. 1974 : *D.* 1974, J, 408. — 30 janv. 1979 : *Bull. civ.* IV, n. 38, p. 30 ; revue *Banque* 1979, p. 1502, obs. Martin. — 31 janv. 1984 : *Bull. civ.* IV, n. 46, p. 38. — 23 oct. 1990, *Banque Louis Dreyfus* c. *Bilard*). Ici encore, cependant, la solution, simple dans son principe, peut donner lieu à des applications nuancées. On verra que si la mauvaise foi ne s'identifie pas à la connaissance de l'exception, cette connaissance joue, bien entendu, un rôle important (*infra*, n. 55 et s.). Or il est généralement admis que la mauvaise foi est constituée lorsqu'une exception non encore née a pu être considérée comme vraisemblable au moment de l'endossement (Lescot et Roblot, t. I, n. 4, p. 345).

La détermination de la date d'acquisition de l'effet par le porteur prête parfois à discussion. Ainsi en est-il lorsqu'un effet a été escompté en compte, puis pour une raison ou une autre, débité, et enfin repris par la banque. La bonne foi de l'escompteur est-elle appréciée à la date de la première acquisition de l'effet ou de la seconde ? La question est évidemment importante dans l'hypothèse où, entre-temps, il a eu connaissance de l'exception et peut être considéré, alors, comme étant de mauvaise foi. Si l'effet a été l'objet d'un nouvel endossement c'est à la date de ce nouvel endossement que la bonne ou mauvaise foi du banquier devrait, en principe, être appréciée. Il peut en être autrement quand le nouvel endossement est inséparable du premier parce qu'il y a eu rétractation d'une contre-passation ou prorogation d'une opération d'escompte (Req., 11 mars 1935 : *Gaz. Pal.* 1935, 1, 740 ; *S.* 1935, 1, 75 ; *D.* 1936, 1, 80. — Cass. com., 4 juin 1971 : *Bull. civ.* IV, n. 153, p. 146 ; *RTD com.* 1972, p. 140, obs. Cabrillac et Rives-Lange. — V. cependant Cass. com., 2 mai 1977 : *JCP* 77, IV, 164 ; *JCP* 78, II, 12622, n. 32 : Chron. dr. bancaire marquant une orientation différente confirmée par Cass. com., 11 juin

1979 : *Bull. civ.* IV, n. 190, p. 155 ; *JCP* 81, éd. CI, I, 13506, n. 55 : Chron. dr. bancaire).

Qu'en est-il lorsqu'un endosseur est redevenu porteur après paiement de l'effet ? Il est, on le sait, susceptible de bénéficier de l'inopposabilité des exceptions. Il semble rationnel d'apprécier sa mauvaise foi à la date où il redevient porteur par l'effet du paiement. L'hésitation est pourtant permise. L'opposabilité des exceptions suppose que le porteur pouvait éviter d'acquérir l'effet. Or tel n'est pas le cas du garant qui a payé. Il serait donc plus satisfaisant, non pas d'écarter, par principe, l'opposabilité des exceptions, du moins d'apprécier le comportement de l'intéressé au jour où il a pour la première fois reçu l'effet, c'est-à-dire participé à l'opération cambiaire.

55-1. — *Notion de mauvaise foi. Principes.* Que faut-il entendre par mauvaise foi du porteur ? La question est l'objet d'un débat classique qui rappelle beaucoup celui qui s'est institué à propos de l'action paulienne (Marty et Raynaud, t. II, n. 711. — Malaurie et Aynès, *Les obligations*, 8e éd., 1998, n. 1036). Dans les deux cas, la doctrine s'est divisée entre deux positions extrêmes. Pour les uns, la mauvaise foi s'identifie à la connaissance de l'exception. C'est la conception qui donne le plus de fragilité au droit du porteur puisqu'elle permet assez facilement au débiteur cambiaire de faire valoir une exception. Selon une autre opinion, la mauvaise foi s'analyse en une collusion frauduleuse entre le sujet de l'exception et le porteur, analyse évidemment beaucoup plus favorable à ce dernier, l'intention frauduleuse étant un élément purement psychologique qui doit être prouvé directement alors que la simple connaissance peut résulter d'indices.

Avant l'entrée en vigueur de la loi uniforme, la jurisprudence française, approuvée par la plus grande partie des auteurs, considérait qu'est de mauvaise foi le porteur connaissant l'exception. Position opposée à celle de plusieurs droits étrangers plus attentifs à l'intérêt du crédit, par exemple le droit anglais (Reuter, « La mauvaise foi de l'article 121 du Code de commerce » : *RTD com.* 1974, p. 439, n. 448).

La Conférence de Genève s'est ralliée à une formule transactionnelle dans laquelle, d'ailleurs, l'expression « mauvaise foi » ne figure pas. Cette formule caractérise dans les termes suivants le comportement privant le porteur du bénéfice de l'inopposabilité des exceptions : « ... à moins que le porteur, en acquérant la lettre de change, n'ait agi sciemment au détriment du débiteur ». A n'en pas douter, les rédacteurs du texte ont entendu adopter une position médiane ; c'est ainsi que leur rédaction a été très généralement reçue (V. cependant les réserves de G. Diener, chron. préc. : *D.* 1977, chron. 97, n. 3). Agir sciemment au détriment du débiteur c'est une attitude qui suppose non seulement la connaissance de l'exception, mais encore la conscience d'un dommage. Mais l'intention frauduleuse n'est pas requise. On peut accepter que son comportement nuise à autrui sans avoir pour mobile ce résultat.

Ainsi que l'observe M. Michel Cabrillac (*Jur. Lettre de change*, p. 218), ce texte de compromis a permis d'obtenir un large accord parmi les participants à la Conférence de Genève sur un point qui, eu égard à son importance, ne pouvait être laissé en dehors de la loi uniforme, mais c'est peut-être au prix d'une certaine obscurité. La formule retenue est, assurément, abstraite, et son application aux situations réelles ne pouvait pas manquer d'être délicate.

On pourrait même se demander si le compromis n'a pas été atteint seulement au prix d'un artifice verbal et si, en réalité, la différence est sensible entre la connaissance de l'exception et la conscience du préjudice subi par le débiteur. Il a été donné au cours des travaux préparatoires un exemple qui tend à démontrer la spécificité de la notion retenue (Lescot et Roblot, t. I, p. 344). On suppose qu'un tireur, vendeur de marchandises, a livré au tiré des marchandises défectueuses (exception personnelle au tiré). Le tiers porteur qui, en acquérant la lettre de change, avait connaissance de cette situation est-il de mauvaise foi ? Pas nécessairement, a-t-il été répondu, car il pouvait supposer qu'un arrangement interviendrait entre les parties avant l'échéance sous forme, par exemple, d'un avoir à imputer sur une fourniture ultérieure ou d'un remplacement des articles non conformes, ainsi que cela arrive quotidiennement dans la vie commerciale. Il n'est donc pas sûr que cet endossataire ait agi « sciemment au détriment du débiteur ».

55-2. — L'exemple précédent éclaire quelque peu le dessein des rédacteurs du texte ; il ne fournit, toutefois, ni une formulation théorique du critère de la mauvaise foi, ni une directive pratique pour en apprécier l'existence chez le porteur. La Cour de cassation a fixé sa position sur ce point dans la célèbre affaire *Worms-Salmson* (Cass. com., 26 juin 1956 : *JCP* 56, II, 9600, note Roblot ; *Gaz. Pal.* 1956, 2, 162 ; revue *Banque* 1957, p. 483, obs. Marin ; *RTD com.* 1957, p. 147, obs. Becqué et Cabrillac).

Elle a ainsi interprété la formule finale de l'article 121 : « Que par cette expression, le législateur a réservé le cas où ledit porteur a eu conscience, en consentant à l'endossement du titre à son profit, de causer un dommage au débiteur cambiaire, par l'impossibilité où il le mettait de se prévaloir vis-à-vis du tireur ou d'un précédent endosseur, d'un moyen de défense issu de ses relations avec ces derniers. » Cette formule a connu un sort exceptionnellement brillant puisqu'elle a inspiré toute la jurisprudence postérieure. Elle a pourtant, constate M. Cabrillac (*Jur. Lettre de change*, p. 221), « reçu de la doctrine un accueil disparate ».

On peut lui reconnaître le mérite d'avoir bien caractérisé le préjudice qu'est susceptible d'éprouver un débiteur cambiaire du fait de l'émission ou de l'endossement d'une lettre de change : la perte de la possibilité de faire valoir une exception qui aurait été ouverte si l'effet n'avait pas été émis ou n'avait pas changé de mains.

On a, cependant, observé qu'une difficulté existe, du fait que l'exception n'est utilisée qu'à l'échéance, alors que c'est nécessairement à la date de l'endossement qu'il faut se placer pour apprécier la conduite du porteur. Il y aurait difficulté tout spécialement pour les exceptions se rapportant à la provision — les plus fréquentes — puisque la provision peut n'être constituée qu'à l'échéance et que, sauf acceptation, elle n'est irrévocablement acquise au porteur qu'à cette date (*infra*, n. 88).

En réalité, comme l'a noté récemment un auteur (Diener, chron. préc., n. 11), la question a été obscurcie par une double confusion entre, d'une part, le dommage subi et la conscience du dommage chez le porteur et, d'autre part, l'existence du préjudice et sa réalisation. Le préjudice prend naissance dès l'acquisition de la lettre de change par le porteur qui fait obstacle au jeu de l'exception ; mais il n'est subi qu'à l'échéance quand est demandé le paiement. Entre-temps, d'ailleurs, l'exception peut s'éteindre et le dommage, alors, disparaît.

55-3. — Plus réelle est la difficulté que présente l'appréciation de la *conscience du dommage*. Plusieurs orientations se manifestent à cet égard en doctrine. Selon la première — dominante — le juge doit rechercher si, en fait, le porteur a eu une connaissance effective et spécifique du dommage. Certes, la preuve directe ne peut que difficilement en être établie ; il faut généralement, comme l'a remarqué le doyen Roblot (*op. cit.*, n. 29), s'appuyer sur la connaissance que le porteur a eue de l'exception et en déduire la conscience du préjudice, en s'éclairant de l'expérience de la vie des affaires. Mais il demeure que la mauvaise foi est considérée comme une notion psychologique.

L'élément psychologique est également dominant dans une seconde conception selon laquelle le porteur n'est de mauvaise foi que s'il a, en acquérant l'effet, fait sciemment une opération avantageuse pour lui au détriment du débiteur : par exemple, s'il l'a acquis pour un prix inférieur à sa valeur à raison de l'exception ouverte (Hamel, Lagarde et Jauffret, *op. cit.*, n. 1431). Cette conception ne semble pas dans la ligne de l'article 121 ; mettant l'accent sur l'avantage que s'est procuré le porteur, elle néglige ce qui est essentiel : la protection du débiteur. Sur le plan pratique, elle a l'inconvénient de rendre difficile la preuve de la mauvaise foi.

Récemment a été proposée une autre conception faisant une place plus large à des éléments objectifs (Diener, chron. préc., n. 25). Il conviendrait de se livrer, non à une appréciation subjective de la conduite du porteur, mais à une recherche objective, au moyen d'une comparaison entre sa conduite et celle d'un porteur normal. Le concept de porteur normal serait d'ailleurs à diversifier. L'appréciation de la conduite d'un banquier appellerait plus de sévérité, étant donné qu'il dispose de moyens d'appréciation dont sont généralement dépourvus les autres porteurs. Cette analyse de la mauvaise foi est de nature à inciter les banques à la vigilance dans la pratique de l'escompte, mais ne repose-t-elle pas sur une vue quelque peu optimiste des éléments de connaissance dont elles disposent ? N'est-elle pas, surtout, en dehors des prévisions des textes dans la mesure où elle implique que le porteur est de mauvaise foi dès lors qu'il ne s'est pas livré à un minimum de recherches pour apprécier les droits du tireur ou d'un porteur précédent ?

Entre la conception qui prévalait avant 1935, insuffisamment protectrice du porteur en ce qu'elle permettait au débiteur d'échapper au paiement sur la seule preuve d'une connaissance de l'exception, et le système opposé qui laisse comme seule ressource au débiteur la preuve de l'intention de nuire, la voie moyenne recherchée par les négociateurs de Genève et par la majorité de la doctrine doit exister dans le concret et pas seulement dans les mots.

55-4. — La Cour de cassation depuis l'arrêt Salmson a eu à se prononcer à de multiples reprises sur l'opposabilité au banquier escompteur de l'absence de provision (exception d'inexécution). Sa jurisprudence comporte deux traits dominants. Le premier c'est l'étroitesse du contrôle qu'exerce la Cour suprême sur la qualification de la mauvaise foi. Certes, il n'est pas nié que c'est là un concept juridique et la qualification appliquée par les juges du fond est, théoriquement, soumise au contrôle de la Cour suprême ; mais ce contrôle est essentiellement de forme et porte sur la présence de la formule caractérisant, selon la Cour suprême, la mauvaise foi (Reuter, art. préc., n. 15). La Cour s'en remet à l'appréciation souveraine des juges du fond pour ce qui est de la conscience qu'a eue le porteur du dommage subi par le débiteur cambiaire (Req., 29 avril 1947 ; *JCP* 47, II, 3602, note Lescot. — Cass. com., 7 oct. 1963 : *Bull. civ.* III, n. 391, p. 331. — 22 janv. 1974 : *D.* 1974, J, 408. — 27 mai 1974 : *Bull. civ.* IV, n. 167, p. 133. — 7 juin 1974 : *D.* 1974, IR, 211. — V. toutefois Cass. com., 19 nov. 1973 : revue *Banque* 1973, p. 530 ; *Bull. civ.* IV, n. 331, p. 295). Cette discrétion peut surprendre. Elle ne s'impose pas à l'évidence.

Une autre constante de la jurisprudence de la Cour de cassation, touchant cette fois le fond, c'est l'insistance mise pour exiger des juges du fond qu'ils constatent expressément la conscience du dommage. En matière de constitution de la provision, ils doivent, pour caractériser la mauvaise foi du porteur, relever que celui-ci a eu conscience de l'impossibilité dans laquelle se trouvait le tireur d'honorer ses engagements. Rien jusqu'à présent dans les arrêts de la Cour de cassation ne vient étayer la thèse doctrinale analysée ci-dessus (v. *supra*, n. 55-3), selon laquelle certains porteurs, les banquiers, pourraient être considérés comme de mauvaise foi à raison d'une carence à vérifier la situation du tireur. La simple négligence, ou même l'imprudence, n'est pas assimilable à la mauvaise foi (Cass. com., 4 déc. 1962 : *Bull. civ.* III, n. 498, p. 409. — 2 déc. 1964 : *Bull. civ.* III, n. 535, p. 477. — 19 oct. 1965 : *Bull. civ.* III, n. 509, p. 459 ; revue *Banque* 1966, p. 279, obs. Marin. — 13 nov. 1973 : revue *Banque* 1974, p. 530, obs. Marin ; *Bull. civ.* n. 331, p. 295. — 27 mai 1974 : *Bull. civ.* IV, n. 167, p. 133. — 3 déc. 1980 : *JCP* 81, IV, 67 ; 27 avril 1982 : *Bull. civ.* IV, n. 139, p. 123. Dans le même sens : Caen, 11 juin 1971 : revue *Banque* 1971, p. 1037. Jugé toutefois que peut être opposé à une banque ayant mobilisé un financement de vente à tempérament le non-respect de la réglementation légale sur le versement comptant : Paris, 11 mars 1976 : *JCP* 77, IV, 44. Il lui incombait de s'assurer de la régularité de l'opération).

55-5. — La distinction est nettement faite entre mauvaise foi cambiaire et faute (éventuellement de négligence ou d'imprudence) susceptible de donner naissance à une responsabilité du banquier escompteur envers les créanciers du remettant (V. Gavalda, note : *JCP* 77, II, 18714 I *b*). Ne conviendrait-il pas, en revanche, de retenir comme indice de la conscience du dommage, la connaissance que la banque a, *en fait*, de la situation financière et commerciale du tireur ? Cette situation peut être telle qu'elle rende impossible la fourniture de la provision. Dans une hypothèse particulière où le banquier-porteur était associé et représenté au conseil d'administration de la société tireur de l'effet, un tel raisonnement a été accepté (Cass. com., 6 nov. 1957 : *Bull. civ.* III, n. 299, p. 257. — Rappr. Cass. com., 7 oct. 1958 : *Bull. civ.* III, n. 331, p. 278 ; *RTD com.* 1959, p. 460, obs. Becqué et Cabrillac). Dans des circonstances moins exceptionnelles, la Cour de cassation s'est longtemps montrée très restrictive, n'admettant pas que la connaissance de difficultés financières même constitutives de l'état de cessation des paiements, du retour d'effets impayés faute de provision, implique la connaissance de l'impossibilité d'exécuter (Cass. com., 19 nov. 1973 : revue *Banque* 1974, p. 530. — 4 nov. 1975 : *Bull. civ.* IV, n. 258, p. 214 ; *D.* 1976, IR, 25 ; *RTD com.* 1976, p. 378. — Reuter, art. préc., n. 16).

On a cependant perçu une évolution dans un arrêt plus récent (Cass. com., 2 fév. 1976 : *JCP* 77, II, 18714, note Gavalda ; revue *Banque* 1978, p. 1020, obs. Martin). La Cour, tout en relevant la connaissance par le porteur d'une situation de nature a empêcher le tireur de livrer avant l'échéance, souligne l'existence d'autres circonstances non ignorées du banquier porteur, se rapportant à la situation financière générale du tireur et au financement de son entreprise, particulièrement précaire.

En réalité, la Cour suprême témoigne d'une grande prudence, laissant un large pouvoir d'appréciation aux juges du fond, mais exigeant d'eux une motivation suffisante. La connaissance d'une situation générale obérée du débiteur ne caractérise pas nécessairement la mauvaise foi (Cass. com., 18 juin 1979 : revue *Banque* 1979, p. 1504, obs. Martin. — 1er juill. 1980 : *Bull. civ.* IV, n. 283, p. 232. — 9 mai 1990 : revue *Banque* 1990, p. 1212, obs. Rives-Lange), mais un banquier peut être considéré comme porteur de mauvaise foi s'il sait que la situation du débiteur cambiaire est irrémédiablement compromise et qu'il ne pourra pas fournir la provision (Cass. com., 6 juill. 1979 : *Bull. civ.* IV, n. IV, n. 283, p. 184. — 1er déc. 1980 : *JCP* 81, IV, 67. — 4 nov. 1982 : *Bull. civ.* IV, n. 330, p. 279. — Comp. Cass. com., 13 janv. 1987 : *JCP* 87, IV, 93 ; *D.* 1987, somm. 291, obs. Vasseur. — 17 fév. 1987 : *JCP* 87, IV, 140. — 13 oct. 1990, *Banque Louis Dreyfus* c. *Bilard.* — 13 nov. 1990, *Crédit du Nord* c. *Loquerelle.* Et, plus récemment, Cass. com., 21 mai 1996 : *RTD com.* 1996, p. 500, obs. Cabrillac. — 21 oct. 1997, *CRCAM des Ardennes* c. *André Bertrand*, arrêt 2030 D, inédit. — 10 juin 1997 : *RTD com.* 1997, p. 485, obs. Cabrillac.

La voie moyenne recherchée pourrait se trouver non dans une définition de la mauvaise foi s'écartant de celle admise jusqu'ici par la Cour de cassation et maintenue par elle malgré une résistance assez marquée des juges du fond dont témoigne le nombre élevé des cassations, mais dans une plus grande souplesse dans la sélection et l'appréciation des indices susceptibles de faire présumer la conscience du dommage. La connaissance par le porteur au moment de l'endossement de la situation financière ou commerciale profondément détériorée du tireur peut impliquer la conscience de l'impossibilité d'exécuter, même si la preuve n'est pas rapportée de la connaissance d'un obstacle précis affectant spécifiquement la prestation due.

La Cour de cassation, stricte quant à l'appréciation de la mauvaise foi de l'escompteur d'une traite non provisionnée ou insuffisamment provisionnée, paraît plus favorable au débiteur cambiaire en ce qui concerne le paiement des effets de complaisance. Elle se contente de la connaissance par cet escompteur du caractère de l'effet, c'est-à-dire la connaissance de l'exception, suffisante pour caractériser la conscience du dommage (Cass. com., 11 mars 1959 : *Bull. civ.* III, n. 132, p. 122 ; *RTD com.* 1959, p. 908. — 30 juin 1970 : *Bull. civ.* IV, n. 224, p. 196. — 21 juin 1977 : *D.* 1978, J, 113. — Rappr. Poitiers, 2 mai 1966 : *D.* 1967, J, 154). La mauvaise foi peut aussi résulter de la connaissance de pratiques antérieures de cavalerie du tireur (Cass. com., 9 avril 1996, *CRCA des Ardennes* c. *Bertan*, arrêt n. 765 DJ). L'explication de la différence constatée est aisée. Elle s'éclaire par la remarque déjà faite que la conscience du dommage ne peut être appréciée qu'à la lumière de l'expérience. La mise en circulation d'une traite de complaisance consomme définitivement la lésion des intérêts du débiteur cambiaire. Tel n'est pas nécessairement le cas pour un effet non provisionné (sur la nullité des effets de complaisance, V. *supra*, n. 36).

55-6. — *Conséquences de la mauvaise foi du porteur.* — Le débiteur cambiaire peut, en se prévalant de l'exception dont il dispose, refuser le paiement de l'effet au porteur de mauvaise foi. S'il a payé, il est en droit d'exiger le remboursement de la somme versée (Cass. com., 18 oct. 1994, *Péron et Dangeau* c. *Banque Monod*, arrêt 1856P)

55-7. — *Exclusion du porteur qui est le sujet propre de l'exception.* — L'inopposabilité des exceptions est destinée à protéger les tiers qui se sont légitimement fiés à l'apparence du titre. Ne saurait s'en prévaloir le sujet propre de l'exception, c'est-à-dire celui qui, ayant un lien juridique direct avec le débiteur cambiaire, se voit opposer par ce dernier une exception tirée de ce rapport juridique. Ainsi, si le débiteur cambiaire est, pour une cause quelconque, créancier du porteur, il est en droit de lui opposer l'exception de compensation. Autres applications de la règle : le tiré accepteur est admis à opposer au tireur resté ou devenu porteur de la lettre de change, l'exception d'absence de provision (*infra*, n. 76) ou à se prévaloir d'une clause d'attribution de compétence (Cass. com., 5 mars 1991 : *D.* 1991, IR, 88). Celui qui a émis une lettre de change en qualité de mandataire du tireur et qui en devient porteur est à considérer comme un tiers porteur et il bénéficie de l'inopposabilité des exceptions (V. Cass. com., 6 avril 1993 : *Bull. civ.* IV, n. 139 ; *RD bancaire et bourse,* juill.-août 1993, p. 153, obs. Crédot et Gérard). Au sujet du tireur pour compte, porteur de l'effet, V. *supra*, n. 30.

Débiteurs cambiaires à l'égard desquels l'inopposabilité des exceptions peut être invoquée

56. — L'inopposabilité des exceptions a une portée générale. Elle peut être invoquée contre l'un quelconque des débiteurs cambiaires : tiré accepteur, mais aussi tireur, endosseur et avaliseur, sans distinguer entre aval donné sur le titre et aval par acte séparé (*infra*, n. 97).

3. — Endossement translatif après échéance

57. — La lettre de change peut être endossée après l'échéance. Le titre, tant qu'il n'est pas éteint par le paiement, est susceptible de circuler. Des hésitations s'étaient toutefois manifestées sous l'empire du Code de commerce quant à la portée de cet endossement tardif. Le principe d'inopposabilité des exceptions, notamment, est-il applicable alors que l'effet est, à tout le moins, suspect ?

La loi uniforme de Genève a tranché cette controverse. L'article 123 nouveau du Code de commerce pose le principe que l'échéance n'empêche pas de réaliser un endossement translatif ayant des effets normaux : « L'endossement postérieur à l'échéance produit les mêmes effets qu'un endossement antérieur ». L'assimilation ne cesse que si l'endossement intervient après protêt ou après l'expiration du délai fixé pour faire dresser protêt. C'est seulement alors que la lettre de change devient réellement douteuse parce qu'elle n'a pas été payée dans des conditions normales. L'article 123 en tire cette conséquence que son endossement « ne produit que les effets d'une cession ordinaire ».

La Cour de cassation a, à juste titre, assimilé à un endossement après protêt la remise après protêt d'une lettre de change pourvue avant le protêt d'un endossement au porteur ou en blanc (Req., 28 mars 1944 : *JCP* 45, II, 2790, note Lescot ; *D.* 1945, J, 1, note Percerou).

Assimilé à une « cession ordinaire » l'endossement après protêt ou après expiration du délai de protêt n'a que des effets réduits. L'endosseur ne doit pas la garantie cambiaire, mais seulement la garantie limitée prévue aux articles 1693 et suivants du Code civil. L'endossataire bénéficie, toutefois, de la garantie des signataires antérieurs tout comme son endosseur, dans la mesure où le protêt tardif ou la présentation tardive n'en ont pas entraîné l'extinction (*infra*, n. 128). Le principe d'inopposabilité des exceptions n'est pas applicable (Cass. com., 13 oct. 1970 : *Bull. civ.* IV, n. 265, p. 231. — 27 juin 1977 : *Bull. civ.* IV, n. 184, p. 158). Il ne faut cependant pas se méprendre sur la portée de la solution. Un débiteur cambiaire peut opposer au bénéficiaire d'un endossement tardif les exceptions qu'il aurait pu faire valoir à l'encontre de l'endosseur, mais celles-ci seulement car, ainsi que l'écrivent MM. Lescot et Roblot (t. I, n. 320) : « ... si l'endossataire n'acquiert pas plus de droits que n'en avait son cédant, il doit bénéficier par contre de tous ceux qui appartenaient à ce dernier dont il est l'ayant cause » (en ce sens : Cass. com., 25 juin 1974 : *Bull. civ.* IV, n. 204, p. 165).

Ainsi l'endossement tardif produit des effets restreints mais non négligeables. Il reste un moyen simple de transmettre la créance cambiaire.

La question s'est posée de savoir si le régime de l'endossement tardif défini à l'article 123 du Code de commerce s'étend à l'endossement d'une lettre de change prescrite. Son intérêt pratique est certain : l'extinction par prescription de l'action cambiaire n'entraîne pas celle des droits résultant des rapports fondamentaux et notamment le droit du porteur sur la provision (*infra*, n. 133). L'endossement de la lettre de change prescrite pourrait donc opérer transfert à l'endossataire de la créance de provision. C'est ce qu'a admis la cour d'appel de Paris (Paris, 22 juin 1966 : *D.* 1967, J, 95). Ainsi que l'a relevé un auteur (Cabrillac, *Jur. Lettre de change*, p. 68), la solution est discutable. La transmission par endossement de la créance de provision est liée à la circulation du titre ; elle est exclue si ce titre est éteint par prescription.

La détermination de la date de l'endossement, le plus souvent dépourvue d'intérêt, présente une grande importance lorsqu'il est soutenu que l'endossement est tardif et ne produit que des effets réduits. Comment l'établir ? Quand l'endossement est daté, ce qui est facultatif (*supra*, n. 45), la date indiquée doit être retenue si son inexactitude n'est pas démontrée par l'intéressé et il est alors aisé de déterminer si l'endossement est tardif ou non. En l'absence de date dans la formule d'endossement, l'antériorité, sinon la date exacte de l'endossement, est établie d'une manière certaine lorsque la lettre de change a été protestée. Le protêt comporte, en effet, une copie intégrale de la lettre, y compris les endossements, et il révèle à coup sûr si un endossement est ou non antérieur à son établissement. Reste le cas de l'effet non protesté, hypothèse fréquente étant donné l'habitude de stipuler les lettres de change « sans frais ». On fera alors application de la présomption formulée à l'article 123, alinéa 2 : « Sauf preuve contraire, l'endossement sans date est censé avoir été fait avant l'expiration du délai fixé pour dresser protêt. » Il appartient donc au débiteur cambiaire prétendant avoir affaire à un porteur qui a acquis la lettre de change tardivement d'établir que l'endossement est postérieur à l'expiration du délai de protêt. La preuve peut être faite par tout moyen (V. Trib. com. Seine, 19 mars 1959 : *Gaz. Pal.* 1959, 2, 36 ; revue *Banque* 1960, p. 48 ; *RTD com.* 1959, p. 908, obs. Becqué et Cabrillac. En matière de chèque : Paris, 26 avril 1965 : *JCP* 66, II, 14529, note Gavalda).

4. — Transmission simplifiée des droits cambiaires prévue. par l'ordonnance du 28 septembre 1967

58. — Les pouvoirs publics se sont souciés, pour réduire les frais administratifs qui alourdissent le coût du crédit, de simplifier les procédures de mobilisation des crédits à moyen terme. Ceux-ci, en effet, ne sont que partiellement financés par la banque ou la société financière qui les ouvre. Ces organismes se refinancent auprès d'institutions spécialisées comme le Crédit national qui, eux-mêmes, font appel en dernier ressort à la Banque de France sous forme de réescompte ou de pension (V. Gavalda et Stoufflet, *Droit bancaire*, 3e éd., n. 490).

Pour des raisons diverses, la mobilisation ne s'opère pas à l'aide d'effets souscrits par le bénéficiaire du crédit au profit de son banquier (effets primaires). Des effets de mobilisation sont émis (souvent des billets à ordre) au profit de l'organisme mobilisateur, à concurrence du refinancement obtenu. Très commode, puisqu'elle évite la mise en circulation d'un nombre parfois élevé d'effets primaires « représentés » par un billet de mobilisation unique, cette procédure présentait cependant une grave faiblesse juridique. L'organisme mobilisateur n'acquérait pas les droits attachés aux effets primaires (droits cambiaires contre le bénéficiaire du crédit, provision, sûretés éventuelles). Il y avait dans l'opération un hiatus que le droit commun ne permet pas d'éviter. Une intervention législative était nécessaire. Telle est l'origine du titre III de l'ordonnance n. 67-838 du 28 septembre 1967, dont le bénéfice est réservé aux établissements de crédit ayant consenti une avance à moyen terme pour laquelle un accord de réescompte total ou partiel a été accordé par la Banque de France (Ord., art. 25). Moyennant quelques formalités simples — insuffisamment définies d'ailleurs dans le texte — la banque mobilisatrice acquiert sur les effets primaires des droits équivalents à ceux dont elle serait titulaire si elle en était devenue porteur par endossement.

La première condition, posée par l'article 30 de l'ordonnance, est que les effets représentatifs du crédit à moyen terme et les effets de mobilisation fassent référence à l'ordonnance. C'est donc une mention s'ajoutant aux énonciations obligatoires prévues à l'article 110 du Code de commerce, dont le défaut dans les effets de mobilisation est sanctionné non par la nullité, mais par le non-transfert au porteur des droits cambiaires.

La seconde condition, formulée à l'article 26 de l'ordonnance, est plus énigmatique. Il faut que les effets primaires « aient été mis à la disposition de l'organisme qui assure le réescompte, conformément aux conventions intervenues entre celui-ci et l'établissement prêteur ». Que faut-il entendre par là ? Le texte n'exclut pas la remise matérielle des effets primaires à l'organisme de refinancement mais ne l'impose pas (Gavalda et Stoufflet, *op. cit.*, n. 499). Tout dépend de la convention entre banques à laquelle renvoie l'article 26. Un engagement de remise des effets primaires sur simple demande est suffisant. Une mise sous dossier spécial est concevable, l'organisme mobilisateur recevant seulement un bordereau.

La situation de cet organisme et des porteurs ultérieurs des effets de mobilisation est, en tout cas, très forte. Ils bénéficient « des droits et actions prévus aux articles 117 à 123 du Code de commerce en matière d'endossement » (Ord., art. 27). Ils sont donc, en particulier, fondés à invoquer l'inopposabilité des exceptions. Le porteur n'a, bien entendu, d'action qu'à concurrence du montant du refinancement. Dans cette mesure, son droit porte sur les effets primaires mis à disposition et sur les garanties accordées par le bénéficiaire du crédit à moyen terme, même si elles résultent d'actes distincts. Si des effets de mobilisation sont entre les mains de plusieurs porteurs, ceux-ci exercent leurs droits à égalité de rang.

A compter de la mise à disposition de l'organisme réescompteur des effets primaires et pendant toute la durée de cette mise à disposition, l'établissement titulaire des effets primaires ne peut les transmettre sous aucune forme, sauf clause contraire de la convention (Ord., art. 29).

On notera pour terminer que l'Ordonnance n'impose pas l'établissement d'effets primaires. La rédaction d'un contrat d'avance portant référence à l'ordonnance suffit. Ce sont les droits attachés à ce contrat qui sont alors transmis aux porteurs des titres de mobilisation avec les mêmes effets qu'une transmission cambiaire. (Sur les formes simplifiées de transmission des créances, V. études de M. Vasseur : revue *Banque* 1970, p. 355 ; 1978, p. 458).

Le mécanisme de mobilisation aménagé par l'ordonnance de 1967 n'est plus, en pratique, utilisé aujourd'hui (Gavalda et Stoufflet, *op. cit.*, n. 498)

La loi Dailly du 2 janvier 1981 étend aux créances professionnelles et à celles correspondant à des crédits à court terme l'application du procédé de transmission simplifiée prévue par l'Ordonnance du 28 septembre 1967. Toutefois, il ne s'agit pas dans ce cas de créances cambiaires. Les créances reportées sur l'effet de mobilisation sont constatées par des bordereaux qui ne sont pas des effets de commerce (*supra*, n. 3).

B. — AFFECTATION EN GARANTIE DE LA LETTRE DE CHANGE ; ENDOSSEMENT PIGNORATIF

59. — *Généralités.* Comme tout bien mobilier, corporel ou incorporel, la lettre de change peut être utilisée par le porteur pour la garantie d'une créance, au moyen d'un nantissement. Le fait que l'échéance soit généralement peu éloignée (rarement plus de trois mois) et que le recours à l'escompte permette au porteur de mobiliser sa créance, ne prive pas de toute utilité le nantissement. En tout cas, la pratique en fait usage occasionnellement. Il est vrai qu'il est surtout constitué sous une forme autre que celle mentionnée dans les textes sur la lettre de change.

L'article 122, alinéas 4 et 5 du Code de commerce, prévoit l'affectation en gage de la lettre de change au moyen d'un endossement particulier dénommé endossement « pignoratif ». Il n'est pas inconnu de la pratique. Parfois, une banque fait garantir de cette manière un crédit accordé à un client. L'endossement n'est cependant pas une forme exclusive. Comme pour la transmission en propriété, il est possible de recourir à une technique de garantie relevant du droit commun. Ce type de procédé est utilisé par les banques, spécialement pour la garantie des crédits qu'elles s'accordent entre elles dans le cadre du marché monétaire (opérations de pension). Par ailleurs, la loi a, dans des cas exceptionnels, permis la constitution d'un gage sur lettre de change selon des formes simplifiées qui rappellent celles prévues par l'ordonnance du 28 septembre 1967 pour le transfert en propriété.

1. — CONDITIONS DE L'ENDOSSEMENT PIGNORATIF

60. — *D'un point de vue formel,* l'endossement pignoratif est soumis aux mêmes conditions que l'endossement translatif. C'est le cas, en particulier, en ce qui concerne la signature. Seul diffère le libellé de la formule d'endossement. Selon l'article 122, alinéa 4 du Code de commerce, l'affectation en gage de l'effet résulte de la mention « valeur en garantie », « valeur en gage » ou de toute autre mention impliquant un nantissement, incluse dans la formule d'endossement. Le formalisme cambiaire ne permet pas de reconnaître l'efficacité d'un acte constitutif de gage séparé de la lettre de change (V. toutefois pour le cas de l'effet endossé en blanc *infra*, n. 62). Si l'endossement est de forme translative, ce qui arrive parfois, la qualité de simple gagiste de l'endossataire est inopposable à un tiers porteur de bonne foi.

Les conditions de fond de l'endossement pignoratif sont également calquées sur celles de l'endossement translatif. La capacité de l'endosseur est celle requise pour constituer un gage, mais il faut y ajouter l'exigence de la capacité commerciale car cet endosseur garantit le paiement. On soulignera surtout que les droits sur l'effet de l'endosseur constituant un gage sont appréciés non selon les principes du droit commun, mais selon le critère formel retenu pour l'endossement translatif, c'est-à-dire que le gage est valablement constitué par un *porteur légitime*, même s'il n'est pas légitime propriétaire au sens du droit commun. Un porteur dépossédé involontairement ne peut évincer l'endossataire qu'aux conditions strictes définies à l'article 120 (*infra*, n. 113).

2. — *Effets de l'endossement pignoratif*

61. — Les droits du bénéficiaire d'un endossement pignoratif découlent de sa double qualité de gagiste et de porteur d'une lettre de change. Les prérogatives découlant du gage sont renforcées par la qualité de porteur.

En tant que porteur l'endossataire encaisse l'effet à l'échéance et c'est ainsi que sera éteinte — par compensation — la créance garantie. L'article 122 du Code du commerce lui reconnaît « l'exercice de tous les droits dérivant de la lettre de change » (V. aussi C. com., art. 91, *in fine*). Il n'est pas astreint à la procédure de réalisation imposée par le droit commun du gage (Paris, 4 janv. 1965 : revue *Banque* 1965, p. 193, obs. Marin. — Chambéry, 6 juin 1966 : *JCP* 67, II, 15174, note Lescot). Le surplus éventuel est à verser par lui à l'endosseur. Si la créance garantie n'est pas échue à la date d'échéance de la lettre de change, on décide que le gagiste doit les intérêts au taux légal jusqu'à l'exigibilité de cette créance (Lescot et Roblot, *op. cit.*, t. I, n. 354).

Si l'échéance de la créance garantie est antérieure à celle de la lettre de change, l'endossataire a la possibilité d'attendre l'échéance de l'effet, et souvent telle sera son attitude. Il a cependant le droit d'user de ses droits de gagiste conformément aux dispositions de l'article 93 du Code de commerce : il peut faire procéder à la vente publique de la lettre de change huit jours après une signification (sommation) au débiteur, c'est-à-dire à l'endosseur. La vente est faite par un officier public que désigne le président du tribunal de commerce, ou par un notaire ou un huissier (C. com., art. 93). Pour le cas de liquidation des biens ou de règlement judiciaire de l'endosseur, V. Trib. com. Nice, 23 nov. 1976 : *D.* 1977, J, 219, note F. D. ; revue *Banque* 1977, p. 727, obs. Martin.

Les droits du bénéficiaire d'un endossement pignoratif ne se limitent pas à l'encaissement de la lettre de change. Il dispose de toutes les prérogatives attachées à l'effet : recueillir l'acceptation du tiré, faire dresser protêt, exercer les recours contre les garants. Une limite est toutefois à poser : il ne peut endosser l'effet qu'à titre de mandat car le gagiste n'a pas de droit de disposition sur la chose qui lui est remise en garantie (C. com., art. 122, al. 4, *in fine*). La Cour de cassation a cependant admis la validité du réendossement au profit du précédent porteur qui a pour effet l'extinction du gage (Cass. com., 21 avril 1975 : *Bull. civ.* IV, n. 109, p. 91 ; *RTD com.* 1975, p. 870, obs. Cabrillac et Rives-Lange).

Les droits cambiaires dont est investi le gagiste lui sont accordés à *titre personnel*, du moins dans la mesure de la créance garantie. Il bénéficie dans cette limite de l'inopposabilité des exceptions, tant à l'égard du tiré accepteur que des endosseurs et du tireur et de leurs avaliseurs (Cass. civ., 13 mars 1933 : *D.* 1933, 252 Cass. com., 20 juin 1972 : revue *Banque* 1972, p. 1155 ; *JCP* 72, IV, 204, 31 mai 1976 : *D.* 1976, IR. 260. — Chambéry, 6 juin 1966 : *JCP* 67, II, 15174, note Lescot. — Trib. civ. Hazebrouck, 31 oct. 1961 : *JCP* 62, IV, 137. — Trib. com. Seine (réf.), 14 juin 1966 : *RJ com.* 1966, 341). La différence est profonde entre la situation résultant d'un endossement pignoratif et celle découlant d'un endossement de procuration. Dans ce dernier cas l'endossataire exerce aussi les droits cambiaires, mais ces droits sont appréciés en la personne de l'endosseur (*infra*, n. 65).

Pour celui qui détient la lettre en vertu d'un endossement pignoratif, l'exercice des droits cambiaires est non seulement un droit mais une obligation. Il y a lieu, en effet, de faire application de l'article 2080, alinéa 1 du Code civil, aux termes duquel « le créancier répond... de la perte ou détérioration du gage qui serait survenue par sa négligence ». Du devoir de conservation du gage que consacre ce texte, résulte pour l'endossataire l'obligation de présenter l'effet au paiement, de faire constater le non-paiement par un protêt, de donner avis aux garants (*infra*, n. 123) et d'exercer les recours cambiaires. A défaut il subirait, bien entendu, les conséquences cambiaires de sa négligence, mais en outre sa responsabilité civile serait engagée envers le constituant du gage (endosseur) par application de l'article 2080, alinéa 1.

3. — Autres modes d'affectation en garantie des lettres de change

62. — Formalité légère si on le compare aux formes de l'affectation en gage des créances prévue à l'article 2075 du Code civil, l'endos de procuration demeure cependant contraignant lorsqu'il s'applique à un grand nombre d'effets, comme c'est le cas pour certaines opérations de crédit. La pratique a cherché à aller plus loin dans la voie de la simplicité. Elle utilise parfois l'endossement en blanc qui confère à la lettre de change les caractéristiques juridiques du titre au porteur (*supra*, n. 44). La jurisprudence admet cette combinaison. L'endossement pignoratif n'est pas une forme exclusive. Le gage peut bien être constitué par acte séparé, dès lors qu'il s'accompagne d'une dépossession du constituant que réalise un endossement translatif, notamment un endossement en blanc, ou même un endossement de procuration (Cass. com., 20 juin 1972 ; Chambéry, 6 juin 1966, préc.).

Une lettre de change endossée en blanc peut donner lieu à la constitution d'un gage commercial par simple remise au gagiste, la preuve du gage commercial étant établie par tout moyen (C. com., art. 91, al. 1). Cette combinaison doit être considérée comme la forme la plus simple concevable pour le nantissement de la lettre de change. La pratique ne s'en accommode pourtant que difficilement et ne la respecte pas toujours, spécialement dans les opérations de pension sur le marché monétaire, où les opérations prennent la forme soit d'achats fermes d'effets, soit de prêts garantis par des effets (aval en pension). Dans la seconde hypothèse, les effets ne sont pas effectivement transmis au prêteur, mais seulement « mis sous dossier » à son nom par l'emprunteur. Le prêteur ne reçoit qu'un bordereau des effets qui lui sont affectés. Encore n'est-il pas sûr que l'identification des effets affectés soit toujours opérée (Hamel « Consultation » : revue *Banque* 1957, p. 707. — Normand, « Les opérations bancaires de pensions » : *RTD com.* 1966, p. 791. — Gavalda et Stoufflet, *op. cit.*, p. n. 485 et s. ; sur les procédures actuelles Banque de France, *Note d'information* n. 97 : *Les interventions de la Banque de France sur le marché monétaire*). Ce genre d'opération est valable entre parties. S'il n'y a pas identification des effets affectés, le prêteur est en droit à l'échéance, en cas de non-remboursement, d'exiger, conformément à la convention, la remise d'effets d'une valeur égale à celle de l'avance consentie. Vis-à-vis des tiers, en revanche, l'efficacité est douteuse. Bien entendu, au regard d'un tiers porteur de bonne foi à qui un effet aurait été endossé, le prêteur ne saurait faire valoir ses droits. Par ailleurs, le gage n'ayant pas été suivi d'une dépossession du constituant, il n'est pas opposable aux créanciers en cas de redressement judiciaire du constituant. Pour rendre l'opération moins vulnérable, on a proposé de l'analyser en une vente suivie de rétrocession. Une telle qualification n'est pas forcément contraire à l'intention des parties et à l'économie de l'opération et on peut l'accepter ; mais elle ne permet pas au prêteur de faire valoir ses droits s'il n'a pas été mis en possession avant le jugement déclaratif (Gavalda et Stoufflet, n. 490).

Le législateur est spécialement intervenu par une loi du 31 décembre 1969 (art. 16) pour faciliter la garantie des opérations de crédit mobilisées sur le marché hypothécaire (Gavalda et Stoufflet, n. 536). Le procédé utilisé diffère quelque peu de celui dont il est fait application dans le titre III de l'ordonnance du 28 septembre 1967 en matière de crédit à moyen terme. Le système qui repose sur une affectation en nantissement, pratiquement sans forme, de créances constatées ou non par des effets de commerce, est applicable selon l'article 16 I aux billets à ordre émis par les banques et établissements financiers pour mobiliser les créances garanties par les hypothèques, susceptibles d'être acquis par le Crédit foncier de France. Cet organisme est chargé de réglementer et de régulariser le marché des créances hypothécaires.

Comme pour le crédit à moyen terme, il n'était pas pratiquement concevable de transmettre directement à l'organisme mobilisateur les créances sur les emprunteurs, même représentées par des effets de commerce (effets primaires) et la pratique s'imposa d'utiliser pour la mobilisation des effets spéciaux. Mais comment garantir le Crédit foncier ou tout autre organisme porteur de ces effets ?

Le texte précité apporte une solution fondée, non pas comme dans le système de l'ordonnance de 1967, sur le transfert des créances ou effets primaires, mais sur leur affectation en *nantissement* au profit du porteur des effets de mobilisation. Moyennant *mise à disposition*, le porteur d'un effet de mobilisation bénéficie d'un gage sur la créance de l'organisme prêteur et, le cas échéant, les effets qui la représentent ; il bénéficie aussi des garanties, hypothécaires ou autres, assortissant les prêts, même s'ils résultent d'actes distincts des contrats ou effets (art. 16 IV).

La mise à disposition est définie dans l'article 16 II avec plus de précision que dans l'ordonnance de 1967. Elle est réalisée par la mise sous dossier spécial d'une liste nominative visant la loi de 1969, des créances correspondant aux contrats ou effets mobilisés, avec indication, tenue à jour, de leur montant. Il est précisé que l'établissement prêteur (constituant du gage) assume la garde des contrats et effets mis à disposition du porteur de l'effet de mobilisation.

Pendant toute la période de mise à disposition, l'organisme prêteur ne peut, sauf clause contraire d'une convention avec le Crédit foncier de France, transmettre les créances ou effets sous quelque forme que ce soit.

Les créances et effets sont libérés, dès leur échéance, mais l'organisme prêteur est tenu de les remplacer sans discontinuité par d'autres créances ou effets de même valeur en capital qui sont substitués de plein droit aux titres échus par voie de subrogation réelle (art. 16 III, al. 2). Le texte consacre une remarquable fongibilité des créances et effets nantis.

La réalisation du gage est particulièrement expéditive. Selon l'article 16 V, à défaut de paiement à l'échéance de l'effet de mobilisation ou des intérêts, et indépendamment de ses recours contre l'organisme prêteur, le porteur peut sur sa demande et contre remise de cet effet obtenir sur sa demande la remise matérielle des créances ou effets mis à sa disposition. Cette remise lui transfère sans autre formalité la propriété des créances ou effets et des garanties, dans la limite de ses droits.

C. — Désignation d'un mandataire pour le recouvrement de la lettre de change ; endossement de procuration

63. — Le procédé de l'endossement, utilisable pour la transmission de la lettre de change en toute propriété et pour la constitution de gage, peut aussi être employé pour donner un simple mandat de recouvrement, réglementé par l'article 122, alinéas 1 à 3 du Code de commerce. Toutefois, dans cette application comme dans les autres, il n'a pas de caractère exclusif.

1. — Conditions de l'endossement de procuration

64. — La *forme* de l'endossement de procuration est définie à l'article 122, alinéa 1 du Code de commerce. Cet endossement se caractérise par la mention « valeur en recouvrement », « pour encaissement », « par procuration » ou toute autre mention impliquant un simple mandat.

Dans la pratique, il est fréquent que les effets remis pour recouvrement à une banque ou à une société financière portent un endossement de forme translative, habituellement un endossement en blanc. Le mandat résulte du bordereau accompagnant la remise ou du décompte établi par la banque. Cette situation se rencontre notamment quand le banquier à qui les effets ont été remis à l'escompte refuse d'en avancer le montant et les prend seulement à l'encaissement. Entre parties, la preuve du mandat peut certainement être faite selon le droit commun : cette preuve est libre en matière commerciale (Cass. com., 3 mai 1971 : *Bull. civ.* IV, n. 119, p. 115. — Aix, 8 juill. 1977 : *JCP* 79, II, 19111, note J. Stoufflet). Au regard des tiers, l'application de la théorie de la simulation est, à juste titre, préconisée en doctrine (Lescot et Roblot, t. I, n. 333). Un débiteur cambiaire pourrait invoquer le mandat pour obtenir la prise en considération d'une exception personnelle à l'endosseur (Aix, 16 déc. 1976 : *Bull. arrêts*, Aix, 1976, IV, n. 346, p. 52).

En sens inverse, il peut arriver que le banquier ayant reçu des effets avec mandat d'encaissement en crédite immédiatement le compte du client. Faut-il considérer avec la plupart des auteurs que le mandat d'encaissement se trouve de ce fait automatiquement transformé en escompte (Lescot et Roblot, n. 334. — Hamel, *Banque et opérations de banque*, t. II, n. 1112) ? Cette analyse ne s'impose pas nécessairement. Il peut s'agir d'une avance sur la créance qui naîtra de l'encaissement au profit du client (Gavalda et Stoufflet, *op. cit.*, n. 725. — Rives-Lange et Contamine-Raynaud, *Droit bancaire*, 6e éd., 1995, n. 318. — Cabrillac et Rives-Lange, obs. *RTD com.* 1976, p. 768). Une recherche d'intention est nécessaire. S'agissant de lettres de change, la qualification d'escompte est cependant la plus vraisemblable, alors qu'elle s'impose avec moins d'évidence en matière de chèque. (Pour l'analyse en un escompte quand il y a eu inscription à un compte courant, V. Cass. com., 7 oct. 1963 : *Bull. civ.* III, n. 391, p. 331. — 23 fév. 1976 : *Bull. civ.* IV, n. 63, p. 55 ; *RJ com.* 1976, 410 ; *RTD com.* 1976, p. 768, obs. Cabrillac et Rives-Lange). Les tiers peuvent, toutefois, s'en tenir à l'apparence que constitue l'endossement de procuration (Cass. com., 30 janv. 1996 : *Bull. civ.* IV, n. 29 ; *RTD com.* 1996, p. 300, obs. Cabrillac). La question n'est pas dépourvue d'intérêt ; selon le cas, le banquier devient propriétaire de l'effet ou non (en matière de chèque, V. *infra*, n. 209).

Les conditions de fond de l'endossement de procuration relèvent davantage du droit commun que du droit cambiaire. Il suffit que l'endosseur ait la capacité et les pouvoirs nécessaires pour conclure un mandat. La capacité commerciale n'est pas requise puisque le souscripteur d'un endossement de procuration ne devient pas garant du paiement de l'effet et ne contracte donc pas d'obligation commerciale.

Quant à l'endossataire, aucune exigence particulière ne s'applique à lui. Le recouvrement des lettres de change est une activité exercée en pratique par les banques, sociétés financières et centres de chèques postaux. Rien n'interdit, toutefois, de s'adresser pour ce faire à une personne ou entreprise n'appartenant pas à ces catégories. Il ne faudrait cependant pas que, par ce biais, il soit porté atteinte au monopole bancaire des dépôts à vue ou à moins de deux ans (24 janv. 1984, art. 10, al. 2, L. Gavalda et Stoufflet, *Droit du crédit*, t. 1, n. 152).

2. — *EFFETS DE L'ENDOSSEMENT DE PROCURATION*

65. — Les effets de l'endossement de procuration sont essentiellement déterminés par la qualité de mandataire de l'endossataire. Toutefois, vis-à-vis des tiers spécialement, le fait que ce mandat s'applique à une lettre de change n'est pas dépourvu de conséquences. Il influe sur la définition des pouvoirs du mandataire.

Au regard de l'endosseur-mandant, la mandataire est tenu, sans nécessité d'une stipulation expresse, de faire tout ce qui est nécessaire pour la mise en œuvre des droits attachés à l'effet : présentation au paiement à la bonne date, le cas échéant, protêt, exercice des recours cambiaires et de l'action prévue à l'article 143 du Code de commerce en cas de perte de l'effet (Cass. com., 8 juin 1993 : *JCP* 93, IV, 2006 ; *D.* 1996, Somm. comm. 318, obs. Cabrillac). Entre-t-il dans la mission du mandataire de recueillir l'acceptation du tiré ? Il a certainement le pouvoir nécessaire pour la demander, mais y est-il tenu sans mandat spécial si l'acceptation n'est ni obligatoire, ni exclue ? Une réponse affirmative semble s'imposer si l'échéance est suffisamment éloignée.

A la simple mise en œuvre des droits cambiaires s'ajoutent deux obligations se rattachant plus directement au mandat. Le banquier, tout d'abord, doit, au moment où il reçoit l'effet pour encaissement, en vérifier la régularité apparente. La solution, plus fréquemment affirmée à propos du chèque que de la lettre de change, a une portée générale. Il s'y attache une responsabilité aussi bien envers les tiers qu'envers le client. Par ailleurs, en cas de non-paiement de l'effet à l'échéance, le banquier est tenu de donner sans retard à son mandat un « avis de sort » qui n'est autre que la reddition de compte prévue à l'article 1993 du Code civil. La responsabilité bancaire est toutefois subordonnée à la preuve d'un préjudice par le mandant : recouvrement plus difficile de la créance (Cass. com., 21 nov. 1966 : revue *Banque* 1967, p. 270), octroi d'un nouveau crédit par le mandant à son endosseur ou au tireur.

Les mêmes devoirs pèsent sur le banquier escompteur qui, bien que propriétaire de l'effet, doit veiller aux intérêts du remettant, exposé à un recours.

La banque chargée de l'encaissement d'un effet est en droit de faire appel à un autre établissement, mais sa responsabilité demeure engagée, en application de l'article 1994 du Code civil.

L'appréciation de la diligence dont le banquier a fait preuve peut seulement être opérée *in concreto* (Paris, 3e Ch. B, 19 fév. 1987 : *D.* 1987, IR, 57). Tout dépend évidemment de la date de remise de l'effet — elle est parfois trop proche de l'échéance (effet « brûlant ») pour que le délai légal de présentation et d'établissement du protêt soit respecté — et de l'éloignement du lieu de paiement.

D'une manière presque systématique, les banques dégagent leur responsabilité par une clause apposée sur les bordereaux de remise d'effets, pour le cas de présentation ou de protêt tardif. La responsabilité bancaire ne subsiste alors qu'en cas de faute dolosive ou lourde de la banque, la preuve incombant au client (Vezian, *op. cit.*, n. 192). L'obligation de présenter les effets à l'acceptation peut aussi être exclue par de telles clauses.

La force majeure est, selon le droit commun, une cause d'exonération de la responsabilité bancaire. La grève du personnel bancaire peut, exceptionnellement, constituer un événement de force majeure (Cass. com., 12 juin 1979 : *Bull. civ.* IV, n. 195, p. 159).

Pour clarifier les obligations du banquier chargé de l'encaissement, les parties peuvent se référer au règlement uniforme pour l'encaissement des effets de commerce élaboré par la Chambre de commerce internationale.

L'endosseur peut exiger du banquier la restitution de l'effet qu'il lui a confié en application du principe de la révocabilité du mandat (C. civ., art. 2003, al. 1). Vis-à-vis des tiers, l'endossataire conserve ses pouvoirs tant qu'il est en possession de l'effet. C'est pour les protéger que l'article 122, alinéa 3, du Code de commerce, dérogeant au droit commun, dispose que le mandat inclus dans un endossement de procuration ne prend pas fin par le décès du mandant ou la survenance de son incapacité.

On notera, par ailleurs, que l'article 120 de la loi du 25 janvier 1985 autorise, en cas de redressement judiciaire, la revendication des effets confiés au débiteur en vue de leur recouvrement.

Pour permettre au titulaire d'un endossement de procuration d'exécuter vis-à-vis des tiers le mandat qui lui a été confié, l'article 122, alinéa 1, l'habilite à exercer tous les droits dérivant de la lettre de change. La formule peut surprendre, d'autant plus qu'elle est identique à celle utilisée par le même article 122 pour définir la situation du bénéficiaire d'un endossement pignoratif. En réalité, elle n'a pas dans les deux cas la même signification. Le mandataire peut exercer tous les droits cambiaires (présentation au paiement, exercice des recours...) sans justifier de ses pouvoirs autrement que par l'endossement, mais il le fait au nom de son mandant et non pas en son nom personnel. L'article 122, alinéa 2, en tire la conséquence : les obligés ne peuvent invoquer contre l'endossataire que les exceptions qui seraient opposables à l'endosseur. Par ailleurs, l'endossataire ne peut souscrire un endossement translatif, mais seulement un nouvel endossement de procuration.

3. — Validité du mandat de recouvrement par acte séparé

Rien dans les textes n'interdit de conférer un mandat de recouvrement par un acte distinct de la lettre de change dont le mandataire se servira pour justifier de ses pouvoirs. Il faut, bien entendu, que ce mandat soit clairement rédigé, qu'il vise ou bien tous les effets dont le mandant sera porteur, ou bien certains effets ou catégories d'effets bien définis. Le mandat de recouvrement ne résulte pas de la simple détention de la lettre de change (V. en matière de chèque *infra*, n. 207).

§ 3. — Acceptation de la lettre de change

66. — L'acceptation est l'engagement pris en forme cambiaire par le tiré de payer la lettre de change à l'échéance. Elle améliore les chances de paiement de l'effet puisque celui à qui doit être demandé ce paiement est désormais tenu de l'accomplir. Le tiré est un élément nécessaire de la lettre de change — c'est à lui qu'est adressé l'ordre de payer — mais le titre est juridiquement parfait sans son engagement.

Dans ces conditions, une question préalable se pose : l'acceptation est-elle une formalité obligatoire ou facultative : doit-elle être demandée par le porteur et donnée par le tiré ? C'est seulement après y avoir répondu qu'il sera possible de déterminer les conditions et les effets — considérables — de l'acceptation. Il sera ensuite traité d'une forme particulière d'acceptation donnée par un tiers, l'acceptation par intervention.

A. — Cas où la formalité de l'acceptation est obligatoire

1. — Du caractère facultatif ou obligatoire de la présentation à l'acceptation

67. — En principe, le porteur d'une lettre de change, bénéficiaire ou endossataire, n'est pas tenu de présenter l'effet à l'acceptation. Autre chose est la question de savoir si le banquier escompteur ou chargé de l'encaissement doit demander l'acceptation au tiré (*supra*, n. 65). Le porteur n'est frappé d'aucune déchéance pour ne l'avoir pas sollicitée. En fait, si l'acceptation facilite la négociation des lettres de change et si les banques la demandent souvent avant de consentir à l'escompte, de multiples lettres de change ne sont pas présentées à l'acceptation parce que le porteur connaît le tiré et sait qu'il paiera.

Dans certains cas, cependant, la présentation à l'acceptation est rendue obligatoire par la loi ou par une clause de la lettre de change (V. Nguyen Xuan Chanh « La déchéance des droits du porteur de la lettre de change pour inexécution de ses obligations au regard de la présentation de l'effet à l'acceptation ou au paiement » : *D.* 1979, chron. 77). A l'inverse, elle est parfois interdite.

a) Cas où la présentation à l'acceptation est obligatoire pour le porteur

Obligation résultant d'une clause de l'effet. — Le tireur peut insérer dans la lettre de change une clause imposant la présentation à l'acceptation, soit à une date quelconque, soit dans un certain délai à compter de l'émission (C. com., art. 124, al. 2). Le porteur qui ne s'est pas conformé à la clause est, en application de l'article 156, alinéa 7, déchu de ses recours contre les garants (endosseur, tireur et leurs avaliseurs) tant pour défaut de paiement que pour défaut d'acceptation, à moins qu'il résulte des termes de la stipulation que le tireur n'a entendu s'exonérer que de la garantie de l'acceptation. Cette dernière hypothèse ne se conçoit guère que si la clause est assortie d'un délai, ce qui est d'ailleurs habituellement le cas.

La clause de présentation obligatoire à l'acceptation peut aussi être incluse dans une formule d'endossement, à moins que l'effet ait été stipulé non acceptable (art. 124, al. 5). Dans ce cas, l'endosseur seul est admis à s'en prévaloir (art. 156, al. final).

Obligation légale de présenter l'effet à l'acceptation. — Selon l'article 124, alinéa 6 du Code de commerce, les lettres de change à un certain délai de vue doivent être présentées à l'acceptation dans un délai d'un an à partir de leur date. C'est, en effet, le jour de la présentation de l'effet qui marque le départ du délai au terme duquel il est exigible. Le délai d'un an prévu à l'article 124, alinéa 6, peut être abrégé ou allongé par le tireur. Les endosseurs ont seulement la faculté de l'abréger.

b) Cas où la présentation à l'acceptation est interdite

La présentation à l'acceptation peut être interdite par une clause de la lettre de change dite *clause « non acceptable »*, reconnue par l'article 124, alinéa 3 du Code de commerce. La clause répond souvent à une exigence du tiré qui a manifesté un refus de principe d'accepter des lettres de change ; c'est le cas de certaines entreprises importantes. Parfois l'acceptation est jugée inutile : le montant de l'effet est modeste et ne justifie pas les frais d'un éventuel protêt faute d'acceptation ; l'effet est tiré sur une filiale et il est certain qu'il sera payé. On dénomme en pratique traite « pro forma » celle qui a été stipulée non acceptable ou que les parties ont convenu de ne pas soumettre à l'acceptation (Cass. com., 15 déc. 1986 : *JCP* 87, éd. CI, 16123 ; *RTD com.* 1987, p. 223, obs. Cabrillac et Teyssié).

L'article 124 n'impose pas pour la clause « non acceptable » de rédaction particulière. Il suffit que la formule figure dans la lettre de change. Si elle n'est pas incluse dans le texte, elle doit être spécialement signée par le tireur. Cette signature s'impose d'autant plus que, dans le silence de la loi, on ne peut admettre que la clause soit valablement insérée par un endosseur. On considère toutefois en doctrine qu'elle vaut, de la part d'un endosseur, stipulation de non-garantie (Lescot et Roblot, t. I, n. 429).

Dans trois hypothèses, la loi interdit d'une manière complète la clause non acceptable, alors réputée non écrite : lettre de change payable chez un tiers ou dans une localité autre que celle du domicile du tiré et lettre de change tirée à un certain délai de vue. Dans les deux premiers cas il s'agit de permettre au tiré de prendre des dispositions pour assurer le paiement de l'effet. Pour la lettre de change payable à un délai de vue, la présentation est indispensable à la détermination de l'échéance.

Quelles sont les conséquences d'une clause « non acceptable » valable ? Le tiré est fondé à refuser l'acceptation sans s'exposer pour autant au recours anticipé du porteur. Si un protêt faute d'acceptation est dressé, le porteur en conservera les frais à sa charge et le tiré pourra même lui demander un dédommagement s'il a subi un préjudice du fait du protêt (atteinte à son crédit). Le tireur peut aussi prétendre à des dommages-intérêts si ses rapports commerciaux avec le tiré ont été troublés par le protêt (Lescot et Roblot, t. I, n. 429). Une autre conséquence avait été attachée par la jurisprudence à la clause : elle excluait la transmission au porteur de la provision ; cette interprétation a été abandonnée (*infra*, n. 88). Si malgré la clause « non acceptable » le tiré accepte la lettre de change, il est, bien entendu, obligé cambiairement. De la clause précédente, on rapprochera la clause prévue à l'article 124, alinéa 4, par laquelle le tireur stipule que la présentation à l'acceptation ne pourra avoir lieu avant un terme fixé. Cette stipulation s'explique ordinairement par le fait que la provision est fournie postérieurement à l'émission de la lettre de change.

2. — *DU CARACTÈRE FACULTATIF OU OBLIGATOIRE DE L'ACCEPTATION*

68. — De même que le porteur n'est pas, en principe, tenu de solliciter l'acceptation du tiré, de même le tiré, invité à accepter, n'est pas, en principe, tenu de le faire (V. Chanteux-Bui, « Le refus d'accepter une lettre de change » : *RTD com.* 1978, p. 707). Il n'y a cependant pas de symétrie entre les deux solutions. L'obligation de *présenter l'effet à l'acceptation*, lorsque par exception elle existe (*supra*, n. 67), est une obligation de nature cambiaire parce qu'elle pèse sur une personne déjà engagée dans l'opération cambiaire (bénéficiaire ou endossataire), même si elle n'est pas débitrice de la lettre de change. Il n'en saurait être de même pour *l'acceptation elle-même* puisque le tiré appelé à la donner est, jusqu'à cette acceptation, un étranger à l'opération. Ainsi l'obligation d'accepter ne peut avoir sa source qu'en dehors de la lettre de change.

Effectivement, il arrive que le tiré soit soumis à une obligation extra-cambiaire d'accepter. Cette obligation peut résulter d'une convention (commerciale ou financière) prévoyant un paiement de prestations commerciales ou la réalisation d'un crédit par acceptation de lettre de change. La sanction est la sanction normalement applicable en cas d'inexécution d'une obligation contractuelle.

Une autre source possible de l'obligation d'accepter est l'usage commercial. Pour certains types de contrats entre commerçants, le règlement par lettre de change est habituel et il est d'usage que l'acceptation du débiteur soit demandée pour faciliter la mobilisation de l'effet par le créancier (escompte). Cet usage cependant n'est pas toujours respecté par les acheteurs se trouvant en position de force à l'égard de leurs fournisseurs. Pour aider ces créanciers à financer leur activité, le législateur est intervenu par un décret-loi du 2 mai 1938 complétant l'article 124 du Code de commerce. Dans les rapports entre commerçants et pour le règlement du prix d'une fourniture de marchandises, l'acceptation d'une lettre de change est obligatoire si le tireur a satisfait aux obligations résultant pour lui du contrat. Le tiré doit accepter à l'expiration d'un délai conforme aux usages du commerce en matière de reconnaissance des marchandises. Le refus d'acceptation entraîne de plein droit la déchéance du terme aux frais et dépens du tiré. Cette déchéance affecte, bien entendu, l'obligation née du contrat de vente et non la lettre de change dont l'échéance n'est pas modifiée (Cass. com., 1er fév. 1977 : *Bull. civ.* IV, n. 35 ; *D.* 1977, IR, 398, obs. Vasseur).

Il est certain qu'aux sanctions légales du défaut d'acceptation les juges ne sauraient ajouter l'obligation d'acquitter l'effet... comme si une acceptation avait été donnée (obs. Cabrillac et Teyssié : *RTD com.* 1982, p. 268 sous Aix, 7 janv. 1982. V. aussi le commentaire de cet arrêt par L. Martin : revue *Banque* 1982, p. 528).

Pratiquement, le texte est d'une efficacité incertaine et il est sans doute difficile de l'améliorer tant sont diverses les situations. Le tiré peut imposer la clause non acceptable qui fait échec aux dispositions du décret-loi. Il peut aussi soutenir que la livraison n'est pas conforme à la commande et gagner ainsi du temps. Enfin le texte, en exigeant la reconnaissance des marchandises, interdit pratiquement le plus souvent au créancier d'exiger l'acceptation avant la livraison. On ajoutera — mais sur ce point il pourrait être corrigé — que le texte ne vise que les fournitures de marchandises. Il est applicable aux ventes de matériel d'équipement, mais certainement pas aux prestations de services, si importantes dans l'économie contemporaine. Bien qu'imparfait, il n'est pas exclu que le texte ait contribué à répandre l'usage de l'acceptation des lettres de change qui ne rencontre plus guère de résistances de principe, sauf lorsqu'il y a des conventions précises en sens contraire. Certaines grandes entreprises persistent pourtant à refuser leur acceptation et écartent même tout paiement par lettre de change. Pour le cas de stipulation de paiement par billet à ordre, V. C. com., art. 189 *bis* et *infra*, n. 139.

B. — CONDITIONS DE L'ACCEPTATION

1. — CONDITIONS DE FORME DE L'ACCEPTATION

a) Modalité de la présentation à l'acceptation

69. — L'acceptation n'est pas à l'initiative du tiré. L'effet doit lui être présenté. Qui peut faire cette présentation ? L'article 124, alinéa 1, témoigne de peu d'exigences à cet égard : la présentation est faite par le porteur ou par un simple détenteur. Le tireur peut même demander l'acceptation avant la mise en circulation de l'effet. Il n'est pas nécessaire de justifier de droits sur le titre pour recueillir l'acceptation puisque le tiré s'engage non envers le présentateur, mais envers le porteur légitime (actuel ou subséquent). De son côté, le tiré n'a à vérifier ni les droits ni même l'identité du présentateur. Selon l'article 124, la présentation doit être faite au lieu du domicile du tiré ; il faut comprendre le siège de son activité commerciale ou, à défaut, son habitation personnelle. L'acceptation ne saurait être sollicitée chez le domiciliataire qui est sans qualité pour la donner, étant chargé seulement de payer l'effet. En cas de refus d'acceptation, la lettre doit être présentée au recommandataire s'il en a été désigné un (*infra*, n. 79).

En principe, l'acceptation peut être demandée dès l'émission de la lettre de change et jusqu'à échéance (C. com., art. 124, al. 1). En réalité, c'est au plus tard la veille de l'échéance que doit intervenir la présentation. Dès l'échéance, en effet, c'est la paiement que le porteur peut et doit solliciter. La liberté du porteur quant au moment de la présentation subit dans certains cas des restrictions. On a déjà noté que le tireur peut imposer la présentation à l'acceptation dans un délai déterminé ou, à l'inverse, l'interdire avant une certaine date. Par ailleurs, les lettres de change payables à un délai de vue doivent être présentées au tiré dans l'année suivant la date d'émission, le jour de création de l'effet n'étant pas compris dans le délai (art. 182, al. 1, et *supra*, n. 13).

Dans la pratique l'acceptation est souvent demandée par correspondance, l'effet étant adressé par la poste au tiré, par le tireur ou le porteur, généralement une banque. Cette façon de faire a soulevé quelques difficultés. L'envoi doit-il être fait par lettre recommandée ? Cela est douteux puisque la jurisprudence n'impose pas au tiré la forme recommandée pour le retour de la lettre au présentateur (Cass. com., 20 déc. 1954 : *D.* 1955, J, 83 ; *JCP* 55, II, 8551. — Trib. com. Seine, 4 mai 1959 : *RJ com.* 1962, 91).

Le tiré commet-il une faute en ne renvoyant pas l'effet ? Souvent une enveloppe timbrée lui est fournie pour le retour. La jurisprudence considère effectivement que la responsabilité du tiré est engagée envers le porteur s'il n'a pas restitué l'effet, accepté ou non, ou s'il l'a renvoyé tardivement ou s'il l'a renvoyé au tireur et non au présentateur, à la condition toutefois qu'un préjudice soit démontré (Cass. com., 12 fév. 1974 : *JCP* 75, II, 17961, note Cabrillac. — 26 mars 1974 : *D.* 1974, somm. 99. — 12 mai 1976 : *D.* 1976, IR, 229. — 8 janv. 1979 : *D.* 1980, somm. 135, obs. Cabrillac. — Amiens, 25 nov. 1971 : *RJ com.* 1972, 144. — 5 janv. 1976 : *JCP* 76, IV, 337 ; *D.* 1976, somm. 56 ; *RTD com.* 1976, p. 157. — Paris, 16 avril 1972 : *JCP* 72, IV, 202. — Aix, 7 janv. 1982 : revue *Banque* 1982, p. 528, obs. Martin ; *RTD com.* 1982, p. 268. — Trib. com. Paris, 11 fév. 1972 : *RJ com.* 1972, 147.

— Comp. Cass. com., 1er fév. 1972 : *D.* 1972, somm. 146 ; *RTD com.* 1972, p. 962 ; Roblot, *op. cit.*, n. 212 ; Cabrillac, *Jur. Lettre de change*, p. 15). La responsabilité du tiré est une responsabilité extracontractuelle.

La banque chargée du recouvrement qui n'a pas obtenu l'acceptation doit aviser son client (Vézian, *op. cit.*, n. 189). En pratique elle lui renvoie l'effet. Elle n'est pas tenue de le faire par pli recommandé (Cass. com., 4 mars 1968 : *JCP* 69, II, 15777, note Gavalda).

b) Formes dans lesquelles l'acceptation est donnée

70. — Le tiré est-il tenu de donner ou de refuser sur-le-champ son acceptation ? Le problème ne se pose, bien entendu, que si la personne qui sollicite l'acceptation présente elle-même ou fait présenter l'effet chez le tiré. En cas d'envoi par la poste, le tiré dispose par la force des choses d'un minimum de temps pour prendre sa décision.

L'article 125 du Code de commerce réalise une conciliation entre les intérêts du porteur et ceux du tiré. Le tiré n'est pas en droit d'exiger que l'effet lui soit remis, même pour un temps limité, ce qui se comprend puisque, portant des signatures, il constitue un titre dont le porteur a intérêt à ne pas se dessaisir ; mais le tiré peut demander qu'une seconde présentation lui soit faite le lendemain de la première, ce qui lui permet de s'assurer qu'il est bien débiteur du tireur.

L'acceptation doit se matérialiser en une *mention apposée sur la lettre de change*. En l'exigeant, l'article 126 marque la condamnation par la loi uniforme de l'acceptation par acte séparé que la jurisprudence avait reconnue valable sous l'empire de l'ancienne législation. La conception la plus formaliste s'est imposée.

L'acceptation par acte séparé n'est pas nulle, mais elle n'a pas de valeur cambiaire ; elle constitue une simple promesse de paiement de l'effet (Cass. com., 22 fév. 1954 : *D.* 1954, J, 311 ; *S.* 1954, 1, 164 ; revue *Banque* 1954, p. 244, obs. Marin ; *RTD com.* 1954, p. 367, obs. Becqué et Cabrillac). L'article 129, alinéa 2, atténue d'ailleurs sensiblement les conséquences de la règle posée à l'article 126. Si le tiré a fait connaître son acceptation par écrit au porteur ou à un signataire quelconque, il est tenu envers ceux-ci dans les termes de son acceptation. Ainsi l'acceptation par acte séparé fait-elle bien naître une obligation cambiaire, mais celle-ci n'existe qu'à l'égard du créancier à qui elle a été remise ou envoyée alors qu'une acceptation mentionnée sur le titre oblige l'accepteur envers tout porteur.

L'acceptation est exprimée par le mot « accepté » ou tout autre mot équivalent et elle doit être signée du tiré (C. com., art. 126, al. 1). L'acceptation résulte de toute formule impliquant l'engagement de payer. Une telle formule n'est d'ailleurs pas toujours indispensable. L'article 126 dispose que la seule signature du tiré apposée au recto de la lettre vaut acceptation.

La formule d'acceptation peut être apposée par un moyen quelconque (griffe ou autre). La règle de l'article 1326 du Code civil (mention de la main de celui qui s'oblige de la somme en chiffres et en toutes lettres) n'est pas applicable à la lettre de change. La signature, en revanche, est nécessairement manuscrite. La loi du 16 juin 1966 n'a pas supprimé cette exigence pour l'acceptation, étant donné la gravité de l'engagement contracté par l'accepteur (pour le cas de dénégation de signature, V. *supra*, n. 32).

La loi n'exige pas la répétition dans la formule d'acceptation du montant de la lettre de change. La somme pour laquelle l'accepteur s'engage ne doit être indiquée que dans le cas d'acceptation partielle (*infra*, n. 72).

L'acceptation n'a pas non plus, en principe, à être datée. Il n'en est autrement que dans deux cas prévus à l'article 126, alinéa 2 : quand la lettre est payable à un délai de vue et lorsqu'elle doit être présentée à l'acceptation dans un délai déterminé en vertu d'une stipulation spéciale. L'acceptation doit alors être datée du jour où elle a été donnée, à moins que le porteur n'exige qu'elle soit datée du jour de la présentation. A défaut de date, le porteur, pour conserver ses droits et recours contre les endosseurs et le tireur, est tenu de faire constater l'omission par un protêt dressé en temps utile (V. sur le protêt faute d'acceptation *infra*, n. 71).

L'article 129, alinéa 1, règle le cas de biffage de l'acceptation. L'acceptation biffée par le tiré avant la restitution de l'effet au présentateur est censée refusée. Sauf preuve contraire, la radiation est réputée avoir été faite avant la restitution du titre.

Lorsque la lettre de change a été tirée en plusieurs exemplaires, le tiré peut accepter sur l'un quelconque de ceux-ci, mais il ne doit le faire que sur un seul (C. com., art. 174, al. 1, et *supra*, n. 21).

En cas d'établissement d'une ou de plusieurs copies, l'original reste le support obligatoire de l'acceptation. Une acceptation sur une copie serait à considérer comme une acceptation par acte séparé, dépourvue d'effets cambiaires (Lescot et Roblot, t. 2, n. 454).

c) Constatation du défaut d'acceptation

71. — Sauf si l'effet a été stipulé sans frais, le porteur doit faire constater par un protêt le refus d'acceptation (C. com., art. 148 A). A défaut, il ne peut exercer les recours cambiaires. Ceux-ci ne sont toutefois pas définitivement perdus. Le porteur conserve le droit de demander paiement à l'échéance et de faire constater par un protêt un éventuel refus de paiement. Les recours cambiaires lui seront alors ouverts. Il n'en est autrement que dans le cas où la présentation à l'acceptation est obligatoire (*supra*, n. 67). Les conditions d'établissement du protêt faute d'acceptation et du protêt faute de paiement sont identiques (*infra*, n. 121).

On notera qu'au refus d'acceptation justifiant l'établissement d'un protêt, il y a lieu d'assimiler le cas où l'acceptation a été assortie de conditions ou de réserves (*infra*, n. 72), le cas où le tiré a accepté non sur l'effet mais par acte séparé (*supra*, n. 70) et le cas de refus de mentionner la date lorsque la loi l'impose (*supra*, n. 70).

2. — *Conditions de fond de l'acceptation*

72. — L'acceptation est soumise à l'ensemble des conditions de fond qui ont été exposées à propos de l'émission de la lettre de change (*supra*, n. 25 et s.), communes à tous les engagements cambiaires. L'accepteur doit remplir des conditions de *capacité* identiques à celles requises du tireur (*supra*, n. 26 et s.). Il lui faut avoir la capacité commerciale, mais l'acceptation d'une lettre de change ne suffit pas à donner à l'accepteur la qualité de commerçant (Cass. com., 11 mai 1993 : *JCP* 93, IV, 1727). La nullité pour incapacité de l'accepteur n'affecte naturellement pas les autres engagements cambiaires (principe d'indépendance des signatures). Si l'accepteur a la capacité civile, l'acceptation qu'il a donnée peut valoir comme promesse simple de paiement.

L'acceptation peut être donnée par une personne habilitée à engager le tiré. Les pouvoirs de la personne ayant opposé la signature d'acceptation sont, en cas de contestation, établis selon le droit commun et appréciés souverainement par les juges du fond (Cass. com., 11 déc. 1990, *Soc. Dev. Gelabert* c. *Facto France Heller*). Les règles particulières de la loi de 1966 sur les sociétés sont, naturellement, à prendre en considération. Les dispositions de l'article 114 du Code de commerce sur l'absence ou le dépassement de pouvoirs sont, le cas échéant, applicables. Il a été jugé que le banquier escompteur qui recueille l'acceptation d'un effet tiré sur une personne morale n'a pas à vérifier les pouvoirs de celui qui signe en son nom (Cass. com., 5 fév. 1985 : revue *Banque* 1985, p. 522, obs. Rives-Lange. — 23 mai 1989 : *Bull. civ.* IV, n. 160, p. 107 ; revue *Banque* 1989, 1086, obs. Rives-Lange ; *D.* 1989, IR, 183 ; J.-P. Arrighi, « La protection du banquier escompteur par l'usage » : *JCP* 90, éd. E, II, 15861 ; V. auss. ; *supra*, n. 28).

La cause de l'engagement de l'accepteur doit être réelle (Cass. com., 8 juin 1982 : *Bull. civ.* IV, n. 223, p. 196 ; *RTD com.* 1983, p. 91, obs. Cabrillac et Teyssié) et licite. On sait que dans la forme la plus courante de l'effet de complaisance, l'engagement cambiaire du tiré accepteur est affecté d'une cause illicite (*supra*, n. 34 et s.). La nullité en résultant n'est toutefois opposable aux tiers que sous les conditions prévues par l'article 121 du Code de commerce qui ont déjà été exposées (*supra*, n. 55).

La validité de l'acceptation est subordonnée à celle de la lettre de change. Si celle-ci ne comporte pas toutes les énonciations légales, l'acceptation ne peut valoir qu'en tant que reconnaissance de dette (Cass. com., 2 nov. 1994, inédit, *Hénon* c. *CIC Paris*).

Aux conditions précédentes communes à toutes les obligations cambiaires s'ajoutent des exigences plus spécifiques, encore qu'elles se rattachent d'une manière évidente aux principes fondamentaux du droit cambiaire.

C'est ainsi que l'article 126 (al. 3 et 4) *interdit d'assortir l'acceptation de conditions, de réserves ou de modifications de la lettre de change* (V. cependant l'exception limitée prévue à l'art. 127, al. 2, pour la domiciliation). La prohibition est à rapprocher de la disposition inscrite à l'article 110-2° qui exige que le mandat de payer donné au tiré soit pur et simple. Dans les deux cas, il s'agit de permettre au porteur d'évaluer exactement ses droits envers les signataires de la lettre de change. L'acceptation assortie d'une condition ou d'une réserve équivaut à un refus d'acceptation. Les recours reconnus dans ce cas au porteur peuvent être exercés.

Le principe précédent reçoit cependant deux aménagements importants qui en restreignent la rigueur et évitent qu'il se retourne contre le porteur. Tout d'abord, l'article 126, alinéa 3, permet au tiré de restreindre son acceptation à une partie de la somme. Il adopte cette attitude lorsqu'il n'a reçu qu'une provision partielle ou si sa dette envers le tireur est partiellement éteinte. Le porteur a la possibilité de faire dresser protêt pour la différence entre le montant de l'effet et la somme pour laquelle l'acceptation a été donnée et les recours cambiaires lui sont ouverts dans cette mesure (C. com., art. 147, et *infra*, n. 117 et s.).

L'article 126 dispose, par ailleurs, dans son alinéa 4 que l'accepteur qui a modifié d'une manière quelconque les énonciations de la lettre de change en l'acceptant « est tenu dans les termes de son acceptation ». C'est une réserve notable. Bien que la rédaction du texte ne soit pas aussi nette qu'on pourrait le souhaiter, la solution vaut non seulement pour les modifications *stricto sensu* apportées à la lettre de change, mais pour les conditions affectant l'acceptation, visées à l'alinéa 3 de l'article 126 (Cass. com., 2 juin 1950 : *D.* 1951, J, 293 ; revue *Banque* 1951, p. 703. — 18 janv. 1955 : *D.* 1955, J, 188, note Gore ; *JCP* 55, II, 8602, note Lescot. — 14 oct. 1959 : revue *Banque* 1960, 48).

De la solution donnée par la loi en cas d'acceptation conditionnelle ou sous réserve, il résulte que le porteur peut adopter trois attitudes : considérer que l'acceptation est refusée, faire dresser protêt faute d'acceptation et agir contre les garants ; demander au tiré, le moment venu, l'exécution de l'obligation cambiaire dans les termes de la lettre de change ; réclamer à l'échéance l'exécution dans les termes de l'acceptation donnée.

L'attitude du porteur dépend en fait de l'importance de la modification apportée dans l'acceptation. Le plus souvent c'est d'un report d'échéance qu'il s'agit. S'il n'est pas excessif, le porteur attendra la nouvelle échéance pour présenter l'effet au paiement, mais il risque de perdre ses recours contre les signataires antérieurs à qui la nouvelle échéance n'est pas opposable (*infra*, n. 127 et s.).

73. — Aux conditions de fond de l'acceptation on peut rattacher un caractère que la loi ne lui attribue pas explicitement, mais qui a été reconnu par la jurisprudence, c'est *l'irrévocabilité*. Dès l'instant où l'acceptation s'est exprimée par une mention sur le titre, elle n'est plus susceptible d'être retirée. Affirmée à propos de l'acceptation, la solution devrait d'ailleurs, le cas échéant, être appliquée aux autres engagements cambiaires, par exemple celui de l'avaliseur. L'intérêt des tiers porteurs implique que le consentement qui s'est incorporé au mécanisme cambiaire ne puisse être révoqué.

L'irrévocabilité n'est pas en contradiction avec l'article 129, alinéa 1, qui reconnaît la possibilité pour l'accepteur de biffer son acceptation. La radiation n'anéantit l'acceptation que si elle a été opérée avant restitution de l'effet au porteur (*supra*, n. 70). Or, c'est de toute évidence à ce moment seulement, quand l'effet cesse d'être en la maîtrise du tiré, que l'acceptation est réellement émise et qu'elle devient irrévocable.

La jurisprudence applique avec rigueur le principe d'irrévocabilité. Il a été jugé que le tiré, après avoir renvoyé par la poste au porteur l'effet accepté, ne peut rétracter valablement son acceptation par téléphone même si cette rétraction intervient avant que l'effet soit parvenu entre les mains du porteur : Dijon, 14 mars 1967 : *JCP* 68, II, 15426, note Gavalda ; revue *Banque* 1967, p. 419, obs. Marin, et sur pourvoi Cass. com., 2 juill. 1969 : *JCP* 70, II, 16427, note Langlois ; revue *Banque* 1969, p. 926, obs. Marin ; *RTD com.* 1969, p. 1051, obs. Cabrillac et Rives-Lange. La solution doit de toute évidence être étendue à une rétraction faite par télégramme ou tout autre procédé.

C. — Effets de l'acceptation et du défaut d'acceptation

1. — Effets de l'acceptation

74. — Le texte fondamental à cet égard est l'article 128 du Code de commerce : « Par l'acceptation, le tiré s'oblige à payer la lettre de change à l'échéance. A défaut de paiement, le porteur, même s'il est le tireur, a contre l'accepteur une action directe résultant de la lettre de change... ».

L'article 128 fait apparaître l'effet principal de l'acceptation : la naissance d'une obligation cambiaire à la charge de l'accepteur. Il n'est cependant pas complet. D'une part, il ne mentionne pas l'incidence de l'acceptation sur le droit à la provision que le porteur a acquis grâce à l'endossement. D'autre part, il n'est pas exempt d'obscurité en ce qui concerne les effets de l'acceptation dans les rapports entre l'accepteur et le tireur.

a) Effets de l'acceptation dans les rapports entre l'accepteur et un tiers porteur

75. — C'est au regard des tiers porteurs que s'applique le plus simplement l'article 128. L'acceptation fait naître un *droit direct au profit du porteur contre l'accepteur*. Ce droit direct appartient, bien entendu, non pas seulement à celui qui est porteur au jour de l'acceptation, mais, si la lettre de change circule par endossement, au porteur qui la détient à l'échéance et au garant qui devient porteur parce qu'il a payé la lettre de change.

Le droit acquis par le porteur grâce à l'acceptation revêt tous les caractères de l'obligation cambiaire. L'accepteur est obligé commercialement même s'il n'a pas la qualité de commerçant. Il est tenu solidairement avec les autres signataires de l'effet. C'est d'ailleurs lui le débiteur principal. C'est à lui que le paiement doit tout d'abord être demandé — ce qui est vrai d'ailleurs même pour le tiré non accepteur. Le paiement qu'il accomplit éteint la lettre de change et libère les autres débiteurs cambiaires ; si un garant a payé, il a, en principe, un recours contre lui (*infra*, n. 126). Enfin, comme l'exprime l'article 128, l'obligation de l'accepteur envers le porteur est « directe ». Le porteur bénéficie du principe d'inopposabilité des exceptions qui ne lui sont pas personnelles (Cass. com., 13 mai 1986 : *Bull. civ.* IV, n. 88, p. 76 ; *JCP* 86, IV, 206. — Aix, 8e Ch., 11 sept. 1986 : *Bull. Arrêts* Aix, 1986, II, n. 113).

Si le porteur a commis une faute dommageable pour l'accepteur, sa responsabilité civile peut être mise en jeu selon le droit commun. Tel n'est pas le cas lorsque l'accepteur s'est prêté à l'émission d'une traite de complaisance. Il ne saurait invoquer le soutien abusif accordé au tireur par le bénéficiaire (banquier escompteur) (Cass. com., 9 avril 1996 : *RTD com.* 1996, p. 500, obs. Cabrillac).

L'acceptation a aussi un effet sur le droit à la provision du porteur. Il s'y attache *une présomption d'existence* de la provision (art. 116, al. 4 et 5, et *infra*, n. 85). En outre, elle rend la créance de *provision indisponible* (*infra*, n. 88).

b) Effets de l'acceptation dans les rapports entre l'accepteur et le tireur

76. — L'article 128 semble assimiler entièrement le tireur à un porteur quelconque : si le tireur est porteur de la lettre de change il aurait les mêmes droits contre l'accepteur qu'un autre porteur. Faut-il effectivement appliquer le texte d'une manière littérale ? La question se pose dans l'hypothèse, qui n'est pas exceptionnelle, où le tireur s'est désigné comme bénéficiaire et n'a pas mis l'effet en circulation, ou encore s'il est redevenu porteur par endossement et, enfin, à la suite d'un recours contre le tireur, garant de l'acceptation et du paiement.

Sur un point, le texte ne se prête à aucune interprétation. Le tireur-porteur a contre l'accepteur une créance de nature cambiaire par conséquent commerciale, qui s'ajoute à celle résultant du rapport fondamental. On peut cependant hésiter à admettre que l'acceptation de la lettre de change fasse naître dans les rapports entre tiré et tireur un rapport juridique tout à fait indépendant du rapport fondamental. Pratiquement, cela pourrait conduire à des conséquences choquantes. Certains tribunaux, impressionnés par la rédaction de l'article 128, s'étaient pourtant prononcés en ce sens après l'entrée en vigueur de la loi uniforme, décidant que le tireur-porteur bénéficie de l'inopposabilité des exceptions (V. encore en ce sens : Paris, 1er juill. 1965 : *JCP* 65, II, 14337, note Lescot). Mieux inspirée, la Cour de cassation a écarté catégoriquement cette interprétation (Req., 13 et 26 mai 1942 : *D.* 1943, J, 86, note Chéron ; *JCP* 42, II, 1935, note Lescot. — Cass. com., 26 juill. 1948 : *JCP* 48, II, 4536, note Toujas ; revue *Banque* 1949, p. 134, obs. Marin. — 19 juin 1973 : *Bull. civ.* IV, n. 215, p. 194. — 15 juill. 1975 : *Bull. civ.* IV, n. 201, p. 166 ; *RTD com.* 1976, p. 161).

Des raisons décisives militent en faveur de la solution consacré par la Cour suprême. En fait, tout d'abord, il serait fâcheux de permettre à un tireur dépourvu de scrupules de contraindre le tiré qui lui a fait confiance à payer une lettre de change en l'absence de contre-prestation. Telle n'est certainement pas la finalité du mécanisme cambiaire. Sur un terrain plus technique, on rappellera que l'article 121 réserve les exceptions fondées sur les rapports personnels entre le porteur et le débiteur cambiaire poursuivi. De telles exceptions restent opposables. Il en résulte que le tiré est fondé à mettre en échec le droit cambiaire du tireur en établissant qu'il n'a pas reçu de provision ou en démontrant que la provision est éteinte. En réalité, la lettre de change n'est abstraite que dans les rapports entre l'accepteur et un tiers porteur. Alors seulement les exigences du crédit sont directement en cause.

Pour autant, l'article 128, alinéa 2 ne se trouve pas vidé de toute substance au regard du tireur-porteur. L'action de ce dernier est une action cambiaire avec son caractère commercial, sa rigueur d'exécution (refus de délais de grâce : art. 182, al. 2, et *infra*, n. 105) et aussi son régime de prescription abrégée (*infra*, n. 130 et s.). Le principe d'inopposabilité des exceptions peut d'ailleurs exceptionnellement s'y appliquer si le tireur est redevenu porteur par endossement. Il ne saurait être mis en doute que le tiré accepteur ne peut lui opposer une exception qui serait personnelle au dernier endosseur ou à un endosseur antérieur.

La reconnaissance au tireur-porteur contre l'accepteur d'un droit cambiaire tempéré par la possibilité d'opposer les exceptions issues de leurs rapports personnels, soulève un délicat problème procédural. Suffit-il que l'accepteur soulève une exception (nullité de la créance de provision, compensation...) pour que l'action cambiaire soit paralysée ? Ce serait évidemment la vider de sa substance. Le juge doit-il au contraire condamner l'accepteur au paiement de la lettre de change considérée comme autonome, sauf à ordonner ensuite la restitution de la somme versée si l'exception est reconnue fondée ? La Cour de cassation (Cass. com., 14 juin 1971 : *JCP* 73, II, 17310, note Groslière ; *RTD com.* 1972, p. 128, obs. Cabrillac et Rives-Lange) a jugé qu'il y a lieu d'accorder au tireur-porteur le paiement de la lettre de change, sans surseoir à la condamnation à raison d'une demande reconventionnelle en dommages-intérêts. A tort, la Cour s'est fondée sur l'article 182 du Code de commerce qui interdit les délais de grâce en matière cambiaire, car était en cause le principe de la dette et non seulement son exécution. Mais la solution donnée est exacte. L'action ne devrait être repoussée que si le bien-fondé de l'exception invoquée est d'ores et déjà établi de manière irréfutable. La simple affirmation de l'accepteur ne saurait suffire.

Sur la position du droit belge et les hésitations de la Cour de cassation de Belgique : V. Van Ryn et Heenen, *Principes de droit commercial*, III, 2e éd., n. 434.

2. — Conséquences du défaut d'acceptation

77. — Le défaut d'acceptation peut provenir d'un refus du tiré ou de l'existence d'une procédure de concours ouverte à son encontre. Le porteur qui a fait dresser protêt (sauf si l'effet est stipulé sans frais) peut exercer un recours contre les garants (C. com., art. 147). Le régime juridique de ce recours est identique à celui du recours ouvert en cas de refus de paiement (*infra*, n. 124 et s.).

Le défaut d'acceptation peut aussi être sanctionné au titre des rapports contractuels (rapports fondamentaux) entre le tireur et le tiré, si le tiré s'était engagé à accepter l'effet (ex. : banquier ayant ouvert un crédit par acceptation), ou si les conditions de l'article 124, alinéa 8, sont réunies (*supra*, n. 68).

D. — Acceptation par intervention

78. — L'acceptation par intervention est donnée par un tiers pour éviter à un débiteur cambiaire de subir le recours auquel il est exposé par suite du défaut d'acceptation par le tiré. Ce type d'acceptation est parfois appelé acceptation « sur protêt » ou « par honneur ». Il émane soit d'un recommandataire (*supra*, n. 22) désigné par le tireur ou un endosseur, soit d'un tiers intervenant spontanément.

1. — Conditions de l'acceptation par intervention

79. — L'acceptation par intervention peut être donnée par un tiers quelconque, même le tiré ou une personne déjà obligée en vertu de la lettre de change, sauf l'accepteur (C. com., art. 166).

L'acceptation par intervention du tiré (non accepteur) peut surprendre. Elle a pourtant un sens ; elle permet au tiré qui n'a pas encore reçu provision d'accepter sans que devienne applicable la présomption d'existence de la provision qu'attache à l'acceptation ordinaire l'article 116 du Code de commerce (*infra*, n. 85).

L'acceptation par intervention d'une personne déjà obligée au paiement de l'effet (ex. endosseur) est possible et utile dans la mesure où elle empêche un recours immédiat du porteur contre le bénéficiaire.

L'acceptation par intervention est donnée pour l'un quelconque des débiteurs cambiaires (tireur, endosseur, avaliseur). Une seule exception se déduit de l'article 166, alinéa 2 : elle ne peut être faite pour le tiré, accepteur ou non, qui n'est pas exposé à un « recours ».

Étant donné son but, l'acceptation par intervention suppose qu'un recours est ouvert au porteur avant l'échéance (*infra*, n. 118). L'article 167 l'exclut quand l'effet a été stipulé non acceptable, ce qui n'est pas tout à fait rationnel car le recours peut s'ouvrir par anticipation en dehors du cas de refus d'acceptation. Le porteur est-il tenu de consentir à l'intervention qui paralyse ses recours ? L'acceptation par intervention s'impose au porteur si elle est offerte par un recommandataire. Il lui est loisible de la refuser dans les autres cas (C. com., art. 167, al. 2 et 3).

L'acceptation par intervention comme l'acceptation ordinaire doit être mentionnée sur la lettre de change. La formule d'acceptation précise qu'il s'agit d'une intervention et indique obligatoirement quel est le débiteur cambiaire bénéficiaire ; sinon l'acceptation est censée avoir été donnée pour le tireur (art. 167, al. 5). L'acceptation par intervention doit être signée par l'intervenant. La signature est nécessairement manuscrite.

Dans un délai de deux jours ouvrables suivant son acceptation, l'intervenant est tenu de donner avis de son intervention au débiteur cambiaire garanti (C. com., art. 166, al. 4). Ainsi ce dernier pourra s'informer des causes de l'intervention et sauvegarder ses intérêts. Le tireur, par exemple, s'abstiendra de faire de nouvelles livraisons au tiré qui a refusé d'accepter. A défaut d'avis dans les deux jours, l'intervenant est responsable du préjudice subi par le bénéficiaire, les dommages-intérêts ne pouvant dépasser le montant de la lettre de change.

2. — *Effets de l'acceptation par intervention*

80. — L'acceptation par intervention a pour effet direct d'interdire au porteur d'exercer un recours immédiat contre le bénéficiaire de son intervention et les signataires subséquents (art. 167, al. 2 et 4). C'est la contrepartie de l'engagement contracté en sa faveur par l'intervenant.

Vis-à-vis du porteur, l'intervenant est tenu de la même manière que celui pour le compte duquel il est intervenu. Il en est de même envers les endosseurs postérieurs au bénéficiaire de l'intervention (art. 167, al. 6). L'accepteur par intervention est donc une sorte de caution ; il peut invoquer les déchéances encourues par le porteur au regard du bénéficiaire. Toutefois, ayant signé la lettre de change, il a la qualité de débiteur cambiaire. Le principe d'indépendance des signatures (art. 114, al. 2) lui est applicable.

Les rapports entre l'intervenant et le bénéficiaire sont des rapports extracambiaires régis par le droit commun : mandat ou gestion d'affaires. Toutefois, l'accepteur par intervention qui a payé, devenu porteur, a un recours cambiaire contre le bénéficiaire et contre les signataires antérieurs.

Il est à noter qu'en application de l'article 167 *in fine*, malgré l'acceptation par intervention, celui pour qui elle a été faite et ses garants peuvent exiger du porteur contre paiement du principal de la lettre de change et des accessoires (C. com., art. 152 et *infra*, n. 124) la remise du titre et, le cas échéant, du protêt et d'un compte acquitté.

§ 4. — Garantie du porteur de la lettre de change

81. — Le porteur de la lettre de change peut bénéficier de deux types de garanties : des garanties ordinaires qui n'existent pas nécessairement, mais ont un caractère automatique si les conditions en sont réunies : la provision et la solidarité des signataires de la lettre de change, et des garanties supplémentaires qui doivent être spécialement stipulées, c'est le cas de l'aval. Les unes relèvent de la catégorie des sûretés personnelles ou s'y apparentent (solidarité cambiaire et aval). La provision est plus proche des sûretés réelles.

Orientation bibliographique

Jestaz, « Le tireur conserve-t-il la disponibilité de la provision après l'émission d'une lettre de change ou d'un chèque ? » : *RTD com.* 1966, 881. — Lacour, « Quelques observations sur la provision en matière d'effets de commerce » : *Ann. dr. com.*, 1931, 5. — Marty, « Le rapport de la créance fondamentale et du titre avec la provision de la lettre de change » : *RTD com.* 1978, 307. — Mestre, « Lettre de change (théorie de la provision) » : *J.-Cl. Com.*, art. 116, fasc. 415. — Vasseur, « Réflexions sur le régime juridique du porteur de traites non acceptées » : *D.* 1985, chron. 199.

• Thèses

Endreo, *La provision, garantie de paiement de la lettre de change*, Nantes, 1980. — François, *La propriété de la provision en matière de lettre de change*, Bordeaux, 1930. — TARDON, *La provision de la lettre de change*, Lausanne, 1937. — VOEGELI, *La provision de la lettre de change et son attribution au porteur*, Lausanne, 1947.

A. — PROVISION DE LA LETTRE DE CHANGE

82. — Il y a provision, selon l'article 116, alinéa 2, du Code de commerce, si, à l'échéance de la lettre de change, celui sur qui elle est fournie est redevable au tireur d'une somme au moins égale au montant de la lettre (Cass. com., 23 fév. 1983 : *Bull. civ.* IV, n. 79, p. 68, cassant Aix, 24 avril 1981 : *D.* 1982, J, 425, note J. Stoufflet). Ainsi qu'on l'a déjà souligné (*supra*, n. 39), l'existence de la provision lors de l'émission ou même au jour de l'échéance n'est pas une condition de validité de l'effet. La provision n'est pas un élément nécessaire de l'opération ; elle n'en est pas moins un élément utile, une *garantie* appréciable pour le porteur.

La position actuelle du droit français sur le problème de la provision est le terme d'une longue évolution historique qui se caractérise par un affaiblissement du rôle (au moins juridique) de la provision et a été animée par de vifs débats doctrinaux (V. Lescot et Roblot, t. I, n. 359). Cette évolution aurait pu conduire à un rejet total de la provision hors du mécanisme cambiaire si la conception strictement littérale et abstraite de celui-ci qui rallie la majorité des suffrages en droit germanique, avait prévalu en France. Il n'en a rien été. La conférence de Genève n'ayant pas abouti à un accord sur la question, la provision a été laissée en dehors de la loi uniforme (art. 16, annexe II de la Convention) et les solutions auxquelles était parvenu le droit français ont été maintenues. Elles figurent à l'actuel article 116 du Code de commerce.

Cette position peut être considérée comme judicieuse. Il est artificiel de faire abstraction de la provision. En fait, l'acceptation du tiré en dépend le plus souvent. Dans les rapports entre tiré et tireur il n'est pas possible d'ignorer son absence, ainsi qu'on l'a déjà constaté (*supra*, n. 39). Enfin, il n'y a pas de contre-indication à utiliser la provision pour renforcer la sécurité des tiers porteurs et à faciliter ainsi la circulation des lettres de change, même si le mécanisme cambiaire s'en trouve quelque peu compliqué. De fait, la jurisprudence a eu de délicates questions à résoudre touchant tant la notion et la constitution de la provision que les droits du porteur sur cette provision.

1. — Notion de provision et constitution

a) Détermination des valeurs pouvant former la provision

83. — La provision est une *créance* du tireur sur le tiré. L'article 116, alinéa 2, est explicite sur ce point. Cette créance est nécessairement une créance de somme d'argent.

La terminologie en usage dans la pratique des affaires ne rend pas exactement compte de cette définition. Les lettres de change sont souvent libellées « valeur en marchandises » (ou en services...), la formule se référant ordinairement non à la valeur fournie (*supra*, n. 22), mais bien à la provision. Faut-il entendre que la provision est fournie en marchandises ? Certainement pas. L'expression signifie que la créance de somme d'argent qui seule constitue la provision a pour contrepartie une prestation en marchandises s'insérant dans un contrat de vente, de commission... Mieux vaudrait pour désigner cette contre-prestation utiliser le terme *couverture*.

On doit reconnaître que la nature de la couverture n'est pas indifférente au créancier cambiaire, ce qui explique l'usage dont il vient d'être fait état. Le bénéficiaire (banquier escompteur notamment) la prend en considération pour apprécier le sérieux de l'opération qui est à la base de la lettre de change. Le paiement de l'effet en dépend dans une large mesure.

La créance de provision peut trouver sa source dans un contrat quelconque : vente de marchandises (Cass. com., 13 juin 1977 : *Bull. civ.* IV, n. 166, p. 143), de fonds de commerce, d'immeuble, contrat d'entreprise, de louage...

Sous l'appellation — impropre — de « provision en effets de commerce », la pratique désigne la provision constituée par la créance résultant de l'escompte ou de l'encaissement d'effets par une banque. De cette créance rien n'empêche le créancier de disposer par émission de lettre de change.

Rien ne s'oppose à ce que la provision résulte d'un crédit ouvert par le tiré au tireur (« provision en crédit »). Il ne serait pas besoin de mentionner cette combinaison si la volonté du tiré de faire crédit au tireur ne prêtait jamais à discussion. En fait, le doute existe souvent à cet égard. Or, c'est l'existence d'une intention réelle de faire crédit qui permet de distinguer les effets sérieux des effets de complaisance qui sont nuls (*supra*, n. 35). Encore que cela soit exceptionnel, la provision est valablement constituée par une créance non contractuelle. Le montant des dommages-intérêts délictuels pourrait être recouvré au moyen d'une lettre de change.

Pour former la provision d'une lettre de change, une créance doit présenter certains caractères. Il ne faut cependant pas se méprendre sur la portée de l'exigence. Même si la provision est imparfaite, c'est-à-dire si elle ne répond pas à toutes les conditions qui vont être exposées, elle n'en est pas moins transmise au porteur qui peut y trouver une certaine garantie (*infra*, n. 86 et s.). En revanche, dans les rapports entre tireur et tiré ou entre tireur et endosseur, la provision sera considérée comme non constituée ce qui, on le verra, a des effets importants, notamment sur d'éventuels recours.

Première condition requise de la créance de provision : elle doit être d'un *montant au moins égal à celui de la lettre de change* (V. C. com., art. 116, al. 2). Si la provision est partielle, le tiré peut n'accepter qu'à concurrence de la provision qu'il a reçue. La provision partielle est transmise au porteur (*infra*, n. 88).

Il faut que la provision soit constituée *au plus tard à l'échéance de la lettre de change* (art. 116, al. 2). Bien que le texte ne soit pas explicite, il va de soi que la créance servant de provision doit non seulement exister, mais être exigible à l'échéance de l'effet. Toutefois, en tant que garantie pour le porteur, une créance dont le terme est postérieur à celui de la lettre de change peut former la provision (Cass. com., 3 mai 1976 : *Bull. civ.* IV, n. 143, p. 123 ; *D.* 1976, IR, 229. — 27 oct. 1992 : *Bull. civ.* IV, n. 324, *D.* 1993, somm. comm. 317, obs. Cabrillac). Enfin il faut que la créance destinée à servir de provision soit *certaine et liquide*, mais une provision conditionnelle ou non liquidée se transmet au porteur (Cass. com., 20 mars 1984 : *Bull. civ.* IV, n. 108, p. 90 ; revue *Banque* 1984, p. 858, obs. Martin ; *RTD com.* 1984, p. 697, obs. Cabrillac et Teyssié).

Ordinairement la lettre de change n'identifie pas la créance formant provision (V. sur ce point, Grua, « A propos des cessions de créances par transmission d'effets » : *D.* 1986, chron. 261). Une recherche de l'intention du tireur est nécessaire pour la déterminer. La question présente un intérêt particulier lorsqu'il existe plusieurs rapports d'obligation entre tireur et tiré dont l'un est assorti de garanties. On rencontre des conventions d'affectation spéciale de provision qui renforcent les droits du porteur sur la provision (*infra*, n. 88).

b) Conditions de constitution de la provision

84. — C'est au tireur qu'il incombe de constituer la provision. L'article 116, alinéa 1, donne expressément la solution qui s'impose, en effet : il est normal que le tireur donne au tiré les moyens de payer la lettre de change. Rien ne s'oppose naturellement à ce qu'un tiers fournisse la provision pour le compte du tireur, soit parce qu'il est débiteur du tireur, soit à titre de libéralité, mais une créance du tireur sur un tiers ne peut être considérée comme formant la provision d'une lettre de change (Cass. com., 23 fév. 1983 : *Bull. civ.* IV, n. 79, p. 68, cassant Aix, 8e Ch., 24 avril 1981 : *D.* 1982, J, 425, note J. Stoufflet).

Dans le cas de tirage pour compte d'autrui, le tireur pour compte est tenu vis-à-vis des endosseurs et du porteur de constituer la provision (art. 116, al. 1, et *supra*, n. 30).

Les auteurs s'interrogent sur le lieu où la provision doit être fournie (Lescot et Roblot, t. I, n. 384. — Lyon-Caen et Renault, t. IV, n. 170). Ils se demandent, en particulier, si la provision est à constituer chez le domiciliataire quand l'effet est payable au domicile d'un tiers et ils se prononcent à juste titre dans le sens de la négative : la provision doit être faite au domicile du tiré. La question offre dans la réalité peu d'intérêt. Elle suppose une provision portant directement sur des espèces. En fait la provision, on l'a déjà souligné, est formée par une créance contractuelle. Le seul problème qui puisse se poser concerne le lieu d'exécution de la contre-prestation ; elle ne relève évidemment pas du droit cambiaire.

En ce qui concerne la date de constitution de la provision, V. *supra*, n. 83.

c) Preuve de la constitution de la provision

85. — L'importance du rôle que joue la provision dans la conception française de la lettre de change confère un grand intérêt au régime de preuve auquel elle est soumise. En fait, c'est plutôt la charge de la preuve que les moyens de preuve utilisables qui ont fait difficulté. En principe, il appartient à celui qui se prévaut de la provision d'en prouver la constitution. La loi inverse toutefois le fardeau de la preuve lorsque la lettre de change a été acceptée.

Par application de l'article 1315, alinéa 1, du Code civil, celui qui invoque la provision doit en établir l'existence et doit démontrer, en outre, qu'elle répond à toutes les conditions ci-dessus définies. La preuve incombe au porteur qui prétend avoir acquis la provision (Cass. com., 5 nov. 1956 : *Bull. civ.* III, n. 272, p. 234. — 19 janv. 1983 : *D.* 1983, IR, 248, obs. Cabrillac. — 19 juin 1990, inédit, *Société bordelaise du CIC* c. *SARL Pâtisserie Renard*), au tireur qui oppose la constitution de provision au porteur négligent (art. 156, al. 6).

Les modes de preuves utilisables pour établir l'existence de la provision sont déterminés, non par la nature commerciale de la lettre de change, mais par la nature commerciale ou civile du rapport juridique d'où est issue la provision invoquée. En effet, le rapport générateur de la provision est de caractère extracambiaire et il est donc régi quant à la preuve par les règles du droit commun. Il est à noter que la preuve est libre, même en matière civile, quand la contestation porte non sur l'existence du lien d'obligation, mais seulement sur le fait de l'exécution (livraison de marchandises...) ou les conditions de l'exécution (qualité...) (V. par ex. Cass. com., 5 nov. 1956, préc.).

Celui qui invoque la provision à son profit est dispensé d'en faire directement la preuve quand la lettre de change a été acceptée par le tiré. Il peut se prévaloir de la *présomption* formulée à l'article 116, alinéas 4 et 5 du Code de commerce et déjà consacrée par les textes antérieurs. « L'acceptation suppose la provision. Elle en établit la preuve à l'égard des endosseurs » La deuxième phrase (al. 5) pourrait être comprise comme restreignant l'application de la présomption aux rapports entre le tiré et les endosseurs. C'est une interprétation extensive qui a prévalu. La présomption de provision peut être invoquée également par le porteur et le tireur (Lescot et Roblot, t. I, n. 338. — Paris, 29 nov. 1978 : *D.* 1979, IR, 276). La solution n'est pas discutée. Il est à peine besoin de noter que seule l'acceptation ordinaire est visée par l'article 116, à l'exclusion de l'acceptation par intervention.

En cas d'acceptation partielle, la provision n'est considérée comme prouvée qu'à concurrence de la somme pour laquelle l'acceptation a été donnée. Pour le surplus, la preuve est à faire par le porteur. — Chambéry, 13 mai 1977 : *D.* 1978, IR, 84, obs. Cabrillac ; *RTD com.* 1977, p. 743.

La véritable difficulté concerne la force de la présomption. La Cour de cassation a longtemps décidé que sa portée est différente selon qu'elle est invoquée par le porteur ou un endosseur ou par le tireur. Elle serait irréfragable dans la première hypothèse, simple dans la seconde. En réalité, cette position procédait d'une mauvaise analyse des effets de l'acceptation. La présomption posée par l'article 116 n'est jamais que *réfragable* ; elle peut être renversée par le tiré accepteur. La jurisprudence est aujourd'hui bien fixée en ce sens.

Au cas d'exercice de l'action cambiaire contre l'accepteur par le dernier porteur ou par un endosseur qui a remboursé le porteur, la Cour de cassation faisait application de la présomption d'existence de la provision en lui attribuant un caractère irréfragable (V. par exemple Req., 13 fév. 1928 : *D.* 1928, 1, 13, note Chéron). La solution méconnaissait les effets de l'acceptation et exagérait le rôle de la provision qui n'est que subsidiaire. L'effet principal de l'acceptation c'est de faire naître à la charge de l'accepteur une obligation cambiaire envers le porteur (C. com., art. 128, al. 1, et *supra*, n. 75). Cet effet est tout à fait *indépendant* de la constitution de la provision. Il se produit que la provision existe ou non et si le porteur n'est pas de mauvaise foi, le défaut de provision lui est inopposable. Dans la très grande majorité des cas, le porteur se prévaut de l'acceptation à ce titre et la provision n'est pas invoquée. V. Cass. civ., 21 mars 1939 : *D.* 1941, J, 68, note E. de Lagrange, qui rattache l'obligation cambiaire du tiré accepteur à la seule acceptation et non à la provision.

Il arrive, cependant, que le porteur ne puisse utiliser l'effet cambiaire de l'acceptation parce que l'action cambiaire est éteinte par prescription ou parce qu'il en est déchu comme porteur négligent (*infra*, n. 129). Alors il agira comme propriétaire de la provision et invoquera la présomption de l'article 116, alinéas 4 et 5 ; mais celle-ci n'a, même à son égard, qu'un caractère réfragable. L'accepteur peut établir que la provision n'a pas été fournie ou qu'elle est éteinte (En ce sens Cass. com., 12 juill. 1971 : *Gaz. Pal.* 1971, 2, 759, qualifiant d'une manière générale de réfragable la présomption de l'article 116, alinéas 4 et 5. — 4 janv. 1980 : *Bull. civ.* IV, n. 4, p. 3).

Dans les rapports entre tireur et tiré accepteur, la présomption d'existence de la provision que la loi attache à l'acceptation est, bien entendu, à plus forte raison, une présomption simple. Si certaines cours d'appel en avaient décidé autrement à la suite d'une mauvaise compréhension de l'article 128, alinéa 2 nouveau (V. ci-dessus), la solution n'est plus contestée (Cass. com., 14 mai 1958 : *D.* 1958, J, 671).

2. — *DROITS DU PORTEUR DE LA LETTRE DE CHANGE SUR LA PROVISION*

86. — La créance de provision est-elle conservée par le tireur ou est-elle transmise aux porteurs successifs de l'effet ? La question, débattue au XIXe siècle, avait été tranchée par la jurisprudence dans le sens du transfert aux porteurs et la loi du 9 février 1922 avait consacré la même solution. Elle est aujourd'hui inscrite à l'article 116, alinéa 3, du Code de commerce : « La propriété de la provision est transmise de droit aux porteurs successifs de la lettre de change ».

La solution a une grande importance pratique. Non négligeable quand l'effet est accepté, du fait du surcroît de garantie qu'en tire le porteur, elle est capitale dans le cas de l'effet non accepté. Elle confère au porteur de l'effet non accepté des droits qui en permettent la circulation. Accessoirement, elle offre un moyen simple de transmission des créances.

a) Conditions du transfert de la provision au porteur

87. — La transmission de la provision au bénéficiaire de la lettre de change, puis aux endossataires, est un effet automatique de l'émission et des endossements. Aucune formalité n'est requise. C'est d'ailleurs à la date de la remise de l'effet au bénéficiaire ou à l'endossataire que la créance de provision est transmise (Roblot, n. 192).

Le porteur acquiert la provision indépendamment de l'acceptation qui a seulement l'avantage d'en faciliter la preuve (*supra*, n. 162). La Cour de cassation a, à juste titre, décidé que même si une traite improprement appelée *pro forma* a été stipulée non acceptable, la provision est transmise au porteur (Cass. com., 14 déc. 1970 : revue *Banque* 1971, p. 411, obs. Marin ; *D.* 1972, J, I, note Bouloc ; *RTD com.* 1971, p. 409, obs. Cabrillac et Rives-Lange rejetant le pourvoi contre Aix, 16 avril 1969 : *JCP* 70, II, 16228, note Gavalda).

Le transfert est naturellement subordonné à la condition que la provision existe à la date de l'échéance entre les mains du tiré. Tel n'est pas le cas si le contrat générateur de la provision n'a pu s'exécuter à raison de la liquidation des biens ou du règlement judiciaire du tireur ou de son redressement judiciaire (Req., 23 juin 1941 : *D.* 1943, J, 23, note F. G.). On sait toutefois (*supra*, n. 83) que la circonstance que la créance de provision soit conditionnelle ou non liquidée ne fait pas obstacle à son acquisition par le porteur. Il suffit que la créance existe dans son principe à l'échéance (Cass. com., 3 mai 1976 : *D.* 1976, IR, 229. — 27 oct. 1992 : *Bull. civ.* IV, n. 324 ; *D.* 1993, somm. comm. 317, obs. Cabrillac). Les conséquences de la solution sont importantes en cas de redressement judiciaire du tireur de l'effet. Une créance d'un montant inférieur à celui de l'effet (provision partielle) est transmise (Cass. civ., 18 janv. 1937 : *D.* 1937, 145).

Si la provision est constituée en période suspecte, sa constitution n'est-elle pas susceptible d'être annulée par application des articles 107 et s., loi du 25 janvier 1985 ? L'application de l'article 108 instituant une nullité facultative n'est pas douteuse puisqu'il vise tous les actes du débiteur ; mais la preuve doit être faite de la connaissance par le porteur, lors de l'acquisition de l'effet, de l'état de cessation des paiements du tireur. Il a été admis en jurisprudence que la constitution de provision est assimilable à une constitution de sûreté. Dès lors, si elle est intervenue après l'émission de l'effet, elle garantit une dette antérieure et entrait dans le champ d'application de l'inopposabilité de droit de l'article 29-6° de la loi de 1967 (Bordeaux, 28 juin 1960 : *D.* 1961, J, 182, note A. C. ; *Gaz. Pal.* 1960, 2, 306. — Aix, 19 déc. 1974 : *D.* 1975, J, 352, note Derrida ; *RTD com.* 1975, p. 329). Une jurisprudence plus ancienne déclarait inopposable à la masse la constitution de provision en période suspecte en tant que paiement de dette non échue (Cass. civ., 1er fév. 1888 : *D.* 1888, 1, 213. — Rappr. Cass. civ., 16 juin 1909 : *D.* 1909, 1, 385 ; *S.* 1910, 1, 5, note Lyon-Caen). Les deux analyses et la conséquence qui en est déduite ne sont pas indiscutables (V. note Derrida, préc.). La loi de 1985 n'a pas, en tout cas, modifié les données du problème (Ripert et Roblot, *op. cit.*, t. II, n. 1975). On notera, toutefois, que, statuant à propos d'une question proche — la cession de créance en garantie — la Cour de cassation a marqué sa volonté de ne pas appliquer l'article 107-6° à des garanties qui ne sont pas des hypothèques ou des nantissements au sens précis du terme (Cass. com., 28 mai 1996 : *Bull. civ.* IV, n. 151 ; *D.* 1996, IR, 161 ; *RTD com.* 1996, p. 508, obs. Cabrillac ; *RD bancaire et bourse*, sept.-oct. 1996, n. 57, p. 207, obs. Campana et Calendini).

Le transfert de la provision n'étant pas d'ordre public, il pourrait être écarté par une clause de la lettre de change ou même par une convention extracambiaire, dont l'efficacité serait, toutefois, limitée aux rapports entre les parties. Le bénéficiaire d'une lettre de change peut valablement renoncer à la garantie du tireur quant à l'existence de la provision, mais cette renonciation doit être expresse (Cass. com., 8 juill. 1997 : *JCP* 97, IV, 1945). La Cour de cassation avait jugé que la clause non acceptable implique l'exclusion du transfert de la provision, le porteur qui a reçu l'effet dans ces conditions ayant accepté de suivre la foi du tireur (Cass. civ., 2 mars 1857 : *D.* 1857, 1, 119 ; *S.* 1857, 1, 510). Cette interprétation était contestable et, à juste titre, la Cour suprême ne l'a pas maintenue dans l'arrêt précité de la Chambre commerciale en date du 14 décembre 1970 (V. *supra*).

b) Consistance des droits transmis au porteur

88. — On s'est jadis interrogé sur la nature du droit du porteur à la provision. Devient-il titulaire de la créance ou seulement gagiste ? C'est la première conception qui l'a emporté et que consacre l'article 116 qui lui reconnaît la « propriété » de la provision. Expression « singulière » comme l'observe M. Roblot (n. 194) et qui pourrait à tort conduire à l'idée que la provision est autre chose qu'une créance ; elle tend seulement à écarter toute incertitude quant à la nature du droit du porteur.

La situation du porteur paraît donc très forte dès l'instant que la provision a été effectivement constituée. Une telle affirmation ignore la définition de la provision telle qu'elle résulte de l'article 116, alinéa 2, du Code de commerce, qui marque sans ambiguïté que l'existence de la provision est appréciée seulement à l'échéance. Si le porteur devient titulaire de la créance de provision dès qu'il acquiert la lettre de change, son droit porte sur une créance future et, pour mieux dire, *éventuelle*. La jurisprudence en a déduit que l'émission de la lettre de change ne frappe pas d'indisponibilité la créance de provision (Jestaz, « Le tireur conserve-t-il la disponibilité de la créance après l'émission d'une lettre de change ? » : *RTD com.* 1966, 881). Outre l'argument de texte, on a fait valoir en ce sens que le tirage d'une lettre de change ne doit pas figer le courant des affaires entre le tireur et le tiré.

Les conséquences pratiques du principe précédent sont importantes. Malgré la mise en circulation d'une lettre de change, le tiré peut valablement verser au tireur le montant de la provision (Cass. com., 24 avril 1972 : *D.* 1972, J, 686, note Roblot. — 19 nov. 1973 : *Bull. civ.* IV, n. 332, p. 296 ; *RTD com.* 1975, p. 307, obs. Cabrillac et Rives-Lange. — 29 janv. 1974 : *Bull. civ.* IV, n. 37, p. 29 ; *RTD com.* 1975, p. 559, obs. Cabrillac et Rives-Lange. — 1er fév. 1977 : *Bull. civ.* IV, n. 35, p. 32. — 28 juin 1983 : *Bull. civ.* IV, n. 190, p. 164). La créance de provision peut de même s'éteindre par compensation entre le tireur et le tiré (Cass. com., 10 juin 1975 : *D.* 1975, somm. 97. — 18 mars 1986 : *D.* 1987, somm. 291 ; *Bull. civ.* IV, n. 50, p. 43. — 5 oct. 1993, inédit. *Soc. Casimir* c. *CIC*).

Les droits du porteur d'une lettre de change sur la provision sont donc affectés jusqu'à l'échéance d'une grande fragilité. Il n'en est ainsi, toutefois, que si l'effet n'est pas *accepté*. L'acceptation rend actuel et certain le droit du porteur sur la provision. Celle-ci est, à compter de l'acceptation, indisponible pour le tireur. Les arrêts cités ci-dessus se rapportent explicitement à des lettres de change non acceptées (V. aussi Paris, 18 juin 1968 : *RTD com.* 1969, p. 137).

L'acceptation de l'effet, toutefois, ne dépend pas principalement du porteur. Celui-ci dispose-t-il d'un moyen pour consolider son droit sur la provision lorsque le tiré refuse d'accepter ? La jurisprudence lui reconnaît en effet la possibilité de pratiquer une saisie-arrêt ou même simplement de *faire défense au tiré* de s'acquitter de la provision entre les mains du tireur. Cette défense a, en ce qui concerne le droit du porteur sur la provision, les mêmes effets que l'acceptation (V. notamment Cass. com., 11 oct. 1971 et 19 nov. 1973, préc.). Le seul fait que le tiré a eu connaissance de l'émission de la lettre, notamment par une demande d'acceptation, ne suffit pas à immobiliser la provision (Cass. com., 1er fév. 1977 : *Bull. civ.* IV, n. 35, p. 32). La provision n'est naturellement pas immobilisée lorsque le tiré a fait connaître au tireur son refus d'accepter Cass. com., 24 avril 1972 : *D.* 1973, J, 686, note Roblot). La défense de payer n'est soumise, toutefois, à aucune forme particulière ; il suffit qu'elle soit explicite. Rien ne s'oppose à ce qu'elle soit jointe à une demande d'acceptation.

Il était admis que l'immobilisation de la provision s'opérait de plein droit en cas de liquidation des biens ou de règlement judiciaire du tireur d'une lettre de change non acceptée. Le tireur en est le débiteur principal et la déchéance du terme que provoque le jugement déclaratif consolide définitivement le droit du porteur sur la provision comme le ferait la survenance de l'échéance (Cass. civ., 20 avril 1873 : *D.* 1873, 1, 459. — 18 janv. 1937 : *D.* 1937, 145 ; *S.* 1937, 1, 89, note Rousseau). Si le syndic encaisse la créance de provision, le porteur a contre la masse une action en restitution. La dette est une dette de la masse. Sous l'empire de la loi du 25 janvier 1985, la solution reste applicable en cas de liquidation judiciaire. Elle ne l'est plus durant la période d'observation du redressement judiciaire qui ne s'accompagne pas d'une déchéance du terme (Cass. com., 22 fév. 1994 : *JCP* 94, II, 22267, rapport Rémery). Il en résulte que la créance de provision peut s'éteindre par compensation dans la mesure où celle-ci reste possible « *post concursum* », c'est-à-dire si les dettes sont connexes.

Enfin, si les parties ont convenu lors de l'émission, même par une convention extracambiaire, d'affecter à la provision d'une lettre de change une créance déterminée, celle-ci est définitivement acquise par le porteur et devient indisponible pour le tireur (V. Cass. com., 28 fév. 1962 : *Bull. civ.* III, n. 134, p. 108 ; Roblot, n. 198). Il n'en est toutefois ainsi que si le tireur peut disposer de la créance (Chambéry, 17 mai 1977 : *D.* 1978, IR, 84, obs. Cabrillac ; *RTD com.* 1977, p. 743, obs. Cabrillac et Rives-Lange).

A l'échéance, le droit du porteur sur la provision est, de toute manière, définitivement fixé. Le tiré qui a connaissance de l'émission de l'effet ne peut valablement s'acquitter entre les mains du tireur de la créance de provision (Aix, 25 mars 1977 : *D.* 1978, IR, 340, obs. Cabrillac). Le paiement qu'il accomplirait entre ses mains ne serait pas libératoire à l'égard du porteur, quand bien même la créance de provision ne serait devenue exigible qu'après l'échéance de la lettre de change (Cass. com., 3 mai 1976 : *Bull. civ.* IV, n. 143, p. 123 ; *JCP* 77, II, 18767, note Pierre-François).

Le porteur acquiert la créance de provision telle qu'elle existe au jour de l'échéance ou au jour où elle est immobilisée à son profit par l'acceptation ou la défense de payer adressée au tiré. Il recueille le bénéfice des garanties (gage, hypothèque, privilège) dont est assortie la provision (Cass. com., 11 juill. 1988 : *Bull. civ.* IV, n. 241 ; *D.* 1988, IR, 240, admettant la transmission du bénéfice d'une clause de réserve de propriété). Mais le débiteur peut faire valoir à son égard les causes de nullité ou d'extinction de la créance dont il pourrait se prévaloir contre le tireur. Bien que la motivation de certaines décisions judiciaires puisse laisser planer un doute à cet égard (Lyon, 21 oct. 1954 : *D.* 1955, somm. 31. — Trib. com. Marseille, 18 juill. 1930 : *Rec. Marseille* 1930, 1, 266), la solution est tout à fait étrangère au principe de l'inopposabilité des exceptions formulé à l'article 121 qui ne concerne que les obligations *cambiaires*. Les exceptions affectant la créance de provision sont opposables au porteur simplement parce qu'il est dans la position d'un *cessionnaire* de la créance. Il en résulte qu'il n'y a pas à distinguer selon qu'il était de bonne ou de mauvaise foi.

En cas d'escompte d'une lettre de change tirée par un entrepreneur sur un client, un sous-traitant titulaire d'une action directe en application de la loi du 31 décembre 1975 a été préféré à l'escompteur s'il a engagé l'action directe avant que la provision soit transférée à l'escompteur par l'acceptation de l'effet ou une défense de payer (Cass. com., 18 fév. 1986 : *Bull. civ.* IV, n. 20, p. 17 ; revue *Banque* 1986, p. 925 ; *D.* 1986, IR, 324 ; *JCP* 87, II, 20730, note Synvet. — 29 mars 1994 : *RJDA* 10/94, n. 1020). S'agissant d'un effet non accepté, la provision n'est considérée comme acquise par l'escompteur qu'à la date de l'échéance (Cass. com., 4 déc. 1984 : *D.* 1985, J, 181, note Benabent ; *JCP* 85, II, 20445, note Synvet ; *RTD com.* 1985, p. 536 ; revue *Banque* 1985, p. 642). Le sous-traitant est donc préféré s'il a engagé l'action directe avant l'échéance.

Les décisions précédentes avaient été rendues sur la base du texte initial de la loi du 31 décembre 1975 sur la sous-traitance. Des lois du 2 janvier 1981 et 24 janvier 1984 y ont ajouté un article 13-1 qui interdit à l'entrepreneur principal de céder ou de nantir la part de la créance résultant d'un marché, correspondant aux prestations d'un sous-traitant. Cette disposition est-elle de nature à remettre en cause les solutions jurisprudentielles réglant le conflit entre sous-traitant exerçant son action directe et le banquier escompteur ? Dans un arrêt du 4 juillet 1989 (revue *Banque* 1989, p. 976, obs. Rives-Lange ; *JCP* 90, éd. E, II, 15661 ; *RTD com.* 1989, p. 741, obs. Martin-Serf ; *D.* 1990, somm. comm. 121, obs. Cabrillac ; Synvet, *Nouvelles variations sur le conflit opposant banque et sous-traitant* ; *JCP* 90, I, 3425) la Chambre commerciale a confirmé sa position antérieure ; mais l'arrêt se fonde à la fois sur l'acceptation et sur le transfert de la provision. La priorité du porteur d'un effet accepté est nettement consacrée par un nouvel arrêt : Cass. com., 18 nov. 1997 : *RTD com.* 1998, p. 180 ; *RD bancaire et bourse,* janv.-fév. 1998, p. 8.

Une autre forme de conflit se présente lorsqu'une créance a été cédée à un établissement de crédit par bordereau dans les formes de la loi Dailly et sert, en même temps, de provision à une lettre de change escomptée par un autre établissement (V. Cabrillac, « La cohabitation de la traite et du bordereau Dailly » : *RD bancaire et bourse,* 1987, p. 75 ; J. Stoufflet, *J.-Cl. Banque et Crédit,* fasc. 570, n. 81 et s.).

Si la lettre de change n'est pas acceptée, le droit du porteur sur la provision n'est définitivement fixé qu'à la date d'échéance de l'effet. Donc, le bordereau portant une date antérieure l'emporte puisque, en application de l'article 4 de la loi du 2 janvier 1981, le bordereau est opposable aux tiers à la date qu'y a portée le cessionnaire (Paris, 3e Ch. C, 2 juin 1995 : *RD bancaire et bourse,* janv.-fév. 1996, p. 9, obs. Crédot et Gérard).

En revanche, le tiré qui a reçu notification après avoir donné son acceptation n'a pas à payer le cessionnaire qui, de ce fait, se trouve primé par le porteur de la traite.

Quels sont les droits des divers porteurs quand une créance sert de provision à plusieurs lettres de change sans que son montant soit suffisant pour les couvrir intégralement ? Ce conflit peut se résoudre sur la base des directives suivantes. Les traites acceptées priment les traites non acceptées quelle que soit la date d'émission (Hamel, Lagarde et Jauffret, n. 1423). L'acceptation rend, on le sait, indisponible la créance. Si le conflit oppose les porteurs de plusieurs lettres de change non acceptées ayant la même échéance, les plus anciennes sont payées par priorité (Rouen, 24 avril 1845 : *S.* 1847, 2, 65). Si les échéances sont différentes, le tiré doit payer dans l'ordre des présentations (Cass. civ., 2 mars 1857 : *S.* 1857, 1, 510. — V. au surplus sur ces conflits : Lescot et Roblot, t. I, n. 408. — Roblot, n. 199. — Lyon-Caen et Renault, t. IV, n. 181).

c) Intérêts pour le porteur de l'acquisition de la provision

89. — L'intérêt que présente pour le porteur l'acquisition de la provision est particulièrement marqué lorsque l'effet n'est pas accepté, mais le porteur d'un effet accepté trouve lui-même dans la provision une garantie non négligeable.

Le porteur dispose d'une double action : l'action cambiaire contre l'accepteur et les garants et l'action de provision contre le tiré. Il fera valoir cette dernière à défaut d'acceptation et chaque fois que l'action cambiaire est éteinte par déchéance ou encore par prescription. La provision échappe à la prescription cambiaire.

Sur la créance de provision, le porteur a un droit exclusif, sous réserve de ce qui a été dit précédemment en ce qui concerne la nature de ce droit (*supra*, n. 88). Si l'effet est libellé en monnaie étrangère, il bénéficie des variations de change ou les subit (Cass. com., 20 mars 1962 : *JCP* 62, II, 12747, note Rives-Lange ; *D.* 1962, J, 294). En cas de redressement judiciaire du tireur, la créance de provision échappe aux créanciers dès lors que l'effet a été mis en circulation avant le jugement déclaratif. Les créanciers du tireur ne peuvent saisir la créance servant de provision après l'émission de la lettre de change. La solution pourrait susciter des réserves. Les créanciers sont paradoxalement moins favorisés que le tireur lui-même qui, jusqu'à l'acceptation ou la notification d'une défense de payer, conserve la possibilité de se faire payer directement par le tiré. La jurisprudence ne se prononce pas moins dans le sens de l'insaisissabilité (Cass. civ., 19 nov. 1850 : *D.* 1854, 5, 286. — Cass. com., 29 nov. 1982 : *Bull. civ.* IV, n. 374, p. 314 ; *D.* 1983, IR, 246, obs. Cabrillac. — Montpellier, 21 mars 1951 : revue *Banque* 1951, p. 304 ; *RTD com.* 1951, p. 549, obs. Becqué et Cabrillac. — Trib. com. Seine, 12 déc. 1952 : *S.* 1953, 2, 80. — V. toutefois en sens opposé dans le cas d'un avis à tiers détenteur : Cass. com., 6 juin 1984 : *D.* 1985, IR, 31, obs. Cabrillac). Il est vrai que la saisie de la provision si elle n'est pas directement contraire à l'article 140 du Code de commerce qui n'interdit que l'opposition au paiement de la *lettre de change*, réduirait notablement et parfois compromettrait sérieusement les droits du porteur (sur la saisie de la lettre de change V. *infra*, n. 116 et s.).

B. — GARANTIE SOLIDAIRE DES SIGNATAIRES DE LA LETTRE DE CHANGE

90. — La solidarité cambiaire trouve sa source dans l'article 151, alinéa 1, du Code de commerce. « Tous ceux qui ont tiré, accepté, endossé ou avalisé une lettre de change sont tenus solidairement envers le porteur ».

Les débiteurs soumis à cette solidarité sont clairement définis par le texte : ce sont tous les signataires de l'effet. Le tiré non accepteur y échappe même s'il a reçu provision. Y échappe également l'endosseur qui a exclu sa garantie (*supra*, n. 51).

Le tireur n'a pas la possibilité d'écarter par une clause de la lettre de change la garantie du paiement de l'effet qui s'attache à sa signature. (V. toutefois la conséquence de la clause non endossable insérée par le tireur dans une formule d'endossement : Paris, 11 déc. 1984 : *RTD com.* 1985, p. 330, obs. Cabrillac et Teyssié). Il lui est permis, en revanche, de ne pas garantir l'acceptation (C. com., art. 115). Sur les conséquences de l'article 115 du Code de commerce en ce qui concerne la convention d'escompte à forfait V. Hamel, Lagarde et Jauffret, n. 1459, *in fine* et *supra*, n. 51.

La garantie du tireur est maintenue dans l'escompte indirect ou escompte-fournisseur, forme d'escompte conclue par le tiré de la lettre de change. En cas de défaillance du tiré, le banquier escompteur a un recours cambiaire contre le tireur, obligé par la signature qu'il a apposée sur l'effet (Cass. com., 23 juin 1971 : *JCP* 72, II, 17040, note Gavalda ; *D.* 1972, J, 175, note Cabrillac ; revue *Banque* 1971, p. 1141, obs. Martin. — Paris, 20 fév. 1969 : *JCP* 70, II, 16572, note Alfandari. — Cass. Belgique, 7 mars 1953 : revue *Banque* 1954, p. 181 ; sur ce type d'escompte V. Gavalda et Stoufflet, *Droit bancaire*, 3e éd., n. 416).

La solidarité profite à tout porteur, y compris, selon l'article 151, alinéa 3, au signataire d'une lettre de change ayant remboursé celle-ci qui a un recours intégral. La solution est originale ; elle déroge au principe selon lequel le recours du débiteur d'une dette solidaire qui a payé se divise (C. civ., art. 1214). Elle est praticable parce que l'ordre dans lequel s'exercent les recours cambiaires est déterminé par la loi. Un endosseur ne peut agir qu'à l'encontre des endosseurs antérieurs, du tireur et du tiré accepteur et de leurs avaliseurs. Le tireur n'a pas de recours cambiaire contre les endosseurs.

La solidarité cambiaire comporte pour le porteur les prérogatives habituelles dont bénéficie le créancier ayant des codébiteurs solidaires. Il peut agir contre tous les signataires, individuellement ou collectivement, sans être soumis à un ordre déterminé. L'action intentée contre l'un des obligés n'empêche pas d'agir contre les autres, même postérieurs à celui qui a été d'abord poursuivi (C. com., art. 151, al. 2 et 4). Il n'y a qu'une limite à la liberté dont dispose le porteur : il est tenu, à l'échéance, de demander paiement au tiré, accepteur ou non (*infra*, n. 101).

Ces dispositions s'appliquent au garant qui a payé, sous réserve de ce qui a été dit ci-dessus.

Les effets secondaires de la solidarité s'appliquent-ils ? Déduits d'une représentation mutuelle des débiteurs solidaires, ils se manifestent dans le domaine de l'interruption de prescription, de la mise en demeure, des intérêts moratoires, de la chose jugée, des voies de recours (Marty et Raynaud, *Droit civil*, t. II, n. 793-794. — Malaurie et Aynès, *Les obligations*, 8e éd., 1998, n. 1156 et s.). La loi écarte un des effets secondaires de la solidarité. L'article 179, alinéa 5, du Code de commerce dispose que l'interruption de la prescription n'a d'effet que contre celui à l'égard duquel l'acte interruptif a été fait. On s'accorde en doctrine à généraliser la solution et à écarter en matière cambiaire l'ensemble des effets secondaires de la solidarité (Roblot, n. 241. — Hamel, Lagarde et Jauffret, *op. cit.*, n. 1459 et 1484).

C. — AVAL

91. — *Généralités.* L'aval est un engagement cambiaire souscrit par un tiers ou un précédent signataire de la lettre de change en vue de garantir l'exécution de l'obligation contractée par un débiteur de la lettre de change. L'aval présente beaucoup d'analogies avec le cautionnement, mais la forme cambiaire qu'il emprunte a pour conséquence des dérogations au droit commun du cautionnement, qu'il s'agisse des droits du porteur de l'effet envers l'avaliseur ou de la situation de l'avaliseur qui a payé. L'aval est réglementé par l'article 130 du Code de commerce.

L'aval est une garantie dont la pratique fait un large usage. Les banques subordonnent souvent l'escompte des lettres de change à un aval donné par un associé ou un gérant pour une société, ou par une société mère pour une filiale. Par ailleurs, les organismes de crédit interviennent souvent sous forme d'aval au profit de leurs clients. La Banque de développement des PME (ex CEPME), la Banque Française du Commerce extérieur, par exemple, pratiquent ce genre d'opération dans le domaine de leur activité, facilitant la mobilisation des effets souscrits par les entreprises bénéficiaires. Sur l'application de l'aval dans l'assurance-crédit et les conflits qui ont surgi entre assureurs et banquiers à ce propos, V. Gavalda et Stoufflet, *Droit du crédit*, t. I, *Les institutions*, n. 154.

Orientation bibliographique

ANCEL, *Le cautionnement des dettes de l'entreprise*, Dalloz, 1989. — CABRILLAC et MOULY, *Droit des sûretés*, Litec, 1990. — GEISENBERGER, *L'aval des effets de commerce*, thèse, Paris, 1955. — ISSA-SAYEGH, *J.-Cl. Com.*, fasc. 430 : *V° Aval* ; ROBLOT, Dalloz, t. I, *V° Aval* : *Rép. com.* — SIMLER, *Cautionnement*, Litec, 1982.

• Articles

ABRAHAMS, « L'aval de la lettre de change » : *RTD com.* 1958, p. 493. — BESSON, « L'aval sans indication du débiteur garanti » : *RTD com.* 1960, p. 493. — J. CALVO, « L'aval anonyme des lettres de change » : *Les Petites Affiches* 28 déc. 1990. — GORE, « L'aval de la lettre de change sans indication du débiteur garanti » : *D.* 1957, chron. 105. — HUBRECHT, « Le bénéficiaire d'un aval imprécis en matière de lettre de change » : *Gaz. Pal.* 1960, 1, 84. — ISSA-SAYEGH, « Bilan de l'interprétation jurisprudentielle de l'article 130, alinéa 6 du Code de commerce » : *JCP* 75, I, 2726. — LESCOT, « Aval de la lettre de change et preuve du cautionnement » : *JCP* 64, éd. CI, 74309. — MONTOUT-ROUSSY, « La situation juridique ambiguë du donneur d'aval » : *D.* 1974, chron. 197. — NGUYEN XUAN CHANH, « L'aval en blanc de la lettre de change à la lumière de la notion d'opposabilité » : *Ann. Fac. droit*, Clermont-Ferrand, 1972, p. 9. — SIGALAS, « Aval de la lettre de change et cautionnement du rapport fondamental » : *RTD com.* 1964, p. 489. — SINAY, « La situation juridique du donneur d'aval » : *RTD com.* 1953, p. 17.

1. — CONDITIONS DE L'AVAL

a) Conditions de fond

92. — L'aval étant générateur d'une obligation cambiaire, les conditions requises pour la souscription d'un tel engagement s'y appliquent, notamment en ce qui concerne la capacité et les pouvoirs (*supra*, n. 26 et s.). L'aval donné par un mineur est nul (Poitiers, 10 oct. 1967 : *JCP* 68, IV, 105. — Trib. gr. inst. Saintes, 1er fév. 1966 : *JCP* 67, II, 14989 ; *D.* 1966, somm. 73, qui admet cependant la possibilité d'une autorisation judiciaire). Pour engager les biens communs, l'avaliseur marié doit obtenir l'autorisation de son conjoint en application de l'article 1415 du Code civil (Cass. com., 4 fév. 1997 : revue *Banque* juin 1997, p. 84 obs. Guillot ; *D.* 1997, somm. comm. 261, obs. Cabrillac ; *D.* 1997, J, 478, n. Piédelièvre). Le Trésor public ne peut souscrire un aval (Cass. com., 24 fév. 1998 : *Juris-Data* n. 000848 ; *JCP* 98, IV, 1846. — Rappr. Cass. civ. 1re, 2 avril 1996 : *D.* 1996, IR, 118). Des exigences communes au cautionnement et à l'aval figurent dans la loi du 24 juillet 1966 (art. 98 et 128, art. 106 et 148). Le consentement de l'avaliseur est indispensable et les solutions précédemment exposées concernant le défaut de consentement et les vices du consentement sont applicables à l'aval (*supra*, n. 31). Même en l'absence de vice du consentement, la responsabilité civile d'une banque peut être engagée si elle a sollicité d'une personne l'aval d'une lettre de change dont le montant est disproportionné par rapport aux ressources de l'avaliseur (Cass. com., 17 juin 1997 : *D.* 1998, J, 208, note Casey ; *JCP* 97, IV, 1721. — Rappr. Cass. com., 6 mai 1997 : *RD bancaire et bourse,* août-sept. 1997, p. 169, obs. Contamine-Raynaud).

En cas de signature d'un aval par un dirigeant de société, il est parfois difficile de distinguer l'engagement pris à titre personnel et celui souscrit en qualité de représentant de la personne morale (V. Cass. com., 8 déc. 1992 : *D.* 1993, IR, 2). La question est commune à tous les engagements cambiaires (V. *supra,* n. 28), mais plus délicate à résoudre, en fait, lorsqu'il s'agit d'un engagement d'aval parce que les circonstances peuvent ne fournir aucune indication claire sur l'intention des parties.

Un aval peut garantir l'un quelconque des obligés à la dette cambiaire, y compris un avaliseur antérieur (Paris, 11 oct. 1967 : revue *Banque* 1968, p. 297 ; *RTD com.* 1968, p. 383, obs. Becqué et Cabrillac). Il peut même être donné pour un tiré non accepteur, mais son effet est, alors, suspendu jusqu'à l'acceptation (V. un jugement assez singulier sur cette situation : Trib. gr. inst. Strasbourg, 3 oct. 1973 : *D.* 1975, J, 718, note Tendler ; *RTD com.* 1975, 868). L'initiative de l'aval est prise par le tireur ou un porteur qui veut rendre plus facile la négociation de l'effet.

L'avaliseur est, le plus souvent, un tiers non encore obligé au paiement de la lettre de change. L'article 130, alinéa 2, admet également que l'aval soit donné par un signataire antérieur. Cette modalité n'est, toutefois, concevable que s'il en résulte un avantage pour le porteur. Ainsi un endosseur peut-il avaliser l'engagement cambiaire du tireur ou de l'accepteur, tenus plus rigoureusement que lui. L'aval donné par le tireur pour un endosseur, ou par l'accepteur pour un débiteur cambiaire quelconque n'aurait aucun sens.

L'aval peut être donné à un moment quelconque, même après l'échéance (Paris, 3 nov. 1960 : *Gaz. Pal.* 1961, 1, 16). Dans le cas où il est contenu dans un acte séparé (*infra,* n. 94), il est valablement souscrit à l'avance, avant l'émission de la lettre de change.

L'aval garantit le paiement (art. 130, al. 1) et l'on admet que la garantie s'étend à l'acceptation. Il n'est pas interdit à l'avaliseur de restreindre son engagement dès lors que la limitation est compatible avec la technique cambiaire. L'article 130, alinéa 1, admet que l'aval soit partiel (rappr. l'acceptation partielle permise par l'article 126, alinéa 3, *supra,* n. 72). L'avaliseur pourrait n'accorder sa garantie qu'au porteur actuel. Il semble qu'il pourrait la limiter au paiement, à l'exclusion de l'acceptation, ou à cette dernière seulement (Lescot et Roblot, t. I, n. 490).

La validité de l'aval n'est affectée par la nullité de l'engagement cambiaire garanti que si celle-ci résulte d'un vice de forme, c'est-à-dire d'un vice apparent (art. 130, al. 8). Cette solution qui déroge à la règle formulée en matière de cautionnement à l'article 2012 du Code civil, est une application du principe d'indépendance des signatures (C. com., art. 114, al. 2, et *supra,* n. 27). Elle trouve son application en cas d'incapacité du débiteur garanti, de falsification de signature. Les porteurs de mauvaise foi ne peuvent, toutefois, s'en prévaloir (Req., 10 janv. 1944 : *JCP* 44, II, 2586, note Lescot. — Cass. com., 26 janv. 1971 : *Bull. civ.* IV, n. 27, p. 28 ; *RTD com.* 1971, p. 1050, obs. Cabrillac et Rives-Lange. — 28 nov. 1972 : *Gaz. Pal.* 1973, 1, 212).

La nullité pour vice de forme de la lettre de change n'a pas nécessairement pour conséquence l'inefficacité totale de l'aval. Dès lors que la lettre de change irrégulière vaut comme simple promesse (*supra*, n. 16) rien ne s'oppose à ce que l'aval soit considéré comme un cautionnement ordinaire ou comme un commencement de preuve par écrit d'un cautionnement (en ce sens : Paris, 3 nov. 1952 : *Gaz. Pal.* 1952, 2, 413. — Paris, 5 déc. 1979 : *D.* 1980, IR, 435, obs. Cabrillac ; Cass. com., 24 avril 1990 : *Bull. civ.* IV, n. 119. 24 juin 1997 : *JCP* 97, IV, 1830). Il convient toutefois de prendre en considération l'intention de l'avaliseur (Roblot, note *JCP* 55, II, 8469).

b) Forme de l'aval

93. — En application de l'article 130, alinéa 3, l'aval peut être donné soit sur la lettre de change ou sur une allonge, soit par un acte séparé. Dérogeant au formalisme cambiaire, la loi admet ainsi, en une exception unique (V. toutefois pour l'acceptation *supra*, n. 70), qu'un engagement cambiaire soit contracté en dehors du titre. Les exigences de la pratique ont, au moins en droit français, fait céder la logique du droit cambiaire. Entre l'aval donné sur la lettre de change et l'aval par acte séparé, il y a plus qu'une différence de support. La rédaction même de la formule d'aval est soumise dans l'un et l'autre cas à des exigences différentes.

Aval donné sur la lettre de change

La mention d'aval peut être inscrite à un emplacement quelconque du titre cambiaire, sur la lettre de change elle-même ou sur l'allonge, au recto ou au verso. L'emplacement choisi n'est cependant pas indifférent. Si l'aval est donné au recto, la signature du donneur d'aval est suffisante. Il n'est fait exception que si l'aval est donné par le tiré ou le tireur. La loi exige alors une formule exprimant l'aval : « bon pour aval » ou toute autre formule équivalente (« bon pour garantie »...). La signature isolée apposée au recto par le tiré est considérée, sans que la preuve contraire soit admise, comme une acceptation. Celle du tireur est tenue, d'une manière peut-être arbitraire, pour une signature d'émission, même si elle est réitérée.

Quand l'aval est donné au verso, les termes « bon pour aval » ou des termes équivalents sont obligatoires quelle que soit la qualité de l'avaliseur. A défaut, la signature est interprétée comme un endossement en blanc. A nouveau, la présomption est irréfragable.

Dans tous les cas, la signature de l'avaliseur doit être manuscrite.

Là s'arrêtent les exigences strictes de la loi quant à la forme de l'aval. L'indication de la somme à payer n'est pas nécessaire, sauf s'il y a aval partiel. On notera, toutefois, que l'efficacité de l'aval est subordonnée à la condition que l'avaliseur soit suffisamment identifié. A cet effet, il est indispensable que la signature de l'avaliseur soit accompagnée de l'indication claire de son nom et de son adresse.

La Cour de cassation (Cass. com., 2 fév. 1981 : *Gaz. Pal.* 1981, 2, 423, note Dupichot ; *RTD com.* 1981, p. 566, obs. Cabrillac et Teyssié) a jugé que la signature d'acceptation du représentant d'une société vaut comme aval personnel si elle est précédée d'une mention indiquant que le signataire a voulu engager à la fois la société comme accepteur et lui-même comme avaliseur (rappr. Trib. gr. inst. Strasbourg, 3 oct. 1973 : *D.* 1975, J, 718, note Tendler). Le formalisme cambiaire condamne cette solution (V. dans le sens d'une plus grande rigueur : Cass. com., 8 déc. 1992 : *D.* 1993, IR, 2).

La loi ne fait pas de la *désignation du débiteur dont l'engagement est garanti* par l'aval une condition de validité de l'aval. Cependant, si ce point n'est pas précisé, les intentions des parties risquent d'être déjouées. En effet, pour éviter un doute préjudiciable à la solidité des obligations cambiaires, l'article 130, alinéa 6, dispose qu'à défaut d'indication du nom de celui pour compte de qui il est donné, l'aval « est réputé donné pour le tireur ». La solution est particulièrement décevante pour le tireur-porteur qui ne profitera pas de l'aval, réputé avoir été donné pour lui-même. Cette conséquence est-elle inéluctable ?

Une controverse très vive s'est développée à ce sujet. Pour les uns, l'article 130, alinéa 6, contient seulement une présomption réfragable, laissant au porteur la possibilité d'établir que l'intention de l'avaliseur a été de s'engager pour un débiteur cambiaire autre que le tireur, par exemple, pour l'accepteur. Cette volonté pourrait résulter par exemple de l'emplacement de la mention d'aval, apposée à côté de la signature de l'accepteur, ou du fait que l'aval donné pour le tireur resté porteur de l'effet est dépourvu de sens. La majorité des cours d'appel s'est ralliée à cette interprétation du texte. Selon une autre opinion, toute recherche d'intention affaiblit l'obligation cambiaire et la présomption ne peut être qu'irréfragable. La Chambre commerciale de la Cour de cassation a consacré cette dernière qualification dans une série d'arrêts rendus le 23 janvier 1956 (*JCP* 56, II, 9166, note Roblot ; *D.* 1956, J, 304 ; *RDT com.* 1956, p. 289, obs. Becqué et Cabrillac). La question, toutefois, ne fut définitivement tranchée que devant les chambres réunies. Celles-ci, par un arrêt du 8 mars 1960 (*JCP* 60, II, 11616, note Roblot ; *D.* 1961, J, 200, note Hamel ; revue *Banque* 1960, p. 601, obs. Marin ; *RTD com.* 1960, p. 366, obs. Becqué et Cabrillac. — Rappr. Cass. com., 13 nov. 1979 : *Bull. civ.* IV, n. 289, p. 229. — 19 juill. 1982 : *Bull. civ.* IV, n. 279, p. 240), refusèrent au porteur, comme l'avait fait la Chambre commerciale, la possibilité d'établir que l'aval donné sans indication de débiteur garanti est accordé pour un autre que le tireur. La motivation diffère toutefois de celle utilisée par la Chambre commerciale. L'article 130, alinéa 6, « ne formule pas une règle de preuve mais oblige à préciser dans la mention d'aval le nom du garanti et supplée à l'absence de cette précision pour écarter toute incertitude sur la portée des engagements cambiaires ». Ainsi ce n'est pas une présomption, même irréfragable, que formule le texte mais une exigence de *forme* qui ne s'accommode d'aucune recherche d'intention. L'arrêt condamne du même coup la conception selon laquelle la solution donnée par l'article 130, alinéa 6, pourrait céder devant la preuve de l'intention contraire des parties dans les rapports entre l'avaliseur et celui avec qui il est convenu de garantir le paiement de la lettre de change (porteur). La disposition « limite... *à l'égard de tous* (l'engagement) du donneur d'aval à la garantie du tireur ».

N'y a-t-il aucun moyen d'assurer le respect de l'intention réelle des parties, lorsque celle-ci est démontrée ? La jurisprudence ouvre quelques voies pour y parvenir. Il a été admis, tout d'abord, que si la mention d'aval figurant sur la lettre de change ne contient pas la désignation du bénéficiaire, il n'est pas interdit au porteur d'utiliser les énonciations d'un écrit distinct satisfaisant aux conditions de l'aval par acte séparé (*infra*, n. 94 et s.) et portant indication du débiteur garanti (Colmar, 7 juill. 1967 : *JCP* 68, II, 15444, note Lescot ; *RTD com.* 1968, p. 382, obs. Becqué et Cabrillac. — Versailles, 13e ch., 9 nov. 1989 : *D.* 1990, J, 437, note D. Martin). Par ailleurs, le porteur peut établir l'existence d'un cautionnement de droit commun garantissant un engagement cambiaire autre que celui du tireur. La Cour de cassation veille cependant à ce que par ce moyen la règle de l'article 130, alinéa 6, ne soit pas tournée. Elle n'admet pas que la mention d'aval incomplète soit, par interprétation de volonté, analysée en un cautionnement pour un signataire autre que le tireur. La mention ne vaut même pas commencement de preuve par écrit d'un tel cautionnement (Cass. com., 2 mars 1964 : *JCP* 64, II, 13686, note Lescot ; revue *Banque* 1964, p. 547, obs. Marin. — 12 oct. 1966 : *D.* 1967, J, 231. — 6 mai 1968 : *D.* 1968, J, 674 ; *JCP* 68, IV, 103). En revanche, la souscription d'une lettre de change n'emportant pas novation des conventions préexistantes, l'existence d'un cautionnement peut être établie par un moyen de preuve extérieur à l'effet, notamment à l'aide d'une correspondance entre les parties (Cass. com., 14 mars 1961 : *Bull. civ.* III, n. 135, p. 120. — 1er déc. 1970 : *Bull. civ.* IV, n. 326, p. 290 ; *RTD com.* 1971, p. 746, obs. Cabrillac et Rives-Lange).

Aval par acte séparé

94. — La loi uniforme de Genève impose la mention de l'aval sur la lettre de change, mais une possibilité de réserve dont la France a usé était ouverte (art. 4, annexe II). L'aval par acte séparé présente des avantages pratiques. Il ménage le crédit des débiteurs garantis dans la mesure où l'acte séparé d'aval ne circule pas ; il permet de garantir par un seul écrit plusieurs lettres de change et même des lettres de change non encore émises.

Ce type d'aval peut soulever des difficultés de qualification. Le juge doit rechercher si le garant a entendu contracter un engagement cambiaire ou un cautionnement ordinaire également applicable à la lettre de change (Cass. com., 3 nov. 1975 : *D.* 1976, somm. 25. — Amiens, 17 déc. 1975 : *JCP* 76, IV, 326 ; *D.* 1976, somm. 56). Le mot employé n'est pas toujours à lui seul décisif car dans la pratique le cautionnement ordinaire est parfois appelé « aval ». Sur la promesse d'aval, V. Grenoble, 1er avril 1968 : *JCP* 69, IV, 16. — Toujas, *Traité des effets de commerce*, t. I, n. 352. — Carry, *La lettre de change et le billet à ordre*, § 5.

L'article 130, alinéa 3, conformément aux dispositions inscrites dans la loi uniforme, ne contient qu'une exigence particulière quant au libellé de l'aval par acte séparé : l'indication du lieu où il a été donné. Cette mention est destinée à faciliter le règlement des conflits de lois. A défaut, l'acte ne vaut pas comme aval quand bien même l'effet ne serait pas destiné à circuler à l'étranger (Cass. com., 11 janv. 1972 : *Gaz. Pal.* 1972, 1, 433 ; *RTD com.* 1972, p. 662, obs. Cabrillac et Rives-Lange).

L'acte d'aval doit être signé par l'avaliseur ou son représentant. Une signature manuscrite est requise. Une « clé informatique » incluse dans un télex ne répond pas à l'exigence légale (Cass. com., 26 nov. 1996 : revue *Banque*, janv. 1997, p. 90, obs. Guillot : *D.* 1997, IR, 6 ; *JCP* 97, éd. E, II, 902, note Bonneau ; Gavalda et Stoufflet, Chron. dr. bancaire : *JCP* 97, éd. E, I, 637, n. 23 ; *D.* 1997, somm. comm. 262, obs. Cabrillac).

L'indication du débiteur garanti est pratiquement indispensable. Toutefois la jurisprudence semble écarter en la matière l'application des dispositions rigoureuses de l'article 130, alinéa 6, liées à la forme cambiaire de la garantie. L'aval par acte séparé étant donné dans un acte ordinaire, le porteur qui en bénéficie a la possibilité d'établir selon le droit commun quel est le débiteur dont l'engagement est couvert par l'aval (Cass. com., 14 fév. 1961 et 14 mars 1961 : revue *Banque* 1961, p. 677, obs. Marin ; *RTD com.* 1961, p. 891, obs. Becqué et Cabrillac ; Cabrillac, *Jur. Lettre de change*, p. 105).

Le fait que l'aval soit donné en dehors de la lettre de change soulève des difficultés qui n'existent pas pour l'aval souscrit sur l'effet, touchant à l'étendue de la garantie. Il est indispensable que les effets garantis soient suffisamment identifiés. Mais à quel niveau convient-il de placer l'exigence à cet égard ? L'article 1129 du Code civil témoigne d'un assez grand libéralisme ; il exige simplement que l'objet de l'obligation soit déterminable (al. 2) et la jurisprudence en fait une application très souple au cautionnement, reconnaissant la validité du cautionnement général garantissant toutes les obligations d'un débiteur envers le bénéficiaire du cautionnement jusqu'à une date donnée ou jusqu'à dénonciation de son engagement par le garant (V. par exemple Req., 22 juil. 1891 : *D.* 1893, 1, 259), sous réserve que la portée de l'engagement souscrit soit clairement exprimée dans la mention manuscrite prévue à l'article 1326 du Code civil (Cabrillac et Mouly, *Droit des sûretés*, n. 107).

La Cour de cassation se montre plus exigeante en matière d'aval. Elle impose l'indication dans l'acte d'aval de la nature des effets, des sommes et de la durée de la garantie. A défaut, l'acte vaudrait seulement en tant que cautionnement simple (Cass. civ., 27 août 1867 : *D.* 1867, 1, 490. — Req., 22 fév. 1869 : *D.* 1869, 1, 515).

On a pu cependant observer que la condition de détermination de l'objet de l'aval est appliquée avec souplesse par la jurisprudence qui maintient la qualification d'aval dès lors que cet objet est déterminable. Un arrêt de la Chambre civile en date du 7 mars 1944 (*D.* 1945, J, 73, note Hamel ; *S.* 1944, 1, 100 ; *Gaz. Pal.* 1944, 1, 214) a été généralement interprété comme témoignant d'une orientation vers une plus grande rigueur. En fait, cet arrêt, comme les décisions plus récentes (Cass. com., 2 fév. 1960 : *Bull. civ.* III, n. 46, p. 39. — 16 mars 1970 : *Bull. civ.* IV, n. 99, p. 93. — Rouen, 21 sept. 1973 : *D.* 1974, J, 247, note Roblot), ne fait que reprendre les exigences antérieures : détermination des effets couverts par l'aval, du montant et de la durée de la garantie. L'obligation de donner ces indications dans l'acte apparaît comme une manifestation naturelle du formalisme cambiaire auquel ne peut échapper l'aval même quand il est donné par un acte distinct de la lettre de change. Certes, il s'impose avec une moindre évidence quand l'aval par acte séparé n'est accordé qu'à un porteur déterminé, ce qui est fréquent ; mais on conçoit mal que le contenu de cet aval ne soit pas identique dans toutes les applications qui en sont faites.

La jurisprudence n'est pourtant pas exempte de nuances. Il a été jugé dans l'arrêt précité du 16 mars 1970 que l'aval est valable malgré l'absence d'indication dans l'acte de la durée de la garantie, dès lors que la preuve est faite que l'avaliseur savait au moment de son engagement quels effets il couvrait. Faut-il comprendre que la détermination de l'objet serait moins une expression du formalisme cambiaire qu'un moyen de protéger l'avaliseur qui contracte une lourde obligation ? Il est à noter, en tout cas, qu'une énumération des effets garantis n'est pas imposée.

Il a été admis que l'avaliseur par acte séparé garantit un effet émis en remplacement de l'effet avalisé pour réaliser une prorogation d'échéance (Cass. com., 12 juin 1978 : *Bull. civ.* IV, n. 159, p. 137 ; *D.* 1978, IR, 340, obs. Cabrillac ; *RTD com.* 1979, p. 275).

Certainement facultatif dans l'aval donné sur la lettre de change parce que la garantie s'intègre au titre cambiaire, le « bon pour » (C. civ., art. 1326) n'est-il pas obligatoire en cas d'aval par acte séparé ? D'excellents auteurs répondent par l'affirmative, voyant dans cette formalité une nécessaire protection de l'avaliseur non commerçant (Roblot, n. 251). La jurisprudence dominante écarte l'exigence du « bon pour » (Colmar, 7 juill. 1967 : *JCP* 68, III, 15444, note Lescot. — Trib. com. Paris, 26 sept. 1972 : *RJ com.* 1973, 245, note Saint-Cène. — *Contra* Trib. com. Lyon, 15 déc. 1967 : *RTD com.* 1968, p. 382).

La non-validité comme aval d'un acte de garantie à raison, notamment, de l'absence d'indication du lieu de la souscription ou de la non-détermination du montant ou de la durée n'a pas nécessairement pour conséquence sa nullité complète. Il vaut souvent comme cautionnement ordinaire (Lyon, 8 juin 1976 : *D.* 1977, IR, 192 ; *JCP* 77, IV, 44. — Rappr. *supra*, n. 16 pour le cas d'irrégularité de la lettre de change). La même qualification est applicable quand l'intention d'avaliser est demeurée inefficace parce que l'obligation garantie n'a pu naître en tant qu'obligation cambiaire (Paris, 12 janv. 1967 : *D.* 1967, J, 272 ; *Gaz. Pal.* 1967, 1, 152).

2. — *EFFETS DE L'AVAL*

95. — L'avaliseur contracte une obligation de nature cambiaire. Indiscutable en cas d'aval donné sur la lettre de change, la solution n'est pas moins certaine quand l'aval est contenu dans un acte séparé, bien que l'opinion contraire ait parfois été défendue en doctrine. La jurisprudence est formelle (Cass. com., 8 mai 1967 : revue *Banque* 1968, p. 383, obs. Marin. — 25 nov. 1974 : *Bull. civ.* IV, n. 299, p. 248 ; *RTD com.* 1975, p. 564, obs. Cabrillac et Rives-Lange). Il n'apparaît pas qu'une distinction doive être faite entre l'aval par acte séparé souscrit au profit d'un porteur déterminé, hypothèse la plus fréquente, et celui dont le bénéfice est transmissible à tout porteur.

Cette qualification détermine le régime de l'obligation de l'avaliseur : caractère commercial, application des procédures d'exécution ouvertes contre un débiteur cambiaire (Cass. com., 8 mai 1967, préc.)... Elle n'épuise pas cependant la question des effets de l'aval. Ceux-ci sont liés à la nature complexe de cette technique de garantie qui apparaît clairement dans les textes. Aux termes de l'article 130, alinéa 7, du Code de commerce, le donneur d'aval est tenu de la même manière que celui dont il s'est porté garant. Son engagement est donc lié à l'obligation du garanti. Ce texte ne saurait, toutefois, être séparé de l'article 151, alinéa 1, qui place l'avaliseur sur le même plan que les autres débiteurs cambiaires. En réalité, le donneur d'aval est à la fois un débiteur cambiaire et une caution solidaire. La jurisprudence fait prévaloir l'une ou l'autre des deux qualités selon les intérêts en cause.

a) Effets de l'aval dans les rapports entre l'avaliseur et le porteur

96. — Vis-à-vis du porteur, l'avaliseur est tenu comme tout signataire de la lettre de change. Il est garant de l'acceptation et du paiement solidairement avec les autres signataires (C. com., art. 151). Il ne peut invoquer le bénéfice de discussion ou obliger le porteur à s'adresser tout d'abord à un autre garant. Le principe d'indépendance des signatures est applicable (V. art. 130, al. 8, et *supra*, n. 27). Le bénéfice de division ne saurait s'appliquer lorsqu'il y a plusieurs avaliseurs, ceci à raison de la solidarité cambiaire. Enfin, le donneur d'aval subit le principe d'inopposabilité des exceptions s'il a affaire à un porteur de bonne foi et sous les distinctions précédemment exposées (*supra*, n. 53 et s.).

Le caractère accessoire de l'obligation de l'avaliseur retrouve néanmoins son empire, même à l'égard du porteur, dès lors que les exigences de la circulation du titre n'y font pas obstacle. Les règles du cautionnement sont alors appliquées ; c'est l'article 130, alinéa 7, qui prévaut. L'avaliseur peut opposer au porteur, non seulement les exceptions se rapportant à ses propres relations avec ce porteur (en ce sens : Cass. com., 12 mars 1969 : *Bull. civ.* 1969, IV, n. 93, p. 92 ; *RTD com.* 1969, 773, obs. Cabrillac et Rives-Lange relatif à un vice du consentement) mais celles que le débiteur garanti aurait pu opposer, soit parce que le porteur en est le sujet propre, soit parce qu'il est de mauvaise foi (Cass. com., 30 mars 1978 : *Bull. civ.* IV, n. 95, p. 77 ; *JCP* 78, IV, 177. — Lescot et Roblot, t. I, n. 505 ; Cabrillac, *Jur. Lettre de change*, n. 35. — *Contra* Hamel, Lagarde et Jauffret, n. 1474). La jurisprudence s'est prononcée en ce sens en cas de nullité pour violation de la réglementation des ventes à tempérament d'une lettre de change émise en représentation d'un tel crédit. L'avaliseur a été admis à se prévaloir du caractère illicite de la cause de l'engagement cambiaire du débiteur garanti (Cass. com., 16 janv. 1971 : *Bull. civ.* IV, n. 27, p. 28 ; *RTD com.* 1971, p. 1050, obs. Cabrillac et Rives-Lange.

— Rappr. Req., 10 janv. 1944 : *JCP* 44, II, 2586, note Lescot. — Cass. com., 7 mars 1961 : *Bull. civ.* III, n. 124, p. 114). La solution ne compromet en rien la circulation des traites. Le porteur sait que l'avaliseur est un garant et il doit s'attendre à ce qu'il ne soit tenu que dans la mesure où le garanti l'est de son côté et sous les mêmes exceptions.

C'est également par application de l'article 130, alinéa 7, et des principes du cautionnement que l'avaliseur peut se prévaloir des causes de déchéance que le débiteur garanti aurait pu invoquer et de celles-ci seulement. Le donneur d'aval qui s'est obligé pour le tiré accepteur ne peut, pas plus que ce dernier, opposer au porteur la déchéance résultant du défaut d'établissement du protêt (Cass. com., 2 fév. 1965 : *JCP* 65, II, 14207, note Lescot ; *D.* 1965, J, 391. — Rappr. Cass. com., 29 mai 1980 : *Bull. civ.* IV, n. 217, p. 176). L'avaliseur est traité comme le débiteur qu'il garantit quant à la notification du défaut de paiement prévue à l'article 149, alinéa 5, du Code de commerce (*infra*, n. 123). Cette notification n'a pas à être faite au tiré, ni à son avaliseur (Cass. com., 4 nov. 1970 : *D.* 1970, J, 189 ; revue *Banque* 1971, p. 410, obs. Marin. — Rappr. pour l'aval du souscripteur d'un billet à ordre, Cass. com., 28 oct. 1952 : *JCP* 53, II, 7588, note Lescot ; revue *Banque* 1955, p. 591, obs. Marin). Identité de traitement également en ce qui concerne le délai de prescription (Trib. com. Seine, 6 janv. 1949 : *D.* 1949, II, 4946, note Roblot ; *RTD com.* 1949, p. 135, obs. Houin). Le droit du cautionnement peut, de même, être invoqué par le donneur d'aval qui démontre que le porteur a compromis sa subrogation aux droits, sûretés et privilèges dont il était titulaire. Par application de l'article 2037 du Code civil, le porteur est déchu de son action contre l'avaliseur (Cass. com., 8 mai 1967 : *Bull. civ.* II, n. 185, p. 179. — 27 juin 1967 : *Bull. civ.* III, n. 263, p. 254 ; *RTD com.* 1967, p. 1106. — Paris, 5 oct. 1966 : *D.* 1967, J, 115). La déchéance ne jouerait pas, cependant, si le porteur s'était simplement abstenu de faire connaître à l'avaliseur le non-paiement de l'effet. Le porteur peut seulement dans ce cas prétendre à un dédommagement en application de l'article 149 du Code de commerce si les conditions d'application du texte sont réunies (Paris, 21 janv. 1966 : revue *Banque* 1966, 502 ; *RTD com.* 1966, p. 627. Sur l'application à l'avaliseur des dispositions de l'article 2039 du Code civil disposant que la caution demeure obligée malgré une prorogation du terme, V. Cabrillac, *Jur. Lettre de change*, p. 114, et Paris, 21 oct. 1967 : revue *Banque* 1968, 473, obs. Marin ; *JCP* 68, IV, 17 ; *RTD com.* 1968, p. 735). Aux effets du cautionnement il convient d'ajouter les conséquences du caractère solidaire de ce cautionnement. Les effets secondaires de la solidarité, écartés de la solidarité cambiaire (*supra*, n. 90), se produisent vis-à-vis de l'avaliseur et du débiteur garanti, liés au porteur par la solidarité du cautionnement. Ainsi l'acte interrompant la prescription au regard du débiteur garanti a effet à l'égard de l'avaliseur (Cass. com., 10 janv. 1951 : *D.* 1951, J, 310). L'interruption de la prescription à l'égard de l'avaliseur a, de même, effet vis-à-vis du débiteur garanti (rappr. Req., 23 juill. 1929 : *D.* 1931, 1, 73, note Holleaux).

Le donneur d'aval ne peut invoquer une faute du bénéficiaire de l'effet dans ses rapports avec le tireur pour se soustraire à l'exécution de son engagement cambiaire. Mais la responsabilité civile de ce bénéficiaire peut être engagée envers l'avaliseur. Il en a été ainsi jugé à l'égard d'un banquier, bénéficiaire d'un billet à ordre, souscrit en représentation d'un crédit bancaire et avalisé, alors que le crédit avait été dénoncé dans des conditions irrégulières (Cass. com., 25 juin 1996 : *JCP* 96, II, 22687, rapport Rémery. — Rappr. Cass. com., 6 mai 1997 : *RD bancaire et bourse,* août-sept. 1997, p. 169). La solution est transposable à la lettre de change.

Il y a lieu de noter que les effets de l'*aval par acte séparé* dont le caractère cambiaire a été souligné (*supra*, n. 94) sont, à l'égard du porteur, les mêmes que ceux de l'aval donné sur l'effet (Cass. com., 8 mai 1967 : revue *Banque* 1968, 383. — Rouen, 21 sept. 1973 : *D.* 1974, J, 246, note Roblot). Toutefois, l'avaliseur n'est pas nécessairement tenu envers tout porteur. Le plus souvent, il n'entend s'obliger qu'envers un porteur déterminé (Req., 6 fév. 1905 : *D.* 1909, 1, 383. — Amiens, 17 déc. 1975 : *RTD com.* 1977, p. 333, obs. Cabrillac et Rives-Lange). Rien ne s'oppose pourtant à ce qu'un aval par acte séparé soit souscrit au profit de tout porteur de l'effet, le cas restant exceptionnel.

b) Effets de l'aval dans les rapports entre l'avaliseur et les débiteurs cambiaires autres que le débiteur garanti

97. — L'avaliseur est exposé aux mêmes recours que le débiteur cambiaire qu'il a garanti. A l'inverse, lorsqu'il a payé, l'article 130, alinéa 9, lui reconnaît tous les droits résultant de la lettre de change contre ceux qui sont obligés envers le garanti. Il acquiert donc tous les recours qu'aurait eus le garanti s'il avait payé l'effet (sur les recours cambiaires, V. *infra*, n. 117 et s.). Pour l'exercice de ces recours, l'avaliseur bénéficie de toutes les garanties et de toutes les prérogatives appartenant à un porteur légitime ; en particulier il peut se prévaloir de l'inopposabilité des exceptions (Cass. com., 23 nov. 1959 : *Bull. civ.* III, n. 393, p. 342 ; revue *Banque* 1961, p. 39 et *supra*, n. 53 et s.). En dépit des réserves d'une partie de la doctrine (Lescot et Roblot, t. I, n. 508), la Cour de cassation admet, malgré l'existence d'un texte spécial, que l'avaliseur fonde son action sur l'article 2029 du Code civil subrogeant la caution qui a payé dans les droits qu'avait le créancier contre le débiteur garanti (Cass. com., 26 mai 1961 : *Gaz. Pal.* 1961, 2, 235 ; *RTD com.* 1961, p. 892, obs. Becqué et Cabrillac ; Cabrillac, *Jur. Lettre de change*, p. 126-127).

S'il y a plusieurs avaliseurs du même débiteur cambiaire et que l'un d'eux a payé, a-t-il un recours contre ses cofidéjusseurs ? Certains auteurs (Hamel, Lagarde et Jauffret, n. 1476) le lui refusent au motif que les différents avaliseurs ont contracté des engagements distincts. Il est certain qu'il n'y a pas entre eux de recours cambiaire. Obligés de la même manière, placés sur le même plan, ils ne se garantissent pas cambiairement (V. Roblot, n. 258). Il y a lieu, en revanche, de leur reconnaître le recours ouvert à la caution par l'article 2033 du Code civil contre les autres cautions de la même dette (en ce sens : Besançon, 13 fév. 1974 : *D.* 1975, J, 230, note Crionnet ; *RTD com.* 1975, p. 331). Ce recours se divise entre les diverses cautions (Marty et Raynaud, t. III, n. 564).

c) Effets de l'aval dans les rapports entre l'avaliseur et le débiteur garanti

97-1. — L'avaliseur est libéré par le paiement qu'a accompli le débiteur garanti. S'il a dû acquitter la lettre de change, la loi lui accorde un recours contre le débiteur garanti (C. com., art. 130, al. 9). Ce recours peut, en réalité, s'exercer sur un double terrain. Devenu porteur de la lettre de change, l'avaliseur est en droit, selon les termes mêmes de l'article 130, alinéa 9, d'exercer contre le garanti les prérogatives qui y sont attachées, pour les sommes définies à l'article 153. Profitant comme à l'égard des autres garants des avantages du droit cambiaire, l'avaliseur est fondé à se prévaloir du principe d'inopposabilité des exceptions (comp. *supra*, n. 53 et s., Roblot, n. 255).

L'avaliseur dispose, par ailleurs, contre le débiteur garanti, de l'action personnelle ouverte à toutes les cautions par l'article 2028 du Code civil. Cette action dérive selon les cas du mandat ou de la gestion d'affaires (Marty, Raynaud et Jestaz, *Les sûretés*, n. 603). Certains lui reconnaissent enfin une action subrogatoire (rappr. *supra*, n. 97 ; V. sur cette action Lescot et Roblot, t. I, n. 508 ; Roblot, n. 255 ; Hamel, Lagarde et Jauffret, n. 1475).

L'action en remboursement de l'avaliseur contre le débiteur garanti est éteinte lorsque ce dernier a payé une seconde fois faute d'avoir été averti du paiement fait (C. civ., art. 2031, al. 1). On s'accorde, en revanche, à déclarer inapplicable à l'aval l'article 2031, alinéa 2, qui refuse le recours à la caution quand celle-ci a payé sans être poursuivie et sans avertir le débiteur principal alors que celui-ci avait des moyens de défense à faire valoir. L'avaliseur doit, en effet, payer sur-le-champ (Hamel, Lagarde et Jauffret, *op. cit.*, n. 1475).

D. — Garantie de la lettre de change au moyen des sûretés du droit commun

98. — Les sûretés et privilèges garantissant la créance de provision sont transmis en même temps que celle-ci aux porteurs de la lettre de change (*supra*, n. 50). Ces garanties sont, toutefois, empreintes d'une certaine fragilité. Elles s'appliquent non à la créance cambiaire elle-même, mais à la provision sur laquelle le porteur n'a, en principe, qu'un droit éventuel (*supra*, n. 88). Par ailleurs, le bénéficiaire de l'effet n'a pas participé à la constitution de la sûreté et n'a pas toujours le moyen d'en apprécier exactement la valeur financière et juridique. Plus précise et souvent plus sûre est la garantie constituée spécialement pour la garantie du paiement de la lettre de change.

Le paiement de l'effet peut être garanti par une hypothèque (Lescot et Roblot, t. I, p. 611 ; de Juglart et Ippolito, n. 283). La sûreté est transmise en même temps que l'effet, sans formalité. Il faut toutefois que l'effet soit revêtu par le notaire rédacteur de l'acte constitutif d'hypothèque d'une mention indiquant qu'il a été créé en représentation de cette créance et qu'il bénéficie de la sûreté (*D.* 14 oct. 1955, art. 60 ; Marty, Raynaud et Jestaz, *op. cit.*, n. 374). L'appel à la garantie hypothécaire est peu fréquent en pratique, à raison de son coût.

Le paiement de la lettre de change peut aussi être garanti par un gage. Des applications qui en sont faites dans la vie des affaires, la plus connue est la traite documentaire. On appelle ainsi la lettre de change assortie d'un document représentatif d'un lot de marchandises (récépissé de magasin négociable, connaissement...), complété le plus souvent par une facture et un document d'assurance négociable ou libellé pour compte de qui il appartiendra. Le porteur de la lettre de change est investi d'un gage sur la marchandise. La traite documentaire peut être liée à une clause « documents comme paiement » ou « documents contre acceptation » insérée dans un contrat de vente, le plus souvent internationale. Le vendeur ou l'escompteur, suivant le cas, se dessaisira des documents (ce qui entraîne l'extinction du gage) contre paiement ou acceptation de l'effet. La traite documentaire peut aussi se greffer sur une opération de crédit documentaire révocable ou irrévocable (V. *Rép. com.* Dalloz, 2e éd. : *V° Crédit documenaire* par J. Stoufflet ; Lescot et Roblot, t. I, n. 517).

§ 5. — Paiement de la lettre de change et extinction des obligations cambiaires

99. — La lettre de change est quérable. Il incombe au porteur de demander paiement à l'échéance. Ce n'est d'ailleurs pas seulement pour lui une faculté, mais une obligation. Il importe de savoir comment il justifiera de ses droits et comment doit s'effectuer la présentation de l'effet au paiement. La loi apporte à ces questions des solutions qui répondent aux caractéristiques particulières de la dette cambiaire et tiennent compte du fait que le paiement de la lettre de change a pour conséquence non seulement la libération du tiré mais celle des garants.

Le recouvrement de la lettre de change peut être effectué par le porteur lui-même et le paiement être accompli par le tiré, mais il n'en est plus que rarement ainsi de nos jours. A peu près toujours l'effet se trouve entre les mains d'un organisme bancaire ou financier chargé de l'encaisser et le paiement est confié à un domiciliataire. Le règlement s'opère par compensation. Sur le plan pratique c'est une appréciable simplification. Le procédé a, en particulier, l'avantage d'éviter un déplacement d'espèces ; il facilite aussi la preuve du paiement. En droit, toutefois, le mécanisme s'en trouve quelque peu compliqué puisque deux agents supplémentaires y interviennent.

L'obligation cambiaire peut s'éteindre par paiement ou par prescription, institution dont il sera traité dans le développement qui suit, mais elle n'échappe pas aux autres causes d'extinction des obligations : dation en paiement, remise de dette, confusion, compensation. La novation trouve application en cas de passation en compte courant d'une dette cambiaire (cas de contre-passation d'effet impayé quand le compte est en fonctionnement). La compensation légale s'applique dès lors que le débiteur cambiaire est créancier de celui qui lui demande paiement, mais non d'un porteur antérieur. La remise de dette consentie au tiré libère tous les débiteurs cambiaires comme le paiement du tiré. Il en est de même de la remise dont bénéficie le tireur (Roblot, n. 347). Celle accordée à un endosseur ne libère que cet endosseur, les endosseurs postérieurs et leurs avaliseurs.

A. — JUSTIFICATION DES DROITS DU PORTEUR ET CONTRÔLE PAR LE TIRÉ

100. — Le paiement de l'effet est dû au porteur, bénéficiaire ou endossataire, qui détient le titre et le présente au tiré ou au domiciliataire. La production d'une photocopie ne serait pas suffisante (Cass. com., 20 nov. 1974 : *Bull. civ.* IV, n. 295, p. 244. — Paris, 3e Ch. A, 31 mai 1983 : *D.* 1984, IR, 72, obs. Cabrillac). Pour le cas où l'effet a été émis en plusieurs exemplaires ou a donné lieu à l'établissement de copies, V. *supra*, n. 21 et s. Comment le porteur peut-il justifier de ses droits sur le titre ? La simple détention matérielle ne suffit pas à les établir, mais il n'est pas nécessaire que le porteur prouve la réalité et la validité des diverses cessions dont la lettre de change a été l'objet. Il suffit qu'il ait la qualité de *porteur légitime* ; mais cette condition est nécessaire (Cass. com., 24 nov. 1992 : *D.* 1992, somm. comm. 317). Selon l'article 137, alinéa 3, du Code de commerce, celui qui paie à l'échéance est tenu seulement de vérifier la régularité de la suite des endossements. Il n'a pas à contrôler la signature des endosseurs et encore moins leurs droits. (Sur la notion de porteur légitime, V. C. com., art. 120, et *supra*, n. 46). L'article 137 fait cependant une réserve. Le tiré (ou tout autre débiteur cambiaire) n'est pas libéré si le paiement a été accompli entre les mains d'une personne répondant à la notion de porteur légitime, mais dont la détention du titre a une source irrégulière, dès lors que le solvens a commis une fraude ou une faute lourde.

La notion de fraude est plus restrictive que celle de mauvaise foi utilisée à l'article 120 relatif aux droits du porteur d'une lettre de change perdue ou volée (*infra*, n. 113). La situation du tiré appelé à payer est différente de celle de l'endossataire. Ce dernier, s'il a des doutes, peut et doit renoncer à l'opération : sa mauvaise foi suffit dès lors à justifier son éviction. Le tiré au contraire est tenu de payer à l'échéance, il n'a pas le choix et l'on conçoit que la preuve d'une fraude, « d'une connivence » consciente et active en faveur du porteur (Roblot, n. 342 ; rappr. Hamel, Lagarde et Jauffret, n. 1450) et non d'une simple mauvaise foi soit requise pour que le paiement qu'il a accompli perde sa valeur libératoire. L'article 137 attache, toutefois, à la faute lourde les mêmes conséquences qu'à la fraude. Il y a faute lourde si le tiré néglige des indices évidents de l'absence de droit du porteur. Outre le cas de paiement au mépris d'une opposition, on peut citer l'existence d'indices de falsifications de l'effet ou la vraisemblance d'un détournement. On rappellera que la qualité de porteur légitime appartient au bénéficiaire d'un endossement de procuration qui peut exiger le paiement de la lettre de change (*supra*, n. 65).

Si le porteur n'a pas à justifier de ses droits autrement que par les énonciations du titre et des formules d'endossement ne doit-on pas imposer au tiré de s'assurer au moins de son identité, sinon de sa capacité et de ses pouvoirs ? La tâche n'est pas aussi lourde qu'on pourrait le penser car la vérification serait de toute manière sommaire et il y aurait lieu de l'écarter quand l'effet est présenté par une banque qui est censée connaître son client. Il est cependant admis en doctrine que le tiré n'a aucun contrôle à effectuer, même d'identité, et que la paiement qu'il accomplit à un porteur se présentant sous une fausse identité est libératoire, sauf s'il est établi qu'il a commis une fraude ou une faute lourde (Roblot, n. 340 et s.). N'est-ce pas aller au-delà du texte de l'article 137 qui ne fait pas référence aux droits du dernier porteur mais dispense seulement le tiré de contrôler les signatures d'endossement ? Une éviction totale du principe général de l'article 1239 du Code civil ne s'impose peut-être pas.

B. — PRÉSENTATION DE LA LETTRE DE CHANGE AU PAIEMENT

1. — CARACTÈRE OBLIGATOIRE DE LA PRÉSENTATION AU PAIEMENT

101. — La dette cambiaire est quérable, d'une part, parce que le recouvrement de l'effet ne peut être laissé à la discrétion du porteur alors que les garants sont intéressés et, d'autre part, parce que le tiré ignore habituellement l'identité du porteur à l'échéance. L'article 135, alinéa 1, du Code de commerce impose donc au porteur de présenter l'effet au paiement à échéance (Nguyen Xuan-Chanh, « Présentation au paiement de la lettre de change » : *RJ com.* 1980, 253).

L'article 109 de la loi du 25 janvier 1985 tire la conséquence, en cas de redressement judiciaire du tiré, du caractère obligatoire de la présentation au paiement. Les paiements de lettres de change ne tombent pas sous le coup des nullités prévues aux articles 107 et 108 de la loi de 1985, quand bien même ils auraient été accomplis en période suspecte (Cass. civ., 21 juill. 1896 : *D.* 1898, 1, 209). Il est généralement admis que la solution n'est pas applicable au paiement fait par un garant (Cass. civ., 18 déc. 1865 : *S.* 1865, 1, 137, note Labbé. — 15 mai 1867 : *D.* 1867, 1, 417, note Beudant). Elle est également écartée quand le paiement est fait tardivement, après protêt ou après l'échéance si l'effet est stipulé sans frais (Cass. com., 4 juill. 1963 : *Bull. civ.* III, n. 358, p. 302 ; *RTD com.* 1964, p. 162, obs. Houin. — Paris, 16 déc. 1975 : *D.* 1976, somm. 80). L'administrateur ou le représentant des créanciers peut cependant exercer une action en rapport contre le tireur de la lettre de change ou le donneur d'ordre s'il établit qu'il a eu connaissance au moment du tirage de la cessation des paiements (V. Ripert et Roblot, *Traité* préc., t. II, n. 3125 ; Nguyen Xuan-Chanh, *Paiement des effets de commerce en période suspecte* : *D.* 1970, chron. 105).

2. — *Date de la présentation au paiement*

La présentation d'une lettre de change payable à jour fixe ou à un certain délai de date ou de vue doit, selon l'article 135 du Code de commerce, être faite, soit le jour où elle est payable, soit l'un des deux jours ouvrables qui suivent (pour les lettres de change à vue V. *supra*, n. 13). En application de la disposition générale inscrite à l'article 182, alinéa 1, du Code de commerce, le délai ne comprend pas le jour qui lui sert de point de départ.

Une loi du 29 octobre 1940 a porté provisoirement à dix jours ouvrables à compter de l'échéance le délai de présentation. Cette prolongation du délai demeurera en vigueur tant qu'il n'y sera pas mis fin par décret. Il existe, par ailleurs, des dispositions permanentes instituant en certaines circonstances des prorogations du délai de présentation de la lettre de change. De leur côté, les parties ont la possibilité de différer conventionnellement l'échéance de l'effet.

Prorogation légale de l'échéance. — L'échéance est prorogée et, par conséquent, la date limite de présentation reportée de plein droit lorsqu'elle tombe un jour férié légal (art. 180) ou un jour où, aux termes des lois en vigueur, aucun paiement ne peut être exigé (art. 181). Ces textes généraux sont complétés par une série de lois particulières fixant les jours de fêtes légales et définissant les conséquences des lois limitant la durée du travail (V. Roblot, n. 322).

Lorsque se produisent des événements rendant impossible le paiement des effets de commerce (calamités naturelles, troubles politiques, grèves des banques), le gouvernement peut proroger par décret les échéances des effets de commerce. Il est possible aussi de proroger seulement les délais de recours contre les garants (*infra*, n. 120). Il existe, enfin, une prorogation générale des délais en cas de force majeure (C. com., art. 157).

Prorogation conventionnelle de l'échéance. — Il est au pouvoir des parties de modifier l'échéance de la lettre de change. Elles peuvent soit rectifier l'effet, soit en créer un autre, mais il faut dans ce dernier cas que le tireur et les autres signataires consentent à souscrire le nouveau titre. Si les intéressés procèdent par voie de rectification, l'accord du tiré et du porteur est suffisant (Sur le cas de modification unilatérale de l'échéance par le tiré, V. *supra*, n. 72. Pour un rappel de la nécessité d'un consentement du tiré : Cass. com., 29 mai 1978 : *Bull. civ.* IV, n. 153, p. 131. — 23 mars 1993 : *Bull. civ.* IV, n. 115 ; *RD bancaire et bourse* juill.-août 1993, p. 157 ; *D.* 1993, somm. comm., 318 et du tireur : Cass. com., 20 nov. 1990 : *JCP* 91, IV, 26). En l'absence de consentement du tireur et des endosseurs, le porteur risque de perdre les recours dont il est titulaire envers eux en cas de non-paiement (Cass. com., 18 janv. 1955 : *D.* 1955, J, 188, note Gore. — Paris, 16 avril 1969 : *RTD civ.* 1970, p. 169). Sur la situation, en cas de prorogation conventionnelle d'échéance, de l'avaliseur du tiré, V. Roblot, n. 320.

3. — Lieu de la présentation au paiement

102. — L'effet doit être présenté chez le tiré, même non accepteur, ou chez le domiciliataire s'il en a été désigné un (v. ci-dessous). Si l'adresse du tiré n'est pas mentionnée, la présentation doit être faite à son domicile et, s'il est commerçant, au lieu où il exerce son activité commerciale.

La présentation à une chambre de compensation équivaut à une présentation au paiement (C. com., art. 135, al. 2). Les lettres de change domiciliées dans une banque sont presque toutes recouvrées de cette manière.

4. — Sanctions des obligations du porteur quant à la présentation de la lettre de change

103. — Si le porteur ne présente pas l'effet au paiement le jour de l'échéance ou l'un des deux jours ouvrables qui suivent, ou, ce qui revient au même, s'il ne le présente pas au lieu qui a été défini, le tiré a la faculté d'en consigner le montant à la Caisse des dépôts et consignations, aux frais et risques du porteur (C. com., art. 139 ; *D.* 6 thermidor, an III). La même faculté appartient aux garants car le texte vise « tout débiteur ».

La carence du porteur peut avoir pour lui d'autres conséquences plus graves. S'il fait dresser protêt dans le délai prévu à cet effet par la loi (*infra*, n. 120) et si le tiré paie la lettre de change entre les mains de l'officier ministériel, le porteur conservera à sa charge les frais d'un acte que l'on peut tenir pour inutile. A défaut de présentation et de protêt, le porteur est à considérer comme un porteur négligent, déchu de certains de ses recours contre les garants (*infra*, n. 127 et s.).

5. — Recouvrement d'une lettre de change par un mandataire

104. — Le plus souvent, le porteur ne procède pas lui-même au recouvrement de l'effet. Il en charge un établissement bancaire ou financier par un mandat inclus dans un endossement de procuration ou dans un écrit séparé (sur les obligations du banquier, V. *supra*, n. 65). Le service des postes se charge également du recouvrement des effets de commerce (C. P et T, art. L. 117).

C. — CONDITIONS DANS LESQUELLES EST RÉALISÉ LE PAIEMENT DE LA LETTRE DE CHANGE

1. — Caractère impératif de l'échéance

105. — Impérative pour le porteur qui est strictement tenu de présenter l'effet au paiement lorsqu'elle survient, l'échéance l'est également pour le tiré.

Le tiré ne peut imposer au porteur un paiement anticipé (art. 137, al. 1). Le porteur peut cependant consentir à recevoir paiement avant l'échéance ; mais ce paiement est aux risques du tiré (art. 137, al. 2). Cette disposition joue en cas de perte ou de vol de la lettre de change. Par ailleurs, il peut être inséré dans l'effet une clause autorisant le tiré à se libérer avant l'échéance, éventuellement sous déduction d'un escompte. C'est la clause dite « faculté d'escompter à x % » (sur la déchéance du terme, V. Roblot, p. 272, n. 1).

Le tiré doit payer dès que l'effet lui est présenté. Il ne peut prétendre à une seconde présentation. Toutefois, un paiement à l'officier ministériel venu dresser protêt demeure possible. Le tiré, de même que les autres débiteurs cambiaires, ne peut obtenir du juge aucun délai de grâce (Cass. com., 13 juin 1977 : *Bull. civ.* IV, n. 166, p. 143). L'article 182, alinéa 2, du Code de commerce écarte tout délai de grâce légal ou judiciaire. Il est donc dérogé à l'article 1244-1 du Code civil qui permet au juge d'accorder sous certaines conditions aux débiteurs des délais pouvant aller jusqu'à deux ans. L'article 182 reçoit cependant deux exceptions : celle prévue à l'article 157 du Code de commerce en cas de force majeure et celle visée à l'article 147 qui autorise le garant subissant un recours anticipé à demander au juge un délai qui ne peut cependant dépasser l'échéance de l'effet (*infra*, n. 118).

Pour éviter que le porteur puisse, en s'entendant avec un tiers, s'assurer un délai, l'article 140 du Code de commerce interdit, sauf dans deux cas, l'opposition au paiement de la lettre de change (*infra*, n. 116).

La rigueur de l'échéance est marquée également par le fait que les intérêts moratoires courent de plein droit à compter de cette échéance sans nécessité d'une mise en demeure (C. com., art. 152).

2. — Modes de paiement de la lettre de change

106. — Le règlement se fait, en principe, en espèces. Toutefois d'autres moyens peuvent être utilisés et ils le sont en fait beaucoup plus souvent que la remise d'espèces. Le porteur peut consentir à recevoir en paiement un chèque ou un mandat de virement sur la Banque de France. L'opération n'emporte pas novation. La dette cambiaire subsiste jusqu'au paiement du titre remis en règlement. La loi a assoupli dans ces hypothèses les conditions d'établissement du protêt (C. com., art. 148 B). Pratiquement, le règlement s'effectue le plus souvent en chambre de compensation entre banques, du fait de la généralisation de la domiciliation bancaire et de l'appel aux banques pour le recouvrement des effets de commerce. La présentation en chambre de compensation est, on le sait, assimilée à la présentation au paiement (C. com., art. 135, al. 2).

Le règlement des chambres de compensation définit avec précision les délais accordés aux banques chargées du paiement pour rejeter les effets qu'elles ne peuvent payer parce qu'elles n'ont pas d'instructions du tiré ou parce que le compte du tiré ne permet pas de couvrir l'effet. A l'expiration du délai, la banque qui n'a pas rejeté l'effet en est débitrice vis-à-vis de la banque présentatrice (V. El. Kaliouby, *L'encaissement par la banque des chèques et effets de commerce*, thèse dactyl., Clermont, 1986). Sur le fonctionnement des chambres de compensation V. Gavalda et Stoufflet, *Droit du crédit*, t. I, n. 408. — X. Thunes, *Responsabilité du banquier et automatisation des paiements*, Presses Universitaires de Namur, 1996.

Il a été jugé à tort (Paris, 15e Ch. A., 15 oct. 1986 : *D.* 1987, somm. 69, obs. Cabrillac) que la dette cambiaire ne peut s'éteindre par compensation entre le débiteur cambiaire et le porteur. Le tiré accepteur d'une lettre de change ne peut opposer à un tiers porteur l'exception de compensation qu'il aurait pu invoquer à l'égard du tireur ou d'un porteur antérieur ; mais entre débiteur cambiaire et porteur à l'échéance, la compensation joue selon un droit commun.

3. — Monnaie de paiement et conversion des monnaies

107. — L'article 138 règle les problèmes suscités par l'utilisation d'une monnaie étrangère pour la détermination du montant de la lettre de change. Si le tireur a stipulé que le paiement devra être fait dans une certaine monnaie, il doit être accompli effectivement dans cette monnaie. A défaut d'une stipulation de paiement effectif en monnaie étrangère, le tiré a la faculté de payer en monnaie locale selon le cours au jour de l'échéance (Paris, 27 mai 1983, IR, 72, obs. Cabrillac). S'il est en retard, le porteur peut, à son choix, demander que la conversion soit faite au cours du jour de l'échéance ou au cours du jour du paiement. La valeur d'une monnaie étrangère est déterminée selon les usages locaux, à moins qu'un cours soit fixé dans la lettre.

Il semble que les lois monétaires en vigueur au lieu de paiement puissent mettre en échec les dispositions de la loi cambiaire. Spécialement, il est douteux que le porteur puisse exiger la remise de monnaie étrangère, même quand l'article 138 le lui permet, si la réglementation locale des changes y fait obstacle pour l'opération considérée.

L'article 138, alinéa final, contient une règle d'interprétation utile. Si la monnaie ayant cours au lieu d'émission et celle ayant cours au lieu de paiement ont la même dénomination, les parties sont censées s'être référées à la seconde.

4. — Paiement partiel

108. — Dérogeant au droit commun des obligations (C. civ., art. 1244, al. 1), l'article 136, alinéa 2 du Code de commerce dispose que le porteur ne peut refuser un paiement partiel. C'est que ce paiement libère d'autant les garants. Il est fait exception à la règle en cas de recouvrement par le service des postes qui écarte les paiements partiels (C. P et T, art. L. 120). S'il refuse un paiement partiel, le porteur est privé pour la somme offerte de son recours contre les garants (Roblot, n. 338). L'article 136 étant consacré au paiement par le tiré, d'excellents auteurs considèrent que l'obligation de recevoir un paiement partiel ne vaut que pour le paiement offert par le tiré et non pour celui fait par les garants (Lescot et Roblot, t. II, n. 612). Cette position est sévère pour les signataires de l'effet.

5. — Paiement des lettres de change domiciliées chez un tiers

109. — Les conditions dans lequelles une lettre de change peut être rendue payable chez un tiers par une clause de domiciliation ont déjà été exposées (*supra*, n. 23). Cette clause, il faut le souligner, est impérative pour le porteur qui serait considéré comme porteur négligent s'il présentait l'effet chez le tiré lui-même (Cass. com., 29 juin 1965 : *D.* 1965, J, 823 ; revue *Banque* 1966, p. 131 ; *RTD com.* 1966, p. 90 ; V. pour un cas de renonciation (douteuse) à la domiciliation : Amiens, 6 mars 1975 : *JCP* 76, IV, 64). C'est chez le domiciliataire également que doit, en cas de besoin, être dressé le protêt.

Le domiciliataire a donc un rôle important. Pour autant il n'est pas partie à l'opération cambiaire. Il n'est que mandataire du tiré. S'il assume une obligation de payer, c'est seulement envers le tiré et sur le fondement de ce mandat. Cette obligation n'est d'ailleurs effective que si le domiciliataire a en main des fonds suffisants ou s'il s'est engagé à faire crédit au tiré. Le domiciliataire est, en fait, toujours un établissement bancaire ou financier et sa prestation est rémunérée par une commission. Sa responsabilité envers son mandant est celle du mandataire professionnel prévue à l'article 1992, alinéa 2 du Code civil. Elle peut être aussi engagée envers le porteur de l'effet sur le fondement des articles 1382 et 1383 du Code civil (Cass. com., 19 déc. 1995 : *Bull. civ.* IV, n. 283. — Aix, 20 janv. 1982 : *RJ com.* 1984, 22, note Delebecque : *RTD com.* 1984, p. 304, obs. Cabrillac et Teyssié, déclarant fautif le banquier qui refuse, faute de fonds, le paiement d'un effet domicilié, alors qu'il paie d'autres effets présentés en même temps).

Le domiciliataire n'est pas tenu seulement de réaliser matériellement le paiement à présentation de l'effet. Il doit aussi procéder aux vérifications préalables qui s'imposent en la circonstance : contrôle de la régularité apparente du titre et de la qualité de porteur légitime du présentateur. Il doit aussi vérifier la signature d'acceptation quand il a reçu un avis permanent de paiement des effets acceptés, mais il ne répond que des défauts d'authenticité de signature qui étaient pratiquement décelables (Poitiers, 14 juin 1989 : *RD bancaire et bourse* 1990, p. 237, obs. Crédot et Gérard). Comme tout mandat, celui donné au domiciliataire est révocable unilatéralement par le tiré. Cette révocation ne saurait être assimilée à une opposition au paiement prohibée en principe par l'article 140 du Code de commerce. Bien entendu, en révoquant le mandat, le tiré s'expose à subir les conséquences du non-paiement de l'effet, mais le domiciliataire n'a pas à se faire juge de sa décision (V. Revel, « Le contrat de domiciliation des effets de commerce » : *JCP* 76, éd. CI, 1976, 12282).

Une hésitation s'est manifestée dans la pratique quant à la forme que doit emprunter le mandat de payer. Celui-ci résulte-t-il nécessairement de la clause de domiciliation ou faut-il un mandat spécial, c'est-à-dire pratiquement l'envoi par le tiré au domiciliataire d'un avis de paiement ? Les tribunaux dans leur majorité exigent un avis spécial, même quand l'effet a été accepté par le tiré [Trib. com. Montpellier, 6 juill. 1950 : revue *Banque* 1952, 233. — Trib. com. Seine, 4 mai 1960 : revue *Banque* 1961, 754. — Paris, 7 avril 1973 : *JCP* 73, II,

17555, 2e espèce, note Gavalda (effet non accepté). — Rappr. Paris, 7 avril 1973 ; revue *Banque* 1973, 1162. — Aix, 25 mars 1977, *Bull. arrêts*, Aix, 1977, I, n. 24 ; *D.* 1978, IR 340 ; *RTD com.* 1978, p. 134. — Trib. com. Paris, 17 janv. 1980 : revue *Banque* 1980, p. 778, obs. Martin : *RJ com.* 1980, 362, note Nguyen Xuan-Chanh. — *Contra* Paris, 28 oct. 1967 : revue *Banque* 1968, p. 60 ; Metz, 15 déc. 1975, inédit)]. La solution s'impose, en effet, car la clause de domiciliation, même si elle correspond à des instructions du tiré, n'implique pas que ce dernier consente à payer. Le tiré peut avoir des exceptions à faire valoir (compensation...) dont le domiciliataire ignore l'existence. Rien n'interdit, toutefois, au tiré de donner un ordre permanent de paiement de telle ou telle catégorie d'effets ou même un mandat général exprès (Lyon, 19 fév. 1974 : *RTD com.* 1974, p. 129. Une procédure normalisée d'ordre permanent a été mise au point par le CFONB le 25 octobre 1989. V. revue *Banque* 1990, p. 207). En dehors de ce cas, le paiement fait sans avis est inopposable au tiré. Il a toutefois été jugé que le domiciliataire ne peut demander au porteur la restitution de la somme qu'il lui a versée quand le porteur a reçu ce qui lui était dû (Cass. com., 23 avril 1976 : *D.* 1977, J, 562, note Vermelle ; revue *Banque* 1976, p. 1276 ; *RTD com.* 1976, p. 755. — Paris, 20 juin 1965 : *RTD com.* 1985, obs. Cabrillac et Teyssié : rappr. pour un cas de paiement d'un effet portant une fausse signature d'acceptation : Cass. com., 22 nov. 1977 : *JCP* 78, II, 18997, note Gégout : revue *Banque* 1978, 776, obs. Martin ; *RTD com.* 1978, p. 134). On devrait reconnaître au domiciliataire contre le tiré une action d'enrichissement sans cause ou de gestion d'affaires.

En application du principe qui vient d'être énoncé, le porteur ne peut reprocher au domiciliataire de ne pas avoir payé, faute d'avis, alors même que le compte du tiré était créditeur (Cass. com., 8 juin 1982 : revue *Banque* 1983, p. 99, obs. Martin ; *RTD com.* 1983, p. 93, obs. Cabrillac et Teyssié. — Paris, 1re ch., 8 mars 1990 : *RD bancaire et bourse*, 1990, 237, obs. Crédot et Gérard).

Le banquier domiciliataire est tenu d'un devoir de conseil en faveur de son client quand il agit comme intermédiaire agréé pour le paiement d'effets en monnaie étrangère (Cass. com., 9 avril 1973 : *JCP* 73, II, 17555, 1re espèce, note Gavalda).

En pratique, les règlements d'effets entre banques se font en chambre de compensation (V. *supra*, n. 106). A l'expiration du délai fixé dans le règlement de la chambre de compensation, le banquier domiciliataire ne peut plus le rejeter. Sur les recours dont il dispose dans ce cas, V. A.-M. Romani, « Les recours accessibles au banquier tiré ou domiciliataire au cas de non-respect du règlement des chambres de compensation » : *D.* 1993, chron. 223.

Le Comité français d'organisation et de normalisation bancaires (CFONB) a décidé le 20 octobre 1992 qu'à compter du 3 mars 1994 les échanges d'effets de commerce entre banques se feraient en forme dématérialisée. Les échanges des titres papier sont supprimés. Cet aménagement ne modifie en rien le régime juridique des effets.

6. — Preuve du paiement de la lettre de change

110. — L'article 136, alinéa 1, du Code de commerce permet au tiré d'exiger du porteur que la lettre lui soit remise acquittée (pour le cas de paiement par un garant, V. C. com., art. 154, et *infra*, n. 124). Des deux éléments visés par le texte, c'est la remise du titre qui revêt la plus grande importance. La mention d'acquit ne fait pas preuve du paiement si le titre n'a pas été remis au tiré car souvent elle est apposée à l'avance (en ce sens pour un chèque : *infra*, n. 226). Il en est de même de la mention « compensé » apposée sur un effet destiné à être réglé en chambre de compensation.

La remise de la lettre de change au tiré peut, en revanche, être considérée comme établissant le paiement même de l'absence de mention d'acquit. Il y a lieu de faire application de l'article 1282 du Code civil aux termes duquel la remise volontaire au débiteur du titre original sous signature privée fait preuve de sa libération (Cass. com., 30 juin 1980 : *Bull. civ.* IV, n. 280, p. 226 ; V. toutefois les réserves formulées par M. Cabrillac en raison de l'usage d'envoyer l'effet à l'acceptation par correspondance : *Jur. Lettre de change*, n. 50. Ne peut-on répliquer qu'il n'y a pas alors remise volontaire, en tout cas volonté de se dessaisir définitivement ?). La Cour de cassation avait jugé dans un arrêt ancien que le porteur peut faire la preuve que le paiement n'a pas été accompli et renverser ainsi la présomption posée par l'article 1282 (Req., 18 août 1852 : *D.* 1853, 1, 111). Des décisions plus récentes des juridictions du fond ont reconnu à cette présomption un caractère irréfragable (Paris, 30 déc. 1924 : *Gaz. Pal.* 1925, 1, 494. — Trib. com. Lyon, 24 fév. 1956. — Revue *Banque* 1956, p. 648, obs. Marin. — *RTD com.* 1956, 703, obs. Becqué et Cabrillac ; V. Cabrillac, *Jur. Lettre de change*, p. 173). La présomption de l'article 1282 est considérée comme telle en droit civil et l'on voit mal pourquoi elle aurait un caractère différent en matière commerciale ou dans son application aux effets de commerce (Marty et Raynaud, *op. cit.*, t. II, n. 852). Cette analyse a été approuvée par la Cour de cassation qui, abandonnant sa position ancienne, a jugé que la présomption établie par l'article 1282 est péremptoire aussi bien en matière commerciale qu'en matière civile (Cass. com., 30 juin 1980 : *D.* 1982, J, 53, note Parleani. — V. toutefois Cass. com., 22 juin 1983 : *Gaz. Pal.* 1983, Pan. jur. 27 ; *RTD com.* 1984, p. 305, obs. Cabrillac et Teyssié). Le porteur peut, en revanche, prouver qu'il n'y a pas eu remise volontaire du titre (Cass. com., 3 déc. 1985 : *Bull. civ.* IV, n. 285, p. 243).

En cas de paiement partiel, le tiré ne saurait prétendre à la remise du titre. L'article 136, alinéa 3, lui permet d'exiger la mention sur l'effet du paiement partiel et la remise d'une quittance.

Bien qu'il puisse paraître très rigide, le régine de preuve du paiement de la lettre de change tel que défini par l'article 136 du Code de commerce et l'article 1282 du Code civil, laisse aux parties une grande marge de liberté. Le tiré peut renoncer à exiger la remise de l'effet puisque l'article 136 lui ouvre seulement la *faculté* de subordonner le paiement à cette remise. La banque chargée du recouvrement peut également y renoncer dans une convention avec le domiciliataire, à la condition de solliciter l'accord de son client. La preuve du paiement se fera alors par les écritures des comptes bancaires. Une telle renonciation a permis la mise en place d'une procédure de traitement informatisée des lettres de change, sans circulation matérielle des effets (*supra*, n. 109).

D.— Paiement par intervention

111. — Tout comme l'acceptation par intervention, le paiement par intervention est accompli par un tiers ou même par une personne obligée au paiement de la lettre de change ou par le tiré non accepteur en vue d'éviter à un garant un recours du porteur (V. C. com., art. 166, et *supra*, n. 79). Sur le cas de pluralité d'offres d'intervention (V. C. com., art. 172, al. 3).

Le paiement par intervention peut être fait à l'échéance si le tiré ne paie pas, ou même avant l'échéance lorsqu'un recours est ouvert au porteur (*infra*, n. 118). Il doit être accompli au plus tard le lendemain du jour admis pour la confection du protêt faute de paiement (C. com., art. 168). Il doit comprendre toute la somme qu'aurait à acquitter celui pour lequel il a lieu (art. 168, al. 2). Un paiement partiel ne peut donc être imposé au porteur par le payeur par intervention contrairement à ce qu'admet l'article 136 pour le tiré ; mais il n'est pas interdit au porteur d'accepter un paiement partiel.

Sous cette réserve, le porteur est tenu de recevoir paiement de l'intervenant, mais sa situation est différente selon le cas. Si la lettre de change a été acceptée par un intervenant ayant son domicile au lieu de paiement ou si un recommandataire ayant son domicile au même lieu a été désigné, le porteur doit lui présenter l'effet et s'il ne paie pas, faire dresser protêt au plus tard le lendemain du dernier jour admis pour la confection du protêt (C. com., art. 169). A défaut, le porteur perd son recours contre le bénéficiaire de l'intervention et les endosseurs postérieurs.

Dans les autres cas, le refus entraîne seulement la perte du recours contre ceux qui auraient été libérés, c'est-à-dire les endosseurs postérieurs à celui pour qui le paiement aurait été fait. Ce dernier demeure tenu (art. 170).

La preuve du paiement par intervention est faite au moyen d'un acquit sur la lettre de change, laquelle doit être remise au payeur par intervention (art. 171). La solution serait conforme au régime général de preuve du paiement des lettres de change si le texte n'exigeait en outre l'indication du débiteur cambiaire pour qui le paiement est fait. A défaut, le paiement est considéré comme fait pour le tireur. Cette présomption doit être tenue pour irréfragable (Roblot, n. 353 ; rappr. pour l'aval *supra*, n. 93). Le payeur par intervention doit, dans les deux jours ouvrables du paiement, donner avis à celui pour qui il est intervenu (art. 166, al. 4). S'il manque à ce devoir, sa responsabilité peut être engagée envers le bénéficiaire de l'intervention, l'indemnité étant toutefois limitée au montant de la lettre.

Les effets du paiement par intervention sont définis à l'article 172 du Code du commerce. Le payeur acquiert les droits résultant de la lettre de change contre celui pour lequel il a payé et contre ceux qui sont tenus vis-à-vis de ce dernier en vertu de la lettre de change. Il ne peut, toutefois, endosser la lettre de change à nouveau. Les endosseurs postérieurs au signataire pour qui le paiement a eu lieu sont libérés.

E. — Paiement en cas de dépossession involontaire du porteur

112. — La dépossession du porteur par la perte ou le vol n'entraîne pas extinction de sa créance. Si essentiel que soit le titre cambiaire, la créance conserve une existence juridique propre et si elle est prouvée, le porteur dépossédé peut en obtenir le paiement bien que n'étant plus en mesure de produire le titre. La loi lui ouvre même la possibilité de se faire délivrer un duplicata. Toutefois, il est impossible de négliger les intérêts du porteur actuel. La sécurité des transactions sur les effets de commerce serait compromise si ce porteur n'était pas préféré au cas où il est de bonne foi et n'a pas commis de faute caractérisée. Même si l'existence d'un porteur actuel n'est qu'éventuelle, il est indispensable de prendre des précautions pour la préservation de ses intérêts s'il se présente avant la prescription de ses droits cambiaires.

1. — Détermination de l'ayant droit au paiement de l'effet perdu ou volé

a) Règlement du conflit entre porteur dépossédé et porteur actuel

113. — Pour avoir une chance de faire prévaloir ses droits dans l'hypothèse où un porteur se présenterait, la personne dépossédée doit faire *opposition au paiement*. La dépossession involontaire est l'un des cas où, exceptionnellement, l'opposition est permise par l'article 140 du Code de commerce (*infra*, n. 116). Le texte ne mentionne que la « perte » mais il doit être étendu à tous les cas de dépossession involontaire. Faute d'opposition, le paiement fait par le tiré entre les mains du porteur actuel est libératoire si ce porteur se présente comme un porteur légitime (C. com., art. 120, et *supra*, n. 100), s'il a acquis l'effet de bonne foi et n'a pas commis, lors de l'acquisition, de faute lourde.

L'opposition prévue à l'article 140 n'est soumise à aucunes formes particulières. Celles de la saisie-arrêt ne sont pas imposées. Il suffit que le porteur dépossédé se réserve la preuve de sa diligence.

L'opposition n'a que des effets conservatoires. Le tiré, sans avoir à se faire juge du bien-fondé de l'opposition, doit s'abstenir de payer et s'il payait néanmoins, il ne serait pas libéré au regard de l'opposant, à supposer que ses droits soient reconnus. Il appartient à l'opposant d'établir que le paiement a été accompli après l'opposition.

Dans ses rapports avec le porteur actuel réclamant de son côté le paiement, l'opposant ne parviendra pas toujours à faire prévaloir ses intérêts. Le porteur actuel est préféré s'il satisfait aux conditions que formule l'article 120, alinéa 2, du Code de commerce (V. Com., 21 déc. 1959 : *D.* 1960, J, 262).

Il doit tout d'abord avoir la qualité de *porteur légitime* au sens de l'article 120, alinéa 1 (*supra*, n. 46). Seuls les procédés de transmission de la lettre de change grâce auxquels s'acquiert la qualité de porteur légitime, rendent applicable la protection légale.

Il est nécessaire, en second lieu, que le porteur actuel n'ait *pas acquis la lettre de change de mauvaise foi*. Comment définir ici la mauvaise foi ? Le voleur ou l'inventeur est évidemment de mauvaise foi. L'appréciation est plus difficile pour celui à qui l'effet a été endossé par le voleur ou l'inventeur ou par un porteur subséquent. Faut-il exiger une collusion frauduleuse de sa part avec le voleur ou l'inventeur ? Ou la simple connaissance de l'origine de l'effet est-elle suffisante ? C'est cette dernière interprétation qui s'impose car la seule connaissance de l'absence de droit de celui dont il tient l'effet le rend indigne de la protection accordée par la loi au porteur qui s'est fié à l'apparence du titre (note Roblot sous Trib. com. Seine, 26 janv. 1956 : *JCP* 56, II, 9502. — Rappr. Cass. com., 13 mars 1957 : *Gaz. Pal.* 1957, 2, 93 ; *RTD com.* 1957, p. 980, obs. Becqué et Cabrillac énonçant que le porteur ne peut être de bonne foi si dans la chaîne des endossements s'insère un endossement de procuration). La mauvaise foi au sens de l'article 120 se trouve ainsi définie d'une manière nettement plus large que pour l'application de l'article 121 (*supra*, n. 55 et s.). Outre la différence de rédaction des deux textes, une raison pratique explique la dualité des définitions. Alors que l'existence de l'exception n'est pas toujours génératrice d'un préjudice pour le débiteur cambiaire, préjudice dont la conscience caractérise la mauvaise foi au sens de l'article 121, en revanche, comme on l'a dit, la connaissance de l'absence de droit du précédent porteur suffit à révéler à l'endossataire le dommage éprouvé par la victime de la dépossession.

Il y a toutefois deux solutions communes aux deux textes. La bonne foi est présumée et la mauvaise foi du porteur s'apprécie à la date de l'acquisition par lui de la lettre de change.

La bonne foi devrait s'apprécier exclusivement en la personne du porteur actuel qui ne saurait échapper aux conséquences de sa mauvaise foi parce qu'un porteur intermédiaire a ignoré l'origine de l'effet (V. toutefois le point de vue contraire formulé par le comité de rédaction de la Conférence de Genève, rapporté par Lescot et Roblot, t. II, n. 745).

Le porteur actuel ne l'emporte enfin sur le porteur dépossédé que si, en acquérant la lettre de change, *il n'a pas commis de faute lourde*, c'est-à-dire s'il n'a pas négligé une circonstance révélant à l'évidence le vol, le détournement... La falsification apparente d'une signature d'endossement est une circonstance de ce genre (anomalie matérielle) ou l'absence évidente de relation entre un endosseur et un endossataire (anomalie intellectuelle). Les tribunaux semblent faire preuve, toutefois, d'une assez grande circonspection. Ainsi l'endossement par un non-commerçant d'un effet de montant élevé n'a pas été considéré comme anormal (Trib. com. Seine, 26 janv. 1956 : *JCP* 56, II, 9502, note Lescot). Le point de vue prévaut, cependant, en doctrine que le comportement du porteur devrait être apprécié plus strictement que celui du tiré qui paie la lettre de change (C. com., art. 137, et *supra*, n. 100) parce que le premier dispose du temps nécessaire à un minimum de vérification, ce qui est interdit au second, tenu de payer l'effet dès sa présentation (Roblot, n. 455).

On s'accorde à reconnaître que l'article 120, alinéa 2, s'applique non seulement en cas de perte ou de vol, mais en cas de détournement par un dépositaire ou un mandataire. Le texte ne vise-t-il pas d'ailleurs le porteur d'une lettre de change dont une personne « a été dépossédée par quelque événement que ce soit » ? Il est, en revanche, difficile de faire bénéficier des dispositions du texte le porteur d'une traite qui a été endossée par un incapable. L'incapable peut revendiquer l'effet contre tout porteur, même de bonne foi (en ce sens Roblot, n. 456 ; comp. pour l'application du principe d'inopposabilité des exceptions *supra*, n. 53).

b) Paiement du porteur dépossédé quand le porteur actuel ne se présente pas

114. — Quand aucun porteur ne se présente à l'échéance, rien ne s'oppose, en principe, à ce que le porteur dépossédé obtienne paiement. Il est, toutefois, nécessaire qu'il établisse ses droits et fournisse des garanties pour le cas où un porteur se manifesterait ultérieurement.

En application de l'article 143 du Code de commerce, le porteur dépossédé d'une lettre de change acceptée ou non peut en obtenir le paiement s'il y est autorisé en justice. Il lui faut justifier de sa propriété « par ses livres » et fournir caution. Ces conditions ne s'appliquent, toutefois, qu'au recouvrement de la lettre de change. Elles ne jouent pas si le porteur dépossédé fait valoir la créance née du rapport fondamental (Cass. com., 13 mars 1957 : *Bull. civ.* III, n. 100, p. 85 ; *RTD com.* 1957, p. 980, obs. Becqué et Cabrillac).

Ainsi l'intervention du juge est-elle nécessaire. L'article 143 vise « l'ordonnance du juge », expression comprise comme donnant compétence au président du tribunal de commerce (en faveur d'une compétence concurrente du tribunal de commerce : Cass. com., 17 avril 1969 : *Bull. civ.* IV, n. 119, p. 119 ; *RTD civ.* 1970, p. 212, obs. Hébraud qui fait des réserves sur la solution). Pour être autorisé à recevoir paiement de l'effet, le demandeur doit faire la preuve qu'il était porteur d'une lettre de change et qu'il en a été dépossédé contre sa volonté. Cette preuve est aisément faite au moyen de ses livres de commerce par le porteur qui a la qualité de commerçant. C'est le procédé que vise l'article 143. Il est, toutefois, admis que le porteur non-commerçant peut utiliser en preuve un écrit émanant du débiteur cambiaire (Cass. civ., 24 juin 1863 : *D.* 1863, I, 404). L'aveu qui, d'une manière générale, est considéré comme l'équivalent d'un écrit, est également admissible (Cass. com., 17 avril 1969, préc.) et il en est de même du serment.

Le porteur dépossédé est tenu de fournir une caution qui garantit le remboursement du montant de l'effet si un porteur remplissant les conditions de l'article 120 apparaît ultérieurement. Le paiement reçu par le porteur dépossédé n'entraîne pas l'extinction des droits d'un éventuel porteur actuel. La caution est libérée au bout de trois ans si, pendant ce temps, il n'y a eu ni demande ni poursuite en justice (C. com., art. 146).

Il a été admis qu'une banque chargée du recouvrement d'une lettre de change peut, en cas de perte, utiliser la procédure de l'article 143 (Cass. com., 8 juin 1993 : *D.* 1993, somm. comm. 318).

2. — Conditions d'obtention d'un duplicata par le porteur dépossédé

115. — Au lieu d'attendre l'échéance, le porteur dépossédé peut souhaiter se procurer un nouveau titre qu'il sera à même de négocier et dont il se servira, bien entendu, pour recouvrer sa créance.

Pour se procurer un nouvel exemplaire le porteur dépossédé s'adresse à son endosseur immédiat qui doit agir contre son propre endosseur et ainsi de suite en remontant jusqu'au tireur (sur la distinction entre nouvelle lettre de change et copie V. Paris, 25e ch. B, 13 juill. 1990 : *D.* 1990, IR, 228). Les frais sont supportés par le porteur dépossédé (C. com., art. 145). Si la lettre de change égarée était acceptée, le porteur dépossédé doit obtenir une autorisation judiciaire et fournir caution pour obtenir paiement sur le duplicata (art. 142). Ces conditions ne s'imposent pas si le titre perdu ou volé n'était pas accepté (rapp. art. 141). Sur les droits du porteur d'un duplicata envers le tireur V. Cass. com., 11 juill. 1984 : *D.* 1985, IR, 32.

F. — Opposition au paiement ; saisie et mise sous séquestre de la lettre de change

116. — L'article 140 du Code de commerce interdit l'opposition au paiement d'une lettre de change. Cette prohibition, traditionnelle en droit cambiaire, marque la force et la rigueur des obligations cambiaires qui ne peuvent être paralysées, serait-ce pour un temps, par une opposition. L'article 140 élimine une entrave à la circulation des lettres de change et prévient une fraude possible du débiteur qui ferait pratiquer par un complice une opposition afin de s'assurer un délai de grâce que la loi lui refuse (Lescot et Roblot, t. II, n. 601). Il évite également que soit mis, même provisoirement, en échec par une saisie le principe d'inopposabilité des exceptions (Roblot, n. 332).

Le sens de l'article 140 doit être bien compris. Il n'est pas simplement l'application des principes régissant la transmission des effets de commerce qui privent d'effet une saisie pratiquée par un créancier d'un endosseur après l'endossement. C'est d'une manière générale que la saisie est exclue. Même avec l'autorisation du juge, les créanciers du tireur ou d'un endosseur ne peuvent pratiquer une saisie entre les mains du tiré (Req., 20 mai 1885 : *D.* 1886, I, 82. — Trib. com. Seine, 12 déc. 1952 : *Gaz. Pal.* 1953, 1, 97). L'article 140 déroge à l'article 1242 du Code civil. Ce texte est applicable à l'action de nature cambiaire exercée par l'avaliseur ou contre lui (Cass. com., 19 avril 1985 : *JCP* 85, IV, 227 ; *Bull. civ.*, IV, n. 119, p. 102). Est également exclue l'opposition par laquelle un débiteur cambiaire essaierait d'échapper à son engagement en invoquant par exemple l'absence de cause. On admet qu'est prohibée non seulement la saisie de la créance cambiaire, mais celle de la créance de provision (*supra*, n. 89).

L'article 140 autorise exceptionnellement l'opposition, en cas de perte de la lettre de change, hypothèse à laquelle il faut assimiler toute dépossession involontaire du porteur (*supra*, n. 113), et de redressement judiciaire du porteur : l'administrateur judiciaire chargé de la gestion de l'entreprise, le liquidateur judiciaire peut faire opposition entre les mains du tiré pour que le paiement soit accompli entre ses mains. Il est généralement admis que l'opposition est également possible si le porteur est atteint d'incapacité (Roblot, n. 334) ; mais il faut une incapacité légalement consacrée et non un simple affaiblissement de fait des facultés mentales (rappr. en matière de chèque Cass. com., 21 déc. 1972 : *D.* 1973, J, 265, note Vasseur ; revue *Banque* 1973, p. 834).

Pour tourner la prohibition de principe de l'opposition, il arrive assez fréquemment qu'un signataire de la lettre de change essaie d'obtenir du juge des référés une mesure de séquestre dans l'attente d'une décision se prononçant sur les droits du porteur. Une telle mesure, que prévoit l'article 1961-2° du Code civil quand la propriété ou la possession d'une chose est litigieuse entre deux personnes, n'est pas exclue par principe. Elle ne saurait, toutefois, être utilisée pour paralyser les droits cambiaires d'un détenteur de l'effet ayant la qualité de porteur légitime au sens de l'article 120, même s'il est allégué que le porteur est de mauvaise foi (Cass. com., 23 janv. 1963 : *Bull. civ.*, III, n. 59, p. 47. — 22 janv. 1969 : revue *Banque* 1971, p. 305 ; *RTD com.* 1969, p. 776. — Reims, 23 déc. 1976 : *JCP* 77, IV, 242). La Cour de cassation a jugé qu'un séquestre ne pouvait être ordonné pour prévenir la protestation d'une traite stipulée « sans frais » (Cass. com., 20 juin 1977). Il n'est possible que s'il y a *contestation sur la qualité de porteur légitime* du détenteur de l'effet (Cass. com., 9 déc. 1974 : *Bull. civ.* IV, n. 321, p. 265).

L'interdiction de l'opposition lèse gravement les créanciers du porteur d'une lettre de change. On peut se demander si l'article 140 ne devrait pas être appliqué d'une manière nuancée pour que soit limitée l'atteinte au principe énoncé à l'article 2092 du Code civil. La saisie pratiquée entre les mains du tiré par les créanciers du porteur à l'échéance n'entrave pas la circulation des lettres de change.

G. — DÉFAUT DE PAIEMENT DE LA LETTRE DE CHANGE ; RECOURS CAMBIAIRES

117. — Si le porteur n'a pu obtenir à l'échéance paiement du tiré dès la présentation de l'effet, il va pouvoir mettre à profit toutes les ressources que lui offre la technique cambiaire contre le tiré lui-même s'il a accepté et contre les autres signataires de l'effet que l'on appelle garants, tenus solidairement (*supra*, n. 90). L'action contre les garants s'ouvre par anticipation si avant l'échéance il est certain que le tiré n'acquittera pas la lettre de change. Le porteur peut, toutefois, être privé de ses recours s'il ne se conforme pas aux obligations qui lui incombent à l'échéance (porteur négligent) : présentation de l'effet et constatation du non-paiement par un protêt.

L'action contre le tiré est une action cambiaire lorsque le porteur se prévaut de l'acceptation donnée par ce tiré. Elle ne se distingue pas, du point de vue procédural, de l'action contre les garants : en pratique, l'accepteur sera cité solidairement avec les autres signataires ; mais les causes d'extinction des actions contre les garants ne s'appliquent pas à celle contre l'accepteur (défaut d'incidence de la négligence du porteur). Contre le tiré, même non accepteur, le porteur a aussi l'action de provision dont le régime procédural et les caractères de fond dépendent du rapport fondamental (Cass. com., 29 juin 1965 : *RTD com.* 1966, p. 88, obs. Becqué et Cabrillac. — Douai, 17 janv. 1962 : *RTD com.* 1963, p. 129). Sur les rapports entre les deux actions en ce qui concerne l'autorité de la chose jugée V. Cass. com., 16 déc. 1964 : *RTD com.* 1965, p. 936 ; Cabrillac, *Jur. Lettre de change*, p. 201. — 12 juill. 1977 : *Bull. civ.* IV, n. 205, p. 175.

1. — Conditions d'exercice des recours cambiaires

a) Cas d'ouverture des recours cambiaires

118. — Les recours cambiaires s'ouvrent normalement à l'échéance si le tiré ne paie pas à première présentation, carence constatée par un protêt si l'effet n'a pas été stipulé sans frais (*infra*, b). **Aucun délai de grâce ne peut, on le sait, être obtenu ni par le tiré, ni par les garants** (*supra*, n. 105).

L'article 147 du Code de commerce permet cependant dans certaines hypothèses au porteur l'*exercice anticipé* des recours, sans lui faire l'obligation d'agir avant l'échéance.

Les recours s'ouvrent par anticipation en cas de refus d'acceptation par le tiré. Il en est de même si l'acceptation est conditionnelle ou si elle est partielle. Dans ce dernier cas, le recours n'est ouvert que pour la partie non acceptée de l'effet (*supra*, n. 72). L'impossibilité de recueillir l'acceptation est généralement assimilée au refus d'acceptation (Lescot et Roblot, t. II, n. 640). Le recours est ouvert également en cas d'insolvabilité du tiré, accepteur ou non, établie par l'une des circonstances suivantes prévues limitativement par l'article 147 : redressement judiciaire, cessation des paiements, même non constatée par un jugement, saisie de ses biens demeurée infructueuse.

Un dernier cas d'ouverture anticipé est constitué par le redressement judiciaire du *tireur* d'une lettre de change stipulée non acceptable. C'est alors, en effet, de la solvabilité du tireur que dépend principalement le paiement. Sauf dans le cas de refus d'acceptation, les garants exposés à un recours anticipé, peuvent obtenir un délai de grâce (C. com., art. 147).

Le banquier chargé du recouvrement de l'effet ainsi que le banquier escompteur sont tenus d'informer leur client du rejet de cet effet par le tiré ou le domiciliataire et sur les diligences qu'ils accomplissent en vue d'une deuxième présentation. A défaut leur responsabilité civile est engagée (Cass. com., 13 mars 1990 : *Bull. civ.* IV, n. 82, p. 55 ; revue *Banque* 1990, p. 987, obs. Rives-Lange ; *JCP* 90, IV, 183).

b) Constatation du non-paiement. Protêt

119. — Pour être admis à exercer les recours cambiaires, le porteur doit, en principe, faire constater par un acte spécial, dénommé protêt, le non-paiement de la lettre de change et, éventuellement, le défaut d'acceptation.

L'utilité du protêt est multiple. D'abord il prouve d'une manière indiscutable, puisque l'acte est dressé par un officier public, que le porteur a présenté l'effet à bonne date ainsi qu'il y est tenu à l'égard des garants. Ensuite, son établissement offre au tiré, solennellement averti, une dernière chance de se libérer. Il est, enfin, un moyen de pression d'autant plus efficace qu'il est soumis à publicité. On ajoutera que souvent l'existence de protêts est considérée par les tribunaux comme un élément caractéristique de la cessation des paiements.

Cas où il y a lieu à établissement d'un protêt

Le protêt est, en principe, *obligatoire* si le porteur ne peut obtenir l'acceptation ou le paiement de la lettre de change. La portée de l'obligation n'est, toutefois, pas identique dans les deux cas. A défaut d'acceptation, le porteur qui n'a pas fait dresser protêt conserve la possibilité de présenter l'effet au paiement et de faire alors, le cas échéant, dresser protêt faute de paiement (Trib. com. Lyon, 14 oct. 1971 : *RJ com.* 1971, 286, note Suffert). Le porteur qui n'a pas pris soin de provoquer l'établissement d'un protêt faute de paiement est, en principe, considéré comme un *porteur négligent*, privé de ses recours.

Il existe, au surplus, des *dérogations* à l'obligation du protêt. Cet acte est inutile au cas de redressement judiciaire du tiré, ou du tireur d'une lettre de change non acceptable (art. 148 A, al. 6). Il reste obligatoire au cas de cessation des paiements et de saisie infructueuse des biens du tiré (art. 148 A, al. 5). En second lieu, le protêt faute de paiement est inutile quand un protêt faute d'acceptation a été dressé. Dans ce cas le porteur est même dispensé de la présentation au paiement (art. 148 A, al. 4. V. toutefois *supra*, n. 72, pour le cas d'acceptation partielle).

En application de l'article 157 du Code de commerce, si la présentation au paiement de l'effet et l'établissement du protêt sont rendus impossibles par un obstacle de force majeure pendant plus de trente jours, les recours cambiaires peuvent être exercés malgré l'absence de protêt. Ne sont pas considérés comme des cas de force majeure les faits purement personnels au porteur ou à la personne chargée de la présentation ou de la confection du protêt.

Enfin, une dispense de protêt résulte de la *clause sans frais* (*supra*, n. 24). La clause ne dispense pas le porteur de présenter l'effet au paiement à l'échéance.

Des hésitations se sont manifestées quant aux conséquences du protêt dressé malgré une clause « sans frais ». La responsabilité du porteur n'est-elle pas engagée envers le tiré dont le crédit est atteint ? La réponse dépend de la façon dont la clause sans frais est comprise : s'agit-il d'une exclusion du protêt ou d'une dispense laissant au porteur la liberté de faire protester la lettre s'il le juge opportun ? La solution la plus satisfaisante pour l'esprit serait de rechercher dans chaque cas quelle a été l'intention des parties. Elle n'est pas réaliste car les formules utilisées sont stéréotypées et ne fournissent aucun élément d'appréciation et on ne peut imposer au porteur de se livrer à une recherche en se servant de données extérieures au titre. Dans la pratique actuelle il semble que, le plus souvent, la clause réponde au souci de ménager le crédit du tiré. Lorsque le dernier porteur, qui est ordinairement une banque, veut échapper à l'obligation de dresser protêt ou aux conséquences d'un protêt tardif, il le fait au moyen d'une stipulation extracambiaire (clause du bordereau de remise à l'escompte ou à l'encaissement). La jurisprudence est divisée. La cour d'appel de Poitiers a jugé que la clause « sans frais » *interdit* l'établissement d'un protêt et que sa méconnaissance entraîne une responsabilité du porteur envers le tiré (Poitiers, 6 fév. 1951 : revue *Banque* 1952, p. 101, obs. Marin : *RTD com.* 1952, p. 374, obs. Becqué et Cabrillac. Dans le même sens : Lyon, 18 nov. 1959 : revue *Banque* 1962, p. 270 ; *RTD com.* 1962, p. 449), mais le point de vue contraire a parfois prévalu (Paris, 8 juin 1961 : *JCP* 62, II, 12657, note Lescot : *D.* 1962, somm. 46. — Trib. com. Seine, 10 mai 1962 : revue *Banque* 1963, p. 45, obs. Marin). Selon l'arrêt de la Cour de Paris du 8 juin 1961, la responsabilité du porteur ne pourrait être engagée que s'il avait agi avec malice et dans le dessein de nuire au tiré.

Dans deux cas le protêt est remplacé par *un acte de protestation*. Il en est ainsi en application de l'article 144 du Code de commerce, en cas de dépossession involontaire du porteur si ce dernier n'a pu obtenir paiement bien qu'il y ait été autorisé par le juge dans les conditions précédemment définies (*supra*, n. 114). Un tel acte est également prévu à l'article 148 B du Code de commerce relatif au paiement de la lettre de change par chèque, chèque postal ou virement sur la Banque de France.

Délai d'établissement du protêt

120. — *Le protêt faute d'acceptation* est dressé utilement tant que l'acceptation est possible, c'est-à-dire, en principe, jusqu'à l'échéance. Si un délai a été fixé pour la présentation, le protêt doit être dressé avant l'expiration de ce délai et il peut même l'être le lendemain si le tiré a demandé une seconde présentation (art. 125 et 148 A).

Pour le *protêt faute de paiement* une distinction s'impose. Selon l'article 148 A du Code de commerce, les lettres de change payables à jour fixe ou à un certain délai de date ou de vue doivent être protestées l'un des deux jours ouvrables suivant l'échéance, c'est-à-dire dans le délai fixé par l'article 135 pour la présentation au paiement. Ce délai a été porté provisoirement à dix jours ouvrables par une loi du 29 octobre 1940 (*supra*, n. 101). Dans le cas des lettres de change payables à vue, le protêt doit être dressé dans le délai fixé pour la présentation à l'acceptation, donc, sauf clause contraire, un an à compter de l'émission.

Le délai est prorogé en cas de force majeure en application de l'article 157 du Code de commerce et, d'une manière générale, chaque fois qu'il y a prorogation de l'échéance (*supra*, n. 101).

Conditions d'établissement et forme du protêt

121. — Le protêt doit être dressé par un notaire ou un huissier (C. com., art. 153). En pratique ce sont les huissiers qui assurent aujourd'hui cette mission.

Il est fait au domicile du tiré ou au dernier domicile connu et, en outre, le cas échéant, au domicile du recommandataire ou de l'accepteur par intervention, le tout par un seul et même acte. L'article 159 précise qu'en cas de fausse indication du domicile, le protêt est précédé d'un acte de perquisition, c'est-à-dire d'une recherche par l'huissier du domicile du tiré. Quand la lettre de change est domiciliée chez un tiers, c'est chez ce tiers que le protêt est dressé (Cass. com., 16 déc. 1975 : *Bull. civ.* IV, n. 305, p. 253 ; *RTD com.* 1976, p. 379). Les dispositions des articles 651 et suivants du Nouveau Code de procédure civile sont applicables aux protêts.

Le contenu du protêt est déterminé à l'article 160 du Code de commerce : transcription littérale de la lettre de change, y compris l'acceptation, les endossements et les recommandations qui y figurent, sommation de payer, indication de la présence ou de l'absence de celui qui doit payer, motifs du refus de payer, éventuellement mention de l'impossibilité ou du refus de signer.

Une copie exacte du protêt est laissée au tiré ou au domiciliataire (C. com., art. 162). Le protêt doit être enregistré dans le mois de son établissement (CGI, art. 635).

Les frais du protêt sont à la charge du tiré. Ils entrent dans l'objet de la garantie due par les signataires de la lettre de change. Ils ne restent à la charge du porteur que si celui-ci l'a fait établir malgré une clause sans frais ou s'il l'a fait dresser sans avoir au préalable présenté l'effet au paiement et si l'effet a été payé par l'huissier.

Les irrégularités du protêt sont sanctionnées par la nullité de l'acte. La nullité ne sanctionne, toutefois, que l'omission des formalités substantielles selon la distinction prévue pour les actes de procédure par l'article 114 du Nouveau Code de procédure civile (Roblot, n. 378). L'établissement du protêt en un lieu autre que celui précédemment défini a certainement pour conséquence sa nullité (Cass. com., 16 déc. 1975 : *D.* 1976, IR. 84 ; *Bull. civ.* IV, n. 305, p. 253). La nullité du protêt crée une situation en tout point identique à celle résultant de l'absence de protêt. Le porteur perd les recours dont il est privé s'il n'a pas fait dresser protêt en temps utile, mais uniquement ces recours (Cass. com., 16 déc. 1975, préc., et *infra*, n. 129).

Si l'irrégularité est imputable à l'officier public, celui-ci répond du dommage qui en résulte pour le porteur (NCPC, art. 650). Il a été jugé par un arrêt ancien que ne peut agir contre l'huissier, le signataire intermédiaire qui a payé et se trouve privé du fait de l'irrégularité du protêt de son recours contre les garants (Cass. civ., 17 juill. 1837 : *S.* 1837, 1, 563. — Rappr. Cass. civ., 27 juill. 1869, *D.* 1869, 1, 350). A la responsabilité de l'huissier il faut ajouter la responsabilité possible du banquier chargé du recouvrement, engagée envers le porteur si, par l'effet de sa négligence, le protêt a été dressé tardivement ou si par suite d'instructions incorrectes à l'huissier il est nul. Il faut toutefois tenir compte des clauses de non-responsabilité qui sont fréquentes (*supra*, n. 65).

Conservation du protêt et publicité

122. — L'article 162 du Code de commerce prescrit à l'officier public qui a dressé un protêt faute de paiement d'une traite acceptée, de remettre ou d'envoyer par lettre recommandée avec accusé de réception au greffier du tribunal de commerce du domicile du débiteur une copie de ce protêt, ceci à peine de destitution, dépens et dommages-intérêts envers les parties. La formalité doit être accomplie dans la quinzaine de l'acte. Le greffier tient par ordre alphabétique un état nominatif des protêts. La publicité de l'état est organisée par une loi du 2 août 1949 et un décret du 24 juin 1950.

Une publicité est aussi assurée par l'intermédiaire de la Centrale d'incidents de paiement de la Banque de France qui enregistre les incidents portant sur les lettres de change acceptées, sur les lettres de change, acceptées ou non, émises pour le recouvrement de créances mobilisées par un crédit de mobilisation de créances commerciales et sur les billets à ordre. Ne sont recensés que les incidents de paiement concernant des personnes exerçant une activité non salariée. Seuls peuvent recevoir des informations de la Centrale les établissements bancaires et financiers (V. règlement n. 86-08 du 27 février 1986 du Comité de la réglementation bancaire et instruction n. 3-86 du 28 août 1986 de la Banque de France).

2. — *Forme des recours cambiaires*

a) Recours du porteur contre les garants

Information des garants

123. — Il est de l'intérêt des garants d'être informés aussi rapidement que possible du non-paiement de l'effet afin d'être mis à même de désintéresser le porteur et d'éviter les intérêts de retard et les frais de poursuite. En outre, ceux d'entre eux qui sont en rapports d'affaires avec le tiré doivent savoir que celui-ci est dans l'impossibilité ou refuse d'honorer ses engagements (rappr. pour le cas de l'intervention l'avis prévu à l'article 166, alinéa 4, et *supra*, n. 79 et 111). Les garants sont informés par un avis que le porteur est tenu à défaut de paiement ou d'acceptation (y compris au cas d'insolvabilité du tiré ouvrant un recours anticipé : Lescot et Roblot, *op. cit.*, t. II, p. 117) de donner à son endosseur dans les quatre jours ouvrables qui suivent le jour du protêt ou celui de la présentation lorsque l'effet comporte une clause « retour sans frais » (C. com., art. 149). Chaque endosseur doit, dans les deux jours ouvrables qui suivent la réception de l'avis, faire connaître à son propre endosseur l'avis qu'il a reçu en indiquant le nom et l'adresse de ceux qui ont donné les avis précédents. Ainsi l'information remonte-t-elle jusqu'au tireur. Lorsqu'un engagement cambiaire a été avalisé, un avis spécial doit être donné à l'avaliseur. Quand un endosseur n'a pas indiqué son adresse ou l'a fait de manière illisible, l'avis est adressé à l'endosseur précédent.

L'article 149 précise que l'avis peut être donné en une forme quelconque. La preuve de sa diligence incombe à celui qui doit donner l'avis. Le délai légal est considéré comme respecté si une lettre donnant l'avis a été mise à la poste dans ledit délai.

L'omission de l'avis, à la différence du défaut de présentation ou de protêt, n'est pas sanctionnée par la perte des recours cambiaires. Le porteur ou l'endosseur répond seulement des conséquences de sa négligence, sans que les dommages-intérêts puissent dépasser le montant de la lettre de change. Le garant qui demande un dédommagement doit établir que le recouvrement de la créance contre un signataire antérieur a été compromis par l'absence d'avis ou son envoi tardif ou qu'il aurait pu stopper les livraisons s'il avait été informé à bonne date (Cass. com., 21 nov. 1966 : revue *Banque* 1967, p. 270, obs. Marin. — Paris, 21 janv. 1964 : *D.* 1964, somm. 42. — Douai, 7 oct. 1967 : revue *Banque* 1968, p. 139, obs. Marin). La responsabilité du porteur peut être écartée par convention, inopérante toutefois en cas de faute lourde (Paris, 19 juin 1964 : revue *Banque* 1967, p. 270). Les clauses de non-responsabilité qui figurent sur les bordereaux de remise d'effets aux banques ne sont, bien entendu, opposables qu'au client de la banque.

La loi a organisé, en outre, une information directe du tireur par les soins de l'huissier ou du notaire qui dresse le protêt. Aux termes de l'article 149, alinéa 2, du Code de commerce, l'officier public doit à peine de dommages-intérêts prévenir le tireur, si son adresse est mentionnée, dans les quarante-huit heures suivant l'enregistrement du protêt, des motifs du refus de payer. Cette notification n'est prévue qu'en cas de refus de paiement. Malgré le silence du texte il semble que les dommages-intérêts ne puissent excéder le montant de l'effet, comme c'est le cas lorsque le porteur ou un endosseur n'a pas donné l'avis qui lui incombe.

Mise en œuvre de la garantie

124. — L'article 152 du Code de commerce définit ce que le porteur peut réclamer au garant : montant de la lettre de change avec les intérêts s'il en a été valablement stipulés (*supra*, n. 13), intérêts moratoires au taux légal (V. L. 11 juill. 1975) à compter de l'échéance — ces intérêts courant de plein droit —, frais de protêt et autres frais. Lorsque l'effet est présenté tardivement, les intérêts moratoires ne sont dus qu'à compter du jour de la présentation (Cass. com., 4 mars 1980 : *Bull. civ.* n. 112, p. 87 ; *RTD com.* 1980, p. 576). Si le recours est exercé avant l'échéance, le garant peut retenir un escompte calculé sur la base du taux d'escompte de la Banque de France à la date du recours.

Informé de la carence du tiré, le garant peut payer amiablement le porteur, sauf à se retourner contre un signataire antérieur (*infra*, *b)*. Il faut mentionner ici la forme particulière, mais très fréquente, qu'emprunte le recours cambiaire lorsque le porteur est une banque travaillant en compte courant avec l'endosseur. Si le montant de l'effet avait été passé en compte à la suite d'un escompte, le non-paiement est suivi ordinairement d'une contre-passation. L'effet novatoire du compte courant a pour conséquence que la contre-passation produit les effets d'un paiement, du moins si le compte courant est en cours de fonctionnement (Cass. com., 4 juin 1985 : *Bull. civ.* IV, n. 177, p. 149 ; *D.* 1985, IR, 420, obs. Cabrillac. — V. Gavalda et Stoufflet, *op. cit.*, n. 309 et s.). La contre-passation reste, toutefois, facultative pour la banque. Pour le cas de contre-passation après clôture d'un compte courant V. Gavalda et Stoufflet, *op. cit.*, n. 328 et s. Pour le recours en cas d'acceptation partielle V. C. com., art. 155.

Sur la distinction à faire entre contre-passation et écriture de débit opérée en application d'un programme informatique et immédiatement annulée, V. Cass. com., 10 janv. 1983 : *Bull. civ.* IV, n. 5, p. 4 ; *RTD com.* 1983, p. 439, obs. Cabrillac et Teyssié ; Gavalda et Stoufflet, Chron. dr. bancaire : *JCP* 83, éd. CI, 13939, n. 43. Le débit d'un compte d'impayés n'est pas assimilable à une contre-passation (Cass. com., 10 janv. 1984 : *Bull. civ.* IV, n. 11, p. 9).

L'exercice de la contre-passation n'est soumis à aucun délai autre que le délai de prescription. Mais une contre-passation tardive peut engager la responsabilité du banquier envers le remettant de l'effet impayé (Cass. com., 14 janv. 1997 : *RTD com.* 1997, p. 293, obs. Cabrillac).

Le garant qui a payé peut exiger la restitution de l'effet avec le protêt et un compte acquitté (Cass. com., art. 154). L'endosseur a la faculté de biffer son endossement et ceux des endosseurs subséquents.

125. — S'il n'a pas obtenu un remboursement amiable, le porteur peut exercer une action judiciaire en garantie contre les garants en usant de la liberté que lui offre la solidarité des signataires de l'effet (Cass. com., art. 151, et *supra*, n. 90) quant au choix des personnes contre lesquelles il engagera son action. La connaissance de ce genre d'action appartient au tribunal de commerce territorialement compétent selon les principes généraux (NCPC, art. 46). L'existence dans le contrat de base d'une clause d'attribution de compétence est certainement sans effet lorsque l'action en garantie est exercée par un tiers porteur (Paris, 9 nov. 1965 : *JCP* 66, II, 14819, note Lescot ; revue *Banque* 1966, p. 357, obs. Martin). Il a été jugé, en revanche, que cette clause doit être respectée si la demande en paiement est engagée par le tireur partie à la convention sur la compétence (Colmar, 24 fév. 1966 : *JCP* 67, II, 14965, note Lescot ; *D.* 1966, J, 543, note P. B. ; *RTD com.* 1966, p. 971, concernant une attribution de compétence à une juridiction arbitrale. — Cass. com., 5 mars 1991 : *D.* 1991, IR, 88). La solution est audacieuse mais pas inacceptable dans la mesure où l'action cambiaire est, dans un tel cas, liée au rapport fondamental, notamment en ce qui concerne l'opposabilité des exceptions (*supra*, n. 55).

Des procédures plus expéditives que l'action en paiement et les voies d'exécution classiques sont ouvertes au porteur d'une lettre de change impayée, tant à l'encontre des garants que du tiré accepteur. La procédure d'injonction de payer, actuellement réglementée par les articles 1405 et suivants du Nouveau Code de procédure civile, est ouverte lorsque « l'engagement résulte de l'acceptation ou du tirage d'une lettre de change, de la souscription d'un billet à ordre ou de l'endossement ou de l'aval de l'un ou de l'autre de ces titres ». La demande est portée obligatoirement devant le juge du domicile du débiteur ou de l'un d'entre eux. Elle est formée par simple requête remise ou adressée au greffe.

L'article 158 du Code de commerce permet au porteur d'une lettre de change, avec la permission du juge, de pratiquer une saisie conservatoire sur les effets des tireurs, accepteurs et endosseurs. Cette procédure n'est cependant utilisable que si l'effet a été protesté faute de paiement (Trib. gr. inst. Metz, 29 oct. 1975 et 2 nov. 1976 : *RJ com.* 1978, 402, note Crehange). Si les conditions définies à l'article 158 ne sont pas remplies, le porteur dispose de la saisie conservatoire de droit commun mais il peut lui être imposé de fournir caution. Toutefois, l'autorisation du juge n'est pas requise quand la saisie conservatoire est pratiquée contre le tiré accepteur ou le souscripteur d'un billet à ordre (L. 9 juill. 1991, art. 68).

Contre un signataire soumis au redressement judiciaire, le porteur ne peut exercer une action en paiement ou une procédure d'exécution. Il est tenu de déclarer sa créance en application du principe posé par l'article 50 de la loi du 25 janvier 1985. S'il y a plusieurs débiteurs cambiaires, il n'a pas à déduire de sa production les acomptes perçus après le jugement déclaratif, conformément à la théorie des coobligés (L. 25 janv. 1985, art. 60).

Au lieu d'exercer une action en garantie contre les garants ou l'un d'entre eux, le porteur peut, sauf stipulation contraire, tirer sur l'un des débiteurs cambiaires une lettre de change à vue dénommée « retraite », le procédé s'appelant « rechange ». A peu près ignorée de la pratique, cette forme d'exercice des recours cambiaires est réglementée par les articles 163 à 165 du Code de commerce.

b) Action récursoire du garant qui a payé la lettre de change

126. — Le débiteur cambiaire qui a payé n'a pas toujours à supporter définitivement la dette. Il peut avoir, à son tour, un recours contre un autre débiteur de la lettre de change. Le tireur qui a payé dispose d'une action cambiaire contre le tiré accepteur ayant reçu provision. A défaut d'acceptation, seule lui appartient, éventuellement, l'action extracambiaire de provision.

L'endosseur ayant désintéressé le porteur a un recours contre les endosseurs antérieurs, le tireur, le tiré accepteur et leurs avaliseurs. L'avaliseur et le payeur par intervention, enfin, ont un recours contre le débiteur garanti et tous ceux qui sont tenus envers lui en vertu de la lettre de change.

Le recours contre le tireur appartenant au tiré qui a payé sans avoir reçu provision est de nature extracambiaire puisque le paiement qu'accomplit le tiré éteint définitivement la lettre de change.

Le garant peut demander tout ce qui est prévu à l'article 153 du Code de commerce. Il n'a pas à diviser son action, ou à suivre un ordre quelconque, bénéficiant lui-même de la solidarité cambiaire (*supra*, n. 90).

Le garant qui agit contre un signataire de la lettre de change tenu envers lui se présente comme porteur légitime. Il exerce l'action en cette qualité et non en vertu d'une subrogation dans les droits de celui qu'il a désintéressé (Cass. com., 11 avril 1962 : *D.* 1962, J, 366) et bénéficie, en conséquence, du principe d'inopposabilité des exceptions (*supra*, n. 53 et s.).

Le procédé du rechange est applicable à l'action récursoire des garants (*supra*, n. 125).

3. — Perte de ses recours par le porteur négligent

127. — Le porteur qui n'accomplit pas en temps voulu les diligences qui lui sont imposées pour recueillir l'acceptation et le paiement de la lettre de change ou faire constater la carence du tiré (C. com., art. 156) est dit « porteur négligent ». Il est déchu de certaines des actions cambiaires normalement reconnues au porteur. Il conserve, toutefois, outre certains droits cambiaires, les droits nés du rapport fondamental le liant éventuellement à un signataire de la lettre de change.

a) Définition du porteur négligent

128. — Le porteur est considéré comme négligent et il encourt la perte de certains recours cambiaires, dans les cas limitativement examinés à l'article 156 : défaut de présentation dans le délai légal d'une lettre de change payable à vue ou à un certain délai de vue ; défaut de protêt faute d'acceptation régulier dans les cas où il est obligatoire ; défaut d'établissement d'un protêt faute de paiement régulier dans le délai légal ; défaut de présentation dans le délai légal d'une lettre de change stipulée sans frais. Celui qui se prévaut d'une présentation tardive doit en faire la preuve (C. com., art. 150, al. 3). Il faut, bien entendu, tenir compte des prorogations légales (*supra*, n. 101) et des modifications conventionnelles des délais.

Ces cas sont les seuls sanctionnés par la perte de certains recours. Le fait que le porteur ait omis de prendre les mesures nécessaires à la conservation de sûretés transmissibles aux garants ou y ait renoncé n'est une cause de déchéance, ni en application de l'article 156 qui ne vise pas cette hypothèse, ni en application de l'article 2037 du Code civil qui ne concerne que le cautionnement. Il y a place seulement en un tel cas pour une responsabilité civile du porteur envers les garants (Cass. com., 4 mai 1976 : revue *Banque* 1976, p. 909, obs. Martin ; *RTD com.* 1976, p. 757, obs. Cabrillac et Rives-Lange).

b) Déchéances encourues par le porteur négligent

129. — L'article 156 réserve le cas du *tiré accepteur* qui ne peut opposer au porteur sa négligence. Les formalités omises par le porteur (présentation, protêt) ne sont pas imposées dans l'intérêt du tiré. Quant au *tiré non accepteur*, non tenu cambiairement, il ne saurait, bien entendu, invoquer la déchéance.

A l'égard du *tireur* la loi donne une solution nuancée. La déchéance joue à l'égard du tireur qui a constitué provision car, pour autant, il ne s'enrichira pas injustement. Le tireur qui n'a pas fait provision ne peut invoquer la déchéance. L'existence de la provision est appréciée à l'échéance (Cass. com., 4 mars 1957 : *Bull. civ.* III, n. 81, p. 70).

Vis-à-vis des *endosseurs*, la déchéance s'applique dans tous les cas. Il est, cependant, à noter que l'endosseur ayant stipulé un délai de présentation à l'acceptation peut seul s'en prévaloir. Si un endosseur a stipulé une dispense de protêt, la déchéance pour défaut de protêt reste opposable par les autres endosseurs et, éventuellement, par le tireur.

Les *donneurs d'aval* se trouvent en l'application de l'article 156 dans la même situation que le débiteur garanti.

La perte des recours cambiaires laisse intactes les éventuelles actions extracambiaires. Ainsi le banquier escompteur déchu de son action cambiaire contre le remettant, parce qu'il a omis de faire dresser protêt, conserve l'action en remboursement du crédit que constitue l'escompte (Gavalda et Stoufflet, *op. cit.*, n. 464).

H. — Prescription des actions cambiaires

130. — L'application aux obligations cambiaires d'une prescription abrégée est traditionnelle. Reprenant une solution consacrée par l'ordonnance de 1673, le Code de commerce les avait soumises à une prescription de cinq ans. La loi uniforme de Genève a réduit encore ce délai, mais d'une manière diversifiée (C. com., art. 179 nouveau).

La dérogation au droit commun de la prescription est généralement justifiée par deux raisons pratiques. D'une part, les échéances étant de rigueur en matière cambiaire et le créancier disposant de moyens d'exécution efficaces, il est vraisemblable que le paiement a eu lieu à l'échéance ou à une date proche de l'échéance. D'autre part, il n'est guère concevable d'imposer aux débiteurs l'obligation de conserver longtemps la preuve de leur libération alors qu'ils ont souvent un grand nombre d'effets à payer. Ces justifications conduisent à ranger la prescription cambiaire parmi celles reposant sur une présomption de paiement (Cass. com., 27 juin 1995 : *D.* 1995, IR, 180), ce qui est d'ailleurs généralement le cas des courtes prescriptions. Certaines conséquences en découlent quant au régime de la prescription : possibilité de renverser la présomption, application à la prescription qui court après interruption, du régime de droit commun (Marty et Raynaud, *op. cit.*, t. II, n. 877. — Malaurie et Aynès, *Les obligations*, 8e éd., n. 1085 et 1091). On a pu, cependant, constater une évolution du régime de la prescription cambiaire vers celui du droit commun, ce qui implique que sa brièveté ne s'expliquerait pas seulement par la nécessité de faciliter la tâche probatoire du débiteur (qui reste cependant mentionnée dans les arrêts : Cass. com., 14 nov. 1961 : *Bull. civ.* IV, n. 411, p. 359 ; *RTD com.* 1962, p. 717. — Paris, 15 mars 1958 : *D.* 1958, somm. 151), mais par le souci d'inciter les créanciers à veiller au respect rigoureux des échéances (V. Roblot, n. 429).

1. — Obligations soumises à la prescription abrégée

131. — L'article 179 du Code de commerce vise toutes les actions résultant de la lettre de change contre l'accepteur, les actions du porteur contre les endosseurs et contre le tireur et les actions récursoires des endosseurs les uns contre les autres et contre le tireur. Les actions contre l'avaliseur ou l'accepteur par intervention relèvent également de la prescription abrégée (V. pour l'aval : Trib. com. Seine, 6 janv. 1949 : *JCP* 49, II, 4946, note Roblot). Les actions nées des rapports fondamentaux unissant le tireur au tiré, l'endosseur à l'endossataire, l'avaliseur au débiteur garanti restent, au contraire, soumises à la prescription de droit commun.

Malgré les hésitations qui ont pu se manifester, la prescription cambiaire est inapplicable à l'action du porteur contre le tiré, accepteur ou non, fondée sur la provision. Certes, le transfert de provision s'intègre dans le mécanisme cambiaire, mais le droit du porteur sur la provision est une créance extracambiaire. La prescription cambiaire doit aussi être écartée en ce qui concerne le recours du tiré qui a payé à découvert contre le tireur. C'est une action de droit commun puisque le paiement accompli par le tiré éteint la lettre de change. Il en est de même de l'action du tireur qui, ayant payé le porteur, exerce contre le tiré qui a reçu provision une action en remboursement fondée sur la provision.

La prescription abrégée est également inapplicable après contre-passation de l'effet impayé au compte de l'endosseur chez un banquier escompteur. La contre-passation a pour effet l'extinction du recours cambiaire et la prescription ne peut s'appliquer qu'au solde du compte (Cass. com., 22 déc. 1981 : *Bull. civ.* IV, n. 455, p. 363 ; Gavalda et Stoufflet, Chron. dr. bancaire : *JCP* 83, éd. CI, 13939, n. 41).

2. — Régime de la prescription abrégée

132. — Le *délai* de la prescription varie selon les actions. Les actions cambiaires contre l'accepteur se prescrivent par trois ans à compter de la date de l'échéance. Les actions du porteur contre le tireur et les endosseurs se prescrivent par un an à compter de la date du protêt dressé en temps utile ou de l'échéance si l'effet est stipulé sans frais. Si la lettre de change est protestable mais n'a pas été protestée, l'échéance marque le point de départ du délai. Les actions des endosseurs les uns contre les autres et contre le tireur se prescrivent par six mois à compter du jour où l'endosseur a remboursé la lettre de change ou du jour où une action a été engagée contre lui. L'action du porteur contre l'avaliseur est soumise à la même prescription que l'action contre le débiteur garanti (Trib. com. Seine, 6 janv. 1949 : *JCP* 49, II, 4946, note Roblot). Le recours de l'avaliseur contre le tiré accepteur se prescrit par trois ans car l'avaliseur se présente alors comme porteur. Dans le silence de la loi il faut admettre par analogie que le recours de l'avaliseur contre le débiteur garanti et contre les endosseurs et le tireur est soumis à la prescription de six mois prévue à l'article 179, alinéa 3 (Roblot, n. 435). Le calcul des délais est à faire conformément au droit commun (C. civ., art. 2260).

Les causes d'interruption de la prescription n'ont pas été réglementées par la loi uniforme de Genève. La matière est réglée par les alinéas 4 et 5 de l'article 179 du Code de commerce qu'il faut compléter par les dispositions du droit commun (C. civ., art. 2242 et s.).

La prescription est interrompue par l'exercice d'une *action en justice*. Les conséquences de l'interruption diffèrent, toutefois, selon que l'action a abouti ou non à un jugement de condamnation du débiteur cambiaire. Si une condamnation a été prononcée, il résulte de l'article 179, alinéa 4, que la nouvelle prescription qui commence à courir est une prescription trentenaire. En cas de citation en justice non suivie de condamnation parce que l'instance a été abandonnée, une autre distinction s'impose. S'il y a désistement du demandeur ou péremption de l'instance constatée en application des articles 386 et s. du Nouveau Code de procédure civile, l'interruption de prescription est non avenue (C. civ., art. 2274). Au cas de simple abandon des poursuites, la prescription recommence à courir à compter du dernier acte de procédure (C. com., art. 179, al. 4). C'est une nouvelle prescription abrégée qui court (Cass. civ., 27 nov. 1848 : *D.* 1849, 1, 25. — 24 déc. 1860 : *D.* 1861, 1, 27).

L'assignation en vue de l'ouverture d'une procédure collective est évidemment interruptive de prescription. Il en est de même de la déclaration de la créance dans une procédure de redressement judiciaire qui est assimilable à une demande en justice. La prescription ne recommence à courir, qu'à compter de l'issue de la procédure collective (Cass. com., 10 janv. 1951 : *D.* 1951, *S*, 310 ; revue *Banque* 1951, p. 576, obs. Marin. — 31 mai 1976 : *JCP* 76, IV, 247 ; *D.* 1976, IR, 229). L'admission a la même nature et les mêmes effets qu'un jugement de condamnation.

Le commandement et la saisie constituent également des causes d'interruption de la prescription cambiaire. Une nouvelle prescription abrégée commence à courir dès l'acte interruptif (C. civ., art. 2244). Il est à noter que le protêt, qui n'est qu'une sommation, n'est pas interruptif de la prescription.

La reconnaissance de dette faite par le débiteur interrompt, enfin, la prescription cambiaire selon l'article 2248 du Code civil. L'article 179, alinéa 4, en fait d'ailleurs mention et il suggère une distinction entre deux espèces de reconnaissances. La reconnaissance par acte séparé, constituant pour le créancier un titre nouveau et distinct de la lettre de change et opérant une véritable novation, interrompt la prescription cambiaire qui fait place à une prescription de droit commun. Tel n'était pas le cas du concordat (Req., 5 avril 1892 : *D.* 1892, 1, 246). L'inscription de la créance cambiaire en compte courant est, en revanche, une application de la reconnaissance par acte séparé (Cass. civ., 10 janv. 1872 : *D.* 1872, 1, 102). La reconnaissance ordinaire qui ne fait que confirmer la créance cambiaire interrompt également la prescription, mais la prescription qui recommence à courir reste une prescription abrégée (Cass. com., 21 juin 1976 : *Bull. civ.* IV, n. 211, p. 181. — 10 juin 1986 : *Bull. civ.* n. 120, p. 101 ; *JCP* 86, IV, 244 ; *Gaz. Pal.* 1987, n. 88, somm. 19, obs. Piédelièvre. — Reims, 28 fév. 1977 : revue *Banque* 1977, p. 1009, obs. Martin).

Il faut rappeler que, malgré la solidarité cambiaire, l'acte interruptif n'a d'effet qu'à l'encontre du débiteur qui en a été l'objet (art. 179, al. 5, et *supra*, n. 90).

L'article 179 ne fait pas mention de la *suspension de la prescription*. Peut-être faut-il voir dans ce silence une confirmation du principe général selon lequel les courtes prescriptions ne sont pas suspendues à l'égard des mineurs et des majeurs en tutelle (C. civ., art. 2278 ; Marty et Raynaud, *op. cit.*, t. II, n. 873 B). On admet, cependant, que l'impossibilité d'agir dans laquelle le créancier se trouve durant le cours des procédures collectives entraîne suspension de la prescription. La solution résulte aujourd'hui de l'article 47 *in fine* de la loi du 25 janvier 1985 (Soinne, *Traité des procédures collectives*, n. 483). La suspension était prévue expressément par l'article 16 de l'ordonnance du 23 septembre 1967 créant la procédure de suspension des poursuites (aujourd'hui disparue).

La suspension de la prescription résulte aussi d'une impossibilité d'agir provenant de la force majeure. Le délai peut être prolongé du fait du report de son point de départ s'il y a eu impossibilité de présenter l'effet au tiré ou de faire dresser protêt (*supra*, n. 101). Le délai est suspendu si un empêchement de force majeure se produit alors que la prescription est en cours ; mais une simple difficulté d'agir n'a pas d'effet sur la durée de la prescription (Cass. com., 21 juin 1976 : *Gaz Pal.* 21 juin 1976 ; *JCP* 76, IV, 275 ; *D.* 1976, IR 260).

3. — Effets de la prescription abrégée

133. — La prescription libère le débiteur cambiaire. Toutefois, conformément à l'article 2223 du Code civil, elle doit être opposée par le débiteur. Le juge n'a pas le pouvoir de soulever d'office le moyen. Le créancier peut, en application de l'article 179, alinéa final, du Code de commerce, échapper aux conséquences de la prescription en déférant le *serment* au débiteur ou à ses ayants cause. La solution est à rapprocher de l'article 2275 du Code civil qui consacre la même solution pour l'ensemble des courtes prescriptions. L'effet du serment est de renverser la présomption de paiement sur quoi reposent les courtes prescriptions. Le débiteur est invité à affirmer qu'il n'est plus redevable et ses veuve, héritiers ou ayants cause qu'ils estiment de bonne foi qu'il n'est plus rien dû.

La jurisprudence assimile au serment l'*aveu* par le débiteur que sa dette existe encore. Cet aveu peut même être tacite. La jurisprudence a admis que les juges du fond déduisent l'aveu de l'attitude du débiteur durant le procès et de son système de défense (Cass. com., 9 mai 1977 : *Bull. civ.* IV, n. 126, p. 109 : revue *Banque* 1978, p. 254, obs. Martin. — 27 juin 1995 : *D.* 1995, IR, 180 ; dans le même sens : Lyon, 24 oct. 1965. — Paris, 26 oct. 1967 : revue *Banque* 1968, p. 718, obs. Martin ; *D.* 1968, somm. 55).

L'effet interruptif de l'aveu est susceptible de s'exercer au regard de tout débiteur cambiaire : tireur aussi bien que tiré accepteur (Cass. com., 3 avril 1978 : revue *Banque* 1979, p. 271, obs. Martin).

On rappellera, enfin, que l'extinction par la prescription de l'action cambiaire laisse subsister l'action née du rapport fondamental, notamment l'action de provision dont la transmission au porteur se relève dans ce cas particulièrement utile (Nîmes, 27 fév. 1979 : *D.* 1979, IR 273, obs. Cabrillac).

Pour une application du principe en matière d'escompte, V. Paris, 24 fév. 1982 : *D.* 1982, J, 467, note J. Stoufflet.

§ 6. — Lettre de change relevé

134. — *Généralités.* L'insuccès de la facture protestable explique, en partie, la conception d'un autre instrument de paiement et de mobilisation du crédit commercial, la lettre de change relevé dite LCR. Ce titre se rattache cependant plus directement à la traite classique. La finalité de cette innovation reste analogue : éviter les va-et-vient de papier commercial, générateurs de frais de manipulation excessifs. Il faut aussi utiliser à plein l'équipement informatique des banques. L'ordinateur de compensation de la Banque de

France, mis en place en 1969, appelle une rationalisation des circuits de titres bancaires. La LCR, moyen de recouvrement et de mobilisation, créée le 2 juillet 1973, doit permettre, dans l'esprit de ses auteurs, une gestion simplifiée et accélérée.

Le but final est d'échapper à la « tyrannie du papier ». Mais les autorités, instruites, peut-être, par l'échec de la facture protestable, n'ont pas voulu bousculer de longues habitudes et faire disparaître du jour au lendemain le support papier. La LCR doit coexister avec la traite classique et le papier peut toujours être créé et le nouvel instrument conserve alors la forme traditionnelle et familière de la traite ordinaire. La LCR papier garde toutes les vertus juridiques de la lettre de change ordinaire. En somme, on a cherché à cumuler les avantages de la traite et les possibilités de traitement sur ordinateur.

Le système est *grosso modo* simple. L'idée fondamentale est d'éviter la circulation de la traite papier, qui peut être créée au départ mais reste bloquée entre les mains du banquier du tireur. En cas d'incident juridique (impayé par exemple) cette traite servira de moyen de preuve et permettra l'exercice des recours cambiaires. La traite est bien créée sur support papier mais toutes les caractéristiques du titre (*essentialia*) sont enregistrées en informations codées ou abstrats sur des bandes magnétiques qui, seules, emprunteront le circuit interbancaire.

Un document papier réapparaît en fin de parcours. Le banquier du tiré (domiciliataire) envoie, en effet, à son client (tiré) un document émis par lui — le *relevé* de lettre de change. La formule emprunte son nom à ce document. Ce relevé contient, ligne par ligne, la description fidèle de la lettre à payer lors de l'échéance. Au vu de ce relevé, le tiré donne ou non son accord (total ou partiel) au paiement.

L'originalité se poursuit avec les modalités du règlement. L'apposition sur le relevé du « bon à payer » et le renvoi du document au banquier domiciliataire vaut preuve de paiement, corroborée par les écritures de débit de compte.

La place actuelle de la LCR n'est pas négligeable, 90 millions de LCR d'un montant total de 2 000 milliards de francs environ ont été échangées dès 1988. Le nombre de lettres de change émises annuellement en France est de l'ordre de 250 millions.

La LCR est une création de la pratique bancaire, qui ne fait l'objet d'aucun texte. Les règles du droit commun et celles des articles 110 et suivants du Code de commerce sur la traite s'appliquent. Le Comité d'études techniques et de normalisation bancaire (CETNB) a joué un rôle de promoteur et en l'occurrence. La pratique fournit les modes d'emploi de cet instrument (V. les brochures de l'AFB 1971, 1977). Le régime de ce titre intéressant n'a pas fait cependant l'objet d'une suffisante analyse juridique. Les utilisateurs — notamment les PME — devraient être mieux éclairés sur les avantages et les dangers d'une formule assez attrayante au point de vue de la gestion bancaire.

Le système comporte deux variantes : la LCR papier et la LCR magnétique. La meilleure adaptation aux impératifs de traitement informatique complet de la seconde catégorie a pour contrepartie sa faiblesse juridique.

La LCR papier peut servir aussi bien de titre de recouvrement que de support d'une opération de crédit. La LCR est escomptable. Il est toutefois très délicat de déterminer si ce titre est pris à l'escompte ou à l'encaissement (V. Vasseur, *op. cit.*, n. 15).

Le recours à ce procédé est facultatif. Les entreprises les plus modernes y recourent plus volontiers. Elles peuvent l'utiliser en concurrence avec la traite ordinaire. La LCR peut être utilisée pour le règlement des marchés publics (C. marchés publ, art. 178 *bis*, modifié par *D.* 30 nov. 1990 ; *D.* n. 90-1070, 30 nov. 1990, art. 2 ; *D.* 20 avril 1995).

Le non-échange physique des effets de commerce entre banques, mis en place à compter du 3 mars 1994 (V. *supra*, n. 109) a entraîné un certain rapprochement entre la traite classique et la LCR. Le règlement se fait dans les mêmes conditions en Chambre de compensation.

Orientation bibliographique

DENTAUD, « La Banque de France et l'automatisation des communications interbancaires » : revue *Banque*, numéro spécial, avril 1975, p. 15. — DENTZ, « La banque et l'utilisation du système Swift » : revue *Banque* 1975, p. 43. — DU HALGOUET, « Réseaux financiers de commutation et de diffusion d'informations » : revue *Banque* 1973, p. 657. — R. JACQUELINE (interview), « La place des effets de commerce et des effets financiers dans le système bancaire français » : revue *Banque* 1975, p. 937 ; « La lettre de change relevé » : revue *Banque*, numéro spécial, mars 1972, p. 15. — LECLERCQ et GÉRARD, « L'évolution du droit des effets de commerce sous l'influence de l'informatique » : *RD bancaire et bourse*, 1989, p. 153. — RIVES-LANGE et CONTAMINE-RAYNAUD, *Droit bancaire,* Précis Dalloz, 1990, n. 305 et s. — RUFF et BELAN, *L'ordinateur de la banque*, Éd. d'Informatique, 1974. — SWIFT (« Society for Worldwide Interbank Financial Telecommunication ») : revue *Banque* 1974, p. 288. — J.-J. TRONCHE, « L'informatique dans une banque centrale : la Banque de France » : revue *Banque* 1970, p. 945. — J. VANRENTERGHEM, « Un projet international de commutations de messages interbancaires » : revue *Banque* 1974, p. 404 : « L'ordinateur de compensation » : revue *Banque* 1974, p. 284. — VASSEUR, « La lettre de change relevé » : *RTD com.* 1975, p. 203 ; *La lettre de change relevé. De l'influence de l'informatique sur le droit*, Sirey, 1976. — VILLEROUX, « Évolution des transactions interbancaires » : revue *Banque* 1973, p. 653. — J.-P. DESCHANEL, *J.-Cl. Banque et Crédit*, fasc. n. 440. — V. aussi *Association professionnelle des banques*, brochure mars 1972 ; *Notes d'information de la Banque de France*, janv. 1982, n. 7 ; sept. 1983, n. 57, déc. 1986, n. 69 ; *Bulletin trimestriel de la Banque de France*, n. 9, nov. 1973, 41.

A. — LCR PAPIER

1. — ÉMISSION DE LA LCR

135. — *Forme*. L'accord préalable des divers intervenants est nécessaire (remettant, banquier mobilisateur, tiré, banquier domiciliataire et Banque de France). Seules des entreprises choisissent en fait ce système, bien que des particuliers puissent théoriquement y recourir.

Au départ, une traite papier, satisfaisant à toutes les conditions des articles 110 et suivants du Code de commerce, est établie. Elle servirait en cas d'incident.

Un modèle imprimé polyvalent est utilisable (CETNB : revue *Banque* 1974, p. 551 ; *Note d'information Banque de France*, n. 57). Il peut servir à émettre soit une LCR soit une lettre traditionnelle. Mais il est interdit de faire circuler une traite classique dans les circuits interbancaires réservés à la LCR.

Les données de l'effet type, affecté de la mention LCR, sont reportées sur banque magnétique et circuleront par le circuit de l'ordinateur de compensation de la Banque de France. La LCR papier doit être conservée par le banquier du tireur, au moins durant le temps de prescription prévu par l'article 189 *bis* du Code de commerce (mod. L. 3 janv. 1977, *contra* Vasseur, article cité, n. 29). Il permettrait d'exercer les recours ouverts au titulaire de la LCR.

La rédaction du titre LCR doit être minutieuse. Le relevé d'identité bancaire, créé en 1970, fournit toutes les données adéquates. Au demeurant, la LCR doit comporter toutes les mentions obligatoires d'une traite normale (*supra*, n. 13 et s.). Y figure obligatoirement une clause sans frais ou sans protêt. La domiciliation (avec le numéro de code de la banque) est imposée.

L'imprimé standard doit être complété à la machine en lettres capitales ou par ordinateur. L'« encodage » du numéro d'inscription du tireur à la Centrale des risques est prévu. Les échéances initialement fixées au 5, 10, 15, 20, 25 et 30 ou fin de mois pour concentrer les règlements sont aujourd'hui librement déterminées (D. Bartharès, « Évolution du système LCR » : revue *Banque* 1983, 993).

L'aval, qui pourrait en pratique concerner le tireur ou le tiré, est possible. Il serait à donner lors de l'émission de la traite dans les conditions de l'article 130 du Code de commerce.

L'acceptation n'est pas interdite, mais elle n'est pas dans l'esprit de l'institution (Vasseur, article cité, n. 16). Elle implique une circulation de papier que la LCR a vocation à éviter. Le banquier du tiré aura en pareil cas des difficultés, car il n'a pas en main la signature d'acceptation figurant sur le papier détenu chez son confrère mobilisateur.

L'inobservation de ce rituel (« formalisme de la machine ») imposé par la pratique professionnelle n'entraînerait pas la nullité juridique du titre s'il répondait aux exigences de l'article 110 du Code de commerce, mais elle l'écarterait du circuit propre aux LCR (Cabrillac, *Le règlement des créances de l'entreprise*, 2e éd., n. 148).

2. — *CIRCULATION DU TITRE*

136. — Le client est libre d'utiliser le système LCR avec certains seulement de ses correspondants. Il peut remettre les LCR émises à son banquier soit pour encaissement soit pour escompte.

La LCR peut être émise à l'ordre du tireur et endossée au banquier pour recouvrement. Le client portera au dos du titre la mention : « Cet effet ne peut être endossé qu'aux fins de recouvrement » et signé.

En cas d'escompte, le titre sera souvent libellé directement à l'ordre du banquier sans recours à l'endos. Mais un endos translatif au banquier serait licite. Pour faciliter le traitement, on ne spécifie pas sur le titre de *qualification* — escompte ou endossement. Une regrettable incertitude pourra en résulter pour le tiré accepteur qui veut éventuellement invoquer l'inopposabilité des exceptions (Cabrillac, *op. cit.*, p. 123).

Si le banquier a escompté des LCR, il peut vouloir se refinancer. Ce refinancement implique, toutefois, sous sa forme classique un endos. Faute d'endos, il pourrait y avoir risque de double paiement. La difficulté est en partie levée depuis que les banquiers ne se refinancent plus sous forme de réescompte par voie d'endos. La mobilisation sur le marché monétaire n'implique plus depuis 1971 ni endos, ni transmission matérielle de papier (Cabrillac, *op. cit.*, n. 151). Il reste que la mise sous dossier, pratique routinière, n'avait pas de valeur juridique indiscutable à l'égard des tiers. Les articles 8 à 12 de la loi Dailly du 2 janvier 1981 définissent un instrument de mobilisation sûr. Un billet global de mobilisation peut être créé qui assure la transmission à l'organisme mobilisateur des créances mobilisées. Cette technique est utilisable en particulier en cas d'escompte de LCR par une banque (V. J. Stoufflet, *Nouvelles modalités de transmission des créances à un banquier*, Publications ANSA, 1982).

3. — Paiement de la LCR

137. — Le banquier mobilisateur conserve le titre papier et encode les données sur bande magnétique. Seules les données spécifiques reproduites sur la bande, regroupant les *essentialia* de séries de titres, circulent. Le paiement se fera de banque à banque au vu de ces données informatiques, sans présentation matérielle du papier, bloqué au départ. La responsabilité de la banque est engagée en cas d'erreur de transcription : Cass. com., 17 oct. 1995, *Banque BICS* c. *Sté Polygraph.*

Un calendrier de transmission strict est à respecter. La remise des LCR doit avoir lieu à une date telle que le banquier puisse transcrire les données sur la bande qu'il doit lui-même faire parvenir à l'ordinateur de compensation de la Banque de France six jours avant l'échéance. L'ordinateur, créé en 1969, est le centre national d'échange et de ventilation des bandes. Ce circuit est obligatoire et exclusif (Vasseur, *op. cit.*, n. 8). La présentation à l'ordinateur a, dans l'opinion doctrinale, le même effet juridique qu'une présentation en chambre de compensation (C. com., art. 135, al. 2). Sur la responsabilité du banquier du tireur et la notion de présentation tardive et l'opposabilité aux clients de banque des délais fixés par le règlement de la chambre de compensation, V. Cass. com., 24 janv. 1989 : *D.* 1989, IR, 42. — Douai, 11 déc. 1981 : *D.* 1982, IR, 501, obs. Vasseur. *RTD com.* 1983, p. 94, obs. Cabrillac et Teyssié et Trib. com. Nanterre, 27 sept. 1983 : revue *Banque* 1983, p. 1469, obs. Martin ; *RTD com.* 1984, p. 116, obs. Cabrillac et Teyssié. — Cass. com., 28 nov. 1995 : *Bull. civ.* IV, n. 271 ; *RTD com.* 1996, p. 98, obs. Cabrillac.

Après traitement par l'ordinateur, les bandes sont envoyées au banquier du tiré. Ce dernier « édite » à l'intention de ses clients, grâce aux informations reçues, un document papier en clair, visant les traites LCR à payer à certaines échéances avec toutes leurs données. Ce relevé est à retourner après examen par le client tiré au plus tard le dernier jour ouvrable avant l'échéance (V. Rép. min. n. 26515 : *JO* déb. Ass. nat., 21 août 1985, p. 3611 ; *JCP* 95. Inf. 117). A défaut, la traite serait « impayée ». Le règlement s'opère donc à l'initiative du débiteur qui conserve un certain pouvoir de décision, à la différence de ce qui se passe en matière d'avis de prélèvement.

En cas de défaut de paiement, quel qu'en soit le motif, aucun protêt n'est à dresser. L'impayé est retourné au banquier du tireur en suivant un circuit informatique analogue inverse. Ce retour doit être effectué dans un délai strict (six jours). A défaut, le banquier du tireur serait fondé à considérer la traite LCR comme réglée. Le banquier domiciliataire supporterait le risque du silence (Cabrillac, *op. cit.*, n. 153). Solution très dure et qui illustre la responsabilité du banquier dans un tel système. La réparation de la négligence commise consisterait dans le règlement du montant de la LCR impayée par le banquier.

En cas de paiement partiel (possible) le tireur recevra une liste des LCR effectivement réglées. Il ne serait toutefois pas possible pour lui d'obtenir un reçu dans les termes de l'article 136, alinéa 2, du Code de commerce. En adhérant au système LCR, il est censé y renoncer.

Le défaut de règlement ouvre, en tout cas, les recours cambiaires attachés à la traite conservée par le banquier du tireur. Ce dernier doit sortir de son portefeuille le titre papier et le rendre au titulaire (tireur). Celui-ci exercera, selon le cas, l'action cambiaire contre le tiré accepteur ou l'action attachée à la créance sous-jacente.

Le banquier escompteur peut exercer lui-même directement contre le tiré (accepteur) soit l'action cambiaire soit l'action fondamentale (créance sous-jacente). Il dispose éventuellement de la procédure d'injonction de payer, décret du 28 août 1972. Mais la LCR portant la clause sans frais, il ne pourra faire dresser protêt (V. sur un procédé imaginé par la pratique pour pouvoir, néanmoins, protester, les observations très critiques de M. Vasseur, article cité, n. 35, p. 73).

Le banquier escompteur peut aussi recourir *contre son client* (remettant). Si ce dernier est *in bonis,* ce recours s'exercera banalement sous forme de contre-passation. Il doit alors, selon le droit cambiaire classique, restituer les effets contre-passés (V. sur les possibilités d'anéantir une écriture de contre-passation provisoire inscrite pour des raisons de gestion informatique Cass. com., 24 nov. 1975. — Aix, 3 janv. 1975 : revue *Banque* 1975, p. 649. — Gavalda et Stoufflet : *JCP* 76, I, 2801, n. 27. — *Adde*, Cass. com., 22 nov. 1976 : *Bull. civ.* IV, n. 293, p. 246).

Le mécanisme rapide et automatique de la LCR a des faiblesses juridiques dont on informe mal les utilisateurs. Ainsi, le jeu du principe fondamental de l'inopposabilité des exceptions (C. com., art. 121, *in fine*), garantie des porteurs mais protection des tirés, sera-t-il d'une mise en œuvre délicate. Car il sera difficile au tiré de savoir si le banquier présentateur agit comme mandataire chargé du recouvrement ou comme escompteur. Or, le principe de l'inopposabilité ne joue que dans ce second cas.

La preuve du paiement n'est pas aussi facile qu'avec la traite classique que le tiré se fait remettre acquittée. Ce dernier peut cependant obtenir de son banquier un avis de débit ou « relevé des LCR payées » (Vasseur, *op. cit.*, n. 25). Le problème serait plus délicat pour les grandes maisons qui consentent à ne recevoir de leur banquier que des bandes magnétiques sans relevé papier.

B. — LCR MAGNÉTIQUE

138. — La première variante de LCR implique la servitude de créer une traite papier répondant aux conditions légales. Le progrès est d'éviter la circulation du papier.

Une formule plus élaborée — la LCR magnétique — ne comporte plus de support papier. Elle est utilisée par les grandes entreprises disposant d'un équipement informatique adéquat et possédant la confiance des banques. L'entreprise cliente habilitée inscrit sur un support magnétique toutes les données de la LCR et remet les bandes au banquier. Autrement dit, elle émet ses factures sur bande magnétique. Le démarrage du processus qui s'aligne ensuite sur celui de la LCR papier est singulièrement accéléré. A l'arrivée, le décryptage est aussi amélioré, notamment si le tiré est une firme agréée et équipée des ordinateurs *ad hoc*.

En droit, les inconvénients du système sont de *lege lata* considérables. Si l'article 110 du Code de commerce ne requiert pas explicitement un support papier, il faut une signature (C. com., art. 110-8°) même depuis la loi du 16 juin 1966 autorisant pour cette signature les procédés non manuscrits. Autrement dit, le banquier renonce avec cette formule aux garanties traditionnelles du droit cambiaire (Ripert et Roblot, *op. cit.*, t. II, n. 1920-1). Cette LCR n'est, dans l'état présent du droit français, juridiquement fiable que comme instrument de recouvrement. La preuve par tous moyens de l'article 109 du Code de commerce serait en l'occurrence invocable. Pratiquement, la preuve de l'émission et du paiement d'une LCR magnétique peut se faire par une attestation bancaire ou un relevé de compte (V. Versailles, 12e Ch., 2e section, 12 nov. 1996, *CIC Vidéo SA* c. *SARL Dessaude*, inédit). Cependant, la LCR magnétique n'est pas, juridiquement, un effet de commerce, apte à transférer soit la provision soit la créance cambiaire. Aucune des règles cambiaires classiques ne trouve ici de point d'appui. La LCR magnétique, utilisée comme mandat d'encaisser, pourrait sans doute donner lieu à des *avances sur recouvrement*, mais aucune compensation ne peut être opérée en cas de redressement judiciaire entre le montant d'une telle avance et la somme recouvrée après le jugement déclaratif (Amiens, 3 mai 1979 : J. Stoufflet, *J.-Cl. Banque*, fasc. 35 *bis*, n. 43 Cass. com., 17 nov. 1981 : *JCP* 82, II, 19766, note Stoufflet et Chaput. — *Contra* : Trib. com. Belfort, 5 oct. 1976 : *D.* 1977, J, 168, note Vasseur. — Trib. com. Paris, 23 avril 1986 : *JCP* 87, II, 20741, note J. Stoufflet ; Gavalda et Stoufflet, Chron. dr. bancaire : *JCP* 78, I, 2902, n. 59).

Les parties peuvent, toutefois, pour transmettre les créances mobilisées au moyen de LCR recourir à la cession par bordereau selon la loi Dailly du 2 janvier 1981. Telle est d'ailleurs l'une des principales applications envisagées de ce mode de transmission des créances.

RELEVÉ D'IDENTITÉ BANCAIRE

CADRE RÉSERVÉ AU DESTINATAIRE DU RELEVÉ

Etablissements DUPONT et Cie
Route de Paris
63000 Clermont-Ferrand

Ce relevé est destiné à être remis, sur leur demande, à vos créancier ou débiteurs appelés à faire inscrire des opérations à votre compte (virements, paiement de quittance, etc...) Son utilisation vous garantit le bon enregistrement des opérations en cause et vous évite ainsi des réclamations pour erreurs ou retards d'imputation.

DOMICILIATION
BNP Clermond-Fd Jaude

CODE BANQUE	CODE GUICHET	NUMÉRO DE COMPTE	
30004	00609	00000363068	02

CT 8147 - 10-73

Circuit emprunté par une LCR
(Schéma repris de la note d'information n. 57 de la Banque de France)

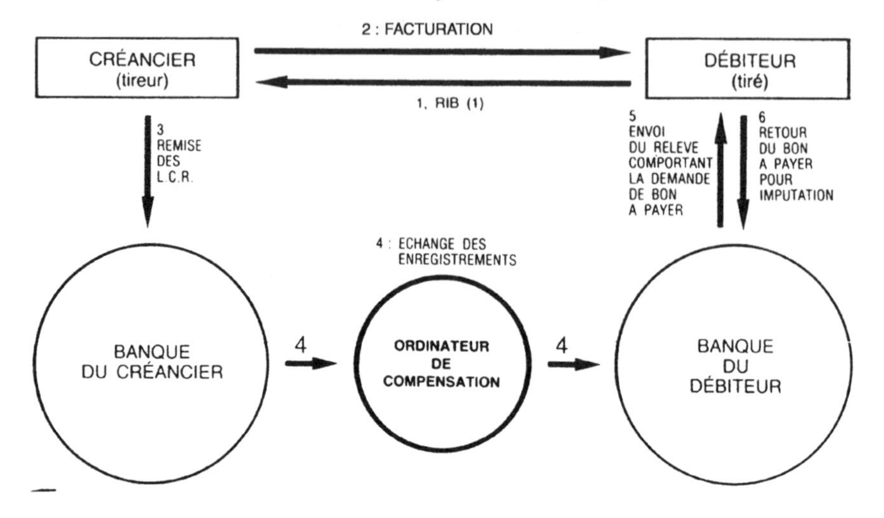

NB - Les numéros donnent l'ordre dans lequel se déroulent les opérations.
(1) Envoyé une fois pour toutes, sauf changement de domiciliation bancaire.

Circuit emprunté par les chèques bancaires
(Schéma repris de la note d'information n. 56 de la Banque de France)

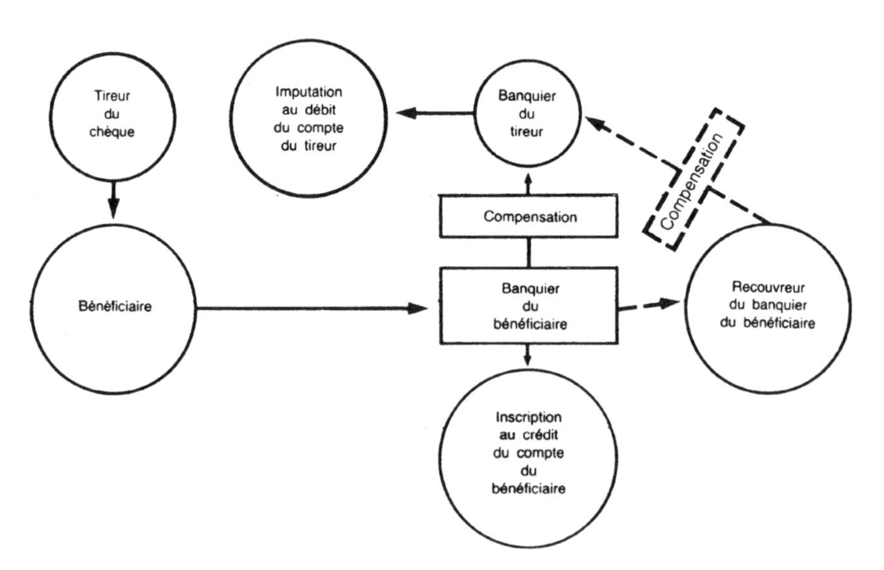

CHAPITRE II

BILLET À ORDRE

139. — *Définition et généralités.* Le billet à ordre est un titre constatant l'engagement d'une personne, appelée souscripteur, de payer à l'ordre d'une autre personne dénommée bénéficiaire, à une date déterminée, une somme d'argent.

Le billet à ordre a une structure plus simple que la lettre de change puisqu'il ne met en cause que deux personnes, le souscripteur et le bénéficiaire. De ce fait, il ne peut être l'objet d'une acceptation : le souscripteur, chargé du paiement, est obligé par la signature d'émission. Le billet à ordre, par ailleurs, ne comporte pas de provision (Cass. com., 15 déc. 1947 : *S.* 1948, 1, 41, note Lescot ; *JCP* 48, II, 4130, note Roblot). Certes, l'émission du billet procède généralement d'un rapport préexistant entre le souscripteur et le bénéficiaire, mais ce rapport ne s'identifie pas à la provision de la lettre de change qui est une créance du tireur sur le tiré (*supra*, n. 82). Tout au plus forme-t-il la cause de l'engagement cambiaire du souscripteur (Roblot, n. 474). Il constitue, en réalité, la valeur fournie, contrepartie de chaque transmission d'un effet de commerce (Lescot et Roblot, *op. cit.*, t. II, n. 778 ; *contra* Hamel, Lagarde et Jauffret, *op. cit.*, n. 1496).

A la différence de la lettre de change, le billet à ordre n'est pas commercial par sa forme. La commercialité des obligations qui s'y attachent se détermine conformément aux principes du droit commun. En application de l'article 636 du Code de commerce, est commercial le billet souscrit à l'occasion d'un acte de commerce (commercialité par accessoire) ou signé par un commerçant pour les besoins de son commerce (commercialité subjective). Les billets signés par un commerçant sont censés faits pour son commerce (art. 638, al. 2).

Pour éviter un éclatement de la compétence, l'article 637 du Code de commerce attribue aux tribunaux de commerce la connaissance des litiges concernant les billets à ordre qui portent à la fois des signatures de commerçants et de non-commerçants. Malgré la rédaction du texte, il convient de faire prévaloir la compétence du tribunal de commerce quand le billet est commercial au regard d'un signataire n'ayant pas la qualité de commerçant (en ce sens Roblot, n. 476). La compétence commerciale ne s'applique, toutefois, qu'aux actions résultant du billet et non à celles issues des rapports préexistant entre les parties (souscripteur-bénéficiaire, bénéficiaire-endossataire...). Cette compétence n'est, au surplus, pas exclusive : Paris, 15 fév. 1969 : *D.* 1970, somm. 58.

Le billet à ordre est d'un emploi moins fréquent que la lettre de change, quoique les garanties qui s'y attachent soient très proches. En certains domaines, cependant, l'usage est d'y recourir plutôt qu'à la lettre de change. Ainsi le prix non payé comptant d'un fonds de commerce est souvent représenté par des billets à ordre dits « billets de fonds » dont le paiement est garanti par le privilège que la loi du 17 mars 1909 accorde au vendeur de fonds de commerce, transmissible aux porteurs des billets de fonds (*infra*, n. 144). C'est également au billet à ordre qu'il est, le plus souvent, fait appel, pour la mobilisation des crédits (cas de mobilisation d'un crédit de mobilisation de créances commerciales, CMCC, ou d'un crédit à moyen terme : *supra*, n. 58). Le refinancement des crédits organisé par la loi Dailly du 2 janvier 1981 se fait à l'aide d'un « billet de mobilisation » qui est un billet à ordre ou au porteur (Stoufflet, *Nouvelles modalités de transmission des créances*, Publications ANSA, 1982).

Certains commerçants, pour garder l'initiative du règlement, interdisent à leurs fournisseurs de tirer sur eux des lettres de change et imposent un règlement par billets à ordre. Ainsi sont tournées les dispositions de l'article 124 *in fine* du Code de commerce (*supra*, n. 68). Le législateur est intervenu pour éviter les abus. Aux termes d'une loi du 11 juillet 1985 (C. com., art. 189 *bis* A) le règlement par billet à ordre doit être expressément prévu par les parties et mentionné sur la facture. Si le billet n'est pas parvenu au créancier dans les trente jours qui suivent l'envoi de la facture, le créancier peut émettre une lettre de change que le débiteur est tenu d'accepter selon les conditions prévues aux alinéas 9 et 10 de l'article 124. Toute stipulation contraire est réputée non écrite.

Mode de réglementation du billet à ordre. Plan de l'étude. Pour l'essentiel, le billet à ordre est soumis aux mêmes dispositions que la lettre de change. L'article 185 renvoie à une série de dispositions relatives à la lettre de change, rendues applicables au billet à ordre « en tant qu'elles ne sont pas incompatibles avec la nature de ce titre ». Seules sont écartées du renvoi les dispositions touchant des éléments du mécanisme cambiaire qui ne se retrouvent pas dans le billet à ordre (acceptation, provision). D'autres aspects ne présentent aucune particularité et il ne sera pas nécessaire d'y revenir à propos du billet à ordre. Tel est le cas de l'endossement. Il suffira de faire apparaître les particularités que comportent l'*émission* et le *paiement* du billet à ordre à l'étude duquel seront rattachées les quelques questions qui peuvent se poser au sujet des garanties et des droits du porteur du billet.

On notera que la pratique a conçu un billet à ordre-relevé comparable à la LCR (*supra*, n. 134 et s.).

Orientation bibliographique

ADOUT, *La législation d'exception des billets de fonds*, Paris, 1936. — BAILLY, *Les billets de fonds*, Aix, 1935. — BOCQUET, *Les billets de fonds*, Paris, 1935. — FICATIER, *La provision en matière de billets de fonds*, Paris, 1944. — FICATIER, « Les droits du porteur de billets de fonds dans l'état actuel de la jurisprudence » : *JCP* 47, I, 591. — LESCOT, « Des billets de fonds » : *JCP* 27, 1473. — MONTROUT, *Billet à ordre* : *J.-Cl. Com.*, fasc. 490. — ROBLOT, *V° Billet à ordre, Rép. com.* Dalloz, t. I. — ROUSSET, *Théorie et pratique des billets de fonds*, Aix, 1936.

§ 1. — Émission du billet à ordre

A. — CONDITIONS DE FORME ET RÉDACTION DU BILLET À ORDRE

1. — FORMES OBLIGATOIRES DU BILLET À ORDRE ET SANCTIONS

140. — La *forme écrite*, si elle n'est pas formellement prévue par la loi, s'impose pour le billet à ordre comme pour la lettre de change.

Le titre doit comporter *les énonciations prévues à l'article 183 du Code de commerce* qui est à rapprocher de l'article 110 dont il ne diffère qu'à raison de la structure particulière du billet à ordre.

Assez curieusement, l'article 183 fait, tout d'abord, mention de la *clause à ordre* qui doit être insérée dans le texte même et exprimée dans la langue employée pour la rédaction du billet. La clause à ordre est, en effet, indispensable. Alors qu'elle est sous-entendue dans la lettre de change et peut d'ailleurs être écartée par une clause expresse, elle doit être exprimée dans le billet parce que la nature du titre en dépend. A défaut, on aurait affaire à un billet nominatif qui n'est pas un effet de commerce ou à un billet au porteur qui est un effet de commerce, mais est soumis à un autre régime juridique (*infra*, n. 157).

Il est à souligner que l'article 183-1° vise « la clause à ordre ou la dénomination du titre ». C'est la clause autorisant l'endossement qui est essentielle et non le mot « billet ». Le titre peut indifféremment être libellé de la manière suivante : « Je paierai à l'ordre de X... » ou « Je paierai contre ce billet à l'ordre de X... » ou encore « Je paierai contre ce billet à ordre à X... ».

La promesse pure et simple de payer une somme déterminée est une mention à rapprocher du « mandat » requis dans la lettre de change ; elle doit être interprétée de la même manière (art. 110-2° et *supra*, n. 13). Il en est de même pour les autres mentions prévues à l'article 183 : *indication de l'échéance, lieu où le paiement doit s'effectuer, nom de celui auquel ou à l'ordre duquel le paiement doit être fait, signature du souscripteur.*

La rédaction de l'article 183-5° : « Le nom de celui auquel ou à l'*ordre duquel...* » ne contredit en rien, on le notera, l'exigence de la clause à ordre formulée au 1° du même article. Il n'est pas nécessaire que le nom du bénéficiaire soit assorti de la clause à ordre, mais la clause à ordre est nécessaire soit isolément, à côté du nom du bénéficiaire, soit comme élément de la dénomination « billet à ordre », pour que le titre ait la nature de billet à ordre.

Les modes de détermination de l'*échéance* sont les mêmes que pour la lettre de change (*supra*, n. 13). Si le billet est stipulé payable à un certain délai de vue, la présentation au visa du souscripteur tient lieu de présentation à l'acceptation (C. com., art. 189). Le refus de visa est, le cas échéant, constaté par un protêt.

Il est, enfin, à souligner que la *signature* du souscripteur requise par l'article 183 doit être une signature manuscrite. La loi du 16 juin 1966 autorisant pour certaines signatures cambiaires un procédé non manuscrit n'est pas applicable en l'occurrence. La mention de la main du souscripteur du montant de l'effet n'est, en revanche, pas requise même lorsque l'engagement du souscripteur est civil. Les effets de commerce échappent d'une manière totale à l'application de l'article 1326 du Code civil (Paris, 1er mars 1977 : *RJ com.* 1978, 258, note Saint-Cène ; *D.* 1978, IR, 337, obs. Cabrillac ; *RTD com.* 1978, p. 136 ; Hamel, Lagarde et Jauffret, *op. cit.*, n. 1498 ; Roblot, n. 478 B).

Aux termes de l'article 185 du Code de commerce qui est à rapprocher de l'article 110 (*supra*, n. 16), le titre dans lequel une des énonciations indiquées à l'article 184 fait défaut ne vaut pas comme billet à ordre. Cette formule s'interprète comme la disposition correspondante de l'article 110. Elle n'implique pas la nullité complète du titre. Celui-ci peut valoir comme billet au porteur ou comme reconnaissance de dette ou comme commencement de preuve d'un engagement du souscripteur envers le bénéficiaire (Paris, 5e Ch., 30 sept. 1986 : *D.* 1987, somm. 70).

La nullité comme billet à ordre est d'ailleurs écartée quand peut s'appliquer une des suppléances admises par l'article 184. Selon ce texte, le billet dont l'échéance n'est pas indiquée est considérée comme payable à vue. A défaut d'indication spéciale, le lieu de création du titre est réputé être le lieu de paiement et, en même temps, le lieu du domicile du souscripteur. Enfin, le billet n'indiquant pas le lieu de sa création est considéré comme souscrit au lieu désigné à côté du nom du souscripteur.

La régularisation du billet à ordre doit être admise comme celle de la lettre de change (V. sur ce point *supra*, n. 18).

2. — *Formalités et mentions facultatives*

141. — Aux mentions obligatoires peuvent s'ajouter, en principe, les mêmes clauses facultatives que dans la lettre de change. Quelques clauses sont cependant exclues parce que incompatibles avec la nature ou la structure du billet à ordre. Ainsi la clause « non à ordre » est, par la force des choses, exclue et on peut penser qu'elle rend le titre nul en tant que billet à ordre. Est sans objet la clause « non acceptable ». La clause « sans garantie » est inefficace au regard du souscripteur que l'on assimile à cet égard au tireur (V. C. com., art. 115), mais elle est valablement insérée par un endosseur.

Le billet peut être rendu payable chez un tiers par une clause de domiciliation. Toutefois, les dispositions de l'article 127 permettant au tiré de compléter une clause de domiciliation ne mentionnant pas le nom du tiers chez qui sera effectué le paiement ou d'indiquer un autre lieu de paiement dans la même localité ne sont pas applicables au billet à ordre car elles sont liées à l'acceptation. L'article 185 ne comporte d'ailleurs pas de renvoi à l'article 127 (V. toutefois la position plus nuancée de M. Roblot, *op. cit.*, n. 483).

La dispense de protêt (clause « sans frais ») est licite, mais elle est sans effet au regard du souscripteur dont l'obligation n'est pas subordonnée à l'établissement d'un protêt.

L'article 185 du Code de commerce rend applicable au billet à ordre les articles 176 et 177 concernant les copies de la lettre de change. Il n'est pas fait renvoi, en revanche, aux articles 173 et s. relatifs aux exemplaires multiples, ceci parce que le souscripteur, émetteur du billet à ordre, ne peut tirer plusieurs exemplaires du titre qui, tous, l'obligeraient envers des porteurs de bonne foi (Lescot et Roblot, t. II, n. 796).

La technique de la lettre de change relevé (*supra*, n. 139 et s.) a été étendue au billet à ordre (billet à ordre relevé).

B. — Conditions de fond du billet à ordre

142. — Les principes applicables à la lettre de change sont, quant aux conditions de fond, valables également pour le billet à ordre avec cependant une réserve : le signataire d'un billet ne contracte pas nécessairement un engagement de nature commerciale et la capacité requise pour l'accomplissement d'un acte de commerce n'est pas forcément exigée.

Le *principe d'indépendance des signatures* (C. com., art. 114, al. 2) s'applique au billet à ordre. L'émission par un mandataire est possible et, en cas d'absence ou d'insuffisance de pouvoirs, les dispositions de l'article 114, alinéa 3, du Code de commerce sont applicables (V. *supra*, n. 27 et s.). Bien que la loi n'en fasse pas mention, on ne voit pas ce qui s'opposerait à un tirage pour compte (*supra*, n. 30 et s.). Le souscripteur peut-il se désigner comme bénéficiaire ? Un doute existe du fait que les articles 185 et 187 du Code de commerce ne comportent pas de renvoi à l'article 111, alinéa 1er, autorisant le tirage d'une lettre de change à l'ordre du tireur. La difficulté réside dans le fait qu'un tel billet est, pratiquement, l'équivalent d'un billet de banque.

142-1. — Le souscripteur du billet s'engageant lui-même à en payer le montant, il n'existe pas de provision. Mais l'engagement du souscripteur trouve sa cause dans le rapport fondamental liant ce souscripteur au bénéficiaire. Il incombe, toutefois, au souscripteur de prouver l'absence de cause (Paris, 14e Ch. B, 26 sept. 1997 : *D.* 1997, IR, 221. — Paris, 3e Ch. C, 20 janv. 1995 : *D.* 1996, somm. comm. 34, obs. Cabrillac). L'absence de cause est, bien entendu, inopposable à un porteur de bonne foi du billet.

§ 2. — Paiement du billet à ordre

A. — Forme du paiement du billet à ordre

143. — Le paiement du billet à ordre doit être réclamé par le porteur au *souscripteur*. Cette particularité étant soulignée, il convient de renvoyer aux règles en vigueur pour la lettre de change pour tout ce qui concerne la présentation au paiement, la réalisation, la preuve du paiement du billet à ordre, le paiement par intervention (V. sur tous ces points les renvois faits par l'article 183 du Code de commerce).

B. — Droits du porteur

144. — Le paiement est dû au *porteur légitime* du billet à ordre, déterminé comme en matière de lettre de change. L'article 185 renvoie à l'article 120 du Code de commerce tant pour l'appréciation de la qualité de porteur légitime que pour le règlement du conflit susceptible de naître entre porteur dépossédé et porteur actuel en cas de perte ou de vol de la lettre de change (*supra*, n. 113).

Le porteur a une action cambiaire contre le souscripteur du billet. Ce souscripteur est le débiteur principal obligé, aux termes de l'article 188, de la même manière que l'accepteur d'une lettre de change. C'est par lui que le paiement doit être fait à l'échéance. Toutefois, les autres signataires sont tenus solidairement envers le porteur.

A l'égard de chacun de ces codébiteurs, le porteur bénéficie, s'il est de bonne foi, du principe d'inopposabilité des exceptions (*supra*, n. 53 et s.). Restent, toutefois, opposables, outre les exceptions résultant d'un vice apparent du titre et de l'incapacité du signataire, les exceptions personnelles, c'est-à-dire celles issues des rapports juridiques unissant directement le porteur et le débiteur cambiaire. Ainsi, de même qu'au tireur d'une lettre de change resté ou devenu porteur, le tiré accepteur peut opposer l'absence de provision, le souscripteur est fondé à faire valoir à l'encontre du bénéficiaire la non-exécution de l'obligation née du rapport fondamental ou le paiement déjà accompli (Cass. com., 12 oct. 1966 : *Bull. civ.* III, n. 392, p. 345 ; *RTD com.* 1967, p. 539. — 25 oct. 1976 : *D.* 1976, IR, 338 ; *Bull. civ.* IV, n. 265, p. 225. — Paris, 3e Ch. C, 20 janv. 1995 : *D.* 1996, Somm. comm. 34, obs. Cabrillac).

Mis à part le droit sur la provision, le porteur d'un billet à ordre bénéficie des mêmes garanties que le porteur d'une lettre de change. La solidarité des signataires joue à son profit (renvoi par l'article 185 à l'article 151).

Le paiement du billet peut être garanti par un *aval*. L'article 187 du Code de commerce déclare applicable l'article 130 qui définit la forme et les effets de l'aval (*supra*, n. 91 et s.). Si la mention d'aval n'indique pas pour le compte de qui il a été donné, il est réputé l'avoir été pour le compte du souscripteur du billet à ordre.

Lorsque le billet à ordre a été émis par le représentant légal d'une société, celui-ci peut à titre personnel avaliser l'effet. La signature d'aval donnée sans autre indication par le représentant légal s'interprète comme un engagement personnel de sa part (Cass. com., 24 juin 1986 : *Bull. civ.* IV, n. 135, p. 113. — 7 avril 1987, *URSSAF de Charente-Maritime* c. *Biron*, inédit. — Rappr. Cass. com., 15 mars 1984 : *Bull. civ.* IV, n. 156, p. 130 ; *D.* 1987, somm. 69, obs. Cabrillac ; *JCP* 86, IV, 260).

Quand le souscripteur bénéficie pour le paiement du billet à ordre d'une *sûreté*, le bénéfice en est transmis de plein droit aux porteurs successifs de l'effet (rappr. pour la lettre de change *supra*, n. 98), et aucune formalité particulière n'est requise pour que cette transmission s'opère. C'est un effet attaché automatiquement à l'endossement (Lescot et Roblot, t. I, n. 798 B).

Si un doute a pu surgir dans le passé quant à l'application de ce principe aux billets à ordre, il est bien admis aujourd'hui par la jurisprudence que les porteurs des billets bénéficient du privilège du vendeur de fonds quand bien même il n'en serait pas fait mention sur le titre et sans qu'une subrogation expresse soit nécessaire. Il suffit que la création des billets à ordre ait été prévue dans l'acte de vente du fonds (Cass. civ., 19 fév. 1946 : *JCP* 46, II, 3113, note Toujas ; *D.* 1946, J, 184 ; *S.* 1946, 1, 81. — Cass. com., 10 déc. 1968 : *Bull. civ.* IV, n. 351, p. 315 ; *RTD com.* 1969, p. 549). Il reste que la mention sur le titre du privilège facilite la preuve du lien entre cette garantie et le billet à ordre et rend plus aisée la négociation.

Le régime de la *prescription cambiaire* défini à l'article 179 du Code de commerce s'applique aux obligations résultant du billet à ordre (art. 185).

L'obligation du souscripteur, assimilée par l'article 188 à celle de l'accepteur, se prescrit par trois ans à compter de la date de l'échéance. Celle du porteur contre les endosseurs se prescrit par un an à compter du protêt ou de l'échéance si le billet a été stipulé sans frais. Enfin, c'est une prescription de six mois qui s'applique aux recours des garants entre eux ; le délai court du jour du remboursement ou de l'exercice de l'action en justice.

C. — DÉFAUT DE PAIEMENT ET CONSÉQUENCES

145. — Le porteur d'un billet à ordre impayé bénéficie des mêmes prérogatives que le porteur d'une lettre de change. Contre le souscripteur il se trouve dans une situation comparable à celle du porteur de la lettre de change à l'égard de l'accepteur. Outre l'action cambiaire il peut exercer, s'il est le bénéficiaire, l'action née du rapport fondamental l'unissant au souscripteur.

Vis-à-vis des endosseurs le porteur a une action en garantie, mais il en est déchu s'il n'a pas fait dresser protêt faute de paiement dans le délai légal ou s'il n'a pas présenté à bonne date un billet à ordre stipulé sans frais (art. 156 auquel renvoie l'art. 185). La déchéance, on le notera, ne peut être invoquée par le souscripteur qui, pas plus que l'accepteur d'une lettre de change, n'est admis à se prévaloir d'un défaut de présentation ou de protêt (*supra*, n. 129).

L'obligation pesant sur le porteur et les endosseurs de donner, à peine de dommages-intérêts, avis du non-paiement à celui qui leur a transmis l'effet et à son avaliseur (C. com., art. 149) s'applique au porteur d'un billet à ordre. L'avis n'a cependant à être donné ni au souscripteur ni à son avaliseur (Com., 28 oct. 1952 : *JCP* 53, II, 7588, note Lescot ; revue *Banque* 1955, 591 ; Paris, 21 janv. 1966 : revue *Banque* 1966, 502).

Les recours du porteur s'exercent dans les mêmes formes qu'en matière de lettre de change (*supra*, n. 124 et s.). Sur la prescription V. numéro précédent.

Timbrage. — Le billet à ordre était soumis au droit de timbre comme la lettre de change. Ce droit a été supprimé pour ces deux types d'effet par l'article 38 d'une loi du 30 décembre 1996.

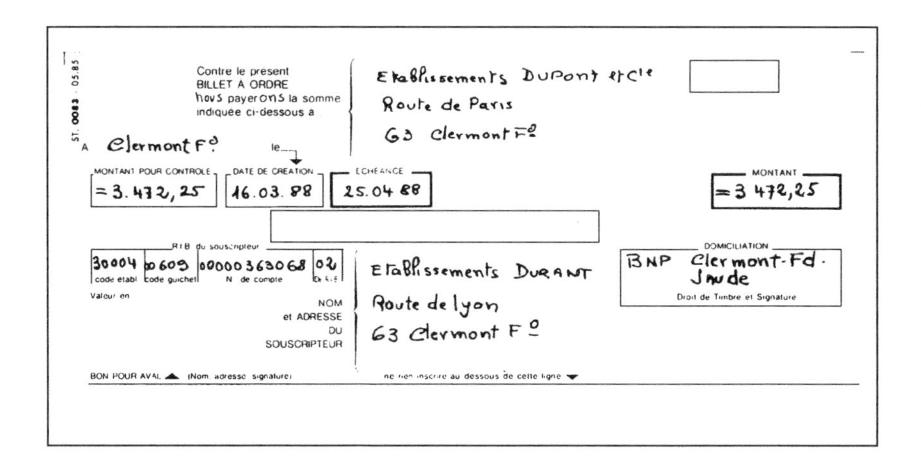

ST. 0083 · 05.85

Contre le présent BILLET À ORDRE nous payerons la somme indiquée ci-dessous à

Etablissements Dupont et Cie
Route de Paris
63 Clermont Fd

A Clermont Fd le

MONTANT POUR CONTROLE: = 3.472,25
DATE DE CRÉATION: 16.03.88
ÉCHÉANCE: 25.04.88
MONTANT: = 3 472,25

RIB du souscripteur: 30004 (code etabl) 00609 (code guichet) 00000363068 (N de compte) 02 (Cl. RIB)

Valeur en

NOM et ADRESSE DU SOUSCRIPTEUR:
Etablissements DURANT
Route de Lyon
63 Clermont Fd

DOMICILIATION: BNP Clermont-Fd. Jaude
Droit de Timbre et Signature

BON POUR AVAL ▲ (Nom, adresse, signature)

ne rien inscrire au dessous de cette ligne ▼

CHAPITRE III

WARANTS

Orientation bibliographique

Outre les rubriques « Warrant, Warrant industriel, Warrant pétrolier » de M. CABRILLAC à l'*Encyclopédie Dalloz de droit commercial*, on consultera, dans l'ouvrage collectif publié sous la direction du doyen HAMEL, 1953, *Le gage commercial*, notamment les articles de MM. VIVIER et J. DURAND.
Adde, la thèse de M. CABRILLAC, *La protection du créancier dans les sûretés mobilières sans dépossession*, Montpellier, 1954. — ROBLOT, *Les effets de commerce*, n. 2119 et s. — HAMEL, JAUFFRET et LAGARDE, *op. cit.*, t. II, n. 1505 et s. — P. SCHOLER, « Le régime juridique du warrant » : *RJ com.* 1980, 121. — J. THUILLEZ, « Les magasins généraux au service des banques et des industriels » : revue *Banque* 1980, p. 725.

146. — *Généralités.* L'institution du warrant au milieu du siècle dernier restait conforme aux principes traditionnels en matière de gage : le dessaisissement du débiteur. Le transfert de la possession à un tiers, convenu entre les parties, n'était pas une innovation juridique. Mais la formule répondait, à l'occasion d'une crise économique, aux nécessités du commerce et fournissait un nouveau titre de support pour obtenir des avances sur marchandises.

Les banquiers devenaient réticents pour garder en qualité de créanciers gagistes les biens gagés. La division du travail moderne a confirmé que ce dernier type de gage n'était pas adapté. Des institutions équipées et spécialisées (les Magasins généraux) avaient une meilleure vocation à assurer cette fonction, en laissant aux banquiers leur rôle d'intervention financière.

Cependant, les professionnels — commerçants, artisans, agriculteurs — pouvaient être gênés dans leur activité s'ils se dessaisissaient soit de leurs instruments de travail, soit même de leurs marchandises ou produits. Le progrès a consisté à éliminer cette condition antiéconomique de la dépossession, sans sacrifier la sécurité du prêteur. Le gage a été représenté par un effet négociable.

L'institution du warrant, liée en 1848 aux Magasins généraux, a été perfectionnée et étendue. Le législateur a mis en place des *warrants dits à domicile*. Ces warrants spéciaux ont concerné successivement les récoltes (warrants agricoles), le matériel d'hôtel (warrants hôteliers), puis une série de produits fongibles (warrants pétroliers, warrants industriels). Le matériel d'équipement industriel et l'outillage firent beaucoup plus tard l'objet de la loi du 18 janvier 1951.

Les formules séduisantes en théorie de « warrantage à domicile », furent délaissées par les praticiens. Le doyen Hamel (*Opérations de banque*, t. II, n. 950) attribuait cet échec au discrédit provenant de la publicité de cette sûreté et à l'insuffisance des sanctions pénales destinées à protéger le gage.

Le nombre des warrants est modeste en comparaison des inscriptions de nantissements sur fonds de commerce (11 362 en 1976 au tribunal de commerce) ou de nantissements sur l'outillage (6 871). La standardisation croissante des productions — d'où une extension indéfinie de la *fongibilité* — pourrait un jour prochain donner à ces instruments négociables un renouveau...

On examinera les warrants dits *généraux*, puis les warrants *spéciaux dits à domicile*.

A. — Warrants généraux

147. — L'institution est liée à la création des Magasins généraux, par le décret du 21 mars 1848, complété par le décret du 28 mai 1858. Des warrants signés par une société de magasins généraux radiée du registre du commerce seraient nuls (Cass. com., 31 mai 1971 : *D.* 1976, IR, 264). La réglementation réaménagée par l'ordonnance du 6 août 1945 (*adde* décret d'application du même jour et *D.* 30 sept. 1953) participe autant du droit du gage que du droit cambiaire. Les banquiers étaient devant la grave crise économique de 1848 très réticents pour faire des avances sur marchandises parce qu'ils n'avaient pas vocation à des stockages de biens et qu'ils devaient faire des immobilisations d'une durée aléatoire. La conservation et la réalisation du gage classique étaient trop complexes et coûteuses. On insistera ici sur l'aspect cambiaire. Le warrant est un instrument de garantie qui peut servir à l'occasion d'un prêt bancaire ou non, ou d'une ouverture de crédit. Plus rarement, ce titre sert à des ventes de produits stockés, sans déplacement de l'objet des contrats.

Les warrants sont des effets de commerce par détermination de la loi. L'ordonnance de 1945 ne laisse pas de doute en affirmant (art. 31) que « les établissements de crédit peuvent recevoir les warrants comme effets de commerce, avec dispense d'une des signatures exigées par leur statut ». Consubstantiellement, ce genre de titre n'a pourtant pas vocation, comme les effets, à servir d'instrument courant de règlement. Le récépissé warrant est un titre représentatif de marchandises, déposées dans un Magasin général, agréé par l'Etat et soumis à un statut légal (V. Ripert et Roblot, *Traité de droit commercial*, t. II, n. 2585 et s.). Ces entrepôts polyvalents de stockage reçoivent des matières premières, marchandises, denrées et/ou produits fabriqués et remettent au déposant un titre, dit *récépissé warrant.*

La matière est régie par les articles 20 à 35 de l'ordonnance du 6 août 1945 et subsidiairement par les règles du Code de commerce sur le billet à ordre (en ce sens Hamel, Lagarde et Jauffret, t. II, n. 1505). Le warrant constitue, en effet, tout ensemble un bulletin de gage et un billet à ordre négociable, pour remplir sa fonction d'instrument de garantie.

Mécanisme d'utilisation. — Lors du dépôt aux magasins généraux, le déposant reçoit un titre extrait d'un registre à souche, composé de deux parties détachables : le *récépissé* et le *warrant.* Le magasin vérifie l'existence et la quantité des biens déposés mais pas leur qualité. On peut cependant faire facultativement vérifier la qualité et obtenir un certificat d'expertise (Req., 21 juill. 1869 : *D.* 1870, I, 86).

Le récépissé constate le dépôt. Il énonce le nom, la profession et le domicile du déposant ainsi que la *nature* des marchandises déposées et les indications propres à une éventuelle identification. Il est prévu depuis le décret du 30 septembre 1953 que les marchandises déposées, si elles sont fongibles, peuvent être remplacées par les marchandises nouvelles de même nature, espèce et qualité. Il faut toutefois que cette faculté de substitution soit prévue lors de la création du warrant et inscrite sur ledit titre. Le porteur du récépissé voit alors ses droits reportés sur les marchandises subrogées.

Le déposant, propriétaire, peut aliéner les biens remis aux Magasins généraux en transmettant le *titre complet* (*récépissé-warrant*) ou les mettre seulement en gage en utilisant soit la partie warrant, soit plus rarement le tout. Tant que le propriétaire n'a pas besoin de crédit, il conserve le titre avec ses deux volets. Pour emprunter, il peut donner en gage les marchandises par endos du « warrant » à l'ordre du prêteur.

Bien entendu, il peut aussi retirer le dépôt en payant les frais de garde et de conservation. Le warrant seul suffit à constituer un gage à l'appui d'un crédit. *L'escompte de warrant* (sur les avantages respectifs de l'avance bancaire sur warrant et de l'avance sur marchandises, V. Ferronnière, Chillaz et Paty, *op. cit.*, n. 502) est une opération bancaire courante. Le banquier prend, toutefois, en pareil cas une marge de sécurité, eu égard aux fluctuations de cours. Une clause, dite d'arrosage, est souvent prévue. Elle oblige le déposant à compléter, en cas de baisse de valeur, l'assiette du gage. Le banquier ne paiera le bénéficiaire du crédit qu'après la transcription du warrant (V. *infra*). A vrai dire, le terme d'escompte n'est pas correct, car le banquier fait souvent libeller le titre de warrant à son ordre. La première remise du titre au banquier n'est pas un escompte, mais un nantissement. L'escompte n'aura lieu qu'avec les endos ultérieurs. On notera une dernière précaution en la matière. Le banquier, incertain de la valeur des biens gagés, exige en fait un certificat d'expertise des marchandises.

Le récépissé peut aussi être utilisé seul après mise en circulation du warrant. L'acquéreur auquel le récépissé seul sera endossé a la faculté de rembourser, avant l'échéance, le créancier gagiste. Le Magasin général, averti par la transcription, lui indiquera la somme nécessaire pour désintéresser le porteur du warrant. Si ce dernier refuse, l'acquéreur peut consigner la somme adéquate aux mains du magasinier qui lui en doit reçu.

Autrement dit, le gage constitué n'empêche pas la circulation des marchandises et leur aliénation.

Le banquier trouve dans l'escompte de warrant une garantie sérieuse si la marchandise a été expertisée et un instrument aisément mobilisable. Sa primauté sur le privilège du Trésor renforce sa sécurité, mais le client doit transporter les marchandises gagées dans des magasins généraux. L'avance sur marchandises peut lui permettre de les conserver dans ses propres locaux, sous réserve de certains aménagements juridiques. Un autre avantage de l'avance est de permettre au client de ne retirer que les fonds qui lui sont nécessaires. Ferronnière, Chillaz et Paty (*op. cit.*, n. 502) soulignent surtout que de nombreuses maisons de stockage moderne refusent de se faire agréer comme Magasins généraux à cause de la lourdeur du statut. L'escompte de warrant se trouve de ce fait souvent non réalisable...

Régime juridique. — Le warrant est surtout utilisé par le propriétaire (porteur du récépissé) comme garantie d'un emprunt. Le titre porte les mêmes indications que le récépissé, mais s'il est endossé à l'ordre d'un prêteur, il reçoit d'autres mentions.

Création de warrant. — Le premier endos a une nature spécifique. Il y a là tout ensemble émission d'un billet à ordre et constitution d'un gage. La remise du titre ne saurait, à elle seule, supporter le poids de cette double opération (V. sur l'exclusion de la tradition, Cass. civ., 19 déc. 1865 : *D.* 1866, I, 198. — Cabrillac, note sous Cass. com., 20 oct. 1965 : *D.* 1966, 353).

L'endos est *daté* et *signé* par le propriétaire endosseur, car la loi du 16 juin 1966 n'autorise pas ici la signature à la griffe. Il énonce, outre le montant intégral de la créance, les nom, prénom, domicile et profession du créancier, ainsi que la date de remboursement prévue. La formule suivante est en général utilisée : « Bon pour cession du présent warrant à l'ordre de M. Dupont pour une somme de 10 000 F payable le 15 janvier 1978 », signé Durand. Le warrant doit être signé. Le titre est généralement domicilié en banque.

Ce warrant ne peut être endossé en blanc, comme les autres effets. L'endos ne saurait être anonyme. Le bénéficiaire de l'endos initial du warrant doit, en effet, le faire *transcrire* sur le registre à souche du Magasin général, pour rendre l'opération opposable aux tiers.

Transcription. — Cette formalité est indispensable pour avertir les tiers de l'existence et du montant du nantissement. Le propriétaire peut transmettre, on l'a vu, le récépissé et vendre les biens, mais sous réserve du gage constitué...

Le Magasin général est ainsi averti de l'avance consentie au déposant. Il exigera du propriétaire des marchandises qui voudrait les retirer en présentant le seul récépissé, les fonds nécessaires au désintéressement du porteur du warrant.

Une mention de la transcription est portée « immédiatement » sur le warrant. Tant que la transcription n'a pas été effectuée, le porteur du warrant ne peut opposer sa sûreté aux tiers. Les créanciers du souscripteur feraient donc par exemple une saisie ou une opposition valable entre les mains du Magasin général (Paris, 1re Ch., 1er déc. 1866 : *D.* 1866, 2, 247). Après transcription, le porteur peut aussi opposer son rang privilégié aux autres créanciers privilégiés de son débiteur (V. *infra*).

Endos ultérieurs du warrant. — Le bénéficiaire du warrant (prêteur) peut, pour diverses raisons (refinancement), l'endosser à son tour. Le régime de l'endos est alors plus simple. Les endos ultérieurs obéissent en principe aux règles cambiaires observées pour le billet à ordre (C. com., art. 117 et les renvois. — Dijon, 28 fév. 1947 : *D.* 1948, I, 223, note Besson). Une nouvelle transcription n'est plus nécessaire (Ord. 1945, art. 23).

148. — *Paiement et recours.* — A la différence des autres effets de commerce, le débiteur peut régler le montant du warrant avant d'attendre l'échéance. Un paiement avant terme est possible. Cette faculté de règlement anticipé est inhabituelle en droit commercial. Concrètement, le propriétaire initial ou l'acquéreur des marchandises voulant les aliéner doit libérer lesdites marchandises de la sûreté qui les grève. S'il connaît le porteur du warrant, il le réglera directement. Sinon, il doit consigner les fonds nécessaires (y compris les intérêts jusqu'à l'échéance) chez le magasinier, qui lui donnera un *reçu* de cette consignation. Ce règlement anticipé permet le déblocage des biens.

A l'échéance, le porteur du warrant a les droits d'un créancier gagiste. Si le débiteur règle, il n'y a aucun problème. Sinon, le porteur doit d'abord faire réaliser le gage, puis — en cas d'insuffisance — poursuivre les divers signataires antérieurs (Ord. de 1945, art. 29, al. 1). Aucun délai de grâce ne peut être accordé (Rouen, 1er juin 1950 : *D.* 1951, somm. 8). Pratiquement, la Banque de France, détentrice de warrants, s'en fait rembourser le montant par le banquier présentateur avant de réaliser. Les banques elles-mêmes s'efforcent d'obtenir à l'amiable le règlement (V. Ferronnière, Chillaz et Paty, *op. cit.*, p. 451, n. 1).

Il faut faire d'abord dresser un *protêt* pour constater le non-paiement dès le lendemain de l'échéance. La vente peut avoir lieu huit jours après le protêt sans autorisation de justice, mais elle doit se produire dans le délai d'un mois suivant le protêt. La négligence du porteur entraînerait sa forclusion (Ord. 1945, art. 29, al. 30). Il perdrait son recours contre les endosseurs.

La vente doit être publique et se faire aux enchères par *courtier assermenté* (Ord. 1945, art. 27 et *D.* 29 avril 1964, art. 15).

En cas d'insuffisance du produit de la vente pour satisfaire le prêteur, le porteur du warrant peut exercer des recours cambiaires contre les précédents endosseurs et, bien sûr, contre le porteur du récépissé, débiteur principal du warrant. Cette hiérarchie des recours ne serait cependant pas d'ordre public et pourrait être écartée par une clause contraire (Cabrillac, *op. cit.*, n. 78). Le recours ne lui appartient que s'il a fait dresser protêt (sauf dispense). Le défaut d'avis aux signataires antérieurs est source de responsabilité (C. com., art. 149).

La position du titulaire du warrant est privilégiée. Sur le produit de la vente, il a un droit préférentiel. Seuls passent avant lui le Fisc pour certaines créances et les créanciers pour frais de vente, de magasinage et autres, avancés pour la conservation de la chose (Cabrillac, *op. cit.*, n. 88 et s.).

Son privilège prime le privilège général du Trésor (Cass. com., 8 mars 1955 : *D.* 1955, J, 307 ; *RTD com.* 1955, p. 406 ; revue *Banque*, 1955, p. 377), mais doit céder devant le privilège garantissant les droits des Contributions indirectes et des Douanes, afférents aux marchandises stockées.

Conformément à la loi du 13 juillet 1930 (art. 37), le privilège se reporterait sur l'indemnité d'assurance, versée en cas de destruction des biens gagés (V. Ord. 1945, art. 30, confirmant ce principe de droit général).

Il a été jugé (Cass. com., 12 janv. 1988 : *D.* 1989, J, 90, note Auberger ; *RTD com.* 1988, p. 263, obs. Cabrillac et Teyssié) que l'escompteur d'un warrant conserve un droit de gage, quand bien même il aurait porté au crédit d'un compte courant ouvert au nom du remettant le montant du warrant.

Prescription. — Le porteur du warrant est exposé, en cas de déchéance, à perdre ses recours contre les signataires antérieurs du titre, s'il n'a pas dressé protêt. En l'absence de règles spéciales, dans l'ordonnance de 1945, il y a lieu d'appliquer aux divers recours la prescription cambiaire des billets à ordre (Ripert et Roblot, t. II, n. 2125).

B. — Warrants dits spéciaux ou à domicile

Orientation bibliographique

Sekutowicz, *Le nouveau statut des magasins généraux et ses répercussions sur le fonctionnement du crédit sur les marchandises*, thèse, Paris, 1948. — Ferronnière, Chillaz et Paty, *Les opérations de banque*, 6e éd., 1980, n. 486 et s.

149. — Ces warrants spéciaux ont été introduits à partir de 1898 (warrant agricole). Le débiteur (emprunteur) ne pouvait pas se défaire des biens offerts en gage, tandis que le créancier n'avait pas les locaux pour garder ces biens (réservoirs, etc.). Certains palliatifs furent imaginés mais s'avérèrent insuffisants (Hamel, Lagarde et Jauffret, t. II, n. 1309). Le régime de ces gages sans dépossession n'est pas uniforme. Le dénominateur commun des warrants pétroliers et industriels est cependant de porter sur des *choses fongibles*. Une parenté juridique de ces instruments et un but économique convergent, justifient leur analyse conjointe.

Leur faiblesse congénitale est que le détournement des biens gagés n'est garanti que par des menaces pénales (V. cependant les suggestives propositions de M. Roblot in *Études Ripert*, t. III, p. 362 et s.).

1. — Warrant agricole

150. — Le warrant agricole fut l'une des premières sûretés sans dépossession. La loi du 18 juillet 1898 (réaménagée par la loi du 30 avril 1906) a introduit ce type de titre de gage sans dépossession parce que les agriculteurs ne pouvaient être privés de leurs instruments de travail (cheptel vif ou mort) et de biens en cours de production (récoltes en grange ou pendantes).

Cet effet reste hors du domaine commercial, car il ne peut être émis que par un agriculteur. On a cependant fait observer qu'on pourrait établir ce titre pour garantir une obligation commerciale (Nîmes, 28 janv. 1925 : *D.* 1925, II, 87). Le warrant est au demeurant souscrit en pratique à l'ordre de banquiers, commerçants. Les Caisses de Crédit agricole, qui sont couramment porteuses de tels warrants, sont aujourd'hui qualifiées de personnes morales exerçant une activité commerciale.

Il faut souligner que le warrantage des vins, alcools, céréales et fromages est à la différence d'autres warrants commerciaux d'un usage très répandu (V. thèse Madeleine Blum, dactylographiée, Dijon, 1967).

Il a été jugé (Agen, 1re Ch., 27 fév. 1985 : *JCP* 86, II, 20604, note Sohm-Bourgeois) que dans la mesure où le warrant porte sur des choses fongibles, la substitution à des biens gagés d'autres biens de même nature est possible.

2. — Warrant hôtelier

151. — Le warrant hôtelier fut le premier warrant commercial sans dépossession. La loi du 8 août 1913 permettait aux hôteliers d'emprunter sur leur matériel tout en le conservant.

Aucune inscription ne paraît avoir été prise depuis 1913. L'échec de la formule est total, l'institution est mort-née. Les hôteliers ont plutôt recours au nantissement sur fonds de commerce qui permet d'offrir en garantie, outre le matériel, les éléments incorporels.

3. — WARRANT INDUSTRIEL

Orientation bibliographique

ROBLOT, *Les effets de commerce*, n. 581 et s. — ROBLOT, « Le warrant industriel, instrument de la politique des lettres d'agrément » : *Dr. soc.* 1943, p. 204. — VIVIER et J. DURAND *in Mélanges Hamel*, p. 388 et s. — *Rép. com.* Dalloz, V° *Warrant industriel* par M. CABRILLAC.

152. — Le warrant industriel a connu, en revanche, une réelle application durant la Seconde Guerre mondiale. Il concernait à l'origine (D.-L. 24 juin 1939) les matières premières nécessaires à la défense nationale. Puis, on l'utilisa pour des fabrications non militaires. On voulait faciliter ainsi la production de matières de remplacement (L. 12 sept. 1940, prolongée *in infinitum* par L. 31 déc. 1953, art. 49). Le financement de ces fabrications de démarrage était subordonné à l'obtention par l'industriel d'une lettre d'agrément du gouvernement. Les industriels pouvaient offrir en garantie les produits tout en les conservant matériellement dans leur usine.

Atitre temporaire, on autorisa aussi la création de warrants, sans lettre d'agrément, jusqu'à l'expiration d'un délai de six mois après la fin des hostilités. Actuellement, le recours au warrant industriel implique une lettre d'agrément indiquant les produits susceptibles d'être mis en gage. La loi du 23 mars 1941 (validée par l'ordonnance du 16 août 1945) a étendu la formule à de nouvelles matières ou produits importés par l'Etat.

Le déclin de l'institution est patent (29 en 1972 ; 32 en 1973 ; 28 en 1974 ; 39 en 1975 ; 9 en 1976 au tribunal de commerce de Paris pour 16 355 926 F). Le législateur a pu craindre de favoriser la constitution de certains stocks en période de pénurie. Cependant, la formule est bien adaptée aux longs stocks impliqués par certaines activités (cuirs, alcools...).

La lettre d'agrément reste utilisée dans les fabrications d'intérêt national que la puissance publique souhaite faciliter. La BDPME a en pratique le monopole de ces financements. Un décret du 17 mars 1972 a prévu l'utilisation du titre pour le soutien financier des produits nouveaux ou des procédés originaux.

On notera que la BDPME ne procède pas à l'escompte des warrants industriels, qui jouent le rôle d'effets primaires, remis seulement en nantissement à cet organisme. Elle fournit en contrepartie son aval ou son acceptation sur des effets de mobilisation qui sont, eux, pris à l'escompte par le banquier (V. Ferronnière, Chillaz et Paty, *op. cit.*, n. 481).

Ce warrant ne peut être utilisé que par des entreprises industrielles ou artisanales. Il porte sur une quantité fongible qu'il n'est pas nécessaire d'isoler du stock. Le greffier du tribunal de commerce de la situation de l'emprunteur établit le titre selon les déclarations de l'emprunteur ou au vu de la lettre d'agrément. Le titre contient les mentions habituelles d'un warrant (qualité, quantité, valeur des produits warrants, assurance) et doit être signé par l'emprunteur.

Une transcription est faite au greffe par le greffier sur un registre spécial. Une mention est inscrite sur le titre, visant les warrants éventuels antérieurs. Le warrant vaut deux ans (art. 3, al. 3) avec renouvellement possible. Tout requérant peut obtenir copie des warrants inscrits ou un certificat négatif.

Au surplus, ce warrant est assimilable à un effet de commerce (Schlogel : revue *Banque* 1946, p. 32).

Les warrants industriels sont transmissibles par endos. Les endossataires doivent se faire connaître au greffe pour se réserver un remboursement anticipé. L'emprunteur peut, en apposant une clause sur le titre, les dispenser de cette notification. Mais il se prive, faute d'identification possible, de la faculté de désintéresser le porteur avant l'échéance.

On soulignera la solidarité cambiaire de tous les signataires du warrant industriel envers le porteur.

Le porteur peut surveiller l'état des biens warrantés (L. 12 sept. 1940, art. 6). A l'échéance, il doit présenter son titre pour règlement. Aucun délai de grâce n'est octroyable. A défaut de paiement, il faut constater la carence par lettre recommandée, sans qu'un protêt soit nécessaire. Faute de paiement dans les cinq jours de l'envoi de la lettre, une procédure plus expéditive va être poursuivie.

Dans les quinze jours de la lettre recommandée, un officier public procédera à la vente publique des biens engagés. La vente peut, avec l'accord de l'acquéreur, avoir lieu à l'amiable. Cette poursuite n'est pas un préalable nécessaire à tout recours contre les signataires. Le titulaire du warrant industriel n'a pas à réaliser d'abord les biens gagés.

L'emprunteur peut toujours vendre à l'amiable les biens sans attendre l'échéance. Il n'a pas besoin de l'accord du prêteur, mais doit d'abord le désintéresser. Par conséquent, il a le droit de faire un remboursement anticipé. En cas de refus du prêteur, il consignerait les fonds selon les règles de l'article 1259 du Code civil.

L'aspect le plus original de la loi du 12 septembre 1940 est représenté par les sanctions pénales (art. 13) contre l'emprunteur qui se livre à diverses manœuvres. Les peines fulminées sont celles punissant l'escroquerie ou l'abus de confiance. La protection civile est, en revanche, faible. Si l'emprunteur a vendu les stocks à un acquéreur de bonne foi, le titulaire du warrant n'aura pas de revendication (Roblot, *op. cit.*, n. 588).

4. — Warrant pétrolier

Orientation bibliographique

ROBLOT, *op. cit.*, n. 569. — LAGARDE et JAUFFRET, t. II, n. 1313 et 1515. — FAURE, *Les warrants pétroliers : Études pratiques de droit commercial*, 1937, p. 348 et s. — *Rép. com.* Dalloz, *V° Warrants pétroliers* par M. CABRILLAC.

153. — Une caractéristique essentielle de ce titre, créé par la loi du 21 avril 1932, est de porter sur des biens fongibles. L'Etat français a voulu favoriser le financement de stocks permanents importants de cette énergie — imposés par l'intérêt général. Les magasins généraux n'avaient pas les installations de stockage *ad hoc*. La rotation des stocks appelait une subrogation constante. Le succès de la formule a été éphémère... Les warrants pétroliers sont en nombre plus restreint encore que les warrants industriels (5 en 1937 ; 2 en 1950 ; 1 en 1973).

Un titre valable trois ans renouvelable est créé. Il comporte les mentions propres à tout warrant (notamment la signature manuscrite du souscripteur). Le greffier du tribunal de commerce du lieu de l'entreprise de stockage transcrit les *essentialia* dudit titre dans un registre spécial, dont les tiers peuvent avoir des états.

Le warrant pétrolier est négociable par voie d'*endos*. Ces endos doivent porter diverses mentions (dont le nom des parties). Ce qui exclut l'endos en blanc. Le créancier porteur de warrant peut en faire le remboursement anticipé.

A l'échéance normale, le porteur doit présenter le titre et faute de paiement en faire dresser le protêt. Aucun délai de grâce ne peut être accordé.

En cas d'impayé, le régime de ce warrant se rapproche du warrant hôtelier. Le porteur n'est pas tenu de réaliser le gage avant de poursuivre les signataires antérieurs.

On soulignera surtout l'obligation légale de l'emprunteur de conserver un volume de liquide égal à ses engagements (L. 1932, art. 12). Le propriétaire emprunteur peut vendre les produits, mais à charge de reconstituer le stock dans les vingt-quatre heures d'une notification ou d'« être à même de le faire »... (Cabrillac, thèse citée, n. 294). Le détournement des stocks fait encourir les peines de l'abus de confiance des articles 406 et 408 du Code pénal.

L'emprunteur peut vendre à l'amiable, avant l'échéance, les stocks, mais à charge de désintéresser le prêteur. Si ce dernier refuse, il peut user de la procédure de consignation (C. civ., art. 1259).

La loi de 1932 autorise le prêteur, en cas de dépréciation des biens warrantés, à faire réajuster le montant du gage (L. 1932, art. 13) si notamment la valeur a baissé de 10 %.

Faute de paiement à l'échéance, le porteur peut, à l'expiration d'un délai de *quinze jours* après une lettre recommandée à l'emprunteur, faire vendre aux enchères les biens warrantés. Les parties ont la faculté de stipuler à l'avance qu'une vente à l'amiable pourra avoir lieu. Il faut cependant une ordonnance de référé... Le prêteur peut aussi (C. civ., art. 2078) se faire attribuer lesdits biens après estimation d'experts (L. 1932, art. 9).

CHAPITRE IV

TITRES NON CAMBIAIRES

Orientation bibliographique

Rép. civ. Dalloz, *V^{is} Titre à ordre, Titres au porteur, Valeurs mobilières* par Ch. GAVALDA.

A. — TITRES NON CAMBIAIRES À ORDRE OU AU PORTEUR

154. — Certaines créances sont soumises à un mode spécial de transmission moins lourd que celui du droit commun. Elles sont constatées dans des titres dits négociables qui tirent leur appellation du procédé technique simplifié de transmission. Le terrain d'élection de ces titres a été le droit commercial. Le développement de la vie des affaires redonne de l'intérêt au problème des titres civils ou commerciaux négociables (Carbonnier, *Droit civil,* t. IV, n. 125). « Dans le monde moderne, la pratique commerciale a pénétré dans le droit civil » (Ripert et Boulanger, *Traité de droit civil,* t. II, n. 1691 et s.).

Les *titres dits nominatifs* échappent aux dispositions ordinaires du transport de créance (C. civ., art. 1690). Le *transfert* s'opère par inscription dans un registre au nom de l'acquéreur à la place de celui du cédant. Ce système a été conçu pour les actions de société anonyme selon un régime légal avant d'être remplacé par l'inscription en compte des valeurs mobilières. Mais le système n'est pas généralisable. Comment un particulier pourrait-il créer un registre de transfert ? (V. Carbonnier, *Droit civil,* t. IV, n. 125. — Planiol et Ripert, *Traité pratique de droit civil,* t. VII : *Les obligations,* p. 531 et s.) ?

Il est, en revanche, possible de rendre un titre de créance négociable en lui donnant la forme *à ordre* ou *au porteur.*

1. — TITRES À ORDRE

155. — La jurisprudence a eu quelque mal à admettre qu'une créance civile puisse être assortie de la clause à ordre et circuler par voie de simple *endos.*

Le titre à ordre est un type de titre de créance dont le créancier a la faculté de se substituer une autre personne sans l'accord du débiteur. Ce changement n'entraîne pas, dès lors, novation. Le débiteur est aussitôt tenu envers la personne désignée. La transmission du titre se fait par voie d'*endos*. Cette formalité se traduit sous sa forme la plus simple par une signature du créancier au dos du titre (endos). Cette modalité très simple remplace les lourdes formalités de l'article 1690 du Code civil.

Le Code de commerce a réglementé cette formule pour diverses catégories d'effets de commerce : traite, billet à ordre. D'autres textes législatifs ont prévu ce mode de transmission pour certains titres commerciaux (warrants) ou soit civils soit commerciaux (chèque, police d'assurance, L. 13 juill. 1930, art. 10).

Aucun texte du Code civil ne visait cette clause qui, en revanche, ne heurte aucun principe général. La doctrine, comme la jurisprudence, a admis l'introduction de ladite clause dans tous les contrats qui peuvent ainsi devenir endossables.

L'insertion d'une clause à ordre, permettant une transmission par simple endos, apparaît licite dans tous les contrats commerciaux ou civils. Bien entendu, les titres à ordre pourraient être exceptionnellement transmis en observant les formalités de l'article 1690 du Code civil. L'emploi, en dehors des promesses de paiement de sommes d'argent à court terme, est resté rare. Elle a connu surtout un relatif succès dans les obligations hypothécaires constatées par acte notarié (grosse) (Paston, *Les obligations à ordre ou au porteur entre particuliers*, thèse, Paris, 1907. — Avril, *Les obligations hypothécaires à ordre ou au porteur*, thèse, Paris, 1929. — Esmein : *RTD civ.* 1921, p. 5. — Desbois, « Théorie juridique des titres à ordre » : *RTD civ.* 1926, p. 637).

La jurisprudence valide la promesse assortie de la clause à ordre, même si elle ne contient pas les mentions obligatoires prévues pour les billets à ordre régis par le Code de commerce (Cass. civ., 8 mai 1878 : *D.* 1878, I, 241, note Beudant. — 15 mars 1892 : *D.* 1893, I, 309 ; *S.* 1894, I, 495). L'insertion de la clause à ordre doit toutefois être acceptée tant par le créancier que par le débiteur (obs. Demogue : *RTD civ.* 1925, p. 190, n. 6 *bis*).

Une loi du 15 juin 1976 a minutieusement réglementé les copies exécutoires à ordre et fait disparaître l'archaïque terme de *grosse* (V. commentaires de Dagot : *JCP* 76, I, 2820 et Vion : *Defrénois* 1976, art. n. 31203). Pour attester de l'importance de ces créances hypothécaires, il suffira de rappeler qu'on évalue à environ 2 milliards de francs les grosses au porteur en circulation donnant lieu à des intérêts de 270 millions de francs. La nouveauté de la réforme est d'imposer pour la création et l'endos des créances hypothécaires à ordre, un caractère notarié, sauf si le créancier est un établissement de crédit (L. 1976, art. 11, al. 1). On soulignera ce nouveau trait de spécificité de titres maniés par les banques.

Il faut souligner que l'article 13 de la loi du 15 juin 1976 interdit de créer des copies exécutoires à ordre pour des créances déjà représentées par des billets ou effets négociables. Un tel double emploi serait dangereux et permettrait des fraudes (V. Dagot, art. cité, n. 54). L'interdiction concerne surtout les banques qui émettaient parfois pour ces créances hypothécaires des billets ou effets négociables. Le principe d'interdiction comporte des tempéraments prévus par l'article 14 qui énonce que l'article 13 ne fait pas échec aux lois spéciales en la matière (Ord. n. 67-838, 28 sept. 1967, titre III ; L. n. 69-1263, 31 déc. 1969, art. 16, par exemple).

Un décret-loi du 25 août 1937 soumet aussi à une minutieuse réglementation l'émission et la circulation de titres au porteur ou à ordre (bons de caisse) comportant engagement d'un commerçant en contrepartie d'un prêt. Ce type de titre ne peut donc être librement aménagé.

156. — La supériorité des effets de l'endos renforce l'intérêt résultant de la simplicité de la forme.

La règle de l'inopposabilité des exceptions s'applique aussi aux titres à ordre non cambiaires, y compris les titres à ordre civils. Ce principe découle en effet du mécanisme de l'endos (Cass. civ., 3 fév. 1847 : *S.* 1847, I, 209. — 29 mars 1887 : *S.* 1887, I, 160. — 9 nov. 1896 : *D.* 1897, I, 16). La doctrine comme la jurisprudence admettent le jeu de principe de l'inopposabilité (V. toutefois les réserves de P. Esmein, « Les titres à ordre et au porteur et l'inopposabilité des exceptions » : *RTD civ.* 1921, p. 5 et s., spécialement n. 24 et s.).

Un tempérament jurisprudentiel non négligeable bloque, toutefois, le jeu de l'inopposabilité si le titre n'est pas une somme d'argent abstraite, mais un titre causé (Cass. civ., 31 juill. 1893 : *D.* 1895, I, 137, note Levillain).

Il a été jugé que les signataires ne sont tenus solidairement envers le porteur que si le titre est commercial (Trib. civ. Caen, 6 fév. 1934 : Gaz. Pal. 1934, 1, 622).

2. — *TITRES AU PORTEUR. BILLETS AU PORTEUR*

157. — *La forme au porteur* connaît, en dehors du droit cambiaire, de nombreuses applications avec les valeurs mobilières (V. sur le refus de qualifier de titre au porteur des certificats « représentatifs » d'actions, Cass. civ. 1re, 21 juin 1977 : *JCP* 77, IV, 219). Depuis longtemps, on a aussi considéré que des créances civiles peuvent emprunter une telle forme. Une application classique en fut faite avec les contrats d'assurance. Mais selon la loi du 13 juillet 1930, les polices ne peuvent désormais se transmettre par tradition, sans observer les formalités de l'article 1690 du Code civil. Elles peuvent, en revanche, se transmettre par endossement.

Le titre au porteur se présente comme un titre sans indication de créancier, dans lequel le débiteur s'engage à payer à celui qui sera le détenteur matériel du titre le jour de l'échéance.

Malgré l'absence de disposition législative générale expresse, la licéité d'un tel titre est reconnue. L'interdiction des grosses notariées au porteur (L. n. 76519, 15 juin 1976, art. 2 : *RTD civ.* 1976, p. 647 ; Dagot : *JCP* 76, I, 2820) qui avaient donné lieu à divers scandales (évasion fiscale) confirmerait *a contrario* la licéité de principe des titres civils au porteur. On soulignera que l'interdiction des grosses au porteur est générale et s'applique même aux établissements de crédit.

La validité des *billets au porteur* est admise en jurisprudence comme en doctrine (Roblot, *Les effets de commerce*, n. 508. — Planiol et Ripert, *Traité* précité, t. 7, 1138, p. 538. — « Les promesses de paiement au porteur » : *Ann. dr. com.* 1904, 44. — Cass. civ., 9 nov. 1896 : *S.* 1897, I, 161, note Tissier. — 25 mars 1931 : *D.* 1931, I, 62). L'article 1690 du Code civil ne saurait faire obstacle à la transmission par tradition de ce genre de titres. La seule limite à la généralisation de ce procédé est, selon une doctrine unanime, de ne pas laisser se créer des billets au porteur tendant à concurrencer la monnaie dont l'Etat a le monopole d'émission. Il est donc interdit aux banques et établissements assimilables, dont la solvabilité est incontestable, d'émettre de tels titres à vue (V. D. 25 thermidor an III, non abrogé). Le législateur a, toutefois, donné un statut juridique aux bons de caisse, titres représentatifs de créances de six mois à cinq ans ; ces bons peuvent être au porteur (D.-L. 25 août 1937). Il est à noter que les textes sur le billet à ordre ne sont pas applicables au billet au porteur (Rouen, 14 juin 1963 : *D.* 1963, J, 636).

Ces titres se transmettent par remise matérielle de la main à la main, sans observation de l'article 1690 du Code civil. Ils sont soumis au principe de l'*inopposabilité des exceptions*. Les tribunaux ont moins hésité à transposer ce principe que pour les titres à ordre. Le débiteur a accepté d'avance pour ses créanciers directs tous les porteurs successifs. Son obligation découle donc ici plus de la forme du titre que de son caractère (Cass., 23 juill. 1941 : *D.* 1941, 356. — Cass. com., 17 avril 1984 : *D.* 1985, IR, 29, obs. Cabrillac ; *RTD civ.* 1985, p. 378, obs. Mestre ; Ripert et Roblot, *op. cit.*, t. II, n. 1912).

Aucune solidarité n'existe entre les porteurs intermédiaires envers le dernier titulaire du billet (Roblot, *Les effets de commerce*, n. 515). On ne transpose à ce titre ni les règles cambiaires de déchéance, ni celles de prescription.

L'existence du droit est établie par le porteur grâce à la détention matérielle du titre. Cette catégorie de titres, dans lequel le droit est incorporé, est assimilée à un meuble corporel, régie éventuellement par l'article 2279 du Code civil.

La facilité ainsi offerte ne paraît guère utilisée en pratique. Le porteur n'a pas de recours en cas de non-paiement du débiteur et il court de gros risques en cas de perte ou de vol du titre au porteur. Les bons de caisse, émis par les banques, revêtent seuls cette forme (V. D.-L. 25 août 1937, mod. L. 24 janv. 1984).

Le législateur a mis fin, par la loi du 15 juin 1976, à de nombreux abus fiscaux en supprimant à l'avenir les grosses au porteur. Mais les prêts au porteur sous seing privé laissent toujours place à un risque de fraude considérable (V. sur cet aspect, Dagot, article cité : *JCP* 76, I, 2820, n. 20 et 21).

B. — Ordres de virement et mandats (rouges et bleus) de la Banque de France

158. — Le virement est une technique financière courante permettant de transférer par un simple jeu d'écritures une somme d'argent d'un compte à un autre, tenu ou non par la même banque. Ce mode de transfert de monnaie scripturale est aussi encouragé par le législateur que le chèque barré.

L'opération de virement est déclenchée par un ordre donné par le titulaire d'un compte à son banquier. Cet ordre peut être donné sans aucune forme sacramentelle. Il peut être verbal (téléphone, télex...) ou écrit (Cass. com., 13 mai 1997 : *JCP* 97, IV, 1380 ; *RD bancaire et bourse* 1997, 165. — 4 juin 1996 : *RTD com.* 1996, p. 700. — Cass. civ. 1re, 1er juill. 1997 : *D.* 1997, IR, 171. — Gavalda et Stoufflet, *Droit bancaire*, n. 239 et s.).

Certains ordres écrits de virement constituent de véritables titres bancaires que l'on doit classer dans la catégorie des titres non cambiaires. Les banques offrent à cette fin à leurs clients des formules imprimées de virement, sans en rendre l'emploi obligatoire. A l'avenir, le passage de plus en plus fréquent des règlements bancaires par l'ordinateur de compensation de la Banque de France devrait impliquer une normalisation obligatoire des formules de virement (1 266 millions de virements pour 39 944 milliards de francs en 1989).

Si l'ordre revêt une forme écrite, il peut éventuellement se présenter comme un titre à ordre ou au porteur. Aucun principe juridique ne s'oppose à ce que l'*instrument*, constatant une créance commerciale ou civile, soit rendu négociable (Planiol, Ripert et Radouant, *Traité de droit civil*, t. VII, n. 1138). Une seule condition serait, selon Hamel (*Opération de banque*, t. II, n. 844), nécessaire : l'accord du banquier (débiteur et mandataire) qui court, en cas d'émission d'un titre négociable, des risques aggravés de falsification. En l'absence de règles juridiques spéciales, ce titre obéirait au régime de droit commun des titres à ordre ou au porteur, c'est-à-dire des *titres négociables*. Les formules de certaines banques sont à cet égard perfectionnées. Elles comportent un feuillet destiné à avertir le bénéficiaire ou sont même parfois élaborées de façon à former un titre, qui ne s'apparente pourtant pas vraiment en droit à un chèque (J. Ferronnière, de Chillaz et J.-P. Paty, *Les opérations de banque*, 6e éd., n. 146). Le principe de l'inopposabilité des exceptions et le transfert de propriété de la provision seraient applicables aux ordres écrits de virement négociables. Mais il n'y a pas lieu de leur appliquer le droit pénal du chèque en l'absence de provision. Le défaut, le retrait ou le blocage de la provision exposeraient seulement à une responsabilité civile de donneur d'ordre. La pratique française n'est guère favorable à cette négociabilité, théoriquement licite. *Rép. com.* Dalloz, V° *Virement*, par M. Cabrillac, n. 31 ; Ripert et Roblot, n. 2307 ; Lagarde et Jauffret, n. 1741).

Les ordres de virement permettent des transferts de banque à banque, mais pas d'un CCP à une banque. La pratique bancaire permet d'arriver à ce résultat en faisant virer au CCP de la banque qui affecte ensuite les fonds au compte tenu dans l'agence à leur client.

159. — *Mandats de la Banque de France*. Les virements de la Banque de France (mandats) doivent être établis sur des formules spéciales. Certains circulent comme des titres au porteur si le nom du bénéficiaire n'est pas indiqué par l'émetteur (Lagarde et Jauffret, t. II, n. 1742 et s.).

S'il s'agit d'ordres de virements entre des comptes tenus dans des comptoirs différents de la Banque de France (virements déplacés), les titres employés sont qualifiés de *mandats bleus*. On parle de *mandat rouge* pour les ordres de virement concernant un virement au sein d'une même succursale de la Banque de France.

Les modèles de *mandat bleu* contiennent deux volets que remplit le donneur d'ordre et qu'il fait parvenir au comptoir qui tient son compte.

Le premier volet (mandat de virement) est conservé par la succursale qui exécute le virement. L'autre feuillet (avis de virement) est acheminé par la Banque de France au bénéficiaire ou rendu au donneur d'ordre pour qu'il le fasse parvenir directement au bénéficiaire.

L'emploi du *mandat rouge* se rapproche plus de celui d'un chèque. Le titre n'est pas divisible. Le donneur d'ordre le remplit et le remet au bénéficiaire qui l'adresse à la Banque. Il peut aussi l'expédier lui-même directement à la Banque de France pour exécution. Les carnets de ce type de mandat ne sont délivrés qu'à certaines personnes habilitées à être titulaires d'un compte à la Banque de France (établissements de crédit, sociétés de bourse,...). La liquidation des positions des adhérents en Chambre de compensation se fait ainsi par mandat rouge.

L'usage d'admettre un règlement par ce titre est généralisé. Un banquier ne saurait donc, sauf autres circonstances, être responsable pour avoir accepté un paiement d'effet de commerce par mandat rouge (revue *Banque* 1960, 217 : Req., 9 juill. 1924 : *D.* 1924, 529). La Banque de France admet que le nom du bénéficiaire soit laissé en blanc lors de l'émission et rempli ensuite (Trib. com. Seine, 11 juill. 1961 : revue *Banque* 1962, 45).

C. — TITRES UNIVERSELS DE PAIEMENT (TUP) ET TITRES INTERBANCAIRES DE PAIEMENT (TIP)

Orientation bibliographique

V. HELLIARD, article précité : revue *Banque*, 1977, p. 1204. — FERRONNIÈRE et CHILLAZ, *Les opérations de banque*, 6e éd., par J.-P. PATY, 1980, p. 147. — Y. SOLEIL, « Le titre universel de paiement » : revue *Banque* 1978, p. 479.

160. — Un des instruments de paiement, créé par la seule pratique (V. Circ. AFB 22 oct. 1976) est le TUP. Ce titre s'inspire de l'*avis de prélèvement* (Circ. AFB 29 juill. 1969), qui consiste en une autorisation permanente de paiement donnée par le débiteur au profit d'un bénéficiaire déterminé (sauf révocation ou opposition au paiement). EDF avait dès 1955 proposé cette formule qui s'est répandue avec la mise en place de l'ordinateur de compensation de la Banque de France en 1969.

Le règlement par avis de prélèvement implique une convention préalable entre un fournisseur et un client. Le procédé est pratiquement utilisé pour le règlement des quittances de gaz, d'électricité, d'eau, de téléphone ou les mensualités de crédit à la consommation. Selon cet accord, le fournisseur dont une créance arrive à échéance fait parvenir par sa propre banque un avis de prélèvement au banquier domiciliataire de son client. Ce dernier banquier lui virera le montant porté à l'avis, si le compte du client est suffisamment approvisionné. Ce *système fonctionne à l'initiative du créancier*, qui avertit à l'avance le débiteur. Doctrinalement, l'opération est analysée en un double mandat révocable. Le premier mandat est donné au fournisseur créancier pour l'autoriser à émettre des avis et à faire débiter le compte du client. Le second mandat est confié au banquier que l'on autorise à exécuter le débit.

Le débiteur pourrait toujours notifier à son banquier (domiciliataire) la révocation du mandat de payer. Ce dernier s'abstiendrait alors de virer. Mais le débiteur serait responsable de la violation de la convention de prélèvement.

La réticence des débiteurs à accepter cette formule vient de ce que — même s'ils sont avertis à l'avance du prélèvement dont ils ont accepté le principe —

l'opération se déroule à l'initiative du créancier. Ils n'ont même pas à confirmer à leur banquier domiciliataire l'ordre de régler.

Le procédé s'est cependant déjà acclimaté puisqu'on a recensé en 1989 plus de 701 millions d'avis de prélèvement (pour 1 403 milliards de francs), présentés à l'ordinateur de la Banque de France. (Statistiques Banque de France citées *supra*, n. 8 *ter*).

Ce processus de paiement n'utilise pas en réalité de titre de paiement. L'avis n'est pas un tel titre.

Le TUP est l'adaptation d'un procédé utilisé depuis 1972 au sein du secteur postal. Le débiteur donne, à la différence des avis de prélèvement, son autorisation de paiement au coup par coup avant chaque règlement. Il reçoit à cette fin en annexe détachable un document classique de facturation (facture, avis d'échéance de prime, etc.), un document (TUP) qu'il doit signer et dater, ce TUP contenant toutes les indications relatives au paiement. Le TUP est établi en cas de relations suivies avec le créancier selon un relevé d'identité bancaire (RIB) que lui adresse le débiteur. L'envoi d'un RIB au créancier n'implique pas qu'on lui donne l'autorisation de prélèvement sur son compte.

Le TUP est renvoyé ensuite par le débiteur, s'il veut régler par son compte bancaire, au centre de traitement du TUP, qui le transforme en avis de prélèvement magnétique remis à la banque du débiteur par l'intermédiaire de l'ordinateur de compensation.

Le prélèvement peut aussi être opéré sur un compte postal (CCP) du débiteur. Le débiteur honore grâce au TUP sa dette, sans émettre de chèque. Ce système est personnalisé et donc sûr en cas de vol. Le tiers qui s'emparerait d'un TUP ne pourrait encaisser sa valeur. Le procédé est souple et laisse une certaine initiative de mise en recouvrement au débiteur qui choisit de régler par sa banque ou son centre de chèques postaux.

Ajoutons que le système est gratuit pour le débiteur et ne l'expose — à défaut de provision — à aucune sanction pénale.

Au plan général, l'avantage est la suppression des encaissements de chèque.

En somme, ce titre se situe à mi-chemin du chèque et du prélèvement automatique.

Le procédé n'est utilisable que si le créancier est une entreprise d'une certaine taille, ayant un volume minimum d'encaissements et une installation informatique.

C'est la condition de l'agrément des banques ou des PTT à l'utilisation de ce procédé. Les firmes utilisatrices, agréées, concluent ensuite un accord technique avec un organisme spécialisé dans le traitement des TUP.

Plus récemment, en 1988, a été mis au point et est entré en application un instrument nouveau dérivé du TUP et destiné à se substituer à lui, *le Titre interbancaire de paiement* (TIP). Malgré sa dénomination, il n'est pas destiné à la réalisation de paiements interbancaires mais, comme le TUP, à des paiements pour le compte de la clientèle.

Il s'agit d'un ordre de virement dont la formule est adressée au débiteur par le créancier. Le débiteur envoie le TIP après l'avoir signé à un centre de traitement. De son côté, le créancier fait parvenir au centre le relevé informatisé de tous les TIP qu'il a émis. Le centre, après ventilation, transmet les instructions à l'ordinateur central de compensation de la Banque de France qui opère selon la procédure habituelle.

Le TIP peut donner lieu à une exécution différée à une échéance correspondant à l'échéance de la dette (Rives-Lange et Contamine-Raynaud, *op. cit.*, n. 329).

En 1996, 114,4 millions de TIP ont été traités pour un montant total de 179 milliards de F (Statistiques Banque de France citées *supra*, n. 8 *ter*).

CHAPITRE V

DROIT INTERNATIONAL DES EFFETS DE COMMERCE

Orientation bibliographique

• Ouvrages généraux et répertoires

ARMINJON, *Précis de droit international privé commercial*, 1948.— BATIFFOL et LAGARDE, *Droit international privé*, 6e éd., 1976, t. II.— P. BLOCK *: J.-Cl. Com.*, fasc. 495, *Droit international commercial : Effets de commerce.* — LAPRADELLE et NIBOYET : *Rép. dr. int.*, t. X (*Titres à ordre*), 1931 ; LEREBOURGS-PIGEONNIÈRE, *Droit international privé.* — Précis Dalloz, 9e éd., 1970. — LESCOT et ROBLOT, *Les effets de commerce*, 1953, t. II. — LOUSSOUARN et BREDIN, *Droit du commerce international*, 1969. — LOUSSOUARN et BREDIN : *Rép. dr. int.* Dalloz, *V° Effets de conmmerce.* — NIBOYET, *Traité de droit international privé français*, t. IV, 2e éd., 1945. — PERCEROU et BOUTERON, *La législation internationale de la lettre de change*, t. II. — ROBLOT, *Traité élémentaire de droit commercial*, t. II, 9e éd. 1981. — ROBLOT, *Les effets de commerce*, 1975. — SCHAPIRA : *J.-Cl. Com.*, art. 110-189, et *J.-Cl. Dr. int.*, fasc. 567 A *(Effets de commerce. Droit international commercial).*

• Ouvrages spéciaux

ARMINJON et CARRY, *La lettre de change et le billet à ordre*, 1938. — CARRY, *Les effets des obligations combiaires en droit international privé* in *Recueil de travaux de la Faculté de Genève*, Genève, 1938. — KUNH, *Les effets de commerce en droit international* in *Cours de La Haye*, 1925, III, p. 12.

• Thèses

BEAUCE, *Unification des législations du point de vue des conflits de lois en matière de lettre de change et billet à ordre*, Paris, 1932. — BLOCH, *Les lettres de change et billets à ordre dans les relations commerciales internationales. Étude comparative de droit combiaire français et américain*, préf. Ph. FOUCHARD, *Économica*, 1986. — DURAND, *Les conflits de lois en matière de lettre de change* (dactyl.), Nancy, 1950. — KAUFFMANN, *Les conflits de lois en matière de lettre de change*, Paris, 1958.

• Articles

ARMINJON, « La Convention internationale pour régler certains conflits de lois en matière de lettre de change et billet à ordre » : *JDI* 1935, p. 520-825 BEAUCHET, « Du droit allemand sur les conflits de lois en matière de lettre de change » : *Ann. dr. com.* 1988, 26 ; *JDI* 1887, p. 630. — P. BLOCK, « Le projet de convention sur les lettres de change internationales et les billets à ordre » : *JDI* 1979, 770.— BROCHER, « Études sur la lettre de change au point de vue international » : *Rev. dr. int.* 1874, 5-196. — CHAMPCOMMUNAL, « Études sur la lettre de change en droit international » : *Ann. dr. com.* 1894, I, 142, 200, 249, 289.— CHERON, « La Conférence de Genève de 1930 sur l'unification du droit en matière de lettre de change » : *Ann. dr. com.* 1931, 38. — LYON-CAEN, « De l'unification des lois relatives aux lettres de change » : *JDI* 1884, 334. — PILLET, « Projet de loi conventionnel uniforme en matière de lettre de change » : *JDI* 1911 ; reproduit dans *Mélanges*, t. II, p. 109. — R. ROBLOT, « Une tentative d'unification mondiale du droit : le projet de la CNUDCI pour la création d'une lettre de change internationale » *in Études Vincent*, 1981, p. 361. — WIGNY, « Les effets de commerce en droit international » : *Rev. dr. int. et législ. comp.* 1931, 774 ; 1932, 203 et 411. — VASSEUR, « Le projet de convention des nations unies » : revue *Banque* 1988, p. 29 et s.

161. — *Généralités.* Dans leur fonction d'instrument de paiement et de crédit, les effets de commerce peuvent être utilisés pour les besoins du commerce international. Des conflits de lois sont, dès lors, susceptibles de naître à leur sujet. Certes, les législations nationales présentent de larges concordances qu'explique l'origine coutumière des effets de commerce mais des différences notables existent quant à l'aménagement technique, génératrices de conflits (*J.-Cl. Dr. int.*, fasc. 567 A, par J. Schapira, n. 3 et 9). Pour réduire ces conflits, le moyen le plus radical est l'unification des droits nationaux. Tel a été le but de la loi uniforme de Genève de 1930. Tel est aussi l'objectif de la lettre de change internationale conçue par la CNUDCI (*supra*, n. 5 et bibliographie ci-dessus). L'unification opérée par le texte de 1930 n'est cependant pas totale ; limitée à la lettre de change et au billet à ordre, elle laisse de côté certains titres comme le warrant. Au demeurant, de nombreux pays, notamment de Grande-Bretagne et les Etats-Unis, n'ont pas adopté le texte uniforme. Enfin, celui-ci ne couvre pas l'ensemble du droit applicable à la lettre de change et au billet à ordre. Certains questions ont été laissées en dehors de la loi uniforme et demeurent régies par les droits nationaux, éventuellement divergents.

L'adoptions d'une loi uniforme n'a donc pas supprimé tous les conflits de lois. Pour faciliter et améliorer le règlement de ceux qui subsistent, les participants à la Conférence de Genève ont rédigé une convention spéciale ayant pour objet de leur donner dans les Etats signataires une solution identique. Ainsi la désignation de la loi compétente ne dépend-elle pas du juge saisi. Cette convention n'est toutefois pas complète. Certains types de conflits n'y trouvent pas de solution (Schapira, *op. cit.*, n. 32).

La convention du 7 juin 1930 destinée à régler certains conflits de lois en matière de lettres de change et de billets à ordre a été signée et ratifiée par la France en même temps que celle portant loi uniforme, ainsi que par beaucoup d'autres Etats (*supra*, n. 5). Les pays anglo-saxons, entre autres, se sont cependant abstenus de l'adopter.

La question se pose dès lors de savoir si elle s'applique aux conflits mettant en cause le droit français et celui d'un pays non signataire. En principe, la réponse est affirmative ; toutefois l'article 10 de la convention énonce que les parties contractantes se réservent de ne pas appliquer les principes du droit international privé qu'elle consacre quand il s'agit d'un engagement pris hors du territoire d'un des Etats contractants et quand la convention donne compétence à un droit qui ne serait pas celui d'un Etat contractant. Selon la jurisprudence, faute d'une loi, l'article 10 n'est pas applicable en France et les règles de conflit édictées par la convention sont d'application générale (Cass. crim., 12 janv. 1956 : *Bull. crim.* p. 91. — Paris, 28 mars 1952 : *Gaz. Pal.* 1952, 1, 423. — Trib. corr. Seine, 18 juin 1956 : *Gaz. Pal.* 1956, 2, 69 ; *Rev. crit. DIP* 1957, p. 293, note H. B.). Ces décisions ont été rendues à propos de la convention de 1931 sur le chèque, mais la question se pose dans les mêmes termes au regard de la convention de 1930 sur la lettre de change et le billet à ordre.

Les conflits non résolus par la convention internationale demeurent régis par les règles coutumières du droit international privé général. Il en est de même pour les conflits concernant les effets de commerce auxquels la loi de 1930 n'est pas applicable (ex. chèque de voyage). On a pu cependant noter une attraction des solutions consacrées par la convention.

Il convient de signaler que les lois uniformes, et notamment celle sur la lettre de change et le billet à ordre, ont suscité un type de conflit original. Faute d'une procédure juridictionnelle internationale d'interprétation, il arrive que les juges nationaux donnent des dispositions de la loi uniforme des interprétations divergentes (consulter sur ce problème : Lescot, « L'interprétation judiciaire des règles du droit privé uniforme » : *JCP* 63, I, 1756. — P. Lagarde, « Les interprétations divergentes d'une loi uniforme donnent-elles lieu à un conflit de lois ? » : *Rev. crit. dr. DIP* 1964, p. 235).

A. — CONFLIT DE LOIS CONCERNANT LES EFFETS RÉGIS PAR LA CONVENTION INTERNATIONALE DE 1930

162. — La mise en œuvre de la législation internationale de Genève peut soulever un problème de *qualification internationale*. Conformément aux principes généraux du droit international privé, la qualification, lorsque la désignation de la loi compétente en dépend, est faite selon la *lex fori*. Toutefois, il faut souligner que la qualification est à opérer en fonction de la « substance » du titre (Schapira, *op. cit.*, n. 43 ; Loussouarn et Bredin, *Droit du commerce international*, n. 442. — Rappr. Roblot, n. 657) sans avoir égard au respect des conditions de validité que formule la loi du juge saisi, c'est-à-dire pour le juge français, la loi uniforme.

1. — FORMATION DES ENGAGEMENTS CAMBIAIRES

a) Conditions de forme

163. — Aux termes de l'article 3, alinéa 1 de la Convention de Genève, la forme des engagements pris en matière de lettre de change et de billet à ordre est réglée par la loi du pays sur le territoire duquel ces engagements ont été souscrits. Le texte fait application de la règle classique *locus regit actum*. Celle-ci a, toutefois, en l'occurrence, une portée inhabituelle. Ordinairement facultative, en ce sens que les parties conservent la possibilité de contracter dans les formes prévues par une autre loi, elle est, dans l'article 3, *impérative*. Les formes de la loi locale sont les seules reconnues.

Des aménagements sont apportés par la convention au jeu de la règle *locus regit actum* en vue d'éviter, dans toute la mesure du possible, l'annulation d'effets de commerce pour irrégularité de forme.

Selon l'alinéa 2 de l'article 3, si les engagements souscrits par une lettre de change ou un billet à ordre ne sont pas valables d'après les dispositions de l'alinéa 1er, mais sont conformes à la législation de l'Etat sur le territoire duquel un engagement ultérieur a été souscrit, la circonstance que les premiers engagements sont irréguliers en la forme n'infirment pas la validité de l'engagement ultérieur. La solution pourrait être justifiée par le principe de l'indépendance des signatures. En fait, elle y est étrangère. Le principe d'indépendance implique une appréciation indépendante de la validité de chaque engagement. L'alinéa 2 de l'article 3 procède de la conception opposée (Schapira, *op. cit.*, n. 50).

Autre aménagement résultant de l'alinéa 3 de l'article 3 : les Etats ont la faculté de reconnaître la validité des engagements pris en matière de lettre de change ou billet à ordre par l'un de leurs ressortissants envers un autre, en une forme prévue par la loi nationale. C'est la consécration d'une compétence subsidiaire de la loi nationale.

La mise en œuvre de la règle de rattachement de l'article 3 exige la détermination du *lieu où l'engagement a été souscrit*. Un point est certain : chaque engagement cambiaire (engagement du tireur, de l'endosseur, de l'accepteur, de l'avaliseur) est à traiter séparément en ce qui concerne la forme qu'il doit emprunter. Mais pour chacun de ces engagements faut-il retenir le lieu de la signature effective ou le lieu indiqué sur le titre ? C'est la première solution qui est très généralement retenue ; elle est suggérée par le texte (Roblot, n. 666. — Schapira, *op. cit.*, n. 53 et s.). La mention figurant sur le titre n'est qu'un moyen de preuve parmi d'autres du lieu réel de l'engagement. Il engendre tout au plus une présomption.

Il importe aussi de préciser ce qu'il faut entendre par *forme des engagements* au sens de l'article 3, alinéa 1. Ainsi qu'on l'a précédemment montré, la distinction entre conditions de forme et conditions de fond, toujours difficile, est particulièrement délicate en matière d'effets de commerce parce que le titre est le support nécessaire de l'obligation. A côté des formes extrinsèques qui ne concernent que la forme (ex. exigence ou non d'une mention en toutes lettres de la date ou d'une signature manuscrite), il est des exigences de forme indissociables du régime de fond de l'effet (mention ou non de la valeur fournie, de la clause à ordre...). Si, rationnellement, seules les premières devraient relever de la loi régissant la forme (Schapira, n. 58), la tendance de la jurisprudence est de considérer sans distinction comme conditions de forme toutes les exigences touchant la rédaction du titre et des formules d'acceptation, d'endossement et d'aval (V. l'analyse présentée par M. Schapira, n. 59 et s.).

Bien qu'il existe quelque doute à cet égard, il faut admettre que relèvent de la maxime *locus regit actum* les dispositions de la loi du lieu de l'engagement concernant le timbre et l'enregistrement (Lescot et Roblot, n. 1055). Si la loi locale sanctionne par la nullité ces prescriptions fiscales, la sanction doit être appliquée par un juge étranger. On sait toutefois que la nullité est écartée par une convention signée à Genève en 1930 (*supra*, n. 5).

b) Conditions de fond

164. — L'article 2, alinéa 1 de la Convention de Genève règle d'une manière conforme aux principes généraux du droit international privé français les conflits touchant à la *capacité du signataire* d'un billet à ordre ou d'une lettre de change. C'est la loi nationale du débiteur qui est compétente à cet égard. La solution est applicable aux personnes morales comme aux personnes physiques. Les restrictions apportées par la loi de l'Etat dont relève la personne morale à sa capacité de s'obliger par lettre de change ou billet à ordre doivent être respectées (Schapira, n. 86). La texte précise que si la loi nationale déclare compétente la loi d'un autre pays, cette dernière est appliquée. C'est la consécration du *renvoi*.

Certaines restrictions sont cependant apportées à la compétence de la loi nationale en matière de capacité. L'article 2 de la Convention reconnaît une compétence subsidiaire à la loi locale. La personne qui serait incapable selon sa loi nationale est néanmoins tenue si la signature a été donnée sur le territoire d'un pays d'après la législation duquel elle aurait été capable. Il y a dans cette solution un élargissement de la jurisprudence Lizzardi (Req., 16 janv. 1861 : *D.* 1861, 1, 193). Les Etats contractants ont, toutefois, en application de l'article 2, alinéa 3, la faculté de ne pas reconnaître la validité de l'engagement pris pas un de leurs ressortissants qui ne serait tenu pour valable que par application de la loi du lieu où cet engagement a été pris. La solution permet de sanctionner des fraudes.

165. — La convention de 1930 ne fait pas mention des autres conditions de fond, celles touchant *le consentement*, *l'objet* et *la cause*. On s'accorde à leur appliquer, conformément à la théorie générale des conflits de lois en matière d'actes juridiques, la *loi d'autonomie* (Lescot et Roblot, *op. cit.*, t. II, n. 1056. — Schapira, n. 89). Bien entendu, cette loi doit être déterminée séparément pour chaque débiteur de l'effet.

Pratiquement, en l'absence d'une stipulation expresse, à peu près inconnue de la pratique en ce domaine, on hésite entre la loi du lieu de souscription de l'obligation cambiaire et celle du lieu de paiement. La première a la faveur de beaucoup d'auteurs (V. Schapira, *op. cit.*, n. 93. — Roblot, n. 662). Mais ne faut-il pas tenir compte de l'évolution récente de la jurisprudence française vers la reconnaissance d'une compétence de principe de la loi du lieu d'exécution en matière de contrat international (V. Batiffol et Lagarde, *Droit international privé*, 7e éd. t. II, n. 581) ?

On remarquera que l'influence de l'émission ou de l'endossement d'une lettre de change ou d'un billet à ordre sur les rapports préexistants relève de la loi régissant ces rapports et non celle applicable à l'effet (V. Roblot, n. 663 *in fine*).

c) Sanctions des règles de formation de l'engagement cambiaire

166. — Il est de principe en droit international privé que la loi compétente pour déterminer une condition de validité d'un acte juridique l'est également pour fixer la sanction encourue quand cette condition fait défaut. Toutefois, l'opposabilité aux tiers d'une irrégularité dépend de la loi compétente pour définir le contenu des obligations cambiaires (*infra*, n. 167).

Une autre loi peut être applicable en tant que loi de police. Ainsi la réglementation des changes des biens de souscription de l'effet peut imposer certaine formalités pour la réalisation d'un transfert de fonds à l'étranger au moyen d'un effet de commerce. C'est cette loi qui détermine les sanctions applicables en cas d'irrégularité.

Il été jugé en France, avant la suppression du contrôle des changes que, sauf intention de fraude, le non-accomplissement des formalités administratives requises pour le transfert des fonds à l'étranger n'affecte pas la validité des engagements souscrit au moyen d'une lettre de change (Cass. com., 17 oct. 1995 : *D.* 1995, IR, 232).

2. — *Statut et contenu des obligations cambiaires*

167. — L'article 4 de la convention de Genève pose un principe essentiel touchant les obligations résultant de la lettre de change et du billet à ordre. Chacune de ces obligations est soumise à sa propre loi. C'est le système dit de la *pluralité des rattachements*. Bien entendu, il peut arriver que la même loi soit désignée, mais chaque obligation est soumise à son propre critère de rattachement. C'est, on le notera, la solution qui prévalait déjà dans la jurisprudence française avant l'entrée en vigueur de la convention de Genève (V. Schapira, *op. cit.*, n. 113).

On a essayé de limiter les conséquences de la pluralité des rattachements par la théorie de « l'effet de base » (V. Lescot et Roblot, *op. cit.*, t. II, n. 1072). Les clauses insérées par le tireur ou un endosseur resteraient régies au regard des signataires ultérieurs par la loi compétente au regard du signataire qui en est l'auteur (tireur, souscripteur, endosseur). Cette opinion est contraire à l'article 4 et ne trouve plus guère de défenseurs aujourd'hui. Il faut seulement admettre que les garants ne sont tenus que si le tiré n'exécute pas l'obligation cambiaire dans les termes de la loi compétente à son égard qui, dès lors, a une incidence sur la situation des autres débiteurs (Lescot et Roblot, *loc. cit.*).

L'article 4 ne se borne pas à consacrer la pluralité des rattachements. Il désigne la loi *régissant les diverses obligations cambiaires*. Les effets des obligations de l'accepteur d'une lettre de change ou du souscripteur d'un billet à ordre sont déterminés par la loi du lieu où ces titres sont payables. Les effets des signatures des autres obligés (tireur, endosseur, avaliseur) sont déterminés par la loi du pays sur le territoire duquel les signatures ont été données. Le sort particulier réservé à l'obligation de l'accepteur, contraire à la tradition jurisprudentielle française, représente une transaction entre les positions des Etats participants à la conférence de Genève (V. Schapira, n. 119).

Quelle est *l'étendue de la compétence de la loi désignée à l'article 4* (loi du lieu de la signature ou du lieu de paiement) ? L'alinéa 1er relatif à l'acceptation vise « les effets des obligations de l'accepteur ». La formule n'est pas très heureuse. La rédaction de l'alinéa 2 se référant aux « effets que produisent les signatures » est plus exacte. La loi dont il s'agit définit toutes les conséquences au regard du signataire, de la signature donnée.

L'obligation du *tireur* ou du *souscripteur* relève par application de l'article 4, alinéa 2 de la loi du lieu d'émission qui définit l'étendue de la garantie dont il est tenu, les exceptions qu'il peut opposer au porteur, les recours auxquels il est exposé, l'existence contre lui d'une action *de in rem verso* en cas d'extinction de l'action cambiaire (Schapira, n. 121).

Les effets de la *signature d'endossement* sont déterminés par la loi du lieu où l'endossement a été souscrit. C'était déjà la solution admise avant la Convention de Genève. La loi du lieu de l'endossement détermine seule, à l'exclusion de la loi du lieu d'émission du titre, si celui-ci est *négociable* : il s'agit en effet de savoir si une formule d'endossement est apte à opérer transmission des droits cambiaires. C'est à la même loi qu'il faut se référer pour savoir si l'endosseur est un porteur légitime ayant qualité pour transmettre valablement l'effet. En dépendent également la garantie qu'il doit, les exceptions qui peuvent mettre en échec l'action en garantie contre lui, les recours dont il est passible.

La situation de l'*avaliseur*, enfin, dépend de la loi du lieu où l'aval a été donné.

La compétence de la loi du lieu de paiement en tant que loi régissant les effets de l'*acceptation* s'étend aux questions suivantes : étendue de l'obligation de l'accepteur envers le porteur, envers le tireur, exceptions opposables, conséquences du paiement entre les mains d'un porteur non légitime, valeur de l'acceptation conditionnelle ou assortie de réserves. L'article 7, alinéa 1, reconnaît compétence à la loi du lieu de paiement pour déterminer si l'acceptation peut être partielle et si le porteur est tenu de recevoir un paiement partiel.

Les conséquences du refus d'acceptation au regard du tiré relèvent de la loi régissant le rapport fondamental entre tireur et tiré. Vis-à-vis des garants, c'est la loi applicable selon l'article 4 à l'obligation de chacun de ces garants qui est à consulter.

3. — EXÉCUTION DES OBLIGATIONS CAMBIAIRES

a) Paiement

168. — *L'échéance* est nécessairement déterminée par une loi unique au regard de tous les débiteurs cambiaires. Quelle est cette loi ? Deux lois ont une vocation à s'appliquer à cet aspect de l'opération cambiaire : la loi du lieu d'émission et celle du lieu de paiement. Leur application distributive est généralement préconisée (Roblot, n. 684. — Schapira, n. 153). La forme de la stipulation d'échéance et sa nécessité comme mention de l'effet relèvent de la loi du lieu d'émission (règle *locus regit actum*). Le mode de détermination de l'échéance dépend de la loi d'autonomie, compétente pour définir les conditions de fond de l'engagement cambiaire. C'est, éventuellement, la loi du lieu d'émission. La loi du lieu de paiement, enfin, détermine la date d'exigibilité en fonction des jours fériés, d'éventuelles prorogations ou délais de grâce.

Les conditions de la *présentation au paiement* relèvent de la loi du lieu où cette présentation doit être faite, éventuellement distinct du lieu du paiement lui-même. Ce rattachement coïncide avec celui consacré par l'article 8 de la convention de Genève qui, pour la forme et le délai de protêt et des autres actes nécessaires à l'exercice ou à la conservation des droits cambiaires, donne compétence à la loi du pays sur le territoire duquel le protêt ou l'acte doit être fait. La présentation de l'effet entre dans le champ d'application du texte.

Pour sa *réalisation du paiement*, c'est la loi du lieu de paiement qui prévaut (V. *Sentence arbitrale CCI, affaire 1704/1977 : JDI* 1978,977, obs. Derains). Certes, la solution n'est pas donnée en termes généraux par la Convention, mais la compétence reconnue à cette loi en ce qui concerne le paiement partiel, l'opposition en cas de perte ou de vol, est considérée comme traduisant un principe général. Cette loi détermine les conditions de libération du débiteur, les vérifications auxquelles il doit procéder. Elle est compétente pour la fixation de la monnaie de paiement, mais si une clause existe à cet égard dans la lettre ou le billet, son application relève de la loi d'autonomie en tant que loi de fond. La loi du lieu de paiement règle également la question de la preuve du paiement accompli.

En cas de *dépossession involontaire*, c'est, selon l'article 9 de la convention de Genève, à la loi du lieu où l'effet est payable que le porteur doit se conformer pour protéger ses droits. Les formes de l'opposition ainsi que les effets de cette opposition, les garanties à fournir pour obtenir paiement en relèvent. En revanche, la loi du lieu de l'endossement ayant transmis l'effet au porteur actuel est compétente pour régler le conflit entre le porteur dépossédé et le porteur actuel.

La *provision* est l'une des dispositions touchant les effets de commerce sur lesquelles les divergences sont les plus marquées entre les législations nationales et, par conséquent, les conflits de lois les plus nombreux.

L'article 6 de la Convention de 1930 fait dépendre de la loi du lieu de création du titre l'acquisition par le porteur de droits sur « la créance qui a donné lieu à l'émission du titre ». Cette loi est compétente pour trancher le principe même du transfert de la provision, mais aussi pour déterminer la consistance des droits transmis (gage ou propriété, droit actuel ou éventuel) et les conditions de la transmission.

L'article 6 n'épuise, toutefois, pas la question de la provision. L'existence de la créance de provision relève de la loi régissant le rapport fondamental entre tireur et tiré qui est également compétente pour dire si le tiré qui a reçu provision doit accepter (*supra*, n. 167). L'incidence de la constitution de provision sur la validité de la lettre de change dépend de la loi applicable au fond de l'obligation cambiaire (*supra*, n. 165). Il en est de même de la charge de la preuve (Roblot, n. 681. — Batiffol et Lagarde, *op. cit.*, n. 706).

b) Recours cambiaires

169. — L'existence d'un recours envers un signataire de la lettre de change est un élément de son obligation et elle dépend en conséquence, en application de l'article 4, alinéa 2 de la Convention de la Genève, de la loi du lieu où il a signé l'effet. La même loi détermine l'objet du recours appartenant au porteur contre un signataire. Les modalités et formes des actes à accomplir pour conserver les recours (protêt) sont déterminées par la loi du lieu où ils doivent être faits (art. 8 de la Convention). Mais pour déterminer si une formalité telle que l'établissement d'un protêt est nécessaire, il faut se reporter à la loi régissant chaque engagement quant au fond car l'étendue de l'engagement est en cause (en ce sens : Roblot, *op. cit.*, n. 688). Il en est de même en ce qui concerne les conséquences du non-accomplissement d'une telle formalité (déchéance du porteur négligent). Pour l'application de l'article 8 et la compétence de la loi du lieu où la formalité serait accomplie : Arminjon et Carry, *La lettre de change et le billet à ordre*, n. 472.

Les délais d'exercice des recours sont déterminés, selon l'article 5 de la Convention, par la loi du lieu de création du titre. Les actions en justice dépendent de la *lex fori* et les procédures d'exécution de la loi du lieu de situation du bien saisi.

c) Prescription des obligations cambiaires

170. — L'article 5 de la Convention de Genève soumet, on l'a vu, à la loi du lieu d'émission du titre les délais d'exercice « de l'action en recours ». Selon une interprétation restrictive, ce rattachement vaudrait pour les délais préfix, mais non pour la prescription extinctive. L'opinion contraire prévaut généralement dans la doctrine actuelle (Roblot, n. 694. — Schapira, n. 171. —

Loussouarn et Bredin, n. 483). Toutefois, la rédaction du texte ne permet pas de l'appliquer à l'action contre l'accepteur qui n'est pas un « recours ». Sa prescription relève de la loi du lieu de paiement en application de l'article 4.

Selon l'article 17, annexe II, de la Convention portant loi uniforme, les causes de suspension et d'interruption de la prescription sont déterminées par la *lex fori* (Colmar, 2 avril 1968 : *JCP* 69, II, 15958, note Wiederkehr). Les conditions dans lesquelles s'opère la prescription relèvent également de cette loi (rôle du juge....).

B. — Conflits de lois concernant les effets non régis par la Convention internationale de 1930

171. — Certains conflits de lois touchant les effets de commerce continuent à relever du droit international privé français. Il en est ainsi tout d'abord des conflits relatifs aux billets à ordre et aux lettres de change qui n'ont pas été tranchés par la convention de Genève (V. § 1 ci-dessus). Tel peut être le cas des conflits concernant les mêmes types d'effets qui sont tranchés en faveur de la loi d'un pays non signataire de la Convention ou portent sur des effets émis sur le territoire d'un tel Etat. Toutefois l'exclusion du droit conventionnel dans ces hypothèses est, aux termes de l'article 10 de la Convention, facultative, et la jurisprudence tend à appliquer ce droit (*supra*, n. 161).

Restent les types d'effets non visés par la Convention, essentiellement les warrants. Cette variété de titres ne donne lieu et ne semble susceptible de donner lieu à une circulation internationale intense. Si des conflits de lois devaient se produire à leur propos, il est à penser que les rattachements consacrés par le Convention de 1930 seraient appliqués par analogie (V. sur ce point Schapira, *op. cit.*, n. 39-40).

Dans le *warrant* il faut distinguer le billet à ordre et le bulletin de gage. En tant que billet à ordre, le warrant est soumis au même rattachement que les autres effets de cette nature, sous la réserve que, juridiquement, ainsi qu'il a été dit, les dispositions de la Convention de Genève n'y sont pas applicables.

En tant qu'acte créateur de gage le warrant relève quant au fond de la loi du lieu de situation des choses nanties qui définit la consistance des droits du porteur (Roblot, n. 693. — Rappr. Cass. civ., 8 juill. 1969 : *JCP* 70, II, 16182, note Gaudemet-Tallon). Pour la forme du warrant, les mentions qui doivent y figurer, l'opinion la plus répandue en doctrine est que la loi locale est compétente (loi du lieu d'émission, loi de l'endossement. En ce sens : Lescot et Roblot. t. II, n. 1124. — Schapira, n. 201. — Loussouarn et Bredin, n. 637). Les mesures de publicité (ex. : transcription du premier endossement) sont soumises à la loi du lieu de situation des biens warrantés.

DEUXIÈME PARTIE

CHÈQUE

CHAPITRE I

GÉNÉRALITÉS

172. — Le chèque est un *titre de paiement* apparu en France sous le Second Empire (1865) lors de l'aménagement des structures bancaires modernes. Il vient du fond des temps ! Avec le soutien de la puissance publique, cet instrument de règlement s'est largement diffusé. La relative inadaptation de ce titre à une gestion électronique et la multiplication des fraudes a depuis 1979 remis en cause cette politique législative de vulgarisation du chèque. En 1976, les règlements scripturaux du système bancaire se sont effectués à 80 % par chèque. En 1986, ont été signés cinq milliards de formules dont un milliard pour des titres d'un montant inférieur à 100 F. Ce qui montre le maintien de la prépondérance en France de cet instrument de paiement (*L'évolution du système de paiement en France* : revue *Banque* 1980, p. 1391).

A partir de 1987, pour la première fois, le nombre de chèques a diminué. La chute est plus sensible pour les chèques émis par les particuliers.

Le pourcentage du volume global des transactions payées en espèces par les ménages varie fortement au sein de la CEE. L'emploi du chèque et de la carte est moindre en Allemagne, à la différence de l'Italie où le chèque est très utilisé.

Orientation bibliographique

J. ESCARRA, *Cours élémentaire de droit commercial*, 1953, n. 1650 et s. — HAMEL, LAGARDE et JAUFFRET, *Traité de droit commercial*, t. II, 1956, n. 1650 et s. — VASSEUR et MARIN, *Le chèque*, Sirey, 1969. — IPPOLITO et DE JUGLART, *Droit commercial*, 1 vol., 2e éd., *Effets de commerce et chèque*, 1977, p. 185 et s. — RIPERT et ROBLOT, *Traité de droit commercial*, éd. 1996, t. II, n. 2151 et s. — M. CABRILLAC, *Le règlement des créances de l'entreprise*, 2e éd., 1976. — M. CABRILLAC, *Le chèque et le virement*, Litec, 1980. — M. CABRILLAC et C. MOULY, *Droit pénal de la banque et du crédit*, 1982. — M. JEANTIN, *Instruments de paiement et de crédit. Entreprises en difficulté* : *Rép. com.* Dalloz, 1990. — DUPICHOT et GUEVEL, *Les effets de commerce*, 3e éd., 1996.

• Livres spéciaux

Sur la période antérieure à 1935, V. BOUTERON, *Le nouveau droit du chèque*, 1927. — HAMEL, *Banque et opérations de banque*, t. I, 1933, p. 686 et s. —

Sur la Convention de Genève, BOUTERON, « L'unification du droit du chèque » *in Mélanges Lambert*, t. IV, 1938. — HAMEL et ANCEL, *Travaux de l'Institut de Droit comparé de Paris*, 1937. — *Adde* surtout, les comptes rendus de la Conférence internationale pour l'unification du droit en matière de lettre de change, billet à ordre et chèque, publiés par la SDN, document C 294 M 137, 1931, II, B. — PUTMAN, *Les effets de commerce*, PUF, 1996. — JEANTIN, *Instruments de crédit et entreprises en difficultés*, Dalloz, 1988. — *Adde*, la publication très instructive de 1966 sur le chèque du ministère de l'Économie et des Finances, 1992. — *Adde*, DESCHANEL, *Droit bancaire*, Dalloz, 1997.
Sur les conflits de lois en matière de chèque, V. spécialement LOUSSOUARN et BREDIN, *Droit du commerce international*, 1970. — SCHAPIRA : *J.-Cl. Dr. intern.*, 567 B. — H. et M. CABRILLAC, *Le chèque et le virement*, 4e éd., 1967. — FERRONNIÈRE et DE CHILLAZ, *Les opérations de banque*, 5e éd., 1976. — HAMEL, VASSEUR et MARIN, *Le chèque*, t. II, 1969. — LEGENDRE, *Les moyens de paiement du droit des affaires*, Dunod, 1966. — PERCEROU et BOUTERON, *La nouvelle législation française et internationale de la lettre de change, du billet à ordre et du chèque*, t. II, 1951. — GAMDJI, *La sécurité du chèque,* 1998.

• Répertoires et revues

On consultera surtout le mot Chèque au *Rép. com.* Dalloz (CABRILLAC), 1996 et au *Rép. crim.* Dalloz (DERRIDA) et au *J.-Cl. Dr. com. Annexes*, *Banque et Bourse*, fasc. 20 et s. — La chronique de MM. CABRILLAC et TEYSSIÉ à la *RTD com.* et la chronique de jurisprudence bancaire de la revue *Banque* (mensuel). La problématique du chèque s'enrichit du courrier des lecteurs de cette dernière revue. La Chancellerie a publié un intéressant commentaire officiel qui ne saurait, bien entendu, lier les juridictions : V. note relative à la prévention et à la répression des infractions en matière de chèques : *D.* 1976-1977 ; *JCP* 75, III, 43575.
La brochure annuelle du Centre de liaison et d'information sur les moyens de paiement de la Banque de France (éd. 1989) est un précieux instrument statistique. — *Adde* COURET, DEVEZE et HIRIGOYEN, *Lamy Financement.*

• Droit pénal du chèque (avant la loi du 30 décembre 1991)

V. CABRILLAC, *Le droit pénal du chèque*, 1976. — DELMAS-MARTY, *Droit pénal des affaires*, 1981, p. 175 et s. — GROSBOIS, « La prévention et la répression des chèques sans provision » : *Gaz. Pal.* 1976, 1, doctr. 106. — JEANDIDIER, *Droit pénal des affaires,* 2e éd., Dalloz, 1996. — LARGUIER, *Droit pénal des affaires*, 1983, p. 108 et s. — ROUSSELET, ARPAILLANGE et PATIN, *Droit pénal spécial*, 8e éd., 1972, n. 1011 et s. — CABRILLAC et MOULY, *op. cit. Rép. crim.* Dalloz, *V° Chèque*, par G. DERRIDA. — *Adde infra*, n. 267, M. JEANTIN, précité.
V. sur la loi n. 72-10 du 3 janvier 1972 et les textes d'application, les commentaires de BARROT, *JCP* 72, I, 2469 ; *D.* 1973, chron. 245. — BOUZAT : *RTD com.* 1972, p. 514. — CABRILLAC et RIVES-LANGE : *RTD com.* 1972, p. 129. — M. CABRILLAC : revue *Banque* (belge) 1974, p. 809. — DUPHIL-BENNE : *Rev. police nationale*, janv. 1972. — DAGOT et SPITERI : *JCP* 72, I, 2454. — DECOCQ : *Rev. sc. crim.* 1972, p. 641. — DELMAS-

MARTY, *Droit pénal des affaires*, PUF, 1990. — DERRIDA : *D.* 1972, chron. 115. — DUCOULOUX-FAVARD : *Inf. Chef d'Entr.* 1972, 457. — GAVALDA : *JCP* 73, I, 2587. — GUYÉNOT : *Rev. huiss.* 1973, 447. — J. MESSINE : *Rev. dr. pén. et crim.* 1973, 135. — PORTE : *Ann. loyers*, 1972, 707. — PUCHEUS : *Rev. dr. pén. et crim.* 1973, 89. — X. SCALBERT : *Gaz. Pal.* 1972, 1, doctr. 245 et revue *Banque* 1975, p. 138. — J. SOULARD, *Le protêt des chèques exécutoires* : *Rev. huiss.* 1973, 448.

Sur la réforme de la loi n. 75-4 du 3 janvier 1975, V. les commentaires de Bertrand DE BALANDA : *Les Petites affiches*, 1975, n. 133 et s. — BOUZAT : *RTD com.* 1975, p. 382. — M. CABRILLAC : *D.* 1975, chron. 51. — CABRILLAC et RIVES-LANGE : *Bull. transp.* 1975, 112, et *RTD com.* 1975, p. 141. — DERRIDA : *D.* 1972, chron. 115. — DELAFAYE, « Le contentieux des chèques sans provision : l'expérience du Parquet de Paris » : revue *Banque* 1986, 336 et s. — J.-P. DOUCET : *Gaz. Pal.* 1975, 2, doctr. 533. — GAVALDA, « Une seconde étape ? La loi du 3 janvier 1975 sur la prévention et la répression des infractions en matière de chèques » : *JCP* 76, éd. CI, 2801. — P. GOETZ : *Rev. Alsace-Lorraine* 1976, 73. — GROSLIÈRE : *JCP* 75, I, 2716. — D. GUÉNIN, « Principales modifications de la loi relative à la sécurité des chèques » : *JCP* 92, éd. G, 22 janv. 1992. — M.-P. LUCAS DE LEYSSAC : *J.-Cl. Pénal*, 1990, fasc. art. 405. — MARCILLE : revue *Banque* 1975, p. 218 et 1219. — MAUBRU, « L'incident de paiement » : *D.* 1977, chron. 279. — R. PELLETIER, *Journ. agréés*, 1976, 219. — PELLETIER : *RJ. com.* 1976, 219. — M. PERDRIX, « La procédure d'échange des chèques hors rayon » : revue *Banque* 1986, p. 53.

Quoi qu'il en soit, selon l'excellente formule de Michel Cabrillac et du regretté Professeur Mouly « le déferlement prodigieux » des chèques sans provision, dénoncé dès 1960 a justifié une série de réformes notamment sur le droit pénal du chèque. Cette politique de prophylaxie juridique a commencé avec la loi du 3 janvier 1972. Ce texte a fait l'objet d'un certain scepticisme des auteurs spécialisés (V. par exemple Ch. GAVALDA et STOUFFLET : « Une étape ? La réforme du chèque par la loi du 3 janvier 1972 » : *JCP* 73, éd. CE 2587. Signalons seulement pour l'instant la loi n. 75-4 du 3 janvier 1975 (art. 10), l'instauration de certains fichiers (V. *infra* n. 235). Enfin, une politique non laxiste, mais équilibrée fut adoptée avec la loi n. 91-1382 du 30 décembre 1991 touchant la sécurité des chèques et cartes de crédit. Cette législation forme, on le verra un chapitre X du décret-loi 30 octobre 1935 qui reste le socle du système français du chèque. Notons déjà que cette réforme a été très vite suivie d'une autre loi n. 92-665 du 16 juillet 1992 (*adde* décret d'application n. 92-456 du 22 mai 1992 : *RTD com.* 1992, p. 645).

La dépénalisation (suppression du délit d'émission de chèque sans provision, mais aménagement sous contrôle des banques de l'interdiction bancaire et décret n. 92-467 du 26 mai 1992) est une mutation notable.

Notons aussi au plan législatif, la réglementation par le décret n. 92-467 du 26 mai 1992 de l'accès à la publicité des chèques émis irrégulièrement.

Au plan de l'Union européenne, des efforts parallèles sont menés pour le statut des cartes (recommandation du 17 novembre 1988, recommandation du 30 juillet 1997 publiée au *JOCE* du 2 août 1997, pour les virements transfrontaliers : Directive n. 97/5/CE du 27 janvier 1997 : *JOCE* n. L 43, 14 février 1997).

• Droit comparé

PILLET, « Commentaire général de la loi de 1975 » : *Revue de la Banque* (belge), juin 1976. — X. SCALBERT : revue *Banque* 1975, p. 140. — D. SCHMIDT, *Droît et économie*, 1976, 41. — VARINARD, CROZE et PROUTAT : *RTD com.* 1976, p. 307. — VASSEUR, *Rec. gén. Lois*, 1976, 85. — J. VUITTON : *Gaz. Pal.* 1976, 1, doctr. 369 sur les comptes collectifs ou joints et l'interdiction bancaire d'émettre des chèques. — *Adde Petites affiches*, 1975, n. 47 et s. ; *Quot. jur.* 20 déc. 1975, p. 2. — KOVARICK : *Les Petites affiches* 4 août 1989.
Sur l'aspect européen, LIEBAERT, *Les chèques dans les pays de la CEE*, Bruxelles, 1977. Pour la Grande-Bretagne, V. GOODE, *Commercial Law*, éd. Pinguin, Londres, 1982, p. 482 et s.
Sur la réforme de la loi du 11 juillet 1985, V. GAVALDA : *JCP* 86, éd. E, 15560. — Sur la loi du 30 décembre 1991, V. Didier GUERIN, *JCP* 92, éd. G, Act. n. 22.01.92).

• Droit communautaire du chèque

Une décision de la Commission de la CEE est intervenue pour exempter, de l'interdiction des ententes, les accords relatifs à l'utilisation et à la compensation internationale des eurochèques uniformes (*JOCE* n. C281 du 18 oct. 1983, p. 2 ; *Les Petites affiches*, 22 avril 1985 ; V. *infra,* n. 319).

A. — FONCTIONS DU CHÈQUE

173. — La fonction du chèque, mal différenciée au début de celle de la lettre de change à vue (chèque mandat ou chèque récépissé), s'est peu à peu affirmée. A son origine, cet *instrument de paiement* était peu en concurrence avec le règlement en espèces. La faible diffusion des comptes en banque, réservés en général à la classe aisée et aux professionnels, de 1870 à 1914, expliquait le développement limité de ce mode de paiement.

Malgré l'apparition d'autres moyens de paiement (mandats postaux et, tout récemment, avis de prélèvement, cartes de crédit, TUP, carte électronique...), le chèque a pris, avec la multiplication massive des comptes, un rôle croissant. Il est couramment (trop ?) utilisé pour tous les règlements même modiques. Sa gratuité (remise régulièrement aujourd'hui en cause au nom de la vérité des prix des services bancaires) renforce son succès. La garantie attachée depuis 1975 aux « petits chèques » (d'un montant inférieur à 100 F) ne devrait pas freiner cette progression. Ce titre de paiement a une existence brève. En pratique, il ne circule guère. Les endos de chèque sont moins fréquents que les endos de traites. La loi du 29 décembre 1978 a accentué ce phénomène (*infra*, n. 205). Sa sécurité venait du strict régime pénal applicable en attendant un régime pénal plus élaboré des cartes de crédit. La loi du 3 janvier 1975 marque à cet égard un recul, plus ou moins mal équilibré par les garanties légale ou judiciaire instaurées dans certains cas.

Le souhaitable développement du *virement*, mieux adapté à une gestion informatique, est retardé par l'usage français, notamment des commerçants, de ne pas indiquer sur leur papier d'affaire le numéro de leur compte bancaire. Une supériorité technique du virement est la connaissance rapide par le donneur d'ordre de la réalisation du règlement. (Voir le rapport 1983 (annexe) du Conseil national du crédit, sur les moyens de paiement. Cette technique est beaucoup plus développée en RFA).

Les juristes soulignent que le chèque est exclusivement un titre de paiement, puisque la provision doit être concomitante à l'émission. Mais la loi de 1975, qui permet l'éventuelle régularisation et la garantie des petits chèques par le tiré (*infra*, n. 233), en fait dans une mesure limitée un *instrument de crédit.* Faut-il ajouter que la possibilité pour un bénéficiaire de faire escompter un chèque tiré sur une place éloignée avant l'encaissement le classe aussi dans cette catégorie de titres ?

La réglementation des changes, même allégée, en faisait un outil peu utilisable pour les règlements avec l'étranger (sauf les traveller's cheques de nature originale). La levée de cette restriction redonne à ce titre vocation européenne de règlement.

Son infériorité actuelle vient des manipulations humaines indispensables et des va-et-vient de ce titre qui encombrent les circuits bancaires... La société sans chèque, prévue et souhaitée pour un proche avenir, est liée aux progrès ou aux insuffisances de l'ordinateur pour le traitement de cette catégorie de titres.

La limitation de la circulation physique des chèques est la voie de ce progrès. Un non-échange des chèques entre banquiers est en voie de réalisation (revue *Banque* 1980, p. 1395. — M. Perdrix, « La procédure d'échange de chèques hors rayon » : revue *Banque* 1986, p. 53).

Utilité économique. — Le chèque permet aux déposants de retirer aisément et simplement les fonds confiés aux banquiers sans rédaction spéciale de quittance ou récépissé et sans frais fiscaux. Il évite, de surcroît, la manipulation de deniers. Grâce à ce titre, la circulation de la monnaie fiduciaire est réduite. Le client débiteur ne retire des fonds liquides qu'exceptionnellement. Le bénéficiaire ne perçoit pas les fonds correspondant au montant automatiquement et immédiatement. Après encaissement, ces fonds sont inscrits en compte. L'utilisation est souvent différée et effectuée par chèque ou virement. L'usage du chèque est donc jugé moins inflationniste et contribue à développer les dépôts. L'économie de monnaie fiduciaire se produit en outre dans les règlements interbancaires (par compensation). Il est exact pourtant qu'il n'est pas sans incidence monétaire... Comme la traite, le chèque a l'avantage au regard de l'inflation de n'être émis qu'au fur et à mesure des affaires à régler. Le volume s'aligne en principe fidèlement sur les opérations.

Le coût moyen de traitement du chèque par le système bancaire est sa grande faiblesse. La taxation de plus en plus envisagée des chèques ne suffit pas à exclure cette infériorité du chèque. Ce titre reste cependant difficile à rendre informatisable, car son « signalement magnétique » ne mémorise ni la date, ni la signature d'émission. Pour réduire ces frais de traitement, la Banque de France a, d'une part, depuis le 1er octobre 1980 réorganisé la compensation des chèques ; d'autre part, la loi du 12 juillet 1980, modifiant l'article 1348 du Code civil, conférant à toutes les reproductions indélébiles de l'« original » valeur probante, pourrait permettre aux banques d'éviter le coûteux et lourd échange de chèques entre banques (*note Banque de France*, n. 56). La Banque de France contribue activement à l'amélioration des règlements scripturaux et des services interbancaires (V. *Compte rendu Banque de France pour 1986*, p. 110 et s.).

La mise en place sous sa tutelle de la procédure d'échange de chèque hors rayon à laquelle adhèrent les principaux réseaux s'est achevée.

Le service commun de recouvrement s'est aussi développé. Depuis 1982, s'accélère le fonctionnement des neuf sites d'ordinateurs de compensation connectés depuis mai 1986 par télématique — 1 095 millions d'opérations ont transité par un ordinateur...

Signalons enfin l'action de la Banque de France pour le développement des images chèques (4 centres) qui ont traité, en 1986, 83,6 millions de valeurs pour 44 milliards de francs.

Le chèque a l'avantage pour l'Etat (et souvent pour le Fisc) de permettre une surveillance de la circulation monétaire et des divers paiements. C'est la contrepartie de la preuve préconstituée offerte par cet instrument. On rappelle que le secret bancaire n'est pas opposable au Fisc, à la Banque de France voire — avec plus de restrictions — au Conseil national du Crédit. Par les contrôles possibles, l'Etat récupère sans doute les pertes des recettes consécutives à la dispense du timbre. La carte électronique pourra être aussi exploitable pour un contrôle renforcé par l'Etat.

Les textes. — Le premier texte réglementant le chèque en France est une loi du 14 juin 1865. Cette loi avait soumis cet instrument de paiement à un régime fiscal favorable, sans vouloir que ce titre se substitue irrégulièrement aux lettres de change à vue. Les besoins de trésorerie consécutifs à la défaite de 1870 inclinèrent à revenir sur la faveur fiscale. La loi du 23 août 1871 (art. 18-2°) établit un droit de timbrage des chèques (0,10), qui restait plus avantageux que celui des traites. Il a été ultérieurement supprimé. Cet aspect est peu mis en lumière par les banques soucieuses peut-être de développer la monnaie électronique plus rémunératrice que le chèque (*infra* sur rétablissement, n. 175).

Les réformes législatives ultérieures tendirent à combler certaines faiblesses de ce titre de paiement. La loi du 30 décembre 1911 (complétée par celle du 26 janvier 1917), inspirée du modèle britannique, introduisit la formule du *chèque barré*, plus sûr en cas de perte ou de vol. Pour conférer plus de sécurité aux porteurs, exposés à un défaut de provision, la loi du 12 août 1926, renforçant la sévérité de la loi du 2 août 1917, organisa une répression pénale spéciale des chèques sans provision, exposant, même sans manœuvres frauduleuses, l'émetteur aux peines de l'escroquerie. Pour faciliter la circulation des chèques, la même loi punissait le blocage irrégulier de la provision, limitait des oppositions et affirmait le droit du porteur à la provision partielle. Une politique de dépénalisation partielle du chèque a conduit à un retour au droit commun dans certains cas.

L'utilité d'une unification internationale du chèque était moins évidente que celle des lettres de change et billets à ordre. Néanmoins, l'intérêt d'un tel rapprochement était apparu, dès 1910, à la Conférence diplomatique de La Haye. Ce projet n'aboutit pas plus que celui sur les lettres de change, à raison du déclanchement de la Première Guerre mondiale. Les experts établirent ensuite selon une méthode parallèle à celle suivie pour les effets, trois projets, portant respectivement loi uniforme, règlement des conflits des lois et concernant le droit de timbre des chèques. Trois conventions furent signées à la Conférence de Genève du 19 mars 1931. Ces conventions furent ratifiées par divers pays dont la France (L. 8 avril 1936). Celle qui avait trait à la loi uniforme contenait deux *annexes.* L'impossibilité de parvenir à une uniformisation complète explique, en effet, la mise au point d'une convention sur les conflits de lois et de la faculté laissée aux Etats de formuler certaines *réserves* sur les matières visées à l'annexe. Pour éviter des annulations pour raisons fiscales, la troisième convention spécifiait que l'inobservation des règles de timbrage ne pouvait fonder la nullité d'un titre de chèque. La Grande-Bretagne n'a signé que cette dernière convention. On soulignera du reste que les pays anglo-saxons n'adhèrent pas au régime élaboré à Genève.

Les deux dernières conventions ne comportaient pas d'annexes. Les conventions s'appliquaient aux colonies et protectorats des pays signataires, sauf déclaration contraire.

Pour accélérer l'entrée en vigueur de cette uniformisation, le gouvernement français, utilisant une délégation de pouvoirs, introduisit la loi uniforme de Genève par le décret-loi du 30 octobre 1935 modifiant (art. 1er) la loi du 14 juin 1865.

Certains Etats signataires n'ont pas ratifié les conventions. D'autres pays qui n'avaient pas signé ont aligné *de facto* leur droit du chèque sur la loi uniforme (Roblot, *Traité*, t. II, n. 2154).

Depuis le décret-loi du 30 octobre 1935, qui harmonisait le droit matériel français avec la loi uniforme, plusieurs textes ont modifié le droit français du chèque, en respectant l'adhésion internationale de la France à la Convention de Genève. La technique législative varia. Certains textes modifièrent le décret-loi de 1935 (V. D. 24 mai 1938 ; L. 16 juin 1966 sur la signature par griffe des endos). D'autres formèrent des dispositions indépendantes (L. 22 oct. 1940 ; L. 28 fév. 1941 sur la certification ; L. 1er fév. 1943 ; *D.* 20 mai 1955 ; L. 15 mars 1963).

La première réforme générale fut cependant la loi du 3 janvier 1972 relative à la répression et à la prévention des infractions en matière de chèques.

La loi de 1972 (art. 15) a abrogé la loi du 28 février 1941, l'article 9 de la loi du 1er février 1943, l'article 31 de l'ordonnance n. 67-838 du 28 septembre 1967, l'alinéa 2 de l'article 1840 M du Code général des impôts.

L'échec de la réforme de 1972 appelait une seconde réforme rapide, effectuée par la loi n. 75-4 du 3 janvier 1975 complétée par un décret d'application n. 75-903 du 3 octobre 1975 et par un arrêté conjoint du ministre de la Justice et du ministre de l'Économie et des Finances. La loi de 1975 modifiait et complétait la loi n. 72-10 du 3 janvier 1972 avant qu'elle n'ait produit ses pleins effets. Sur le plan de la méthode, on notera que la loi de 1975 s'inscrit à travers celle de 1972 dans le décret-loi du 30 octobre 1935 en utilisant la numérotation de ce texte de base. Parfois le législateur a cependant ajouté directement au décret-loi des articles (art. 65-1 à 4).

La loi de 1975 modifiait aussi le Code des postes et télécommunications en ce qui concerne le chèque postal.

L'entrée en vigueur complète de la réforme a été fixée par le décret du 3 octobre 1975 au 1er janvier 1976.

Le décret d'application est un texte indépendant, applicable aux chèques postaux. Ce décret abroge le décret du 20 mai 1955 et ceux du 1er février 1972 et du 14 mars 1973... ainsi que quelques dispositions de la loi du 3 janvier 1972.

La loi du 3 janvier 1975 (art. 10) a prévu, à la différence de celle de 1972 muette sur ce point, qu'elle serait applicable aux infractions commises à compter du 1er janvier 1976 (D. 1975, art. 43, al. 2). Il ne saurait donc y avoir d'application rétroactive de la loi la plus douce (en ce sens, Cass. crim., 25 mai 1977 : *D.* 1977, J, 433, obs. E. Robert. — V. C. Gavalda, « Commentaires de quelques lois et décrets récents en matière de chèque » : *JCP* 86, éd. E, 15560).

Les nouveaux textes marquent une fois de plus l'évidente inadaptation du droit français du chèque à une mutation profonde des mentalités et aux exigences d'un fabuleux accroissement des règlements par chèques que ce soit entre commerçants et/ou particuliers. Le succès croissant du règlement par carte magnétique suivi demain de la vulgarisation de la carte électronique pourrait cantonner à l'avenir le rôle du chèque.

Une participation des services de police à la gestion (privée) d'un traitement automatisé des chèques perdus ou volés a été autorisée (Arr. 30 déc. 1986).

Les nouveaux textes ont pour but de renforcer la crédibilité du chèque comme moyen de paiement, d'assurer la sécurité corrélative des transactions et de soulager les tribunaux. Des aménagements y ont été apportés en 1985 : L. n. 85-695, 11 juill. 1985 : *JCP* 85, III, 57437 ; D. n. 85-1073, 70 et 85 (*JCP* 85, III, 57788) ; Arr. 29 oct. 1985 (*D.* 1985, L, 572) ; D. n. 86-78, 10 janv. 1986 (*JCP* 86, III, 58280) et Arr. 30 janv. 1986 (*JCP* 86, III, 58355 et 56).

• Le droit du chèque depuis la loi du 30 décembre 1991

Le décret-loi de 1935 a été à nouveau remanié par une loi du 30 décembre 1991 complétée par un décret du 22 mai 1992. Ces nouveaux textes accentuent la dépénalisation et renforcent la prévention des émissions de chèque sans provision.

BERTIN, « Bilan économique de la nouvelle loi » : revue *Banque*, 1993, p. 36. — CABRILLAC, Encyclopédie Dalloz, *Dr. commercial, V° Chèque*, 1994. — CHAPUT, « Commentaire de la loi relative à la sécurité des chèques et des cartes de paiement » : *JCP* 92, éd. G, Act. n. 4, 22 janv. 1992. — CHARMANT, « La bonne loi au bon moment... » : revue *Banque*,1993, p. 14. — CREDOT et

GÉRARD, *RD bancaire et bourse,* 1992, p. 54. — DESCHANEL, *Les Petites affiches*, 15 avril 1992. — ENOCH, « Faire crédit à la nouvelle loi » : revue *Banque*, 1993, p. 30. — GAUTHIER, *Les Petites affiches*, 15 avril 1992. — GAVALDA et STOUFFLET, « Le nouveau droit du chèque » : *RD bancaire et bourse*, 1992, n. 31. — HUGLO, *Les Petites affiches*, 22 juillet 1992. — JEANTIN, *Droit commercial*, 1995. — MADRANGES, *Gaz. Pal.* 2 avril 1992. — PUTMAN, *Droit des affaires*, PUF, 1995, p. 233 et s. — RIVES-LANGE, CONTAMINE-RAYNAUD, *Droit bancaire*, Dalloz, 1996, p. 287, n. 300. — RIPERT, ROBLOT, GERMAIN, DELEBECQUE, *Traité de droit commercial*, t. II. 15^e^éd., 1996. — VUMO, revue *Banque*, 1992, p. 240 ; *Bull. OCRF*, n. 517, 31 déc. 1991. — *Adde* BUILHOC, revue *Banque* 1992, p. 668 et s. — VASSEUR, « Sur l'historique du régime du chèque de 1869 à 1992 » : *JCP* 92, éd. G, 356. — GANDJI, *La sécurité du chèque*, éd. L'Harmattan, 1998.

174. — *Nature civile ou commerciale du chèque.* Le chèque utilisé en pratique pour le règlement de toutes les opérations n'a pas intrinsèquement, comme la lettre de change (C. com., art. 632, dernier al.), la nature juridique d'un acte de commerce par sa simple forme. Comme le billet à ordre, tout dépend de l'opération sous-jacente. Le chèque n'est un acte de commerce que s'il est émis par un commerçant pour les besoins de son commerce ou remis par un commerçant à un autre. On applique pour déterminer la compétence du tribunal de commerce les règles de droit commun. Si le titre porte des signatures civiles et des signatures commerciales, le tribunal consulaire est compétent (C. com., art. 637 ; Trib. com. Villefranche-sur-Saône, 26 janv. 1949 : revue *Banque* 1950, p. 39. — 1er déc. 1949 : *RTD com.* 1950, p. 86). Les chèques tirés sur des caisses administratives ont toutefois le caractère de chèques administratifs (Vasseur et Marin, *op. cit.*, n. 24). Les conséquences pratiques concernent la capacité et le délit de faux.

B. — POLITIQUE LÉGISLATIVE DE DIFFUSION DU CHÈQUE

175. — *Avantages attachés à l'usage de ce titre.* Outre ses attraits naturels (simplification du règlement et preuve préconstituée), le chèque a reçu du législateur depuis son introduction divers avantages fiscaux. Ce titre est, on le sait, exempté de droit de timbre (comme du reste le virement) (CGI, art. 913). Les factures réglées ainsi sont de même dispensées de timbres de quittance (CGI, art. 1291 ; L. 21 déc. 1924). Le coût de cet instrument inclinerait néanmoins les banques soit à « taxer » les opérations d'écriture nécessitées par un tirage de chèque, soit à interdire à la clientèle l'émission de petits chèques...

On peut noter aussi depuis la loi du 3 janvier 1975 la garantie légale due par les tirés aux bénéficiaires des petits chèques (ne dépassant pas 100 F) ou de chèques irrégulièrement délivrés à des interdits (*infra*, n. 232). Sans remettre en cause son désir d'une diffusion des paiements par chèque, le législateur est intervenu pour éviter certaines évasions fiscales réalisables, soit par utilisation de chèques non barrés, gardant l'anonymat du porteur, soit par endos (frauduleux) à un tiers, non-commerçant et faiblement imposé (V. Ch. Gavalda, « Le chèque prébarré et non endossable » : *D.* 1979, chron. 189). Sans interdire l'endos ou remettre en cause la liberté de ne pas barrer un chèque, la loi de finances pour 1978 (art. 2, VI et 85) s'est efforcée de dissuader les clients de demander à leur banque des formules non barrées et endossables (V. art. 65-1, al. 3 nouveau du D.-L. 30 oct. 1935). Un droit de timbre porté à 5 F (CGI, art. 913) par la loi de finances pour 1987 (art. 30, L. n. 86-137 du 30 déc. 1986) par unité est payé par le tiré pour obtenir la délivrance de chèques non barrés d'avance et ne portant pas une mention interdisant la transmission par endos du chèque prébarré, sauf au profit d'une banque, d'une caisse d'épargne ou d'un établissement assimilé (D. et Arr. 29 mars 1979). Le banquier est obligé de récupérer cette taxe sur son client. Au demeurant, il doit communiquer à tout moment à l'Administration fiscale, qui en ferait la demande, l'identité des clients qui se sont fait remettre des chèques non prébarrés et endossables, avec indication du numéro de ces formules. En outre l'arrêté du 29 mars 1979 prévoit que les organismes qui délivrent de telles formules doivent dans les 45 jours du trimestre suivant celui de la délivrance déposer à la recette des impôts un état en double exemplaire indiquant le nombre de formules délivrées, le total des droits exigibles. Le nom des personnes auxquelles sont délivrées ces formules ainsi que leurs numéros doivent être conservés pendant 6 ans (L. 82 du Livre des procédures fiscales, CGI, ancien art. 2002 *bis*). Ces mesures sont *a priori* dissuasives. Il est cependant à craindre qu'elles soient aisées en pratique à tourner (V. Gavalda, article précité). Le principe de gratuité de délivrance des formules par la banque subsiste en tout cas. En payant la taxe, le client peut toujours obtenir des formules de chèques ordinaires.

Enfin, le législateur ne se contentant pas de mesures d'incitation, a rendu dans diverses hypothèses obligatoire le paiement par chèque.

175-1. — *Paiements obligatoires par chèque*. Pour favoriser la diffusion du chèque et faciliter les contrôles, le législateur a imposé à partir de 1940 le règlement de diverses opérations soit par chèque bancaire barré soit par virement (*Les Petites affiches* n. 44, 13 avril 1987, 12). Le chèque et le virement postal sont assimilés à cet égard au titre bancaire. Bien entendu, le bénéficiaire pourrait demander un visa ou une certification et refuser un chèque sans provision (M. Cabrillac, *op. cit.*, n. 475). Il pourrait refuser aussi un chèque non barré (Rép. min. : *JO* déb. Ass. nat. 7 mai 1945, 2443). Le versement d'espèces au compte d'un créancier n'est en tout cas pas assimilable à l'un ou l'autre des moyens de paiement légaux (Cass. com., 24 juin 1977 : *Bull. civ.* IV, n. 18, p. 15 ; *RTD com.* 1977, p. 339).

La loi du 22 octobre 1940 a été plusieurs fois modifiée. L'inconstitutionnalité de certaines réformes sur le paiement obligatoire par chèque a entraîné le retrait de certaines dispositions (V. art. 107, L. n. 89-935 du 29 déc. 1989 non conformes à la Constitution par décision du Conseil constitutionnel n. 89-268 C du 29 déc. 1989). Les raisons de rendre obligatoires certains paiements par chèque sont variées. La transparence fiscale n'est pas le motif exclusif. Ainsi une loi n. 90-55 du 15 janvier 1990, articles 1 et 13 (*JCP* 90, éd. E, n. 63632) prescrit-elle l'emploi obligatoire du chèque pour les dons en campagne électorale. La volonté de limiter la circulation fiduciaire explique aussi certaines de ces mesures.

Chèque barré, virement bancaire ou postal sont en général en pareil cas utilisables. Le règlement par carte de crédit serait aussi assimilable.

En dehors des cas spécifiés par la loi il n'y a aucun devoir pour le créancier de recevoir en paiement un chèque (Cass. com., 19 juill. 1954 : *D.* 1954, J, 629. — Paris, 4 avril 1960 : *D.* 1960, 410). Les commerçants sont donc en droit de refuser un règlement par chèque lorsque ce dernier émane d'un particulier (Rép. min. : *JO* déb. Sénat 27 janv. 1983, 144).

a) Touchant les personnes privées

L'article 1er de la loi de 1940 vise d'abord le règlement d'un grand nombre d'opérations : loyers, transports, services, fournitures, travaux, acquisitions mobilières ou immobilières « sous quelque forme que ce soit » (c'est-à-dire englobant par exemple l'échange) si ces règlements dépassent la somme de 5 000 F ou ont trait au paiement par fractions d'une somme supérieure à ce montant (L. 23 déc. 1988, art. 80 : *D.* 1989, 1, 19. — Instr. 22 fév. 1989 de la DGI : *JCP* 89, éd. E, IV, 9730). On notera que certaines opérations non négligeables échappent donc au règlement par chèque (apport en société, partage, dépôt, prêt...).

Il y a également obligation de payer par chèque les produits de titres nominatifs et les transactions sur des animaux vivants ou sur les produits de l'abattage.

Enfin, le règlement des traitements et salaires obéit à la même obligation au-delà d'un montant fixé par décret. Ce montant est fixé à 10 000 francs par un décret du 7 octobre 1985 (*adde* art. 143-1 L, C. trav., mod. par L. n. 89-18, 13 janv. 1989, art. 54).

Le salarié peut désormais demander son paiement en espèces au-dessous d'un montant mensuel à fixer par décret. On ne confondra pas ce seuil avec celui au-dessus duquel le paiement doit être fait en monnaie scripturale. Ce premier seuil est bien entendu plus élevé.

Ce régime est tempéré par d'importantes dérogations énumérées au 2° de l'article 1, L. 1940 :

- et d'abord, il ne concerne pas les personnes incapables de s'obliger par chèques (interdits ?) ou celles qui ne disposant pas de comptes en ont obtenu un dans les conditions de l'article 58 de la loi bancaire du 24 janvier 1984 ;
- mais surtout, ce devoir de payer par chèque ne concerne pas les règlements effectués directement par des particuliers non commerçants à d'autres particuliers, à des commerçants ou à des artisans. Il y a lieu selon l'Administration de considérer comme un particulier, toute personne physique qui n'a pas la qualité de commerçant ou d'artisan.

« *Grosso modo* », *l'obligation ne pèse donc que sur les opérations entre commerçants et entre personnes morales* (Cabrillac, n. 471).

Une loi de finances du 29 décembre 1963 était venue y soumettre certains règlements entre particuliers. Elle fut abrogée par une loi de finances de 1986 (art. 25). A nouveau, une loi n. 89-935 du 29 décembre 1989 (art. 107) avait voulu assujettir à paiement par chèque les règlements supérieurs à 150 000 francs effectués par un particulier non commerçant. Mais le Conseil constitutionnel a considéré comme inconstitutionnelle la disposition prévoyant une amende de 25 %. La règle était devenue sans sanction. La loi du 12 juillet

1990 a comblé la lacune. Le contrevenant est exposé à une amende de 5 000 à 100 000 francs. Enfin, le paiement n'est plus obligatoire pour les règlements des transactions portant sur des animaux vivants ou sur les produits de l'abattage effectués par un particulier pour les besoins de sa consommation familiale ou par un agriculteur avec un autre agriculteur, à condition qu'aucun des deux intéressés n'exerce par ailleurs une profession non agricole impliquant de telles transactions.

b) Touchant les règlements effectués par des organismes publics

L'article 2 de la loi de 1940 a été abrogé par décret n. 65-97 du 4 février 1965, article 21 touchant l'Etat et les collectivités publiques. Ce dernier texte conserve une obligation générale de paiement par chèques ou virements.

On soulignera enfin que les adhérents des centres de gestion agréés doivent, pour que le fisc puisse contrôler leur comptabilité, recevoir en paiement des chèques libellés à leur ordre et ne pas les endosser sauf à fin d'encaissement (L. n. 1239, 29 déc. 1978, art. 1649 *quater* E *bis*, CGI). Cette obligation est à rappeler sur le papier des adhérents à de tels centres agréés (D. n. 77-1520, 31 déc. 1977). La loi du 11 juillet 1985 (L. n. 85-695, art. 23) dispose désormais de manière générale que les seuils à partir desquels le paiement par chèque ou par virement est obligatoire, seront désormais de la compétence du pouvoir exécutif et non plus du pouvoir législatif.

175-2. — Dans la même perspective, la loi de 1940 oblige tous les commerçants à se faire ouvrir un compte bancaire ou postal au lieu de leur immatriculation au registre du commerce (art. 6). Les banques ou établissements susceptibles d'avoir la qualité de tiré doivent délivrer gratuitement des chéquiers à ceux auxquels ils ouvrent un compte chèque (D.-L. 1935, art. 65-1, al. 2). Ce principe de gratuité des chèques est, vivement controversé. La question appelle une réponse nuancée. Oui, au règlement des prestations de services bancaires ; non, en l'absence de cette légitime revendication à une délivrance gratuite des chéquiers. Cette position n'est pas facile (montant) à négocier en pratique... Ce n'est là le problème d'auteurs... Une taxe fiscale a d'abord été prévue pour les chèques non prébarrés et librement endossables mais les autres formules prébarrées et endossables seulement à des banques restent gratuites. Au demeurant, les sommes versées ne le sont pas au banquier : la rémunération soit des chéquiers, soit la taxation par voie de commissions des opérations de chèques est un autre problème (V. CGI, art. 916 A et 1723 *ter* A ; la facturation des chèques est un autre problème, V. Y. Ullmo, « La facturation des chèques » : revue *Banque* 1987, p. 550).

Les infractions au devoir de régler par chèque sont punies d'une amende de 5 % des sommes irrégulièrement payées sous une autre forme (CGI, art. 1840 *sexies*). Débiteurs et créanciers sont tenus par moitié de l'amende fiscale mais sont solidaires à l'égard du Fisc. Pour le Conseil d'Etat (6 janv. 1986), le contentieux de l'amende de 5 % relève du contentieux général des actes de la puissance publique, donc des tribunaux administratifs, car il a le caractère d'une sanction administrative (revue *Banque* 1986, p. 461). Le commissionnaire ou le mandataire qui payerait pour le compte d'autrui sous une autre forme alors que le chèque est obligatoire serait passible de l'amende (Cabrillac, *op. cit.*, n. 476).

La Chambre commerciale a eu l'occasion de préciser que le versement direct d'espèces au compte du créancier n'équivalait pas, au sens de la loi du 22 octobre 1940, à un règlement par chèque barré ou virement (Cass. com., 24 janv. 1977 : *D.* 1977, IR, 191).

C. — NATURE JURIDIQUE DU CHÈQUE

175-3. — Le chèque est un titre bancaire négociable *sui generis*, qui ne constitue pas *stricto sensu* un effet de commerce. C'est essentiellement un instrument de paiement qui n'a pas *a priori*, comme la traite, un caractère commercial (*supra*, n. 9).

Normalement, le chèque ne peut servir d'instrument de crédit. La loi du 3 janvier 1975 en autorisant exceptionnellement la régularisation dans un bref délai de chèques sans provision (*infra*, n. 257) ou en imposant au banquier la garantie de certains chèques (inférieurs à 100 F ; *adde infra*, n. 233) n'a pas modifié la nature profonde de ce titre dont la vocation est de réaliser des paiements.

L'utilisation du chèque comme instrument de crédit peut constituer une pratique frauduleuse, malheureusement assez répandue (M. Cabrillac, « Du décret-loi du 30 octobre 1935 au chèque instrument de crédit » in *Mélanges Roblot*, 1983, p. 401). Elle consiste notamment dans un système de chèques croisés, impliquant l'intervention de deux auteurs. L'un tire un chèque sans provision et le remet à un compère qui le fait escompter par un banquier sur une autre place. Ce dernier fait l'opération inverse. La fraude doit être renouvelée et repose sur le délai de quelques jours nécessaire aux encaissements et sur l'escompte de chèque par les banquiers (Cass. crim., 26 mars 1974 : *Bull. crim.*, n. 129, p. 331. — 27 avril 1963 : *ibidem* n. 154, p. 311. — 28 janv. 1968 : *ibidem* n. 54, p. 111. — 9 oct. 1974 : *Bull. crim.*, n. 285. — Cabrillac et Mouly, n. 344).

L'*escompte de chèque* ou l'*avance sur encaissement de chèque* sans fraude font en revanche de ce titre un *instrument de crédit licite de très courte durée.* Si le banquier n'encaisse pas sur présentation infructueuse le chèque, il est fondé à contrepasser et à débiter le compte du remettant (Cass., 11 mars 1970 : *JCP* 70, II, 16490. — Cass. com., 30 janv. 1996 : *D.* 1996, J, 320, note Rives-Langes).

Parenté du chèque et de la lettre de change. — Le chèque appartient *lato sensu* à la catégorie des titres de crédit, mais on peut douter de son classement comme *effet de commerce*. Certes, ce titre se rapproche de la lettre de change à vue dont il a pris le relais. Il ne constitue pas comme avant 1865 un simple mandat adressé au banquier, mais s'incorpore dans un titre négociable délivré sur un banquier. Le rapprochement systématique des effets de commerce et du chèque dans les Conventions de Genève de 1930 et de 1931 rend difficile de nier la parenté des deux titres.

Les explications par les institutions juridiques du mandat ou de la cession de créance sont insuffisantes à rendre compte de la technique du chèque (irrévocabilité de l'émission, inopposabilité des exceptions ; comp. Vasseur et Marin, *op. cit.*, n. 20).

L'autonomie du chèque et sa parenté avec l'effet de commerce paraissent peu discutables. Il n'assume cependant pas toutes les fonctions de la traite qui est surtout aujourd'hui un instrument de crédit. La minutie de la réglementation du chèque et l'absence d'un droit commun des effets de commerce qui aurait vocation à combler les lacunes apparaissant pour tel ou tel titre, relevant de cette catégorie, confèrent au problème un aspect très théorique.

Distinction du chèque et du billet de banque. — Le billet de banque dont la distinction avec la traite est aujourd'hui consacrée (Beaulieu, *Le billet de banque*, thèse dactylographiée, Paris I, 1975) se différencie aussi nettement du chèque. Les précautions prises pour interdire l'acceptation du tiré traduisent la volonté du législateur d'éviter l'émission de chèques équivalents à des billets dont le monopole est réservé à la Banque de France. Certes, il s'agit d'un titre à vue, excluant toute idée de crédit. Mais le régime juridique en cas de vol ou de perte, les modes de circulation diffèrent. L'absence de caractère libératoire de la remise d'un chèque confirme sa spécificité. La vocation à la pérennité du billet garanti par l'Etat achève de séparer le chèque du billet de banque.

176. — *Le chèque : titre de banque.* Parmi les traits distinctifs du chèque, on a souligné sa nature de titre de banque. La formule n'est certes pas tout à fait exacte. L'introduction officielle de ce titre est cependant liée à l'apparition des grandes banques. Avant la loi de 1865, les chèques récépissés servaient déjà à retirer des fonds des banques. La loi de 1865 a visé à officialiser cet instrument de retrait bancaire et de paiement. Théoriquement, le chèque n'était pourtant pas un titre bancaire. C'est le décret-loi de 1935 (rédaction de la loi du 14 février 1942) qui a spécifié que le chèque ne pourrait être tiré que sur un banquier ou sur des établissements assimilés (D.-L. 1935, art. 58 ; *adde infra*, n. 186 ; CGI, art. 914, disposant qu'un chèque tiré sur une autre personne qu'un banquier n'est pas un chèque).

Le chèque est un instrument essentiel du commerce de banque. C'est l'un des services de caisse les plus recherchés. Il suffit d'évoquer la crainte éprouvée par les usagers d'être frappés d'une interdiction d'émettre des chèques (D.-L. 1935, art. 65-2 et 68, modifié par L. 3 janv. 1975). Faut-il ajouter que *l'interdiction dite bancaire* est mise en œuvre par les banquiers (*infra*, n. 257) ?

Le chèque est un instrument de règlement courant dans les relations entre particuliers et plus encore entre commerçants même s'il peut en dessous de certains montants être refusé en règlement. Une conséquence juridique positive est que le paiement par chèque est à coup sûr un procédé normal de paiement de dettes échues en cours de période suspecte au sens de l'article 107-4° de la loi du 25 janvier 1985. C'est bien un titre « communément admis dans les relations d'affaires ».

Statistiques (A. Hillard, « Les moyens de paiement et de recouvrement en France » : revue *Banque* 1977, p. 1201, *adde* revue *Banque* 1980, p. 864 ; *adde* tableau comparatif, n. 333). — Les incitations législatives pour la diffusion du chèque ont porté leurs fruits. Le développement du chèque, notamment pour les petits règlements, a même paru excessif. Il est inévitable, en effet, qu'une telle circulation s'accompagne d'incidents, c'est-à-dire de tirages sans provision. On estimait en 1966 à 250 millions le nombre des chèques échangés. Le chiffre est à multiplier par 5 en 1975 : soit 1 milliard 200 millions de titres sans compter les chèques de retrait. Compte tenu de ce que beaucoup de valeurs ne circulent pas entre banques parce que l'ordonnateur et de destinataire des opérations ont leur compte dans la même banque ou le même réseau, on peut estimer en 1980 qu'il y a eu 2,5 milliards d'opérations sur les chèques. Il y a eu en 1985 environ 4 milliards et demi de titres de chèques échangés. Mais il faut y ajouter les chèques de retrait et les chèques dits de « réseau », dont le tireur et le bénéficiaire sont clients d'un même établissement. Ce qui porte à près de 5 milliards les chèques créés en France en 1985. En 1990, les chèques représentaient 55 % de l'ensemble des moyens de payement échangés.

Les facteurs de l'évolution sont multiples (accroissement de la population, du niveau de vie, domiciliation des salaires, développement des réseaux des guichets de banque, souplesse et commodité de ces types de paiement).

L'augmentation parallèle de 1963 à 1975 de la délinquance en la matière est de 655 % (escroqueries par chèques volés) et 345 % (chèques sans provision).

La loi du 3 janvier 1972 (V. *infra*) avait un peu réduit le nombre des chèques sans provision (1973 : 303 297 ; 1974 : 182 850 ; 1975 : 142 558). En 1976, la loi de 1975 a fait baisser le nombre des infractions. Le nombre de chèques sans provision ayant fait l'objet d'une déclaration à la Banque de France avait diminué de moitié en 1976. Les Français ont hélas émis en 1983 2,35 millions de chèques sans provision et les escroqueries à l'aide de chèques perdus, volés ou falsifiés croissent dans le même temps (1973 : 33 639 ; 1974 : 43 459 ; 1975 : 60 665 ; V. circulaire APB du 13 janv. 1977 ; sur la licéité d'une Centrale de chèques volés créée dans la région parisienne, en violation du secret bancaire, V. Rép. min. : *JO* déb. Ass. nat. 5 janv. 1981, p. 63 ; et 19 janv. 1981, p. 248. Sur l'IDCA, V. *le Monde* 21 mai 1982, p. 16). Monemag, filiale de la Sligos et de la SCP a lancé en mars 1988 « chèque service ». Sur appel téléphonique, cette société peut garantir à un commerçant adhérent les chèques présentés. La formule mérite peut-être examen juridique...

Pour 1986, le compte rendu annuel de la Banque de France montrait qu'il y avait une nouvelle augmentation des chèques sans provision ; sur plus de 4 milliards de chèques plus de 4 millions d'incidents ont été enregistrés à la Banque de France faute de provision. L'accroissement du nombre de chèques sans provision n'a pas cessé (V. statistiques pour 1989 *infra*, n. 266 *bis* ; et la brochure du CLIMP de la Banque de France, 1989, sur les moyens de paiement et circuits de recouvrements). Il faut tout de même se souvenir de ce que le montant des opérations de chèque a été fin 1989 de 17 581 851 millions de francs (11 664 321 en 1985) (V. B. Delafaye, « Le contentieux des chèques sans provision : l'expérience du parquet de Paris » : revue *Banque* 1987, p. 336).

La modernisation du matériel de lecture et de tri des chèques permet d'espérer une gestion manuelle très limitée (encodage du montant). L'abaissement des coûts de ce matériel et son aménagement modulaire rendent possible peu à peu une décentralisation des traitements au guichet où le titre est remis à l'encaissement, sans mettre en cause l'intégration du traitement. Les exploitants cherchent à obtenir le non-échange, dit *Chèque truncation* outre-Atlantique. Dans ce système, le chèque papier est retenu au guichet encaisseur. Seules circulent des bandes magnétiques où les données essentielles — *essentialia* — du chèque sont reproduites... Renforcé par la modernisation de l'infrastructure téléinformatique, une réduction des délais et des coûts de l'encaissement dans des conditions de sécurité renforcées est prévisible. La rénovation juridique et matérielle du système français de compensation sera le facteur décisif. Les compensations interbancaires, autrefois librement organisées, ont fait l'objet d'une réglementation pour le CNC (décis. générale, n. 79-05, 24 avril 1979 ; Instr. Banque de France, 29 déc. 1979). Le progrès pourrait (projet Mercure) s'accélérer par recours à des échanges d'images chèques par circuit télématique à l'échelon de l'hexagone, entre banquiers (Vasseur, « L'informatique et quelques-unes de ses applications en matière bancaire » : *Journ. Agréés*, 1979, 418, *adde*, *note Banque de France*, n. 56). Une publicité intensive de l'APF sur le thème « Payez moderne, économisez votre chéquier » est liée au régime des cartes et surtout de la carte électronique. V. *infra*.

La remontée statistique des chèques sans provision a provoqué en 1991 des mouvements de refus des chèques supérieurs à 100 F (grève dite des pompistes). Un projet de loi sur le chèque sans provision a été déposé pour améliorer la sécurité des payements par chèque et/ou carte (projet de loi n. 144 du 3 juill. 1991 déposé au Sénat, relatif à la sécurité des chèques et des cartes de paiement, V. appendice).

Elle a abouti à la loi précitée du 30 décembre 1991, dépénalisant fortement le chèque sans provision sans pour autant amoindrir la fiabilité du chèque, dont la banque assure un sens anglo-saxon la police (*policy*).

Série H

BPF 10.000

CREDIT COMMERCIAL DE FRANCE

Payez contre ce chèque NON ENDOSSABLE SAUF au profit d'une banque, d'une caisse d'épargne ou d'un établissement assimilé,

dix mille francs

à

Paris le 29 févr. 1979

MR. BEAUCHENE DOMINIQUE
15 RUE VERNET
75008 PARIS

Payable
103, AVENUE CHAMPS ELYSEES
75008 PARIS
Tél : 723 21 23
COMP. PARIS

38Y4

Cpte n° 00029 112 5678

⑈3695370 ⑈1234007890134 0002911256780

CHAPITRE II

CRÉATION DU CHÈQUE

177. — Le chèque emprunte à la lettre de change un grand nombre d'éléments. C'est un titre littéral qui a cependant pour originalité de n'être qu'un instrument de paiement et un titre bancaire. En tant qu'acte juridique, le chèque implique un consentement valable et une cause réelle, licite et morale. Cette cause n'a pas à être exprimée. Le tireur aurait au besoin la charge d'en établir l'existence et la licéité.

Sa mise en concurrence avec le billet de banque appelle un formalisme rigoureux mais simple. La circulation rapide et sûre du chèque implique cette rigueur. Il y a lieu d'examiner à part le chèque barré dont la loi du 30 décembre 1911 a renforcé la sécurité et accentué le caractère bancaire.

A. — CONDITIONS GÉNÉRALES DE CRÉATION ET D'ÉMISSION DES CHÈQUES ORDINAIRES

178. — La création du chèque implique de respecter un simple mais strict formalisme. Cette *création* est à distinguer de l'*émission* du chèque qui nécessite la remise du titre au bénéficiaire ou à son mandataire (Cass. crim., 12 fév. 1975 : *D.* 1975, IR, 72. — 18 juin 1996 : *JCP* 96, IV, 1842 ; *RTD com.* 1996, p. 697, obs. Cabrillac). L'*émission* suppose que le titre soit sorti des mains du tireur et soit entré dans le circuit monétaire de manière irréversible. La remise doit être irrévocable. Elle ne serait pas réalisée si le titre était confié à un mandataire révocable (Cass. com., 11 déc. 1990, *Devaux* c. *Corre*), mais le serait en cas de remise par exemple à un mandataire commun (notaire...). On ne saurait donc considérer que la date de création inscrite sur le titre est la date d'émission. Il n'y a en ce sens qu'une présomption simple (*infra*, n. 201. — Cass. crim., 27 juin 1983 : *D.* 1984, IR, 70). La distinction de ces deux phases est essentielle (Cabrillac, *op. cit.*, n. 39).

179. — *Le titre écrit de chèque.* Parmi les *conditions de forme*, on notera d'abord l'exigence du *titre écrit* portant diverses mentions précisées par la loi. Des sanctions pénales et fiscales punissent les irrégularités. A l'exception de la signature manuscrite du tireur, les diverses mentions peuvent être manuscrites, dactylographiées ou imprimées. Elles peuvent n'être pas apposées par l'émetteur lui-même (Cass., 11 janv. 1966 : *D.* 1966, J, 51 ; *RTD com.* 1966, p. 628 ;

1967, p. 210). Au demeurant, la Chambre criminelle de la Cour de cassation a eu à statuer indirectement sur la validité d'un chèque partiellement libellé en breton (Cass. crim., 3 juin 1986 : *Rev. transp.* 7 nov. 1986, 613, note Gavalda). La cour d'appel de Rennes avait relaxé le tireur au motif que la législation n'exige pas la rédaction des chèques en langue française ; l'arrêt a été cassé pour un autre motif qui indirectement condamne le libellé d'un chèque partiellement en langue bretonne. La thèse de la cour d'appel de Rennes pouvait s'induire de l'article 4 de l'annexe I de la Convention de Genève repris par l'article 1er-1° du décret-loi du 30 octobre 1935 qui dispose que « la dénomination du chèque insérée dans le texte même du titre et exprimée dans la langue employée pour la rédaction de ce titre... » (sur les critères et les dangers d'une telle possibilité V. l'article précité).

La loi n'impose pas le recours à un imprimé normalisé à peine de nullité du titre. Ce libéralisme a ses limites. Un chèque ne saurait être libellé sur « papier toilette » (V. Jacques Lassaussois, obs. sous jugement : Trib. gr. inst. Lyon, 16 avril 1996 : *Gaz. Pal.* 7 déc. 1996 ; sur ce thème « picaresque » on ajoutera nos commentaires : Chron. dr. bancaire, *JCP* 97, éd. E, I, 637, n. 24). Le droit a parfois des moments de détente. La norme française K 11010, homologuée par un arrêté interministériel du 26 décembre 1967, s'impose aux banques à peine d'une amende de nature contraventionnelle (revue *Banque* 1983, p. 646). La pratique est, toutefois, de remettre pour utiliser le service de caisse un chéquier. En l'absence de conditions générales de banque ou d'usage, le client ne commet aucune faute en rédigeant à la main un chèque sur un papier quelconque, du moment que les conditions de la loi sont respectées par lui. Les banques qui ont inséré dans leur convention de compte une clause interdisant d'utiliser le papier libre ne sont pas autorisées pour autant à refuser le paiement au porteur dès lors que les mentions obligatoires sont remplies (CA Paris, 2 oct. 1986 : *BRDA* 15 nov. 1986 ; *RD bancaire et bourse* 1987, 8), mais la violation d'une obligation contractuelle de n'user que de formules imprimées serait une faute justifiant la clôture du compte (C. civ., art. 1184). La loi du 29 décembre 1978 est ici hors débat. Cette convention n'est pas opposable aux tiers, c'est-à-dire aux porteurs. Le chèque sur papier libre est en tout cas licite (Paris, 30 avril 1931 : *D.* 1932, II, 152, note A. C. — Seine, 13 fév. 1928 : *D.* 1928, II, 81, note Chéron. — Aix, 14 nov. 1958 : *Gaz. Pal.* 1959, 1, 154). Le tiers (bénéficiaire) recevrait donc valablement un chèque sur papier libre, nonobstant l'interdiction contractuelle de cette formule, faite par le banquier à son client (Trib. civ. Seine, 13 fév. 1928 : *D.* 1928, II, 81, note Chéron. — V. CA Paris, 2 oct. 1986 : *BRDA* 15 nov. 1986, p. 13 qui confirme une jurisprudence déjà établie en indiquant que lesdites clauses ne sont pas opposables au porteur dès lors que le chèque établi sur papier libre revêt les mentions légales du chèque). De tels chèques devraient être triés à la main, l'ordinateur ne pouvant les décrypter faute de magnétisation. La nécessité de contrôler les remises de chéquiers imposerait dans la logique de la loi de 1975 l'interdiction de ces chèques sur papier libre. Mais aucune disposition expresse n'en prévoit la nullité. La banque doit délivrer des formules de chèque sur fond délébile, pour éviter des « lavages » trop faciles (en ce sens Trib. com. Marseille, 13 déc. 1977 : *D.* 1979, IR, 274 ; réformé cependant par Aix-en-Provence, 25 janv. 1979 : *RTD com.* 1980, p. 117).

Les formules de chèques (sauf les chèques postaux) sont normalisées et portent des références magnétisées qui en permettent un traitement électronique partiel (V. arrêté ministériel du 26 déc. 1967 : *JO* 3 janv. 1968 ; *adde* arrêté du 5 août 1970 : revue *Banque* 1970, p. 82-6). Chaque formule de chèque contient le *nom* et le *numéro de compte* du client, ainsi que son *adresse*. L'indication d'une boîte postale ne serait pas suffisante, mais le secteur postal d'un militaire vaudrait adresse. Depuis la loi de 1975, le *numéro de téléphone* de la banque doit aussi figurer sur le titre (art. 65-1 D). L'indication de ce numéro ne lève pas le secret professionnel du banquier. (Voir sur les dangers de donner des renseignements sur la solvabilité d'un client par téléphone, tribunal de grande instance de Mauriac, 6 septembre 1977, inédit). Chaque titre porte un numéro de série, qui peut être un élément en cas d'émission de chèques durant la même journée pour en déterminer l'ordre (*infra*, n. 202).

C'est un autre problème que la rédaction par une machine des mentions obligatoires, à l'exception de la signature manuscrite du tireur. Certaines grandes surfaces procèdent ainsi. Le tireur agit ainsi à ses risques et périls. Son refus entraînerait sans doute refus de son règlement par chèque ? La rédaction au crayon est à exclure.

On se permettra de regretter les expériences publicitaires en cours visant à élaborer un chèque communiquant : c'est-à-dire comportant des rubriques publicitaires. L'observation est valable même pour la couverture des chèquiers (V. sur Médiachèque, *l'Événement du Jeudi* du 27 août 1987). On sait qu'il a été interdit de mettre de la publicité sur les pièces de monnaie : la valeur des chèques ne doit pas être ainsi, à notre sens, « manipulée »... La monnaie scripturale ou fiduciaire n'a pas, à notre sens, vocation à devenir un support publicitaire. L'observation vaut pour les cartes de paiement ou de crédit.

Les tentatives d'inscrire sur les chèques (ou du moins sur la couverture des chéquiers) des messages publicitaires paraissent peu conformes avec l'esprit du décret n. 87-658 du 11 août 1987 qui interdit l'utilisation des espèces monétaires comme support publicitaire (*JO* 13 août 1987, 9266). La pratique a été condamnée par la Banque de France.

180. — *Délivrance des chéquiers.* Depuis la loi du 3 janvier 1975, même les banquiers tirés (ou établissements assimilés) ne sont plus obligés, s'ils consentent à ouvrir un compte, de délivrer au client des chéquiers. La loi (D.-L. 1935, art. 65-1) a proclamé expressément leur liberté (V. en ce sens, Paris, 21 fév. 1977 : *D.* 1977, J, 657. — *Adde*, Paris, 27 oct. 1972 : *Juris-Data* n. 0595. — J. Vezian, *op. cit.*, n. 73 ; mais, comp. Derrida : *D.* 1976, chron. n. 12, p. 203). Un service de caisse plus réduit peut lui être fourni si le banquier l'estime plus prudent. Il est même défendu au tiré de délivrer des chéquiers à des interdits (bancaires ou judiciaires). Ces derniers ne peuvent recevoir (*infra*, n. 261) que des chèques certifiés ou des chèques de banque. Une banque engagerait sa responsabilité en remettant le chéquier à un tiers non habilité par le titulaire du compte (Trib. gr. inst. Nîmes, 20 mars 1973 : *RTD com.* 1973, p. 607).

La loi du 30 décembre 1989 a modifié l'article 65-1 du décret-loi de 1935. Désormais, le banquier qui refuse au client titulaire d'un compte de lui délivrer un chéquier doit « motiver » sa décision. Il peut donc être éventuellement contraint d'exprimer par écrit ses motifs. Le client pourrait contester ce refus devant le juge des référés ; En tout cas, ce refus n'est pas possible pour des formules de retrait, des chèques certifiés, voire des chèques de banque.

De toute façon, la délivrance des chéquiers est encore (janv. 1991) gratuite (D.-L. 1935, art. 65, al. 2). Le Parlement n'a pas, lors des réformes de 1972 et 1975, admis de faire payer ces formules (*JO* déb. Sénat 17 oct. 1979, 3293). Pour décourager l'émission de chèques d'un faible montant l'AFB avait annoncé que des frais de tenue de compte seraient prélevés. L'argument essentiel en ce sens venait du coût du traitement de ce type de titre. Le ministre de l'Économie et des Finances a, on le sait, différé pour l'instant le fin mot pour la taxation des chèques. En août 1987, une Banque populaire avait relancé cette pratique...

Le boycottage en décembre 1990 par les organisations syndicales des pompistes illustre la faiblesse de la garantie des chèques laissée depuis 1975 au montant de 100 francs (prix, a-t-on souligné, du plein d'essence à cette époque).

Le droit au compte reconnu dans la loi bancaire du 24 janvier 1984 (art. 58) n'excluait pas la faculté souveraine des établissements de crédit de délivrer ou non des chéquiers (comp. Paris, 15e Ch. B, 26 sept. 1985 : *D.* 1987, somm. 69 ; Rép. min. : *JO* déb. Sénat 5 juill. 1984, 1088).

La nouveauté de la loi de 1991 est d'obliger à motiver le refus de délivrance du chéquier (art. 65-1 DL 1935).

On notera que la gratuité n'est pas remise en cause par la pratique des chèques-lettres, imprimés avec l'accord du tiré par les soins du client. En cas d'interdiction du client, cette autorisation tombe de plein droit (V. sur l'indépendance juridique dans une lettre-chèque de la lettre et du chèque, Douai, 22 juin 1965 : *RTD com.* 1966, p. 372 ; revue *Banque* 1966, p. 641. — Comp. A. Bouzigon, « Lettre chèque et défense de payer » : *Rev. dr. des PTT* juill. 1987).

Le problème de la gratuité des chéquiers est à nouveau d'actualité (*Le Figaro* 12 sept. 1997, pages saumon). Un sage équilibre dû aux règles de l'Union européenne devrait aboutir à une solution raisonnable, c'est-à-dire une rémunération des comptes à vue et une commission pour la délivrance des chéquiers. Ce serait une des conséquences de l'introduction de l'Euro.

La responsabilité éventuelle du banquier qui a délivré un chéquier en cas d'émission de chèques sans provision par le client indélicat justifie son pouvoir discrétionnaire de remettre ou non des formules. Un principe certain de responsabilité n'existe à notre sens que si le banquier a ouvert le compte et remis irrégulièrement des chéquiers (Cabrillac, *op. cit.*, n. 15. — Cass. com., 3 mars 1981 : *Bull. civ.* IV, n. 115). Cette responsabilité (art. 73, D. 30 oct. 1935) ne profite qu'au porteur de chèque et pas au tireur (Paris, 26 sept. 1985 : *D.* 1987, somm. 70, obs. Cabrillac).

La remise imprudente de chéquiers par une banque a été plusieurs fois sanctionnée. Voir en ce sens pour la délivrance de formules à une société en formation, Cass. com., 8 juin 1985 et 8 oct. 1985 : *RTD com.* 1986, p. 271. *Adde*, pour une remise de chéquier à une société mise ultérieurement en liquidation de biens, sachant que les chèques émis seraient sans provision (Cass. com., 18 juill. 1985 : *JCP* 85, éd. G, IV, 299).

La Cour de cassation a eu à reprendre la question de la responsabilité du banquier à l'égard du bénéficiaire d'un chèque impayé tiré sur le compte ouvert à une société en formation (V. déjà, Cass. com., 31 mai 1988 : *Rev. sociétés* 1989, p. 39, obs. Stoufflet. — Comp. Cass. com., 19 juin 1990 : *Bull. civ.* IV, n. 177 et sur la délivrance jugée répréhensible de chéquier à une société sans trésorerie, Cass. com., 23 oct. 1990, inédit).

Dans son arrêt du 6 février 1990, la Chambre commerciale affirme la licéité de l'ouverture d'un compte bancaire et de la délivrance de formules de chèques à une société non immatriculée (*Rev. sociétés* 1990, p. 237, note J. Stoufflet). Elle réserve toutefois dans la ligne de son précédent arrêt de 1988 l'éventualité d'une responsabilité bancaire pour faute prouvée par manquement à ses obligations de vérifications lors de l'ouverture d'un compte présupposé juridique de la délivrance de chéquier... (comp. Pau, 2e Ch., 12 oct. 1988 : *JCP* 89, éd. E, 18169). Enfin, on soulignera qu'une banque a été jugée responsable pour avoir ouvert un compte à un prétendu gérant de société et pour lui avoir délivré des chéquiers qui lui ont servi à régler des achats. Une causalité est admise en l'occurrence entre la faute et le préjudice subi par les bénéficiaires de chèques sans provision (Cass. com., 19 juin 1990 : *JCP* 90, éd. E, 20298).

L'examen depuis 1990 des décisions en matière d'ouverture de compte et de remise de carnets de chèques reflète une nette sévérité de la Chambre commerciale (*adde* 6 fév. 1990 : *Bull. civ.* IV, n. 34. — 3 avril 1990 : *Bull. civ.* IV, n. 105). La fourniture par une société prétendant exercer une activité d'un extrait K *bis* en indiquant un autre exclut la délivrance d'un chéquier. La remise d'un tel chéquier serait donc en pareil cas fautive (Cass. com., 19 juin 1990 : *Bull. civ.* IV, n. 177, p. 121. — V. aussi Versailles, 19 déc. 1996 : *D. affaires* 1997, n. 7, p. 220).

Chèque omnibus. — Si le client n'avait pas de formule prémarquée à son nom, le tiré pourrait lui remettre une formule en blanc dite « chèque omnibus » ou « passe partout ». Ce titre doit comporter toutes les mentions légales prévues par le décret-loi de 1935 (art. 65) et notamment le nom de la personne à laquelle la formule est délivrée. Ce titre dûment rempli et signé par le client a valeur de chèque et expose, en l'absence de provision, l'émetteur aux mêmes sanctions que s'il utilisait son chéquier (*infra*, n. 268). L'article 1840 M-3 du Code général des impôts impose aux personnes qui délivrent de telles formules d'y mentionner le nom du destinataire à peine d'une amende de 5 F (art. 1840 M).

Ce type de chèque sert aussi pour des opérations de passage.

Lors de l'ouverture du compte, le banquier doit procéder à diverses vérifications précisées par l'article 33 du décret du 22 mai 1992 (Gavalda et Stoufflet, *Droit bancaire*, n. 224). Il doit, rappelons-le, vérifier l'identité et le domicile du postulant en lui demandant de produire un document officiel revêtu d'une photographie. Un arrêt de la Cour de cassation (Cass. com., 9 oct. 1985 : *JCP* 85, éd. G, IV, 36) a condamné une banque qui n'avait pas vérifié l'exactitude du domicile, l'éventualité d'une falsification d'une pièce d'identité impliquant d'autres investigations (comp. sur ce point la décision assez sévère du Trib. gr. inst. Paris, 1re Ch., 21 juin 1989 : *Gaz. Pal.* 9 nov. 1989. — *Adde*, Cass. com., 3 avril 1990 : *Les Petites affiches* 16 août 1990. — 21 janv. 1997 : *RTD com.* 1997, p. 296). Ces investigations peuvent consister en la demande d'une quittance d'EDF, de téléphone, d'attestation de domicile et d'une lettre d'accueil recommandée avec accusé de réception (Paris, 17 fév. 1989 : *Gaz.*

Pal. 8 juill. 1989, p. 10). Il doit enregistrer les caractéristiques et références de ce document. La date de la délivrance des formules de chèque a une importance si grande (*infra*, n. 282) que le banquier doit pouvoir en justifier durant trois ans (D. 1975, art. 34). Cette preuve implique un écrit (sur la responsabilité d'un banquier pour délivrance d'un chéquier à une société non encore légalement existante, Cass. com., 6 fév. 1990 : *JCP* 90, éd. E, 19732).

Avant de délivrer à un nouveau client un premier chéquier, le banquier doit aussi désormais consulter le fichier de la Banque de France (D.-L., art. 73) et conserver sa réponse pendant deux ans (D. n. 86-78, 10 janv. 1986, modifiant l'art. 27 du D. du 3 oct. 1975). Cette consultation est ouverte aux autorités judiciaires (D. 1992, art. 26) ou aux banquiers (D. 1992, art. 29). La Banque de France est, en effet, chargée de regrouper les incidents relevés contre une personne et indique si le candidat tombe sous le coup d'une interdiction judiciaire ou bancaire ou les deux et précise la date d'exécution de cette mesure ; elle fournit également des renseignements relatifs aux incidents de paiement enregistrés depuis 2 ans (D. n. 86-78 ; D.-L., art. 74). La même consultation s'impose quand le banquier veut délivrer de nouveaux chéquiers à un client dont il sait qu'il a fait l'objet depuis au moins un an d'un incident non régularisé (art. 27-2). Peu importe que le client n'ait pas été en fait « fiché ». Le banquier doit garantie s'il n'a pas consulté le fichier. Les sanctions encourues en cas d'inobservation seraient sévères. Le banquier répondrait jusqu'à concurrence de 10 000 F de chaque chèque irrégulièrement délivré à un interdit qui se révélerait sans provision (D.-L., art. 73, al. 1). Le banquier ne doit cette garantie qu'au porteur du chèque et non au tireur, qui serait en faute de n'avoir pas vérifié qu'il avait provision (Paris, 26 sept. 1965 : *D.* 1987, IR, 70). Il serait tenu solidairement (art. 73, al. 2) avec le tireur du montant du chèque et des dommages-intérêts envers le porteur (*infra*, n. 233). Cette obligation est d'ordre public et le banquier ne saurait s'en dégager par convention avec son client. Une prudence particulière se recommande pour la délivrance de chéquiers à une société non encore constituée et non immatriculée au Registre de commerce (*supra*, n. 180). Cette délivrance permet mal de satisfaire aux exigences de la loi de 1985 (Cass. com., 15 janv. 1980 : *D.* 1980, IR, 334, obs. Cabrillac. — Orléans, Ch. civ., 12 juin 1979 : *Gaz. Pal.* 10 mai 1981).

Eu égard à ces diverses responsabilités, l'article 65-1 du décret-loi de 1935 conférait au banquier le droit discrétionnaire de remettre ou non à un client des chéquiers. Il pouvait se contenter, sans avoir à donner de motifs, de lui fournir un service de caisse minimal (Paris, 21 fév. 1977 : *D.* 1977, J, 657, note Gavalda. — Cass. com., 3 mars 1981, préc.). Mais la loi de 1991 l'oblige désormais à motiver son refus.

181. — *Faculté de retrait du chéquier.* Il est toujours loisible au banquier de se faire restituer les formules délivrées à son client (D.-L. 1935, art. 65-1). La loi de 1975 lui fait même parfois un devoir d'exiger une telle restitution. La faculté d'obtenir restitution à tout moment du ou des chéquiers remis au client semble constituer un droit discrétionnaire du banquier (Paris, 21 fév. 1977 : *D.* 1977, J, 657, note C. Gavalda).

Avant la loi de 1975, le banquier encourait, selon le droit commun, une responsabilité éventuelle à l'occasion des délivrances de chéquier. Cette responsabilité fondait, selon certains auteurs, son droit de refuser des chéquiers tout en ouvrant un compte. La remise de chéquier même à une personne non interdite serait fautive si le banquier ne procédait pas aux vérifications d'usage (V. Gavalda et Stoufflet, *Droit bancaire,* n. 224 et s.). Le principe de non-ingérence lui évite en revanche, sauf circonstances exceptionnelles, une responsabilité pour n'avoir pas surveillé le fonctionnement du compte et pour avoir remis plusieurs carnets de chèques à un client dont le solde était dérisoire et les opérations sporadiques (Cass. com., 17 janv. 1968 : *JCP* 69, II, 15839 ; revue *Banque* 1968, p. 544 ; *RTD com.* 1968, p. 740. — Trib. gr. inst. Lyon, 1er oct. 1975 : revue *Banque* 1976, p. 559). Bien entendu, la remise du chéquier par négligence à une autre personne que le titulaire ou son mandataire est une faute.

La Cour de cassation a récemment jugé que le refus de renouvellement du chéquier d'un client n'est pas assimilable à une rupture de crédit impliquant, en principe (L. 24 janv. 1984), le respect d'un préavis quand le crédité est une entreprise (Cass. com., 6 mai 1997 : *JCP* 97, éd. E, II, 996, note Piédelièvre ; *Quot. jur.* 19 juin 1997 ; *RTD com.* 1997, p. 488 obs. Cabrillac). La distinction était, indiscutablement, à faire entre le crédit et son utilisation par émission de chèques ou par d'autres moyens.

En cours de fonctionnement du compte, le banquier doit s'abstenir d'envoyer sans discernement de nouvelles formules. L'envoi automatique d'un nouveau chéquier après émission du dernier chèque, informatisé en conséquence, est une facilité commerciale. Elle serait à coup sûr imputable éventuellement à faute au banquier. En cas d'absence ou d'insuffisance de provision, il doit enregistrer l'incident et adresser au client une injonction de ne plus tirer de chèques ordinaires et de restituer à lui-même et à ses confrères tous chéquiers détenus par l'émetteur. Cette injonction décharge la responsabilité du banquier, même s'il ne parvient pas *de facto* à récupérer les chéquiers par suite du mensonge ou du refus du client (*infra*, n. 236).

Obligation de garde du chéquier. — De son côté, le client a un devoir de garde de son chéquier. La perte ou le vol du chéquier imposent au titulaire d'avertir le banquier, de faire au plus vite *opposition* et de prendre toutes mesures administratives pour éviter l'utilisation frauduleuse dudit chéquier (Cass. com., 10 juin 1980 : *Bull. civ.* IV, n. 252, p. 204. — Aix-en-Provence, 1re Ch., 21 nov. 1979, inédit). Il répondrait de sa faute tant envers les tiers victimes qu'à l'égard du banquier tiré qui aurait réglé un chèque falsifié émis dans de pareilles circonstances (*infra*, 233). La charge de la preuve du défaut de surveillance des chèques par le client incombe à la victime (Cass. com., 13 déc. 1988 : *Bull. civ.* IV, n. 338). Sur les conditions concrètes d'exercice de cette garde, la jurisprudence reste flexible (comp. Cass. com., 10 juin 1980 : *Bull. civ.* IV, n. 252. — Orléans, 12 juin 1979, préc. — Trib. gr. inst. Versailles, 18 déc. 1980 et Trib. inst. Bordeaux, 1er avril 1981 : *D.* 1981, IR, 301. — Bordeaux, 17 nov. 1982 : revue *Banque* 1983, p. 781. — V. cependant, pour un chéquier avec Intercarte Eurochèque la responsabilité du client, Cass. com., 23 juin 1987 : *Gaz. Pal.* 12 déc. 1987 ; dans le sens d'une irresponsabilité du titulaire pour absence de précautions V. Cass. civ., 2e Ch., 7 déc. 1988 : *Gaz. Pal.* 1989, pan. 29). La loi du 30 décembre 1991 a modifié l'article 65-1 du décret-loi de 1935.

Envoi du chéquier. — La remise au client d'un chéquier pose de délicates difficultés pratiques (revue *Banque* 1976, 345). Sauf instruction contraire du client, le banquier peut lui adresser sous pli simple à domicile le chéquier. La Cour de cassation n'estimait pas obligatoire l'envoi par lettre recommandée, au motif qu'aucun usage n'existe en ce sens (Cass. com., 2 arrêts, 4 mars 1980 : *Bull. civ.* IV, n. 110 et 111). Le chéquier peut aussi être tenu à la disposition du client à la banque (revue *Banque* 1975, p. 559, 560, 888 ; sur la responsabilité de l'administration postale en cas d'envoi par lettre recommandée, V. revue *Banque* 1976, p. 345 ; C. P. et T., art. 8). Il a été récemment jugé par la Chambre commerciale de la Cour de cassation que l'envoi d'un chéquier par courrier ordinaire pouvait être une imprudence susceptible d'engager la responsabilité bancaire (Cass. com., 28 fév. 1989 : *D.* 1989, IR, 94 ; *Bull. civ.* IV, n. 70 ; *RTD com.* 1989, p. 275, obs. Cabrillac et Teyssié. — Comp. Cass. com., 3 avril 1990 : *Les Petites affiches* 16 août 1990). En revanche, un notaire peut renvoyer un chèque sous pli ordinaire (Trib. gr. inst. Paris, 1re Ch., 21 juin 1989, préc.).

182. — *Les mentions obligatoires.* Le chèque comme la lettre de change doit comporter des mentions énoncées à l'article 1er du décret-loi du 30 octobre 1935, en l'absence desquelles le titre est nul comme chèque (D.-L., art. 2). Comme pour la traite, une récupération sous une autre qualification du chèque nul est possible. Le titre doit comporter la mention « chèque » (D.-L. 1935, art. 1er) dans la langue employée pour la rédaction du titre. L'émetteur peut, en effet, utiliser une langue étrangère ou régionale (breton, V. *supra*, n. 179). Cette exigence du terme « chèque » vise à différencier le chèque de la traite à vue. A défaut, le chèque ne vaudrait pas titre cambiaire mais éventuellement promesse civile ou commerciale (Cass. crim., 9 oct. 1940 : *JCP* 41, II, 1647 ; *S.* 1942, I, 149).

Le chèque doit aussi être revêtu d'une mention touchant le *lieu* et la *date de création* (D.-L., art. 2 ; Versailles, 13 oct. 1989 : *D.* 1990, somm. comm. 120). La première mention peut être suppléée par « le lieu désigné à côté du tireur ». L'indication de la date peut être en chiffres. Sa *fausseté* n'entraînerait pas la nullité du titre. Elle serait encourue cependant en cas d'*absence* de date (V. cependant Cass. civ. 1re, 26 fév. 1988 : *JCP* 88, éd. E, 17276).

La Chambre commerciale vient de préciser que la date du chèque, mention obligatoire, vise la mention de l'année, du mois et du jour de la création du chèque (Cass. com., 24 juin 1997, *Raspini-Clerici* : *Quot. jur.*, 2 oct. 1997, obs. J.P.D. ; *JCP* 97, IV, 1823 ; *D.* 1997, IR, 172.).

L'apposition d'une date d'émission différée n'empêche pas le chèque d'être payable « à vue » dès présentation (D.-L. 1935, art. 28).

L'obligation de mentionner le numéro de téléphone de l'agence ou de la succursale du tiré et l'adresse du tireur ne comporte pas de sanction (Douai, 25 fév. 1960 : *Journ. soc.* 1960, 279).

Les autres mentions obligatoires (indication du lieu de paiement, mandat de payer une somme d'argent déterminée) ne concernent plus aussi directement le titre. Elles doivent cependant être portées obligatoirement à peine de nullité. On envisagera successivement les mentions relatives au *tireur*, au *tiré*, au *bénéficiaire* et au *paiement*.

183. — *Conditions relatives au tireur*. Le titulaire du compte reçoit éventuellement du banquier un chéquier dont chaque formule doit porter son nom et son adresse. Au sens du droit civil, le nom est composé du nom proprement dit et du (ou des) prénoms civils. Il doit, lors de l'utilisation, y apposer sa signature manuscrite. La loi du 16 juin 1966, en autorisant d'autres signatures à la machine, a confirmé l'exigence d'une signature manuscrite (Gavalda : *JCP* 66, I, 2034). Le laxisme de certaines grandes firmes sur ce point est à leurs risques et périls. Cette signature doit être conforme à celle « déposée » sur la fiche remplie selon l'usage bancaire par le client lors de l'ouverture du compte. Le banquier tiré ne doit régler que les titres dont la signature est conforme à la signature déposée. L'absence ou la fausseté de la signature rendrait le titre nul (Cass. civ., 20 avril 1939 : *Gaz. Pal.* 1939, 2, 91. — Pau, 6 mars 1981 : *D.* 1982, IR, 72. — Cass. com., 24 fév. 1987, rejet : *Les Petites affiches* 22 janv. 1988, n. 67. — 18 avril 1989 : *Bull. civ.* III, n. 117). A la différence de la publicité sur les chèques (V. Médiachèque, *infra*, n. 179) le problème de la signature digitale (*le Monde* 3 août 1987) mérite réflexion. Quelques expériences sont en cours à Nice par exemple (Rép. min. n. 35651 : *JO* déb. Ass. nat. 18 avril 1988, p. 1679 ; *JCP* 88, éd. E, n. 15208).

Un nouveau procédé, l'encre génétique (ADN) permettrait à toute main d'écrire une signature inviolable, unique et inimitable. A suivre...

Les diverses mentions autres que la signature du tireur peuvent être manuscrites ou dactylographiées. Rien ne s'oppose à ce qu'un tiers les inscrive. L'usage aujourd'hui répandu des magasins à grande surface de compléter les chèques reçus en règlement à l'aide de machines enregistreuses appropriées en laissant simplement aux clients le soin de signer leur chèque est donc correct (revue *Banque* 1982, 533).

On signalera d'ores et déjà que pour préparer une gestion automatique des comptes bancaires, les formules de chèque comportent au recto une ligne d'écriture magnétique (type CMC 7, caractères magnétiques codés à 7 bâtons). V. *Note d'information de la Banque de France*, n. 56 de juillet 1983, Traitement des chèques bancaires.

Le consentement du tireur doit être bien sûr libre. Mais l'exception tirée d'un vice du consentement est une exception dite personnelle qui ne serait pas opposable à un porteur de bonne foi au sens de l'article 22 du décret-loi de 1935 (V. sur une confusion entre franc nouveau et ancien, Cass. com., 17 juin 1970 : revue *Banque* 1970, p. 1137). Le vice résultant d'une violence obéit à cette règle (V. cependant *contra*, Bouteron, *Le chèque et la violence* : *Gaz. Pal.* 1956, 1, doctr. 11).

Capacité et pouvoir du tireur. — Au fond, l'émetteur du chèque ne doit bien sûr pas être interdit bancaire ou judiciaire (*infra*, n. 261), et doit posséder la capacité civile de disposer des fonds. L'opération n'est pas nécessairement un acte de commerce. On doit appliquer les règles du Code civil. Tout au plus le décret-loi du 30 octobre 1935 pose-t-il la règle fondamentale de l'indépendance des signatures (*infra*, n. 191, n. 1) qui empêche l'extension à toutes les signatures de la nullité de l'une d'elles (D.-L., art. 10). En l'état de la législation, aucune disposition n'impose aux banques de vérifier la capacité des personnes qui sollicitent l'ouverture d'un compte. Elles peuvent seulement, pour vérifier l'identité et le domicile, exiger une carte d'identité. Or, ce document ne révèle pas par exemple la qualité d'incapable majeur (V., en ce sens, Rép. min. : *JO* déb. Ass. nat. 19 janv. 1981, 247).

Le mineur de 18 ans (C. civ., art. 488, L. 7 juill. 1974), *non émancipé*, est en principe incapable d'émettre un chèque. Son compte devrait donc fonctionner sous la signature de son administrateur légal ou tuteur. C'est peu commode. Les banques remettent donc à certains mineurs des chéquiers, mais en exigeant une décharge de responsabilité du représentant légal. Le mineur est considéré comme le mandataire du représentant. L'article 450 du Code civil serait selon certains auteurs la base légale de cette pratique. Les actes de la vie courante, comme sont les retraits de faible importance, peuvent dans l'usage être valablement effectués par un mineur. Mais les retraits correspondant à des mouvements de capitaux peuvent difficilement entrer dans la tolérance de l'article 450 du Code civil (J. Stoufflet, « L'activité juridique du mineur non émancipé » *in Mélanges Voirin*, p. 794).

L'assimilation du *mineur émancipé* au majeur (C. civ., art. 481) lui permet d'utiliser sans difficulté un chéquier à son nom. Il ne peut, toutefois, émettre de chèques pour une activité commerciale, car depuis la loi du 5 juillet 1974, aucun mineur émancipé ne peut être habilité à commercer. Quand il atteint l'âge de 18 ans — âge de la majorité — l'émancipation « commerciale » qui implique l'âge de 18 ans perd son objet...

Le chèque tiré par un incapable est atteint d'une nullité relative opposable même à un porteur de bonne foi. La défense des incapables prime la sécurité cambiaire (Paris, 10 oct. 1912 : *Gaz. Pal.* 1912, 2, 411).

Conjoints. — La loi du 13 juillet 1965 a donné tout son sens à la reconnaissance depuis 1938 de la pleine capacité de la femme mariée. L'article 221 du Code civil réalise vraiment l'indépendance de chaque époux. Mari et femme peuvent sans autorisation et sans production du contrat de mariage se faire ouvrir toutes sortes de comptes et recevoir un chéquier (R. Burlot, *L'intitulé du chéquier des femmes mariées ou divorcées : Banque et droit* nov.-déc. 1988, n. 1, p. 17). Chacun d'eux est irréfragablement présumé propriétaire à l'égard du banquier des fonds déposés. Il émet donc librement des chèques, qu'il est censé à l'égard des bénéficiaires de bonne foi avoir le pouvoir de tirer seul (C. civ., art. 222). Le banquier ne pourrait toutefois se prévaloir de cette présomption s'il était de mauvaise foi. Cette présomption survit, à la dissolution du mariage, selon l'article 221, alinéa 2, du Code civil (Cass. com., 5 fév. 1980 : *Bull. civ.* IV, n. 62. — *Adde* sur renvoi : Reims, 11 oct. 1983, inédit). Le bénéficiaire de bonne foi d'un chèque émis par un conjoint profite de la même sécurité sur la base de l'article 222 du Code civil (Cabrillac, *op. cit.*, n. 55).

L'existence fréquente de comptes joints entre époux pose en revanche de délicats problèmes. (M. Dupuis, « Une institution dérogeant aux règles des régimes matrimoniaux : le compte bancaire joint » : *D.* 1988, obs. n. 40).

La Chambre commerciale a admis (Cass. com., 8 mars 1988 : *RTD com.* 1988, 471 ; *Bull. civ.* IV, n. 102 ; *D.* 1989, somm. comm. 321) l'absence d'engagement du cotitulaire non tireur d'un chèque émis sur un compte joint. Les problèmes posés par les chèques tirés sur des comptes dits joints posent des difficultés plus générales (Paris, 15e Ch. A, 12 janv. 1991 : *D.* 1991, IR, 80. — Cass. com., 30 janv. 1990 : *Bull. civ.* IV, p. 16, n. 25. — Paris, 19 oct. 1989 : *RD bancaire et bourse* 1990, 40. — V. *infra*, n. 185).

Majeurs incapables. — Si le tireur est mis en tutelle, sa situation se rapprochera de celle du mineur non émancipé. Le juge pourrait toutefois restreindre son incapacité. Sous le régime de la *mise en curatelle*, le majeur incapable pourrait faire fonctionner le compte et émettre des chèques pour des dépenses courantes. Si le juge des tutelles l'y habilite, il peut aussi émettre des chèques correspondant à des mouvements de capitaux (C. civ., art. 510). Le régime est peu pratique. La capacité est suffisante en cas de simple *mise sous sauvegarde de justice*, sauf si le juge des tutelles a désigné un mandataire spécial. Les actes de l'intéressé (dont ses tirages de chèques) pourraient être rescindés pour lésion ou réduits en cas d'excès (C. civ., art. 491-2). Tant qu'une mesure officielle ne frappe pas un majeur, il est libre d'émettre des chèques (sur l'inutilité pour les banques de consulter le Répertoire civil ou d'exiger un acte de naissance : *JO* déb. Ass. nat. 19 janv. 1981, 247). Les parents d'une personne soi-disant atteinte dans ses facultés mentales ne pourraient donc faire une opposition valable auprès du banquier tiré. Ce dernier ne devrait pas en tenir compte (Cass. com., 21 nov. 1972 : *Gaz. Pal.* 1973, 1, 88 ; *D.* 1973, 265 et la note ; *RTD com.* 1973, p. 119, n. 5 ; *adde*, en général, Mazeaud et de Juglart, *Traité de droit civil*, t. I, vol. 3, n. 1358 et s.).

Personnes frappées de déchéance ou d'interdiction professionnelle. — On examinera à part l'interdiction bancaire ou judiciaire d'émettre des chèques (*infra*, n. 257). (D.-L. 1935, art. 66, 67, 67-1 et 69). L'interdiction bancaire a été, on l'a dit profondément modifiée par la loi du 31 décembre 1991). L'interdiction ne constitue pas une incapacité. Le titre devra être payé par le banquier tiré s'il y a provision, mais le tireur (interdit) s'expose à des poursuites pénales (Cass. crim., 27 juin 1983 : *D.* 1984, IR, 70).

Personnes morales (comp. n. 186. — Cass. Com., 6 fév. 1990).

184. — Un débiteur placé en liquidation des biens sous l'empire de la loi du 13 juillet 1967 était frappé de déssaisissement. Son compte était clos et il ne pouvait plus émettre de chèques. Un nouveau compte était susceptible d'êre ouvert à l'initiative du syndic qui fonctionnait sous sa signature. Le règlement judiciaire, en revanche, impliquait seulement assistance du débiteur par le syndic. Par conséquent les chèques devaient porter la signature du débiteur et du syndic. Dans les deux cas, les chèques irrégulièrement émis étaient inopposables à la masse des créanciers (Cass. com., 18 janv. 1967 : *Bull. civ.* IV, n. 38 ; 4 déc. 1978 : *D.* 1979, J, 324, note Derouin ; *RTD com.* 1979, p. 288, obs. Cabrillac et Rives-Lange). Si le tiré payait néanmoins un tel chèque, il devait recréditer le compte du débiteur soumis à une procédure collective, mais il disposait d'une action en répétition de l'indu contre le bénéficiaire.

Les solutions applicables en cas de liquidation des biens restent, en substance, valable, depuis l'entrée en vigueur de la loi du 25 janvier 1985, sous le régime de la liquidation judiciaire qui s'accompagne comme l'ancienne liquidation des biens d'un déssaisissement du débiteur (Cass. com., 1996 : *JCP* 96, IV, 1276). La situation est plus nuancée, pendant la période d'observation, au cas de redressement judiciaire. Le débiteur, en effet, n'est pas, en principe, dessaisi et il peut continuer à émettre des chèques. Le tribunal a, toutefois, la faculté de confier à l'administrateur judiciaire une mission d'assistance ou même de représentation (L. 1985, art. 31). S'il en use, le pouvoir du débiteur d'émettre des chèques est restreint ou il disparaît. Si le débiteur est frappé d'une interdiction d'émettre des chèques en application des articles 65-2 ou 68 du décret-loi du 30 octobre 1935 (*infra,* n. 257 et s.), l'administrateur judiciaire a, dans tous les cas, la mission de faire fonctionner les comptes dont le débiteur est titulaire ; c'est donc lui qui signe les chèques (L. 1985, art. 31, *in fine*).

184-1. — Les paiements faits au moyen d'un chèque émis en période suspecte sont susceptibles d'être annulés en application des articles 107 et s. de la loi du 25 janvier 1985 (V. *infra,* n. 218). Sous cette réserve, les chèques émis avant l'ouverture d'une procédure collective doivent être payés s'il existe une provision (*infra,* n. 203). Dans les cas où le débiteur est privé, par l'effet d'une procédure collective, du pouvoir d'émettre des chèques, l'administrateur judiciaire est-il tenu de faire diligence pour récupérer les chéquiers que détient le débiteur, faute de quoi sa responsabilité civile pourrait se trouver engagée envers le bénéficiaire d'un chèque irrégulièrement émis ? La jurisprudence avait semblé admettre que ce devoir incombait au syndic, en écartant, toutefois, la responsabilité de la masse des créanciers (Cass. com., 18 mars 1974 : *Bull. civ.* IV, n. 75 ; *RTD com.* 1974, p. 562 ; *JCP* 76, éd. CI, 2129, n. 25). La solution est transposable à l'administrateur judiciaire.

184-2. — On signalera l'interdiction légale de tirer des chèques pouvant frapper les inculpés sous contrôle judiciaire (L. 6 août 1975, art. 23, mod. art. 138 C. pr. pén.). Seuls font exception les chèques de retrait de fonds auprès du tiré et les chèques certifiés. Avis est donné à l'organisme gérant le compte de l'inculpé (D. n. 77-193, 3 mars 1977).

185. — *Cotitulaires de comptes joints ou indivis.* Chaque cotitulaire d'un compte joint peut disposer d'un chéquier pour effectuer des retraits jusqu'à opposition de l'un d'entre eux.

Après dénonciation du compte joint la banque ne peut plus payer les chèques émis par les cotitulaires de l'auteur (V. Cass. com., 30 janv. 1990, préc.).

Dans les comptes indivis (successoraux par exemple), il faudrait la signature de tous les indivisaires. En pratique, un mandataire commun est désigné qui reçoit le chéquier et fait fonctionner le compte collectif. La cour d'appel de Montpellier dans un arrêt du 3 avril 1986 (*RTD com.* 1987, 86, obs. Cabrillac et Teyssié) a fait application de la notion de compte indivis pour déclarer la banque partiellement responsable du fait d'avoir permis des retraits par un seul indivisaire. La preuve d'une procuration n'ayant pu être apportée, la responsabilité de l'autre indivisaire vivant à l'étranger a également été cependant retenue pour ne pas avoir vérifié les comptes alors que les retraits litigieux s'étaient échelonnés sur trois ans (comp. Cass. com., 10 mars 1987 : *D.* 1987, IR, 306).

185-1. — La loi de 1991 avait allégé le régime de l'interdiction en matière de compte joint. Seul était interdit sur l'ensemble de ses comptes l'émetteur du chèque rejeté, le ou les autres cotitulaires n'étaient interdits que sur le compte collectif. Deux mois après cette réforme, ce régime est réaménagé (D.-L. 1935, art. 65-4, mod. par L. n. 92 665, 16 juill. 1992).

Désormais les cotitulaires peuvent désigner l'un d'entre eux qui sera seul appelé à être interdit sur tous ses comptes. Peu importe qu'il n'ait pas été le tireur. Les autres cotitulaires ne sont frappés que sur le compte collectif (V. obs. Cabrillac, *RTD com.* 1992, p. 645).

Toutefois « si lors du rejet d'un chèque pour défaut de provision suffisante, le tiré constate qu'aucun titulaire du compte n'est désigné dans les conditions définies à l'alinéa précédent, les dispositions des articles 65-2 et 65-3 sont de plein droit applicables à tous les titulaires du compte tant en ce qui concerne ce compte qu'en ce qui concerne les autres comptes dont ils pourraient être individuellement titulaires ».

Représentation du tireur. — Le titulaire du compte peut confier à une personne une procuration. Ce mandat est toujours révocable, mais l'effet d'une révocation dépend de la notification au tiré (Lyon, 24 fév. 1965 : *D.* 1965, somm. 102. — Paris, 26 avril 1977 : *RTD com.* 1977, p. 752. — Comp. pour un mandat de fait entre époux, Cass. crim., 13 fév. 1974 : *Bull. crim.* n. 64 ; *RTD com.* 1975, p. 146. — Rappr. 2 oct. 1975 : *JCP* 77, II, 18752). Le banquier (ou son préposé) doit être très attentif lors de l'établissement de la procuration. Il serait responsable pour ne pas avoir vérifié la signature du soi-disant mandant (Cass. civ. 2e, 1er oct. 1975 : *RTD com.* 1976, 385 ; *Bull. civ.* II, n. 235). Bien entendu, il engagerait aussi sa responsabilité en remettant des chéquiers à une personne, liée avec la cliente, qui n'aurait pas été formellement investie de la qualité de mandataire (V. fils de la cliente,

Trib. gr. inst. Nîmes, 20 mars 1973 : *JCP* 73, IV, 194). La valeur de la signature du représentant qui excéderait ses pouvoirs s'apprécierait comme en matière de traite.

Le tireur peut aussi agir comme mandataire d'un donneur d'ordre, mais en se présentant comme le véritable émetteur. Il en est ainsi du commissionnaire (comp. Ph. Fargeaud, *Les chèques tirés pour compte d'autrui* : *Réc. gén. Lois*, 1936, I, 137).

Le client qui donne une procuration n'est pas, en principe, pénalement responsable des tirages sans provision que ferait son mandataire. La nouvelle définition de l'élément moral joue en ce sens (V. sur la responsabilité pénale propre du mandataire, émetteur du chèque, Larguier, *op. cit.*, p. 110 ; mais V. *contra*, Trib. corr. Aubusson, 9 fév. 1951 : *JCP* 52, II, 17. — Douai, 31 oct. 1969 : *JCP* 70, II, 16241). Mais il doit veiller à l'approvisionnement de son compte (V. la responsabilité du fait d'une épouse mandataire, Douai, 31 oct. 1969 : *JCP* 70, II, 16241. — Comp. Cass. crim., 13 fév. 1974 : *Bull. crim.* n. 64 ; *RTD com.* 1975, p. 145, n. 9, sur le cas d'un mandataire de fait). Le mandataire qui agirait sans pouvoir ou qui dépasserait les limites de sa procuration serait personnellement tenu (D.-L. 1935, art. 11). L'abus de blanc-seing pourrait être retenu contre une personne disposant de chèques signés en blanc qu'elle utiliserait à d'autres fins que celles spécifiées (Cass. crim., 12 janv. 1987 : *Gaz. Pal.* 23 mai 1987, p. 12). Le tiré pourrait ensuite se retourner éventuellement contre le mandant, sur la base d'un enrichissement sans cause (Cass. com., 13 janv. 1978 : *Bull. civ.* 1978, n. 28 ; revue *Banque* 1978, p. 1077 ; Roblot, *op. cit.*, n. 2185) ou d'une action en répétition de l'indu contre le mandataire révoqué, qui aurait été le bénéficiaire du chèque (Aix, 2 oct. 1975 : *JCP* 77, II, 18752, note Tardieu-Naudet). La négligence de la banque constitue cependant une *faute*, qui sans paralyser son action en répétition, lui est reprochable soit par l'*accipiens*, soit par le titulaire du compte (V. Cabrillac, obs. : *D.* 1980, IR, 134).

Pouvoirs dans les sociétés. — La vérification des pouvoirs de représentation des organes sociaux des personnes morales est délicate. Dans la société anonyme, le président-directeur a qualité sauf à la déléguer à un ou plusieurs fondés de pouvoirs. Il a comme tireur la responsabilité pénale en cas de tirage sans provision (sur la responsabilité de la personne qui fait ouvrir un compte pour la personne morale et tire des chèques : Paris, 24 mars 1988 : *D.* 1988, J, 556). Le banquier doit vérifier de même la capacité de celui qui ouvre un compte pour un GIE (Aix, 9 mars 1979 : *D.* 1980, IR, 382).

186. — *Conditions relatives au tiré.* Le tiré joue un rôle essentiel dans la technique du chèque. Son nom doit figurer sur le chèque, ainsi que le numéro de téléphone de l'agence ou de la succursale auprès de laquelle le chèque est payable (D.-L. 1935, art. 65-1).

Le tiré est nécessairement un établissement de crédit ou un établissement assimilé (D.-L. 1935, art. 3, mod. par L. 14 fév. 1942). Les prestataires de services d'investissement régis par la loi du 2 juillet 1996 peuvent être tirés comme cela était le cas pour les agents de change. Il en est de même du caissier général de la Caisse des Dépôts et Consignations ainsi que des trésoriers payeurs généraux et des receveurs particuliers des finances. Il faut ajouter les centres de chèques postaux (D. 24 mai 1938).

Un chèque tiré sur une autre personne serait nul comme titre cambiaire et exposé à une amende fiscale (D.-L. 1935, art. 3, al. 4 ; CGI, art. 914). Un décret n. 78-39 du 12 janvier 1978 a habilité les caisses d'épargne ordinaires à ouvrir des comptes de dépôt à vue, sur lesquels on peut tirer des chèques. Ces caisses doivent disposer au moins d'un guichet permanent (Arr. 23 janv. 1978). Les caisses d'épargne sont, aujourd'hui, des établissements de crédit habilitées à accomplir toutes les opérations de banque.

La loi (D.-L., art. 6) ne permet donc pas un *tirage sur soi-même*, comme en matière de lettre de change, sauf si une banque tire sur une de ses agences au profit de l'un de ses clients pourvu que ce soit à personne dénommée ou à l'ordre d'une telle personne. Sinon, il y aurait une véritable émission de monnaie fiduciaire eu égard à la solvabilité du banquier... Ces *chèques dits de banque* ont trouvé avec la réforme de la loi de 1975 un vaste champ d'application. Ce sont ces titres que les interdits reçoivent, semble-t-il, en pratique (*infra*, n. 262).

Le tiré ne peut jamais « accepter » un chèque, mais il peut, on le verra, le viser ou le certifier (V. Prelle, « Un nouveau venu : le chèque à l'ordre du tiré » : *Gaz. Pal.* 26-27 juill. 1978 ; V. *infra*, n. 192 et 193).

187. — *Conditions relatives au bénéficiaire* (D.-L., art. 5). Le chèque peut être créé : 1° en faveur d'une *personne (physique ou morale) dénommée ou à son ordre :* c'est la formule la plus usuelle. Parfois le chèque porte la clause « non à ordre » ou « non endossable », sous réserve des dispositions de l'article 65-1, alinéa 3 nouveau du décret-loi du 30 octobre 1935. Cette clause n'empêche pas la transmission du titre selon les procédés de la cession civile de créance (V. à propos de cette clause, *infra*, n. 225) ; 2° *au porteur* : cette faculté n'existe pas pour la traite ; 3° *en blanc*, sans indication de bénéficiaire (sur les graves dangers du procédé, V. Cass. com., 3 juin 1982). D'après l'article 5, dernier alinéa, un chèque ainsi libellé vaut « chèque au porteur » (Cass. com., 12 nov. 1996 : *D.* 1996, IR, 257). Souvent le bénéficiaire apposera d'ailleurs son nom (Paris, 14 juin 1983 : *D.* 1984, IR, 69, obs. Cabrillac). Il devra de toute façon justifier de son identité au moment de l'encaissement et de l'acquit (*infra*, n. 226). Le chèque sans indication de bénéficiaire vaut chèque au porteur transmissible par tradition (Cass. com., 12 nov. 1996 : *Quot. jur.* 1997, 1, somm., 29 ; *D. aff.* 1996, 1394).

En matière de paiement des impôts, un arrêté du 9 juillet 1986 (*JO* 14 août 1986) a modifié l'article 201 du Code général des impôts en rendant obligatoire le libellé à l'ordre du « Trésor public » ; la règle qui prévoyait la « Banque de France » comme bénéficiaire est abrogée.

188. — *Chèque à soi-même*. Le tireur peut émettre le chèque à son profit. Cette pratique s'est d'abord développée pour retirer de l'argent de son compte (*chèque de caisse*). L'émission dispense de récépissé. Le procédé est aujourd'hui très commode pour retirer des fonds dans une autre agence ou banque que celle où est tenu le compte. Il s'agit là d'un service bancaire très courant, permettant au client de retirer auprès des guichets des banques liées par un accord une certaine somme chaque semaine (2 000 F). La nature de l'opération avait fait parfois douter que le tirage de chèques à soi-même sans provision puisse constituer éventuellement le délit d'émission de chèques sans provision. Y a-t-il, en l'occurrence, « émission » ? Le chèque de dépannage, libellé à soi-même, ne serait-il pas, malgré son apparence, un simple reçu ? On peut à la rigueur le soutenir pour le chèque de retrait présenté au guichet où le compte de l'émetteur est tenu. En cas de chèque de dépannage, il est difficile de voir dans le chèque un reçu (Paris, 24 oct. 1974 : *JCP* 75, II, 18301). La jurisprudence semble, en accord avec la majorité des auteurs, répondre négativement (V. cependant *contra* note Crémieux sous Aix, 9 juill. 1971 : *D.* 1973, J, 224 ; revue *Banque* 1975, p. 764. — Mais V. Paris, 11e Ch., 24 oct. 1974 : *JCP* 75, éd. G, II, 18031 ; *RTD com.* 1975, p. 335). Le précédent de la Chambre criminelle du 4 novembre 1972 (*JCP* 73, éd. G, II, 17336, note Gavalda) n'est cependant pas topique, car l'émetteur avait endossé à un tiers ce titre. La pratique bancaire s'est orientée vers une astuce consistant à faire libeller par le client le chèque de dépannage au nom de l'agence de la banque où le chèque de dépannage est présenté (V. F. Manuel, « Le paiement des chèques de dépannage » : revue *Banque* 1970, p. 68 ; *infra*, n. 288). L'émission est alors indiscutable.

Les chèques librement endossables sont désormais plus rares, parce qu'ils donnent lieu à taxation. La pratique systématique d'indication du banquier comme bénéficiaire se recommande aussi de ce fait.

Capacité et pouvoir du bénéficiaire. — Il doit avoir la capacité de recevoir des fonds ou capitaux. Les mineurs non émancipés n'ont pas une telle capacité de recevoir paiement. Le chèque émis à leur profit n'est pas nul, mais réglable au représentant légal (C. civ., art. 453). Un tempérament non négligeable fondé sur l'article 1241 du Code civil permet en pratique aux banquiers de payer sans difficultés les chèques de moyenne importance. Sinon, le chèque serait à régler au mineur, assisté de son représentant légal ou au tuteur avec quittance contresignée par le subrogé-tuteur et dépôt des fonds chez un dépositaire agréé...

La femme mariée, bénéficiaire d'un chèque, peut *a priori* l'encaisser seule (revue *Banque* 1964, p. 423) sans justifier de son régime matrimonial.

Rien ne fait obstacle à ce que le tiré soit désigné comme bénéficiaire du chèque. La formule est devenue banale pour les chèques de dépannage (*adde* en faveur de la validité, Cabrillac, *op. cit.*, n. 69 ; *contra*, Prelle : *Gaz. Pal.* 1978, 2, doctr. 395).

L'indication du bénéficiaire n'est pas soumise à l'article 5 du décret-loi de 1935. Rien n'empêcherait de libeller le chèque au nom de l'enseigne commerciale de la société (Paris, 14 juin 1983 : *D.* 1984, IR, 69, note Cabrillac).

Le débiteur dessaisi ne pouvait encaisser avant la loi de 1985 un chèque dont il était bénéficiaire. Ce pouvoir appartenait au syndic en cas de liquidation de biens et impliquait l'assistance de ce dernier en cas de règlement judiciaire (Trib. gr. inst. Perpignan, 15 déc. 1977 : *D.* 1978, IR, 81, obs. Cabrillac ; V. *infra* n. 189 et L. 25 janv. 1985, art. 109).

On ajoutera que les tiers, bénéficiaires de chèques émis par le failli avant le jugement déclaratif de règlement ou de liquidation de biens (L. 1967) ne pouvaient pas encaisser directement ces chèques mais devaient produire à la faillite du (tireur) débiteur et faire vérifier leur créance de remboursement (Trib. gr. inst. Avesnes-sur-Helpe, 30 oct. 1974 : *Gaz. Pal.* 3 mai 1975 ; *RTD com.* 1975, p. 336. — Comp. Cass. com., 4 déc. 1978 : *D.* 1979, J, 324, note Ph. Derouin).

Dans le régime de la loi du 25 janvier 1985, le débiteur en redressement n'est plus, on le sait, dessaisi sauf décision contraire du tribunal. En revanche, la liquidation judiciaire entraîne déssaisissement (Paris, 20 déc. 1988 : *D.* 1989, somm. comm. 87).

Pluralité de bénéficiaires. — Rien n'interdit d'émettre un chèque à l'ordre de plusieurs personnes. L'acquit nous paraît devoir, en pareil cas, être donné par tous (*contra*, Cabrillac : *Rép.* Dalloz. *V° Chèque*, n. 86) sauf mandat confié formellement à l'un d'eux (Cass. com., 3 janv. 1996 : *RTD com.* 1996, p. 301, obs. Cabrillac. — V. Trib. com. Chauny, 13 déc. 1962. — Amiens, 4 fév. 1964 : revue *Banque* 1964, p. 253). Une variante est possible. Les bénéficiaires peuvent être non pas cumulatifs mais alternatifs : « Payez à X... ou à Y... ».

189. — *Les mentions relatives au paiement.* Le chèque doit contenir l'ordre (mandat) du tireur au tiré de payer à vue une certaine somme d'argent en un lieu déterminé (V. *supra*, Lettre chèque...). L'ordre ne peut comporter ni terme, ni condition. Cet ordre est irréversible. La débiteur qui voudrait se réserver la faculté d'interrompre le processus de règlement devrait donc choisir un autre mode de paiement (virement...). Le chèque est payable au *lieu* indiqué (agence X) ou au lieu du principal établissement du tiré (D.-L., art. 2, al. 2 et 3). Il serait à défaut payable au lieu indiqué à côté du nom du tiré.

Le mandat doit être *daté*. La date de paiement en découle puisque le titre est toujours payable à vue. Il ne servirait toutefois à rien de postdater un chèque, qui serait de toute façon exigible sur simple présentation par le bénéficiaire, quelle que soit la date (fausse) d'émission figurant sur le titre (Cass. crim., 26 nov. 1974 : *JCP* 75, IV, 6172).

Le montant de la somme doit être déterminé. La somme peut être indiquée en chiffres ou en lettres (revue *Banque* 1982, p. 533). En cas de discordance (D.-L., art. 9) l'indication en lettres prévaut (V. cependant Paris, 30 sept. 1982 : *D.* 1983, IR, 42 ; V. plus récemment, Paris, 13 fév. 1985 : *D.* 1985, IR, 417, obs. Cabrillac réaffirmant la prééminence de la somme en lettres). S'il y avait plusieurs mentions en lettres, on devrait préférer la somme la plus faible. La pratique adoptée par certaines grandes surfaces de porter deux fois en chiffres le montant sur le chèque paraît admissible. En cas d'erreur, elle ne saurait préjudicier à leur clientèle (Rép. min. écrite n. 1004 : *JO* déb. Ass. nat. 24 nov. 1986, p. 4390).

La pratique des *chèques dits en blanc*, c'est-à-dire ne portant pas la somme et donnant mandat à une tierce personne ou au bénéficiaire de compléter ce chiffre est très dangereuse. (Sur une confusion entre francs anciens et nouveaux, V. Cass. com., 17 juin 1970, préc. : revue *Banque* 1970, p. 1137. — Comp. Paris, 15e Ch. B, 30 sept. 1982 : *D.* 1983, IR, 42). On soulignera toutefois que le mandataire qui détournerait le titre de son usage et porterait un chiffre contraire aux instructions du mandat commettrait éventuellement le délit d'abus de blanc-seing (V. une application typique à une épouse, Aix-en-Provence, 9 juin 1961 : *JCP* 62, II, 16668 *bis*, note Larguier. — Cass. crim., 6 nov. 1973 : *Gaz. Pal.* 1974, 1, 186 ; *RTD com.* 1974, p. 133, n. 10. — Valenciennes, 15 nov. 1989 : *Banque et droit* 1990, p. 161). Le chèque en blanc pose aussi des difficultés pour apprécier l'existence d'une provision (Trib. corr. Angers, 3 déc. 1987 : *Gaz Pal.* 1988, 2, 722).

La *date d'émission* du chèque, malgré l'exigibilité immédiate, doit être portée de manière exacte. Le postdatage peut être constitutif d'une infraction pénale (faux). La réception consciente d'un chèque postdaté, alimenté seulement à la date du postdatage, est incriminable (*infra*, n. 225). Le chèque postdaté serait néanmoins payable dès sa présentation (D.-L. 1935, art. 28, al. 2).

Mais *quid* de l'absence totale de date ? Elle est une cause de nullité. Le réalisme du droit pénal (manifestation de son autonomie) ferait jouer éventuellement néanmoins le délit d'émission de chèque sans provision (Cass. crim., 26 déc. 1961 : *Bull. crim.* 1961, n. 555).

Une amende fiscale de 6 % du montant du chèque sans qu'elle puisse être inférieure à 5 F est encourue en cas de fausse date ou d'absence de date (D.-L. 1935, art. 64, modifié 1972 et CGI, art. 1840 M I).

Les formules standardisées comportent en caractères magnétiques dits CMC 7, outre le numéro de chèque, les codes interbancaires de routage et les codes internes d'identification du tireur, prémarqués par la banque, une zone réservée au montant qui est encodée (postmarquée) par le banquier du bénéficiaire.

Les chèques sont, on le sait, dispensés de timbre (CGI, art. 913) et les quittances réglées sous cette forme sont exemptées de timbre, sous réserve de mentionner la date et le numéro du chèque de règlement (CGI, art. 922-2). Le lieu de création du titre doit figurer sur le chèque.

189-1. — *Sanction de l'absence ou de l'altération de l'une des mentions obligatoires.* A défaut de l'une des mentions énumérées à l'article 1er, décret-loi 1935, le titre n'est pas considéré en principe (V. Cass. com., 26 janv. 1988 : *Gaz. Pal.* 21 juin 1988, somm. comm. obs. Piédelièvre ; *adde* pour l'absence de signature, Pau, 6 mars 1981 : *D.* 1982, IR, 172), comme un « chèque ». Toutefois, certaines suppléances légales et/ou jurisprudentielles peuvent empêcher cette disqualification cambiaire (V. D.-L. 1935, art. 2, al. 2 et 3 sur le lieu d'émission et de paiement : V. art. 2, al. 4 sur la date de création). L'absence ou l'inéxactitude de la date d'émission sont punissables d'une amende. Il en est de même du défaut d'indication du lieu d'émission (D.-L. 1935, art. 64).

Le tiré a la possibilité, sans se dessaisir du titre, de demander au tireur de compléter la mention omise (Paris, 5 juill. 1952 : *JCP* 52, II, 7139, note Cabrillac ; Vasseur et Marin, n. 102).

Le titre dépourvu de ces mentions, et qui ne vaut pas « chèque » pouvait dans l'opinion dominante être éventuellement récupérable sous une autre qualification. Il peut ainsi — en cas d'accord avec le banquier — valoir « ordre de paiement ». S'il est dépourvu de l'indication du nom du banquier tiré, mais contient une clause à ordre, il peut constituer un billet à ordre. A tout le moins, un tel titre peut valoir commencement de preuve par écrit (comp. Paris, 15e Ch. B, 28 janv. 1982 : *D.* 1983, IR, 43. — Cass. crim., 30 nov. 1966 : *Gaz. Pal.* 1967, 1, 105. — Comp. Cass. com., 5 fév. 1991) ou promesse de payer sous seing privé s'il satisfait aux dispositions de l'article 1326 du Code civil. Un arrêt de la 1re Chambre civile de la Cour de cassation du 8 juillet 1986, assimile assez nettement un titre périmé à un simple écrit rendant vraisemblable l'existence de la créance invoquée par le bénéficiaire contre le tireur (V. l'utilisation possible comme moyen de preuve de chèques non datés ; Cass. civ. 1re, 26 janv. 1988 : *D.* 1988, IR, 40). L'abrègement du délai de prescription (1 an) rend la question encore plus sensible (V. les sévères critiques de MM. Cabrillac et Teyssié : *RTD com.* 1987, p. 84).

En cas d'altération d'un chèque, l'article 51 du décret-loi du 30 octobre 1935, prévoit que le signataire demeure tenu dans les termes du titre au moment où il avait apposé sa signature (*adde*, D.-L. 30 oct. 1935, art. 10). Mais certaines mentions peuvent signifier que le titre de chèque est volontairement anéanti. Tel serait le cas où le verso du titre porterait deux traits croisés sur une large partie du document (V. cependant *contra*, Paris, 15e Ch. B, 30 sept. 1982 : *D.* 1983, IR, 42 et les observations critiques de M. Cabrillac ; *adde*, *infra*, les sanctions pénales prévues pour falsification ou contrefaçon de chèque, n. 280).

190. — *Clauses facultatives.* A côté des mentions obligatoires, diverses mentions facultatives peuvent être apposées. On peut ainsi insérer un *aval* de l'une des signatures. Plus fréquentes sont des *clauses sans protêt* ou *sans frais* ou des *clauses non à ordre* (revue *Banque* 1976, 457). On citera aussi la *clause contre documents* et la *domiciliation*. Le décret-loi de 1935 interdit en tout cas l'acceptation (art. 4) et les clauses d'intérêts (art. 7). De même seraient prohibées l'indication d'une date d'échéance ou la condition mise à l'encaissement (art. 28). Seraient aussi interdites des clauses excluant la garantie du tireur ou une stipulation d'échéance. Elles dénatureraient le titre de chèque. L'acceptation serait réputée non écrite, car elle ferait du chèque l'équivalent d'un billet de banque (V. sur le *barrement*, *infra*, n. 194 ; sur le *visa*, *infra*, n. 192 ; sur la *certification*, *infra*, n. 193).

Un arrêt (de rejet) rendu par la Chambre commerciale de la Cour de cassation le 15 juillet 1986 (*RTD com.* 1986, p. 532, obs. Cabrillac et Teyssié) a admis la validité d'une clause attributive de compétence contenue dans une lettre accompagnant un chèque qu'un établissement de crédit adressait au vendeur qui ne devait encaisser le chèque que si l'acheteur réglait sa part de prix au comptant. Bien que cette condition n'ait pas été remplie, le vendeur a encaissé le chèque et ultérieurement a été mis en règlement judiciaire. L'établissement de crédit ayant poursuivi le vendeur, la Cour de cassation a admis que l'encaissement du chèque, sans réserve de la part du bénéficiaire, valait acceptation des clauses de la lettre. Le fait d'encaisser le chèque n'est pas constitutif d'une faute, c'est la méconnaissance des obligations « contractuelles » relatives à l'utilisation dudit chèque. Cette jurisprudence confirme la jurisprudence antérieure (V. Cass. com., 12 juin 1979 : *RTD com.* 1980, p. 118, obs. Cabrillac et Rives-Lange. — 29 fév. 1984 : *Bull. civ.* IV, n. 85). Mais un arrêt de la Chambre commerciale du 9 mars 1993 pourrait mettre en cause cette position (V. obs. M. Cabrillac : *RTD com.* 1993, p. 340).

190-1. — *Pluralité d'exemplaires.* La Convention de Genève ne l'excluant pas, cette pratique est licite. Les articles 49 et 50 du décret-loi de 1935 ont organisé le régime des exemplaires de chèques internationaux ou émis et payables outre-mer. Il est interdit d'émettre plusieurs exemplaires de chèques *au porteur*. Chaque exemplaire doit être numéroté à peine de voir considérer chacun comme un chèque distinct. Le paiement de l'un d'eux est libératoire même sans mention expresse. Le silence des textes sur les exemplaires tirés de France sur France ramène au droit commun : valeur distincte de chaque titre comme chèque (en ce sens, Vasseur et Marin, *op. cit.*, n. 113). La pluralité des exemplaires est rare dans la pratique française.

Politique législative. — La perte et le vol des chéquiers sont aujourd'hui l'un des incidents les plus fréquents et les plus dangereux (V. Rép. min. Intérieur : *JO* déb. Sénat 29 mars 1977, 349. — V. H. de Virieu, « Chèques aux voleurs » : *le Nouvel Observateur* 13 sept. 1976). On a relevé en 1975, 60 000 chèques volés ou falsifiés, soit 3/100 000. Mais il y a eu en deux ans une augmentation de 80 % de cette forme de délinquance. Outre les améliorations apportées par les lois de 1972 et 1975, on soulignera les expériences de *chèque photo* (Rép. min. : *JO* déb. Ass. nat. 30 juin 1979). Le Crédit agricole offre cette formule qui procure une garantie contre l'utilisation frauduleuse des titres égarés et un gain de temps lors des achats puisqu'il n'y a plus à retranscrire le numéro de la pièce d'identité du titulaire imprimé d'avance sur le titre (comp. le chèque de confiance du CIC). La personnalisation des chéquiers et l'amélioration des pièces d'identité officielles vont de pair. Les « chèques de bois » ont hélas en 1987 augmenté de 20 % (5 millions contre 4,02 millions en 1986).

La valeur fournie n'a pas à être mentionnée, mais elle peut l'être. La portée juridique de cette mention est discutable.

B. — GARANTIES CONVENTIONNELLES DU CHÈQUE

Orientation bibliographique

DEFERT, « La provision du chèque. Visas, certifications et autres preuves au profit du porteur » : revue *Banque* 1962, p. 383. — G. FAIN, « Chèques certifiés et chèques salariaux » : revue *Banque* 1951, p. 148 . — GAVALDA : *D.* 1974, J, 346.

On retrouve en matière de chèque des *garanties légales* analogues à celles prévues par le Code de commerce pour la traite (D.-L. 1935, art. 10 à 12). Le porteur impayé aurait un recours contre tous les signataires antérieurs (endosseurs, avalistes, tireur). La nullité de certaines de ces signatures émanant d'incapables ou de personnes imaginaires (*adde* les fausses signatures) n'empêcherait pas le recours contre les autres signataires. Le *principe de l'indépendance des signatures* joue en la matière (D.-L. 1935, art. 10). Le tireur, garant du chèque, ne peut jamais s'exonérer de sa garantie. Une telle clause serait réputée non écrite.

Sans reprendre l'analyse de ces garanties légales, on se limitera à exposer trois garanties conventionnelles destinées à renforcer la fiabilité des chèques.

1. — AVAL

191. — Si l'acceptation du chèque par le tiré est interdite pour éviter que ce titre n'acquière ainsi *de facto* la valeur d'un billet de banque, le décret-loi de 1935 autorise à faire garantir certaines signatures par un *aval* (art. 25 à 27). Un avaliste peut ainsi couvrir en tout ou en partie chaque signature du titre. Un tel aval peut être fourni par toute personne (tiers ou signataire) sauf par le tiré : les raisons de l'exclusion de ce dernier sont évidentes. On voit mal, au demeurant, l'intérêt de faire donner à un signataire aval pour un autre, puisqu'il est solidairement tenu du paiement.

En la forme, l'aval est donné sur le chèque ou sur une allonge. S'il est fourni par acte séparé, on doit indiquer le lieu où il est donné. La formule « bon pour aval » ou tout autre équivalente suivie de la signature manuscrite est en principe nécessaire. Il suffit toutefois d'une signature au recto, à moins que l'avaliste ne soit le tireur.

Au fond, l'aval doit indiquer pour qui il est donné. A défaut, on retrouverait la solution donnée pour la traite (C. com., art. 130, al. 6 ; V. *supra*, n. 93) : l'aval est supposé, irréfragablement donné pour le tireur. Ce qui est ici beaucoup plus raisonnable.

Les obligations de l'avaliste sont identiques à celles du garanti (D.-L., art. 44, al. 1). Mieux, l'engagement reste valable même si l'obligation garantie devient nulle, à moins que ce ne soit pour vice de forme.

En réglant le chèque, l'avaliste est subrogé dans les droits et actions contre le garanti et contre ceux qui seraient tenus envers lui (D.-L. 1935, art. 27, al. 3).

A part l'*aval par acte séparé*, susceptible de faire couvrir une série de chèques de la personne garantie, cette garantie semble peu usitée.

2. — *Visa*

192. — *Le visa* (D.-L. 1935, art. 4) est une assez faible garantie d'existence de la provision prévue par l'article 4 du décret-loi de 1935 comme un tempérament à l'interdiction d'acceptation du tiré. Le banquier ne peut refuser de viser, s'il y a provision, mais il n'a aucune obligation de blocage de la somme visée. La « connaissance » du chèque impliquée par l'apposition du visa ne suffit pas non plus à impliquer un devoir de blocage qu'aucun texte exprès n'impose (V. les hésitations soulevées par l'arrêt de la Chambre des requêtes du 18 juin 1946, levées par la Chambre commerciale le 11 décembre 1973 : *D.* 1975, 64, note J. Vezian ; *contra* M. Cabrillac, *Le chèque et le virement*, n. 242). En somme, le banquier atteste simplement la présence de la provision à l'instant du visa.

La fragilité du visa explique sa faible diffusion. La pratique a perfectionné le système en imaginant un visa pour paiement déplacé (Defert : revue *Banque* 1962, p. 383 et s.). Il s'agit de mettre immédiatement à la disposition du client une certaine somme dans une autre agence de la banque ou chez un correspondant sur la place. L'agence du client tireur débite le compte du tiré et vire la somme correspondant au visa au siège ou à la succursale où le paiement immédiat sera possible. Cette pratique bancaire n'a qu'un lointain rapport avec le visa de l'article 4 du décret-loi. Elle implique affectation spéciale au client. En fait, un tel visa est requis par le tireur et non par le porteur.

3. — *Certification ou chèque de banque*

193. — Une loi du 28 février 1941 (aujourd'hui remplacée par l'art. 12-1 du D.-L., rédaction de la L. 3 janv. 1972) a organisé une formule de garantie plus élaborée. Le tireur ou le porteur d'un chèque peut, s'il y a provision suffisante, en demander la certification au banquier tiré, qui ne peut refuser ce service. La provision reste alors bloquée sous la responsabilité du tiré, au profit du porteur jusqu'à l'expiration du délai légal de présentation (non compris la date de création) de l'article 29 du décret-loi de 1935. L'effet est bien supérieur à celui du visa. Une sorte de privilège serait ainsi conférée au porteur qui pourrait exiger que le tiré le règle sur cette somme bloquée, même si un porteur plus ancien faisait défense au tiré de payer avant l'encaissement (Vasseur et Marin, *op. cit.*, n. 341 ; Cabrillac, *op. cit.*, n. 217). La solution paraît contestable eu égard à la propriété de la provision.

A l'expiration du délai légal de présentation, la provision est, en tout cas, débloquée et réintégrée au compte du tireur. Elle est désormais disponible.

Les réformes de 1972 et 1975 ont donné au chèque certifié une importance renouvelée. L'interdit ne peut plus utiliser que des chèques certifiés ou des chèques de banque (*infra*, n. 257). Des falsifications de la certification étaient autrefois faciles. Cette formalité consistait, en effet, en une mention manuscrite du tiré. Désormais, cette garantie est strictement réglementée. La fausse certification expose son auteur aux peines du faux en écritures de banque (Paris, 30 juin 1989 : *D.* 1990, somm. comm. 119) et non au délit de falsification (V. *infra*, n. 280). La certification doit être donnée « par un procédé mécanique de marquage ou d'impression indélébile offrant toute garantie de sécurité » (V. D. 3 oct. 1975, art. 29, reprenant les dispositions du D. n. 73-318). La certification implique, en outre, la signature du tiré et diverses mentions : date, montant du chèque, désignation exacte du tiré... Le non-respect de cette règle entraînerait la nullité de la certification. Le créancier bénéficiaire d'un tel chèque pourrait se considérer comme non réglé et différer ses prestations. En cas de falsification, le banquier n'aurait, bien entendu, aucun devoir de blocage. Il répondrait toutefois du préjudice occasionné par une certification irrégulière ou indue (obs. Gavalda : *D.* 1974, J, 346). Le décret du 22 mai 1992 a renforcé le formalisme de la certification.

Faut-il souligner que le chèque certifié reste fragile, dans la mesure où le délai de présentation part de l'émission ? Il est souvent bien entamé lors de la remise en paiement. Cette garantie est en fait très brève. La supériorité du chèque de banque reste manifeste (note Gavalda sous Cass. com., 10 déc. 1974 : *D.* 1974, J, 346 ; *RTD com.* 1975, p. 332). L'article 29 du décret de 1975 prévoit qu'un chèque dit de banque (D.-L., art. 6, al. 3) ou un chèque émis sur le compte courant postal d'un chef de Centre de chèques postaux peut toujours remplacer un chèque certifié.

Tout bénéficiaire peut avant remise demander une certification (Cass. civ. 1re, 27 fév. 1990 : *Bull. civ.* I, n. 56). Les cartes dites garanties constituent une dernière forme d'amélioration contractuelle de la sécurité de ce titre.

193-1. — Au lieu d'une certification, le banquier peut délivrer un chèque dit de banque, à personne dénommée, en l'occurrence un de ses établissements (D.-L. 1935, art. 12-1).

Un blocage des chèques de banque est possible (CA Paris, 23 sept. 1992 : *RTD com.* 1993, p. 138, obs. M. Cabrillac).

C. — CHÈQUE BARRÉ

194. — Ce type de chèque a été organisé à l'imitation du droit anglais par une loi du 30 décembre 1911 pour renforcer la sécurité de ce titre et en accélérer la diffusion. Pratiquement, presque tous les chèques appelés à circuler sont barrés. La réglementation résulte des articles 37 à 39 du décret-loi du 30 octobre 1935. C'est bien entendu une clause facultative. La loi du 29 décembre 1978, qui frappe d'un droit de timbre les formules non prébarrées, a étendu encore plus son emploi (*supra*, n. 175). On soulignera que la loi de finances pour 1982 (art. 96-I) avait obligé les particuliers même non commerçants à régler par chèque barré et non transmissible par voie d'endos les transactions d'un montant supérieur à 10 000 F portant sur des bijoux, pierreries, objets d'art, de collection ou d'antiquités. Cette obligation avait été généralisée pour le règlement de tous les biens et services (loi de finances pour 1984, art. 90, *supra*, n. 176. Mais une nouvelle législation a abrogé cette obligation, L. n. 86-824 du 11 juill. 1986).

Orientation bibliographique

CORDONNIER, « La sécurité du chèque barré » : *D.* 1933, chron. 17. — GAVALDA, « Le chèque prébarré non endossable » : *D.* 1979, chron. 189. —

E. Georgiadès, *Problèmes et dangers du chèque barré*, 1962 ; *RTD com.* 1957, p. 607 ; « Oraison funèbre du chèque barré » : *Gaz. Pal.* 1962, 1, doctr. 53. — J. Meenen, « Le chèque barré et la notion de client » : revue *Banque* 1961, p. 302. — P. Safa, « Incidences de la provision du chèque en droit interne et en droit international » : *RTD com.* 1985, p. 427. — Thaller, « A propos du chèque barré et de la clause non négociable » : *Ann. dr. com.* 1910, 27.

Avantages pratiques et économiques. — Le barrement d'un chèque est une mention dont l'apposition matérielle sur le titre entraîne une restriction à la possibilité pour le porteur de se faire payer immédiatement par le banquier tiré (ou par l'établissement assimilé par la loi à une banque). Le chèque ne peut plus après barrement être réglé par le tiré qu'à un banquier (au sens générique de l'art. 58) ou à un de ses propres clients.

L'idée de base du système est simple. Le tiré ne peut plus payer qu'à une personne bien identifiée. Le but est de pallier les risques de perte ou de vol suivis d'encaissement par le voleur ou l'inventeur avec ou sans falsification du titre. Le titre non barré au porteur est le plus dangereux...

Ces dangers sont plus réels que ceux de perte ou de vol des traites, car les titulaires de chéquiers les conservent fréquemment sur eux ou envoient par pli simple de multiples chèques.

Les inconvénients sont limités du fait que la plupart des gens sont titulaires de comptes et peuvent donc charger leur banquier du mandat d'encaisser. Il est toujours loisible à une personne non titulaire de compte d'endosser le chèque à un titulaire qui lui en réglera la valeur et fera encaisser pour son propre compte.

Sur le plan économique, les chèques barrés évitent plus encore que les chèques ordinaires la circulation monétaire. Il y a peu de chance que le client qui remet à l'encaissement un chèque barré retire immédiatement les fonds. Sauf escompte, il doit attendre l'encaissement effectif. Il laissera d'ailleurs en général à son crédit la somme encaissée jusqu'à ce qu'il doive faire des règlements. Michel Cabrillac observe (*Le règlement des créances*, n. 137) que le chèque barré qui se traduit par une inscription en compte s'apparente plus étroitement au virement. Le législateur aligne souvent le régime des deux instruments (*supra*, n. 173).

Procédés du barrement. — Le barrement se traduit par deux barres parallèles au recto du titre, sans qu'il y ait obligation absolue que ces barres aient une orientation quelconque (D.-L., art. 37). Elles sont souvent obliques. Les banques remettent sur demande des formules « prébarrées » (V. sur un barrement défectueux, Cass. com., 18 déc. 1961 : *Gaz. Pal.* 1962, 1, 210 ; *D.* 1962, 124 ; *JCP* 62, II, 12767). La taxe frappant depuis 1979 les chèques non prébarrés inclinera la clientèle à utiliser de plus en plus les chèques prébarrés. Le barrement du chèque est irréversible. Le biffage d'une mention de barrement serait inefficace (D.-L., art. 37). L'emploi d'encres indélébiles rend le lavage des barres matériellement très difficile. Cette manœuvre constituerait le délit de contrefaçon (*infra*, n. 280). Le banquier ne serait toutefois pas responsable s'il avait payé un chèque dont les barres avaient été effacées de façon à donner au titre l'apparence d'un chèque ordinaire (Req., 20 juin 1934 : *D.* 1934, 409). Il peut être approuvé par le tireur ou un quelconque porteur.

Le barrement peut être *général* ou *spécial*. Dans le premier cas, il n'y a aucune indication entre les barres ou une indication impersonnelle. Sinon, on inscrit le nom d'un banquier déterminé. Le banquier tiré ne peut payer qu'à celui-ci.

Un *barrement général* peut être transformé en barrement spécial par un porteur. La pratique inverse est interdite. Tout porteur peut à tout moment barrer un chèque. Les banquiers donnent instruction à leurs agents de barrer les chèques reçus de la clientèle.

Régime des chèques barrés. — Les effets du barrement sont théoriquement clairs. Le barrement affecte le paiement et non la circulation du chèque. Seul peut encaisser le chèque en cas de barrement général un « banquier » au sens de l'article 58 du décret-loi ou un « client du tiré ». En cas de barrement spécial, seul le banquier désigné peut être payé. Toutefois, si le banquier désigné est tiré, il peut payer un de ses clients. Enfin le banquier tiré désigné peut faire « encaisser » par un confrère (art. 38, al. 2). Les Centres de chèques postaux ont qualité pour encaisser des chèques barrés reçus par leurs clients (sur les règlements interbancaires et les CCP par chambre de compensation, V. Cass. com., 2 oct. 1978 : *RTD com.* 1979, p. 782). De plus, un banquier ne peut se charger d'encaisser ou acquérir un chèque barré qu'en faveur d'un autre banquier ou d'un de ses « clients ».

La notion de client de banque (soit du tiré soit du banquier présentateur) est donc essentielle. En payant à une autre personne, le tiré (D.-L., art. 38, *in fine*) répondrait du préjudice à concurrence du montant du chèque. A cette responsabilité propre s'ajoute la responsabilité générale de droit commun d'un banquier payeur et du banquier encaisseur (*infra*, n. 212). On rappelle que le banquier doit vérifier la régularité des endos, il s'agit de chèques endossables. Les tribunaux ont eu à définir cette notion à propos de l'article 38 du décret-loi. On raisonnera sur le cas du barrement général, mais on peut transposer la notion de client au barrement spécial.

Autrement dit, il s'agit de déterminer les conditions auxquelles un banquier peut considérer une personne comme « cliente ». La loi ne contient pas de directive sur ce point. Les tribunaux s'étaient montrés assez circonspects en exigeant que le banquier ait eu avec le client des relations permanentes antérieures à l'endos du chèque barré (Paris, 12 mai 1958 : *JCP* 58, II, 10711, note H. Cabrillac ; *D.* 1958, 590, obs. Georgiadès). L'encaissement pour un client de passage était dans cette conception incorrect. La Chambre commerciale adopta sur pourvoi une autre position (7 fév. 1962 : *JCP* 62, II, 12592 ; *D.* 1962, 306 ; revue *Banque* 1962, p. 341) et considéra qu'il suffisait que le présentateur soit « connu » du banquier sans avoir nécessairement eu avec lui des relations antérieures. Malgré de vives critiques doctrinales considérant que cette position rendait presque sans intérêt le chèque barré (H. Cabrillac : *RTD com.* 1962, p. 449 ; Georgiadès : *Gaz. Pal.* 1962, 1, doctr. 53), la juridiction de renvoi se rallia (Amiens, aud. sol., 28 mars 1963 : *JCP* 63, II, 13186, note H. Cabrillac ; *D.* 1963, 477). Sur le maintien isolé de l'exigence de l'antériorité et de la permanence de relation du client avec la banque V. Versailles, 18 oct. 1979 : *Gaz. Pal.* 26 juin 1980, note Dupichot ; *RTD com.* 1980, p. 579. — Paris, 7 juill. 1980 : *D.* 1981, IR, 186. A la différence de la Chambre commerciale, cette juridiction semblait considérer tout de même, sur second pourvoi, comme nécessaire l'ouverture d'un compte en plus de la vérification de l'identité et du domicile (*adde*, Cass. com., 25 avril 1967 : *JCP* 67, II, 15306, note C. Gavalda ; revue *Banque* 1967, p. 717 ; *RTD com.* 1967, p. 832). L'ouverture d'un compte avec les formalités requises aujourd'hui paraît un minimum pour conférer la qualité de client (V. cependant Cabrillac, *op. cit.*, n. 257 ; Encyclopédie Dalloz, *Droit commercial, V° Chèque*, 1993, n. 389. La location d'un coffre ne suffirait pas. — Trib. com. Seine, 3 nov. 1954 : *RTD com.* 1955, p. 109).

Sur les chèques dits à *porter en compte,* V. *infra*, n. 225.

Outre la précarité résultant de la jurisprudence ci-dessus, l'éventuelle circulation sans apposition de signature par tradition d'un chèque barré au porteur peut faire préférer au porteur dépossédé un porteur de bonne foi (Cabrillac, *Le règlement des créances*, n. 175). Un chèque barré émis par le tireur à son ordre ne saurait être porté au compte d'une autre personne (Cass. com., 7 oct. 1997 : *Quot. jur.,* 13 nov. 1997).

Politique législative. — La généralisation des chèques prébarrés est un procédé assez efficace pour lutter contre la multiplication des vols et des falsifications de chèque. Certaines banques (CIC) avaient commencé à ne remettre à leur clientèle que des formules prébarrées, sauf demande expresse contraire des clients. Le lavage des barres imprimées est plus délicat. On notera que les chèques sur le Trésor ou sur un compte au Trésor sont obligatoirement barrés, au-dessus d'un certain montant (4 000 F, arrêté du 24 mars 1976). La loi du 29 décembre 1978 (art. 85) incite à utiliser des formules prébarrées, seules exonérées de taxes fiscales (Gavalda : *D.* 1979, chron. 189). Un arrêt de la Chambre commerciale du 4 décembre 1979 (*Bull. civ.* IV, n. 321) a décidé que l'amende fiscale prononcée pour infraction à la législation sur le paiement par chèque barré obligatoire impliquait une solidarité entre le débiteur et le créancier.

D. — PROVISION

195. — La provision est une créance de somme d'argent du tireur sur le tiré, *disponible* et *suffisante* pour couvrir l'ordre de payer de l'émetteur. Elle n'est pas plus qu'en matière de lettre de change un élément constitutif et une véritable condition de validité du chèque. Selon les motifs et circonstances du défaut ou de l'insuffisance, la sanction est fiscale (CGI, ex-art. 1831 et 1832) civile ou pénale (D.-L. 1935, art. 65 ; V. *supra*, n. 82 et *infra*, n. 268 ; Lagarde et Jauffret, *op. cit.*, t. II, n. 1666 ; *J.-Cl. Pénal*, *V° Chèque* art. 405 par M.-P. Lucas de Leyssac, 1990). La France s'est, dans la première Convention de Genève sur le chèque, réservé la faculté de régler unilatéralement le régime de la provision (art. 5, annexe II). C'est une garantie si fondamentale que l'absence ou l'insuffisance de provision est dans certains cas punie pénalement. Cette garantie doit au surplus être préalable ou du moins concomitante à l'émission. Il ne suffit pas de faire la provision à l'échéance. Les différences avec les lettres de change sont notables. Mais, pas plus que pour la lettre de change, la provision n'est une condition de validité du titre (Cass. com., 12 janv. 1993 : *JCP* 93, éd. E, II, 425).

Orientation bibliographique

Outre les études citées au texte, on se reportera à l'étude fondamentale de M. Ph. JESTAZ, « Le tireur conservera-t-il la disponibilité de la provision après l'émission d'une lettre de change ou d'un chèque ? » : *RTD com.* 1966, p. 881 et s.

1. — MODES DE CONSTITUTION DE LA PROVISION

196. — La provision peut résulter : 1° d'un *dépôt de fonds* chez le banquier avec autorisation d'en disposer par tirage de chèques. Ce qui n'est pas automatique (*supra*, n. 180). Les chèques portent référence au compte sur lequel ils peuvent être tirés. En cas de pluralité de comptes ouverts chez le tiré, chacun d'eux est juridiquement indépendant, sauf convention contraire (lettre d'unité de compte, lettre de compensation). L'existence et la suffisance de la provision s'apprécient donc séparément pour chaque compte (Gavalda et Stoufflet, *Droit bancaire,* n. 352. — Pau, 18 déc. 1967 : *RTD com.* 1968, p. 385. — Rouen, 15 mai 1979 : *Gaz. Pal.* 1980, 1er sem., 117, obs. Fontbressin). On ne discute plus aujourd'hui de la possibilité de tirer des chèques sur un *compte courant* dont la position est créditrice (*ibidem*, n. 387, p. 505) ; 2° ou de la remise d'*effets de commerce ou de chèques à encaisser*. La provision n'existera toutefois en pareil cas qu'à partir du recouvrement effectif des effets par le banquier mandataire. Ce qui peut demander plusieurs jours (Cass. crim., 21 fév. 1930 : *D.* 1930, I, 23. — 30 mars 1960 : *JCP* 60, IV, 73 ; *Bull. crim.* n. 179. — Cass. com., 15 janv. 1968 : *D.* 1968, J, 474. — Cass. crim., 24 avril 1974 : *Gaz. Pal.* 29 août 1974). Le banquier peut aussi *escompter* les effets ou chèques et en porter aussitôt le montant en article du compte. Il peut encore faire dès la remise au client remettant une *avance sur recouvrement*. La preuve de ce « crédit » avait en matière pénale soulevé de grandes difficultés qu'il convient d'analyser avec l'ouverture de crédit considérée comme une source de provision du chèque. Nous rejoignons notre collègue Cabrillac pour admettre qu'aujourd'hui l'usage bancaire généralisé d'inscription immédiate du montant des chèques devrait valoir avance, constituant provision (Cabrillac, *op. cit.*, n. 78. — V. *contra*, Cass. com., 4 mars 1986 : *D.* 1987, I, 25, note Cabrillac). Il a cependant été jugé qu'un dépôt de lingot d'or ne valait pas provision (Cass. crim., 18 juill. 1973 : *Gaz. Pal.* 1973, II, 739. — Mais comp. Lyon, 1er fév. 1957 : *JCP* 57, II, 10260, où le nantissement de lingot sert à établir une ouverture de crédit ; des titres affectés en nantissement ne vaudraient pas davantage avoir bancaire, Cass. crim., 4 fév. 1969 : *JCP* 69, éd. CI, 85635) ; 3° *des ouvertures de crédit bancaire*. Il n'y a aucun problème si le crédit résulte d'une convention bancaire écrite se traduisant par une écriture de crédit au compte du client (comp. découvert consenti dans le compte courant). En revanche, la Chambre commerciale de la Cour de cassation en date du 4 mars 1986, a estimé bien fondé le refus de mainlevée d'une interdiction bancaire au motif que l'engagement stable et permanent de la banque n'était pas prouvé (*Bull. civ.* IV, n. 37 ; *D.* 1987, J, 25, note Cabrillac ; *Gaz. Pal.* 28-29 nov. 1986, somm. 14, note Piédelièvre). Il est admis qu'un client peut tirer un chèque si le solde provisoire du compte courant est créditeur à son profit. L'indivisibilité du compte courant ne s'y oppose nullement. La provision peut aussi être constituée par le solde débiteur du compte courant dans la mesure de la ligne de crédit dont bénéficie le client (V. Cass. com., 10 mai 1989 : *RTD com.* 1989, p. 695 ; *JCP* 89, I, éd. E, 18762). La jurisprudence est aujourd'hui nettement en ce sens (Gavalda et Stoufflet, *Droit bancaire,* n. 442. — Paris, 25 oct. 1967 : revue *Banque* 1968, p. 545).

Il reste que l'ouverture de crédit était résiliée de plein droit par le prononcé du règlement judiciaire du tireur ; mais le bénéficiaire d'un chèque qui avait cette ouverture de crédit comme provision est devenu propriétaire de la provision. Si le chèque a été « émis » antérieurement à la résiliation du crédit, il ne peut dès lors être porté atteinte à ses droits (Paris, 14 mars 1985 : revue *Banque* 1985, 855, obs. Rives-Lange). Deux arrêts de principe de la Chambre commerciale du 8 décembre 1987 ont (*supra*, n. 184) affirmé le maintien de l'ouverture de crédit malgré le redressement judiciaire (*JCP* 88, II, éd. G, 20927). En cas de postdatage, la propriété de la provision est transmise au jour de la remise (Cass. com., 16 juin 1992, *Cial* : *RTD com.* 1992, p. 648).

Le droit pénal du chèque avait en revanche affirmé son autonomie en exigeant pour qu'il y ait « provision » en matière de délit d'émission de chèque sans provision un « avoir dûment constaté ». Seul ce genre de crédit bancaire permettait de justifier le tirage. La Chambre criminelle avait, en effet, dans une conception très sévère affirmé qu'il n'y avait prêt ou ouverture de crédit valant provision que si « l'engagement du tiré est formel et préalable et a pour effet de constituer dans les comptes de la banque au profit du tireur un *avoir dûment constaté* dont il puisse disposer » (Cass. crim., 19 déc. 1957 : *JCP* 58, II, 10556 ; *D.* 1958, J, 174, note M.P.M.R. ; *S.* 1958, I, 126 ; *RTD com.*, 1958, p. 356, obs. Becqué et Cabrillac). La formule légèrement amendée fut à plusieurs reprises répétée par la Chambre criminelle. Elle était généralement critiquée.

En particulier, les tolérances verbales du banquier couvrant habituellement les dépassements du crédit du client ont été considérées comme insuffisantes à caractériser une provision au sens pénal (Cass. crim., 18 juill. 1968 : *RTD com.* 1969, p. 133 et 340).

Les *facilités de caisse* (V. le recensement jurisprudentiel dans la thèse dactylographiée de M. Le Tartre, *Les facilités de caisse*, Lille, 1975. — *Adde* Trib. com. Paris, 22 oct. 1976, inédit, et sur un cas assez troublant de facilités de caisse subordonnées à un contrôle par le banquier des émissions du tireur, Cass. com., 14 fév. 1977 : *Bull. civ.* IV, n. 42 ; *RTD com.* 1977, p. 334, et la critique de Cabrillac et Rives-Lange. — Trib. com. Paris, 15 janv. 1979 : *D.* 1980, IR, 12) ou les *tolérances* (Cass. crim., 17 déc. 1963 : *D.* 1964, 121) n'étaient pas plus régulières (V. la synthèse dressée sur ce point par Derrida, *Ouvertures de crédit et chèques sans provision* : *D.* 1960, chron. 221 et Levasseur : *Rec. dr. pén.* 1968, 275).

La discussion *en fait* de la solution de la Chambre criminelle laissait place à une plus ou moins grande sévérité, mais la position dogmatique restait très rigoureuse. Fallait-il une inscription en compte en plus de la constatation écrite du crédit constitutif de la provision ?

L'exigence d'un écrit constatant la provision était déjà en elle-même très dure, alors surtout que la conception commercialiste de la provision est beaucoup plus souple. La démonstration par tous moyens d'un crédit consenti même par découvert verbal par le tiré valait, dans les rapports commerciaux, provision et faisait encourir sur le plan civil une responsabilité au banquier qui refusait d'en tirer les conséquences (Aix-en-Provence, 6 oct. 1982 : *D.* 1983, IR, 231, note Ph. Delebecque ; cet arrêt a été cassé par la Chambre commerciale de la Cour de cassation, 26 avril 1984 : *D.* 1985, IR, 31, obs. Cabrillac ; *RTD com.* 1985, p. 126 au motif que le bénéficiaire et porteur d'un chèque est aussi recevable à invoquer à l'égard de la banque tirée une faute de nature délictuelle ; la Cour a ainsi violé l'article 1382 du Code civil en ne recevant que l'action du tireur éventuelle victime d'une rupture abusive de facilités de caisse).

197. — Cette formule de la Chambre criminelle, véritable et redoutable standard, s'est pourtant maintenue presque jusqu'à la loi du 3 janvier 1975, malgré une jurisprudence civile différente et une résistance croissante des cours et tribunaux répressifs (*adde* les nombreuses critiques doctrinales analysées par Cabrillac : *Rép.* Dalloz, *V° Chèque*, n. 104).

Les tribunaux relaxaient déjà souvent plutôt par le biais d'une appréciation libérale de la bonne foi du tireur.

La Chambre commerciale a dans une décision remarquée (12 nov. 1974 : revue *Banque* 1975, p. 434 ; *RTD com.* 1975, p. 334, obs. Rives-Lange et Cabrillac) implicitement mais sûrement condamné l'exigence de la preuve écrite et de l'inscription d'avoir en compte du tireur (en l'occurrence dans une ouverture de crédit en compte courant). La démonstration de l'existence de sûretés (nantissement, caution, hypothèque) ne pouvait guère, sous l'empire de l'ancienne jurisprudence, suffire à prouver l'ouverture de crédit constitutive de provision. Dans la nouvelle conception, ces sûretés sont des éléments de preuve précieux...

La transformation complète de l'élément moral, plus ou moins proche depuis la réforme de 1975, d'une intention frauduleuse (*dolus specialis*), a enlevé une grande partie de son intérêt à la notion (pénale) de provision, élément matériel du délit (Delmas-Marty, p. 184). La jurisprudence différencie la notion de provision. Si la croyance en une provision constituée par des facilités de caisse peut accréditer la bonne foi d'un tireur et engager la responsabilité civile du banquier qui y met fin, elle ne saurait fonder au profit d'un bénéficiaire de chèque la propriété sur une telle provision (V. en ce sens, Aix-en-Provence, 2e Ch. civ., 6 oct. 1982 : *D.* 1983, J, 231, note préc.).

Il reste en tout cas que le règlement d'un chèque émis sans provision et réglé par suite d'une erreur d'un préposé de la banque ne pouvait exonérer de sa responsabilité pénale éventuelle en pareil cas l'émetteur (Cass. crim., 21 juin 1973 : *Bull. crim.* n. 290).

Les juridictions commerciales ou civiles ont aussi adopté une attitude de plus en plus libérale (V. pour un nantissement de lingots révélateur d'une ouverture de crédit, Lyon, 1er fév. 1957 : *JCP* 57, II, 10260. — Trib. com. Versailles, 25 juin 1975 : *JCP* 76, II, 18210, note Ph. Le Tourneau).

Aussi révélatrice fut la « tache d'huile des manifestations d'insurrection des jurisdictions pénales de fond » (obs. Rives-Lange et Cabrillac : *RTD com.* 1975, p. 788 ; V. par exemple Paris, 10e Ch. corr., 14 mars 1974 : *JCP* 75, II, 18123, note Prompt, Cohen et Bonte ; *RJ com.* 1975, 259 ; V. cependant sur une rupture des facilités de caisse, entraînant rejet légitime de certains chèques, Trib. com. Paris, 22 oct. 1976, inédit).

Le banquier qui, méconnaissant une ouverture de crédit (Poitiers, 14 juin 1979 : *D.* 1981, IR, 19), voire un découvert ou une facilité de caisse, sans adresser un préavis régulier, refuserait de payer des chèques provisionnés de son client engagerait sa double responsabilité civile et pénale (Grenoble, 7 juill. 1976 : *D.* 1976, J, 489, note F. D. — Paris, 13 mars 1978 : *Quot. jur.* 11 mars 1980. — Paris, 15e Ch. A, 15 déc. 1980. — *Adde* surtout, note Delebecque sous Aix, 6 oct. 1982 : *D.* 1983, J, 231 et les références, décision cassée par Cass. com., 26 avril 1984, *supra*, n. 196). Bien entendu, les chèques tirés avant notification de la révocation doivent être honorés dans la mesure de l'avance consentie (Orléans, 26 oct. 1971 : *JCP* 72, II, 17082, II, D, note

Stoufflet ; *adde* sur l'ensemble de ce problème *infra*, n. 283). Le bénéficiaire du chèque ainsi rejeté pourrait mettre en jeu la responsabilité du tiré (Paris, 7 mai 1979 : *D.* 1979, IR, 357 ; obs. Cabrillac et Teyssié : *RTD com.* 1983, p. 441). Il en serait différemment si le banquier mettant fin *ex nunc* aux facilités de caisse lui notifiait par lettre un délai pour apurer son compte avant de rejeter des chèques (Cass. com., 22 juill. 1980).

Les données du problème ont été modifiées par la loi du 3 janvier 1975. Certes, le législateur a refusé de donner une définition précise et officielle de la provision, mais l'exigence nouvelle pour caractériser le délit d'émission de chèque sans provision d'avoir eu « l'intention de porter atteinte aux droits d'autrui » (D.-L., art. 66) peut infléchir la Chambre criminelle. La certitude, même découlant d'un accord verbal d'un crédit bancaire, n'est-elle pas exclusive de l'intention frauduleuse, désormais exigée pour constituer le délit (en ce sens, obs. Cabrillac et Rives-Lange) ?

L'arrêt précité de la Chambre criminelle du 22 janvier 1974 (*Bull. crim.* n. 30, p. 72) paraissait avoir délaissé la formule standard visant « l'avoir dûment constaté », sans indiquer clairement ses exigences actuelles en matière de provision. Mais, la Chambre criminelle semble être ensuite revenue à la solution, traditionnelle depuis 1957 (Cass. crim., 22 avril 1977 : *Bull. crim.* n. 131, p. 527. — *Adde*, Cass. crim., 4 mars 1986 : *RD bancaire et bourse* 1987, 7). Le débat, répétons-le, s'est déplacé depuis 1975 sur le terrain de l'élément intentionnel de délit.

Les cartes de garantie de chèques Intercarte des banques populaires et du Crédit mutuel par exemple n'entraînent pas l'existence d'une provision. Le bénéficiaire est seulement garanti, même si le compte n'est pas approvisionné. Sur l'absence de responsabilité pénale du tireur en pareil cas, V. Rives-Lange et Contamine, *Droit bancaire*, Dalloz, 4e éd., n. 267. — Cass. crim., 5 oct. 1983, 22 avril 1985.

198. — *Pluralité des comptes*. L'existence fréquente de plusieurs comptes ouverts à une même personne chez le tiré pose un délicat problème si le client tire un chèque sur un compte insuffisamment provisionné, alors que la compensation des divers comptes révélerait un solde global suffisant (Rouen, 15 mai 1979 : *Gaz. Pal.* 1980, 1, 117 ; *D.* 1980, IR, 200 ; *RTD com.* 1980, p. 125. — Aix-en-Provence, 2e Ch. civ., 6 oct. 1982 : *D.* 1983, J, 232, note Delebecque). L'hypothèse inverse de tirage sur un compte créditeur au sein d'un ensemble de comptes globalement débiteur est envisageable. La réponse est uniforme. L'indépendance des comptes est à présumer, en l'absence de lettres d'unité de compte ou de compensation (Pau, 18 déc. 1967 : revue *Banque* 1968, p. 383 ; sur le principe de l'indépendance, Cass., 14 avril 1975 : *RTD com.* 1975, p. 881). L'existence de la provision s'apprécie donc en fonction du compte tiré seul. En présence d'une clause, parfois difficile à qualifier, il faut distinguer la clause d'unité de compte qui empêche le tiré de se soustraire au paiement dès lors que le solde global est suffisant et la clause dite de simple compensation (V. Paris, 24 mars 1988 : *D.* 1988, J, 556 ; *RTD com.* 1990, p. 96, obs. Cabrillac et Teyssié) qui n'exclut pas aussi radicalement l'indépendance des comptes.

199. — *Caractères de la provision.* La provision telle que définie doit revêtir divers caractères. Elle doit être *préalable, disponible* (et le rester). Les traits de la provision ne sont plus toutefois uniformes depuis la loi du 3 janvier 1975. Ainsi le défaut de provision disponible et préalable n'entraîne pas nécessairement l'interdiction (*infra*, n. 262). Pour l'interdiction bancaire, le législateur a dissocié l'indisponibilité de l'insuffisance de la provision. La définition pénale pour l'application des délits d'émission n'a pas été, en revanche, modifiée sur ce point.

La provision doit être préalable. — L'exigence est formulée dès l'article 3 du décret-loi de 1935. L'alinéa 1er de ce texte indique que le tiré doit avoir des « fonds à la disposition du tireur » et « au moment de la création du titre ». Les caractères de la provision sont repris dans l'article 66 du décret-loi. La loi de 1975 n'a pas modifié cette définition à usage pénal. On voit mal l'intérêt pratique si la provision existe à l'émission (éventuellement différée de la création), voire si elle est constituée lors de la présentation (Vasseur et Marin, *op. cit.*, n. 65. — Paris, 3e Ch. 2 juin 1980 : *Gaz. Pal.* 16 sept. 1980. — Comp. cependant, Nîmes, 23 avril 1975 : *D.* 1976, J, 49, note Derrida). Depuis la loi de 1975, l'interdiction n'est du reste plus encourue faute de provision « préalable » dès lors que le chèque est payé.

La constitution de provision après présentation et dans le délai de régulation éviterait à l'émetteur désormais l'interdiction (Cabrillac, *Le droit pénal du chèque*, n. 38 et s.).

La provision doit être disponible. — Cette disponibilité n'intervient plus, on l'a dit, pour l'interdiction bancaire, si la provision est suffisante (Gavalda, *JCP* 76, I, 2764, n. 14 et s.). Un important arrêt de la Chambre commerciale du 4 mars 1986 (*D.* 1987, I, 25, note critique Cabrillac) a remis en cause une pratique bancaire bien établie, en décidant que le montant d'un chèque en instance d'encaissement ne peut constituer une provision « disponible » (sur l'interdiction bancaire qui doit en découler).

Si le banquier tiré avait payé par *erreur* un chèque sans provision, il n'y aurait donc pas « provision », malgré le règlement opéré à tort.

Sous réserve de cette nouveauté, la créance doit être *certaine*, *liquide* et *exigible.* Le banquier tiré doit aussi s'être engagé à régler sous cette forme de service de caisse, sa dette. L'article 1er du décret-loi de 1935 le rappelle expressément. On retiendra à cet égard l'arrêt surprenant de la Chambre commerciale du 5 décembre 1984 (*RTD com.* 1985, p. 333, obs. Cabrillac et Teyssié ; revue *Banque* 1985, 301, obs. Rives-Lange ; *JCP* 85, éd. E, I, 14107) qui a dû tenir compte de l'autorité du pénal sur le civil et considérer « qu'une retenue de garantie sur bordereau d'escompte portée à un chapitre spécial du compte » constituait la « provision ».

Après émission, le tireur qui a transféré la propriété de cette provision au bénéficiaire doit laisser les fonds à la disposition de ce dernier. Le *blocage* indu en dehors des cas légaux limitatifs serait une opposition irrégulière, assimilée, avant 1991, en cas d'intention frauduleuse à un débit d'émission de chèque sans provision. Il en est de même du *retrait* de la provision. Ces actes restent pénalement punissables depuis 1991 s'il y a eu intention de nuire (D.-L. 1935, art. 66, al. 1).

Le banquier tiré averti d'un tirage ne doit-il pas aussitôt rendre indisponibles les fonds pour les garder à la disposition du bénéficiaire du chèque ? La

Cour de cassation avait décidé dans un arrêt de la Chambre des requêtes du 18 juin 1946 (*D.* 1946, J, 346 ; *JCP* 46, II, 3252, rapport Lescot ; *S.* 1946, I, 100) qui fit longtemps figure de décision de principe, que la banque tirée avisée par une opposition irrégulière d'une émission de chèque devait bloquer la provision au profit du bénéficiaire dans l'attente de la présentation du titre jusqu'à l'expiration du délai de prescription de trois ans ou à la mainlevée judiciaire estimant le porteur sans droit. Cette solution très sévère pour les banques auxquelles elle imposait à peine de responsabilité un devoir de blocage semblait avoir été délaissée par un arrêt de la Chambre commerciale du 11 décembre 1973 (*D.* 1975, J, 64, note Vézian, mais V. depuis Paris, 13 nov. 1978 : *D.* 1979, IR, 274 et Riom, 4 juill. 1980 : *D.* 1981, IR, 303. — *Adde*, Cass. com., rejet 9 fév. 1982 : *Bull. civ.* IV, n. 52, p. 44 ; *RTD com.* 1982, p. 590, obs. Cabrillac et Teyssié. — Paris, 3e Ch. B, 10 déc. 1982 : *D.* 1983, IR, 245, obs. Cabrillac. — *Adde* Montpellier, 19 sept. 1985 : *RTD com.* 1986, p. 124).

En cas de compte joint, la lettre recommandée du mari, cotitulaire, demandant le blocage du compte, rend à l'avenir *(ex nunc)* la provision indisponible et bloque les fonds déposés (Cass. com., 30 janv. 1990 : *D.* 1990, J, 513).

Un arrêt de la Chambre commerciale de la Cour de cassation du 4 mars 1986 confirme le principe qui avait semblé contesté à savoir que le banquier tiré est tenu de bloquer la provision, même s'il est averti de l'irrégularité de l'opposition (*D.* 1987, somm. comm. 71 ; *D.* 1987, J, 25, note Cabrillac). Toutefois la banque tirée qui, sur opposition du tireur au paiement du chèque, a débloqué la provision et permis au tireur d'en disposer n'a pas engagé sa responsabilité lorsque le bénéficiaire du chèque avait restitué la propriété au tireur. Le banquier présentateur qui avait crédité immédiatement le compte du bénéficiaire ne dispose d'aucun moyen d'action contre le banquier tiré, car il ne fait qu'une avance au remettant. Le tireur peut aussi débloquer la provision si le bénéficiaire y renonce (Cass. com., 4 mars 1986 : *D.* 1987, somm. 79, obs. Cabrillac).

L'émetteur du chèque doit laisser une provision suffisante à la disposition du bénéficiaire non seulement pendant la durée du délai de présentation légale mais jusqu'à l'extinction du plus long délai de prescription du chèque. L'habitude de laisser en attente d'encaissement des chèques est fâcheuse. La réduction à un an par la loi du 11 juillet 1985 (D.-L. 1935, art. 52) du délai de prescription de l'action du porteur contre le tiré limite le risque.

2. — *PREUVE DE LA PROVISION*

200. — En cas de doute sur la fourniture et la suffisance de la provision, la charge de la preuve incombe toujours au tireur (D.-L., art. 3, al. 3 ; Cass. crim., 19 déc. 1957 : revue *Banque* 1958, p. 178. — Cass. com., 4 déc. 1979 : *JCP* 80, éd. CI, 8456). Dans un procès, le demandeur qui peut n'être pas le tireur se retournerait contre ce dernier si l'existence de la provision était discutée. L'émetteur doit alors prouver qu'il avait fait provision chez le tiré. Le tiré a le plus souvent la qualité de commerçant (banquier). On peut donc prouver selon les modes commerciaux (C. com., art. 109) la provision, mais les règles de preuve civile sont applicables si le tiré est une personne civile (Caisse des Dépôts..., Vasseur et Marin, *op. cit.*, n. 71). Il incomberait, bien entendu, au *tiré* qui aurait réglé par erreur un chèque sans provision d'établir cette absence de provision dont il n'a pas tenu compte (en ce sens, Cabrillac, *op. cit.*, n. 90). Le ministère public aurait, en cas de poursuite pénale pour infractions relatives à la provision, le fardeau de la preuve (Lagarde et Jauffret, *op. cit.*, t. II, n. 1669).

La solution donnée dans l'article 3, alinéa 3 du décret-loi de 1935 marque une différence caractéristique avec la lettre de change où il y a, en cas d'acceptation par le tiré, présomption d'existence de la provision. Aucune acceptation d'un chèque par le tiré n'est, en effet, permise par la loi parce qu'un titre ainsi garanti équivaudrait *de facto* à un véritable billet de banque. L'acceptation serait donc réputée non écrite (D.-L. art. 4).

Deux autres procédés permettent — avec plus ou moins d'efficacité — d'établir l'existence et surtout le maintien de la provision chez le tiré : le *visa* et la *certification* (*supra*, n. 192 et 193). Depuis la loi du 3 janvier 1975, les chèques d'un montant égal ou supérieur à 100 F sont censés avoir provision, sous réserve d'être présentés dans le mois de leur émission. Une ouverture de crédit du tiré est présumée (D.-L. 1935, art. 73-1). Bien entendu le banquier peut exiger la restitution du chéquier par le client ayant abusé de ce crédit forcé (Rives-Langes et Contamine-Raynaud, *op. cit.*, n. 305).

3. — Propriété de la provision

201. — Le mandat de payer donné par le tireur au tiré est irrévocable. Après remise du titre au bénéficiaire ou à un mandataire, l'émetteur est lié irréversiblement. La propriété de la provision est, en effet, passée au bénéficiaire. A chaque transmission régulière du titre (endos, tradition), la propriété est transmise au nouveau porteur. L'endossement transmet, en effet, tous les droits résultant du chèque, et notamment la propriété de la provision (D.-L. 1935, art. 17, al. 1).

Le porteur a donc non seulement la propriété de la provision, mais il peut, s'il a été investi par endos, invoquer comme en matière de traite l'inopposabilité des exceptions (V. *supra*, n. 191, note 1, et *infra*, n. 251). Les droits du bénéficiaire ou de l'endossataire sont donc supérieurs à ceux d'un simple mandataire (V. les discussions à cet égard sur la distinction de l'escompte de chèque et de l'avance sur encaissement, *infra*, n. 209) et du cessionnaire de créance.

Cette acquisition de la propriété de la provision par le porteur est calquée sur la solution admise en matière de lettre de change (C. com., art. 116). Elle est doctrinalement moins critiquable. Certes, la propriété d'une créance reste une notion discutée, mais cette créance doit en tout cas exister pour le chèque dès la « création » du titre (en principe l'émission). On ne retrouve donc pas les discussions découlant en matière de traite de la possibilité de faire provision seulement à l'échéance (*supra*, n. 83). Pour apprécier l'existence de la provision, la banque tirée se place, toutefois, en pratique au jour de la présentation (en ce sens, Paris, 3e Ch., 2 juin 1980 : *Gaz. Pal.* 16 sept. 1980).

Ce transfert ne s'effectue pas malgré la rédaction de la loi au moment de la création, mais à l'instant de la remise qui marque l'*émission* du titre, son lancement dans la circulation de monnaie scripturale (V. Cass., 4 janv. 1967 : *Bull. civ.* III, n. 8 ; *RTD com.* 1967, p. 831). La Chambre commerciale a cependant récemment cassé un arrêt de la cour d'appel de Paris (Cass. com., 18 déc. 1990, inédit) qui s'était attaché à la date de présentation. La Chambre commerciale estime qu'il faut rechercher la date de création. On peut en discuter. L'intérêt était que la création était antérieure à un jugement de redressement judiciaire et la présentation postérieure. L'effet translatif se produirait même en cas de fourniture retardée de la provision après la création et la remise du titre (V. *contra* la décision très critiquée de Nîmes, 23 avril 1975 : *D.* 1976, J, 49, obs. F. D. — Cass. com., 17 mars 1965 : *Bull. civ.* III, n. 202. — Comp. en ce sens, Cass. com., 18 déc. 1990, *SA Hoechst* c. *BNP : Quot. jur.* 30 avril 1991 ; *D.* 1991, somm. comm., 216 contenant une définition assez élaborée de la notion d'émission). Le bénéficiaire ou l'endossataire doit avoir donné son accord à une telle remise (Req., 7 mars 1882 : *D.* 1882, I, 147 ; *S.* 1883, I, 167). L'émission n'est irréversible que lorsque le titre a, juridiquement sinon matériellement, échappé aux mains du tireur, soit par remise directe au bénéficiaire, soit par remise à un mandataire commun. Il en irait différemment si le tireur pouvait récupérer son titre envoyé par lettre simple ou l'avait confié à un mandataire sous condition de ne le remettre que sur ordre exprès (*supra*, n. 178). A partir de là, l'émetteur ne doit plus retirer ou bloquer la provision, ni faire opposition (par exemple une opposition irrégulière). L'émission serait même en principe irrévocable en cas d'accord du tireur et du bénéficiaire pour retirer le titre de la circulation (Cass. crim., 27 juill. 1964 : *Bull. crim.* n. 251).

Le tiré n'est, toutefois, pas, sauf circonstances exceptionnelles, averti de l'existence de l'émission. Il ne saurait donc bloquer la provision au profit de l'émetteur. La situation est différente, on l'a signalé, s'il est averti du tirage. La Cour de cassation avait eu l'occasion de se prononcer sur cette délicate question (Req., 18 juin 1946 : *JCP* 46, II, 3252, rapport Lescot ; *D.* 1946, J, 346 ; *S.* 1946, I, 100). Dans l'espèce, le tireur avait adressé au banquier une opposition irrégulière, qui avait eu la conséquence d'informer le tiré de l'émission du chèque. Cette connaissance entraînait pour la Chambre des requêtes le devoir de bloquer la provision à peine de responsabilité. Cette décision de principe était ensuite restée isolée sans que la Cour ait eu l'occasion de réaffirmer ou d'infirmer sa position sur ce point. Certains auteurs avaient vivement critiqué cette solution qui aboutissait à immobiliser de façon prolongée et inutile (?) la provision, en plaçant en somme le tiré dans la position d'un accepteur. Ce qui est, on le sait, interdit par la loi (V. Ripert et Roblot, *op. cit.*, n. 2459 ; H. Cabrillac : *JCP* 46, I, 549).

La Chambre commerciale avait semblé, dans un arrêt malgré tout ambigu, ne plus lui imposer du seul fait qu'il est averti le devoir de bloquer les fonds correspondant à la provision (Cass. com., 11 déc. 1973 : *D.* 1975, J, 64, note J. Vézian ; *JCP* 75, II, éd. G, 18152, note Moret ; *Bull. civ.* IV, n. 359 ; *RTD com.* 1974, p. 309. — sur renvoi, V. Reims, 2 fév. 1977 : *D.* 1978, IR, 105 ; puis son second pourvoi, Cass. com. 29 janv. 1979 : *RTD com.* 1979, p. 779 ; V. dans le sens du blocage, Roblot, t. II, n. 2195. — Comp. Riom, 4 juill. 1980 : *D.* 1981, IR, 303, obs. Cabrillac, et Cass. com., 9 fév. 1982, préc.). Mais les arrêts ultérieurs paraissent imposer le blocage (9 fév. 1982 : *Gaz. Pal.* 12 août 1982. — *Adde* Cass. com., 4 mars 1986 : *D.* 1987, J, 25, note Cabrillac. — 9 janv. 1990 : *D.* 1990, J, 485). L'obligation de blocage existerait pour la totalité de la provision, et jouerait même si le montant du solde créditeur est largement supérieur au montant de la créance du saisissant. Le banquier tiré prévenu d'un chèque sans provision qui a adressé une injonction et reçu des fonds pour « régulariser » la provision ne paraît pas contraint de les bloquer au profit de la victime, si un second chèque est présenté après présentation du chèque qui avait donné lieu à l'injonction (V. sur cette situation complexe, Gavalda : *JCP* 76, I, 2764, n. 23).

Les conséquences pratiques de ce transfert immédiat de propriété sont multiples. La *mort*, l'incapacité (D.-L., art. 33), le redressement ou la liquidation judiciaire de l'émetteur, survenant après l'émission sont indifférents. Le bénéficiaire a acquis la propriété de la provision. Autrement dit, la « valeur » du chèque est déjà sortie du patrimoine du tireur.

Les héritiers d'un tireur ont été ainsi condamnés à payer un chèque provisionné émis par le *de cujus*, mais présenté après son décès (Cass. civ. 1re, 4 nov. 1981 : *Bull. civ.* 1981, p. 277, n. 327 ; *RTD com.* 1986, p. 413, obs. Cabrillac et Teyssié) ; mais la Chambre commerciale (20 nov. 1985, *RTD com.* 1986, p. 413) a en revanche refusé au bénéficiaire d'un chèque présenté après le décès du tireur le droit de faire une saisie-arrêt sur les actifs successoraux dudit émetteur. Il est vrai qu'en l'espèce le chèque n'était provisionné ni à l'émission, ni lors du décès, ni lors de la présentation du titre. V. aussi Cass. com., 18 déc. 1990 : *D.* 1991, IR, 13 jugeant que doit être payé s'il est provisionné un chèque émis avant ouverture d'un redressement judiciaire parce que la provision est transmise au porteur au jour de l'émission et non au jour de la présentation.

202. — *Saisie-attribution du compte du tireur.* Le transfert de la provision au bénéficiaire du chèque et, le cas échéant, aux porteurs subséquents présentait un intérêt majeur en cas de saisie du compte. Dès l'instant que le chèque avait été acquis avant la saisie le porteur se prévalant de la propriété de la provision échappait aux conséquences de la saisie (Cass. com., 7 déc. 1971 : *D.* 1972, J, 555, note Wiederkehr. — Paris, 26 avril 1965 : *JCP* 66, II, 14529, note Gavalda). La situation du porteur de chèque était d'autant plus favorable que si la jurisprudence exigeait de lui la preuve de l'antériorité à la saisie de ses droits sur le chèque, elle était libérale quant aux modes de preuve, n'exigeant pas que le chèque ait date certaine.

La solution précédente a été remise en cause par la loi du 9 juillet 1991 portant réforme des procédures d'exécution. Il résulte de l'article 47 de cette loi que les chèques non présentés au paiement à la date d'une saisie-attribution ne peuvent s'imputer sur la somme saisie. Si le texte permet l'imputation pendant un délai de quinze jours des chèques portés au crédit du compte et revenus impayés et celle des retraits par billetterie et des paiements par carte, dès lors que le bénéficiaire a été effectivement crédité avant la saisie, le paiement des chèques émis n'est pas prévu et il semble bien être exclu, à moins que la saisie laisse subsister au compte une somme suffisante. La loi nouvelle a totalement ignoré le droit du porteur sur la provision. Cette position est d'autant plus singulière que ce droit est préservé en cas d'ouverture d'une procédure collective (*infra*, n. 203. *La réforme des procédures d'exécution. Procédures d'exécution et droit bancaire* par Christian Mouly, p. 48, *RTD civ.*, n. spécial).

202-1. — *Provision partielle ?* Le transfert de propriété de la provision s'opère-il si cette provision est insuffisante ? *Quid* si plusieurs bénéficiaires présentent ensemble au paiement des chèques que la provision ne permet pas de tout régler ? (revue *Banque* 1978, p. 527).

La question n'avait pas fait l'objet de disposition dans la loi de 1865. Une loi du 12 août 1926 modifiant l'article 2 de la loi de 1865 avait organisé un régime assez équilibré (Vasseur et Marin, n. 276). L'article 34, alinéa 2, du décret-loi de 1935 est plus concis sur ce point. Le tiré peut imposer au porteur un paiement partiel. Ce dernier peut aussi (al. 3) l'exiger (Cass. com., 8 janv. 1991, affaire *Union méditerranéenne de Banque* c. *Société générale* jugeant que le tiré engage sa responsabilité envers le porteur s'il ne révèle pas l'existence d'une provision partielle) (comp. Montpellier, 19 sept. 1985 : *RTD com.* 1986, p. 124). Pour d'éventuelles sanctions pénales, V. D.-L. 30 oct. 1935, art. 72-1°. En cas d'inaction, la provision reste sans blocage aux mains du tiré. A la demande du tiré, une quittance par acte séparé, dispensée de timbre, doit être établie (al. 4) et mention de ce règlement partiel est faite sur le titre pour aviser les tiers signataires. Le tireur et les endosseurs sont déchargés à due concurrence.

L'insuffisance de la provision pose donc un délicat problème en cas de présentation simultanée de plusieurs chèques. Le tiré doit *a priori* les payer selon leur date d'émission. Si les chèques sont émis le même jour, leur numéro d'ordre sera un indice d'antériorité. C'est là une présomption simple. Cette procédure respecte pleinement le principe du transfert immédiat de propriété de la provision au bénéficiaire de chèque (V. cependant une répartition proportionnelle avec accord des parties, Req. 6 janv. 1932 : *S.* 1932, I, 377, note Lescot ; *adde supra*, n. 179, les autres conséquences du paiement partiel). *Grosso modo*, les effets s'apparentent à ceux d'un non-paiement complet (Cabrillac, *Rép.* Dalloz, *V° Chèque*, n. 348). Sur le cas de présentation non simultanée de plusieurs chèques insuffisamment provisionnés, V. *infra*, n. 227.

202-2. — Les parties ont la possibilité dans leurs relations civiles de convenir que la transmission de la propriété de la provision au bénéficiaire sera subordonnée à une condition (Req., 29 juill. 1941 : *JCP* 41, II, 1709 ; comp. la position différente en matière pénale de la Chambre criminelle, 10 fév. 1972 : *Gaz. Pal.* 1972, 1, 399 ; *RTD com.* 1972, p. 633).

Parmi les questions vivement débattues, on retiendra cette possibilité pour les parties d'aménager le transfert de propriété au porteur. Le tireur peut-il, vis-à-vis du bénéficiaire, exclure cette transmission, voire la subordonner à la réalisation d'une condition ?

La question se pose par exemple pour les *chèques de garantie*, souvent remis à un preneur pour faire face à une éventuelle obligation (garantie de dommages causés à un véhicule loué ; acompte sur achat d'un fonds de commerce objet d'un contrat en cours). Le chèque de garantie doit être aussitôt provisionné (Cass. com., Paris 5e Ch., 22 juill. 1985 : *D.* 1986, IR, 80). Peu importent les conséquences d'une inexécution des obligations contractuelles et d'un encaissement prématuré du chèque de garantie.

Le défaut de provision était à coup sûr autrefois pénalement répréhensible (Cass. crim., 27 juill. 1964 : *D.* 1965, somm. 2. — Trib. gr. inst. Seine, 4 mars 1967 : *JCP* 67, II, 15478, note Gavalda ; *RTD civ.* 1968, p. 383. — 26 nov. 1974 : *Gaz. Pal.* 1975, 1, somm. 9). La dépénalisation par la loi de 1991 modifie cette hypothèse (V. *infra*). Michel Cabrillac doutait en revanche, en fonction de l'élément moral du délit d'émission défini par la loi de 1975 (D.-L., art. 66-1°), de la possibilité d'une répression (*Le droit pénal du chèque*, n. 65). L'émetteur n'a encore rien reçu et ne saurait être accusé de l'intention de nuire sciemment aux intérêts d'autrui auquel il n'a, souligne M. Cabrillac « remis qu'un titre virtuellement exécutoire » (*Adde*, *infra*, n. 272 ; Cass. crim., 28 juin 1982 : *RTD com.* 1983, p. 286. — V. *contra*, 5 oct. 1983 : *D.* 1984, IR, 69, obs. Cabrillac. — *Adde* Cass. com., 22 avril 1985 : *Gaz. Pal.* 21 janv. 1986).

203. — *En cas de redressement ou de liquidation judiciaire de l'émetteur,* les chèques émis antérieurement au jugement doivent-ils être payés par la banque tirée ? Le porteur, propriétaire de la provision à la date d'ouverture de la procédure bénéficie-t-il d'un règlement hors concours ou doit-il déclarer sa créance ? Antérieurement à la réforme du droit des procédures collectives opérée par la loi du 13 juillet 1967, il était jugé que le porteur pouvait obtenir paiement des chèques émis ou endossés à son profit avant le jugement de faillite (Paris, 16 oct. 1958 : *D.* 1959, J, 82 ; *RTD com.* 1959, p. 461. — Lyon, 21 avril 1959 : revue *Banque* 1959, p. 743. — Cass. crim., 27 janv. 1970 : *RTD com.* 1971, p. 483, obs. Houin). Tout au plus le porteur devait-il prévenir le syndic avant d'honorer le chèque (Cabrillac, *Rép. Dalloz, V° Chèque,* n. 175).

Ce système s'est maintenu sous le régime de la loi de 1967. *Un chèque émis avant l'ouverture de la procédure et provisionné* avant l'ouverture de la procédure devait être payé. Le banquier avait, toutefois, selon certains auteurs, à solliciter l'avis du syndic avant de régler le bénéficiaire du chèque (V. obs. Cabrillac et Rives-Lange sous Nîmes, 23 avril 1975 : *RTD com.* 1976, p. 380). Cette consultation ne pouvait être, en réalité qu'en mesure de précaution tendant à s'assurer que le syndic ne contestait pas l'antériorité de l'émission (V. les réserves de M. Derrida sur la nécessité d'un agrément du syndic : *D.* 1976, J, 49).

La situation était différente *s'il n'y avait pas provision* et si le porteur du chèque invoquait, non le droit de créance sous-jacent qui lui avait été transmis à titre de provision, mais la garantie cambiaire que doit le tireur ou, à fortiori la dette que le chèque avait pour objet d'éteindre. Il devait alors produire et faire vérifier sa créance (Trib. gr. inst. Avesnes-sur-Helpe, 30 oct. 1974 : *D.* 1975, somm. 50 ; *Gaz. Pal.* 3 mai 1975 ; *RTD com.* 1975, p. 336, obs. Cabrillac et Rives-Lange). Le fait de produire à la masse après retour du chèque impayé pour le montant de la créance sous-jacente, n'implique pas abandon des droits du porteur contre le tiré sur le fondement de la provision (Paris, 16 oct. 1958, préc.). Sur la compétence pour connaître, en cas de procédure collective, de l'action civile en dommages-intérêts du porteur, V. *infra,* n. 295.

Ces solutions n'ont pas été remises en cause par la loi du 25 janvier 1985 créant le redressement judiciaire (Colmar 1re ch., 18 juin 1996 : *JCP* 97, IV, 1109. — Cass. com., 12 mars 1996 : *RTD com.* 1996, p. 501, obs. Cabrillac). On notera, en particulier, que le jugement d'ouverture de la procédure produit ses effets « à compter de sa date », c'est-à-dire le jour de son prononcé à 0 heures. Cette solution traditionnelle qui évite tout débat sur l'heure à laquelle a été accompli l'acte litigieux (ex. émission d'un chèque) avait été un moment abandonnée. Elle est reprise dans la rédaction actuelle de l'article 14, al. 2, du décret n. 85-1388 du 27 décembre 1985.

Bien entendu, les paiements faits par chèque en période suspecte sont exposées aux nullités prévues aux articles 108 et 109 de la loi du 25 janvier 1985 (V. *infra*, n. 218). Mais, sous cette réserve, le chèque doit être payé s'il existe une provision au jour de l'ouverture d'une procédure collective, même si cette provision a été constituée après l'émission du chèque et si elle est représentée par un crédit (*Contra*, à tort, Nîmes, 23 avril 1975 : *D.* 1976, J, 49, note Derrida ; *RTD com.* 1976, p. 380. V. aussi *supra*, n. 199).

La preuve de l'antériorité de l'émission du chèque par rapport à l'ouverture de la procédure collective incombe au porteur, mais comme en matière de saisie, elle peut être faite par tout moyen (V. *infra*, n. 202). C'est, au contraire, au mandataire de justice agissant en nullité qu'il appartient d'établir que le chèque a été tiré en période suspecte.

4. — Sanctions du défaut de provision

204. — Sur le terrain civil, le chèque sans provision n'est plus depuis le décret-loi de 1935 frappé de nullité (D.-L., art. 3, al. 3). La loi française consacre ainsi avec moins de netteté la solution de la loi uniforme (art. 3) et aligne le régime du chèque sur celui de la traite (C. com., art. 116). Elle se rattache à la conception fondamentale de la provision garantie.

L'insuffisance de provision, définie plus étroitement (*infra*, n. 261) par l'article 65-3 du décret-loi de 1935, rend l'émetteur passible d'une interdiction bancaire. Sur le plan pénal, le régime est, on l'a dit profondément modifié... La dépénalisation de l'émission de chèque sans provision peut cependant exposer l'émetteur à certaines sanctions (V. *infra*, n. 268 et s.).

En revanche, le législateur ne prévoit plus pour l'émission sans provision préalable et disponible, même de bonne foi, une amende fiscale. La loi de 1972 a abrogé les alinéas 2 et 3 de l'article 64 du décret-loi de 1935.

Il convient de signaler d'ores et déjà les obligations incombant au banquier en cas d'incident relatif à la provision.

Obligation d'adresser une injonction en cas d'incident relatif à la provision. — En cas d'absence ou d'insuffisance de provision, le banquier tiré refusera normalement, sauf s'il est tenu à garantie légale (*infra*, n. 232) de payer le chèque. Il doit alors *enregistrer* l'incident et adresser au titulaire une *injonction* (D.-L., art. 65-3) de ne plus tirer de chèques ordinaires et de restituer toutes les formules de chèques en sa possession. Le législateur n'a pas repris la formule traditionnelle visant une provision préalable et disponible. L'absence d'exigence d'une disponibilité n'est pas sans intérêt (Cabrillac, *Le droit pénal du chèque*, n. 9 et s.). Le banquier reste — sans autre directive — maître d'apprécier l'existence de la provision. Ce qui risque de laisser subsister les discussions bien connues (V. Gavalda : *JCP* 75, I, 2764, n. 15 et s.). La discussion dérive souvent de ce fait vers l'élément moral (bonne foi)... Le banquier ne peut, en tout cas, s'il y a insuffisance, soustraire son client à l'interdiction qu'en payant à découvert (V. à cet égard les observations de M. Delebecque : *D.* 1983, J, 235, *in fine*).

En cas d'indisponibilité avec suffisance de la provision, la procédure d'injonction n'est pas déclenchée (*JO* déb. Sénat 25 oct. 1974, 1433). On a voulu éviter les graves conséquences qui eussent autrement découlé d'une saisie-arrêt ou d'un avis à tiers détenteur, sur un compte suffisamment pourvu. Le porteur verra cependant s'ouvrir ses recours cambiaires (D.-L. 30 oct. 1935, art. 3) s'il n'obtient pas à juste date son règlement du fait du blocage.

En cas d'insuffisance de la provision s'ajoutant à l'indisponibilité, l'incident donne lieu, bien entendu, à injonction.

L'indisponibilité de la provision pourrait aussi résulter d'une *opposition du tireur*. Le banquier n'a pas à s'en faire juge. Il devrait seulement avertir l'opposant des conséquences d'une opposition irrégulière (D.-L. 1935, art. 66-1°). Il n'a cependant pas d'injonction à envoyer, sauf si l'opposition (même illégale) se double d'une insuffisance. En tout cas, le banquier doit enregistrer et envoyer au bénéficiaire un avis de non-paiement (*D.* 1975, art. 32), indiquant le motif du rejet et l'insuffisance de provision (*infra*, n. 235).

CHAPITRE III

CIRCULATION DU CHÈQUE

205. — Le chèque, instrument de paiement, n'est pas vraiment le substitut du billet de banque appelé à régler indéfiniment de multiples transactions. Ce titre a, plus encore que la lettre de change, une vie courte. Il a en pratique vocation à opérer le paiement d'une opération déterminée et circule donc beaucoup moins que la traite. Cependant, le chèque est transmis très souvent, au moins pour encaissement, à un banquier (obligatoirement, s'il est barré).

C'est un titre à ordre (plus rarement au porteur), susceptible de circuler de manière simple et sûre comme la traite (*supra*, n. 42). Sauf indication contraire portée sur le chèque, il est à l'ordre du bénéficiaire et endossable (D.-L., art. 13). L'apposition d'une clause « non à ordre » ou « non endossable » le transforme en chèque nominatif, mais n'a pas pour conséquence de rendre impossible la transmission (A. Serquigny, « La clause non à ordre dans le chèque » : revue *Banque* 1960, p. 429 ; sur la clause « chèque non endossable sauf pour remise directe à l'encaissement », V. *L'information notariale*, mai-juin 1976, 33). On peut cependant recourir alors au procédé de la cession civile de créance (C. civ., art. 1960), mode lourd et coûteux, qui est peu compatible avec le rythme de la vie des affaires (D.-L., art. 13, al. 2). L'émission au porteur ou en blanc permet aussi de faire circuler le chèque stipulé non endossable (V. Cass. com., 12 nov. 1996 : *D.* 1996, IR, 256).

Le législateur a prévu pour éviter certaines fraudes fiscales une taxe fiscale pour la délivrance de formules de chèques qui ne seraient pas prébarrées et ne porteraient pas une clause interdisant l'endossement au profit de toute personne autre qu'une banque, une caisse d'épargne ou un établissement assimilé (art. 85 de la loi de finances du 29 déc. 1978 ; CGI, art. 916 A ; Gavalda : *D.* 1979, chron. 31). La diffusion de la clause non endossable s'en trouve multipliée. Pratiquement, les endos de chèque sont souscrits depuis 1978 au profit des banquiers des porteurs (V. *infra*, n. 300).

Si le chèque est « au porteur » ou « en blanc », il peut se transmettre sous la forme la plus simplifiée de la *tradition*, c'est-à-dire de la remise de la main à la main. Il en est de même du chèque dit *en blanc* (*infra*, n. 209). L'endos d'un chèque au porteur ne convertirait pas ce titre en chèque à ordre (D.-L. 1935, art. 20) bien que l'endosseur devienne solidairement responsable. Le porteur n'aurait donc pas à justifier d'une suite ininterrompue d'endos (Cabrillac : *Encycl.* préc., n. 244).

Le chèque à ordre ou au porteur est transmissible — pratique peu commode — par le procédé de l'article 1690 du Code civil.

Le chèque peut servir d'instrument de règlement ou de garantie, mais il doit à cette fin pouvoir *circuler*. Sa transmission peut servir au bénéficiaire à faire à son tour un règlement ou à faire encaisser le chèque ou à en faire un titre de garantie. Il est alors préférable sous réserve de payer la taxe fiscale de se faire délivrer des chèques « endossables ».

A. — TRANSMISSION DU CHÈQUE

206. — L'endos est le procédé spécifique mais pas exclusif de transmission du chèque. *Grosso modo*, les règles légales sont analogues sur ce point à celles concernant la traite. Étant donné la rareté des transmissions de chèque (sauf pour encaissement), la jurisprudence n'est pas abondante. On peut, en principe, transposer ici les solutions de l'endos de traite (*supra*, n. 43). L'article 22 du décret-loi de 1935 reproduit par exemple le principe de l'inopposabilité des exceptions de l'article 121 du Code de commerce (Trib. gr. inst. Créteil, 5 nov. 1980 : *D.* 1982, IR, 171, obs. Cabrillac). Le principe dit de l'indépendance des signatures joue. Le développement de l'*escompte de chèque* devenu courant et les incidents d'encaissement eu égard au volume actuel des chèques donnent lieu toutefois à une jurisprudence plus fournie.

On soulignera enfin que l'endos est une convention qui implique, pour être définitive, l'accord exprès ou implicite de l'endossataire. La remise du titre de chèque endossé à l'endossataire (ou à son mandataire) sans protestation dans un délai raisonnable paraît constituer une présomption d'accord (Gavalda, obs. *JCP* 66, II, 14529 ; Vasseur et Marin, *Le chèque*, n. 127).

1. — FORMES DE L'ENDOS DE CHÈQUE

207. — Selon le but cherché, trois sortes d'endos sont théoriquement possibles : l'*endos translatif de propriété*, l'*endos de procuration* et l'*endos pignoratif* ou de gage (en faveur de la validité : Vasseur et Marin, t. II, n. 125).

a) L'endos pignoratif ou de gage est le plus rare. La courte vie des chèques en rend l'usage assez théorique. Le décret-loi de 1935 n'y fait pas expressément allusion, mais les auteurs (H. et M. Cabrillac, *Le chèque*, n. 125 ; Vasseur et Marin, *Le chèque*, n. 125) en admettent la possibilité par parallélisme avec la lettre de change.

b) L'endos translatif de propriété est le mode normal de transfert de ce titre. Il peut revêtir diverses formes, au besoin très dépouillées. Cet endos peut être à *personne dénommée ou à son ordre*. Le bénéficiaire pourra à son tour endosser à une personne dénommée ou à son ordre. Il pourrait aussi faire un endos en blanc ou au porteur. L'endossataire en blanc (ou au porteur) peut s'abstenir de signer le titre et le transmettre de la main à la main par simple tradition. Il évite ainsi d'être solidaire du paiement. Le bénéficiaire d'un chèque au porteur peut le transmettre par une clause à ordre. Il devient garant du titre (D.-L. 1935, art. 20) qui n'est pas cependant transformé de ce fait en un chèque à ordre.

On reconnaît là les formes utilisées pour la traite. On signalera la possibilité d'un endos nominatif à deux personnes. L'endos d'un chèque émis à l'ordre de deux personnes doit être signé des deux personnes (V. cependant en cas de représentation d'un des deux époux bénéficiaire de ce type de titre, Amiens,

4 fév. 1964 : revue *Banque* 1964, p. 253). La pratique est plus rare encore qu'en matière de traite (Lagarde et Jauffret, *op. cit.*, t. II, n. 170).

La forme de loin la plus utilisée est l'*endos en blanc*. Le porteur du chèque se borne à apposer au verso sa signature, sans spécifier la nature de l'endos.

La formule très répandue est équivoque. Elle est dangereuse si l'on a voulu ainsi réaliser un simple mandat d'encaissement. Car l'endos en blanc est présumé à l'égard des tiers valoir endos translatif de propriété (V. pour une présomption inverse, J. Vezian, *op. cit.*, n. 155 et diverses références ; comp. Agen, 30 oct. 1984 : *Gaz. Pal.* 1986, 1, somm. 99. — Cass. com., 6 nov. 1984 : *Gaz. Pal.* 1985, 1, pan. jur. 100).

L'endos doit figurer sur le titre ou sur une allonge (D.-L., art. 16). Il doit être signé de l'endosseur, mais une signature mécanique est licite (L. 16 juin 1966). Les endos en blanc doivent figurer au verso.

L'absence d'indication de la qualité du signataire de l'endos ou de tout cachet commercial n'entache pas la validité de l'endos, même fait par une personne morale (revue *Banque* 1976, p. 457 ; 1970, p. 1148) (V. cependant sur l'exigence du cachet commercial d'un endosseur personne morale, Trib. com. Pontoise, 15 nov. 1977 : *Gaz. Pal.* 1977). On précisera enfin qu'un endos partiel serait nul et qu'un endos biffé serait réputé non écrit.

c) L'endos de procuration tend à charger l'endossataire du mandat d'encaisser. Il se traduit par l'apposition au verso du titre de formules comme « valeur en recouvrement » ou « pour encaissement ». Toute autre formule équivalente impliquant mandat serait licite (D.-L., art. 23). La mention « valeur en compte » vaudrait endos translatif (Grenoble, 10 mars 1977 : revue *Banque* 1978, p. 524) ?

L'endos en blanc est eu égard à sa simplicité exigé en pratique par les banquiers même s'il s'agit d'un simple encaissement.

Un mandat général de recouvrement pourrait être conféré par un acte distinct (V. en matière de traite, *supra*, n. 65). Rappelons que les chèques endossables autrement que pour encaissement par une banque, sont désormais soumis à une taxe fiscale (D.-L. 1935, art. 65-1, al. 3, NS, L. 29 déc. 1978). Cette réforme a fortement réduit les indus à d'autres banques.

2. — *RÉGIME DE L'ENDOSSEMENT*

a) Endos translatif

208. — L'endos ordinaire est l'*endos translatif.* Il transmet tous les droits, actions et accessoires liés au titre, y compris la provision (Pau, 3 mars 1981 : *JCP* 82, II, 19706, note Vivant). Il peut être fait par toute personne, propriétaire du chèque, capable de signer le titre sans exigence d'un « terme sacramentel ». Certaines expressions équivoques sont à déconseiller (valeur en compte...) (*supra*, n. 183). L'endos peut être fait à toute personne (même un signataire antérieur) sauf au tiré. Car un tel endossement entraîne l'extinction du titre par confusion. Il vaudrait alors *acquit*, c'est-à-dire quittance, sauf si le tiré a plusieurs établissements et que le chèque est endossé à un autre que celui où le compte est tenu (D.-L., art. 15, al. 5). La solution n'est pas sans intérêt pour la pratique des chèques de dépannage (*infra*, n. 288 ; *supra*, n. 188). C'est pourquoi la Chambre criminelle (1er fév. 1978 : *Bull. civ.* n. 40) a déclaré irrecevable l'action civile d'une banque tirée, qui avait payé un chèque sans provision au motif que la banque ne pouvait être considérée comme « porteur » du titre.

L'endos doit être pur et simple. Toute condition qui l'assortirait serait réputée non écrite (D.-L. 1935, art. 15).

L'endos n'a pas à être daté. Mais l'antidate frauduleuse d'un endos de chèque serait pénalement répréhensible (D.-L. 1935, art. 24, al. 3) comme faux.

Bien entendu, l'endos comme la remise implique l'accord de l'endossataire pour être parfait. Il doit être suivi de la remise de titre.

L'endosseur sera, sauf clause contraire (D.-L. 1935, art. 18), garant du paiement. On imagine assez mal, en pratique, l'insertion — certes licite — d'une clause de non-garantie. Notons enfin que l'apposition d'une clause non à ordre n'interdirait pas un endos de procuration (*infra*, n. 211).

L'endos doit être fait avant l'expiration du délai de présentation ou qu'un protêt faute de paiement du chèque ait été dressé (D.-L. 1935, art. 24, al. 1). La circulation du chèque après un tel incident est exceptionnelle. Un tel endos ne vaudrait que comme une cession de créance sans bénéficier de l'inopposabilité des exceptions liée à la ***négociation*** du chèque (D.-L. 1935, art. 23 ; *adde infra*, n. 214). L'endossataire ne pourrait utiliser la procédure spéciale de mainlevée d'une opposition irrégulière (Cass. com., 17 oct. 1995 : *JCP* 95, IV, 2562 ; *RTD com.* 1996, 93 ; *RD bancaire et bourse,* janv.-fév. 1996, p. 9).

Par faveur pour l'endossataire, l'endos non daté (cas courant) est toutefois censé fait avant le protêt (D.-L. 1935, art. 24, al. 2). La preuve contraire est néanmoins réservée (Cass. com., 13 oct. 1970 : *Bull. civ.* IV, n. 265).

Si le banquier escompteur a laissé prescrire les délais de recours cambiaires contre le tireur (six mois : D.-L., art. 52), il n'est pas dépourvu de moyen. La Chambre commerciale (28 mai 1974 : revue *Banque* 1974, p. 985) lui maintient la possibilité si les autres conditions en sont réunies d'exercer l'action en enrichissement injuste de l'article 52, alinéa 4 du décret-loi de 1935.

En contrepartie de ses divers droits, l'endossataire est garant légal et solidaire du paiement du chèque envers les porteurs ultérieurs.

La principale utilisation de l'endos translatif est l'*escompte de chèque*. Mais l'endos translatif sert aussi à transmettre d'une manière générale la propriété du titre entre particuliers ou entreprises. Sauf application précitée de l'article 65-1, alinéa 3, du décret-loi de 1935.

209. — *Escompte de chèque*. C'est une convention bancaire de plus en plus répandue depuis quelques années. Un arrêt de la Chambre commerciale du 15 juin 1976 (revue *Banque* 1977, p. 231. — *Adde* Cass. com., 3 janv. 1978 : *D.* 1978, IR, 307. — Paris, 17 fév. 1982 : *D.* 1983, IR, 41) en a consacré avec netteté la licéité. Aucun contrat en forme n'est en pratique dressé. L'existence de cette convention se déduit donc de l'endos, qui n'est pourtant que le support juridique de transmission de la propriété du chèque. L'absence regrettable de dispositions des conditions générales de banque laisse, même depuis la loi bancaire de 1984, dans un flou fâcheux le régime de l'escompte de chèque qu'il est malaisé de différencier de l'encaissement de chèques, lequel s'accompagne souvent d'une avance bancaire sur recouvrement. La question intéresse autant les relations du banquier et de son client que leurs relations avec les tiers.

La transmission de propriété du chèque se fait donc en pratique non par un endos translatif à personne dénommée, mais par un simple endos en blanc. L'endos en blanc au verso du titre ou sur l'allonge vaut en principe endos translatif quelle qu'ait été la volonté des parties, qui ont pu vouloir seulement confier à l'endossataire (souvent un banquier) un simple mandat de recouvrement. Cette façon classique aujourd'hui de procéder rend délicate la qualification de certaines opérations. Y a-t-il eu *convention d'escompte de chèque* ou mandat d'encaissement (V. Grenoble, 10 mars 1977 : revue *Banque* 1978, p. 524) ?

L'endos en blanc entraîne une *présomption simple* de transfert de propriété dans les rapports de l'endosseur et de l'endossataire (*inter partes*, Aix-en-Provence, 19 janv. 1976 : *D.* 1977, IR, 190). Ils pourraient donc la renverser par tous moyens (en ce sens, Vasseur et Marin, *op. cit.*, n. 192. — Cass. com., 5 déc. 1955 : *JCP* 56, II, 9134, note H. Cabrillac. — Cass. crim., 13 déc. 1966 : *RTD com.* 1967, p. 833 ; *Gaz. Pal.* 1967, 2, 188 ; *D.* 1968, 121 ; *JCP* 69, II, 15747, note Pédamon ; revue *Banque* 1967, p. 799. — Cass. com., 23 mai 1977 : *D.* 1977, IR, 397. — Cass. com., 6 nov. 1984 : *Gaz. Pal.* 1, 100 ; *JCP* 85, éd. G, IV, 29 ; *D.* 1986, IR, 323. — V. cependant Cass. com., 16 mai 1977 : *D.* 1977, IR, 397). Les parties ne peuvent opposer aux tiers que l'endossement en blanc correspondant à un simple mandat (Cass. com., 11 juill. 1988 : *Gaz. Pal.* 23 mars 1989, somm. 11). Les tiers pourraient dans certaines circonstances, selon M. Cabrillac (*op. cit.*, n. 60) faire disqualifier un endos expressément qualifié par les parties (V. cependant *contra*, Paris, 5e Ch. C, 1er fév. 1983 : *D.* 1983, IR, 410 avec au demeurant certaines nuances. — *Adde*, Cass. com., 9 janv. 1990 : *RTD com.* 1990, p. 232, obs. Cabrillac et Teyssié). On peut s'interroger sur la possibilité d'invoquer en l'occurrence l'application du droit commun de la simulation (C. civ., art. 1321).

Parmi les indices invocables pour qualifier la position du banquier d'escompteur ou de mandataire, on peut s'attacher au protêt ou à la constitution de partie civile. La constitution de partie civile du banquier implique qu'il se considère comme propriétaire escompteur (Cass. com., 28 mai 1974 : *RTD com.* 1975, p. 147). En revanche, un simple mandataire a qualité pour faire dresser le protêt, qui est un acte conservatoire (Roblot : *Rép. com.* Dalloz, *V° Endossement*, n. 130). La clause « sauf bonne fin », contenue dans le bordereau de remise est « neutre » et peut s'appliquer aussi bien à un escompte qu'à une remise de chèque à l'encaissement (Cass. com., 13 mai 1981 : *Bull. civ.* IV, n. 226, 178 ; *D.* 1982, IR, 171 ; *RTD com.* 1981, p. 802, obs. Cabrillac et Teyssié). Les clauses « sauf encaissement » et, ou une demande d'avis de réception ne sont pas davantage en elles-mêmes révélatrices de la nature de l'opération (Rives-Lange et Contamine-Raynaud, *op. cit.*, p. 270).

Il y a de multiples intérêts à qualifier le sens de la simple signature de l'endosseur au verso du titre. L'endos translatif entraîne, en effet, le transfert (D.-L., art. 17) de tous les droits et actions attachés au titre et des sûretés y afférentes (dont la propriété de la provision). Le banquier escompteur est ainsi investi de la provision en cas de dépôt de bilan de son client. Il doit, toutefois, produire le chèque à l'administrateur (*supra*, n. 203).

S'il est porteur « légitime » au terme d'une succession régulière d'endos, l'endossataire a le droit d'encaisser le chèque. Mais il peut se heurter au véritable propriétaire qui aurait été dépossédé par la perte ou le vol du chèque en cours de circulation. L'hypothèse concrète est celle d'un chèque au porteur ou en blanc réintroduit dans le circuit cambiaire par le voleur ou l'inventeur qui l'endosserait à une personne de bonne foi. L'endossataire n'a la qualité de porteur légitime selon l'article 21 du décret-loi de 1935 que s'il a acquis le titre « de bonne foi et sans faute lourde » (V. en ce sens Cass. com., 8 fév. 1984 : *Gaz. Pal.* 1984, 2, pan. jur. 212 ; *RTD com.* 1984, p. 306, obs. Cabrillac et Teyssié).

Les droits de propriétaire de l'escompteur lui permettent si le chèque est libellé en devises étrangères de bénéficier de la plus-value, en cas de fluctuation de taux de change, comme il subit les pertes.

Si le banquier escompteur (de bonne foi ; Trib. gr. inst. Créteil, 5 nov. 1980 : *D.* 1982, IR, 172) ne recouvre pas sur présentation au tiré le montant du chèque, il a un recours contre son client remettant (V. sur son recours contre le tireur, Cass. com., 15 juin 1976 : *Gaz. Pal.* 1976, 2, somm. 252 ; *Bull. cass.* 1976, IV, n. 203, p. 175). Ce recours consistera en pratique à contre-passer le chèque au compte du client. Cette contre-passation implique que le banquier est un porteur *diligent* et obéit *grosso modo* au régime de la contre-passation des traites impayées en compte courant. On peut hésiter à admettre que ce régime s'applique aussi à l'escompte en compte de dépôt (V. sur ce dernier point, obs. L. Martin, sous Trib. com. Versailles, 7 mai 1980 : revue *Banque* 1981, p. 377).

La contre-passation d'un effet de commerce s'analyse, en effet, en un recours cambiaire (Rives-Lange, Contamine-Raynaud, *Précis de droit bancaire*, 4e éd., n. 270 ; Gavalda et Stoufflet, *op. cit.*, n. 305). Le banquier doit donc avoir conservé ce recours cambiaire en présentant le chèque et en faisant, sauf en présence d'une clause sans frais ou sans protêt, dresser protêt (Paris, 15 mars 1975 : *JCP* 75, IV, 317 ; *RTD com.* 1975, p. 875. — Cass. com., 12 oct. 1982 : *Gaz. Pal.* 1er fév. 1983). S'il choisit de contre-passer, le client étant *in bonis*, le banquier doit lui restituer le chèque (Cass. com., 20 mars 1979 : *D.* 1980, IR, 13 ; Comp. pour une contre-passation dans un compte courant débiteur, Paris, 12 juill. 1985 : revue *Banque* 1985, p. 1177). En revanche, le banquier escompteur, qui contre-passe après la faillite du remettant, conserve la propriété du chèque. Il peut donc en poursuivre le règlement contre un signataire solvable, à condition d'être de bonne foi (Agen, aud. sol, 2 mai 1979 : *Gaz. Pal.* 1979, 2, 594. — Paris, 15e Ch., 24 mars 1989 : *D.* 1989, IR, 118).

Le fonctionnement aveugle des ordinateurs peut entraîner un débit « automatique » du chèque escompté impayé. Le rétablissement de l'écriture du crédit par la banque ne s'interprète alors comme une annulation de la contre-passation que si elle est très rapide (moins de 4 jours, V. Cass. com., 6 nov. 1984 : *RTD com.* 1985, p. 538 ; *D.* 1986, IR, 323). Sinon, il y aurait reprise à l'escompte.

210. — *Responsabilité du banquier escompteur.* L'escompte de chèque est une pratique légale dont l'intérêt actuel découle de la lenteur d'encaissement des chèques déplacés. Le banquier ne doit cependant pas en connaissance de cause escompter un chèque sans provision. L'article 66-2° du décret-loi punit cet endos frauduleux et la réception en *connaissance de cause* d'un tel titre des peines de l'escroquerie. Le banquier serait en outre irrecevable civilement à demander au tireur le remboursement et des dommages-intérêts (Cass. crim., 10 janv. 1974 : *RTD civ.* 1975, p. 316, obs. Durry ; *RTD com.* 1975, p. 183, obs. Rives-Lange et Cabrillac ; *Gaz. Pal.* 1974, 2, 550 ; *JCP* 76, éd. CI, 12129, n. 77).

Comme tout endossataire en propriété de bonne foi, le banquier escompteur pourrait se constituer partie civile pour obtenir le remboursement du chèque impayé par le tiré, voire des dommages-intérêts. Mais le décret-loi de 1935 (art. 71) ne lui permet pas d'obtenir du tribunal le remboursement d'office du chèque sans provision. Car cette procédure simplifiée, introduite par la loi de 1975, est réservée au seul « bénéficiaire ». Le chèque ne doit pas avoir été endossé sinon pour encaissement (V. en ce sens Cass. crim., 12 fév. 1975 : *D.* 1975, IR, 62).

Après transmission par endos à un tiers, l'endosseur n'a plus — bien entendu — qualité pour se constituer partie civile (Cass. crim., 22 avril 1975 : *JCP* 75, IV, 183 ; *D.* 1975, IR, 115).

Les devoirs du banquier endossataire sont peu à peu précisés par la jurisprudence. Le banquier n'a pas à prendre l'initiative de vérifier l'existence de la provision avant d'escompter ou de faire une avance sur mandat d'encaissement (Cass. com., 15 janv. 1975 : *Bull. civ.* IV, n. 13, p. 11 ; *RTD com.* 1975, p. 333, obs. Cabrillac et Rives-Lange. — Paris, 17 fév. 1982 : *D.* 1983, IR, 41. — 24 oct. 1977 : *D.* 1978, 507, note Contamine. — Trib. gr. inst. Créteil, 5 nov. 1980 : *D.* 1982, IR, 172. — Paris, 12 juill. 1985 : revue *Banque* 1985, p. 1177, obs. Rives-Lange). Il commettrait une faute en escomptant un chèque présentant une rupture apparente de la chaîne des endos (Cass. com., 3 juin 1983 : *D.* 1983, IR, 41 ; *adde* l'obligation éventuelle de signaler au tiré les informations jetant un doute sur la régularité de l'émission : Aix, 10 mars 1988 : *Bull. Aix* 1988, n. 282 ; *adde infra*, n. 212). Si le chèque est impayé à l'échéance, le banquier escompteur a un recours cambiaire contre son client (remettant). Il ne peut contre-passer, en cas de défaillance du tiré, que s'il n'a pas été « négligent ». Le banquier qui contre-passe un chèque impayé en perd la propriété si le client remettant est *in bonis*, même s'il a matériellement conservé le titre (Cass. com., 20 mars 1979 : *Bull. civ.* IV, n. 108).

b) Endos de procuration

211. — *L'endos de procuration* implique chez l'endossataire la capacité d'être mandataire. L'endossataire ne peut endosser en propriété (revue *Banque* 1976, p. 457) mais il peut subdéléguer son mandat (Grenoble, 10 mars 1977 : revue *Banque* 1978, p. 524). En pareil cas, il répondrait de son mauvais choix (Cass. com., 17 mars 1975 : *Bull. civ.* IV, n. 82, p. 68 ; *JCP* 76, I, 12129, n. 7, obs. Gavalda et Stoufflet). Par souci de ne pas briser le rythme des encaissements, l'article 23, alinéa 3 du décret-loi prévoit, par dérogation à l'article 2003 du Code civil, que ce mandat ne prend pas fin par le décès ou l'incapacité de l'endosseur. *Quid* de sa mise en redressement judiciaire ou de liquidation de biens de la loi du 25 janvier 1985 ?

Il peut être formellement précisé pour la mention « valeur en recouvrement » ou « pour encaissement » ou « pour procuration » (D.-L. 1935, art. 23, al. 1).

Le mandataire peut, à la différence de l'escompteur de chèque, se voir opposer toutes les exceptions opposables au propriétaire du chèque (D.-L., art. 23, al. 2 ; *infra*, n. 228).

Le produit de l'encaissement doit être porté dans les meilleurs délais par le banquier au compte du remettant. En cas d'encaissement de chèque libellé en devises étrangères, la contrepartie en francs est calculée au taux du jour dudit encaissement, sauf arrangement contractuel différent (Paris, 14 déc. 1940 : *JCP* 40, II, 1608, note Cabrillac). Une obligation de célérité particulière pèse, en l'occurrence, sur le banquier encaisseur.

Les deux points sensibles sont la difficulté déjà évoquée de distinguer ce mandat de l'escompte de chèque et la responsabilité de l'encaisseur.

Distinction du mandat et de l'escompte. — Les bordereaux établis lors de la remise du chèque sont parfois explicites et précisent le sens juridique de la remise. Dans le silence fréquent des parties et en présence d'un endos en blanc, certaines mentions ou circonstances sont éclairantes. La mention « en compte » ne suffirait pas à caractériser à elle seule l'escompte de chèque (*contra* Grenoble, 10 mars 1977, préc.). La mention « client à créditer sauf bonne fin » est neutre (Cass. com., 13 mai 1981 : *Bull. civ.* IV, n. 226, p. 178). Pas davantage l'inscription immédiate en compte du crédit correspondant au montant du chèque n'emporte à elle seule, comme en matière de traite, escompte et donc transfert de propriété au banquier (V. Cass. com., 22 juin 1964 : *Bull. civ.* III, 279. — Cass. crim., 6 juill. 1967 : *JCP* 69, II, 15747, note Pédamon. — Cass. com., 18 oct. 1971 : *JCP* 72, II, 17053, note J. Vézian. V. Cependant l'opinion contraire de M. Vasseur, *D.* 1983, IR, 410. — V. sur la distinction, Paris, 12 juill. 1985 : revue *Banque* 1985, p. 1177, obs. Rives-Lange. — Comp. Cass. com., 9 janv. 1990 : *Gaz. Pal.* 29 déc. 1990, pan. p. 7).

L'endos de chèque à fin de recouvrement est une pratique fréquente car les bénéficiaires de chèques vont rarement encaisser eux-mêmes à l'agence tirée les chèques, même non barrés. L'encaissement des traites et effets est l'aspect le plus banal du service de caisse offert par les banques aux titulaires de compte. Le banquier mandataire doit en cas de présentation infructueuse du chèque au tiré faire dresser protêt (Roblot : *Rép. com.* Dalloz, *V° Endossement*, n. 130). Ce qui est un acte conservatoire. Il serait fautif, en l'absence de clauses contraires, de n'y pas procéder. Le banquier qui ne consent pas à escompter les chèques de ses clients peut accepter de leur faire des avances sur recouvrement. Il met donc aussitôt le crédit correspondant au montant du chèque à la disposition du client en prélevant bien entendu une commission jusqu'à la date de valeur convenue.

Une confusion fréquente — que les banquiers ne contribuent guère à dissiper — existe chez les usagers entre *l'escompte* et *l'avance sur mandat d'encaissement*. Les effets juridiques de ces deux procédés sont fort différents. Le banquier encaisseur, simple mandataire, n'est pas propriétaire de la provision. En cas de liquidation de biens du remettant, il devrait restituer la somme encaissée et — s'il a fait une avance —venir pour ce découvert comme créancier dans la masse.

Avance sur encaissement. Cette pratique est un des points les plus sensibles pour les clients. Les conditions générales de banque devraient être très éclairantes sur ce point. Les banquiers ont l'habitude de passer immédiatement en crédit au compte le montant des chèques, même non escomptés. Cette inscription est, certes, assortie d'un jour de valeur. Mais cette spécification ne concerne que le calcul des taux d'intérêts de l'avance qui peut être de plusieurs jours selon le lieu de paiement du chèque à encaisser. On peut pleinement souscrire à l'opinion de notre collègue Michel Cabrillac d'après lequel : « La généralisation de cette pratique conduit à estimer que le banquier qui diffère la passation en compte doit prévenir le client sous peine d'engager sa responsabilité » (Cabrillac, *Le chèque et le virement*, 5e éd., n. 178). Un arrêt de la Chambre commerciale du 17 juillet 1980 laisse peut-être pressentir une évolution jurisprudentielle plus nette en ce sens (V. déjà Paris, 19 mars 1979 : *RTD com.* 1979, p. 778) que n'a pas entretenue l'arrêt de la même chambre du 4 mars 1986 (*D.* 1987, J, 25, note Cabrillac).

Le banquier qui a fait une avance se contentera souvent en cas de non-paiement de contre-passer le chèque, mais il doit alors restituer ce titre au client (sur certaines limites à cette faculté, Cass. com., 17 juill. 1980. — 5 juill. 1994 : *RTD com.* 1994, p. 755 ; *Bull. civ.* IV, n. 352). S'il contre-passe après faillite un chèque remis en compte courant, il n'est pas tenu, toutefois, de restituer le titre. Sur les conséquences d'une absence de contre-passation par un banquier encaisseur d'un chèque à lui remis et égaré par sa faute,V. Paris, 6 mai 1983 : *D.* 1984, IR, 70. La banque qui n'a pas contre-passé le chèque impayé peut recouvrer le montant de l'avance en exerçant une action de subrogation contre le tireur (Cass. com., 12 juill. 1993 : revue *Banque*, nov. 1993, p. 100, obs. Guillot).

La pratique bancaire implique certaines transmissions des chèques entre banquiers pour recouvrer les chèques. Un protocole interbancaire révisé en 1976 concerne les chèques perdus en cours d'encaissement. Un règlement uniforme pour l'encaissement international des effets de commerce applicable aux chèques a été adopté le 1er janvier 1968 par la CCI.

L'usage est souvent souple. Ainsi les banques reçoivent-elles souvent des remettants des chèques non endossés à fin d'encaissement. Le confrère tiré les règle néanmoins en se contentant de l'engagement du banquier présentateur d'en créditer le client et de garantir l'opération (Vasseur et Marin, *Le chèque*, n. 193, p. 156, note 5. — Trib. com. Angers, 12 avril 1961 : revue *Banque* 1962, 46). Une attestation de l'AFB a été délivrée en ce sens. La cour d'appel de Paris (3e Ch. B, 9 nov. 1990 : *D.* 1991, somm. comm. 217) trouve la justification de cette pratique à défaut de mandat tacite dans la gestion d'affaires.

212. — *Responsabilité du banquier encaisseur* est souvent invoquée ; spécialement en cas de détournement de chèque ou de vol de formule. Elle se combine avec l'éventuelle responsabilité du banquier tiré. Tous deux peuvent être éventuellement condamnés *in solidum* (Cass. com., 4 juill. 1978 : *D.* 1978, IR, 339, obs. Cabrillac ; V. en cas d'anomalie intellectuelle de l'endossement Paris, 28 nov. 1988, inédit : *RTD com.* 1989, p. 276) (*infra*, n. 228). La jurisprudence est plus exigeante pour la banque encaisseuse.

L'encaisseur est un mandataire salarié qui répond de ses fautes même légères (C. civ., art. 1992). S'il égarait le chèque à encaisser (même non provisionné), il serait responsable (Versailles, 23 fév. 1989 : *Banque et droit* 1989, p. 218). Il peut subdéléguer ses pouvoirs et répondrait alors de son mauvais choix ou des fautes du sous-mandataire si la loi ou l'usage lui avait interdit pareille subdélégation (Cass. com., 17 mars 1975, préc.). Le produit de l'encaissement est en général porté au compte du remettant. Le banquier répondrait selon le droit commun d'une erreur d'affectation du recouvrement (Cass. com., 14 déc. 1970 : *Bull. civ.* IV, n. 344. — Cass. com., 3 janv. 1996 : *JCP* 96, éd. G, II, 22617, note T. Bonneau). Bien entendu, il serait fautif en se trompant sur l'agence tirée ou en perdant le titre qu'il a la charge de recouvrer (Cass. com., 21 nov. 1967 : *JCP* 69, II, 15778). Le banquier encaisseur qui aurait égaré un chèque à lui remis aurait, selon la jurisprudence, une action en enrichissement sans cause contre le tireur (Paris, 6 mai 1983, préc.).

Il lui incombe seulement de vérifier la régularité formelle du titre et spécialement de la signature du remettant qui doit d'ailleurs être son « client » s'il s'agit d'un chèque barré. La banque endossataire ne connaît du reste pas les endosseurs intermédiaires. Le décret-loi de 1935 impose au tiré de vérifier la suite et la régularité des endossements mais pas celle de chaque signature (Cass. com., 30 oct. 1984 : *RTD com.* 1985, p. 539, obs. Cabrillac et Teyssié ; revue *Banque* 1985, p. 644, obs. Rives-Lange). Il n'a pas non plus en principe à vérifier la signature et les pouvoirs des différents endosseurs (Cass. com., 3 janv. 1977 : *Bull. civ.* IV, n. 1 et 2 ; V. dans le même cas Paris, 27 avril 1984 : *Gaz. Pal.* 1984, 2, somm. 348). On peut transposer la solution au banquier encaisseur (en ce sens, Trib. gr. inst. Lyon, 1er oct. 1975 : revue *Banque* 1976, p. 559. — Paris, 5 juill. 1983 : revue *Banque* 1983, 1195, note Martin). Le banquier présentateur n'a pas à vérifier que les chèques ne sont pas frappés d'opposition et qu'ils ont bien été signés par le tireur. Il doit cependant s'assurer des droits de son client pour le chèque qui lui est remis à l'encaissement. La portée juridique des règles formulées par le Comité d'organisation et de normalisation bancaire (lettre du 7 juillet 1986 du président du CONB au président de l'APEC) est à cet égard incertaine. Certaines décisions réservent cependant, en l'occurrence, le jeu du droit commun de l'article 1382 du Code civil (V. décision précitée ; *adde* Cass., 26 mars 1973 : *Bull. civ.* IV, n. 132. — Orléans, 17 fév. 1972). Des « trous » dans la chaîne seraient des anomalies. La jurisprudence se contente d'exiger que le titre pris à l'encaissement ne contienne pas d'anomalie matérielle ou intellectuelle (V. une appréciation très libérale pour le banquier encaisseur, Cass. com., 30 janv. 1990 : revue *Banque* 1990, p. 535 ; *RTD com.* 1990, p. 437). Il a été jugé autrefois qu'un (faux) endos de la part de l'URSSAF, inconnu de la pratique, constituait une anomalie intellectuelle qui devait attirer l'attention d'un banquier, professionnel averti (Paris, 7 fév. 1966 : *Journ. agréés* 1966, 170 ; *RTD com.* 1966, p. 972 ; *adde*, absence du cachet commercial d'un endosseur personne morale, Trib. com. Pontoise, 15 nov. 1977, préc.). L'espèce tranchée par la Chambre commerciale le 22 septembre 1982 (*Gaz. Pal.* 1er fév. 1983) illustre une attitude fautive caractérisée d'un banquier encaisseur. — Mais V. le refus de Cass. civ. 2e, 5 mars 1974 : *Bull. civ.* II, n. 130 ; *RTD com.* 1976, p. 165, de considérer comme une anomalie intellectuelle le (faux) endos d'une mutuelle d'assurance à un particulier ; sous la réserve d'une fréquence et d'une multiplicité des endos qui rendrait l'opération anormale (solution implicite).

Le principe de non-ingérence tempère de plus en plus le devoir de contrôle du banquier escompteur et/ou escompteur. *Il faut mais il suffit que le titre remis par l'endosseur aux fins d'encaissement soit en apparence correct.* Cette

« apparence de titre régulier » suffit à exonérer le banquier endosseur (Cass. civ. 2e, 5 mai 1975 : *Bull. civ.* II, n. 130, p. 107 ; *JCP* 75, éd. CI, 14630 ; *JCP* 76, éd. CI, 12129, n. 76. — *Adde* Trib. gr. inst. Lyon, 1er oct. 1975, préc. — Comp. Paris, 17 fév. 1982 : *D.* 1983, IR, 41. — *Adde,* Cass. com., 30 janv. 1990, préc. : revue *Banque* 1990, p. 535). Sa responsabilité est néanmoins de plus en plus invoquée en la matière. L'hypothèse est fréquente de préposés indélicats détournant par le biais d'un endos des chèques de leur commettant (V. l'absence de responsabilité d'un banquier encaisseur admise dans des circonstances typiques, Paris, 24 avril 1975 et son pourvoi, Cass. com., 25 janv. 1977, rejet). La multiplicité des endos, le défaut de corrélation entre le titre et l'activité professionnelle du salarié sont des circonstances que le banquier n'a pas en principe, *sauf circonstances anormales*, à prendre l'initiative de contrôler. L'absence de cachet accompagnant l'endos d'une personne morale est tenue, par exemple, pour normale (Trib. gr. inst. Lyon, 1er oct. 1975, préc., mais *contra* Trib. com. Pontoise, 15 nov. 1977 ; Cass. com., 18 mai 1981 : *JCP* 81, 264).

Une anomalie objective engagerait, en revanche, la responsabilité de l'encaisseur (fausse formule imprimée de chèque tiré sur une banque imaginaire, Trib. gr. inst. Seine, 18 nov. 1967 : *JCP* 68, II, 15438, note Gavalda ; revue *Banque* 1968, p. 61 ; *adde* chèque international libellé en dollars présenté hors du délai légal, Paris, 15 mars 1975 : *RTD com.* 1975, p. 875 ; *JCP* 76, éd. CI, 12129, n. 9). La Chambre commerciale (3 janv. 1977 : *Bull. civ.* IV, n. 1) énonce pour exonérer de toute responsabilité le banquier encaisseur « que l'aspect formel du chèque, tel que décrit par le jugement, ne présentait *aucune anomalie* de nature à mettre en garde la banque chargée du recouvrement ». Dans la même affaire, la Chambre commerciale exonère aussi le tiré (Cass. com., 3 janv. 1977) en affirmant « que le tiré n'a pas à vérifier la signature des endosseurs » et que le tribunal « qui n'a pas fait apparaître en quoi la suite des endossements aurait présenté un caractère irrégulier n'a pas donné la base légale à sa décision ».

La rupture apparente de la chaîne des endossements doit en revanche attirer l'attention autant du banquier encaisseur que du banquier tiré (Cass. com., 17 déc. 1980 : *Bull. civ.* IV, n. 427, p. 432. — Dans le même sens, Douai, 27 janv. 1982 : *D.* 1983, IR, 4663. — Cass. com., 3 juin 1982, préc.). Mais leur faute n'exclut pas un partage de responsabilité en cas d'imprudence du titulaire du compte (Cass. com., 3 juin 1982). Une certaine marge d'appréciation de l'anormalité appartient aux juges. Le cas souvent évoqué du montant très élevé d'un chèque nous paraît appeler une attention particulière du banquier.

En dehors de toute falsification, le banquier doit encaisser rapidement le titre. Sa négligence consisterait à encaisser hors des délais légaux de présentation un chèque remis à temps.

En revanche, il peut sans faute encaisser le dernier jour du délai de présentation légale (Cass. com., 15 janv. 1958 : *RTD com.* 1958, p. 355 ; revue *Banque* 1958, p. 210 ; *Gaz. Pal.* 1958, 1, 236).

L'usage ou les circonstances peuvent légitimer un délai supérieur au délai de présentation légal. Si le client a remis lui-même tardivement au banquier les chèques à recouvrer (voire hors délai) l'endossataire est exempt de tout reproche...

Le banquier doit en tout cas procéder en cas d'incident aux formalités d'usage (le protêt ne procure pas de titre d'exécution et les banques utilisent le « certificat de non-paiement » [D.-L. 1935, art. 65-3, al. 3 ; Arr. 29 mai 1992]). pour préserver les recours cambiaires du remettant, mais il doit aussi aviser du non-recouvrement dans un délai raisonnable, c'est-à-dire rapide, le client (Cass. com., 8 juin 1993, arrêt n. 1012 D. *Sté G. Bonnet* c. *Crédit Lyonnais*). La célérité du banquier est appréciée *in concreto* (faute lourde pour un retard de deux mois, Cass. com., 14 déc. 1954 : *Bull. civ.* III, n. 297, p. 226) (V. la jurisprudence variée citée par Cabrillac, *Le chèque et le virement*, 5e éd., n. 175 ; Rép. min. : *JO* déb. Ass. nat. 27 avril 1987, 2417). Le remettant prévenu par cet *avis de sort* pourra éviter de continuer à faire des livraisons à l'émetteur qui n'a plus provision. Le porteur avisé devra satisfaire aux obligations d'information que lui impose l'article 42 *in fine* du décret-loi de 1935 (V. *infra*, n. 248). L'absence de préjudice causé par le défaut d'avis de non-paiement priverait le client de réparation (Cass. com., 21 nov. 1966 : revue *Banque* 1967, 270 ; Vézian, thèse citée, n. 164 et s.).

Le banquier est fondé, en l'absence d'usage contraire et de stipulation expresse du client, à lui retourner le chèque impayé sous pli simple (Cass. com., 4 mars 1969 : *JCP* 69, II, 15777, note Gavalda. — Comp. Rép. min. : *JO* débat Sénat 5 juill. 1984, 1088. — 13 mai 1986 : *RD bancaire et bourse* 1987, n. 2).

Aucun devoir de s'enquérir de l'existence de la provision n'incombe au banquier avant de consentir au client une avance sur encaissement (V. *supra*, n. 210. — Cass. com., 15 janv. 1975, préc. — Paris, 17 fév. 1982). Le banquier rend ainsi un service normal dont il serait excessif de lui faire prendre le risque.

En revanche, il se retournera contre le client crédité par anticipation (Paris, 18 juin 1974 : *RTD com.* 1975, p. 148) à la suite de la remise d'un chèque (en blanc) volé et falsifié. Une action en responsabilité contre le titulaire du chéquier volé se heurtera souvent à une absence de lien de causalité avec le préjudice du banquier encaisseur (Paris, 18 juin 1974, préc. ; *adde*, dans la même espèce, le refus d'une action fondée pour D.-L. 1935, art. 52). On ajoutera que le banquier chargé de l'encaissement n'a pas le devoir de signaler à son confrère (tiré) les informations jetant le doute sur la régularité de l'émission (Aix, 10 mars 1988 : *Bull. Aix* 1988, n. 282).

L'avance sur recouvrement comme l'escompte est, enfin, un mode de financement susceptible d'engager la responsabilité du banquier s'il a abusivement prolongé l'activité du client bénéficiaire, retardant le dépôt du bilan (Aix-en-Provence, 31 juill. 1975 : *RTD com.* 1976, p. 162, obs. Cabrillac et Rives-Lange et l'analyse d'une abondante jurisprudence *in* J. Vézian, thèse citée, 2e éd. n. 180 et s.).

213. — *Clauses de non-responsabilité*. Conscients de la lenteur des circuits d'encaissement, les banquiers se couvrent par diverses clauses. Ils apposent une *clause sans protêt* ou *sans frais* qui les dispense de dresser protêt, mais pas de présenter dans le délai légal. On trouve aussi, notamment dans les bordereaux, des *clauses de non-responsabilité* pour présentation défectueuse ou tardive. Leur existence et leur acceptation sont d'abord à établir (Poitiers, 18 mai 1954 : *D.* 1955, 365, note Goré ; Angers, 18 juill. 1951 : *D.* 1951, J, 691). Sous cette réserve, la clause couvre définitivement la faute légère du banquier, mais ne fait que renverser la charge de la preuve d'une faute lourde ou intentionnelle qui l'engagerait toujours (Cass. com., 16 mai 1955 : *Gaz. Pal.* 1955, 2, 13 ; V. une interprétation sévère, 18 oct. 1971, préc. : *JCP* 72, II, 17033 et la note J. Vézian).

Une clause élisive de responsabilité pour non-présentation ou avis tardif n'exclut pas la responsabilité du banquier encaisseur pour n'avoir pas prévenu le remettant du non-paiement (Trib. gr. inst. Paris, 26 avril 1968 : *RTD com.* 1969, p. 133).

Des clauses de non-responsabilité, il convient de rapprocher celles qui définissent l'étendue des obligations de la banque et ses diligences (Cass. com., 21 janv. 1997 : *D.* 1997, somm. comm., p. 236, obs. Cabrillac).

Le mandat d'encaisser du banquier s'accompagne de l'obligation accessoire implicite de conseil (V. en matière de chèque postal, Cass., 4 oct. 1967 : *Gaz. Pal.* 1968, 1, 18 ; revue *Banque* 1968, p. 369. — Cass. com., 15 janv. 1975 : *D.* 1975, somm. 29).

214. — *Inopposabilité des exceptions* (D.-L. 1935, art. 22). Le porteur de bonne foi (Trib. gr. inst. Créteil, 5 nov. 1980 : *D.* 1982, IR, 172) peut aussi invoquer le principe de l'inopposabilité des exceptions et écarter les exceptions du tiré contre le tireur ou un endosseur antérieur à lui. Seuls restent opposables, comme en matière de traite, les exceptions dites cambiaires, c'est-à-dire inhérentes au titre lui-même. La simple lecture du titre eût dû mettre en garde celui qui recevait le titre irrégulier.

Le prétendu signataire pourrait opposer au porteur la fausseté de sa signature. Le tireur peut aussi invoquer contre tous son incapacité même si le porteur ne l'avait pu déceler. La protection des incapables prime ici comme en matière de traite la sécurité de la circulation cambiaire.

Les exceptions d'ordre personnel opposables par le tireur au bénéficiaire ne sont pas invocables contre le porteur de bonne foi (compensation, par exemple, citée par M. Cabrillac, *Le règlement des créances*, n. 169). On soulignera que la « mauvaise foi » s'apprécie, au sens de l'article 22 *in fine* du décret-loi de 1935, pendant de l'article 121 du Code de commerce pour la traite, chez l'organe, voire le préposé qualifié de la personne morale, bénéficiaire ou endossataire du chèque.

L'article 22 du décret-loi est calqué sur le fameux article 121 du Code de commerce relatif à la traite. Les méthodes d'interprétation sont donc transposables, mais les applications de l'article 121 du Code de commerce sont bien plus fréquentes (*supra*, n. 52).

B. — USAGE DU CHÈQUE POUR LE PAIEMENT OU POUR D'AUTRES OPÉRATIONS JURIDIQUES

Orientation bibliographique

DEMONTÈS, « Les paiements par chèque » : *Rev. crit.* 1926, p. 265 et s. — H. CABRILLAC, « Les effets du paiement par chèque » : *JCP* 54, I, 1184. — COMBALDIEU, « Des effets juridiques de la remise d'un chèque » : *Rec. gén. lois* 1956, 73. — BERTHELOT, *La responsabilité civile du banquier français en matière de chèque*, thèse, Rennes, 1966.

215. — Le chèque peut servir à diverses opérations, impliquant un transfert de fonds autres que le paiement proprement dit d'une dette.

Le titulaire d'un compte, autorisé par son banquier, peut effectuer ainsi simplement et sans frais fiscaux un retrait de fonds à son profit (chèque de retrait, chèque de dépannage...) ou au bénéfice d'un tiers. C'est l'utilisation la plus banale du service de caisse bancaire.

Mais, la neutralité du procédé de remise d'un chèque permet à l'émetteur de réaliser ainsi une libéralité.

Enfin, la preuve d'un contrat peut être établie en tout ou en partie par la remise d'un chèque. On n'insistera pas sur des utilisations secondaires, encore que fréquentes (chèque de garantie, V. *supra*, n. 201), comme la constitution de sûretés ou d'un dépôt de fonds (Cass. com., 14 nov. 1975 : *RTD com.* 1976, p. 583, obs. Cabrillac et Rives-Lange).

1. — RÈGLEMENT DES DETTES CIVILES OU COMMERCIALES PAR REMISE D'UN CHÈQUE

216. — Les parties ont, en principe, le libre choix du mode de paiement de leur obligation en somme d'argent, sous réserve de dispositions législatives impératives ou de conventions contraires. Le législateur a, on le sait, imposé dans divers cas, le règlement par chèque barré ou par virement (L. 22 oct. 1940, plusieurs fois modifiée ; V. *supra*, n. 176). Le créancier et le débiteur peuvent aussi avoir stipulé que le paiement sera effectué par chèque. Cet accord oblige les parties (Trib. gr. inst. Paris, 22 nov. 1961 : *Gaz. Pal.* 1962, 1, 140). Le tireur n'est pas tenu, sauf circonstances spéciales, d'adresser le chèque de règlement à son créancier par pli recommandé (Cass. com., 3 avril 1990 : *Les Petites affiches,* 16 août 1990).

En dehors de ces deux situations, le créancier peut toujours refuser de recevoir un chèque (Req., 3 mars 1930 : *S.* 1931, I, 249, note P. Esmein. — Cass. civ., 12 mars 1930 : *D.* 1930, 241. — Cass. com., 19 juill. 1954 : *D.* 1954, 629).

Le créancier qui est — obligatoirement ou de son plein gré — réglé par chèque peut obliger le remettant à justifier « de son identité au moyen d'un document officiel portant sa photographie » (D.-L. 1935, art. 12-2, modifié par L. 1972). Cette faculté est dépourvue de sanction directe (*lex imperfecta*). Mais celui qui recevrait un chèque sans provision en s'abstenant d'exiger une justification d'identité commettrait éventuellement une faute civile. Son imprudence justifierait donc un éventuel partage de responsabilité avec le tireur (chéquier volé) ou dans certains cas le banquier tiré (Trib. gr. inst. Besançon, 5 juin 1970 : revue *Banque* 1971, p. 205). Les commerçants qui reçoivent sans cette précaution des chèques courent donc désormais un risque non négligeable. L'article 12-2 du décret-loi de 1935 (modifié en 1972) leur permet d'expliquer à leur clientèle ce formalisme justifié. Voir réserves de J. Stoufflet, Cass. com., 4 nov. 1976 : *JCP* 78, II, 18750. — Bordeaux, 17 nov. 1982 : revue *Banque* 1983, p. 781 ; *RTD com.* 1983, p. 441.

Bien entendu, le créancier peut refuser un chèque, même dans les cas prévus par la loi du 22 octobre 1940, si le remettant ne veut pas justifier de son identité dans les conditions de l'article 12-2 du décret-loi de 1935.

217. — *La remise d'un chèque ne vaut pas paiement.* Peu importe que cette remise à fin de règlement soit obligatoire ou spontanée. L'expression populaire « payer par chèque » n'est donc pas juste en droit strict...

Certes, le paiement par chèque a été rendu obligatoire par la loi du 22 octobre 1940 dans un certain nombre de cas pour répandre l'usage de ce titre et faciliter la surveillance de certains règlements tout en économisant la monnaie fiduciaire (*supra*, n. 173).

Mais un créancier n'est pas tenu, même s'il doit être réglé par chèque barré ou virement, de livrer le bien ou la marchandise ainsi « réglée », tant qu'il n'est pas *payé* au sens du Code civil. Dans la vente contre remboursement, la volonté des parties peut modifier la solution (Cass. com., 21 juin 1954 : *D.* 1955, J, 161, note Rodière). En termes juridiques, « la remise d'un chèque en paiement acceptée par un créancier n'entraîne pas novation » (D.-L., art. 62). En conséquence, la créance originaire subsiste avec toutes les garanties y attachées jusqu'à ce que ledit chèque soit payé. La solution est analogue à celle admise pour la lettre de change. Cette solution, loin de restreindre la diffusion, encourage les créanciers à se contenter éventuellement d'une telle monnaie...

La jurisprudence postérieure à la loi du 22 octobre 1940 n'a pas varié dans l'affirmation que le « paiement de la créance » n'intervient qu'au moment de l'encaissement effectif du chèque (V. antérieurement Cass. civ., 17 déc. 1924 : *S.* 1925, I, 19 ; *JCP* 25, I, 71. — Paris, 4 nov. 1953 : *JCP* 53, II, 7881, note Cabrillac. — Cass. com., 3 avril 1990, préc.). Le principe est appliqué dans sa pureté juridique (V. pour un chèque en devise dévaluée entre la remise et l'encaissement, Paris, 19 janv. 1948 : *JCP* 48, II, 4195, note Cabrillac).

Seule la mise à la disposition du créancier des fonds par le tiré constitue un paiement libératoire et aucun effet novatoire ne se produit avant, quelles que soient les raisons du défaut d'encaissement.

De l'absence de *novation* découlent des effets analogues à ceux analysés pour les traites. La créance sous-jacente survit avec ses garanties et ses délais de prescription propres. La perte du titre n'éteindrait donc pas le recours fondé sur ce rapport dit sous-jacent ou fondamental.

La remise du chèque ne suffit pas à elle seule à établir le paiement qui n'est juridiquement effectué qu'au moment de l'encaissement effectif du chèque.

Un problème délicat pourrait se poser si le débiteur avait émis un chèque au bénéfice de son créancier et le lui avait adressé. En cas de contestation, le tireur ne peut se prétendre libéré que s'il prouve avoir remis matériellement le chèque au bénéficiaire, auquel il aurait été ensuite dérobé pour être, après falsification, encaissé (Cass com., 30 janv. 1979 : *RTD com.* 1979, p. 785). Le destinataire d'un chèque adressé sous pli recommandé peut toujours prétendre que l'enveloppe était vide. Le virement seul serait à cet égard la parade.

Conséquences de l'absence de novation. — La solution commande d'abord la détermination du *lieu* et de la *date du paiement.*

C'est le lieu dans lequel doit se faire l'encaissement et non celui de la remise du chèque qui, en conformité de l'article 46 du Nouveau Code de procédure civile (C. proc. civ., ex-art. 420, al. 3) doit être pris en considération pour déterminer la compétence (Cass. civ., 17 déc. 1924, préc.). Si le chèque est directement encaissé — situation rare — au guichet où est tenu le compte de l'émetteur, le moment et le lieu sont faciles à déterminer. C'est l'instant de remise des fonds et le lieu d'implantation du guichet.

Si le chèque est encaissé par présentation à une Chambre de compensation, le paiement s'effectue à l'instant et au lieu de la présentation à cet organisme (Rives-Lange et Contamine-Raynaud, *op. cit.*, n. 266, p. 346 ; V. cependant la faculté de rejet du chèque présenté dans le bref délai d'usage des Chambres de compensation, Cass. com., 2 oct. 1978 : *D.* 1979, J, 349, note Vasseur).

L'instant de l'encaissement marque aussi la date du paiement. La solution peut être gênante dans certaines circonstances où le paiement doit intervenir dans un délai de rigueur, sous peine de diverses sanctions (forclusion, déchéance, majoration). Il en est ainsi par exemple pour le règlement des cotisations fiscales ou de Sécurité sociale. Ne dépend-il pas du bénéficiaire d'encaisser plus ou moins vite le chèque remis ? La jurisprudence se montra sur le terrain du droit privé très stricte (défaut d'encaissement dû à un cas de force majeure, Paris, 19 janv. 1948 : *JCP* 48, II, 4195. — Cass. com., 23 mars 1962 : *Gaz. Pal.* 1962, 2, 15). Toutefois, la Cour de cassation a amorcé un revirement. La remise et non l'encaissement du chèque fait partir la garantie due par un assureur (Cass. civ., 2 déc. 1968 : *JCP* 69, II, 15775 ; V. Durry, *Le paiement de la prime d'assurance au moyen d'un chèque sans provision* : *JCP* 84, I, 3161). Ce revirement sera-t-il général en droit privé ? La solution serait-elle à réserver aux chèques provisionnés ?

Le droit fiscal, réaliste, a nuancé la solution. Les pénalités de retard ne sont pas dues si le chèque a été envoyé avant l'expiration du délai administratif de règlement. Le cachet postal fait foi (Cons. d'Etat, 8e et 9e sect., 25 nov. 1968 : *JCP* 70, II, 16337, note Cozian. — Circ. n. 1388, 23 juin 1954. — *Adde* Instr. DGI, 13 juin 1973 : *BODGI*, 12-A-5-73 ; Rép. min. : *JO* déb. Sénat 29 déc. 1983, 1760 ; sur un paiement par virement postal transmis directement aux CCP par le titulaire du compte, V. *JCP* 73, II, 11046 ; Rép. min. n. 12334 : *JO* déb. Ass. nat. 3 avril 1973, p. 142). En matière de Sécurité sociale, la Chambre sociale énonce que, « lorsqu'un paiement est effectué par chèque, le débiteur n'est réputé avoir acquitté sa dette qu'à la date où le créancier a *effectivement reçu le chèque*, que celui-ci lui ait été remis ou envoyé et sous réserve qu'il soit ensuite honoré (Circ. n. 76-6, 21 janv. 1976. — Cass. soc., 17 mai 1972 : *D.* 1973, J, 129, note Gavalda. — Cass. soc., 3 mai 1984 : *Bull. civ.* V, n. 171, p. 132 ; V. les critiques Rives-Lange et Rodière, *Précis de Droit bancaire*, 3e éd., n. 177, p. 219, note 1. — *Adde*, Cass. soc., 26 oct. 1978 : *D.* 1979, IR, 273. — 9 nov. 1976 : *JCP* 76, IV, 395. — Cass. civ., 16 juin 1976 : *Quot. jur.* 4 janv. 1977). La matérialité même de la remise peut donner lieu à discussion. Le bénéficiaire peut prétendre que le chèque a été égaré (Cass. com., 30 janv. 1979 : *RTD com.* 1979, p. 782).

Le paiement n'est pas pour autant définitivement libératoire. Il vaut conditionnellement. La créance réglée ne s'éteint donc pas et l'effet novatoire ne se produit pas. Il faut donc dissocier les effets attachés à la seule remise (absence de pénalités de retard ; forclusion ; départ de garantie du risque...) de ceux découlant de l'encaissement (V. notre note précitée).

Il n'est pas nouveau d'attacher à la seule remise des effets importants. Comme le souligne M. Cabrillac, le débiteur n'a-t-il pas fait tout ce qui dépendait de lui pour déclencher le paiement de son créancier ? Le transfert de la provision part de là (note Wiederkehr sous Cass. com., 7 déc. 1971 : *D.*

1972, J, 555). La solution donnée en matière sociale serait susceptible d'extension au droit privé (sur la preuve de la remise, V. Cass. com., 7 déc. 1971, préc.). Cette immobilisation est une garantie du paiement.

Eu égard à la position classique, le mandataire chargé de livrer et d'encaisser ne devrait pas délivrer la marchandise avant l'encaissement effectif du chèque remis (Cass. com., 10 juin 1963 : *Gaz. Pal.* 1963, 2, 344). S'agissant de la SNCF, la Cour de cassation avait évité une position de principe en considérant que l'article 80 des conditions générales d'application des tarifs permettait à cet organisme de recevoir un chèque. Sa responsabilité ne serait engagée que par un encaissement tardif ou un défaut d'avertir du non-paiement (V. les sept arrêts de la Chambre commerciale, 21 juin 1954 : *D.* 1955, J, 161 ; *JCP* 54, II, 8207). Le problème reste entier pour le transporteur privé ou le mandataire chargé de vendre. La Cour de cassation semble s'attacher à une analyse *in concreto* du sens du mandat confié (Cass. com., 21 juin 1954, 3e espèce : *JCP* 54, II, 8207 ; *D.* 1955, 161 ; V. l'analyse de cette jurisprudence des remboursements contre expédition, in Cabrillac, *Le chèque et le virement*, n. 489). Cette façon de poser le problème avait évité à la Cour de cassation de se placer sur le seul terrain du « paiement ». L'intermédiaire peut, dans certaines circonstances, limiter son risque en exigeant un chèque certifier. Sa responsabilité n'est pas engagée si la certification est fausse (Versailles, 12e ch., 24 juin 1993 : *D.* 1993, IR, 210).

Le paiement par remise d'un chèque ne sera bien entendu réalisé que si le chèque est provisionné (V. Cass. com., 3 mars 1975 : *RTD com.* 1975, p. 875).

Il est à souligner que le mandataire (transporteur routier) ne saurait au lieu d'un paiement en espèces ou par chèque livrer le destinataire contre règlement par virement. Il serait responsable de la non-exécution éventuelle du virement (Cass. com., 20 janv. 1987 : *J.-Cl. com.,* fasc. 350-A).

L'absence de novation explique que les sûretés qui assortissaient la créance sous-jacente survivent jusqu'à l'encaissement du chèque. Ainsi le privilège, le droit de résolution et de revendication du vendeur de meuble se maintiennent-ils (C. civ., art. 1654 et 2102). Juste retour des choses, il y aurait faute à lever une sûreté garantissant un paiement sur simple remise d'un chèque. La cour de Lyon a sanctionné cette imprudence et fait une application en ce sens de la règle de non-équivalence d'une remise à un paiement (25 fév. 1982 : *D.* 1983, IR, 43). La créance subsiste avec sa nature et sa prescription propres. Elle est éventuellement entachée d'une cause illicite. Ainsi le chèque dit de casino souscrit par un joueur entraînerait-il, faute de provision, des poursuites pénales.

Mais le bénéficiaire d'un chèque de casino sans provision se voyait opposer l'exception de jeu (C. civ., art. 1965). La plupart des juridictions considéraient que les maisons qui ont fait des avances contre remise d'un tel chèque n'ont pas d'action en remboursement (Cass. crim., 7 déc. 1961 : *JCP* 62, II, 12745 *bis*, note Bouzat. — Lyon, 9 juill. 1965 : *RTD com.* 1965, p. 881. — *Adde*, Trib. gr. inst. Lyon, 1re Ch., 19 mars 1976, inédit. — Cass. crim., 21 nov. 1978 : *D.* 1979, IR, 157) si les avances étaient destinées et ont servi au jeu. Depuis un revirement important, la Cour de cassation (Chambre mixte) admet la demande d'un casino en remboursement du chèque sans provision émis à son profit par un joueur (Ch. mixte, 14 mars 1980 : *Gaz. Pal.* 8 mai 1980 ; *Rev. sc. crim.* 1980, p. 722, obs. Bouzat. — *Adde*, Cass. crim., 18 janv. 1984 : *Gaz. Pal.* 19 mai 1984, obs. Doucet ; *RTD civ.* 1980, p. 764. — Mais, V.

contra, Cass. com., 21 oct. 1991 : *RTD com.* 1992, p. 705, obs. Cabrillac. — Cass. civ. 1re, 19 mai 1992 : *D.* 1992, J, 494, note Diener. — Aix-en-Provence, 30 nov. 1995 : *D.* 1996, J, 36, note J.-L. Mourales). Le tireur qui oppose une exception de jeu du bénéficiaire doit faire la preuve du caractère illicite de la cause de l'obligation lorsque le chèque est resté impayé faute de provision (Cass. crim., 30 oct. 1979 : *Bull. crim.* 1979, n. 268). Il doit à cette fin démontrer que l'avance n'a eu pour but que de couvrir un prêt consenti par le casino en vue d'alimenter le jeu (Cass. civ. 1re, 20 juill. 1988 : *Bull. civ.* I, n. 257, p. 177. — V. les circonstances prises en considération, M. Cabrillac, Encyclopédie Dalloz, *Droit commercial, V° Chèque*, n. 247. — Cass. crim., 15 nov. 1993 : *D.* 1995, J, 302.

On ajoutera une dernière conséquence de la remise du chèque. Le créancier qui a reçu obligatoirement ou par accord le chèque ne peut, sans s'être heurté à un refus de paiement de ce titre, réclamer le paiement sur la base du rapport fondamental (Req., 13 fév. 1934 : *Gaz. Pal.* 1934, 1, 742). Enfin, la remise volontaire du chèque au débiteur vaut présomption péremptoire de libération (Comp. Cass. com., 30 juin 1980 : *D.* 1982, J, 53, note Parleani).

Bien entendu, le tireur du chèque dispose d'une action en répétition contre le bénéficiaire si la dette qu'il avait eu l'intention de payer n'existe pas. Il en est ainsi de même pour les chèques dits de garantie, quand la dette garantie s'éteint (Cass. com., 12 janv. 1993 : *JCP* 93, éd. E, II, 425, note Cabrillac. — 22 juin 1993, *JCP* 93, IV, 2167 : *D.* 1993, IR, 907, somm. comm., 315, obs. Cabrillac).

218. — *Règlements par chèque et faillite*. La remise d'un chèque en période suspecte à un créancier par le tireur est assimilable à un paiement en effet de commerce (L. 25 janv. 1985, art. 107-4° ; V. déjà Req., 7 mars 1882 : *D.* 1882, I, 147). Ce paiement n'est annulable que si la dette n'était pas échue. Elle est facultativement annulable si le bénéficiaire savait que l'émetteur était en état de cessation de paiement (L. 1985, art. 108 ; Cass. com., 10 juill. 1989 : *D.* 1990, somm. comm. 120). On pourrait aussi réserver le cas où la provision d'un tel chèque est faite après sa création. Selon l'article 109 de la loi du 25 janvier 1985, les actions en nullité (obligatoire ou facultative) ne concernent pas le paiement des chèques (al. 1). Toutefois, une action en rapport est ouverte à l'administrateur ou aux représentants des créanciers qui établiraient que le bénéficiaire avait connaissance de la cessation de paiement du débiteur (émetteur).

A supposer que le bénéficiaire d'un chèque l'ait reçu en connaissant l'état de cessation de paiement du tireur, il devra reverser son montant à la masse. S'il avait endossé ledit chèque à un tiers de bonne foi, ce dernier ne serait pas exposé à une action.

Le porteur d'un chèque émis avant l'ouverture de la procédure peut en exiger le paiement même en cas de mise en redressement ou liquidation judiciaire de l'émetteur avant la présentation au tiré si ce dernier a provision. Pas plus qu'une saisie, ces mesures ne remettent en cause le transfert de propriété acquis au porteur. La créance est sortie du patrimoine du débiteur failli. Peu importe que la jurisprudence tolère que le tiré retarde en pareil cas le règlement pour consulter l'administrateur judiciaire, au cas où ce dernier contesterait l'antériorité du chèque (V. Nîmes, 23 avril 1975 : *D.* 1976, J, 49, note Derrida ; *RTD com.* 1976, p. 380, obs. Cabrillac et Rives-Lange ; comp. sur l'action en remboursement d'un chèque sans provision émis avant la faillite, *RTD com.* 1975, p. 336 ; Jeantin, *op. cit.*, n. 80 ; V. *supra*, n. 183).

219. — *Règlement des effets de commerce par chèque*. Rien ne s'oppose au paiement des effets par remise d'un chèque, mais le porteur du chèque risquait au cas où ce titre se révélait sans provision de perdre ses recours cambiaires faute de pouvoir faire dresser protêt en temps utile. La loi du 28 août 1934 modifia en conséquence l'article 112 du Code de commerce. Lors de la réforme du droit cambiaire, opérée par le décret de 1935, les dispositions y afférentes furent insérées dans l'article 148 B du Code de commerce. Ce texte a été modifié par la loi du 18 novembre 1959 pour étendre le système au chèque postal.

L'article 148 B du Code de commerce n'intervient au profit du porteur qu'à trois conditions : 1° Il s'agit du règlement d'une lettre de change ou d'un billet à ordre. La protection ne joue pas en cas de règlement d'un chèque, voire d'un warrant (?), par un chèque (Vasseur et Marin, *op. cit.*, n. 171). Pas davantage, elle ne viserait le paiement sous cette forme d'un connaissement, d'une lettre de voiture qui ne sont pas des effets de commerce. 2° Le chèque offert en règlement peut être un chèque bancaire ou postal (L. 18 nov. 1959). 3° L'effet a été présenté régulièrement. Certaines formalités doivent être observées pour sauvegarder les droits du bénéficiaire. Le chèque remis doit « indiquer le nombre et l'échéance des effets ainsi payés » (C. com., art. 148 B, al. 1).

Si le chèque n'est pas honoré, le porteur doit dans le délai prévu pour les chèques (*D.* 1935, art. 41) faire dresser un protêt et adresser une notification par huissier de l'incident au débiteur. Cette notification s'effectue au lieu de paiement de l'effet.

Faute de paiement au reçu de la notification, le tiré (ou le souscripteur) doit restituer le titre à l'huissier qui rédige sans désemparer le protêt relatif à l'effet. Ce protêt sera considéré comme dressé en temps utile. S'il refusait la restitution, le tiré s'exposerait à une poursuite pour abus de confiance (C. pén., art. 408). L'huissier établirait à cette fin un « acte de protestation ». Ce document permettra au porteur de poursuivre les garants de l'effet, s'il prouve en cas de dénégation que la signature du poursuivi y figurait.

Les frais de protêt (sauf clause sans frais) et de l'acte de protestation sont récupérables par le bénéficiaire du chèque, même sur les signataires (V. cependant les hésitations de Vasseur et Marin, *op. cit.*, n. 176). On peut aussi payer un effet en endossant un chèque dont on est bénéficiaire, ceci, bien entendu, sous réserve de la réglementation actuelle des endossements.

2. — *LIBÉRALITÉ PAR REMISE D'UN CHÈQUE*

220. — Une conception réaliste et économique du transfert de monnaie scripturale par voie de chèque incline la jurisprudence à attribuer au don manuel par chèque les conséquences les plus larges. La remise d'un chèque est une forme à l'évidence plus moderne que celle des billets de banque, sauf à vouloir pour des raisons diverses supprimer toute trace d'une libéralité en argent.

La Cour de cassation a affirmé le 4 novembre 1981 (Cass. civ. 1re : *Bull. civ.* I, n. 327, p. 277 ; *JCP* 82, IV, 31 ; *Defrénois* 1982, 1378, obs. Champenois ; *RTD civ.* 1982, p. 781, obs. J. Patarin), que la remise du chèque avant le décès du donateur suffisait à réaliser la tradition si le chèque était provisionné. Le porteur acquiert à l'évidence la propriété de la provision à l'instant de la remise. Le décès du tireur survenu avant l'endossement importe peu. L'hésitation est permise si la provision fait défaut au jour de la présentation, par hypothèse postérieure au décès de l'émetteur ? La clé de la solution découle de l'idée que l'objet de don manuel est le titre lui-même, intégrant toutes ses conséquences cambiaires (propriété de la provision et recours). Le raisonnement autorise donc le recours contre les héritiers et les légataires universels de l'émetteur, comme dans l'espèce précitée (V. en ce sens Vivant, note : *JCP* 82, II, 19706. — Comp. Paris, 19 juin 1963 ; V. *contra*, Arrighi, *Le don manuel par chèques* : *D.* 1980, chron. 165). Il autoriserait aussi bien le recours contre le tireur vivant qui aurait remis un chèque sans provision au gratifié (Pau, 3 mars 1981 : *RTD com.* 1981, p. 570, obs. Cabrillac et Teyssié).

En des termes excellents, la Chambre civile observe que l'arrêt attaqué avait retenu que le tireur avait « entendu réaliser la tradition d'une somme d'argent représentée par ce titre, qui n'était que l'instrument du paiement ». Cette analyse repose justement sur une concrétisation des règlements scripturaux et une dématérialisation du don manuel qui s'inscrit dans une inévitable évolution du droit civil (*contra*, Champenois, *op. cit.*).

Cette réaffirmation par la Chambre civile de la position adoptée le 24 mai 1976 (*JCP* 78, II, 18806, note Gavalda) est à approuver. Elle a le mérite d'éclairer la solution d'autres règlements scripturaux (date et lieu d'un virement par exemple). Bien entendu, le vice du consentement du tireur resterait invocable. *Adde* Cass. civ. 1re, 10 fév. 1993 : *D.* 1994, somm. comm. 182, obs. Cabrillac.

La Chambre commerciale de la Cour de cassation a adopté en revanche une conception moins favorable au bénéficiaire (20 nov. 1985 : *Bull. civ.* IV, n. 314 ; *RTD com.* 1986, p. 413 et obs. critiques de MM. Cabrillac et Teyssié). Elle refuse au bénéficiaire de faire saisie sur les actifs successoraux. L'objet de la libéralité est dans cette conception la somme correspondante au montant du chèque et non le titre. Or, le chèque (d'un montant élevé) n'avait jamais été provisionné ni à l'émission, ni au décès, ni à la présentation (*infra*, n. 201).

3. — Preuve d'un contrat par remise d'un chèque

221. — Le chèque peut aussi être utilisé pour établir l'existence et/ou la nature d'une opération fondamentale dont il aurait été l'instrument financier. Ainsi le tireur soutient-il souvent que le montant du chèque correspond à un prêt qu'il a consenti au bénéficiaire. Le chèque constituerait un commencement de preuve par écrit du contrat de prêt, susceptible d'être complété par des indices ou des témoignages. La jurisprudence ne reconnaît pas au tireur la possibilité d'invoquer un chèque en tant que commencement de preuve par écrit qui doit, selon l'article 1347 du Code civil, émaner de celui à qui on l'oppose (Cass. civ. 1re, 11 avril 1995 : *JCP* 95, II, 22554, 1re esp. note Piédelièvre. — Paris, 15e ch. B, 28 janv. 1981 : *D.* 1983, IR, 43, obs. Cabrillac). En revanche, l'endossement d'un chèque de banque a été considéré comme susceptible d'établir l'existence d'un prêt de l'endosseur à l'endossataire (Cass. civ. 1re, 18 juill. 1995 : *JCP* 95, II, 22554, 2e esp., note Piédelièvre). Un chèque nul peut servir de commencement de preuve par écrit d'une dette du tireur envers le bénéficiaire (Cass. com., 5 fév. 1991 : *JCP* 91, IV, 127). Il en est de même d'un chèque prescrit (Paris, 3e ch. B, 12 mars 1993 : *D.* 1993, somm. comm., 316).

Circuit emprunté par les chèques bancaires
(Schéma repris de la note d'information n° 56 de la Banque de France)

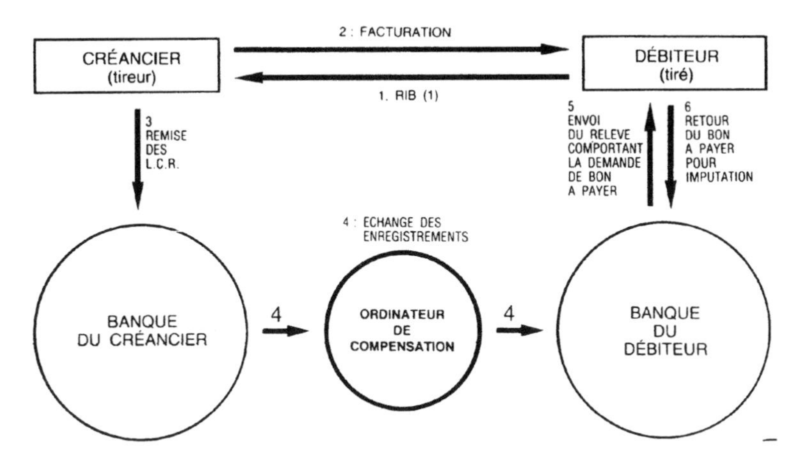

NB - Les numéros donnent l'ordre dans lequel se déroulent les opérations.
(1) Envoyé une fois pour toute, sauf changement de domiciliation bancaire.

Circuit emprunté par les chèques bancaires
(Schéma repris de la note d'information n° 56 de la Banque de France)

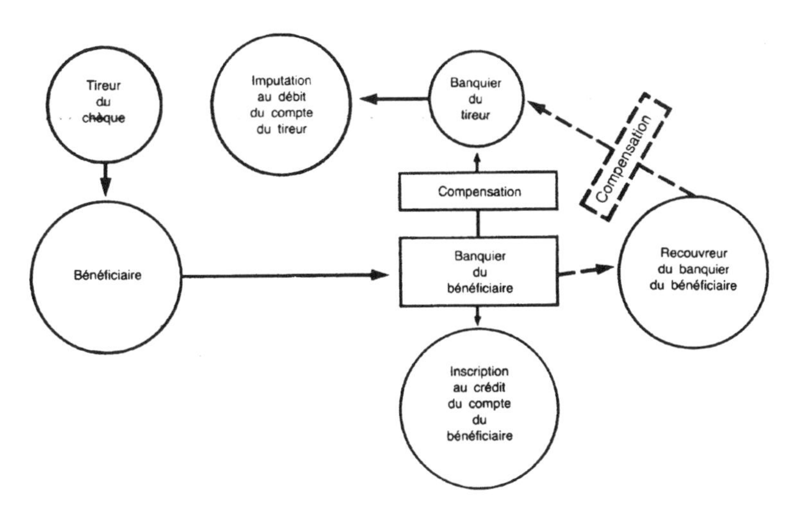

CHAPITRE IV

PAIEMENT DU CHÈQUE

222. — Après une circulation en général brève, le chèque est présenté au paiement du tiré (J.-P. Faget, *Les chèques bancaires impayés* : *Rev. huiss.* 1987, 3). L'encaissement direct par le bénéficiaire (ou le porteur) d'un chèque ordinaire auprès du guichet tiré est l'hypothèse la plus simple mais sans doute la moins fréquente. Les chèques sont, en pratique, remis périodiquement par les bénéficiaires à leur banque ou à leur Centre de Chèques postaux pour encaissement. Ce circuit est nécessaire si le chèque est barré et si le bénéficiaire n'est pas client de la banque (guichet) du tiré. L'ensemble des chèques présentés par des banquiers et payés par d'autres transite par des organismes de compensation (chambres de compensation, organismes internes propres des réseaux bancaires...).

La magnétisation des formules de chèque permet leur traitement automatique dans les centres comptables du banquier tiré. La vérification d'une provision disponible, le rejet éventuel à défaut et le contrôle des oppositions ne sont plus manuels. Au surplus, les caractéristiques de l'opération sont inscrites sur les relevés pour le client (note précitée de la Banque de France, n. 56).

A. — PRÉSENTATION AU PAIEMENT ET OBLIGATIONS DU BANQUIER RÉGLANT LE CHÈQUE

1. — PRÉSENTATION AU PAIEMENT ET ACQUIT DU CHÈQUE

223. — Le chèque est payable en vue et toute clause contraire est réputée non écrite (D.-L. 1935, art. 28). Il peut donc être présenté au paiement dès son émission, même si une clause de présentation différée est apposée sur le titre ou dans un document annexe tel qu'une lettre-chèque (Cass. com., 9 mars 1993 : *Quot jur.*, 8 avril 1993 ; *RD bancaire* juillet-août 1993, 156, obs. Crédot et Gérard ; *D.* 1993, IR, 81). Payable à vue, le chèque n'est pas susceptible d'acceptation. Il peut, tout au plus, être l'objet d'un visa ou d'une certification (*supra*, n. 192-193).

Le lieu et le délai de présentation sont soumis à des règles précises inspirées de celles applicables à la lettre de change.

Le présentateur peut être le tireur qui a émis le chèque à son profit ou un tiers, bénéficiaire ou endossataire. En pratique, le chèque est confié pour encaissement à un banquier ou à un centre de chèques postaux (V. sur leurs obligations, *supra,* n. 212). Si le porteur présente un chèque nominatif, il doit justifier de son identité pour être considéré comme porteur légitime. S'il présente un chèque endossé en blanc ou au porteur, le présentateur est réputé porteur légitime (V. cependant son devoir d'acquitter et de justifier de son identité, *infra,* n. 226). Souvent le chèque est présenté par le banquier du bénéficiaire. Le devoir de vérification pèse alors, principalement, sur ce dernier (Paris, 14 avril 1995 : *D.* 1995, somm. comm., 35, obs. Cabrillac).

Lieu de présentation. — Le chèque ordinaire peut être présenté au paiement au guichet même où le compte de tireur est tenu. La taxation de ce type de chèque rend de plus en plus rare un tel encaissement. Le bénéficiaire ne pourrait autrement en obtenir immédiatement le montant que par escompte (V. aussi *supra,* n. 188, et *infra,* n. 288, les possibilités d'utiliser des chèques de dépannage). L'agence ou la succursale habilitée est obligatoirement mentionnée sur le titre où figure depuis la loi de 1975 son numéro de téléphone. Le lieu du paiement est important pour les chèques internationaux. L'article 1er du décret-loi de 1935 en fait, on l'a vu, une mention obligatoire bien que suppléable. Dans le silence du titre, il serait payé au lieu du principal établissement de la banque tirée.

Les chèques remis à un banquier sont présentés par lui à la Chambre de compensation de la place si le banquier tiré adhère à la même Chambre locale. L'article 31 du décret-loi précise que la présentation à une Chambre de compensation équivaut à la présentation au paiement (du tiré). Le paiement ne sera cependant considéré comme fait que si le règlement a été effectivement opéré (V. sur la portée du texte, Paris, 24 mars 1964 : revue *Banque* 1964, p. 778. — Cass. com., 23 mai 1967 : *Bull. civ.* III, n. 203, p. 195. — 2 oct. 1978 : *D.* 1979, J, 349, note Vasseur). Si les chèques présentés en Chambre de compensation s'avèrent sans provision, mais que le banquier tiré ne les a pas rejetés dans les délais fixés par le règlement, ils sont considérés comme payés selon l'usage (Aix-en-Provence, 6 juill. 1976 et sur pourvoi Cass. com., 2 oct. 1978 : *D.* 1979, 349), mais la banque ne peut invoquer dans ses rapports avec son client la convention interbancaire de la Chambre de compensation (Trib. gr. inst. Lille, 4 oct. 1978 : *D.* 1979, IR, 353. — Adde, Paris, 25e Ch. B, 2 déc. 1982. — Rouen, 1re Ch. civ., 8 nov. 1982 : *D.* 1983, IR, 406. — V. *infra,* n. 256. — Dans le même sens, Cass. com., 16 mai 1984 : *RTD com.* 1985, p. 338, obs. Cabrillac et Teyssié).

Entre banques, le paiement peut se faire sans présentation matérielle du titre. C'est le système de l'image-chèque (V. revue *Banque,* août-sept. 1993, p. 74).

224. — *Domiciliation.* La domiciliation des chèques est possible (D.-L. 1935, art. 8) mais rare, alors que la plupart des traites sont domiciliées en banque. L'intérêt est moindre. Tous les chèques sont tirés sur une banque ou un établissement assimilé et sont exempts de tout droit de timbre. La domiciliation doit avoir lieu dans une banque déterminée ou dans un Centre de chèques postaux. Elle implique l'accord du porteur, sauf si le chèque est barré et si la domiciliation est au comptoir de la Banque de France de la même place.

225. — *Délais*. Le chèque peut donc être présenté immédiatement. Il doit l'être dans un certain délai légal.

Délai légal de présentation. — Dans la pratique, les commerçants regroupent les chèques, billets et traites dont ils sont bénéficiaires et les remettent à leur banque sous bordereau, périodiquement. Une négligence est, en l'occurrence, doublement fâcheuse eu égard aux lenteurs d'encaissement et à certains risques courus si le chèque est présenté hors des délais légaux prévus par l'article 29 du décret-loi. Toutefois le délai de présentation d'un chèque ne constitue pas nécessairement un indice de son absence de provision (Civ. 1re, 18 janv. 1984 : *JCP* 84, éd. G, IV, 92). Le législateur ne souhaite pas une longue vie à ces titres car il ne faut pas que les divers signataires, solidairement tenus, restent trop longtemps exposés à des recours cambiaires assez durs. La brièveté du délai de prescription évite une circulation trop longue du chèque (*infra*, n. 253).

Le chèque émis et payable en France métropolitaine doit être présenté dans le court délai de huit jours (sur l'applicabilité éventuelle à ce délai de la loi du 29 oct. 1940, V. Ippolito et de Juglart, *op. cit.*, n. 327 ; comp. Cass. com., 5 juill. 1961 : *Bull. civ.* III, 269). S'il est émis hors de la France métropolitaine et payable sur son territoire, le délai est de vingt jours si le lieu d'émission est en Europe, sinon de soixante-dix jours. Le délai est le même en Martinique (CA Fort-de-France, 30 sept. 1994 : *D.* 1994, J, 10, note Larrieu). Le banquier doit informer le remettant dans un délai bref de l'absence d'encaissement sauf circonstance exceptionnelle (V. Cass. com., 21 janv. 1997 : *Quot. Jur.*, 7, 1997, p. 90). Le point de départ est le jour porté sur le titre comme date d'émission.

On notera — géographie juridique pittoresque — que la loi répute *émis en Europe* les chèques créés dans un pays riverain de la Méditerranée. Le point de départ est précisément la date d'émission (D.-L., art. 29 *in fine*) (V. sur les autres modalités de calcul du délai, D.-L., art. 59 et 60). On réserve aussi l'impossibilité de présenter par suite de la force majeure (D.-L., art. 48 ; V. Vasseur et Marin, *op. cit.*, n. 215 sur les formalités à observer en pareil cas).

Si la présentation a lieu en France, le décret-loi de 1935 (art. 59 à 61) en précise les modalités. Elle doit avoir lieu nécessairement un jour ouvrable. Si le dernier jour du délai était férié, il conviendrait de présenter le chèque le lendemain. On assimile aux jours fériés ceux où un protêt ne peut être dressé (D.-L., art. 59, *in fine* ; comp. C. com., art. 182).

La sanction de l'inobservation de ces délais serait la perte de certains recours du porteur négligent (*infra*, n. 251 ; *adde*, sur la responsabilité du mandataire négligent, *supra*, n. 212). Le tireur reste tenu de l'obligation légale de laisser la provision voulue jusqu'à l'expiration du délai de prescription et il continue de garantir le paiement du chèque. Ajoutons que ces délais sont comme ceux de prescription d'ordre public et ne peuvent faire l'objet de modification conventionnelle (Rép. min., 7 fév. 1970 : *JO* déb. Ass. nat. 11 avril 1970, 990).

Au demeurant, le porteur peut présenter à tout moment le chèque au paiement tant que la prescription n'est pas acquise. Cette action se prescrit (art. 52, al. 3, modifié D.-L. 24 mai 1938) par un an à compter de l'expiration du délai de présentation (*infra*, n. 253). Ce délai qui était antérieurement de trois ans, a été réduit à un an par la loi du 11 juillet 1985 (art. 25, I et II) qui précise : « L'action du porteur d'un chèque, émis antérieurement à l'entrée en vigueur de la présente loi contre le tiré, sera prescrite à l'expiration d'un délai d'un an à compter de cette entrée en vigueur si la prescription n'est pas intervenue antérieurement (V. Paris, 15 déc. 1982 : *D.* 1983, IR, 246, obs. Cabrillac). Selon la Chambre commerciale, cette prescription ne repose pas sur une présomption de paiement ; elle ne disparaît pas devant l'aveu même implicite de son bénéficiaire que le paiement n'a pas eu lieu (Cass. com., 20 nov. 1984 : *JCP* 85, IV, 38 ; *Gaz. Pal.* 1985, 1, pan. jur. 67, obs. Piédelièvre ; *RTD com.* 1985, p. 334, obs. critiques Cabrillac et Teyssié). En cas de présentation hors délai ou de prescription, le bénéficiaire conserve contre le tireur qui n'a pas fait provision, un recours fondé sur le droit du chèque (D.-L. art. 52, al. 2 ; Cass. com., 7 janv. 1997 : *D.* 1997, IR, 34 ; *JCP* 97, IV, 173 ; *RTD com.* 1997, p. 294 ; *Quot. Jur.*, fasc. 1997, I ; p. 62) contre les autres obligés est ouverte une action d'enrichissement sans cause.

Aucun délai de grâce ne peut, comme en matière de traite, être consenti par le juge sur la base de l'article 1244 du Code civil au tiré pour régler (D.-L., art. 61). Cependant, divers moratoires légaux sont venus, à certaines périodes de crise économique ou politique, suspendre les délais de protêt ou de paiement (V. par exemple en cas de grève postale, L. n. 74-1115, 27 déc. 1974).

Modes de règlement. — Si l'on met à part les chèques payables en devises étrangères, le paiement des chèques ne soulève guère de difficultés (V. cependant à propos d'une erreur sur l'unité monétaire indiquée, confusion du franc ancien et nouveau, Cass. civ., 17 juin 1970 : revue *Banque* 1970, p. 1137. — Paris, 30 sept. 1982 : *D.* 1983, IR, 42).

Le chèque est réglable en espèces ayant cours légal. Le plus souvent, le montant du chèque encaissé, après compensation, par un banquier mandataire se traduit par l'inscription d'un article de crédit. Tout autre mode de règlement accepté par le bénéficiaire serait valable. Ainsi le montant pourrait-il lui être viré à un autre de ses comptes. Un chèque pourrait (Cabrillac : *Rép.* Dalloz, *V° Chèque*, n. 269) aussi lui être remis (chèque de banque ou travellers cheque, par exemple. — V. Douai, 25 fév. 1960 : revue *Banque* 1960, p. 140 et, sur pourvoi, l'arrêt de rejet de Cass. com., 30 mai 1962 : *Bull. civ.* III, n. 289). Certaines commissions peuvent être dues en cas d'avance sur recouvrement ou d'escompte. Signalons la position de la jurisprudence en matière de date de valeur. En dehors des remises de chèques en vue de leur encaissement, la pratique des « dates de valeur » ne permet pas à une banque de faire naître à la charge du titulaire d'un compte courant une obligation de payer des intérêts dès lors que les opérations concernées (remises d'espèces ou retraits) n'impliquent pas que, même pour le calcul des intérêts, les dates de crédit ou de débit soient différées ou avancées (Cass. com., 6 avril 1993 : *Bull. civ.* IV, n. 138 ; *D.* 1993, 310, note Gavalda ; *JCP* 93, II, 22062, note Stoufflet. — 29 mars 1994 : préc. — 10 janv. 1995 : *Bull. civ.* IV, n. 8 ; *D.* 1995. 229, note Gavalda ; *D.* 1996, somm. 114, obs. Libchaber ; revue *Banque* fév. 1995, 93, obs. Guillot. V. aussi, en ce sens qu'il convient de distinguer, parmi les opérations effectuées sur le compte, entre celles qui impliquent que, même pour le calcul des intérêts, les dates de crédit ou de débit soient différées ou avancées, et celles pour lesquelles de tels décalages de date ne sont pas justifiés, Cass. com., 7 juin 1994 : revue *Banque*, juill.-août 1994, 91, obs. Guillot ; *D.* 1994, IR, 183 ; *RTD com.* 1994, 758, obs. Cabrillac. — Dates de valeur : Ferry, *Rev. dr. bancaire* 1993, 106. — Mouly, *RJDA* 1993. 503 ; *Rev. dr. bancaire* 1994, 227). Peu importe la dévaluation monétaire intervenue, le tiré doit en vertu du nominalisme le même nombre de francs. Des mesures transitoires avaient été prévues pour les chèques émis avant l'introduction du nouveau franc.

La stipulation d'un *règlement en devises* est plus délicate. Si cette monnaie est prise comme monnaie de compte, le tiré délivrera la contre-valeur en francs. Le calcul du change est donné par l'article 36 du décret-loi de 1935. Si le chèque est présenté dans le délai légal on appliquera le taux en vigueur au jour du paiement. Faute de paiement dans un tel délai le porteur aurait le choix entre le taux au jour de présentation ou au jour du paiement. Le texte est muet sur le cas où le chèque est présenté hors des délais légaux. Les auteurs estiment qu'il faut alors se référer au cours en vigueur au dernier jour de ce délai (Cabrillac : *Rép.* Dalloz, n. 272).

Le paiement effectif en devises pourrait, du point de vue juridique, être stipulé par le tireur pour un chèque international correspondant à une opération impliquant règlement international. La réglementation des changes ne paralyse plus l'exécution d'une pareille stipulation actuellement...

Chèques à porter en compte ou chèques de virement. — Malgré l'opinion de certains auteurs isolés, on doit considérer la mention « à porter en compte » comme non écrite. Cette mention tendait à imposer le règlement d'un tel chèque par inscription d'une écriture en compte. L'article 39 du décret-loi de 1935 admet toutefois que de tels chèques émis à l'étranger et payables en territoire français sont à traiter comme des chèques barrés. Ce qui *a contrario* fonde la nullité des autres chèques de ce genre.

Sous l'appellation « chèque de virement » on désigne aussi un chèque dont le porteur a indiqué par une mention apposée sur le titre que le montant devra en être inscrit au crédit du compte d'un tiers. Cette modalité est interdite pour un chèque non endossable (Cass. com., 7 oct. 1997 : *RTD com.* 1998, p. 182 ; Paris, 15e ch. A, 16 avril 1996 : *D.* 1997, somm. comm., 263 ; *Rev. droit bancaire,* sept.-oct. 1996, 190).

226. — L'*acquit* est donné par le présentateur du chèque si le chèque est payé. Si le chèque est encaissé — hypothèse fréquente — par un banquier mandataire en Chambre de compensation, l'acquit sera donné par lui et non par le porteur.

Le tiré qui a provision et qui règle peut exiger cet acquit, qui le libère de son mandat de payer les ordres du titulaire du compte (D.-L., art. 34, al. 1). Il doit pouvoir faire la preuve du paiement, mais le décret-loi de 1935 ne lui impose pas (V. la lettre du texte) d'exiger un acquit. Ce qui est la preuve la plus simple. Ce règlement pourrait comme un fait se prouver par tous moyens. La remise du titre au tiré (C. civ., art. 1282) est un élément probatoire possible. La pratique française est pour les banquiers tirés de conserver les chèques payés et de ne pas les rendre au tireur (V. sur le droit du tireur d'obtenir photocopie du verso du chèque réglé et conservé par le tiré, Cabrillac, *Chèque et virement*, n. 252 ; Trib. gr. inst. Paris, 11e Ch., 10 déc. 1976).

Cet acquit se donne soit sous la forme « pour acquit » suivie de la signature (manuscrite ou à la griffe, en ce sens, Gavalda : *JCP* 66, I, 2034, n. 23) apposée au verso du chèque, soit par une simple signature du propriétaire du chèque valant acquit.

Si le chèque est au porteur, c'est-à-dire anonyme, l'acquit reste obligatoire si le tiré l'exige. Le tiré doit se réserver la preuve qu'il a réglé. La détention du titre qu'il se ferait remettre pourrait donner lieu à contestation. L'expérience révèle l'allergie de nombreux bénéficiaires de tels chèques à fournir leur identité. La remise volontaire du titre fait néanmoins (C. civ., art. 1282) présumer, si elle a été volontaire, la libération du tiré (Cass., 30 juin 1980 : *D.* 1982, J, 53, note Parleani). La pratique a imaginé en cas de conflit caractérisé d'inviter le porteur qui veut garder l'anonymat à faire présenter par huissier le titre (V. en ce sens, Vasseur et Marin, *op. cit.*, n. 228). Malgré certaines réponses favorables à l'encaissement anonyme (*JO* déb. Ass. nat. 24 fév. 1968, 537, n. 3912 ; mais réponse ministérielle *contra* : *JO* déb. Ass. nat. 27 avril 1977 : n. 34564), on peut considérer que le tiré peut exiger la preuve de l'identité du présentateur (sauf pour un confrère ?). L'Administration des douanes, agissant en matière de réglementation des changes, exige des banques la preuve que les fonds remis à une personne encaissant un chèque au porteur ne l'ont pas été à un non-résident.

Une autre question délicate est celle de la preuve du paiement résultant d'une mention d'acquit. La présomption de paiement est seulement simple. Le porteur ou le présentateur confiant peut avoir d'avance mis son acquit ou son endos. Devant un refus de paiement, leur titre devient-il nul ou plutôt est-il considéré comme éteint ?

La question se pose en termes voisins en cas de présentation à la Chambre de compensation où les effets et chèques présentés reçoivent aussitôt le cachet « compensé », alors que dans le délai fixé au règlement de la Chambre le chèque pourra être ensuite rejeté. La cour de Paris, 24 mars 1964 (revue *Banque* 1964, 778. — Comp. Cass. com., 30 avril 1963 : revue *Banque* 1967, p. 782. — 23 mai 1967 : *Bull. civ.* III, n. 203 ; *RTD com.* 1967, p. 1109) a considéré que la preuve du non-paiement restait ouverte (Lagarde et Jauffret, *op. cit.*, t. II, n. 1710). Après expiration du délai de restitution prévu par le règlement de la Chambre de compensation, le chèque est définitivement censé payé.

En cas de paiement partiel, que le porteur ne peut refuser, le chèque est restitué, mais le porteur doit délivrer une quittance dispensée de timbre comme l'acquit (D.-L. 1935, art. 34). Mention du paiement partiel doit être portée sur le titre, pour avertir les tiers.

L'acquit marque la mort du titre qui, sauf les circonstances précitées, ne pourrait donc plus être remis en circulation.

Le paiement par intervention. — On signalera la possibilité théorique du règlement par un tiers intervenant en cas de non-paiement du tiré. Le régime prévu pour les traites (C. com., art. 168 à 172) est, selon les bons auteurs (Vasseur et Marin, t. II, n. 254), à transposer au chèque.

2. — *OBLIGATIONS ET RESPONSABILITÉ ÉVENTUELLE DU TIRÉ LORS DU PAIEMENT DU CHÈQUE*

227. — Le tiré doit régler le chèque régulier provisionné qui lui est présenté par le porteur de bonne foi, tant que la prescription n'a pas couru

(Paris, 10 janv. : *D. Affaires* 1997, 249. Sur le conflit entre porteurs de chèques quand la provision est insuffisante, V. *supra*, n. 202). En l'absence d'opposition (*infra*, n. 240), le paiement du chèque est présumé *régulier* (D.-L., art. 35).

Mais le client titulaire du compte débité tente souvent de mettre en jeu la responsabilité du banquier tiré en démontrant qu'il a commis une faute en manquant aux obligations de contrôle que lui impose le décret-loi de 1935 ou aux obligations de droit commun de l'article 1382 du Code civil.

La loi de 1975 a mis en outre à sa charge diverses obligations de garantie.

A côté de sa responsabilité *envers le tireur*, le banquier peut causer un préjudice à certains porteurs (Vézian, thèse citée, n. 122, *in fine*). Le tireur va, lui, contester le débit de son compte en invoquant l'irrégularité du titre (chèque falsifié ou volé) qui empêche le tiré d'avoir fait un paiement libératoire.

La fréquence des incidents va croissant. Elle dépasse de loin les problèmes analogues soulevés par les traites. Plusieurs raisons expliquent ces multiples fraudes. Le chèque est encaissé très vite. Le tiré n'est pas prévenu par l'émetteur de l'existence et du montant de l'émission d'un chèque. Il est au demeurant banal de se déplacer avec des chéquiers qui servent à des paiements divers. L'inventeur ou le voleur va surtout s'efforcer d'imiter la signature du titulaire du chéquier et de ne pas dépasser la provision dont ce dernier dispose.

228. — *Obligations du tiré*. Le tiré est tout à la fois *dépositaire* des fonds du client et *mandataire* chargé de faire son service de caisse, le mandat étant, toutefois limité au montant du chèque (V. pour les frais d'une seconde présentation : Cass. com., 21 oct. 1997 : *Rev. droit bancaire* nov.-déc. 1997, p. 233 ; *RTD com.* 1998, 182). Il n'est libéré que s'il règle un titre de chèque qui a l'apparence de la régularité et s'il n'a commis au demeurant aucune imprudence. L'article 35 du décret-loi de 1935 déclarant que « celui qui paye un chèque sans opposition est présumé valablement libéré » n'exclut pas diverses obligations de droit commun du banquier tiré. On soulignera cependant que ce titre doit être payé « à vue ». Une grande célérité est de rigueur. En l'absence d'opposition et si le titre est régulier et provisionné, le tiré doit payer immédiatement. Ce facteur ne saurait être négligé dans l'appréciation *in concreto* de la responsabilité professionnelle du tiré. Une série de vérifications lui incombent, les unes *juridiques*, les autres *matérielles*.

Ces vérifications sont faites en pratique par le préposé du banquier, dont il répond (C. civ., art. 1384, al. 5).

1° Le banquier ne peut d'abord payer le chèque qu'à une personne capable et possédant les pouvoirs adéquats (V. Capacité du bénéficiaire, *supra*, n. 187). Il ne devrait pas régler par exemple un chèque émis par un mandataire dont, à sa connaissance, la procuration a été révoquée.

La présentation est le plus souvent le fait d'un mandataire (particulier ou professionnel). La détention du titre à encaisser revêtu d'un endos vaut mandat au banquier (V. sur le cas d'absence d'endos sur le titre présenté, *supra*, n. 211). Le titulaire d'une procuration pour faire fonctionner un compte peut à ce titre faire encaisser des chèques émis au profit du mandant. La Chambre commerciale (Cass. com., 13 fév. 1996) a considéré qu'était correcte la simple indication du numéro du compte du bénéficiaire, suivie de l'indication de sa banque (agence).

2° Il doit examiner si le titre représenté comporte tous les *essentialia*, c'est-à-dire les mentions obligatoires visées aux articles 1 et 2 du décret-loi de 1935 (dénomination chèque, etc.).

3° Autre vérification juridique : le tiré qui paye un chèque endossable doit vérifier la régularité — mécanique pourrait-on dire — de la chaîne des endos. Il n'a point à vérifier *a priori* (Cass. com., 13 mai 1981 : *Bull. civ.* IV, n. 225, p. 177) une à une les signatures des endosseurs qu'il ne connaît pas. Le banquier encaisseur serait du reste garant à son égard, selon la formule de Vasseur et Marin (*op. cit.*, n. 195, p. 159), de « la régularité du titre » (Cass. com., 26 mars 1973 : *RTD com.* 1973, p. 839 ; V. sur ses obligations, Cass. com., 3 janv. 1977 : *Bull. civ.* IV, n. 1, p. 1 ; notamment sur son absence de devoir d'ingérence, 30 janv. 1990 : revue *Banque*, mai 1990 ; rappr. 5 déc. 1989 : revue *Banque* 1990, p. 310 ; 15 oct. 1996 : *D.* 1997, somm. comm., 262, obs. Cabrillac). Les diligences du banquier présentateur n'excluent pas celles du banquier tiré. Ils pourraient donc être responsables *in solidum* envers le tireur ou le porteur dépossédé (Cass. com., 21 fév. 1980 : *RTD com.* 1980, 578).

Si le chèque est présenté par le bénéficiaire, le banquier doit, selon nous, au moment où il demande l'acquit, vérifier l'identité, qu'il s'agisse d'un chèque au porteur ou (sans discussion) d'un chèque à personne dénommée (Rép. ministre de l'Économie et des Finances : *JO* déb. Ass. nat. 24 fév. 1968, p. 537 ; Rép. min. : *JO* déb. Ass. nat. 27 avril 1977, n. 34564). En cas de présentation par banquier, ce dernier est censé avoir vérifié l'identité de son mandat (Orléans, 17 fév. 1972 : *JCP* 72, IV, 207 ; pour la responsabilité prédominante du banquier présentateur, V. Paris, 5 juill. 1983, préc.).

4° Le tiré doit surtout contrôler la *conformité de la signature* apposée par le tireur avec celle « déposée » à la banque (fac-similé) (responsabilité pour absence de comparaison, V. Cass. com., 10 juin 1980 : *Bull. civ.* n. 252, p. 204. — 4 nov. 1976 : *JCP* 76, II, 18750, note Stoufflet. — Paris, 3e Ch. A, 27 oct. 1980, inédit. — Comp. Cass. com., 26 nov. 1996 : *Quot. Jur.*, *Bull.* 1997, p. 24). Le banquier tiré n'a en revanche pas à vérifier les signatures d'endos et/ou la qualité de l'endosseur, Paris, 25 nov. 1986 : *Rev. dr. bancaire et bourse* 1987, 87. Une abondante jurisprudence répète que la vérification de la signature ne saurait impliquer une véritable expertise graphologique (Cass. com., 10 juill. 1957 : *Gaz. Pal.* 1957, 2, 272. — Rouen, 9 mars 1971 : *RTD com.* 1971, 748. — Trib. gr. inst. Nîmes, 20 mars 1973 : *RTD com.* 1973, p. 607. — Trib. com. Seine, 8 déc. 1970 : *RJ com.* 1973, 255, obs. Saint-Cène. — Trib. gr. inst. Lyon, 1re Ch., 1er oct. 1975 : *JCP* 76, éd. CI, 5410. — V. jurisprudence citée par J. Vézian, thèse, n. 129. — Cass. com., 4 nov. 1976 : *JCP* 77, II, 18750, note Stoufflet, et les multiples références jurisprudentielles : Paris, 3e Ch. A, 22 mai 1978. — Versailles, 18 oct. 1979 : *Gaz. Pal.* 26 juin 1980. — Paris, 3e Ch. B, 1er juill. 1983. — 11 oct. 1983 : *D.* 1984, IR, 306. — Cass. com., 20 juill. 1983 : *Gaz. Pal.* 1984, 1, pan. jur. 18 ; *Gaz. Pal.* 1983, 2, 575. — V. dans le même sens 30 oct. 1984 : *Gaz. Pal.* 1985, 1, 99. — Paris, 3e Ch. A, 24 sept. 1985 : *Gaz. Pal.* 1986, 1, somm. 19, note Doucet. — *Adde* sur l'absence de faute bancaire, Paris, 16e Ch., 16 oct. 1990 : *JCP* 90, éd. E, 20493). La négligence du banquier sur ce point est souvent considérée comme une faute *grave* (V. sur une responsabilité partagée, Cass. crim., 28 nov. 1995 :

D. 1996, IR, 2 et surtout Cass. com., 9 juill. 1996 : *Petites affiches*, 3 oct. 1996, n. 80). Ici encore, l'apparence est suffisante, eu égard aux conditions de fonctionnement des entreprises de banque. Une signature grossièrement imitée par le préposé du tireur ou toute autre personne ne permet pas au banquier de payer à peine d'engager sa responsabilité (Cass. com., 4 nov. 1976 : *JCP* 76, préc. — Paris, 3e Ch. A, 27 oct. 1980). La Chambre commerciale a également réaffirmé le 24 février 1987 (*JCP* 87, IV, 145 ; revue *Banque* 1987, p. 624, obs. Rives-Lange. — *Adde*, Cass. com., 13 déc. 1988 : *Bull. civ.* IV, p. 227. — Bordeaux, 16 juin 1988, inédit, cassé par Cass. com., 5 déc. 1989) que la banque qui a payé des chèques revêtus dès l'origine de fausse signature et s'est dessaisie des fonds à elle confiés sur un faux ordre n'est pas libérée au sens de l'article 35, décret-loi du 30 octobre 1935 même si la signature fausse paraît conforme au spécimen (*adde*, C. civ., art. 1239 et 1937) (mais comp. Paris, 11 juill. 1986, inédit : *RD bancaire et bourse* 1987, n. 2). Les obligations d'un dépositaire expliquent cette position. L'arrêt de la Chambre commerciale du 5 décembre 1989 n'a donc sans doute qu'une portée limitée, car le pouvoir ne visait pas les articles 1239 et 1937 du Code civil (V. cependant obs. Rives-Lange : revue *Banque* 1990, p. 310). La généralité d'expression de la Cour de cassation (« la banque qui s'est dessaisie, sur présentation d'un faux ordre de paiement, des fonds à lui confiés par son client, n'est pas libérée envers lui... ») signifie la large portée de la solution qui jouerait sûrement aussi pour un virement (V. en ce sens : *RTD com.* 1987, p. 545).

Les anomalies légales du chèque (absence de certaines mentions obligatoires) ou les anomalies matérielles (surcharge, grattages, ratures...) appellent une vigilance accrue du tiré avant de régler (Gavalda et Stoufflet, *op. cit.*, n. 321 ; sur les limites du contrôle à l'apparence, V. Cass. com., 10 mars 1987 : *D.* 1987, IR, 306). Le devoir de vérification du banquier reste délicat (Cass. com. 26 nov. 1996 : *D.* 1997, IR, 9).

5° Le paiement d'un chèque en méconnaissance d'une opposition est, bien entendu, fautif (Trib. gr. inst. Nîmes, 20 mars 1973 : *JCP* 73, IV, 6307, note J. A.). Le banquier auquel une opposition — régulière — aurait été adressée ne devrait pas donner par téléphone un renseignement inexact au banquier du bénéficiaire d'un chèque (volé en fait) tiré sur ce compte. Le tribunal de grande instance de Mauriac, le 6 septembre 1977, a discerné une liaison directe et une relation de cause à effet entre l'information inexacte donnée par le tiré et le non-paiement de la marchandise.

6° Le banquier doit également vérifier l'*existence d'une provision*, à moins qu'il ne veuille consentir un paiement à découvert (Aix-en Provence, 29 juin 1971 : revue *Banque* 1971, p. 925 ; V. sur les curieuses critiques en l'occurrence du client, Vézian, thèse citée, n. 123). La loi du 3 janvier 1975 ne paraît pas interdire cette faculté du banquier. Cette politique bancaire classique n'est pas sans danger. Elle entretient le client et le public dans l'incertitude (V. sur ce point, les intéressants développements de J. Vézian, thèse citée, n. 123 et s.), mais elle évite peut-être un flot de lettres d'injonction au moindre incident (Aix-en-Provence, 6 oct. 1982 : *D.* 1983, J, 235, note Delebecque ; sur le recours du banquier contre le client en pareil cas, Aix-en-Provence, 29 juin 1971 : *RTD com.* 1971, p. 1056).

Malgré la faute du banquier, sa responsabilité peut toutefois être atténuée en cas de faute commise par le tireur ou par son préposé.

La *faute du client* est souvent d'avoir perdu ou de s'être fait voler son chéquier sans prévenir à temps le banquier, permettant à l'inventeur ou au voleur de mettre au point des formules falsifiées de bonne apparence (*infra*, n. 280). Plus grave encore est le fait d'avoir signé d'avance des chèques en blanc à la disposition de tiers (parents, comptable, Paris, 1er juill. 1983 : *RTD com.* 1984, p. 119, obs. Cabrillac et Teyssié ; V. d'autres exemples de négligence — abandon du chéquier dans un véhicule non fermé à clé — cités par *JCP* 77, II, 18750, note Stoufflet, chéquier laissé avec l'intercarte eurochèque, Cass. com., 23 juin 1987 : *Gaz. Pal.* 12 déc. 1987, somm. 259). L'abus de blanc-seing sera relevé contre les fraudeurs, mais la faute du client sera manifeste (comp. Paris, 10 nov. 1965 : revue *Banque* 1965, p. 739. — Trib. com. Seine, 19 déc. 1963 : *JCP* 64, II, 13557. — Paris, 3e Ch., 11 déc. 1973, inédit. — Paris, 5 juill. 1983 : *RTD com.* 1984, p. 118 ; *adde* l'imprudence de laisser des chèques sans désignation du bénéficiaire remplis frauduleusement par un comptable infidèle, Cass. crim., 6 nov. 1973 : *RTD com.* 1974, p. 133 ; *Gaz. Pal.* 10 mars 1974). Il a été raisonnablement jugé que le fait de laisser des chèques dans un coffre-fort en cachant la clé dans le placard d'un bureau, dont la surveillance nocturne était assumée par une firme spécialisée n'était pas fautif (Orléans, 12 juin 1979 : *Gaz. Pal.* 10 mai 1981).

La présentation du chèque falsifié par un préposé du client implique souvent une faute de ce dernier (*culpa in eligendo* ou *in vigilando*) qui a mal placé sa confiance. Le client répond du geste de son préposé infidèle comme commettant (C. civ., art. 1384, al. 5). Le chèque faux dès l'origine est très souvent présenté par un comptable indélicat du porteur. Cette circonstance n'implique pas nécessairement une faute exonérant totalement ou partiellement la responsabilité du tiré. Elle ne suffit pas en tout cas à elle seule à faire tomber la responsabilité présumée du tiré pour les chèques faux *ab origine* (Cass. com., 23 juin 1981 : *D.* 1982, IR, 174 ; V. cependant Paris, 11 juill. 1986 : *RD bancaire et bourse* 1987, fasc. 2). Si la faute du client de banque victime d'une soustraction de formules de chèques est souvent indiscutable, l'action en réparation peut être rejetée sur le terrain de la causalité. L'absence de vérification des relevés de compte et de réaction — sorte d'imprudence déclarée du client — est maintes fois relevée comme une imprudence du client qui a ainsi laissé s'aggraver le préjudice (Paris, 15 juin 1959 : *JCP* 60, II, 11394. — Comp. Cass. com., 23 juin 1981 : *D.* 1982, IR, 174. — 10 juin 1980 : *Bull. civ.* IV, n. 252, p. 204. — Paris, 3e Ch. B, 1er juill. 1983 : *Gaz. Pal.* 22 oct. 1983).

Les tribunaux peuvent aussi relever une faute respective — éventuellement grave — du banquier et du client émetteur. Un partage de responsabilité est, en pareil cas, admis (Aix-en-Provence, 1er juin 1965. — Trib. gr. inst. Nîmes, 20 mars 1973, préc. — Paris, 16e Ch. A : *JCP* 89, éd. E, I, 18644. — Cass. com., 18 avril 1989 : *D.* 1989, J, 136). La jurisprudence est assez réservée pour admettre la responsabilité éventuelle du titulaire des chéquiers volés *envers les tiers*, en l'absence fréquente de lien de causalité entre la faute dans la garde du chéquier et le préjudice subi par ces derniers (V. sur ce point chronique Diener : *D.* 1984, 88 et les références. — Trib. inst. Sens, 13 juin 1984 : *Gaz. Pal.* 1986, 1, somm. 24, obs. Doucet). Il a été jugé qu'il n'existe pas de rapport de causalité directe entre la négligence d'une cliente de banque qui a laissé son chéquier et ses pièces d'identité dans une cabine téléphonique et le dommage invoqué par un commerçant bénéficiaire d'un chèque irrégulièrement émis (Cass. civ. 2e, 7 déc. 1988 : *Bull. civ.* II, n. 246, p. 133). On pourrait du reste prendre en pareil cas en considération l'absence de contrôle d'identité du remettant d'un chèque par l'*accipiens* (V. D.-L. 30 oct. 1935, art. 12-2 ; V. les réserves sur ce point de J. Stoufflet : *JCP* 77, II, 18750).

La banque tirée sera tentée d'invoquer pour dégager sa responsabilité les clauses d'irresponsabilité qui peuvent parfois figurer sur la couverture des chéquiers. Par ces clauses, le banquier indique qu'il ne répondra des conséquences des vols et détournements de formules de chèques que s'il a été averti avant la présentation du chèque. La validité de cette clause est pour le moins discutable. De toute façon, le banquier ne serait déchargé que si la non-vérification de la conformité des signatures était jugée comme constituant une simple faute légère (V. *contra* sur ce dernier point, Cass. com., 4 nov. 1976, préc.). Les clauses de non-responsabilité contractuelle ne couvrent pas la faute lourde, dolosive ou intentionnelle.

229. — Les tribunaux s'en sont longtemps tenus à la recherche d'une faute constituée par la violation des obligations respectives du banquier tiré, du tireur, voire du bénéficiaire. Cette politique jurisprudentielle n'est pas abandonnée par toutes les juridictions. Mais la doctrine a cherché à systématiser et à trouver une base théorique moins empirique. Il est, à cet égard, facile d'écarter d'abord l'article 35 du décret-loi de 1935 qui présumerait libéré le banquier qui payerait un chèque sans opposition. Un titre falsifié n'est pas, en effet, un « titre de chèque » (libératoire). L'article 1239 du Code civil poserait pour cette doctrine une présomption de responsabilité du banquier dépositaire. Selon l'article 1239 du Code civil, « le paiement doit être fait au créancier ou à quelqu'un ayant pouvoir de lui ou qui soit autorisé par justice ou par la loi à recevoir pour lui ». Le client n'aurait donc à démontrer que l'irrégularité du titre. Il appartiendrait au banquier de se dégager totalement ou partiellement en invoquant une faute du client (*supra*, n. 228) ou la théorie du « créancier apparent ».

Cette conception affirmée par un fort courant doctrinal dès la fin du XIXe siècle (V. Vézian, thèse, n. 134) peut se recommander de deux arrêts de la Cour de cassation (Cass. civ., 20 avril 1939 : *JCP* 39, II, 1267 ; *Gaz. Pal.* 1939, 2, 91. — 2 mars 1942 : *JCP* 42, II, 1840). Elle repose sur la distinction fondamentale entre les chèques falsifiés dès l'origine et les chèques créés régulièrement puis falsifiés (V. résumé, *in* Hamel, Lagarde et Jauffret, t. II, n. 1714). La cour d'appel d'Orléans a souligné qu'en matière de chèques revêtus dès l'origine d'une fausse signature et n'ayant donc jamais eu la qualité légale de chèques, le banquier qui a payé n'est pas libéré envers le client qui lui a confié les fonds, dès lors que ce dernier n'a commis aucune faute (12 juin 1979 : *Gaz. Pal.* 10 mars 1981). La Chambre commerciale de la Cour de cassation avait le 3 janvier 1978 (*Bull. civ.* IV, n. 3 ; *D.* 1978, IR, 306 et 338 ; revue *Banque* 1978, p. 398) adopté le même standard. Elle a nettement réaffirmé ce principe standard le 24 février 1987 (revue *Banque* 1987, p. 624, obs. Rives-Lange ; *Gaz. Pal.* 22 sept. 1987).

Cette distinction s'articule bien avec l'article 1239 du Code civil. En cas de falsification originaire, il n'y a pas vraiment de titre. La falsification en cours de route porte sur un titre de chèque « dégénéré » mais réel au départ...

La théorie du risque vient aussi à l'appui de la distinction. Si l'on conçoit que le banquier, mieux placé pour s'assurer, réponde *a priori* du risque de falsification des formules de chèques remises au client pour le service de caisse, il est normal que ce dernier assure le risque de falsification du chèque émis par lui (Vézian, thèse citée, n. 134, p. 116).

Quoi qu'il en soit, cette distinction a le mérite de permettre de régler la situation (rare en fait) d'un chèque falsifié réglé sans faute prouvée de quiconque...

230. — *Absence de faute prouvée du tiré et de l'émetteur.* Le chèque contrefait ou falsifié peut avoir une parfaite apparence de correction. Aucune faute contre le banquier n'est relevée. Pas davantage, on ne peut parfois établir de faute du client. La situation est rare, car les tribunaux ont tendance à découvrir *in concreto* la faute de l'un ou de l'autre. Elle n'est pas inconnue de la pratique (V. *infra*, Orléans, 12 juin 1979). En l'absence de toute faute des deux parties, la jurisprudence a, on l'a vu, établi un système que certains auteurs rattachaient au système du risque. Le risque était pour le banquier si le chèque avait été falsifié dès le départ. Il devrait donc réintégrer au compte la valeur indûment payée du chèque. En remettant des formules, il avait créé un risque qu'il était mieux à même comme chef d'entreprise d'assumer. En revanche, si le chèque n'avait été falsifié que plus tard, au cours de sa circulation, le tireur qui « a lancé » dans la circulation le chèque assume les risques de sa falsification (V. Cass., 2 mars 1939, préc. ; V. récemment en ce sens Lyon, 22 mai 1974 : inédit, *adde*, la décision excellemment rédigée de la cour d'appel d'Orléans, Ch. civ., 12 juin 1979 : *Gaz. Pal.* 10 mai 1981).

Cette doctrine, fondée sur l'article 1239 du Code civil ou sur le risque, est toujours maintenue (V. Cass. com., 3 janv. 1978 : *Gaz. Pal.* 26 avril 1978 ; *D.* 1978, IR, 306 et 338, obs. Cabrillac : *Bull. civ.* IV, n. 3, p. 3. — 24 fév. 1987, préc. ; V. cependant encore *in* Vézian, thèse citée, n. 185, les multiples décisions fondées sur la seule recherche d'une faute). Elle serait, selon notre collègue Cabrillac (*op. cit.*, n. 329, *adde* références citées, *supra*, n. 228), écartée si la falsification d'origine émane d'un préposé ou d'un mandataire du client.

Recours éventuel du tiré. — Sous réserve des observations précédentes, le bénéficiaire d'un chèque doit en rembourser éventuellement le montant au banquier tiré qui lui aurait réglé par erreur et sans imprudence un chèque falsifié (Trib. com. Marseille, 19 avril 1966 : *Gaz. Pal.* 21 sept. 1967. — *Contra*, Trib. com. Besançon, 5 juin 1970 : revue *Banque* 1971, p. 205). L'*accipiens* d'un chèque a toutefois, depuis la loi de 1975 (D.-L. 1935, art. 12), le droit sinon le devoir de demander à celui qui le règle par chèque une carte d'identité avec photographie. En s'abstenant, il commettrait une faute. Son imprudence le priverait (en tout ou en partie) de son recours contre le titulaire du chéquier et/ou l'exposerait à une action en restitution du banquier tiré... (V. cependant *supra*, n. 228). En revanche, il justifierait suffisamment de sa vérification d'identité du signataire du chèque en mentionnant au dos du titre les références des pièces d'identité (Bordeaux, 17 nov. 1982 : revue *Banque* juin 1983. — Trib. inst. Versailles, 18 déc. 1980 et Trib. inst. Bordeaux, 1er avril 1981 : *D.* 1981, IR, 302. — Trib. inst. Paris, 2 fév. 1984 : *Gaz. Pal.* 29 sept. 1984).

231. — *Clauses de non-responsabilité.* Eu égard à la fréquence des pertes et vols de chèque, les banquiers insèrent parfois sur les bordereaux de chèque de telles clauses qui produisent leur effet habituel dans leurs relations avec le client mais couvrent qu'une faute légère (Vézian, thèse citée, n. 133).

L'action en responsabilité professionnelle contre le banquier tiré obéit à la prescription de droit commun et ne s'éteint donc pas malgré la prescription de l'action en paiement (Riom, 4 juill. 1980 : *D.* 1981, IR, 303).

Orientation bibliographique

A. BESSON, « Les chèques falsifiés » : *JCP* 41, I, 220. — A. ACHILLE-FOULD, *Le paiement des chèques perdus, volés, faux et altérés en droit comparé,* thèse, Paris, 1923. — HUGOUNENQ, *La responsabilité civile des banquiers en matière de chèque*, thèse, Aix, 1933. — IMAM, *La responsabilité du banquier en matière de dépôt*, thèse, Paris, 1939. — RENARD, « Chèques faux et falsifiés » : revue *Banque* 1959, p. 643. — BERTHELOT, *La responsabilité civile du banquier français en matière de chèque*, thèse, Rennes, 1966. — MARLIO, thèse dact., Paris, 1958. — VÉZIAN, thèse citée, 2e éd., n. 133 et s.

B. — OBLIGATIONS NOUVELLES DU BANQUIER TIRÉ (L. 3 JANV. 1975, MOD. PAR L. 31 DÉC. 1991)

232. — La loi de 1975 a aggravé la situation des banquiers en les obligeant à plus de vigilance dans le choix des clients et la remise de chéquiers soit lors de l'ouverture du compte, soit en cours de fonctionnement. La sécurité des tiers s'en trouve renforcée.

En cas d'insuffisance ou d'absence de « provision » d'un chèque, le tiré doit, en outre, enregistrer l'incident et adresser une injonction à l'émetteur.

Il est aussi *garant* du paiement de divers chèques.

1. — OBLIGATIONS LÉGALES DE GARANTIE DE CERTAINS CHÈQUES PAR LE BANQUIER TIRÉ (D.-L. 1935, ART. 73 ET ART. 73-1 ET 2)

233. — Le service de caisse dû par le tiré à son client met déjà à la charge du premier une assez lourde responsabilité civile. En contrepartie de l'allégement du dispositif pénal, le législateur a voulu en 1975 confier en outre la police bancaire aux professionnels en les invitant à mieux choisir et à mieux surveiller leurs clients. Renonçant à imposer une obligation légale de garantie des chèques jusqu'à 1 000 F, le législateur a organisé un système nuancé de garanties dont l'une repose sur une *faute* et l'autre sur l'idée de *risque* propre à l'entreprise bancaire.

a) Garantie des chèques égaux ou inférieurs à 100 F (garantie forcée des « petits chèques ») (D.-L. 1935, art. 73-1)

Le banquier est désormais garant de ces « petits chèques » qu'il doit régler au porteur s'ils ont été établis sur une formule délivrée par lui. Ces titres sont donc légalement provisionnés et leur émetteur n'encourt aucune sanction pénale, même s'il n'avait pas provision. L'impunité est absolue, sous réserve de la faculté pour le banquier de mettre fin à l'avenir au compte (et de son recours contre le client garanti).

Cette garantie est d'ordre public. Le banquier est « réputé légalement avoir conclu, lors de la délivrance de la formule, une convention portant *ouverture de crédit irrévocable* ». Le client ne peut y renoncer. La précision de la loi empêche d'y voir, comme certains auteurs le pensaient, une sorte d'aval par acte séparé. C'est un bel exemple de contrat imposé.

Conditions de la garantie. — Elle couvre les chèques égaux ou inférieurs à 100 F présentés moins d'un mois après leur émission. Le banquier pourrait toujours prouver par tous moyens la fausseté de la date. Le système ne vaut, au demeurant, que pour les chèques émis depuis le 1er janvier 1976 (D.-L. 1935, art. 36). Le banquier a la charge de prouver la remise du chèque antérieure à cette date. Les formules de chèque portent souvent désormais en tête du numéro l'année de remise du chéquier.

La garantie serait due même pour des chèques dont le banquier a vainement demandé la restitution. Elle joue même si le compte est clos.

L'obligation du tiré disparaît si le refus de payer résulte d'une autre cause que l'insuffisance de provision (D.-L., art. 73-1). Les chèques frappés d'opposition (saisie-arrêt) ou entachés d'irrégularités n'ont pas à être honorés par le tiré (sur les moyens de dissuasion de l'utilisation abusive de ces chèques garantis, V. Gavalda : *JCP* 76, I, 2764, n. 30 ; *infra*, n. 240).

Les seules exceptions invocables par le banquier seraient donc l'indisponibilité de la provision, une défense de payer (saisie-arrêt...) ou la non-conformité de la signature.

M. Derrida (*op. cit.*, n. 60) observe justement « que le tiré ne peut invoquer que les moyens relatifs à la provision elle-même, à l'exclusion du défaut ou de l'insuffisance de provision ; tout autre moyen tenant à la personne du tireur ou à sa situation propre ne peut dispenser le banquier de payer le chèque, dès lors que celui-ci émane bien du titulaire du compte ».

Recours du banquier garant. — En contrepartie de sa garantie, le tiré est-il subrogé dans les droits du bénéficiaire ou du porteur désintéressé ? Il n'y a pas, en l'occurrence, de subrogation légale générale de l'article 1251-3° du Code civil car le tiré n'est pas « tenu avec d'autres ou pour d'autres du paiement de la dette ».

Peut-il alors s'appuyer sur une subrogation légale spéciale de l'article 73-2 du décret-loi ? (Pour l'affirmative, V. Cabrillac : *D.* 1975, chron. 51, n. 33 ; Derrida : *D.* 1976, chron. 203, n. 68). Un doute restait permis avant la modification de l'alinéa 2 de l'article 73-2. La loi du 6 août 1975 a levé le doute.

En cas de subrogation, le tiré peut faire dresser protêt et utiliser la procédure de saisie de l'article 57-1, alinéas 2 et 4 du décret-loi de 1935. Bien entendu, il peut — si le compte est réapprovisionné — prélever d'office le montant de la garantie avancé.

Pour éviter de donner une telle garantie, le banquier pourrait interdire l'émission de chèques inférieurs à 100 F, mais cette convention serait inopposable aux tiers. Il pourrait aussi imposer un dépôt en compte spécial à des clients jugés dangereux. Une taxe ou une commission imposée à ce type de titre pourrait encore en freiner le développement. L'érosion monétaire impose en tout cas à l'évidence un sensible réajustement du montant de garantie légale actuelle si on veut en maintenir le principe. Il serait à l'occasion de cette réforme utile d'en prévoir la variabilité par décret.

Le problème est, on le sait, lié à celui de la rémunération des comptes à vue. Le boycottage des chèques par les pompistes a fait repartir en 1990-1991, le débat sur l'insuffisance du taux de garantie inchangé depuis 1975. L'absence de recours en cas de chèques frappés d'opposition pour vol reste contestable. L'hostilité de l'AFB, exprimant la position des banques, reste nette. La question demeure cependant logiquement liée à celle de la vérité des prix des services (et donc de la gestion des chèques). Ce lien aujourd'hui développé au plan médiatique est souligné, observons-le, depuis longtemps par les juristes de banques.

b) Garantie des chèques délivrés par le banquier en infraction à la réglementation dite garantie par « crédit-sanction » (D.-L. 1935, art. 73)

La réforme fut ici moins hardie. Elle se rapproche du droit commun de la responsabilité. Mais il s'agit malgré tout d'une garantie spécifique d'origine légale. Elle se démarque du droit commun de la responsabilité. Le tiré ne pouvait, par exemple, s'exonérer en invoquant la cause illicite ou immorale de la créance du porteur (Cabrillac : *Rép.* Dalloz, n. 310). Il aurait pu selon certains auteurs cependant invoquer la *connaissance* par le porteur de l'absence ou de l'insuffisance de provision (Cabrillac, art. cité, n. 204). La faiblesse du chiffre maximum de garantie retenu par le Conseil d'Etat avait fait d'un plancher un plafond de nature à apaiser les inquiétudes bancaires.

Conditions. — Le tiré était tenu à raison de sa faute initiale, parce qu'il avait délivré la formule présentée en violation d'une injonction ou d'une interdiction judiciaire ; ou qu'il n'avait pas réclamé la restitution de la formule qu'il devait récupérer ou enfin qu'il avait délivré la formule à un nouveau client sans consulter le fichier de la Banque de France. Peu importe que ledit client n'ait en fait pas été interdit et que la consultation n'eût donc pas empêché la délivrance de la formule (D.-L. 1935, art. 73).

La garantie de ces formules était due jusqu'à concurrence du montant dû par titre (D. 1975, art. 35).

En cas de refus de paiement d'un tel titre, le tiré s'exposait toutefois, pour ce refus abusif, à perdre le bénéfice de la limitation de garantie. Il devait l'intégralité du chèque et des dommages-intérêts pour le préjudice causé par l'incident (D.-L., art. 73, al. 2). Ce plafond de 10 000 F est aboli depuis 1991.

La réforme de 1991 a coupé court à des discussions complexes sur le régime de cette garantie (n. 73, D.-L. 1935 NS).

Recours du banquier ? — L'article 73-2 du décret-loi vise le banquier qui a garanti des formules irrégulières de chèque et lui accorde expressément une subrogation légale spéciale dans la mesure de son paiement. Ce recours du banquier garant ne concerne que le tireur et non les endosseurs. Le banquier qui a refusé de payer de tels titres était expressément privé de subrogation et ne pouvait utiliser la procédure de saisie sur protêt (D.-L., art. 57-1, article abrogé par la loi n. 85-695 du 11 juill. 1985, art. 24-II). On peut douter qu'il dispose de la subrogation générale de l'article 1251-3° du Code civil. Il pourrait cependant se fonder sur l'enrichissement sans cause ou sur la responsabilité délictuelle.

La loi de 1991 (avec son texte d'application) a supprimé le plafond de garantie de 10 000 francs. Le tiré doit éventuellement payer le montant intégral du chèque émis par un interdit.

234. — Lorsqu'il a refusé le paiement d'un chèque, le tiré doit aussi être en mesure de justifier qu'il a satisfait aux prescriptions légales et réglementaires relatives à l'ouverture du compte (D.-L. 1935, art. 73 *in fine*).

On peut dans la ligne de la position de notre collègue Cabrillac considérer que le tiré qui refuserait d'assumer la garantie solidaire de l'article 73 DL 1935 serait tenu solidairement en outre avec le titulaire du compte de dommages-intérêts envers le porteur en raison du non-paiement. Il perdrait en outre le bénéfice de la subrogation.

Cette garantie étendue en 1991 est en revanche une garantie forfaitaire (en ce sens, Cabrillac, rubrique précitée n. 173). Il n'est pas possible au tiré de se dérober en invoquant l'inexistence ou l'illicéité de la créance du bénéficiaire sur le tireur.

2. — *ENREGISTREMENT DE L'INCIDENT DE PAIEMENT*

235. — *Enregistrement de l'incident.* Le tiré doit enregistrer (D. 22 mai 1992, art. 2) les incidents de paiement dus à l'absence ou à l'insuffisance de provision. Cette notion ne correspond pas à celle retenue en matière pénale (*infra*, n. 269).

Il appartient — sous sa responsabilité — au banquier tiré d'apprécier s'il y a ou non provision suffisante et disponible et s'il n'a pas d'obligation légale de garantie.

L'enregistrement concerne aussi les incidents de paiement fondés sur un autre motif que l'insuffisance de provision, même si le titulaire n'encourt pas l'interdiction de ce fait (V. les modalités D. 1992, art. 3 et s.). Le tiré doit adresser à la Banque de France un avis de non-paiement (D.-L. 1935, art. 73-3 et D. 1992, art. 16) visant à l'enregistrement de l'incident (*infra*, n. 286 ; Maubru, *L'incident de paiement d'un chèque* : *D.* 1977, chron. 279).

Le tiré constatant le manque de provision pourrait toujours — même s'il n'est pas garant (*supra*, n. 233) — consentir au dernier moment un crédit au titulaire du compte.

S'il *payait par erreur*, la question serait aussi délicate. Ce faisant, aucune injonction ne serait en fait délivrée et, partant, aucune possibilité de régularisation, prévue par la nouvelle législation, ne serait ouverte (V., en matière pénale, l'applicabilité malgré tout des sanctions, Cass. crim., 21 juin 1973 : *Bull. crim.* n. 290 ; *RTD com.* 1973, p. 837 ; V. pour l'interdiction, Cabrillac, n. 13).

Quoi qu'il en soit, en cas de refus caractérisé, l'incident est enregistré au plus tard le deuxième jour suivant la présentation au paiement (D. 1975, art. 2). On entend par là la présentation à la banque tirée et non à la Chambre de compensation qui n'a pas, en la matière, de pouvoir de contrôle de la provision et de décision (*supra*, n. 204).

L'incident enregistré (V. D. 1992, art. 3, les mentions à viser dans l'enregistrement de l'incident) dans l'ordre chronologique est gardé en mémoire par la banque dans les deux ans de présentation du chèque (D. 1992, art. 5). Le refus de paiement est à enregistrer même s'il y a un autre motif, du moment que la provision est, de toute façon, insuffisante.

236. — *Attestation et certificat de non-paiement.* Le présentateur du chèque impayé reçoit gratuitement une *attestation de rejet* du chèque (D. 1992, art. 34). Cette attestation indique, notamment, que le tireur est privé de la faculté d'émettre des chèques et ne la recouvrera qu'à l'issue d'un délai de dix ans à défaut de régularisation (V. *infra,* n. 262 et s.). Elle précise que si la provision n'est pas constituée dans un délai de trente jours à compter de la première présentation, un certificat de non-paiement pourra être délivré sur demande du bénéficiaire. En cas de refus de paiement pour une cause autre que l'absence ou l'insuffisance de la provision, l'attestation indique le motif du rejet.

Le *certificat de non-paiement* comporte tous renseignements permettant d'identifier le tireur et le tiré ainsi que les numéro et montant du chèque impayé (D. 1992, art. 36). Il doit être libellé conformément à un modèle fixé par arrêté ministériel (Arr. 29 mai 1992, modifié). Il est délivré sur demande dans un délai de quinze jours ; toutefois, au cas de seconde présentation infructueuse du chèque et passé un délai de trente jours, la délivrance du certificat est faite automatiquement au porteur et sans frais pour lui.

La notification ou la signification du certificat de paiement au tireur par ministère d'huissier vaut commandement de payer. Si l'huissier n'a pas reçu justification du montant des chèques et des frais dans un délai de quinze jours à compter de la notification ou de la signification délivre un titre exécutoire (D.-L. 1935, art. 65-3). Le délai de quinze jours n'est pas un délai pour agir et il n'est assorti d'aucune forclusion (Paris, 25e Ch. A, 17 mai 1990 : *D.* 1991. somm. comm., 217).

Lorsque le titulaire du compte est soumis à immatriculation au registre du commerce ou au répertoire des métiers et que le chèque impayé est d'un montant supérieur à 10 000 F, le tiré dénonce le certificat au greffier du tribunal de commerce ou du tribunal de grande instance du domicile du titulaire du compte. Une publicité est organisée (D. 22 mai 1992, art. 37).

3. — Injonction

Le banquier doit, au surplus, envoyer au client émetteur du chèque sans provision une *lettre d'injonction* portant interdiction d'émettre des chèques ordinaires et ordre de restituer les formules en sa possession. L'injonction visant les caractéristiques du chèque avertit que les violations de l'interdiction seraient signalées au Procureur de la République et rappelle les sanctions de l'article 69 du décret-loi.

La question de l'envoi d'une injonction est délicate si le banquier tiré est légalement tenu à garantie. Une réponse nuancée peut être donnée en pareil cas. L'injonction n'est pas à adresser s'il s'agit de petits chèques, inférieurs à 100 F, présentés en temps utile (crédit forcé). En revanche, l'injonction et l'interdiction seraient encourues si le tiré doit payer des chèques établis sur des formules irrégulièrement délivrées par lui.

Destinataires. — Le premier destinataire naturel est le *tireur*, titulaire du compte. Elle le vise non seulement pour le compte touché par l'incident, mais pour tous ses comptes personnels.

Le mandataire n'est pas exposé à l'interdiction bancaire. Il peut toujours faire fonctionner ses comptes propres. Mais il est informé ès qualités pour le compte sur lequel il a une procuration qui doit cesser.

Lorsqu'un chèque non régulièrement provisionné a été tiré sur un compte collectif, l'injonction doit être adressée à celui des titulaires qui a été désigné à cet effet d'un commun accord et qui est exposé à l'interdiction en application de l'article 65-4 du décret-loi de 1935. A défaut, l'injonction est à envoyer à tous les titulaires.

237-1. — *Forme et procédure.* Cet acte grave implique un formalisme rigoureux (V. D. 22 mai 1992, art. 6 et 7 ; Arr. 29 mai 1992, mod. par Arr. 12 août 1992). L'injonction est adressée par lettre recommandée avec accusé de réception à tous les intéressés (*supra*, n. 236). Les modèles officiels ne sont pas imposés à peine de nullité ; mais la lettre doit contenir les mentions légales essentielles. La banque doit en tout cas indiquer dans sa lettre d'injonction la situation du compte du client au jour de la présentation du chèque litigieux. L'absence de cette mention essentielle entraînerait la nullité de la lettre d'injonction et la responsabilité de la banque (Paris, 19 juill. 1982 : *D.* 1983, IR, 42) (V., sur les lacunes ou erreurs d'une injonction en forme libre, Cabrillac, *op. cit.*, n. 101). Une très délicate question se poserait si le destinataire ne recevait pas la lettre recommandée d'injonction adressée par la banque ? Il a été jugé qu'un prévenu d'émission de chèque sans provision au mépris d'une interdiction bancaire devait être relaxé s'il était établi qu'en raison d'un changement de domicile il n'avait pas été touché par la lettre d'injonction (Rennes, 8 fév. 1979 : *Bull. CNCA* 14 juin 1979. — Trib. gr. inst. Créteil, 15 fév. 1984 : revue *Banque* 1984, p. 491. — *Contra* Reims, 18 oct. 1978 : *D.* 1978, 719 ; *RTD com.* 1979, p. 284). La Chambre commerciale a décidé le 24 février 1987 que le banquier tiré n'a pas à se préoccuper du retrait effectif de la lettre d'injonction par le destinataire (*Bull. civ.* IV, n. 49 ; revue *Banque* 1987, p. 856, obs. Rives-Lange ; *RTD com.* 1987, p. 546 ; *JCP* 87, IV, 149. V. Jeantin, *op. cit.*, n. 112, sur l'incidence à cet égard du D. 10 janv. 1986).

Délai. — Selon une interprétation raisonnable de l'article 16 du décret de 1992 et eu égard aux obligations envers la *Banque* de France, l'injonction devrait pouvoir être adressée jusqu'au deuxième jour ouvrable suivant la date de présentation du chèque. Il est prudent pour la banque — en attendant une régularisation — de ne plus délivrer de chéquiers.

Certains auteurs considèrent que la lettre est à adresser le jour même du refus de paiement (Varinard, Croze et Proutat, art. cit., n. 39). Un arrêt regrettable de la Chambre criminelle du 19 mai 1980 (*D.* 1980, J, 513, note Ch. Gavalda), cassant une décision de la cour d'appel de Colmar du 14 février 1978 (*Gaz. Pal.* 1978, 2, 589, note Volff) a adopté ce point de vue, créant un grand embarras pratique... Aussitôt que le chèque a été protesté faute de provision, le banquier doit donc adresser la lettre au titulaire.

Les établissements bancaires ont passé un accord en décembre 1985 prévoyant un délai supplémentaire de 2 jours ouvrés pour les chèques d'un montant égal ou supérieur à 5 000 F pour laisser au guichet tiré la possibilité « d'inviter » le tireur à constituer provision ; ce délai supplémentaire devrait avoir pour effet de « freiner les constatations d'incidents ».

C. — Refus de paiement du tiré

238. — Le banquier tiré peut refuser de payer certains chèques d'une manière *justifiée ou injustifiée*. Dans l'hypothèse d'un refus légitime, le non-paiement ouvre diverses possibilités au porteur impayé (recours) et astreint le tiré à diverses obligations si le non-paiement devient définitif et n'est pas régularisé à temps.

1. — Refus de paiement justifié

239. — Le non-paiement du tiré peut s'expliquer par l'absence totale ou partielle de provision, qui a déjà été examinée. Il peut aussi être fondé sur une *opposition* adressée au banquier tiré. V. P. Diener, « L'opposition au paiement d'un chèque volé a-t-elle encore un sens ? » : *D.* 1984, chron. 88. — A.-M. Romani, « L'opposition du tireur au paiement d'un chèque » : *D.* 1985, chron. 385.

Cet incident entraîne pour le présentateur, sauf clause contraire, l'obligation de faire dresser protêt et celle pour le mandataire chargé d'encaisser d'aviser le porteur.

a) Oppositions au paiement du chèque

240. — Par souci de simplifier et de rendre sûre la circulation des chèques, le législateur a posé le principe de l'inopposabilité des exceptions (*supra*, n. 214) et limité strictement les cas d'opposition. La solution procède aussi du caractère irrévocable de l'émission. Le régime est calqué sur celui des traites. Le banquier doit bloquer dès réception de l'opposition le montant de la provision. La loi de 1991 a réaménagé le régime des oppositions et son formalisme. Cette faculté reste exceptionnelle. La nouvelle loi a augmenté les pouvoirs et devoirs du tiré (Cabrillac, *op. cit.*, n. 402 et s.).

1° *Opposition du tireur*. L'opposition n'est possible, selon l'article 32, alinéa 2 du décret-loi de 1935, *par le tireur* qu'au cas de *perte* du chèque ou de redressement judiciaire du porteur. Le tireur, titulaire du compte chèque, peut donc d'abord faire opposition en cas de perte ce qui exclut le cas d'une remise volontaire à autrui du chèque soi-disant perdu. La loi de 1972 y a assimilé le *vol* (V. en ce sens, confirmant la jurisprudence antérieure, L. n. 75-4, 3 janv. 1975, art. 12 ; V. sur l'assimilation de l'extorsion de fonds au vol, Cass. com., 26 juin 1979 : *D.* 1980, IR, 1345 ; *RTD com.* 1979, p. 780. — Comp. pour un chèque nul, Paris, 6 mars 1981 : *D.* 1982, IR, 172, obs. Cabrillac ; sur le refus d'admettre une opposition en cas d'escroquerie ou d'abus de confiance, Paris, 14e Ch., 25 janv. 1977, inédit, *adde* Cass. crim., 22 juill. 1980 : *JCP* 81, éd. CI, n. 9211. — Comp. Cass. crim., 3 nov. 1987, rejet). L'opposition ne serait pas davantage possible si le chèque remis au représentant de la société bénéficiaire avait été détourné par celui-ci (Cass. com., 9 fév. 1981 : *Bull. civ.* IV, n. 68). En revanche, l'immunité familiale de l'article 380 du Code pénal (nouv. C. pén., art. 311-12) qui s'oppose à une action publique pour délit de vol de chéquier par un descendant, n'exclut pas une opposition de l'article 32 D.-L. 1935 (Versailles, 28 mars 1990, inédit).

S'il apparaît que le chèque n'avait pas été perdu, mais endossé par le bénéficiaire, la mainlevée doit être prononcée, voir Réf. Toulouse : *Quot. jur.* 2 juin 1977 ; comp. revue *Banque* 1978, p. 256. — Cass. com., 12 oct. 1982 : *Bull. civ.* IV, n. 314 ; *RTD com.* 1983, p. 260. Le juge des référés ne pourrait donc se déclarer incompétent et refuser une mainlevée d'une opposition formulée en dehors des cas légaux en invoquant une contestation sérieuse. On ne saurait assimiler à une perte ou à un vol l'envoi d'un chèque par erreur à un bénéficiaire auquel il n'était pas destiné (Cass. com., 12 oct. 1982 : *Bull. civ.* IV, n. 314. — *Adde* Trib. inst. Mans, 13 mars 1984 : *Gaz. Pal.* 1984, 2, somm. 295). La compétence pour une mainlevée est celle du siège de l'agence bancaire, qui joue le rôle de tiré. V. sur l'ensemble, P. Diener : *D.* 1984, chron. 88. Romani : *D.* 1985, chron. 35.

Le fait que le chèque frappé d'opposition ait été retrouvé ne suffit pas à justifier la mainlevée (Cass. com., 22 nov. 1988 : *Bull. civ.* IV, n. 314). En tout cas le juge qui ordonnerait la mainlevée d'une opposition de chèque ne pourrait ordonner le séquestre du montant de ce titre (Cass. com., 12 nov. 1990, inédit).

Il peut aussi être fait opposition en cas de *redressement* ou de *liquidation judiciaire du porteur*. Ce dernier est, en effet, dessaisi en cas de liquidation et ne peut encaisser le montant du chèque. Le tireur peut, en faisant opposition, vouloir empêcher un bénéficiaire, dont il ignorait le dessaisissement, de détourner cette valeur de l'actif de la procédure. Mais l'administrateur est mieux placé pour procéder à pareille opposition et la jurisprudence ou la pratique l'admettait malgré la lettre de l'article 32 du décret-loi à y procéder (Cabrillac : *Rép.* Dalloz, *V° Chèque*, n. 301. — Trib. gr. inst. Perpignan, 15 déc. 1977 : *D.* 1978, IR, 81. — Lyon, 13 déc. 1980 : *RTD com.* 1980). Sous l'empire de la loi du 25 janvier 1985, on peut admettre le maintien des solutions antérieures, même durant la période d'observation (en ce sens, Jeantin, *op. cit.*, n. 101). Le doyen Roblot (*op. cit.*, t. II, n. 2205) met cependant en doute sous l'empire de la loi du 25 janvier 1985 (art. 233) cette « possibilité d'opposition, car dans le nouveau régime des procédures collectives le jugement d'ouverture n'emporte pas nécessairement représentation ou assistance du porteur » (comp. Cass. com., 31 janv. 1984 : *D.* 1985, IR, 31).

En cas d'opposition illicite du tireur en redressement judiciaire sur un chèque remis avant le jugement à un porteur de bonne foi, ce dernier peut faire lever l'opposition et intenter une action en revendication (Paris, 14e Ch., 20 déc. 1988 : *D.* 1989, somm. 87).

Enfin, la loi de 1991 a ajouté à ces cas l'hypothèse d'une *utilisation frauduleuse du chèque* (V. Trib. gr. inst. Paris, réf., 6 mars 1992 : *Liaisons jur. et soc.*, 19 mars 1992 ; Paris, 27 mai 1994 : *RTD com.* 1994, p. 537).

Les *créanciers du tireur* ne peuvent, eux, que faire opposition sur le compte de ce dernier. L'effet est de bloquer les tirages futurs, mais le tiré doit (*supra*, n. 202) régler les chèques émis par le débiteur sans fraude avant la saisie arrêt ou opposition.

Si une opposition est faite en dehors des cas prévus à l'alinéa 2 de l'article 32, une mainlevée peut être demandée au juge des référés (D.-L. 1935, art. 32, al. 3) qui doit l'accorder sans ordonner le séquestre du montant du chèque (Cass. com., 13 nov. 1990, *Société Cohésion* c. *Banco do Brasil.* — V. déjà Amiens, 6 janv. 1954 : revue *Banque* 1971, p. 95. Sur l'utilisation possible de la procédure de référé de droit commun, V. Cass. com., 26 mars 1996 : *RTD com.* 1996, p. 503). Mais, une telle mainlevée est exclue en présence d'une opposition justifiée par la faillite du porteur, hypothèse visée à l'alinéa 2 (V. en ce sens, Cass. com., 31 janv. 1984 : *D.* 1985, IR, 31, obs. Cabrillac ; *RTD com.* 1984, p. 698 ; 12 oct. 1993 : *D.* 1993, IR, 256).

De même le tireur de chèques de garantie du paiement ultérieur de salaires ne peut faire opposition au paiement des chèques au prétexte qu'il s'agit de chèques de garantie ; s'il estime que le chèque est sans cause c'est à lui d'en apporter la preuve, à défaut il est tenu de payer (CA Paris, 22 juill. 1985 : *D.* 1986, IR, 80).

241. — 2° *Opposition du porteur ou de ses créanciers* ? La doctrine préconise dans le silence de la loi la faculté pour le porteur dépossédé de son chèque par vol ou perte de faire opposition. N'est-il pas le véritable titulaire du chèque ? Si l'on n'admet pas une opposition simple (par lettre, voire exploit d'huissier), on peut admettre une saisie (Vasseur et Marin, t. II, n. 288) sur la base théorique suivante : créancier du voleur ou de l'inventeur, le porteur fait une saisie-arrêt entre les mains du tiré, débiteur de tout présentateur de chèque.

En cas de redressement judiciaire du porteur, on voit mal l'intérêt du tireur à faire opposition. L'article 32 du décret-loi lui donne pourtant, à lui seul, nommément qualité pour ce faire (V. cependant, Cabrillac, *op. cit.*, n. 297) ! Or il ne connaîtra souvent pas le porteur. La doctrine considère qu'en pareil cas les créanciers du porteur sont habilités à faire opposition (V. Vasseur et Marin, *op. cit.* n. 287, p. 217, n. 3 et les références). Cette opposition n'est pas exposée à une mainlevée automatique éventuelle du juge des référés si elle ne correspond pas à une faillite (Cass. civ., 10 janv. 1944 : *S.* 1944, I, 57. — Cass.

com., 31 janv. 1984 : *D.* 1985, IR, 31). Le syndic du tireur comme du porteur avait, sous l'empire de la loi de 1967, cette faculté. On observera que le simple état de cessation des paiements du porteur ne justifierait pas une opposition du tireur (Lyon, 2 mai 1978 : *D.* 1978, IR, 339).

242. — *Opposition émanant de tiers.* Le banquier doit-il tenir compte, enfin, des seules oppositions énoncées dans l'article 32 du décret-loi de 1935, ou doit-il, en dehors des situations spéciales régies par des dispositions restrictives, laisser jouer le droit commun des oppositions (C. civ., art. 1242) ? Ce texte énonce que « le paiement fait par le débiteur à son créancier au préjudice d'une saisie ou d'une opposition n'est pas valable à l'égard des créanciers saisissants ou opposants ». La solution est d'une importance pratique considérable. La Chambre commerciale n'a pas, le 21 novembre 1972 (*D.* 1973, J, 266, note M. Vasseur), admis la recevabilité de l'opposition pratiquée par des parents de l'émettrice. Cette dernière n'était frappée d'aucune mesure d'interdiction limitant sa capacité. La banque tirée qui en avait tenu compte fut donc jugée responsable de ce blocage intempestif. Cet arrêt a fait l'objet de vives critiques. Favorable à la circulation simple et rapide des chèques, cette position jurisprudentielle peut mettre beaucoup de banquiers dans l'embarras. La solution contraste avec l'extension au-delà de la lettre de l'article 32 du décret-loi de la faculté d'opposition au « porteur » et surtout aux « créanciers du porteur » (V. *supra*).

242-1. — *Formes de l'opposition.* Aucune forme particulière n'était prévue par le décret-loi de 1935 pour faire cette opposition, qui peut se réaliser par lettre ou par exploit d'huissier (Paris, 23 nov. 1961, inédit). Elle devait manifester la volonté expresse du tireur qui a la charge surtout d'en assurer la preuve. Une lettre recommandée apparaît donc préférable. Mais un coup de téléphone — sous réserve de sa preuve — pouvait valoir une opposition valable.

Depuis la nouvelle rédaction de l'article 32, al. 2, D.-L. 1935, l'opposition doit être confirmée immédiatement par écrit, quel que soit le support de cet écrit. Les moyens télématiques sont donc utilisables (Circ. AFB, 17 fév. 1992). Pour une saine information de son client, la banque doit aviser par écrit le titulaire du compte que si son opposition était irrégulière (car non visé à l'article 32, D.-L. 1935), il encourrait une amende de 2 000 francs à 40 000 francs.

Les motifs de l'opposition sont, en revanche, limitatifs. Il reste donc interdit au tireur d'y procéder pour toute autre cause que les cas visés à l'article 32 du décret-loi (comp. Rép. min. n. 1674 : *JO* déb. Ass. nat. 7 nov. 1988, p. 3171).

242-2. — Le tiré doit, comme mandataire, respecter l'opposition du client et il engagerait sa responsabilité en négligeant ce contre ordre (Trib. gr. inst. Nice, 20 mars 1973 : *JCP* 73, IV, 194, note J. A. — Cass. com., 20 juin 1977 : *D.* 1978, J, 398, note Gavalda ; *JCP* 78, II, 18808, note Vézian, concernant le paiement après opposition de chèques déplacés. — Cass. com., 9 fév. 1982 : *RTD com.* 1982, p. 590). Si le tireur faisait opposition pour d'autres causes que celles prévues par le décret-loi de 1935, le porteur serait fondé à en demander la mainlevée au juge des référés (Versailles,14e Ch., 20 avril 1988). Ce dernier n'a aucun pouvoir d'appréciation et doit ordonner ladite mainlevée, même si une action est déjà pendante au principal. Mais le tiré n'a pas, lui, à se faire juge du bien-fondé de l'opposition. Il incombe au porteur d'en prendre l'initiative (Trib. gr. inst. Dunkerque, 20 oct. 1977 : *D.* 1978, IR, 81). La faute du tiré qui payerait au mépris d'une opposition même illicite lui interdirait toute action fondée sur l'enrichissement sans cause (Cass. com., 16 juill. 1985 : *D.* 1986, 393, note J.-L. Aubert). Une sanction pénale serait encourue si le banquier sans avoir respecté les dispositions du deuxième alinéa de l'article 32 refusait le paiement sous prétexte de l'opposition du tireur.

Bien entendu, le tireur pourrait donner mainlevée amiable de son opposition. (Sur le délit pénal d'opposition irrégulière, V. *infra*, n. 271 ; sur la qualité pour demander mainlevée du banquier endossataire, V. Cass. com.,11 juill. 1988 : *D.* 1988, IR, 238).

Sinon le juge des référés a compétence pour lever une opposition irrégulière. L'action en mainlevée d'une opposition illégale n'est pas soumise à la prescription abrégée des actions cambiaires (V. Paris, 25 nov. 1992 : *D.* 1993, somm., 315, obs. Cabrillac).

Le règlement par chèque d'un objet dont on apprend qu'il est volé ne justifierait pas, par exemple, une opposition. Pas davantage, celui qui a remis un chèque à un escroc n'est fondé à faire opposition auprès du tiré. L'inexécution ou l'exécution défectueuse d'un marché ne permettraient pas davantage le blocage (Derrida : *Rép. crim.* Dalloz, *V° Chèque*, n. 62. — Nancy, 28 juin 1950 : *D.* 1950, 728. — Paris, 13 mars 1951 : *D.* 1951, 371. — Comp. Aix-en-Provence, 23 nov. 1976, inédit). Le dol du bénéficiaire ne justifiait pas non plus une opposition (Paris, 22 mai 1970 : *Gaz. Pal.* 1970, 2, 310).

Le blocage par le tireur en dehors des cas limités de l'article 32 du décret-loi l'exposerait à une poursuite pénale. L'auteur de l'opposition doit établir le cas sur lequel il se fonde selon l'article 32. Le délit ainsi commis serait puni des mêmes peines que l'émission de chèque sans provision. On soulignera toutefois que ce blocage doit, depuis la nouvelle rédaction de l'article 66-1° du décret-loi, être malicieux. Ce qui sera rarement controuvé en pareille occurrence (*infra*, n. 272). L'opposant doit en tout cas établir le cas (perte, vol, faillite, utilisation, frauduleuse) invoqué à l'appui de son action (Cass. crim., 10 janv. 1968 : *D.* 1968, 477 ; *RTD com.* 1968, p. 737). La Chambre criminelle a exclu l'intention coupable du tireur si les droits du bénéficiaire sont inexistants ou contestables (Cass. crim., 13 avril 1983 : *JCP* 83, éd. CI, 11658).

La tentation doctrinale minoritaire d'extension des cas d'opposition au-delà de la liste exhaustive du décret-loi de 1935 (Jeantin, *op. cit.*, n. 102 et réf.) est, depuis 1991, totalement exclue. Cela ruinerait la sécurité cambiaire.

L'absence d'opposition dans un rapide délai constituerait une faute du client de nature à atténuer la responsabilité du banquier tiré qui payerait un chèque falsifié ou contrefait par le voleur ou l'inventeur (*supra*, n. 228).

L'opposition n'est d'ailleurs pas l'arme absolue contre les conséquences de la perte ou du vol d'un chèque. Le chèque peut être parvenu régulièrement entre les mains d'un tiers porteur de bonne foi susceptible d'en demander le paiement (Diener, *L'opposition au paiement d'un chèque volé a-t-elle un sens ?* : *D.* 1984, chron. 88).

Le porteur d'un chèque à lui endossé par un voleur avec une apparence régulière ne peut, en cas d'opposition du titulaire du chéquier (tireur), être contraint de restituer le chèque que si l'on prouve sa mauvaise foi ou sa fraude (Cass. com., 16 juin 1976 : *JCP* 76, IV, 262).

On évoquera enfin le cas d'une opposition formulée irrégulièrement par le titulaire du compte. L'article 41 du décret du 22 mai 1992 spécifie que la lettre d'opposition doit indiquer sa cause juridique. Le tiré n'aurait pas à tenir compte d'une opposition sans support juridique (causes énumérées dans l'article 32, D.-L. 1935). Le tiré doit indiquer par lettre la raison pour laquelle cette opposition ne peut pas être admise. Seules les oppositions fondées sur les motifs autorisés sont communiquées à la Banque de France par le tiré (D. 1992, art. 19). On peut s'interroger sur cette solution du décret, au regard du droit commun selon lequel le tiré n'a pas à se faire juge de la validité des oppositions (V. *RTD com.* 1992, p. 947, obs. Cabrillac).

243. — *Reconstitution d'un titre perdu ou volé.* En pareil cas, les articles 36 *a* à 36 *d* du décret-loi de 1935 prévoient un régime calqué sur celui de la traite. Le préalable à cette procédure est l'opposition du propriétaire du chèque. Aucune difficulté n'existe en cas de pluralité d'exemplaires. Sinon le propriétaire dépossédé obtiendra le paiement sur ordonnance du juge des référés, en justifiant de son droit par ses livres et en fournissant caution. En cas de refus de paiement, il doit faire protester pour conserver ses droits (art. 36 *b*). L'article 36 *c* prévoit aussi l'obtention d'un duplicatum en remontant la chaîne des endos.

La pratique bancaire est plus souple. Mais le règlement par le banquier ou la remise d'un autre chèque implique la rédaction par le porteur dépossédé de lettres de décharge (Lagarde et Jauffret, t. II, n. 1712).

Les difficultés surviennent si le titre perdu ou volé a été endossé avec une apparence régulière par le voleur ou l'inventeur à un tiers. Un conflit éclate alors entre ce tiers porteur du titre et le propriétaire dépossédé. Le premier triomphera s'il est de bonne foi et a acquis le chèque égaré sans fraude (Cass. com., 12 juin 1976, décis. préc.).

243-1. — L'irrégularité du titre ou la mauvaise foi du porteur au sens de l'article 22 du décret-loi de 1935 peut, bien entendu, justifier le rejet du chèque. Voir cependant les limites du devoir de contrôle de la régularité apparente du titre de chèque par le banquier, Cass. com., 10 mars 1987 : *D.* 1987, IR, 306 ; *adde supra*, n. 228.

En cas de défaut ou d'insuffisance de provision d'un chèque régulier, le tiré en refusera le règlement à moins qu'il ne veuille consentir une avance au tireur (*supra*, n. 204). Il devra dans la négative depuis la loi de 1975, on l'a vu, faire une injonction et diverses déclarations (*supra*, n. 204) et délivrer gratuitement au porteur impayé une attestation de non-paiement.

Le porteur impayé dispose alors d'un recours contre tous les signataires antérieurs (tireur, endosseurs, avalistes...), s'il a présenté le chèque en temps utile et fait éventuellement dresser protêt (D.-L., art. 40).

Si le porteur a chargé un banquier d'encaisser le chèque, ce dernier, mandataire intéressé, doit l'informer du non-paiement et lui retourner le titre.

b) Utilité de dresser un protêt en cas de refus de paiement justifié par l'insuffisance ou l'absence de provision

244. — Le protêt en matière de chèque a sans doute une utilité moindre mais pas du tout négligeable depuis la loi de 1991. On ne revient pas sur la nécessité de présenter dans le délai légal le titre (*supra*, n. 225). Faute de paiement, il fallait faire constater officiellement la défaillance du tiré. Le protêt était la seule procédure valable (D.-L., art. 56) de constat (Cass. com., 8 mars 1954 : revue *Banque* 1954, p. 453 ; *RTD com.* 1954, p. 358 ; V. cependant Vasseur et Marin, *op. cit.*, p. 161, n. 199). Le défaut de présentation, comme l'absence de protêt, rendait le porteur *négligent*. Le protêt avait trouvé depuis la loi du 3 janvier 1975 un intérêt renouvelé, parce qu'il permettait une exécution simplifiée et efficace du débiteur (tireur du chèque), grâce à une procédure de saisie spéciale (*infra*, n. 291).

Cet acte est souvent dressé, en pratique, à la diligence du banquier présentateur, qui doit conserver les droits du mandataire.

On soulignera que si le *protêt dit exécutoire* a disparu (*infra*, n. 291) avec la loi du 11 juillet 1985, le protêt garde tout son intérêt en ce qui concerne les recours cambiaires : Rép. min. : *JO* déb. Ass. nat. 27 avril 1987, 2434. Il serait excessif de considérer que le protêt n'a plus d'utilité (1991) en matière de chèque.

Dispense de protêt. La solution est semblable à celle admise pour la traite. Le protêt est très gênant et coûteux pour les commerçants. Il entraîne diverses conséquences fâcheuses que certains créanciers souhaitent éviter à leurs débiteurs, tout en sauvegardant leurs droits. L'effet intimidant s'était amenuisé. Mais la loi de 1975 avait redonné de l'actualité à ce protêt. Ni la liquidation judiciaire, ni le redressement judiciaire du débiteur ne dispensent à la différence de la traite de faire opposition, mais une dispense de dresser protêt est possible. Elle résulte de l'apposition d'une clause facultative sur le titre (D.-L., art. 43). La mention « retour sans frais », « sans protêt » ou toute autre équivalence, dûment signée, ne dispense ni de la présentation, ni des avis à donner aux divers signataires en cas de non-paiement. La clause inscrite par le tireur s'impose à tous les porteurs. En revanche, l'inscription par un endosseur ou un avaliste ne produit d'effet qu'à son égard. Le porteur peut vouloir néanmoins dresser protêt. C'est licite, mais les frais resteront à la charge dudit porteur. Les frais du protêt sont recouvrables sur tous les signataires si la clause émane d'un endosseur ou d'un avaliseur. Comme en matière de lettre de change, la portée exacte de la clause « sans frais » ou « sans protêt » reste discutée (*supra*, n. 190). Dispense-t-elle le porteur impayé de faire dresser un protêt, en lui en laissant la charge des frais s'il y procède quand même ou la clause lui interdit-elle de recourir au protêt ? La jurisprudence est divisée. Interdire le protêt en pareil cas priverait le porteur d'une garantie précieuse.

Délai d'établissement. — Le protêt — acte authentique — doit être dressé par huissier (ou par notaire) au plus tard le lendemain du dernier jour du délai légal de la présentation du chèque (D.-L., art. 41 : 8, 20 ou 70 jours). L'allongement de fait procuré en matière de traite par la loi du 29 octobre 1940 (art. 3) ne joue pas pour le chèque (Ripert et Roblot, *Traité*, n. 2473). Le délai de présentation comme de confection du protêt serait toutefois prolongé en cas d'obstacle insurmontable (prescription légale ou force majeure (V.

D.-L., art. 48, les formalités à respecter en cas de force majeure ; comp. L. 27 déc. 1974 suspendant légalement les délais pour cause de grève).

Le *protêt* est depuis le 1er janvier 1976 dispensé de la présentation matérielle aux formalités d'enregistrement. Les droits sont payés sur état (D. 15 janv. 1973, art. 1er).

Le protêt même dressé après le délai de présentation spéciale permettait la saisie spéciale de l'article 57-1 du décret-loi, mais cet article a été abrogé par la loi du 11 juillet 1985 (art. 24-II ; *infra*, n. 291). Il peut l'être tant que la prescription cambiaire n'est pas acquise.

Forme. — Cet acte authentique fait l'objet de dispositions spéciales (D.-L., art. 54 à 57 *a*). Il comporte la transcription littérale du titre, des endos et de la sommation de payer. L'huissier doit aussi y mentionner la présence ou l'absence du tireur, les raisons du refus, l'impuissance ou le refus de signer du débiteur.

Il doit encore porter sur le chèque une mention du protêt avec sa date.

Une copie exacte (second original) doit être laissée au débiteur par l'huissier (D.-L., art. 57 ; *adde*, sur la dispense de protêt par acte séparé, Vasseur et Marin, *op. cit.*, n. 248).

Lieu. — Le protêt est dressé à la banque tirée (D.-L., art. 54) ou — s'il en existe un — au domicile du domiciliataire.

La pratique de dresser les protêts en Chambre de compensation reste discutable... (Duquesne : *Rev. huiss.* 1976, IV, p. 27 ; Cabrillac n. 266).

Bien entendu, le système de publicité mis en place par la loi de 1991 est fort efficace... La Banque de France centralise en effet les informations sur les incidents de paiement, les interdictions judiciaires et leur levée, ainsi que les informations sur les clôtures des comptes chèques (art. 73-3). Les oppositions (art. 17-3, 74, al. 3) et les informations détenues par le fisc (CGI, art. 1649A) permettent de localiser les divers comptes en France des auteurs d'incidents. Cette source d'information est ouverte aux établissements de crédits, au procureur de la République, et désormais à toute personne bénéficiaire d'un chèque qui veut en vérifier la fiabilité (D. n. 92-467, 26 mai 1992). Cette nouvelle fonction des banquiers est l'un des progrès notables de la réforme de 1991/92. Le banquier est investi d'un nouveau devoir de *police bancaire*. Deux mots clés inspirent cette réforme : « déjuridisation » et « bancarisation ».

245. — *Publicité du protêt.* Malgré le rôle clé attribué par la loi du 3 janvier 1975 au Fichier central des Chèques impayés, le système de publicité des protêts prévu par la loi du 2 août 1949 reste utile (*adde* D. 24 juin 1950, modifié par D. 12 nov. 1956). *Grosso modo*, la publicité applicable aux protêts des chèques bancaires et postaux est analogue à celle prévue pour les traites. L'huissier (ou le notaire) rédacteur doit remettre deux copies du protêt au greffier du tribunal de commerce du domicile du débiteur. L'une est conservée au greffe et l'autre adressée au parquet. La remise doit avoir lieu dans les quinze jours, à peine de sanction disciplinaire et civile contre l'officier public. Un état nominatif des protêts est tenu par ordre alphabétique au greffe (L. 1949, art. 3). Cette publicité est très large. Tout requérant peut un mois après le protêt et durant une année obtenir un extrait.

Aucune publication de ces états, sous quelque forme que ce soit, n'est permise. Le contrevenant (L. 1949, art. 6) encourrait des dommages-intérêts.

La radiation de la mention est obtenue en produisant au greffier une quittance de paiement.

Le défaut de cette publicité est sa fragmentation par ressort de greffe. La centralisation du fichier central des chèques impayés de la Banque de France est bien plus rationnelle (*infra*, n. 287). Cet organisme (arrêté du Conseil général de la Banque de France du 15 janv. 1987 pris après avis du CNIL) a répondu en 1988 à 26 325 000 demandes de renseignements. Le certificat de paiement (modèle 1991-1992) est plus informatif (V. *infra*, n. 247).

La radiation de la liste est effectuée par le greffier sur présentation d'une quittance attestant du règlement du chèque.

Le rédacteur du protêt doit aussi en prévenir dans les quarante-huit heures de l'enregistrement le tireur (D.-L. 1935, art. 42, al. 2).

246. — *Effets du protêt ou de l'absence de protêt.* Avant la loi de 1975, les effets du protêt étaient surtout négatifs. En l'absence de protêt, le porteur négligent perdait une grande partie de ses recours contre les signataires antérieurs. La faible circulation limitait beaucoup la portée pratique de cette déchéance (*infra*, n. 251). En l'absence de protêt d'un chèque resté impayé, une banque ne peut se retourner cambiairement contre le bénéficiaire qui le lui a endossé (Cass. com., 12 oct. 1982 : *Bull. civ.* IV, n. 307).

La force exécutoire conférée par la loi du 3 janvier 1975 (D.-L. 1935, art. 57-1) au protêt en avait fait le préalable d'une saisie mobilière spéciale très efficace et considérée par certains comme trop dure (*infra*, n. 291). La loi du 11 juillet 1985 (art. 24-II) a, on le sait, abrogé le protêt exécutoire en lui substituant les effets du certificat de non-paiement (*infra*, n. 291 ; comp. *JO* déb. Ass. nat. 7 mai 1984, 2154).

Il est notable que le protêt n'équivaut aucunement à une opposition. C'est un constat de défaillance. Le tiré pourrait donc si la provision adéquate était faite entre-temps régler un second chèque présenté après protêt (*infra*, n. 258).

Une dispense de protêt est, on l'a noté (*supra*, n. 244) licite. Elle est très rare en pratique.

b) Attestation et avis de rejet. Certificat de non-paiement

247. — *Attestation de rejet et certificat de non-paiement.* A la différence de notre collègue M. Cabrillac, nous avons préféré chronologiquement exposer le rôle subsistant du protêt en matière de chèque. Cette présentation ne doit pas cependant fausser la vision des moyens de défense ouverts aux porteurs de chèques impayés depuis 1991-1992. Mais nous pensons avec peut-être une nostalgie des procédures traditionnelles que le rôle de protêt n'a pas aujourd'hui, en matière de chèque « disparu » et n'est pas tout-à-fait obsolète. L'avenir et la pratique vérifieront ce propos doctrinal.

Il reste que le législateur a, en 1991, persévéré dans la double ligne d'une dépénalisation et d'une bancarisation de la police du chèque. Deux idées justes dominent cette réforme. Les « dérapages » minimum d'une masse (bancarisation à 93 %) de clients des banques ne méritent pas le pardon complet en cas de non-règlement des chèques, ni la poursuite systématique en correctionnelle, dont les conséquences sont bien plus lourdes que celles décrites *in abstracto* dans nos manuels. Cependant, les banques tirées ne peuvent subir le poids financier de ces dérapages. Leur nombre même pour des petits chèques finit en fait par être grave pour le bilan des établissements de crédit. La loi de 1991, a semble-t-il, trouvé un système équilibré entre ces deux impératifs respectifs.

De nouvelles méthodes plus simples et moins coûteuses s'inscrivent dans la réforme de 1991 (précisée par le décret de 1992 art. 3 et l'arrêté d'application) dont le but est la simplification du règlement de ces incidents sous le double signe déjà cité de la dépénalisation, de la déjuridisation et de la bancarisation. Ce, sous réserve des cas « graves » où l'incrimination pénale n'est pas toujours éliminée, mais n'a qu'un rôle limité.

247-1. — En cas de refus de règlement pour insuffisance de provision, le tiré a le devoir d'établir une *attestation dite de rejet*. Cet acte sera annexé au chèque, quand ce titre sera rendu en présentation (D. 1992, art. 34). Ce titre peut dispenser le porteur de faire établir un protêt (coûteux). Il peut servir cependant à exercer divers recours sur la base de ce simple titre (action en remboursement, saisie conservatoire, inscription, d'une sûreté provisoire...). Si le tiré refusait le paiement pour d'autres raisons que l'insuffisance de provision, il devrait alors établir un « avis de rejet » avec motivation. Le respect de ces procédures est soumis au droit commun (M. Cabrillac, *op. cit.*, n. 450 à 452).

Certificat de non-paiement (D.-L. 1935, art. 65-3, 1, 1991, art. 6). — Cet instrument n'est pas une nouveauté mais il a reçu successivement des effets considérables, qui font que son utilisation prend souvent le relais du protêt (V. Cabrillac, rubrique citée n. 453 et s.). Le certificat délivré (D.-L. 1935, art. 65-3) en cas de refus de paiement pour absence ou insuffisance de provision « est un titre d'exécution virtuel » (Cabrillac, *dixit*). Un modèle préétabli par arrêté du 22 mai 1992 (D. 1992, 310) permet aisément aux parties de rédiger ce titre.

Ce certificat avait été réformé par la loi de 1985. Il prend la place de protêt exécutoire. Concrètement, il permet aux victimes de chèques sans provision, découragées des frais procéduraux autrefois inévitables d'essayer une voie de droit simplifiée et moins coûteuse. Car la signification de ce certificat vaut commandement de payer. Cette réforme s'inspire du double souci non contradictoire d'améliorer la situation des victimes sans exposer les banques tirées à des condamnations systématiques (sur le certificat de non-paiement, V. ou surplus, *supra,* n. 236).

Il est heureusement spécifié (L. 1991, art. 6 ; D.-L. 1935, art. 65-3) que tous les frais nécessités par le rejet du chèque sans provision pèsent sur le tireur. Il y a là une dérogation à l'article 32 de la loi du 9 juillet 1991 sur les procédures civiles d'exécution.

Recours (D.-L. 1935 NS, art. 65-3-5) : En cas de contestation sur la mesure d'interdiction et/ou sur l'amende libératoire (V. *supra*, n. 262), la compétence appartient à la juridiction civile (L. 1991, art. 7 ; D.-L. 1935, art. 65-3-5). On comprend l'attribution de compétence à une juridiction civile moins traumatisante. Est-il permis d'estimer que ces attributions spéciales finissent par faire perdre aux praticiens et/ou aux citoyens toute idée claire ? La connaissance des compétences des juridictions et organismes divers devient une affaire d'initié. Le citoyen ne peut plus suivre... Ajoutons que le recours n'est pas suspensif. Toutefois, il est possible d'obtenir de la juridiction saisie, même en référé, une décision de suspension de l'interdiction, s'il y a « contestation sérieuse ».

L'interdit peut toujours utiliser des chèques certifiés ou des chèques dits de banque.

d) Devoir d'informer du non-paiement et de retourner le titre

248. — Le banquier mandataire doit, on l'a vu, aviser son client du défaut d'encaissement et lui retourner le titre.

Aucun délai légal ne s'impose aux banques pour retourner un chèque impayé à son bénéficiaire qui l'a remis à l'encaissement. Cependant, l'usage professionnel limite à deux jours le délai de communication de la décision de non-paiement de l'établissement tiré à la banque présentatrice. Cette dernière n'est pas tenue par un délai pour le transmettre à son client (Rép. min. : *JO* déb. Ass. nat. 27 avril 1987, 2417).

Le retour des effets impayés peut se faire sous pli simple (Vézian, thèse citée n. 158 ; V. cependant : revue *Banque* 1949, 696).

Si le banquier n'a pas l'obligation, sauf convention formelle (relevés quotidiens, par exemple) de prévenir de l'encaissement normal, il doit en revanche aviser le client de la carence du tireur. La diligence requise dépend d'abord des conventions expresses des parties. Un avis de non-paiement doit, dans l'usage, être adressé dans « le plus bref délai ». Cet avis de non-paiement est remplacé par une « attestation de rejet » (D. 20 oct. 1975, art. 32, modifié par D. n. 86-73, 10 janv. 1986 ; *adde* D. 1992, art. 34 ; V. *supra*, n. 247-1) qui doit prévoir les motifs justifiant le rejet. Cette attestation indique en outre la date à laquelle le tireur est invité à régulariser, à défaut de quoi un certificat de non-paiement pourrait être délivré. Le CFONB a défini la forme de cette attestation. Cette formule laisse une marge d'appréciation aux tribunaux. En général, le banquier essaye d'alléger son éventuelle responsabilité. Les clauses de non-responsabilité insérées à cette fin (*supra*, n. 233) sont souvent ambiguës (Vézian, thèse citée, n. 161. — Cass., 18 oct. 1971 : *JCP* 72, II, 17053).

L'absence ou la tardivité de l'avis de non-paiement, même fautives, ne donnent lieu à réparation que si le client démontre le préjudice à lui causé par cette négligence (*adde*, *infra*, n. 251, sur les avis aux garants de l'article 42 du décret-loi 1935).

La logique de la nouvelle organisation du régime des chèques sans provision (1991) (dépénalisation, bancarisation) a pour finalité essentielle de diminuer le nombre des émissions de chèque sans provision. L'information joue ici un rôle clé. La mission de « police bancaire » est au premier degré confiée depuis 1991/1992 aux banques. Ce qui ne signifie pas, on le verra, la disparition totale du droit pénal du chèque. L'article 66 du D.-L. de 1935 rénové et les articles 61, 67-1 restent en vigueur. L'interdiction bancaire n'a pas supprimé la possibilité d'une interdiction judiciaire (D.-L. 1935, art. 68 modifié) et l'existence de plusieurs délits pénaux en matière de chèque.

La Banque de France centralise les incidents en ce domaine (art. 74, D.-L. 1935) y compris, les interdictions judiciaires et les levées d'interdiction comme les clôtures des comptes chèques et les oppositions (D.-L. 1935, art. 73-3). Selon l'article 1649 A du Code général des impôts, elle peut communiquer aux établissements de crédit la liste des interdits (D.-L. 1935, art. 74, al. 1). Ce peut être pour ces établissements un élément précieux de leur scoring.

On notera enfin et surtout que selon l'article 1er du décret n. 92-467 du 26 mars 1992 :

Art. 1er. — Toute personne à laquelle est remis un chèque pour le paiement d'un bien ou d'un service peut, directement ou par l'intermédiaire d'un mandataire, vérifier auprès de la Banque de France si ce chèque n'a pas été déclaré comme volé ou perdu, n'a pas été tiré sur un compte clôturé ou émis par une personne frappée d'une interdiction judiciaire ou bancaire.

Le service ainsi rendu donne lieu à rémunération.

Art. 2. — La Banque de France attribue à chaque personne souhaitant procéder ou faire procéder par un mandataire aux vérifications mentionnées à l'article 1er un code d'accès au fichier constitué à cet effet.

La banque, prévenue, doit inviter le titulaire du compte à restituer tous les chéquiers en sa possession ou celle de ses mandataires. Bien entendu, le client est prévenu de ne plus émettre de chèques (D.-L. 1935, art. 65-3). La banque doit, on l'a dit, déclarer l'incident de paiement à la Banque de France. A la fin du délai de régularisation, elle doit délivrer sur sa demande un *certificat de non-paiement* (V. *supra*, n. 247 ; D.-L. 1935, art. 65-3). Ces certificats doivent enfin être portés à la connaissance du greffe du tribunal de commerce, le chèque émis par un commerçant ayant dépassé un certain montant (Rives-Langes et Contamine Raynaud, *op. cit.*, n. 313).

2. — *Refus de paiement injustifié*

249. — Le banquier peut refuser de payer, on l'a vu, jusqu'à mainlevée en cas d'opposition du tireur, du preneur, des créanciers du porteur en faillite... mais non de tiers (Cass. com., 21 nov. 1972 : revue *Banque* 1972, p. 834 ; *D.* 1973, J, 265, note M. Vasseur).

En dehors de ces cas, il doit payer s'il a provision (sur la provision partielle, V. *supra*, n. 202) et si le titre présenté est régulier. Il est même devenu garant des petits chèques (inférieurs à 100 F) depuis la loi de 1975 — qui ont donc toujours provision — et, dans certaines conditions, des chèques irrégulièrement délivrés par lui à des interdits (*supra*, n. 233).

L'indication fausse au présentateur par le tiré qu'il n'y a pas de provision ou qu'elle est insuffisante entraînerait, depuis la loi de 1972, une sanction pénale aggravée (V. *infra*, n. 283). Le législateur n'exige plus, en effet, que le tiré ait agi « sciemment » (D.-L. 1935, art. 72-1° nouveau, modifié en 1975 ; amende pénale de 2 000 à 80 000 F). A une déclaration d'absence ou d'insuffisance, on assimile l'indication erronée d'une indisponibilité de la provision (V. Cass. crim., 17 mars 1966 : *Bull. crim.* n. 102 ; *RTD com.* 1967, p. 833). La personne responsable sera le chef d'agence ou de service mais la banque est civilement responsable (Trib. corr. Seine, 13 juill. 1930).

Les conséquences d'un refus injustifié de régler un chèque sont, en effet, graves (D.-L. 1935, art. 65, al. 2). Le commerçant peut voir son crédit ruiné et être contraint de déposer son bilan (Grenoble, 7 juill. 1976, préc.). Cette faute lourde du banquier écarte *a priori* le jeu de l'article 1150 du Code civil limitant au dommage prévisible la responsabilité contractuelle. A ces conséquences s'ajoute la responsabilité pour le préjudice moral et/ou matériel consécutif à la déclaration erronée (*infra*, n. 283).

Le coupable est le préposé ayant le pouvoir de réponse au nom de l'entreprise qui a reçu délégation de fonction et possède la qualification suffisante, mais la banque, personne morale commettante, répond des conséquences civiles. Une faute *grave* n'est pas nécessaire pour engager sa responsabilité.

Les suites redoutables du rejet de chèque (interdiction) risquent de multiplier les actions contre le banquier, qui sera parfois fort embarrassé, faute de définition légale précise de la provision. Sur l'existence de celle-ci (comp. Grenoble, 7 juill. 1976 : *D.* 1976, 489, note F. D.).

La responsabilité du banquier peut aussi être engagée envers un tiers étranger au titre mais qui serait intéressé au paiement (Cass. com., 5 nov. 1980 : *RTD com.* 1981, p. 326).

On peut douter, eu égard à l'interprétation restrictive de la compétence de la juridiction répressive en l'occurrence, que la victime puisse demander à celle-ci le paiement du chèque (Derrida : *Rép. crim.* Dalloz, *V° Chèque*, n. 109).

3. — Paiement erroné du tiré et recours contre le tireur et/ou le porteur

250. — Il convient d'évoquer ici le cas du banquier tiré qui aurait payé à tort un « *bénéficiaire* » de chèque et lui aurait procuré ainsi un enrichissement sans cause. Sa négligence ou son imprudence ne le priveraient pas d'une action en répétition de l'indu.

Contre le *tireur*, le banquier disposerait parfois d'une action en enrichissement sans cause. Tel serait le cas par exemple si un banquier avait réglé des chèques émis par une personne dont la procuration avait été révoquée et si les règlements ainsi effectués avaient tout de même profité au client, titulaire du compte (Cass. com., 23 janv. 1978 : *Bull. civ.* IV, n. 28 ; *JCP* 80, II, 19365, note H. Thuillier).

Avis d'émission. — Une ancienne pratique bancaire consistait à donner avis au tiré pour l'émission de chèques importants (Ripert et Roblot, *op. cit.*, n. 2455). L'actuel article 28 du décret-loi de 1935 déclarant le chèque payable à vue paraît exclure ce procédé du chèque « avisé ». Les avantages du procédé étaient indéniables. Cette pratique persistante *contra legem* peut développer, croyons-nous, ses conséquences, tant qu'elle n'entraîne pas un refus de paiement immédiat au porteur faute d'avis.

4. — Recours du porteur impayé (ou du garant solvens)

251. — Le porteur impayé non négligent peut recourir — à l'amiable ou judiciairement — contre les endosseurs, le tireur et leurs avalistes (D.-L. 1935, art. 40). Tous ces signataires antérieurs sont solidairement et cambiairement tenus envers lui et peuvent être poursuivis sans observer d'ordre, ensemble ou séparément.

Tout signataire qui a remboursé le chèque dispose à son tour d'un recours contre les autres. Le banquier escompteur pourrait, si le chèque s'avérait volé et frappé d'opposition, recourir contre le tireur (Cass. com., 15 juin 1976 :

revue *Banque* 1977, p. 230). Son acquisition d'un chèque par voie d'escompte est considérée comme normale et ne constitue pas *a priori* une faute lourde (D.-L. 1935, art. 19).

Le recours cambiaire ne doit pas être perdu par déchéance (porteur négligent) ou par prescription. En cas de perte de ce recours cambiaire, le porteur peut se prévaloir éventuellement soit d'un recours de droit commun contre le remettant, soit d'un recours spécial d'enrichissement sans cause (D.-L. 1935, art. 52).

a) Déchéance du porteur négligent (D.-L. 1935, art. 40)

Négligence du porteur. — Ce porteur a diverses obligations de vigilance, dont l'inobservation a des conséquences plus ou moins graves.

Les avis de non-paiement aux garants. — Il doit (D.-L., art. 42), dans les quatre jours ouvrables du jour du protêt, aviser le tireur et les endosseurs (*adde*, *supra*, n. 248).

Le rédacteur du protêt doit aussi, en principe, aviser le tireur dans les quarante-huit heures de l'enregistrement. Chaque endosseur doit dans les deux jours ouvrables de l'avis en informer son propre endosseur... en remontant la chaîne jusqu'au tireur. Un avis à un signataire doit être doublé d'un autre à son avaliseur. Ces avis se donnent sous forme quelconque (lettre simple...).

La sanction est mesurée. Aucune déchéance cambiaire n'est ici encourue, mais le négligent encourt, si sa carence porte préjudice aux signataires, des dommages-intérêts jusqu'à hauteur du montant du chèque (D.-L. 1935, art. 42, *in fine*).

Les déchéances faute de présentation et de protêt. — Une autre négligence de ne pas avoir présenté le chèque dans le délai légal et faute de paiement de ne pas avoir dressé de protêt (sauf clauses de dispense). La perte d'une grande partie de ses recours cambiaires serait la sanction de cette négligence. Le porteur a donc intérêt à ne pas se contenter d'une simple *attestation de non-paiement* (*supra*, n. 247), mais à faire dresser un protêt... si du moins le chèque a circulé ce qui est rare depuis que s'est généralisé l'usage de chèques à endossement restreint.

Le certificat de non-paiement tel que réformé par la loi de 1991 (D.-L. 1935, art. 65-1) a pris le relais et constitue un titre exécutoire beaucoup plus commode et moins coûteux.

Le porteur qualifié de « négligent » conserve certains de ses droits. Il continue à disposer : 1° d'une action contre le tiré qui a provision (D.-L., art. 52, *in fine* ; *infra*, n. 255) ; 2° d'une action cambiaire contre le tireur qui n'a pas fait provision et qui ne prouve pas cette provision (Cass. com., 7 janv. 1997 : *D.* 1997, IR, 34) ; 3° enfin, d'une action de droit commun contre celui qui lui a directement remis le chèque. Cette solution résulte de la règle générale selon laquelle la remise d'un effet de commerce n'emporte pas novation. L'extinction de la créance sous-jacente ne résulte que de l'encaissement effectif du chèque (D.-L., art. 62 ; *adde*, *supra*, n. 217).

Si le porteur a conservé ses droits cambiaires, il peut poursuivre individuellement ou collectivement tous les signataires antérieurs (D.-L., art. 44). Le même droit appartient, après règlement de sa part, à tout signataire. Aucun ordre de poursuite n'est à respecter. Les signataires sont liés et soumis, sauf mauvaise foi du poursuivant, au *principe de l'inopposabilité des exceptions*.

La solidarité imparfaite existant entre les signataires n'emporte pas les effets secondaires de la solidarité (D.-L., art. 53, dérogeant aux articles 1206 et 2249 du Code civil). Le principe de l'indépendance des signatures empêche la nullité d'une signature de vicier les autres.

Le porteur peut (selon D.-L., art. 45) réclamer, outre le montant du chèque, les frais divers (protêt, avis) et, s'il s'agit d'un chèque émis et payable en France, les intérêts au taux légal courus depuis le jour légal de présentation. Ces taux sont aujourd'hui moins élevés (L. n. 75-619, 11 juill. 1975) et alignés sur le taux d'escompte de la Banque de France. Pour les chèques internationaux, le taux est fixe (sur la non-applicabilité de ces intérêts au recours fondé sur la créance sous-jacente, V. Cass. civ. 1re, 23 juill. 1974 : *RTD com.* 1975, p. 146). L'obligé qui règle peut exiger le titre acquitté (D.-L., art. 47) pour se retourner contre ses propres garants.

Le porteur d'un chèque impayé ne peut, si le recours amiable n'aboutit pas, utiliser la procédure d'injonction de payer (Cass. com., 12 juill. 1961 : *RTD com.* 1961, p. 823 ; revue *Banque* 1961, p. 678 ; *RTD civ.* 1962, p. 547, obs. Hebraud). Mais il disposait depuis la loi du 3 janvier 1975 d'une saisie spéciale dite sur protêt (D.-L., art. 57 ; V. *infra*, n. 291). La loi n. 85-695 du 10 juillet 1985 a substitué à cette procédure celle dite du certificat de non-paiement qui facilite le recouvrement par la voie civile des chèques bancaires non approvisionnés (art. 65-3 nouveau, modifié L. 1985). Dans le cadre des relations bancaires, le banquier endossataire impayé peut exercer son recours cambiaire contre le client en contre-passant le chèque en compte courant (Cass. com., 11 mars 1970 : *JCP* 70, II, 16490, note Rives-Lange à condition d'avoir conservé son recours cambiaire en dressant protêt, Cass. com., 28 mai 1974 : *RTD com.* 1975, p. 147).

252. — *Recours du tiré*. Si le tiré a fait les fonds pour constituer provision, alors que celle-ci n'existait pas et qu'aucun crédit bancaire n'avait été constitué par lui, il doit se réserver la preuve de l'origine desdits fonds, s'il veut se ménager à son tour un recours contre le tireur. Il ne s'agit plus alors d'un recours cambiaire mais d'une action de droit commun (*adde*, les recours comme subrogé du banquier garant de certains chèques, D.-L. 1935, art. 73, 73-1, 73-2 modifié par L. 3 janv. 1975 ; *adde* D. n. 92-456, 22 mai 1992, art. 40).

On rappellera aussi que le banquier tiré qui a payé *par erreur*, malgré l'absence de provision, a parfois un recours contre le porteur réglé par lui (V. *contra*, Trib. com. Besançon, 5 juin 1970 : revue *Banque* 1971, p. 205, *adde*, *supra*, n. 250). Parmi les recours simples du banquier, on signalera la contre-passation en compte courant d'un chèque impayé (Cass. com., 5 juill. 1994 : *Bull. civ.* IV, n. 252 ; *RTD com.* 1994, p. 755, obs. Cabrillac).

b) Prescription des recours cambiaires

253. — Le porteur peut avoir été au départ vigilant en présentant et en faisant dresser protêt, mais il peut ensuite n'avoir pas poursuivi le recouvrement. Les recours ne sauraient survivre indéfiniment exposant les signataires à des poursuites de type cambiaire. L'article 52 du décret-loi organise un système différencié de délai de prescription selon le titulaire du recours. Cette prescription cambiaire ne concerne pas les divers recours de droit commun

(Paris, 16 juill. 1952 : *JCP* 52, II, 7325, note Motulsky ; V. *infra*, n. 254) dont peut disposer un porteur ou un coobligé (V. tableau dressé par M. Cabrillac : *Rép. crim.* Dalloz, *V° Chèque,* n. 422 et s.).

1° Une prescription rapide de *six mois* est tout d'abord prévue pour les recours du porteur contre les endosseurs, le tireur et les autres coobligés. Le point de départ est le dernier jour du délai légal de présentation (soit 8, 20 ou 70 jours selon le cas) (D.-L. 1935, art. 52, al. 2). Comme en matière de déchéance, le porteur ou l'obligé conserverait, en vertu de l'article 52 *in fine* du décret-loi, une action contre le *tireur* qui ne prouverait pas avoir fait provision (Pau, 13 mars 1951 : *Gaz. Pal.* 1951, 1, 321) et contre les coobligés qui se seraient enrichis injustement (sur la durée de la prescription substituée, Cabrillac, *op. cit.*, n. 283). Cette prescription rapide est écartée si le porteur porte son action civile en remboursement, avec l'action publique, devant la juridiction répressive dans la mesure où une incrimination pénale subsiste. La prescription est alors alignée sur la prescription triennale en matière de délit. Elle part de la commission des faits délictueux.

2° Aussi brève est la prescription des recours des divers obligés contre leurs garants. Elle court du jour où l'obligé a payé ou a été assigné (D.-L., art. 52-2°).

3° Le plus long délai est accordé au porteur contre le tiré. Il pouvait agir cambiairement contre ce dernier s'il recevait provision durant trois ans. Ce délai court à l'expiration du délai légal de présentation (D.-L. 1935, art. 52, al. 3 ; Paris, 15 déc. 1982 : *D.* 1983, IR, 246). Il a été réduit à un an (L. n. 85-695 du 11 juill. 1985, modifiant l'art. 52, al. 3 du D.-L. 30 août 1935).

La doctrine reconnaît à ces prescriptions spéciales la nature de « courtes prescriptions » du droit civil (Ripert et Roblot, *op. cit.*, n. 2481 ; Hamel, Lagarde et Jauffret, *op. cit.*, t. II, n. 1727 ; V. *contra* Paris, 18 oct. 1952 : *JCP* 52, II, 7298, note H. Cabrillac ; mais, en ce sens, M. Cabrillac : *Rép.* préc., n. 413). La prescription peut donc être interrompue (D.-L., art. 53) mais elle n'est pas susceptible d'une suspension. Reposant sur une présomption de paiement elle pouvait être écartée par l'*aveu* de la partie qui reconnaîtrait n'avoir par réglé (Cass. com., 19 fév. 1957 : *JCP* 57, II, 9917, note H. Cabrillac ; revue *Banque* 1957, p. 293. — Cass., 18 mai 1966 : revue *Banque* 1966, 574, obs. Marin. — Cass. com., 14 mars 1972 : *Bull. civ.* IV, n. 87 ; *RTD com.* 1972, p. 971 ; V. cependant les hésitations de M. Cabrillac : *D.* 1983, IR, 246). Le *serment* peut aussi être déféré à l'obligé qui invoque la prescription (V. la disposition expresse du D.-L., art. 53, al. 2). Les veuves, héritiers ou ayants cause doivent jurer estimer de bonne foi ne rien devoir. Cette jurisprudence semble remise en cause par un arrêt du 20 novembre 1984 (revue *Banque* 1985, p. 307 ; *Bull. civ.* IV, n. 312 ; *RTD com.* 1985, p. 334 ; *JCP* 85, éd. E, II, 14046) qui considère que la prescription de l'article 52 (D.-L. 1935) ne repose pas sur une présomption de paiement et ne disparaît donc pas devant l'aveu du tiré que le paiement n'a pas eu lieu. Le délai d'un an de l'article 52, alinéa 3 apparaît alors comme un délai de validité du chèque. Le porteur est, faute d'avoir exigé le règlement, déchu de son recours.

Absence de possibilité conventionnelle de réduction de la prescription. — Ces délais sont établis pour la protection du porteur et non pour celle du débiteur. Il n'est donc pas possible d'apposer sur ce titre une clause en vue de réduire la durée légale de prescription du chèque (V., en ce sens, Rép. min., 7 fév. 1970 : *JO* déb. Ass. nat. 11 avril 1970, 990).

c) Survie du rapport fondamental à la déchéance et à la prescription

254. — Malgré la déchéance ou la prescription du recours cambiaire, le rapport sous-jacent peut subsister. La prescription de droit commun sera, en effet, souvent plus longue. Or, la remise d'un chèque n'emporte pas, on le sait, novation jusqu'à l'encaissement du chèque. Le créancier devrait alors faire la preuve du rapport fondamental. Il pourrait se servir du chèque comme commencement de preuve par écrit (D.-L. 1935, art. 62 ; Pau, 5 mai 1959 : *Gaz. Pal.* 1959, 2, 329. — Cass. civ., 12 nov. 1958 : *Gaz. Pal.* 1959, 1, 112 ; Vasseur et Marin, *op. cit.* n. 267) ouvrant la preuve par tous moyens.

Récupération juridique du titre de chèque nul ou prescrit. — Le titre sans valeur cambiaire ne pourrait-il éventuellement valoir, à lui seul, comme promesse sous seing privé dans les conditions de l'article 1326 du Code civil ? On notera, à cet égard, que la formule du « bon pour », exigée par ce texte, ne figure pas sur le titre. La Cour de cassation n'y discernait donc une promesse que si la qualité des parties (V. texte de l'article 1326 du Code civil) dispensait du « bon pour » (Pau, 5 mai 1959 : *Gaz. Pal.* 1959, II, 329. — Cass. com., 30 nov. 1966 : *Gaz. Pal.* 1967, 1, 205 ; *RTD civ.* 1967, p. 629, obs. Chevallier ; *RTD com.* 1967, p. 539 et l'interprétation libérale soutenue par Becqué, Cabrillac, n. 290). La loi du 12 juillet 1980 supprimant le « bon pour » lève ces doutes (Cass. com., 30 juin 1980 : *D.* 1982, 53, note Parleani). Un arrêt de la 1re Chambre civile de la Cour de cassation du 8 juillet 1986 semble remettre en cause la jurisprudence précitée en décidant que « un chèque est un mandat de payer donné par le tireur au tiré et ne constitue qu'un écrit rendant vraisemblable l'existence d'une créance invoquée par le bénéficiaire contre le tireur ». Cette jurisprudence est fortement critiquée par MM. Cabrillac et Teyssié : *RTD com.* 1987, p. 84.

Il a été jugé qu'un chèque prescrit ou nul peut servir de commencement de preuve par écrit (Cass. com., 5 fév. 1991 : *JCP* 91, IV, 127. — Paris, 3e Ch. B, 12 mars 1953 : *D.* 1993, somm. comm., 316, obs. Cabrillac). Le porteur d'un chèque prescrit peut agir contre l'émetteur sur le fondement de la subrogation s'il a avancé le montant du chèque (Cass. com., 12 juill. 1993 : rev. *Banque,* nov. 1993, p. 100, obs. Guillot ; *Bull. civ.* IV, n. 293).

d) Action d'enrichissement injuste en cas de déchéance ou de prescription de l'action cambiaire (D.-L., art. 52, al. 4)

255. — L'article 52, alinéa 4, du décret-loi de 1935, réserve « en cas de déchéance ou prescription, une action subsidiaire au porteur contre le tireur qui n'a pas fait provision ou *contre les autres obligés* qui se seraient enrichis injustement ». La matière est abandonnée à chaque Etat par la Convention de Genève. Il s'agit là d'une action spéciale d'enrichissement injuste qui ne s'identifie pas à l'action *de in rem verso* (V. sur l'ensemble, Bouteron, « Le droit cambiaire et l'action subsidiaire d'enrichissement sans cause » : *Gaz. Pal.* 1956, 2, doct. 17 ; *D.* 1986, IR, 313).

La généralité de la formule englobe manifestement les *endosseurs* (Paris, 6 mai 1983 : *D.* 1984, IR, 70).

Sa mise en œuvre appelle à préciser les notions d'enrichissement et de caractère « injuste ».

L'*enrichissement* s'entend comme dans l'action *de in rem verso.* Il peut consister en une perte évitée. Peu importe qu'un endosseur ait fourni une contrepartie pour obtenir le chèque, s'il a évité une perte en transmettant à son banquier le chèque qui devait s'avérer sans valeur et en obtenant d'être crédité de sa valeur (Montpellier, 5 fév. 1970 : *JCP* 70, II, 16442).

En revanche, on a plus vivement discuté sur le caractère *injuste* que doit revêtir l'enrichissement ainsi entendu. Cette exigence différencie la présente action de l'*actio de in rem verso*. Elle éclaire le rôle de la prescription et de la déchéance et justifie le maintien d'un recours dans ces deux cas dans l'hypothèse d'une injustice. Faut-il que l'endossataire prouve une fraude de l'endosseur « enrichi » (Orléans, 2 fév. 1949 : *JCP* 49, II, 4900) ou suffit-il qu'il ait commis une faute ou une imprudence préjudiciable au porteur ? Aucun texte n'exige la démonstration d'une fraude de l'enrichi. Mais il faut établir tout au moins son imprudence (V. en ce dernier sens, Limoges, 17 fév. 1958 : *JCP* II, 10547, note M. Cabrillac, maintenu par Cass. com., 4 juill. 1961 : *Bull. civ.* III, n. 311 ; *JCP* 62, II, 12646. — *Adde*, Montpellier, 5 fév. 1970 : *JCP* 70, II, 16442. — V. A.-M. Romani : *D.* 1983, chron. 127 et s.). Cette jurisprudence s'est nettement confirmée (Comp. Cass. com., 16 juill. 1985 : *RTD com.* 1986, p. 123 ; *D.* 1986, IR, 313). Seule une faute plus lourde du porteur paralyserait l'action du porteur (Cabrillac, *op. cit.*, n. 293).

Cette action spéciale en enrichissement injuste de l'article 52, alinéa 4, du décret-loi de 1935 profite au porteur, qui a perdu ses recours par suite de prescription ou de déchéance, même s'il est propriétaire du titre. Le banquier escompteur peut y recourir (Cass. com., 28 mai 1974 : *Bull. civ.* IV, n. 171 ; *Gaz. Pal.* 9 nov. 1974 ; *RTD com.* 1975, p. 147. V. toutefois les réserves imposées par la cour d'appel de Versailles le 22 sept. 1982 : *RTD com.* 1983, p. 259). On peut enfin estimer, malgré une controverse doctrinale, que l'action spéciale de l'article 54, alinéa 4, du décret-loi de 1935, ne prive pas le porteur, nonobstant la prescription ou la déchéance cambiaire, de son action fondamentale contre le cédant. La création d'une voie supplémentaire spéciale de recours n'est pas suffisante, selon nous, pour le priver de son action de droit commun sur cette base (En ce sens : Cass. com., 30 janv. 1996 : *Rev. droit bancaire*, mars-avril 1996, p. 53, obs. Credot et Gérard ; *RTD com.* 1996, 302, obs. Cabrillac ; *D.* 1996, IR, 58).

256. — *Perte de l'action de* in rem verso *par l'application du règlement de la Chambre de compensation.* Une hypothèse de perte de recours est à mentionner (*supra*, n. 225). Si un banquier tiré a payé un chèque en compensation au banquier présentateur, en l'absence de provision, il dispose d'un recours rapidement éteint. Le règlement de la Chambre de compensation l'invite, en effet, à restituer dans certains délais ce titre. Passé ce délai « toute valeur non rendue dans le délai fixé est considérée comme payée » (V. art. 17 : Règlement de la Chambre de Paris). Cette règle analysée en un usage crée entre banquiers une présomption simple de paiement qui peut être renversée (Paris, 25e Ch. B, 2 déc. 1982 : *D.* 1983, IR, 406). Cette preuve peut aussi être rapportée contre le tireur du chèque. Aucun rapport contractuel existant entre le banquier participant à la Chambre de compensation et le tireur ne justifie le transfert des charges d'un impayé au banquier. Le règlement de la Chambre de compensation a valeur contractuelle entre les seuls banquiers et ne s'impose donc pas aux clients usagers des banques adhérentes. Ces derniers ne peuvent en invoquer l'application (C. civ., art. 1165). Selon la jurisprudence le banquier tiré qui a réagi trop tard ne peut, cependant, faute de recours contre son confrère, agir contre le tireur. La faute de la banque la prive de son action de *in rem verso* (Cass. com., 16 juill. 1986 : *D.* 1986, IR, 313, obs. Vasseur) malgré l'enrichissement certain du « tireur ». Certains auteurs s'interrogent (V. obs. Vasseur préc.) sur la recevabilité en pareil cas d'une action en répétition de l'indu (Cass. com., 16 mai 1984 : *D.* 1985, IR, 329). Sur la distinction entre action de *in rem verso* et action en répétition de l'indu en la matière, A.-M. Romani : *D.* 1983, chron. 127.

D. — INTERDICTION D'ÉMETTRE DES CHÈQUES

257. — Il convient d'étudier à part une des suites éventuelles graves du défaut de paiement d'un chèque pour absence ou insuffisance de provision. La politique de dépénalisation amorcée par la loi de 1972 et développée en la matière par la loi du 3 janvier 1975 et le décret n. 86-78 du 10 janvier 1986 modifiant le décret n. 75-903, à la lumière d'une période d'application d'une décennie, confère à une sanction nouvelle — l'interdiction d'émettre des chèques — un effet dissuasif et coercitif bien adapté à cette forme de délinquance et/ou de négligence. La loi de 1991 en a fait le prévot de la « police » du chèque. En 1990, plus d'un million de personnes étaient sous le coup d'une telle mesure.

Le banquier tiré doit (*supra*, n. 235), en cas de refus motivé par absence ou insuffisance de provision, enregistrer l'incident et adresser une lettre d'injonction à l'émetteur.

Cette injonction avait pour but d'avertir l'émetteur imprudent et de l'éclairer sur la portée de son émission sans provision, pour lui donner la faculté, en réglant, d'arrêter un processus plus répressif. L'injonction de ne plus émettre de chèques, prévue par l'article 65-3 du décret-loi du 30 octobre 1935, ne constituait pas l'avertissement, assorti de la notification d'un délai de préavis qu'une banque est dans l'obligation d'adresser à son client avant de rompre une convention de découvert à durée indéterminée (Cass. com., 13 janv. 1987, *Soc. Banque populaire Anjou-Vendée* c. *Epoux Boutelier* : *Bull. civ.* IV, n. 8).

La refonte en 1991 du régime de l'interdiction incline à éviter de reprendre l'exposé de l'ancienne réglementation.

On rapprochera de cette mesure laissée aux mains des banques l'*interdiction judiciaire* d'émettre des chèques, bien que cette sanction, réservée aux tribunaux, ne soit pas toujours liée à un non-paiement faute de provision...

Sur l'assouplissement du régime des incidents en 1986 : Gavalda, *Commentaire de quelques lois et décrets récents en matière de chèques* : *JCP* 86, éd. E, 15560 ; obs. Cabrillac et Teyssié : *RTD com.* 1986, p. 454 ; *Note d'information de la Banque de France* n. 68, mai 1986.

1. — INTERDICTION BANCAIRE D'ÉMETTRE DES CHÈQUES

Numéros 258 à 260 : réservés.

261. — *Indépendance de l'interdiction judiciaire et de l'interdiction bancaire.* — Les deux types de mesures (interdiction judiciaire ou bancaire) restent indépendants l'un de l'autre et peuvent se cumuler (*infra*, n. 264). L'interdiction judiciaire est souvent précédée de l'interdiction bancaire. En outre, une séparation absolue existe entre l'interdiction bancaire et la procédure pénale. Un interdit bancaire pourra donc être l'objet ultérieurement d'une poursuite pénale s'il a agi « avec l'intention de porter atteinte aux droits d'autrui » (*infra*, n. 272). La régularisation éventuelle serait inopérante pour empêcher pareille poursuite. A défaut, l'absence de régularisation ne saurait entraîner *ipso facto* l'intention frauduleuse requise pour l'infraction pénale nouvelle de l'article 66 du décret-loi (*infra* n. 272). Enfin, un individu, non frappé au préalable d'une interdiction bancaire, pourrait être déféré à la justice pénale. La loi du 25 janvier 1985 sur la liquidation judiciaire et le redressement judiciaire a modifié les articles 65-2 et 68 du décret-loi du 5 octobre 1935 en permettant à l'administrateur judiciaire d'émettre des chèques pendant la période d'observation malgré l'interdiction judiciaire ou bancaire dont est guetté le chef d'entreprise (V. *RTD com.* 1985, p. 332, obs. Cabrillac et Teyssié).

262. — *Conditions d'application.* — Le déclenchement de la procédure provient de l'émission d'un chèque qui se révèle à la présentation sans provision suffisante et que le banquier tiré, non garant (*supra*, n. 233), refuse de payer. L'indisponibilité de la provision n'est pas prise en considération. La mesure est applicable aussi bien aux personnes physiques que morales.

Si le tiré consentait au dernier moment à régler, la procédure serait stoppée *ab initio*. On perçoit la souveraineté d'appréciation, en l'occurrence, du banquier tiré, qui peut « couvrir » son client (V. sur la délicate question du règlement par suite d'une erreur du tiré, Cabrillac, *Le droit pénal du chèque*, n. 13). Le banquier qui n'avertirait pas son client de l'interdiction bancaire commet une faute préjudiciable au client (Paris, 15e Ch. B, 26 sept. 1985 : *D.* 1987, IR, 70, obs. Cabrillac).

L'interdit se voit privé du droit d'émettre des chèques ordinaires (*infra*, n. 264) sur le compte de tous autres. Dès le jour de l'incident, le banquier devra s'abstenir de lui délivrer de nouvelles formules de chèque. Il ne peut plus utiliser que des *chèques certifiés* ou des *chèques dits de banque* (D.-L. 1935, art. 65-2°) ou des formules de retrait en espèces. L'interdiction prévaut sur les autres obligations du titulaire d'un compte, comme l'obligation de faire certains paiements par chèque (L. 22 oct. 1940, modifiée). L'interdit doit restituer tous les chéquiers en sa possession. Toutefois, il ne s'expose à aucune sanction pénale s'il se borne à conserver indûment ces formules, sans émettre de chèques...

Le chèque irrégulièrement émis serait pourtant valable ; l'interdit subit une *déchéance* mais pas une incapacité civile (D.-L., art. 32, al. 1). S'il a provision, le tiré doit régler le chèque sans préjudice du délit pénal commis ce faisant par l'émetteur interdit (*infra*, n. 276).

262-1. — Cette mesure peut avoir des incidences sur diverses personnes.

1° *Quid* d'abord des *mandataires* ? L'interdiction *bancaire* porte essentiellement sur le compte plus que sur l'individu *(in rem)*. Le titulaire sera donc seul interdit. Mais le mandataire doit être averti en cas d'interdiction de son mandant et cesser d'utiliser sa procuration sur le compte. On ne saurait, selon la plupart des auteurs, déduire de l'arrêt de la Chambre criminelle du 8 février 1982 (*Rev. sociétés* 1982, 553, note Bouloc ; *D.* 1982, J, 412, note Gavalda) que les *mandataires conventionnels* seraient par l'effet d'une injonction de ne plus émettre de chèques adressée au mandant frappés à titre personnel par cette injonction. Pas davantage l'interdit bancaire n'est exclu de la faculté d'être mandataire mais il s'exposerait aux peines de l'escroquerie s'il continuait à émettre sur son compte, par procuration, des chèques. On doit réserver l'hypothèse où c'est le mandataire lui-même qui a sciemment émis le chèque sans provision.

Un interdit bancaire pourrait donc en principe être mandataire. On peut penser que les banques s'abstiendront par prudence d'admettre la désignation par leurs clients de mandataires frappés d'interdiction bancaire (V., du reste, les vives critiques de MM. Varinard, Crozé et Proutat, *op. cit.*, p. 330, qui analysent les cas où le mandataire émet les chèques sans provision et déclenche l'interdiction...).

En matière de redressement judiciaire et de liquidation judiciaire, l'administrateur peut faire fonctionner sous sa signature les comptes bancaires ou postaux dont le titulaire a été frappé d'interdiction (L. n. 85-98, 25 janv. 1985, art. 31, al. 5 ; V. également : *RTD com.* 1985, p. 332, note Cabrillac et Teyssié).

L'application de l'interdiction *bancaire* en cas de tirage de chèque par le représentant d'une personne morale (PDG d'une société anonyme) est plus délicate. L'interdiction judiciaire lui serait appliquée comme mesure accessoire de la sanction pénale qui pèse sur lui (Cass. crim., 18 oct. 1972 : *Rev. sociétés* 1973, p. 527). Mais *quid* de l'interdiction *bancaire ?* Bien qu'il soit intellectuellement responsable, l'interdiction bancaire, qui a une portée réelle, devrait frapper à travers lui la société représentée (V., en ce sens, Cabrillac, *op. cit.*, n. 15). La Chambre criminelle a estimé le 8 février 1982 (*D.* 1982, J, 412, note Gavalda ; *Rev. sociétés* 1982, 559, note Bouloc, *contra* Nancy, 16 nov. 1979 : *D.* 1980, J, 278) que le gérant d'une SARL qui avait tiré des chèques sur le compte sans provision de la personne morale encourait l'interdiction bancaire. Il ne pourrait plus émettre ensuite des chèques tant en qualité de mandataire social qu'à titre personnel (V. critiques Gavalda, Bouloc et Jeantin, *op. cit.*, n. 113 ; *adde* sur l'interdiction d'émettre tant à titre de mandataire qu'à titre personnel ; Cass. crim., 9 août 1989, sur pourvoi : *D.* 1989, 320 ; *contra* Riom, 28 déc. 1988 : *JCP* 90, éd. E, 19430). La mise en œuvre de cette solution sera complexe. *Quid* en cas de pluralité de gérants ?

2° *Cotitulaires d'un compte collectif.* A la différence de l'interdiction judiciaire qui est une mesure d'application strictement personnelle (V. *infra*, n. 264), l'interdiction bancaire, mesure de police bancaire, est susceptible de s'étendre à l'ensemble des cotitulaires d'un compte collectif avec ou sans solidarité sur lequel un chèque insuffisamment provisionné a été tiré. Selon la rédaction que la loi du 30 décembre 1991 avait donnée à l'article 65-4 du décret-loi, l'application collective de l'interdiction était systématique. Une loi du 16 juillet 1992 a modifié le texte et elle en a quelque peu atténué la rigueur, sans supprimer complètement l'anomalie consistant à faire supporter à une personne les conséquences de la faute d'autrui.

Désormais, les cotitulaires d'un compte peuvent désigner d'un commun accord l'un d'entre eux qui, en cas d'incident de paiement d'un chèque, subira l'interdiction pour le compte collectif, bien entendu, mais aussi pour ses comptes personnels. Les autres titulaires n'y sont soumis que pour le compte collectif. C'est seulement à défaut d'une telle désignation que la sanction s'applique aux comptes individuels de tous les titulaires du compte collectif. Il y a là un risque que les titulaires d'un compte joint ne mesurent pas toujours.

Il va de soi que le cotitulaire d'un compte joint qui l'a dénoncé ne peut être tenu des conséquences d'un incident de paiement qui se serait produit après la dénonciation (Paris, 19 oct. 1989 : *RTD com.* 1990, p. 67). L'interdiction subie à raison d'un incident lié au fonctionnement d'un compte personnel ne s'étend pas à un compte joint dont l'auteur de l'incident est un cotitulaire. Lui seul est privé du droit de tirer des chèques sur le compte joint. De même, l'interdiction subie au titre de la participation à un compte joint ne s'étend pas à un autre compte joint auquel participe la même personne.

262-2. — *Durée de l'interdiction.* L'un des objectif de la mesure d'interdiction qui gêne considérablement le titulaire d'un compte est de l'inciter à régulariser, c'est-à-dire à payer le chèque (V. *infra*, n. 262-3). Toutefois, à défaut de régularisation il n'était pas possible de soumettre indéfiniment le tireur du chèque non régulièrement provisionné à une mesure qui, même si elle apparaît comme une mesure de sûreté, a le caractère d'une sanction. L'article 65-3-4 du décret-loi de 1935 (rédaction L. 30 déc. 1991) dispose que s'il n'a pas procédé à la régularisation, le titulaire du compte recouvre la faculté d'émettre des chèques à l'issue d'un délai de dix ans qui court à compter de l'injonction. Encore faut-il qu'à ce moment, l'intéressé trouve un banquier disposé à lui délivrer des formules de chèques puisque cette délivrance est facultative (D.-L. 1935, art. 65-1 imposant, il est vrai, la motivation du refus) et que le droit au compte institué par l'article 58 de la loi bancaire de 1984 ne d'accompagne pas d'un droit au chèque.

262-3. — *Régularisation.* Il résulte de l'article 65-3 alinéa 2 du décret-loi de 1935 modifié que le titulaire d'un compte recouvre la possibilité d'émettre des chèques s'il justifie avoir réglé le chèque ou constitué une provision suffisante et disponible destinée à son règlement par les soins du tiré et s'il a payé une pénalité libératoire (*infra*, n. 262-4). Depuis la loi de 1991, la régularisation peut intervenir à tout moment. Le tiré constate la régularisation et adresse une attestation au titulaire du compte. La Banque de France doit être avisée dans les deux jours (D. 22 mai 1992, art. 14 et 18).

La constitution de provision requise pour que le chèque soit considéré comme régularisé n'est pas forcément acquise par le versement au tiré d'une somme égale au montant de ce chèque. Si le compte du tireur se trouve en position débitrice, il est indispensable que le débit soit couvert et que se trouve constitué un crédit au moins égal au montant du chèque. Il n'en serait autrement que si une faculté de découvert avait été accordée par la banque.

Les articles 11 à 14 du décret précisent les conditions dans lesquelles il est justifié auprès du tiré du paiement du chèque et du paiement de la pénalité et comment peut être constituée la provision destinée au règlement du chèque. Cette provision affectée à un compte bloqué destiné au paiement du chèque, reste indisponible pendant un an s'il n'est pas justifié avant l'expiration de ce délai de paiement du chèque.

L'article 8 du décret du 22 mai 1992 dispose que lorsqu'un incident de paiement survient sur le même compte après un précédent incident non régularisé, l'interdiction en cours continue de s'exécuter jusqu'au paiement de tous les chèques impayés et, éventuellement, des pénalités libératoires.

La lettre d'injonction adressée au tireur du chèque impayé détaille les possibilités de régularisation (D. 22 mai 1992, art. 7 et 8).

262-4. — *Pénalité libératoire.* Pour être libéré de l'interdiction, le tireur doit, outre la régularisation, verser une pénalité libératoire d'un montant de 120 F par tranche de 1 000 F ou fraction de tranche (D.-L. 1935, art. 65-3-1). Le montant en est affecté au Trésor public (D.-L. art. 65-3-3). Sur le calcul de la pénalité en cas de provision partielle V. Paris, 25e Ch. 22 mai 1997 : *RTD com.* 1997, p. 486.

Une dispense de pénalité est, toutefois, accordée lorsque le titulaire du compte qui a émis le chèque ou son mandataire n'a pas émis un autre chèque rejeté pour défaut de provision dans les douze mois qui précèdent l'incident de paiement et s'il justifie dans le délai d'un mois à compter de l'injonction prévue à l'article 65-3 avoir réglé le montant du chèque ou constitué une provision suffisante et disponible destiné à son règlement par le tiré (D.-L. art. 65-3-1, al. 2). La dispense de pénalité s'applique à l'ensemble des chèques émis sur un même compte et rejetés pour défaut de provision suffisante dans le délai d'un mois précité.

A l'inverse, le montant de la pénalité est porté au double lorsque le titulaire du compte ou son mandataire a déjà procédé à trois régularisations lui ayant permis de recouvrer la faculté d'émettre des chèques dans les douze mois qui précèdent l'incident de paiement (D.6L. art. 65-3-2).

L'article 10 du décret-loi de 1935 détermine le mode de règlement de la pénalité libératoire : règlement au moyen de timbres fiscaux apposés sur la lettre d'injonction et à la recette des impôts ou au comptable du trésor à partir d'un montant de 24 000 F.

262-5. — *Mise en œuvre de l'interdiction.* La mise en œuvre de l'interdiction est assurée grâce au fichier des interdits de chèques que les banques doivent consulter avant de délivrer des formules de chèques à un client (V. *infra,* n. 286 et s.). On rappelle que les tirés sont tenus de payer les chèques émis à l'aide de formules irrégulièrement délivrées ou à l'aide de formules dont la restitution n'a pas été demandée à l'interdit (D.-L. art. 73). Le tireur qui a émis un chèque au mépris d'une interdiction est punissable pénalement (D.-L. art. 66 et *infra,* n. 276).

Les contestations relatives à l'interdiction d'émettre des chèques et à la pénalité libératoire sont portées devant la juridiction civile (D.-L. 1935, art. 65-3-5). La juridiction saisie peut, même en référé, ordonner la suspension de l'interdiction.

On observera qu'une interdiction bancaire d'émettre des chèques n'a pas vocation à s'appliquer à l'étranger encore q'une coordination internationale soit, en cette matière souhaitable. Il en est ainsi, en particulier, dans l'Union Européenne. Mais actuellement il n'existe pas même de communication aux autorités bancaires des autres états membres des interdictions prononcées en France (Rép. min. *JOAN*, 20 nov. 1996, n. 29535, p. 4935 : *Bull. OCBF* janv. 1996.

263. — La mise en œuvre de l'interdiction qui forme, ainsi qu'il a été souligné, le pivot du système légal actuel de lutte contre les émissions de chèques sans provision, repose sur la diligence de la profession bancaire, chargée d'assurer la police des chèques.

Cette mission serait utilement complétée par une clarification des rapports avec la clientèle, encore suffisante. Le comportement laxiste des tireurs de chèques est souvent explicable, sinon complètement justifié, par l'espoir d'un paiement à découvert. Une fixation plus précise et plus formelle du montant du découvert sur lequel peut compter chaque client justifierait de plus grandes exigences à son égard. Les banques prennent progressivement conscience de cette nécessité. Certaines ont déjà pris des dispositions pratiques en ce sens. Il faut souhaiter une généralisation de cette politique. Le Comité des usagers pourrait utilement intervenir.

2. — Interdiction judiciaire d'émettre des chèques (D.-L. 1935, art. 66, 67, 67-1 et 69)

264. — Une mesure de sûreté, imaginée en 1972 et maintenue par l'article 68 du décret-loi (rédaction de la loi de 1975) et les articles 66 à 67-1 et 69 du décret-loi de 1935 modifié par la loi de 1991, l'interdiction judiciaire d'émettre des chèques, est prononcée en principe comme peine accessoire, mais constitue aussi parfois une peine principale. La Chambre criminelle lui a appliqué expressément la qualification de peine complémentaire facultative (21 mars 1978 : *D.* 1978, 583 ; *RTD com.* 1979, p. 282), malgré son affinité avec une mesure de sûreté. C'est essentiellement une *déchéance* dont les effets s'apparentent à ceux de l'interdiction bancaire (*supra*, n. 261) avec laquelle elle s'articule souvent. Les deux types de sanctions sont juridiquement indépendants (obs. Gavalda : *JCP* 76, I, 2764, n. 40 et s.).

L'interdit judiciaire ne peut plus utiliser que des chèques certifiés ou des chèques de banque. Il lui est enjoint de restituer les formules de chèques en sa possession et sur celle de ses mandataires. Il peut, bien entendu, faire des retraits en espèces ou des virements (*supra*, n. 262). Le tribunal doit préciser les limites de l'interdiction qui laisse certaines possibilités au condamné (Cass. crim., 12 oct. 1976 : *D.* 1976, IR, 286). A la différence de l'interdiction bancaire, l'interdiction judiciaire — mesure pénale *stricto sensu* — ne peut s'étendre aussi largement à des cotitulaires du compte de l'interdit judiciaire (V. *infra*, n. 266, *in fine*).

265. — *Peine accessoire*, l'interdiction judiciaire est prononcée facultativement par le tribunal de grande instance, concomitamment à une condamnation pour les délits visés aux articles 66, 67 et 69 (retrait ou opposition injustifiés, contrefaçon ou falsification) qui à la différence de l'émission de chèque sans provision sont maintenus depuis 1991 (V. aussi nouv. C. pr. pén., art. 131-6).

266. — *Peine principale*. La mesure d'interdiction peut être prononcée sans peine principale (V. nouv. C. pén., art. 131-11 ; *adde*, l'application aux inculpés sous contrôle judiciaire, C. pr. pén., art. 138-13°).

Sa durée est dans les deux cas d'un à cinq ans. Elle peut être ordonnée avec exécution provisoire par le tribunal et s'accompagne de l'ordre de restituer toutes les formules restées en la possession du condamné ou de ses mandataires aux diverses banques.

Dans le relatif silence des textes, la combinaison de l'interdiction bancaire et de l'interdiction judiciaire reste délicate. En pratique, le tireur sera déjà frappé d'une interdiction bancaire. Si le tribunal lui inflige une interdiction judiciaire — en tenant sans doute compte du temps de privation de chéquier déjà subie —, l'interdiction judiciaire prendra aussitôt effet. Il n'y a pas de motif juridique de différer le point de départ de cette peine jusqu'à l'expiration de l'*interdiction bancaire* (en ce sens, V. Cabrillac, *Le régime pénal du chèque*, n. 71). Ce chevauchement n'est pas exclu par la loi et correspond à la philosophie de l'institution.

En revanche, si un individu est frappé de plusieurs interdictions judiciaires, ces mesures devraient s'exécuter successivement (V. note Chancellerie, n. 51 et 120). La Chambre criminelle a estimé (Cass. crim., 5 oct. 1978 : *D.* 1979, J, 138, note Mestre ; *JCP* 79, II, 19258, rapp. Sainte-Rose. — Paris, 21 janv. 1981 : *D.* 1981, J) que la règle de non-cumul ne concernait pas ces mesures mais qu'elles ne pouvaient être subies au-delà du maximum prévu par la loi.

Publicité. — La juridiction peut ordonner une publicité dans les journaux aux frais de l'interdit (D.-L., art. 68, al. 2). Mais surtout le parquet notifie la mesure à la Banque de France sans délai (D. 1975, art. 18). Cette institution diffuse tous les mois sous forme de listes mensuelles au réseau bancaire et aux centres de chèques postaux la nomenclature des interdits judiciaires (*JCP* 76, I, 2764, n. 61). L'information est ici systématique à la différence de la liste « quérable » des interdits bancaires (*supra*, n. 263). Elle peut informer aussi le parquet des violations de l'interdiction d'émettre que lui ont signalées les banques et elle doit, bien entendu, lui signaler ces cas de violation si le Parquet le demande (D. 1975, art. 23, modifié par D. 1986). Les tirés destinataires de l'information ne sont toutefois censés « informés » qu'à dater du seizième jour suivant le jour de la diffusion par la Banque de France (D. 1975, art. 28). A compter de cette date, les effets de l'interdiction bancaire commencent (garantie des chèques émis sur formules irrégulièrement délivrées, défense d'en remettre, etc.). Certains auteurs estiment (Cabrillac, *op. cit.*, n. 73) que le banquier « informé » *de facto* avant l'avis de la Banque de France serait déjà obligé de traiter son client comme un interdit (comp. pour l'interdiction bancaire : *JCP* 76, I, 2764, n. 24) et de déclarer (D.-L., art. 72) toutes les infractions de ce dernier à l'article 69 du décret-loi.

D'une manière générale, la Banque de France peut communiquer au procureur tout incident de chèque qui lui a été déclaré et donc, sur sa demande, lui répondre à ce sujet (D. 1975, art. 23-1, ajouté par D. 1986). Ce régime souple confie à la Banque de France un certain pouvoir discrétionnaire pour ne signaler au parquet que des émetteurs dont « la personnalité et le passé en paraissent justiciables » (*RTD com.* 1986, p. 455, obs. Cabrillac et Teyssié).

Domaine de l'interdiction judiciaire. — La peine complémentaire d'interdiction judiciaire a un caractère *personnel*. Elle empêche celui qui en est frappé d'émettre des chèques ordinaires à titre personnel, ou comme mandataire. Elle est bien entendu applicable à leurs complices.

L'interdit judiciaire qui « émettrait » des chèques, malgré une interdiction, soit comme titulaire soit comme *mandataire*, serait passible des peines de l'escroquerie (D.-L., art. 69) (*infra*, n. 276). En droit pur, la spécification s'imposait. Un mandataire « émet-il » vraiment ? Une société ne peut donc, semble-t-il, plus désigner comme représentant légal ou comme mandataire une personne frappée d'interdiction judiciaire (Cass. crim., 8 fév. 1982 : *D.* 1982,

J, 412, note, Gavalda ; *Bull. crim.* n. 43). Le dirigeant social frappé d'interdiction *judiciaire* pour avoir émis des chèques sans provision sur le compte de la société qu'il représente, ne pourrait plus ensuite émettre des chèques sur ses comptes personnels (Cass. crim., 8 fév. 1982, préc.).

Cotitulaires. — L'interdiction judiciaire prononcée contre le titulaire d'un compte collectif ne s'étend pas aux autres partenaires, même en ce qui concerne ledit compte. Le dernier alinéa de l'article 68 du décret-loi qui donnait une solution contraire a été abrogé par la loi du 31 décembre 1991.

266-1. — *Responsabilité pénale des personnes morales.* Parmi les peines qui peuvent frapper une personne morale lorsqu'est retenue sa responsabilité pénale figure l'interdiction d'émettre des chèques pour une durée de cinq ans au plus. La sanction constitue alors une peine principale (nouv. C. pén., art. 131-39). La personne ayant encourue cette interdiction ne peut plus émettre que des chèques de retrait, des chèques destinés à la certification ou utiliser des cartes de paiement.

ANNEXE 1

RÉPARTITION DES ÉCHANGES INTERBANCAIRES OFFICIELS ENTRE LES PRINCIPAUX INSTRUMENTS

Nombre d'opérations échangées (en milliers)

	1991	1992	1993	1994	1995	1996
Chèques	3 811 794	3 864 098	3 916 109	3 909 812	3 863 845	3 922 •
Virements (1)	875 168	938 185	992 042	1 060 543	1 114 921	1 163 •
Effets de commerce papier	17 799	9 530	6 015	1 936	—	—
LCR et effets de commerce dématérialisés	130 358	134 857	132 629	138 537	129 272	129 •
Avis de prélèvement (2)	628 363	678 471	713 988	792 593	850 270	927 •
Titres interbancaires de paiement	17 157	43 699	67 122	78 347	91 087	114 •
Télépaiement (1) (3)	—	—	—	—	195	19•
Paiements par cartes	1 327 706	1 442 487	1 564 462	1 672 404	1 866 803	2 084 254
Sous-total	6 808 345	7 111 327	7 392 367	7 654 172	7 916 393	8 362 892
Retraits aux DAB et GAB	283 477	321 512	358 865	401 198	443 984	482 586
Total	7 091 822	7 432 839	7 751 232	8 055 370	8 360 377	8 845 483

Pourcentage du nombre d'opérations échangées

	1991	1992	1993	1994	1995	1996
Chèques	56,0	54,3	53,0	51,1	48,8	46,9
Virements (1)	12,8	13,2	13,4	13,8	14,1	14,2
Effets de commerce papier	0,3	0,1	0,1	NS	—	—
LCR et effets de commerce dématérialisés	1,9	1,9	1,8	1,8	1,6	1,5
Avis de prélèvement (2)	9,2	9,6	9,6	10,4	10,7	11,1
Titres interbancaires de paiement	0,3	0,6	0,9	1,0	1,2	1,4
Télépaiement (1) (3)	—	—	—	—	NS	NS
Paiements par cartes	19,5	20,3	21,2	21,9	23,6	24,9
Total	100,00	100,00	100,00	100,00	100,00	100,00

Sources :
— Chambre de compensation des banquiers de Paris
— Chambres de compensation de province
— Ordinateur de compensation (virements, avis de prélèvement, TIP, LCR, transactions par cartes)
— Système interbancaire de télécompensation (à partir de 1991)
— Centres régionaux d'échange d'images-chèques
— Banque de France (virements du Trésor et virements interbancaires — autres que de trésorerie — remis hors compensation)
— Groupement des cartes bancaires. Groupement carte bleue, Centre d'échanges de données et d'informations du Crédit agricole mutuel (CEDICAM) (transactions de paiement par cartes bancaires)

(1) A compter de 1995, les chiffres du SIT incluent les VSOT et les instruments de télépaiement.
(2) A l'exclusion des avis de prélèvement présentés sur support papier à la Banque de France (en nombre négligeable) jusqu'au 5 mai 1994)
(3) Télévirements référencés (TVR) et titres électroniques de paiement (TEP).

CHAPITRE V

RÉGIME PÉNAL DU CHÈQUE

267. — *Généralités.* Le *délit d'émission de chèque* sans provision prévu à l'article 66 du décret-loi n'était que l'une des infractions relatives à la provision. Il existait en matière de chèque une série d'autres infractions relatives ou extérieures à la provision (V. l'ouvrage de M. Cabrillac, *Le régime pénal du chèque*, 1975 ; *infra*, n. 268) d'inégale gravité, mais qui n'avaient pas le développement pratique de cette infraction type.

A l'origine, le projet de 1864 proposait l'application des peines de l'escroquerie à l'émission de mauvaise foi d'un chèque sans provision. L'article 6 de la loi de 1865 ne prévoyait plus qu'une amende de 6 % du montant du chèque émis sans date ou avec une fausse date ou sans provision préalable. Assez curieusement, on n'avait pas voulu, par des menaces pénales, écarter du recours à ce nouvel instrument les usagers éventuels... En pratique, le Parquet parvenait à incriminer sous la qualification d'escroquerie certaines émissions frauduleuses. Il lui était souvent difficile d'établir tous les éléments constitutifs du délit de l'article 405 du Code pénal, et notamment les manœuvres frauduleuses. La loi du 2 août 1917 devrait ériger en délits distincts l'émission de chèque sans provision et le retrait injustifié (peines de l'abus de confiance). Une loi du 12 août 1926 vint harmoniser ces infractions et y appliquer les peines de l'escroquerie. La même loi assimile à l'émission de chèques sans provision le *blocage indu* ou *retrait.*

La Convention de Genève de 1931 laissa en dehors de son champ d'action le régime pénal du chèque, avec les problèmes de provision. Le décret-loi du 30 octobre 1935 ne fit que remettre en forme ces incriminations. Les réformes suivantes alourdirent la répression eu égard à l'accroissement de la délinquance en ce domaine.

L'incrimination de l'acceptation de mauvaise foi d'un chèque sans provision (D.-L., 24 mai 1938) permit de mieux cerner les variantes de la fraude. L'action civile de la victime fut, à la même époque, facilitée. Une série d'autres textes aggravèrent les peines encourues (L. 22 oct. 1940, supprimant le sursis et les circonstances atténuantes ; L. 28 mai 1947). Ces dispositions ont disparu aujourd'hui (L. 11 fév. 1951). Le régime pénal du chèque fut organisé dans le décret-loi du 30 octobre 1935 (art. 58 et s.). Le droit pénal du chèque concerne le chèque postal (C.P et T, L. 104), comme le chèque bancaire.

L'ampleur de ce type de délinquance, l'encombrement des parquets et la variation très grande d'attitude du ministère public et des juridictions en la matière (V. notre étude : *JCP* 72, I, 2587 ; Delmas-Marty, *op. cit.*, p. 139 et s.) appelèrent une profonde réforme par la loi du 3 janvier 1972 relative à la répression et à la prévention des chèques sans provision. Il est inutile de reprendre l'analyse de ce système assez original (contraventionnalisation de diverses infractions en la matière) qui a en partie disparu depuis le 1er janvier 1976.

La loi n. 75-4 du 3 janvier 1975 (art. 10), complétée par le décret n. 75-903 du 3 octobre 1975 s'appliquait aux seules infractions commises après cette date. Les règles du décret de 1975 régissaient les « incidents de paiement » relevés après la même date (D. 1975, art. 43). Le décret n. 85-78 avait réaménagé ce régime. La loi de 1991 a réformé profondément le régime pénal du chèque.

La sanction de l'émission de chèques sans provision repose désormais en grande partie sur un mécanisme administratif —l'interdiction bancaire — appliquée par les banques (*supra*, n. 261). En clair, le système met « à la charge des banques le soin d'assurer en première ligne la police de l'usage des chèques ». La réforme apparaît, au demeurant, comme une réaction contre un trop grand laxisme des banques qui n'avaient pas assez sélectionné leur clientèle. Des slogans publicitaires abusifs avaient attiré une clientèle parfois malhonnête, mais souvent mal informée sur la fonction du chèque... Une nette dépénalisation s'inscrivait déjà dans la politique criminelle générale renforcée par l'idée de réserver les poursuites aux seuls émetteurs malicieux. L'interdiction judiciaire d'émettre des chèques imaginée en 1972 a été maintenue en 1975 et 1986. Seules les émissions frauduleuses devaient être déférées, à l'avenir, aux tribunaux. La tendance à la dépénalisation, apparue en 1972-1975, s'est accentuée, tandis que le certificat de non-paiement se voit, au profit des victimes, conférer plus d'efficacité juridique. La loi de 1991 en consacre la portée essentielle. Quoi qu'il en soit, la statistique pénale n'est guère optimiste. Il a été constaté une très forte augmentation des poursuites sur citations directes (77 % entre 1985 et 1986 : revue *Banque* 1987, 336). Au demeurant, une réponse ministérielle (*JO* déb. Ass. nat. 25 sept. 1986, 3402) fait remarquer que l'amélioration des voies civiles de recouvrement si elle a permis d'inviter les parquets par voie de circulaire (28 janv. 1986) à réserver l'exercice des poursuites pénales pour les cas les plus graves n'impliquait pas qu'il y ait classement systématique des plaintes des victimes de chèques sans provision.

L'amélioration des droits de la victime est l'indispensable contrepoids du rétrécissement de l'action pénale. *Grosso modo*, les solutions antérieures de l'article 66 du décret-loi de 1935 étaient maintenues. La modification fondamentale toucha en 1975 l'élément intentionnel du délit majeur (l'émission de chèque sans provision).

Le nouveau régime pénal s'appliquait selon la disposition expresse de l'article 10 de la loi du 3 janvier 1975 aux infractions commises après le 1er janvier 1976, sans rétroactivité de la loi la plus douce (en ce sens, Cass. crim., 25 mai 1977 : *D.* 1977, J, 433, obs. E. Robert).

Rappelons qu'il y avait fin 1990, plus d'un million de personnes interdites d'émission de chèques.

La réforme de 1991 a profondément modifié le régime pénal du chèque.

Orientation bibliographique

Voir déjà la bibliographie générale et, notamment, DELMAS-MARTY, *Droit pénal des affaires*, 1990, 2 tomes et la troisième édition du *Droit pénal des affaires* de Jean LARGUIER, Colin 1975, notamment p. 109 et s. — JEANDIDIER, *Droit pénal des affaires*, 2e éd., 1996, p. 96 et s. — *Adde*, DUPONT-DELESTRAINT, *Droit pénal des affaires*, 1974, n. 290 ; les études fondamentales récentes sont celles de Michel CABRILLAC, *Le droit pénal du chèque*, 1976, *Chèque et virement*, 5e éd., 1980, et le mot « Chèque » rédigé par F. DERRIDA : *Rép. crim.* Dalloz. — BARROT : *D.* 1973, chron. 245. — P. BENOIST, *Chèques sans provision, pourquoi ?* 1973. — BOITARD, « Facilités de caisse et chèques sans provision » : *RTD com.* 1957, p. 553. — Y. CHAPUT. *D.* 1992, chron., 101. — M. CABRILLAC, « L'indépendance du droit pénal à l'égard de quelques règles du droit commercial » *in Études Stéfani*, Dalloz, 1956, p. 299 ; « Variations nouvelles des avis anciens ou les délits de retrait et de blocage de la provision après 1991 » : *Mélanges Larguier*, PUG, 1993, p. 57. — DELAHAYE, « Le contentieux du chèque sans provision : l'expérience du parquet de Paris » : revue *Banque* 1987, p. 336. — F. DERRIDA, « Ouvertures de crédit et chèques sans provision » : *D.* 1960, chron. 221. — HERZOG, « Réflexions sur la législation pénale du chèque » *in Mélanges Patin*, 1966. — HIRSCH, « La répression du chèque sans provision en France » : *Rev. int. crim. et pol. techn.* 1967, 207. — JEANDIDIER, « Les vicissitudes du droit pénal du chèque » : *Mélanges Larguier*, précité, p. 197 et s. — JESTAZ, « Le tireur conservera-t-il la disponibilité de la provision après l'émission d'une lettre de change ou d'un chèque ? » : *RTD com.* 1966, p. 881. — M.-P. LUCAS DE LEYSSAC : *J.-Cl. Pénal* 1990, fasc. art. 405. — PAGEAUD, « Les notions de bonne foi et de provision et le délit d'émission de chèque sans provision » : *JCP* 51, I, 920. — SORTAIS, « Les droits de la victime dans l'émission d'un chèque sans provision » : *Rev. huiss.* 1974, 96. — VERDUN, « La répression des infractions en matière de chèque dans le D.-L. 1935 » : *JCP* 41, I, 213. — B. LAURET, « Commentaire sur le D. 10 janv. 1986 relatif à la réglementation et à la répression des infractions en matière de chèques » : revue *Administrer* mars 1987, 14. Bien entendu le rapport annuel du Conseil national du crédit pour 1996 contient des chiffres très significatifs (CNCT).

• Aspects sociologiques

Voir M. Tr. GUILHEM, *Le chèque sans provision*, 1971. — Mireille DELMAS-MARTY, *op. cit.*, t. II, p. 108 et s.

A. — INFRACTIONS DU TIREUR CONCERNANT LA PROVISION

1. — SUPPRESSION DE L'INCRIMINATION D'ÉMISSION DE CHÈQUE SANS PROVISION

268. — Le délit le plus représentatif et le plus souvent commis était celui d'émission de chèque sans provision préalable, suffisante et disponible. Cette incrimination constituait la principale garantie de la sécurité du paiement par chèque. Mais la multiplication des infractions dont le nombre avait suivi le développement de l'usage du chèque, l'inefficacité d'une répression non systématique à raison, notamment, de l'encombrement des tribunaux, a conduit le législateur à renoncer à la qualification pénale de l'émission de chèque sans provision à laquelle a été préférée une police assurée par la profession bancaire elle-même (V. ci-dessus chapitre IV). L'évolution s'est faite en deux temps. Tout d'abord une loi de 1975 a restreint la portée de l'incrimination en exigeant que le tireur ait agi avec l'intention de porter atteinte aux droits d'autrui (D.-L. 1935, art. 66-1° dans la rédaction issue de la loi de 1975). Puis la loi du 30 décembre 1991 a supprimé le délit d'émission de chèque sans provision. Le retrait de la provision et la défense illégitime de payer demeurent, en revanche, pénalement punissables.

Numéro 269 réservé.

2. — *Retrait de la provision (D.-L. 1935, art. 66)*

270. — Il ne suffit pas que la provision existe au jour de l'émission, il faut qu'elle reste jusqu'à la présentation à la disposition du porteur qui en est propriétaire. Le transfert de provision est, en effet, irrévocable.

Éléments matériels. — L'infraction sera, ici encore, retenue même si le titre n'a pas tous les éléments commerciaux de validité du chèque. On transpose ici l'analyse pénale réaliste utilisée en matière d'émission.

Autre élément matériel — le *retrait* — consiste pour le tireur ou son mandataire à se faire remettre les fonds servant à approvisionner le tirage qui doivent rester à disposition du porteur durant les trois années suivant l'émission. Peu importe le procédé de retrait (virement, retrait d'espèces, compensation, chèque, annulation régulière du crédit ouvert par le tiré...). Peu importe que le retrait n'ait lieu qu'après l'expiration du délai légal de présentation (Cass. crim., 19 mars 1953 : *Bull. crim.*, p. 97). Il faut mais il suffit d'un acte de volonté du tireur ou de son représentant. Le mandataire du tireur qui opérerait en connaissance de cause un retrait après émission par le titulaire serait incriminable. Le retrait demeure punissable jusqu'à la prescription de l'action du porteur contre le tiré.

Élément moral. — La formule nouvelle adoptée pour le délit d'émission s'applique (Cass. crim., 13 avril 1983 : *D.* 1984, J, 5461, note Bouloc. — 25 juill. 1989 : *Rev. dr. pén. et crim.* 1989, n. 13. — 29 oct. 1990 : *Gaz. Pal.* 11 juin 1991). Les mêmes incertitudes sont de mise (*infra*, n. 271). M. Cabrillac signale que l'auteur peut ne pas être ici le même que l'émetteur (cotitulaire d'un compte joint, par exemple, sachant la portée du retrait..., *op. cit.*, n. 54).

Les peines et le régime de poursuite sont analogues à ce qui était prévu pour le délit d'émission (V. ex. C. pén., art. 405, NCPC, art. 314-1 et s.) (*infra*, n. 272).

L'oubli — établi avec certitude — d'un tirage antérieur ne relèvera plus en principe d'une poursuite pénale puisque le tireur n'a pas eu l'intention ce faisant de porter atteinte aux droits d'autrui (Cabrillac et Mouly, n. 316). *De lege ferenda*, une péremption analogue à celle du chèque postal était donc souhaitable, confirmant un « tournant » commencé par un arrêt de la Chambre criminelle du 17 octobre 1980 (*JCP* 81, II, 19589, note Gavalda). Cette juridiction, le 13 juillet 1983, rejette l'intention coupable du tireur si les droits du bénéficiaire apparaissent inexistants ou contestables. MM. Cabrillac et Teyssié décèlent là une dépénalisation nette du blocage illicite de la provision (*RTD com.* 1983, 441 ; *adde*, n. 456). On peut penser (V. Y. Chaput, précité, p. 108) qu'il aurait été souhaitable de rappeler la durée de maintien de la provision.

La dépénalisation de l'émission de chèques sans provision (D.-L. 1935, art. 66) et les incriminations maintenues voire aggravées (D.-L. 1935, art. 66) :

La mesure la plus spectaculaire (retour à 1865) est la dépénalisation quasi totale du tireur de chèque sans provision. Elle est applicable immédiatement dès publication de la loi de 1991, avec rétroactivité *in mitius* (V. *infra*, n. 47), — mais, sans paradoxe — la loi de 1991 maintient, voire aggrave diverses incriminations en matière de chèque.

3. — Délit de défense injustifié du tireur (D.-L., art. 66-1°)

271. — La loi a strictement réglé les cas d'opposition ouverte au tireur (perte, vol ou faillite, V. *supra*, n. 240). Le but est clair : faciliter la circulation du chèque et assurer l'irrévocabilité de l'émission. Le blocage de la provision en dehors de ces cas est illégitime, même après l'expiration du délai de présentation légal (D.-L., art. 32 ; L. 1975, art. 12). Le tireur a la charge de prouver le motif juste et légal de son opposition (Cass. com., 10 janv. 1968 : *D.* 1968, 477). La découverte de vices (dol...) affectant le contrat de vente de biens ou de prestations de service qui a donné lieu à remise du chèque ne justifie pas le blocage de la provision (V. *infra*, divers cas). Il importe peu que le blocage ait lieu après expiration de la date légale de présentation du chèque (V., cependant un tempérament admis par Angers, 12 fév. 1976 : *D.* 1976, somm. 33).

A la clôture du compte, l'ancien titulaire devrait donc laisser des fonds suffisants pour faire face aux tirages faits par lui auparavant.

Le délit était néanmoins plus rarement caractérisé, depuis que la loi de 1975 exigeait que l'auteur du blocage ait eu « l'intention de porter atteinte aux droits d'autrui », V. toutefois Cass. crim., 3 avril 1979 (Cass. crim., 17 juill. 1980, préc.).

Plusieurs arrêts de la Chambre criminelle notamment celui du 13 avril 1983 (*D.* 1984, 461, note Bouloc) ont fait application de ce critère pour relaxer le tireur, au motif que les juges du fond sont souverains pour apprécier l'existence de l'intention de nuire au regard des éléments de fait par eux constatés et débattus contradictoirement — la volonté de porter atteinte doit être dûment établie. La Chambre criminelle était revenue sur cette interprétation dans un arrêt du 2 mai 1984 (*D.* 1985, IR 29, obs. Cabrillac) en décidant que la seule conscience de porter atteinte au bénéficiaire suffisait, s'agissant d'une dette de jeu ; bien qu'ayant condamné le tireur, elle a débouté le bénéficiaire de sa demande de remboursement. Par un arrêt du 21 avril 1986 (*D.* 1986, IR, 406, obs. Roujou de Boubée) elle revint à sa jurisprudence de 1983, en reconnaissant que le tireur qui n'a pu établir l'inexistence de sa dette « savait nécessairement qu'il portait atteinte aux droits d'autrui », le délit étant ainsi établi. Le doctrine a approuvé dans son ensemble le retour à la jurisprudence de 1983 (*RTD com.* 1987, p. 84, note Cabrillac et Teyssié).

L'interprétation restrictive exclut une poursuite contre d'autres opposants que le tireur. Le tiers auteur de la défense injustifiée s'exposerait seulement à une réparation civile (Aix, 12 juill. 1941 : *JCP* 41, II, 1709 ; V. Cabrillac, *Le droit pénal du chèque*, n. 55-56). En revanche, le banquier tiré pourrait être condamné comme complice de l'opposition irrégulière du tireur (Cass. crim., 26 mai 1981). L'article 66 du décret-loi de 1935 modifié en 1991, vise ce cas.

4. — ÉLÉMENT MORAL DES DÉLITS DU TIREUR CONCERNANT LA PROVISION

C'est l'élément le plus modifié par la loi de 1975. La dépénalisation de 1991 enlève à la question beaucoup d'intérêt.

272. — *La notion de « mauvaise foi », élément intentionnel antérieur à la loi de 1975.* La « mauvaise foi » visée dans l'article 66 du décret-loi (rédaction originaire) avait été interprétée de manière sévère par la jurisprudence. Il s'agissait de la connaissance qu'avait eue ou qu'avait dû avoir de l'absence ou de l'insuffisance de provision disponible l'émetteur du chèque. Cette mauvaise foi devait exister au jour de l'émission.

Certes, elle devait être constatée par les juges du fond (Cass. crim., 26 janv. 1971 : *Bull. crim.* n. 24 ; *D.* 1971, J, 364 ; *Rev. sc. crim.* 1971, p. 693). Mais les tribunaux (V. Derrida : *Rép. crim.* Dalloz, *V° Chèque*, n. 48 et s.) s'étaient peu à peu attachés à une conception objective de la mauvaise foi : simple connaissance de l'absence, de l'insuffisance ou de l'indisponibilité. Cet élément essentiel entre 1975 et 1991, a aujourd'hui moins d'intérêt, sauf poursuite pénale principale.

L'élément intentionnel de l'article 66-1° du décret-loi de 1935 (modifié par L. 1975 et par L. 30 déc. 1991 (D.-L. 1935, art. 66). — Si l'on fait abstraction de « l'intention frauduleuse » requise au lieu de la « mauvaise foi » par la loi de 1972 (texte non entré en vigueur ; V. sur son interprétation, Delmas-Marty, *op. cit.*, p. 132 ; Varinard, Croze, Proutat, art. cit., n. 29), la loi de 1975 avait exigé que le tireur ait agi *avec l'intention de porter atteinte aux droits d'autrui.* Le changement de formule est repris dans l'article 66 (L. 30 déc. 1991).

La définition de l'article 66-1° du décret-loi de 1935 (rédaction 1975) était sans aucun doute destinée, dans l'esprit des rédacteurs, à briser l'ancienne jurisprudence trop dure. Il fallait un élément intentionnel renforcé. La note de la Chancellerie, explicitant les textes de 1985, observe qu'« il est incontestable que la volonté du législateur a été de donner une notion beaucoup plus restrictive que celle qui avait été dégagée par la jurisprudence à l'occasion de l'interprétation de la notion de mauvaise foi par les textes antérieurs » (note *JCP* 75, III, 43575, n. 99). La version de 1991 reste dans cette ligne.

L'exégèse du sens et de la portée de l'élément intentionnel avait suscité beaucoup de subtilités, s'agissant d'abord de la question de savoir qui est autrui ? On peut penser que ce terme désigne les porteurs ultérieurs ou le tiré quand il est tenu à garantie. Le dol peut donc être éventuel (V. M.-P. Lucas de Leyssac, art. préc., 127 et s.). Selon le même auteur, une définition spécifique serait déductible des solutions jurisprudentielles assez nuancées qui ont été évoquées : l'intention requise de l'émetteur d'un chèque sans provision serait *mutatis mutandis,* la même que celle qui caractérise l'auteur d'une filouterie d'aliments (C. pénal, art. 401, al. 4) ? La loi de 1991 a fait disparaître l'intérêt des controverses juridiques, en tout cas un certain nombre, sur le régime pénal des chèques sans provision.

5. — Poursuites et peines

273. — Aucune plainte préalable n'est requise pour que le ministère public exerce l'action publique pour les diverses infractions relatives au chèque. Il n'est pas nécessaire qu'un protêt ou un certificat de non-paiement ait été dressé. Le délit peut être constitué même en l'absence de cette constatation officielle du non-paiement qui peut être faite par d'autres moyens moins coûteux (attestation de non-paiement, D. 3 oct. 1975, art. 31, remplacée par une attestation de rejet D. n. 86-78, 10 janv. 1986 modifiant l'article 31, D. 3 oct. 1972. — Trib. corr. Seine, 13 fév. 1943 : *JCP* 43, II, 2233, note Verdun). Faut-il ajouter que le retrait de plainte de la victime n'a pas de conséquences juridiques sur l'action publique (Cass. crim., 4 juin 1951 : *Gaz. Pal.* 1951, 1, 87 ; *D.* 1951, somm. 17). Il reste que les plaintes des victimes seront la source prépondérante des poursuites puisque le parquet n'est plus depuis 1975 systématiquement averti des incidents de paiement de chèque. Le ministère public reste en tout cas maître de l'appréciation de l'opportunité des poursuites, fort délicate avec la nouvelle définition de l'élément moral du délit d'émission de chèque sans provision (V. Larguier, *op. cit.*, p. 118). Observons que l'article 380 du Code pénal relatif à l'immunité familiale ne constituerait pas un obstacle à la poursuite par le ministère public d'un époux qui a remis un chèque sans provision à son conjoint (Aix-en-Provence, 18 avril 1984 : *Gaz. Pal.* 1984, 2, 643, note Doucet ; *RTD com.* 1985, p. 127).

Peines. — Les diverses infractions visées à l'article 66-1° et 2° du décret-loi (rédaction L. 1991) sont uniformément réprimées par les peines de l'escroquerie (C. pén., art. 405, al. 1) : amende de 2 500 000 F et/ou emprisonnement de un à cinq ans.

A titre de mesure accessoire (D.-L., art. 68), le tribunal peut infliger une interdiction judiciaire de chèque de un à cinq ans (*supra*, n. 264). Comme peine facultative, le tribunal peut aussi appliquer l'interdiction des droits civiques, civils et de famille pour dix ans maximum (D.-L., art. 68, al. 1).

Diverses interdictions professionnelles sont, en outre, attachées à une condamnation. La loi du 30 août 1947 écarte de la profession commerciale ceux qui sont condamnés sans sursis à une peine supérieure à trois mois de ce chef.

Le sursis et les circonstances atténuantes peuvent être accordés selon le droit pénal commun.

Touchant le cumul de peines, on notera qu'au regard de la récidive (D.-L. 1935, art. 70) les délits d'émission, de contrefaçon, de falsification et de violation de l'interdiction sont équivalents (Cabrillac, n. 129).

274. — *Complicité.* Certaines personnes qui ne pourraient être condamnées comme auteurs de l'émission peuvent être poursuivies selon le droit commun comme complices, si elles ont, par exemple, complété les mentions portées sur le chèque ou transmis le chèque au bénéficiaire. Il en serait de même pour le commettant qui donnerait l'ordre à son préposé, mandataire, d'émettre un chèque sans provision (Trib. corr. Lille, 18 déc. 1956 : *JCP* 57, IV, 87). Les banquiers qui donneraient des conseils et instructions pour émettre des chèques sans provision seraient tenus pour complices (V. Larguier, *op. cit.*, p. 134, n. 28. — Cass. crim., 19 déc. 1957 : *Bull. crim.*, n. 859). Il arrive plus souvent que les préposés de banque soient coauteurs ou complices d'escroquerie par voie d'escomptes de chèques croisés... En revanche, l'autorisation d'un banquier d'émettre des chèques sous condition de leur couverture simultanée n'a pas été considérée comme un acte de complicité (Lyon, 6 oct. 1967 : *JCP* 68, II, 15461. — *Adde*, Trib. gr. inst., Metz, 13 oct. 1972 : *Gaz. Pal.* 1973, 2, 491, obs. C. G.).

275. — *Compétence juridictionnelle.* L'action publique peut être déclenchée par le parquet sans plainte préalable. Le retrait de plainte n'arrête pas l'action publique. La victime peut se contenter pour porter plainte, de produire au parquet une simple attestation de non-paiement délivrée par le tiré (D. 1975, art. 31). Le ministère public est averti d'office par la Banque de France des violations d'interdictions bancaires ou judiciaires. Il peut aussi obtenir sur demande le relevé complet des incidents de paiement enregistrés sur une personne depuis trois ans. Le greffe lui communique l'état des protêts, dont la rédaction n'est pas une condition de la poursuite (Trib. corr. Seine, 13 fév. 1943 : *JCP* 43, II, 2233 ; *adde* art. 32-2 nouveau D. n. 75-903, 3 oct. 1975 modifié par D. 10 janv. 1984 sur la publicité des certificats de non-paiement). Le tribunal correctionnel, réduit au besoin à un juge unique, géographiquement compétent est (C. proc. pén., art. 45, 52, 382) soit celui du lieu du délit soit celui du lieu d'arrestation ou de résidence de l'inculpé, soit enfin, depuis la loi de 1975 (D.-L. 1935, art. 65), le lieu où le chèque est payable. Ce sera le siège de la banque tirée où se concentrent les documents essentiels.

6. — Tirage de chèques par des interdits (D.-L. 1935, art. 69)

276. — C'est une incrimination complémentaire introduite par la loi de 1972, en harmonie avec la nouvelle mesure de prévention : l'interdiction d'émettre des chèques (Delmas-Marty, *Droit pénal des affaires*, p. 136). Son domaine avait été étendu avec la loi de 1975 qui ajoute à l'interdiction judiciaire (art. 65-3°), l'interdiction bancaire (D.-L. 1935, art. 68).

L'infraction est commise soit par le titulaire du chéquier, soit par ses mandataires qui, *en connaissance de cause* (Cass. crim., 8 fév. 1982 : *D.* 1982, J, 412, note Gavalda ; *Rev. sociétés*, 1982, 557, note B. Bouloc), émettent des chèques interdits à leur mandant. Les cotitulaires d'un compte dont un membre a été interdit sont menacés de cette incrimination, s'ils ont connaissance de l'interdiction (V. Trib. corr. Bordeaux, 3 oct. 1982 : *D.* 1985, IR, 30, obs. Cabrillac, en matière d'interdiction bancaire). Malgré le silence des textes, l'infraction de l'article 69-1 du décret-loi de 1935 nous paraît intentionnelle. Ce qui permet d'isoler l'hypothèse très fréquente où la personne n'a pas eu connaissance de l'interdiction prononcée contre elle (V. en ce sens, obs. préc. de B. Bouloc).

Peu importe que le chèque soit en fait payé dès sa présentation (*adde*, Gavalda : *JCP* 76, éd. CI, 12040, n. 49, n. 70).

La sanction est grave, puisque le délinquant encourt les peines de l'escroquerie (C. pén., art. 405 ; V. sur une des rares applications, Cass. crim., 27 juin 1983 : *D.* 1984, IR, 70, obs. Cabrillac).

La violation d'une interdiction bancaire (D.-L. 1935, art. 66 et 69)

Elle reste punie et s'applique à la personne qui, au mépris de l'interdiction (bancaire ou judiciaire) continuerait à tirer. L'élément moral est caractérisé par la connaissance par le tireur de son interdiction. Elle lui a été notifiée. Le banquier tiré doit (D.-L. 1935, art. 65-3) en informer également le ou les mandataires de son client.

Bien entendu, l'article 13 de la loi de 1991 maintient l'incrimination pour violation d'une *interdiction judiciaire.*

Un mandataire émettant, en connaissance de cause, un chèque au nom d'un interdit tombe sous le coup de l'article 69 du décret-loi de 1935.

B. — DÉLITS DU PORTEUR

277. — Ce regroupement est un peu artificiel. Certaines infractions de droit commun (escroquerie) peuvent, en effet, être commises aussi bien par le tireur que par le porteur. Le bénéficiaire ou l'endossataire d'un chèque sans provision peut, par exemple, en obtenir frauduleusement l'escompte. Le tirage frauduleux de chèques croisés est une combinaison classique pratiquée par certains individus, avec l'éventuelle complicité de préposés de banque, pour se procurer artificiellement une certaine trésorerie (V. Cass. crim., 23 nov. 1966 : *Bull. crim.*, n. 267, p. 604. — 26 mars 1974 : *D.* 1974, 5, 58 ; *Bull. crim.* n. 129, p. 330. — *Adde*, Aix, 31 juill. 1975 : *RTD com.* 1976, p. 162 et les sévères mais justes observations de MM. Cabrillac et Rives-Lange). Certaines infractions spéciales (contrefaçon, falsification) peuvent aussi être le fait du tireur ou du porteur. Mais elles sont plus souvent réalisées par ce dernier.

1. — RÉCEPTION OU ENDOS EN CONNAISSANCE DE CAUSE D'UN CHÈQUE IRRÉGULIÈREMENT PROVISIONNÉ (D.-L. 1935, ART. 66)

278. — Le premier de ces délits avait été introduit en 1935. Certains créanciers abusifs ou usuriers détournaient de leur but la répression pénale et se servaient de la menace pénale comme une garantie de paiement pour mieux tenir à merci des débiteurs. Ils provoquaient, ce faisant, les tireurs au délit. Leur complicité n'était pas toujours facile à retenir. L'article 66 du décret-loi punit désormais ce procédé (attitude passive de la réception, dit Derrida) des mêmes peines que l'émission. La réception par un préposé d'un chèque que le commettant sait sans provision suffit (Cass. crim., 23 mars 1965 : *Bull. crim.* 1965, 85 ; V. pour un chèque de garantie sans provision ainsi accepté, Cass. crim., 26 nov. 1974 : *Gaz. Pal.* 1975, somm. 1).

Le délit suppose comme préalable une émission irrégulière de chèque au sens nouveau de la loi de 1991, c'est-à-dire avec l'intention de nuire aux intérêts pécuniaires d'autrui. Michel Cabrillac observe qu'on imagine mal, dès lors, que le remettant ait pu avoir pareille intention alors que l'on exige que l'accepteur ait reçu le chèque « en connaissance de cause » (*Le régime pénal du chèque*, n. 79) et qualifie l'incrimination actuelle de « cercle vicieux » ! La réception d'un *chèque de garantie* sans provision deviendrait-elle dès lors impunie ? (V. autrefois, Bouteron, *Le chèque dit de garantie* : *Gaz. Pal.* 1954, 1, doctr. 15. — Cass. crim., 26 nov. 1974 : *Bull. crim.* n. 83 ; V. nos observations *supra*, n. 202, note sur l'absence d'action en remboursement de celui qui reçoit en connaissance de cause un chèque de garantie non provisionné, V. *infra*, n. 297 ; Cass. crim., 28 juin 1982, rejet) ; la Chambre criminelle a cassé le 22 avril 1985 un arrêt de la cour d'appel qui avait omis de rechercher si le prévenu avait l'intention de porter atteinte au droit d'autrui. Le chèque litigieux avait été émis en garantie d'un prêt (*Gaz. Pal.* 1986, 1, 4, note Doucet).

Ce délit ne pourra guère être commis pour de « petits chèques » (inférieurs à 100 F) qui ont en principe une provision légale. Il est désormais prévu à l'article 67-3°.

Le chèque doit aussi avoir été pris « en connaissance de cause ». La preuve de cet élément subjectif se fera par tous moyens. Les tribunaux la déduisent parfois de l'absence de date du chèque (Cass. crim., 16 nov. 1974 : *Bull. crim.* n. 347) ou d'une postdate (Cass. crim., 12 juill. 1961 : revue *Banque* 1961, p. 823 ; V. arrêt préc., 21 oct. 1985 : *D.* 1985, IR, 406 ; *RTD com.* 1987, 85). Le seul fait de la réception matérielle du titre sans provision ne vaut toutefois pas acceptation (Cass. crim., 10 mai 1978 : *D.* 1978, IR, 440 ; *Bull. crim.*, n. 146).

Cette infraction est punie d'un emprisonnement de cinq ans et d'une amende de 2 500 000 F ou de l'une de ces deux peines (D.-L. 1935, art. 67).

Le délit de réception de chèque sans provision était — en dehors du cas des chèques de garantie — fort difficile à caractériser depuis 1975. Si le bénéficiaire a reçu *en connaissance de cause* un chèque sans provision émis avec l'intention de porter atteinte à ses intérêts, n'y a-t-il pas consentement de sa part ? Ce consentement de la victime empêcherait alors la commission du délit d'émission préalable au délit de réception. Le raisonnement n'est pas imparable. Le législateur peut écarter expressément le consentement de la victime comme cause d'exonération. La rédaction de l'incrimination suggère une telle volonté législative... (Comp. l'application du critère intentionnel restrictif de la loi de 1975 à la réception d'un chèque postdaté, sans provision immédiate, Cass. crim., 21 oct. 1985 : *D.* 1986, IR, 406, obs. Roujou de Boubée ; *RTD com.* 1987, p. 85).

De toute manière, le délit de réception peut être commis si l'absence de provision nuit à un autre que le bénéficiaire. Ce peut être le cas du *banquier tiré*, contraint légalement de payer certains chèques (crédit forcé des petits chèques, D.-L. 1935, art. 73-1, et crédit sanction de l'art. 73). Ce peut être aussi le cas de l'*endossataire* d'un chèque dans le cas où le bénéficiaire aurait accepté le chèque qu'il savait sans provision à seule fin de l'endosser...

279. — *Endossement en connaissance de cause d'un chèque sans provision* est un délit créé en 1972 et maintenu en 1975 (D.-L. 1935, art. 66, al. 2) et en 1991 (D.-L. 1935, art. 66). Il concerne cette fois l'endosseur et non l'endossataire (V. Cabrillac, *op. cit.*, n. 80). Le législateur a consacré une jurisprudence antérieure audacieuse qui avait assimilé l'endos à une « acceptation », délit existant. Avant d'endosser, ne faut-il pas accepter (Cass. crim., 8 déc. 1955 : *D.* 1956, J, 698, note Derrida) ? Le fait d'endosser un chèque dont l'endosseur sait qu'il était sans provision lors de la remise était assimilé à une acceptation. L'article 36-2° du décret-loi de 1935 est plus restrictif. L'endosseur doit avoir transmis un chèque émis avec l'intention de porter atteinte aux droits d'autrui. Peu importe en revanche que l'endosseur ait reçu de bonne foi le chèque sans provision, s'il ne l'est plus quand il le transmet.

L'endos translatif est à coup sûr visé. Mais *quid* de l'endos de procuration ? Sans doute, un porteur indélicat qui se ferait consentir frauduleusement une avance sur mandat par son banquier en lui endossant le chèque à titre de procuration serait-il incriminable. Mais le banquier chargé d'encaisser qui subdéléguerait son mandat ne commettrait pas d'endos répréhensible (V. Derrida : *Rép. crim.* Dalloz, *V° Chèque*, n. 68).

La réception par le banquier d'un chèque, en connaissance de cause sans provision, à encaisser, ne constitue pas davantage une réception reprochable (V., avant la réforme de 1972, Paris, 9 juill. 1969 : revue *Banque* 1969, p. 829). Il faut bien, pour établir le non-paiement, présenter le chèque au tiré...

En revanche, le banquier qui escompterait en connaissance de cause un chèque sans provision et le réendosserait encourrait les sanctions de l'article 66-2° du décret-loi.

Cette qualification pénale serait, dans certains cas d'escompte frauduleux de chèques sans provision, plus facile à caractériser que l'escroquerie. Les peines sont un emprisonnement de cinq ans et une amende de 2 500 000 F ou l'une de ces deux peines seulement.

2. — *DÉLIT DE FALSIFICATION OU DE CONTREFAÇON DE CHÈQUE (D.-L. 1935, ART. 67, MODIFIÉ PAR L. 1991 ART. 10 ET D.-L. 1935, ART. 67)*

280. — Ces délits se rapprochent beaucoup plus des délits de faux que des autres incriminations en matière de chèque (Delmas-Marty, *op. cit.*, p. 134). L'infraction est correctionnalisée depuis 1938 (Derrida : *Rép. crim.* Dalloz, *V° Chèque*, n. 63). Ce délit spécial est, depuis 1938, l'incrimination exclusive des dispositions du Code pénal (V. sur la distinction entre la contrefaçon de chèque et le faux en écriture de commerce, Cass. crim., 25 mars 1965 : *Bull. crim.*, n. 89). Elle a été remaniée en 1972. Ce type d'infraction serait en progression inquiétante (Delmas-Marty, p. 135).

Faut-il rappeler que le chèque est un titre bancaire. La recrudescence des infractions et le réseau criminel qui se mettent en place justifient un retour à plus de sévérité.

Trois délits étaient visés dans l'article 67 du décret-loi (rédaction L. 1975). La loi de 1991 maintient ces infractions :

— la contrefaçon ou la falsification du chèque qui peut être l'œuvre de l'émetteur ou d'un tiers (D.-L., art. 67) (le faux peut être soit matériel soit intellectuel, selon les conceptions du droit commun) ;

— l'usage ou la tentative d'usage en connaissance de cause d'un tel chèque ;

— le fait d'accepter, en connaissance de cause, de recevoir ou endosser un chèque falsifié ou contrefait : délit du porteur.

On doit rapprocher de ces infractions le cas spécial de l'article 24 du décret-loi de 1935, reprenant les termes de l'article 139 du Code de commerce, qui « défend d'antidater les ordres à peine de faux ». La simulation est donc pénalement punissable, si les autres éléments constitutifs sont réunis.

L'apposition frauduleuse d'une signature non manuscrite constituerait aussi un faux (Gavalda : *JCP* 66, I, 2034, n. 26), mais une répression spéciale est prévue pour cette infraction par l'article 151-1 du Code pénal et la loi du 16 juin 1966.

On signalera une variété de ce délit pittoresque, mais qui semble de plus en plus fréquente : l'apposition par le propre titulaire du chéquier d'une signature fantaisiste après avoir avisé la banque de la perte dudit chéquier (Cass. crim., 28 janv. 1964 : *Rev. dr. pén. et crim.* 1964, 323).

Les mailles de la répression se sont de plus en plus resserrées. La liste des infractions de ce genre a été étendue en 1975. On y a ajouté le *délit d'usage* ou de tentative d'usage et celui d'*endossement en connaissance de cause* d'un chèque falsifié. Un délit particulier est prévu en cas d'usage d'un chèque frauduleusement endossé à la griffe (C. pén., art. 151-1, al. 3).

Le banquier ou le préposé de banque qui tenteraient de faciliter la circulation de titres de chèques faux ou contrefaits tomberaient sous le coup de ce nouveau délit. Le faux peut être ici encore matériel ou intellectuel.

Touchant l'élément moral de ce délit, la Chambre criminelle a estimé le 25 novembre 1985 (*RTD com.* 1986, p. 53) qu'il était suffisamment caractérisé, des expertises psychiatriques ayant révélé que le prévenu avait eu conscience de commettre les faits reprochés. L'analyse peut paraître audacieuse (*Gaz. Pal.* 1986, 2, 266).

La contrefaçon d'un *chèque de voyage* ne constituerait pas le délit spécial, étant donné la nature originale de ce titre. L'incrimination est celle de faux en écriture prévu par l'article 150 du Code pénal (V. Cass. crim., 20 mars 1960 : *D.* 1961, 56, note Despax ; *Bull. crim.* n. 32. — *Contra*, Paris, 26 nov. 1954 : *Gaz. Pal.* tables 1951-1955. — V. Paris, 8 nov. 1950 : *D.* 1951, J, 137). La falsification d'une certification est un faux en écriture de banque (Paris, 30 juin 1989 : *D.* 1990, somm. 119).

La loi de 1991 a aggravé le peines pour ce type d'infraction dans la crainte du détraquement de certains réseaux. L'emprisonnement va désormais jusqu'à 7 ans et l'amende jusqu'à 5 000 000 francs.

3. — Délit de fractionnement des paiements par petits chèques (D. 22 mai 1992, art. 40)

281. — Une nouvelle infraction (contravention de 5e classe) a dû être prévue par l'article 37 du décret de 1975 (aujourd'hui D. 22 mai 1992, art. 40) en contrepartie de la garantie des « petites chèques » par le tiré (Cabrillac, *Le régime pénal du chèque*, n. 103 et s.). L'impunité assurée à l'émetteur de chèques inférieurs à 100 F et la garantie bancaire desdits chèques créent la tentation pour un créancier de se faire remettre en règlement une série de petits chèques aussi sûrs désormais que des billets de banque (V. *supra*).

L'incrimination implique par hypothèse une créance d'un montant supérieur à 100 F. Le terme « paiement d'une somme » est tenu comme ambigu. S'agit-il d'une ou de plusieurs créances nées concomitamment (achat de plusieurs objets à un fournisseur) ? M. Cabrillac (*op. cit.*, n. 104) se prononce pour la « créance unique ».

D'autres questions pratiques restent discutables. Le rabais consenti pour descendre à un prix inférieur à 100 F ne paraît pas illicite. Mais le paiement par un petit chèque complété par d'autres modes de règlement (espèces, traites...) paraît coupable (en ce sens, Cabrillac, *op. cit.*, n. 105).

La demande ou l'obtention de la remise de titres d'un montant inférieur ou égal à 100 F est la seconde condition. La simple provocation, même non suivie d'effet, est incriminable. Peu importerait, semble-t-il, qu'il y ait provision et donc pas de préjudice (Cabrillac, *ibid.*, n. 203 ; *contra*, Derrida : *D.* 1976, chron. 203, n. 52). La solution paraît sévère, mais il n'y a, à notre connaissance, quasiment pas de jurisprudence sur ce point.

La complicité n'est pas punissable s'agissant d'une contravention, mais l'article 40 du décret de 1992 vise « quiconque a directement ou indirectement exigé ou provoqué cette fragmentation ».

La sanction est légère : amende prévue pour les contraventions de 5e classe, doublée en cas de récidive.

C. — INFRACTIONS COMMISES PAR LE TIRÉ

282. — Le rôle essentiel attribué au banquier tiré depuis 1972 et surtout depuis 1975 explique la multiplication des sanctions pénales encourues par lui.

Outre l'incrimination ancienne de la fausse indication d'une provision insuffisante (D.-L. 1935, 72-1°), le non-respect des diverses obligations imposées au banquier est réprimé pénalement. Ces dispositions renforcent *grosso modo* les sanctions civiles (V. Varinard, Croze et Proutat, art. cit., p. 327). Elles ne visent pas les fonctionnaires des centres de chèques postaux (C. P et T, art. L. 104).

1. — FAUSSE INDICATION DU TIRÉ SUR LA PROVISION (D.-L. 1935, ART. 72-1°)

283. — Le fait d'indiquer une provision inférieure à la provision existante et disponible constitue une infraction punie d'une amende de 80 000 F (D.-L. 1935, art. 72-1°).

La sévérité contre le tiré est renforcée depuis la loi de 1972 puisqu'il n'est plus nécessaire, comme auparavant, que le banquier ait agi « sciemment ». Son imprudence ou sa négligence sont pénalement comme civilement répréhensibles. En pratique, l'infraction sera imputable au directeur d'agence (Cass. crim., 17 mars 1966 : *Bull. crim.* n. 102 ; *RTD com.* 1967, p. 833). Mais la banque sera civilement responsable comme commettant (C. civ., art. 1384, al. 5).

Il s'agit d'une contravention punie d'une amende pénale et non fiscale (Cabrillac et Mouly, n. 324).

Les conséquences dommageables de ce refus erroné peuvent être lourdes non seulement sur le plan moral, mais sur le plan matériel (V. Grenoble, 7 juill. 1976 : *D.* 1976, 489, note F. D. — Trib. gr. inst. Paris, 1re Ch., 2e sect., 14 nov. 1975, inédit ; *adde supra*, n. 249).

La fausse indication du banquier sera, en effet, sans doute suivie d'une procédure d'injonction, voire — en cas d'erreur persistante — d'interdiction du client (Vézian, thèse citée, n. 121). L'article 17 du décret n. 86-78 lui permettrait d'annuler assez vite l'incident... et de limiter éventuellement le préjudice causé au client.

2. — *OMISSION DES DIVERSES DÉCLARATIONS OBLIGATOIRES OU INTERDICTIONS (ART. 72-2°, D.L. 1935)*

Le défaut total de déclaration des incidents de paiement, la déclaration tardive ou incomplète (D.-L. 1935, art. 72-2°), les faits de violation des interdictions d'émettre (D. 1975, art. 15, 16, 19, 20) ainsi que le défaut d'envoi d'une injonction sont aussi visés (D.-L. 1935, art. 65-3 ; Cass. crim., 19 mai 1980 : *D.* 1980, J, 513, note Ch. Gavalda). La sanction est encourue aussi par le directeur de l'agence sur qui pesait le devoir de faire ces déclarations.

Une banque encourt les sanctions de l'article 72 précité, si elle ne remet pas le certificat de non-paiement au bénéficiaire.

La *délivrance de chéquiers à un interdit bancaire ou judiciaire* par un banquier informé (V. l'analyse détaillée sur ce point de M. Cabrillac et Mouly, n. 333) est punie des mêmes peines. Mais la délivrance d'une formule à un nouveau client sans consultation de la Banque de France génératrice d'une garantie civile (D.-L., art. 73) échappe à la responsabilité pénale.

La recevabilité d'une action civile en responsabilité fondée sur le droit commun contre le tiré qui a délivré irrégulièrement des formules de chèques à un interdit pose un très délicat problème. Le législateur avait, en effet, aménagé, en l'occurrence, un système de garantie forfaitaire, assurant une réputation automatique jusqu'à 10 000 F par formule. Si le chèque (irrégulier) était d'un montant supérieur à 10 000 F, certains auteurs estimaient que cette « limitation de responsabilité interdisait à la victime de prétendre à une somme supplémentaire » (V. en ce sens, Gavalda : *JCP* 76, I, 12040, n. 34 ; *adde*, Cabrillac et Mouly, n. 333 ; mais V. les hésitations de M. Vézian, thèse citée, n. 76-3 et 4 et la position de M. Derrida, art. cité, n. 12, favorable à l'applicabilité de la théorie générale de la responsabilité). En bref, ce système apparaissait tout à fait aléatoire et critiquable. La garantie illimitée imposée en 1991 a évacué ce problème.

Ces infractions « matérielles » n'impliquent pas d'élément intentionnel.

On soulignera la modestie de la répression pénale par rapport à la lourdeur de la responsabilité civile bancaire dans ces divers cas. MM. Cabrillac et Teyssié (*op. cit.*, n. 344) soulignent toutefois l'utilisation encore possible de délits traditionnels pour sanctionner certaines manœuvres frauduleuses en matière de chèque.

L'encouragement du législateur au règlement par chèques et notamment l'obligation d'effectuer sous cette forme divers règlements expliquent l'augmentation du volume des formules de chèque. Outre les difficultés spécifiques de gestion mécanisée ou informatisée d'un tel volume de chèques (3 milliards et demi de chèques compensés environ en 1982), ce phénomène implique un accroissement des incidents pénaux. L'encombrement excessif des tribunaux saisis de ces infractions et l'inadaptation des peines à certaines formes de cette délinquance ont justifié les réformes de 1972 et 1975 et surtout de 1991.

Les incidents de paiement enregistrés en 1990 furent nombreux. La Banque de France a constaté plus d'un million d'interdictions bancaires ou judiciaires. Le taux des classements sans suite par le parquet a considérablement augmenté. Les violations et interdictions d'émettre ne sont pas — et de loin — systématiquement poursuivies. Pour 3,36 milliards de titres de chèques, 3,5 millions se sont révélés sans provision. 510 000 plaintes ont eu lieu et 71 000 condamnations furent prononcées en 1985.

L'absence d'effet dissuasif des sanctions pénales pour les chèques d'une faible importance s'est confirmée. Cela explique la dépénalisation de 1991.

Trois autres infractions punies de 80 000 francs d'amende sont prévues à l'article 72 D.-L. 1935 dans la même perspective de faire respecter les obligations d'information bancaire :

(L. n. 91-1382 du 30 déc. 1991) « 1° *bis* Le tiré qui rejette un chèque pour insuffisance ou indisponibilité de la provision sans indiquer, lorsque tel est le cas, que le chèque a été émis au mépris d'une injonction adressée en application de l'article 65-3 ou en violation d'une interdiction prononcée en application de l'article 68 ;

« 2° Le tiré qui n'a pas déclaré, dans les conditions prévues par décret en Conseil d'Etat, les incidents de paiement ainsi que les infractions prévues par le troisième alinéa de l'article 66 et l'article 69 ; » — *Sur l'entrée en vigueur, V. note ss. art. 65-4.*

3° Le tiré qui contrevient aux dispositions des articles 65-2, 65-3 et 68 (alinéa 3).

L'esprit général est clair. La police appartient depuis 1991 aux établissements de crédit.

CHAPITRE VI

PRÉVENTION DE LA DÉLINQUANCE ET AMÉLIORATION JURIDIQUE DE LA SITUATION DES VICTIMES DE CHÈQUES SANS PROVISION

284. — La réforme de 1975 avait déjà été marquée d'un souci de dépénalisation et de prophylaxie criminelle accentué en 1986. Ce dispositif s'inscrit dans une politique pénale globale d'adaptation des incriminations. L'allègement du système se traduit par une distinction entre les utilisateurs malhonnêtes du chèques seuls voués à la justice pénale et les imprudents.

La mesure d'interdiction bancaire — et même l'interdiction judiciaire — a pour finalité de « punir » l'émetteur incorrect « par où il a péché » mais aussi de l'inciter à mieux user — après une privation du droit de tirage — de l'instrument de paiement précieux que constitue le chèque. L'interdiction doit avoir une certaine vertu éducative.

On ne reviendra pas sur le mécanisme de prévention longuement exposé (*supra*, n. 261). Mais on décrira ici les divers organismes — dont la Banque de France est le pivot — que mettent en œuvre cette politique de prévention.

En contrepartie de cette dépénalisation qui évitera à certains imprudents, au terme d'une période d'observation et au prix d'un retrait de chéquier, les désagréments d'une poursuite pénale, le législateur a voulu rassurer les utilisateurs. Les victimes ne devaient pas, bien entendu, pâtir du désencombrement des tribunaux pénaux ou d'une politique audacieuse de dépénalisation. L'amélioration de la situation de la victime est nette. Après avoir décrit son action civile, on soulignera les voies d'exécution extra-contentieuses aménagées par les lois de 1972, 1975 et 1991. Il ne faut pas oublier l'aspect financier du dossier du chèque, qui pose le problème des règlements sûrs et rapides dans une société industrielle. Le développement progressif de la carte de crédit maintient, en attendant la monnaie électronique, au chèque une place éminente en France, où la *Checkless Society* paraît moins proche qu'aux Etats-Unis. On a justement souligné que, « face au développement des émissions de chèques sans provision qui prenait l'ampleur d'un phénomène de délinquance de masse, le recours à une procédure de dissuasion rigoureuse était indispensable pour assurer la confiance du public dans le chèque ».

A. — Prévention de la délinquance et organes de surveillance

285. — La police des chèques est dévolue au premier degré depuis 1991 aux banques elles-mêmes, qui sont les mieux placées pour enregistrer les incidents. La Banque de France est le pivot du système. Elle est l'organisme récepteur et émetteur à l'échelon national des divers incidents de chèques. Cette fonction s'intègre tout naturellement à son rôle traditionnel de tutelle des banques et de responsable de l'émission et de la circulation de la monnaie scripturale.

Le parquet et les tribunaux n'interviennent plus que pour les irrégularités d'une gravité particulière, révélant soit une malhonnêteté caractérisée, soit la violation des interdictions. La juridiction répressive contribue en outre à la politique de prévention en prononçant des interdictions judiciaires de plus longue durée (un à cinq ans) prolongeant les mesures d'interdiction relativement courtes prononcées par le secteur bancaire.

Une étroite liaison est assurée par le parquet et les greffes avec le secteur bancaire.

1. — Rôle de la Banque de France

286. — L'Institut d'émission et ses services informatiques sont le centre clé du dispositif, destinataire et émetteur d'informations. La banque gère le fichier central des chèques impayés. La Banque de France a arrêté le 15 janvier 1987 les règles applicables au fonctionnement du fichier central des chèques. Ce texte a été adopté après avis de la Commission nationale de l'informatique et des libertés. Il concerne les informations enregistrées, les destinataires de celles-ci, leur durée de conservation, les conséquences de l'inscription au fichier ainsi que les modalités d'exercice du droit d'accès et de rectification (V. Gavalda : *JCP* 76, I, 12040, n. 53 et s. ; V. sur le rôle de la Banque de France de 1972 à 1975, Rameau : *Gaz. Pal.* 1973, 2, doctr. 477 ; Banque de France, Note d'information, n. 109).

La Banque destinataire d'informations (D. 1992, art. 16 à 18), déclarations d'incidents. — Le tiré doit, lui, déclarer les incidents non régularisables ou non régularisés, même relatifs à un compte clos (art. 21). La banque lui donne accusé de réception de cette *déclaration*. L'*avis* normalisé doit contenir une série de renseignements (D. 1975, art. 16).

Ce document est à acheminer le deuxième jour ouvrable suivant l'expiration du délai de régularisation ou, si l'incident n'est pas régularisable, le quatrième jour suivant la présentation du chèque.

La Banque reçoit aussi les *décisions d'interdiction judiciaire*. Le tiré doit enfin lui déclarer les violations d'interdiction qui constituent éventuellement un grave délit (*supra*, n. 261). Peu importe le règlement du chèque.

Annulation. — Si la déclaration s'avérait erronée, la banque devrait en aviser la Banque de France dans les meilleurs délais (Paris, 15e Ch., 30 mars 1977 : *D.* 1978, IR, 81). Cette dernière avise le tiré de l'annulation et la banque en informe à son tour le client après avoir fait mention de l'annulation de la déclaration sur l'enregistrement de l'incident (D. 1992, art. 17). Le défaut d'information serait fautif (Trib. gr. inst. Paris, 18 mai 1990, inédit). Les possibilités d'annulation autrefois très réduites ont été élargies par le décret n. 86-78 du 10 janvier 1986. La mesure d'interdiction prend fin (sur le moment de levée de cette mesure, V. Cabrillac, *op. cit.*, n. 104). Manifestation de l'indépendance de l'interdiction et d'une condamnation pour délit d'émission de chèque sans provision, une décision de justice de relaxe n'entraîne pas radiation par la Banque de France du fichier des interdits (Rép. min. : *JO* déb. Sénat 24 août 1979, 2736).

La Banque de France, émettrice d'informations. — En application de l'article 25 du décret du 22 mai 1992, la Banque de France peut communiquer au procureur de la République et, doit lui communiquer, s'il en fait la demande, les émissions de chèques qui lui ont été déclarées comme constituant une infraction à une interdiction résultant de l'application des articles 65-3 et 68 du décret-loi de 1935. La Banque de France doit aussi communiquer à tout magistrat ou officier de police agissant sur instruction du procureur ou sur commission rogatoire, le relevé des incidents de paiement enregistrés au nom d'un titulaire de compte (D. 1992, art. 26).

La Banque de France est également chargée d'une mission d'information du système bancaire (D.-L. 1935, art. 74 et D. 1992, art. 28 à 31). Elle informe tout banquier concerné des interdictions d'émettre des chèques. Les banquiers concernés sont tous ceux qui tiennent un compte ouvert au nom d'une personne frappée d'interdiction. L'identification de ces comptes est possible grâce au fichier « FICOBA » tenu par l'administration des impôts. L'information doit être donnée au plus tard le deuxième jour ouvré suivant la réception de l'avis de l'administration des impôts. Dans les mêmes délais la Banque de France informe les banquiers concernées de la levée des interdictions et des annulations. Les banquiers sont réputés avoir connaissance de l'information au plus tard le troisième jour suivant sa réception.

Sur leur demande, les banquiers peuvent obtenir de la Banque de France des renseignements relatifs aux incidents de paiement enregistrés par elle au nom d'une personne désignée. La consultation est obligatoire avant la délivrance de formules de chèques à un nouveau client. Les réponses doivent être conservées pendant deux ans.

Enfin la Banque de France diffuse à tous les banquiers, une fois par mois, les renseignements sur les levées d'interdiction résultant de nouvelles décisions judiciaires.

287. — *Fichier central des chèques impayés.* La Banque de France est chargée de la centralisation des incidents en matière de chèque et des interdictions (D.-L. 1935, art. 74 et 74-1). Un fichier central des chèques impayés a été créé par un décret du 20 mai 1955 (sur ce fichier, V. Gavalda et Stoufflet, *Droit du crédit,* t. I, n. 399 *bis*). Le fichier a été réorganisé en fonction des nouvelles missions confiées à la Banque de France. Un arrêté du Conseil général de la Banque de France du 15 janvier 1987 règle le fonctionnement du fichier (V. Perdrix, revue *Banque* 1993, p. 10).

Les personnes utilisant à d'autres fins que celles poursuivies par le décret-loi de 1935 les informations centralisées par la Banque de France encourt des sanctions pénales (D.-L. 1935, art. 74, al. 5). Toutefois les établissements de crédit peuvent utiliser les informations recueillies auprès de la Banque de

France comme élément d'appréciation avant d'accorder un financement ou un crédit (D.-L. 1935, art. 74, al. 6).

Le service émet les informations ci-dessus indiquées et fournit à la demande les divers renseignements évoqués. Il n'a en tout cas plus le devoir de diffuser au parquet systématiquement tous les cas de refus de paiement pour défaut de provision à lui signalés. L'article 31 de l'ordonnance de 1967 a été abrogé (L. 3 janv. 1972, art. 15).

Dès 1962, la gestion du fichier avait été automatisée. La consultation des dossiers individuels restait manuelle. L'augmentation des incidents et des interrogations de banque (1 270 000 en 1974) menait à un blocage de la centrale. Un équipement informatique nouveau permet de mieux maîtriser les données. Les clés de recherches sont basées sur la date de naissance pour les personnes physiques et sur le numéro national d'entreprise pour les personnes morales.

Les banques peuvent utiliser trois procédures d'interrogation : présentation de formulaires, interrogation par bandes magnétiques, consultation directe par télex (réponse à très bref délai par même canal). Le nombre des demandes est passé de 1 980 000 en 1975 à 7 400 000 en 1977 et... 17 800 000 en 1985. En 1988, 1 798 000 demandes ont été formulées. Les statistiques les plus récentes permettent de mesurer l'activité du fichier des chèques impayés cinq ans après la mise en application de la loi de 1991 (V. note d'information Banque de France, n. 109). Le nombre des interdits bancaires recensés est passé de 1 270 000 en 1993 à 2 420 000 à la fin de 1997. A cette dernière date, 45 % des interdictions avaient plus de 3 ans. Ce chiffre permet d'évaluer le taux de régularisation (l'extinction automatique de l'interdiction au bout de 10 ans n'a pas encore joué). Le nombre des interdits judiciaires enregistrés a considérablement baissé du fait de la dépénalisation de l'émission de chèques sans provision : 18 000 en 1992 et 311 seulement en 1997.

Le nombre d'incidents de paiement recensés est passé de 6 millions à la fin de 1993 à 15 millions à la fin de 1997. Le nombre des incidents déclarés a été stable durant cette période : environ 6 millions par an. Le chiffre paraît élevé, mais il est à rapprocher de celui des chèques émis.

287-1. — *Fichier national des chèques irréguliers.* Parmi les instruments de surveillance de la monnaie moderne, ce fichier avait d'abord fait l'objet d'expériences privées. Sa réalisation s'est développée en collaboration entre la banque et les représentants du secteur bancaire (V. Michel Perdrix, *Deux fichiers nationaux au service de la prévention* : revue *Banque* 1990, p. 580 et s.). Un autre fichier national relatif aux incidents de remboursement des crédits aux particuliers (FICP) a été officiellement créé par la loi du 31 décembre 1989. Il ne sera pas exposé ici, car il concerne d'une manière plus générale le crédit (V. Gavalda et Stoufflet, *Droit du crédit*, t. I, *Les Institutions*, Litec, 1990 ; Dupichot et Guével, *op. cit.*, 3e éd., 1996, n. 551 et s.).

La loi du 30 décembre 1991 a étendu les fonctions du Fichier des incidents. Son accès est assez ouvert (V. D. n. 92-467, 26 mai 1992 : *RTD com.* 1992, p. 647).

Le fichier des chèques irréguliers, initialement dénommé fichier des chèques volés ou perdus est établi par la Banque de France à partir des listes de chéquiers frappés d'opposition dressées par les banques et des déclarations de vol ou de pertes recueillies par la police. Il enregistre également les chèques irréguliers, les coordonnées des interdits de chèques et celle des comptes clôturés.

Le but est clair : permettre aux commerçants ou prestataires de services, bénéficiaires de chèques, de savoir si ces titres ont ou non fait l'objet d'une déclaration de vol ou perte auprès des autorités de police et/ou des établissements de crédits teneur de compte. Le préjudice (1,5 milliard de francs environ) résultant de la fraude par « chèque de bois » justifiait un dispositif de prévention de ce genre.

La gestion par la Banque de France qui a la tutelle *lato sensu* des divers moyens de règlement, qui ne se limitent plus depuis longtemps à la monnaie fiduciaire (V. tableau du CLIMP de la Banque de France pour 1989, *supra*, n. 266) évitera une dérive du système vers des systèmes de garantie ou d'assurance privée.

Il était cependant réaliste d'aménager, en collaboration avec les professionnels de la banque ou du commerce, ce fichier. Le Conseil national du commerce a reçu la mission de créer et gérer le serveur de consultation permettant l'exploitation des données (V. Perdrix. art. préc.). Le fichier a aujourd'hui un fondement légal (D.-L. 1935, art. 74-1, D. n. 92-467 du 26 mai 1992 ; Arr. 24 juill. 1992).

Les déclarations destinées à « alimenter » le fichier seront faites tant par les autorités de police et de gendarmerie que par les établissements de crédit. Des textes seront sans doute nécessaires pour la légalité du système au regard des divers impératifs en jeu de secret notés.

Plusieurs modes d'interrogation seront offerts aux commerçants accrédités : mode vidéotex (Minitel, lecteur de textes) ; liaison spécialisée pour les grandes firmes. Un mot de passe permettra d'éviter une interrogation par des appelants non habilités.

Le système est payant. Selon M. Perdrix, le service du fichier pourrait être appelé à répondre à près de 60 millions d'appels...

Un arrêté du 19 octobre 1990 a autorisé la participation des services de police et de gendarmerie à la gestion d'un traitement automatisé des chèques déclarés volés ou perdus, système mis en œuvre par la Banque de France (D. 1990, L. 435). La statistique sur les chèques volés montre que ces vols ont été multipliés par neuf en dix ans. Le coût en serait pour le commerce de 1,5 milliard de francs par an. Le coût du service, l'absence de garantie consécutive à la consultation du FNCV, le respect des impératifs de la vie privée, des règles du CNCL et de la Convention européenne des droits de l'homme poseraient sans doute quelques problèmes juridiques. Un peu de réflexion juridique sur ce fichier n'eût peut-être pas été négligeable ? Quoi qu'il en soit, ce fichier est entré en fonction le 19 janvier 1990.

Le brûlant dossier de la garantie par les banques des chèques, toujours limitée à 100 F est lié, à notre sens, au dossier du FNCI.

Ce fichier a reçu un avis favorable de la CNIL en date du 20 mars 1990. Il appelle peut-être certaines réserves juridiques.

Depuis 1991, toute personne à laquelle est proposé un règlement par chèque peut interroger la banque sur la régularité de ce titre (V. D. n. 92-467, 26 mai 1992). La confidentialité de ce fichier est protégée pénalement (V. D.-L. 1935, art. 74-1 ; L. 16 déc. 1992).

« La consultation peut être faite par une personne susceptible de recevoir des chèques en paiement de biens ou de services à laquelle, sur sa demande, la Banque de France a attribué un code d'accès au FNCI ou par un mandataire bénéficiant d'un code d'accès. L'information est donnée sans délai et moyennant rémunération. Un système informatique RCSIST est utilisable par les commerçants.

Pour préserver la confidentialité du fichier et prévenir les abus auxquels pourrait donner lieu cette source de renseignements, le législateur a créé plusieurs infractions pénales : 1° le délit correctionnel de diffusion ou de conservation des informations obtenues (D.-L. 1935, art. 74-1, al. 2) auquel sont applicables les peines prévues par l'article 44 de la loi n. 78-17 du 6 janvier 1978 (*D.* 1978, 77, *rect.* 114, référence à laquelle est maintenant substituée celle de l'article 2226-21 NCP) ; 2° la contravention d'interrogation illicite du fichier, contravention de 5ᵉ classe qui réprime, d'une part, l'interrogation faite en dehors des conditions posées par les textes et, d'autre part, le défaut de transmission immédiate du renseignement au mandant par son mandataire (D. 1992, art. 6) ; l'amende prévue pour les contraventions de la 5ᵉ classe, avec un maximum doublé en cas de récidive ».

287-2. — *Fichier FICOBA*. Un troisième fichier est à mentionner dans le cadre d'une politique préventive. Il tend à l'identification de tous les comptes d'un interdit (D.-L. 1935, art. 74).

Pour éviter l'ouverture par les interdits bancaires de comptes auprès d'autres établissements, un système d'alerte générale est mis en place.

Désormais, les précautions sont multiples. La Banque de France, doit, dès qu'elle apprend l'existence d'un incident de chèque (D.-L. 1935 NS, art. 74) obtenir de la Direction générale des impôts les renseignements nécessaires pour connaître tous les comptes ouverts sur l'ensemble du territoire français à l'interdit. Le fichier dit FICOBA, géré par le Fisc, contient la liste de ces comptes par nom de contribuable, dans les différents établissements de crédit. La Banque de France, éclairée par la DGI devient le pivot de la centralisation des interdictions bancaires et devra ensuite aviser tous les établissements de crédit de mettre en conséquence en œuvre une procédure d'interdiction... L'accès à FICOBA permettra de savoir si une fraude aux chèques sans provision n'est pas orchestrée à partir de plusieurs comptes.

On notera que les établissements de crédit sont tenus de déclarer quotidiennement aux services fiscaux les ouvertures et clôtures des comptes (CGI, art. 1649 ; Arr. 25 août 1992).

Dans la ligne de cette alerte généralisée, on notera que les établissements de crédit doivent mettre effectivement en œuvre l'interdiction. A défaut, les autres établissements de crédit devront continuer à honorer les chèques tirés ultérieurement par leurs clients (D.-L. 1935, art. 13 ; L. 1991, art. 15).

Pour chasser toutes incertitudes, la loi prévoit expressément (D.-L. 1935, art. 65-3 ; L. 1991, art. 6) que la banque tirée doit avertir de l'incident et de l'interdiction outre la Banque de France (D.-L. 1935, art. 74) le *mandataire* du titulaire interdit.

2. — *Devoirs des confrères du banquier tiré*

288. — La police bancaire des chèques requiert une coopération de tout le secteur bancaire *lato sensu*, c'est-à-dire de tous ceux qui peuvent jouer le rôle de tiré.

Les confrères du banquier tiré, dont le client est frappé d'une interdiction (judiciaire ou bancaire) ou a donné lieu à des incidents, sont désormais virtuellement concernés.

Aucun banquier ne doit ouvrir un compte de chèques à un interdit ou lui remettre des chéquiers. Il peut toutefois se charger d'encaisser un chèque barré pour le compte d'un interdit.

S'il est — d'une manière quelconque — « informé » de l'interdiction bancaire d'un de ses clients, par suite d'un incident chez un confrère, il doit lui appliquer aussitôt la déchéance du droit d'émettre et lui demander restitution des chéquiers. On soulignera qu'en l'absence de diffusion automatique et systématique des décisions d'interdiction bancaire, un banquier non prévenu peut continuer — de bonne foi — à offrir à un interdit bancaire un plein service de caisse... Seul, le client violant l'interdiction serait répréhensible...

Devoir de déclaration ? Quid des obligations du banquier « informé » qui se voit remettre à l'encaissement un chèque émis par un interdit ? Il doit sans nul doute poursuivre l'encaissement puisqu'un chèque tiré par un interdit est payable s'il y a provision (D.-L. 1935, art. 32, al. 1), mais doit-il avertir la Banque de France de la violation de l'interdiction qu'il a ainsi « détectée » ? En tout cas, ce banquier informé ne pourrait — autre problème — ouvrir un compte et remettre un chéquier à une personne dont il connaîtrait l'interdiction (D.-L. 1935, art. 65-2).

Chèques de dépannage. — Les banquiers, liés par un accord avec le tiré, peuvent être appelés à régler un chèque de dépannage à un interdit *bancaire* dont ils ne connaissent pas *de jure* et *de facto* l'incapacité malgré l'existence de FICOBA... Rien ne s'oppose, dès lors, à leur remboursement par le tiré...

On soulignera, une fois de plus, que les divers guichets d'une même société de banque (par exemple d'un établissement de crédit national) sont tous présumés « informés » (Gavalda : *JCP* 76, I, 2764, n. 24 ; *adde*, Varinard, Croze et Proutat, art. cité, n. 52).

3. — Mission du parquet et des autorités judiciaires

289. — Une étroite collaboration entre banques et autorité judiciaire est nécessaire pour réussir une politique pénale autant préventive que répressive. Nonobstant le secret bancaire, les diverses juridictions pénales et les officiers de police sur commission rogatoire obtiennent traditionnellement des informations en cas d'infractions en matière de chèque. Mais une coopération systématique est devenue nécessaire.

Le rôle du parquet restera décisif. Son appréciation de l'opportunité des poursuites — avec l'imprécision de l'élément intentionnel requis dans l'article 66-1° du décret-loi de 1935 (rédaction L. 1975 et 1991) — restera considérable (V. Delafaye, art. préc. : revue *Banque* 1987, p. 336).

Le parquet informateur. — Il incombe au parquet de communiquer chaque mois à la Banque de France les interdictions judiciaires prononcées. Facultativement, il signalera au tribunal de commerce en vue d'une ouverture de procédure collective certains incidents.

L'autorité judiciaire informée. Le ministère public n'est pas automatiquement informé des infractions à l'interdiction d'émettre des chèques, mais la Banque de France peut lui en donner connaissance et le doit si la demande lui en est faite (D. 1992, art. 25 et *supra*, n. 286).

Le relevé des incidents de paiement enregistrés au nom d'une personne est communicable à tout magistrat ou à tout officier de police agissant sur instruction du parquet ou sur commission rogatoire (D. 1992, art. 26). Ainsi, l'information de l'autorité judiciaire n'est-elle pas non plus, en ce domaine, automatique.

B. — Amélioration juridique de la situation de la victime : les conséquences civiles du non-paiement

Orientation bibliographique

Granier, « L'action en paiement du chèque sans provision devant le tribunal correctionnel » : *JCP* 57, I, 1344. — J.-B. Herzog, « Réflexions sur la législation pénale du chèque » *in Mélanges Patin*, 1966, 275. — Derrida, « L'action civile en matière d'infraction à la législation du chèque » *in Études H. Cabrillac*, 1968, 125. — Ripert et Roblot, *op. cit.*, n. 2463. — *Adde*, Lafarge et Gendrel, « Prêt d'argent et chèque de casino » : *Gaz. Pal.* 1959, 1, doctr. 53. — Kornprobst, « Les chèques de jeu sans provision » : revue *Banque* 1947, p. 153.

290. — Le maintien, en 1991, d'une répression pénale de diverses fraudes commises dans l'utilisation du chèque a pour but de rendre plus sûr cet instrument de paiement. La sécurité du chèque implique aussi, en cas d'incident, des moyens efficaces pour la victime d'en retrouver de manière simple et rapide le montant, en étant au besoin indemnisée du préjudice causé par cet incident monétaire.

Une politique législative doit tenir compte du souci de *moralisation* mais aussi de la *sécurité* des règlements (impératif économique). L'encombrement judiciaire (impératif de gestion administrative) a joué pourtant un rôle non négligeable dans les réformes des lois de 1972 et 1975 et surtout de 1991. Le régime français du chèque a, depuis l'introduction en 1865 de ce titre, équilibré différemment ces intérêts. La politique actuelle de dépénalisation s'accompagne d'un louable souci de prévention et d'amélioration du sort des victimes. Les rigueurs de la loi pénale étant réservées de façon (plus inévitable ?) aux émetteurs ou endosseurs malicieux.

La victime d'un chèque sans provision trouve déjà une nouvelle protection dans les *garanties légales* (*crédit forcé*, V. n. 437, p. 435 ; *crédit sanction*, V. *supra*, n. 232) *dues* depuis la loi de 1975 dans divers cas par le banquier tiré. La dépénalisation de 1986 et de 1991 a pour contrepartie une indéniable amélioration du sort des victimes « bénéficiaires » — c'est une litote — de chèques sans provision.

1. — Le certificat de non-paiement

291. — V. *supra*, n. 247 et s. On ne revient pas sur les recours cambiaires du porteur impayé contre les divers signataires (V. *supra*, n. 251).

2. — Action civile de la victime en cas de non-paiement du chèque

292. — La préoccupation majeure du « bénéficiaire » d'un chèque sans provision est *a priori* — sauf position morale de principe — d'être effectivement payé. Les anciennes discussions sur les possibilités du « bénéficiaire » d'un chèque sans provision de se constituer partie civile et de demander réparation devant la juridiction répressive, saisie du délit d'émission de chèque sans provision (V. Derrida, *Mélanges Cabrillac*), sont depuis 1991 « quasi obsolètes » avec la suppression de ce délit et la « dépénalisation » subséquente. Ce qui ne supprime pas l'intérêt de cette action civile, en « annexe » des délits pénaux maintenus par la loi de 1991 (V. Cabrillac, Encyclopédie Dalloz, *Droit commercial*, *V° Chèque*, n. 240 et s.).

On insistera plus spécialement sur le maintien du délit de retrait de provision (D.-L. 1935, art. 66) qui peut toujours donner lieu à action pénale... et civile :

(L. n. 91-1382, 30 déc. 1991, modifiant art. 66, D.-L. 1935). Sera punie d'un emprisonnement de cinq ans et d'une amende de 2 500 000 F ou de l'une de ces deux peines seulement toute personne qui, avec l'intention de porter atteinte aux droits d'autrui, aura, après diffusion d'un chèque, retiré par quelque moyen que ce soit, dont le transfert ou le virement, tout ou partie de la provision ou fait dans les mêmes conditions au tiré de payer.

292-1. — *Juridiction compétente*. Il appartient donc à la victime de porter plainte au pénal (*supra*, n. 267) dans les cas précités et d'exercer une action civile. Cette action civile peut tendre au remboursement du montant du chèque et/ou à l'octroi de dommages-intérêts ainsi qu'au paiement des intérêts de retard qui courent du jour du refus de paiement et non du jour de la condamnation, s'agissant d'une action en remboursement et non en réparation (Cass. crim., 5 déc. 1968 : *Bull. crim.* n. 329). La victime peut aussi obtenir les frais de protêt s'il en a été dressé un, et sauf clause d'interdiction et de poursuites. Le coût réel des chèques sans provision est élevé, les banques prélèvent à divers stades des frais non négligeables (V. Poznanski, *Le Figaro*, 30 mars 1998).

En cas de saisine d'une juridiction civile ou commerciale, la recevabilité de l'action civile ne soulevait pas de question de principe. On notera cependant que la compétence d'attribution de la juridiction dépend de la nature du rapport sous-jacent (créance ayant donné lieu à remise en règlement d'un chèque). Le tribunal civil ou le tribunal de commerce seront donc éventuellement compétents.

Une fois que la victime a saisi la juridiction civile de l'action civile en dommages-intérêts pour le préjudice occasionné par le chèque sans provision, elle ne peut porter la même demande devant la juridiction répressive en la joignant à l'action publique. Néanmoins, l'exception *electa una via* sur ce point n'est pas d'ordre public. Elle doit être présentée devant les juges du fond (C. proc. pén., art. 5) à peine pour l'intéressé d'être considéré comme y ayant renoncé (Cass. crim., 22 avril 1975, 3e moyen).

La saisine d'un tribunal correctionnel soulevait plus de problèmes. L'action civile ne peut être jointe, d'après l'ancien Code de procédure pénale, à l'action publique que si le préjudice découle de l'infraction. C'est à l'évidence le cas pour le trouble commercial, le retard à encaisser, les frais consécutifs à la réception d'un chèque sans provision. Mais le remboursement du montant du chèque correspond en réalité à une créance antérieure au délit. Cette créance ne découle pas directement et immédiatement de la commission de l'infraction. Or, seule constitue une action civile, au regard de la procédure pénale, l'action qui tend à obtenir réparation d'un dommage qui résulte d'une infraction (C. proc. pén., art. 2, al. 1 ; *adde*, B. Bouloc, éd. 1993, n. 217 ; Levasseur et Stéfani, *Précis de procédure pénale*, Dalloz, n. 137). Selon le droit commun, la recevabilité de l'action en remboursement était donc très douteuse. Le législateur est, dès 1938 (D.-L. 24 mai 1938, modifiant l'art. 66 du D.-L.), intervenu pour autoriser « le bénéficiaire (modification L. 1975) qui s'est constitué partie civile à demander devant les juges de l'action publique, une somme égale au montant du chèque, sans préjudice, le cas échéant, de tous dommages-intérêts. Il pourra néanmoins, s'il le préfère, agir en paiement de sa créance devant la juridiction ordinaire » (D.-L., art. 71, al. 1, modifié par L. 1975 maintenu en 1991 dans les cas pénalement sanctionnés ; sur la distinction des deux types d'action V., en matière de faillite, Cass. com., 9 janv. 1984 : *D.* 1984, IR, 320 ; *Bull. crim.* n. 9).

293. — *Personnes qualifiées*. La loi de 1975 avait maintenu cette possibilité d'une constitution de partie civile (D.-L., art. 71, al. 1). Elle l'a ouverte non pas seulement au *bénéficiaire* mais à tout *porteur* (confirmation de la jurisprudence antérieure, Cass. crim., 6 juill. 1967 : *JCP* 69, II, 15747, note Pédamon ; *D.* 1968, J, 121. — Cass. crim., 13 mars 1979 : revue *Banque* 1979, p. 1239. — 9 mai 1984 : *Bull. crim.* 1984, n. 160). La solution reste, semble-t-il, valable depuis 1991. Le bénéficiaire d'un *chèque* sans provision à lui *endossé* aurait donc qualité pour en demander le remboursement devant la juridiction pénale. La jurisprudence avait, malgré la rédaction ambiguë de l'ancien article 66 du décret-loi de 1935, avec bon sens, admis avant la réforme de 1972-1975 que l'endossataire en propriété d'un chèque pouvait agir (Cass. crim., 29 avril 1971 : *Bull. crim.* n. 130). Cette solution a été officialisée en 1975 (D.-L. 1935, art. 71 nouveau, rédaction L. 1975). Mais l'endossataire serait irrecevable à exercer l'action civile s'il avait transmis le chèque à lui endossé à un autre (V. Cass. crim., 22 avril 1975 : *RTD com.* 1975, p. 789 ; *Bull. crim.* n. 102). Le problème est, bien entendu, transposé depuis 1991, dans les cas de maintien de certains délits.

Un endossataire (Cass. com., 4 juill. 1961 : *JCP* 62, II, 12646) peut donc comme le bénéficiaire agir, à condition d'être de *bonne foi*. Le porteur de mauvaise foi serait déclaré irrecevable à agir (Cass. crim., 10 janv. 1974 : *Gaz. Pal.* 1974, 2, 550 ; *RTD civ.* 1975, p. 316 ; *RTD com.* 1975, p. 183, obs. Bouzat), tant en remboursement qu'en dommages-intérêts (Cass. crim., 27 mars 1968 : *D.* 1968, 523 et l'importante note Vouin. — 26 juin 1969 : *Gaz. Pal.* 1969, 2, 177 ; *RTD com.* 1969, p. 1151, note Doyen Bouzat). Il n'est pas nécessaire qu'il y ait eu concert frauduleux entre l'émetteur et le bénéficiaire (V. cependant, Cass. crim., 28 juin 1982 : *JCP* 82, IV, 321). Aucune distinction n'est désormais à faire entre l'action en remboursement et l'action en dommages-intérêts, également refusées à une personne de mauvaise foi. Il est remarquable d'observer que la mauvaise foi du préposé qualifié qui reçoit le chèque empêche le commettant, personne morale, d'introduire l'action civile (Cass. crim., 10 janv. 1974, préc.). Seule peut toutefois agir la personne dont le nom figure sur le chèque et non celle qui doit en définitive profiter de l'émission (Rouen, 25 oct. 1954 : *JCP* 55, IV, 102).

Peu importe, en revanche, que le délai légal de présentation, voire de prescription du chèque, soit écoulé (Pau, 13 mars 1951 : *D.* 1951, J, 371). L'endosseur qui a transmis la propriété du chèque à un endossataire ne peut plus enfin, on l'a vu, en demander le remboursement (Cass. crim., 22 avril 1975 : *JCP* 75, IV, 183), mais il pourrait encore demander des dommages-intérêts pour le préjudice subi (Cass. crim., 7 août 1944 : *S.* 1945, I, 6).

L'endossataire de procuration n'a pas qualité pour agir. Mais, la distinction entre les deux types d'endos est parfois délicate. Ainsi, la Chambre criminelle (Cass. crim., 9 mai 1984 : *Bull. crim.* n. 160 ; *RTD com.* 1985, p. 334, obs. Cabrillac et Teyssié) a-t-elle estimé que la formule « reçu sous réserve d'encaissement » inscrite sur un livret A de caisse d'épargne ne signifiait pas mandat d'encaissement mais signifiait seulement que la propriété du chèque transmis l'était « sous la condition résolutoire de son encaissement »...

294. — *Contre qui l'action civile doit-elle être introduite* (« *sujets passifs* ») ? Il faut distinguer entre l'action en remboursement et l'action en dommages-intérêts pour le préjudice causé par l'infraction. La première action peut être introduite contre tous les signataires ou leurs garants (avalistes). Elle ne saurait être intentée contre un complice ou un tiers civilement responsable.

L'interprétation restrictive de rigueur de l'article 71, alinéa 1, du décret-loi (D.-L., ex-art. 66) ne permettait de saisir la juridiction répressive que d'une demande contre le « tireur ». On ne pouvait donc agir ainsi contre ses complices (Cass. crim., 19 déc. 1957 : *D.* 1958, 174, note M. R. M. P. cassant Paris, 20 janv. 1955 : *D.* 1955, J, 777, note Derrida). Ces derniers s'exposent toutefois à une demande au pénal de dommages-intérêts.

294-1. — Une vaste controverse doctrinale et jurisprudentielle avait concerné la recevabilité de la constitution de partie civile d'une personne qui avait reçu un chèque sans provision en « connaissance de cause » (V. Cabrillac, Encyclopédie Dalloz, *Droit commercial, V° Chèque*, n. 240). La jurisprudence avait fini par lui refuser une action civile (Cass. crim., 28 juin 1982 : *RTD com.* 1983, p. 95, obs. Cabrillac et Teyssié. — *Adde* Cabrillac, Encyclopédie Dalloz, *op. cit.*, n. 242). En revanche, les « actions » restent libres pour le porteur, s'il a laissé passer le délai de présentation ou de prescription contre le tireur (Montpellier, 28 juin 1949 : *D.* 1949, J, 491).

Répétons que ces actions civiles ne sont maintenues que dans la mesure où la loi de 1991 n'a pas dépénalisé certaines infractions.

Un remboursement d'office est admis par l'article 71, alinéa 2, du décret-loi de 1935, même en l'absence de constitution de partie civile.

295. — *Action civile portée devant la juridiction pénale contre un tireur en règlement judiciaire, liquidation de biens, redressement judiciaire.* — Les actions civiles portées au pénal seront sans doute à l'avenir moins nombreuses, eu égard à la diminution des poursuites pénales, provoquée par la nouvelle législation de 1991. On ne reviendra pas sur la compétence de principe de la juridiction répressive (*supra*, n. 275). Mais quelques difficultés peuvent survenir.

Le porteur d'un chèque sans provision émis avant le jugement déclaratif de liquidation de biens ou règlement judiciaire était admis, antérieurement à la loi du 13 juillet 1967, à réclamer devant le tribunal correctionnel des dommages-intérêts pour le dommage à lui occasionné (Cass. crim., 28 nov. 1957 : *D.* 1958, 303, note J. R. ; *S.* 1958, 192 ; *RTD com.* 1958, p. 630, obs. Houin). Puis la Cour de cassation avait fini par l'admettre aussi à demander le remboursement du chèque impayé (Cass. crim., 27 janv. 1970 : *JCP* 71, II, 16599, note B. Bouloc ; *RTD com.* 1971, p. 404 et 481, obs. Houin. — V. déjà Cass. crim.,

8 déc. 1959 : *JCP* 59, IV, 9). Ce qui causait une rupture d'égalité entre les créanciers. La propriété de la provision justifiait la deuxième solution.

Sous le régime de la loi du 13 juillet 1967, la première solution fut maintenue par certaines juridictions en cas de règlement judiciaire ou de liquidation de biens sauf à mettre en cause le syndic. Mais le porteur ne pouvait plus exercer l'action en remboursement d'une créance qu'il devait d'abord produire et faire vérifier selon les règles de la faillite. Depuis un arrêt de principe d'une Chambre mixte de la Cour de cassation du 21 avril 1977 : *JCP* 78, II, 18883, note Chartier ; *D.* 1980, IR, 336, les deux actions relevaient de la juridiction de la faillite (*forum concursus*). Une constitution de partie civile de la victime restait possible si elle ne demandait ni dommages et intérêts ni remboursement (Cabrillac, 5e éd., n. 139 ; *RTD civ.* 1977, p. 776, obs. Durry). Le juge commissaire paraît mieux placé que le magistrat répressif pour contrôler les relations du bénéficiaire et du tireur (débiteur en règlement judiciaire). La Chambre criminelle avait admis le 9 janvier 1984 (*Bull. crim.* n. 9) la recevabilité devant la juridiction correctionnelle d'une action en dommages-intérêts contre le gérant pris à titre personnel qui avait émis un chèque (sans provision) sur le compte d'une société en liquidation de biens.

296. — *Pouvoirs de contrôle de la juridiction sur la créance ?* La condamnation pénale est sans rapport avec la reconnaissance d'une créance valable du bénéficiaire sur le tireur (Cass. crim., 20 mars 1952 : *JCP* 52, II, 7162, note J. Léauté. — Cass. com., 5 fév. 1991, n. 293 P, *Consorts Dona*, inédit). Les juges doivent donc vérifier « si la cause et l'objet de l'obligation justifient le remboursement et si la créance existe toujours ». Les juges répressifs ont le pouvoir d'examiner avant d'ordonner le remboursement, l'existence et la licéité de la cause de la créance réglée par la provision. Une fin de non-recevoir découlerait de l'ouverture d'une procédure collective, de la prescription de l'action en paiement et, on le verra, d'une éventuelle exception de jeu.

Cet examen suppose une demande expresse des parties développée dans leurs conclusions (Cass. crim., 19 janv. 1967 : *Bull. crim.* n. 30). Le tireur a la charge de prouver l'absence ou l'illicéité de la cause de la créance invoquée contre lui (Cass. crim., 3 oct. 1979 : *D.* 1980. IR, 335, obs. Puech. — 8 mars 1982 : *Bull. crim.* n. 70). Les juges refuseraient d'ordonner le règlement si la créance était éteinte (Cass. crim., 29 janv. 1953 : *Bull. crim.* 1953, n. 42) ou entachée d'une cause illicite ou immorale, telle était autrefois une dette de jeu (Larguier, *op. cit.*, p. 117 et s.) réglée par un chèque dit de casino (V. en ce sens, le refus de rembourser, pour un prêt destiné au jeu, le casino d'Évian, Cass. crim., 7 déc. 1961 : *D.* 1962, J, 61 ; *JCP* 62, II, éd. G, 12745 *bis*, note Bouzat, cassant Chambéry, Cass. crim., 22 janv. 1964 : *Bull. crim.* n. 30. — 11 mai 1964 : *Bull. crim.* n. 155. — Cass., 10 janv. 1967 : *Bull. crim.* n. 12. — 1er juin 1977 : *Gaz. Pal.* 1977, 8 nov. 1977 ; V., pour un chèque à une concubine, Paris, 4 juin 1951 : *Gaz. Pal.* 1951, 2, 178 ; V. le standard proclamé par Cass. crim., 20 mars 1952 : *JCP* 52, II, 7162, note Léauté). Bien entendu, les juges restent souverains pour apprécier la licéité de la cause. En matière de chèque de casino, ils pouvaient estimer que le tireur avait reçu des espèces et non des plaques et qu'il n'était pas établi que ces fonds étaient destinés dans la commune intention des parties à alimenter le jeu (en ce sens, Lyon, 9 juill. 1965 : *Gaz. Pal.* 1965, 2, 251 ; *D.* 1965, J, 836. — Trib. gr. inst. Lyon, 1re Ch., 19 mars 1976. — Cass. civ. 1re, 31 janv. 1984 : *D.* 1985, 40, note Diener ; *RTD com.* 1984, p. 493, obs. Cabrillac et Teyssié ; mais V. *contra* la recevabilité de l'action civile si les fonds ont été aussitôt convertis en plaques, Amiens, 4e Ch., 26 fév. 1976 : *JCP* 77, IV, 242. — Cass. civ. 1re, 18 janv. 1984 : *Gaz. Pal.* 19 mai 1984, note Doucet ; *RTD com.* 1984, p. 493, obs. Cabrillac et Teyssié). En somme, l'action en remboursement était irrecevable quand il était établi que les sommes obtenues en contrepartie du chèque avaient été utilisées pour le jeu. La réglementation des jeux dans les casinos prévue notamment par l'arrêté du 23 décembre 1959 n'était pas considérée comme faisant obstacle aux dispositions générales de l'article 1965 du Code civil (V. en ce sens Cass. crim., 1er juin 1977 : *D.* 1978, IR, 81). Ce dernier texte était considéré comme pouvant faire échec à l'action en remboursement d'un chèque de casino (sans provision), mais ne paralysant pas *a priori* l'action civile en dommages-intérêts (C. proc. pén., art. 2 et 3). L'article 1965 du Code civil ne concernait pas le dommage occasionné directement par le délit poursuivi, en l'occurrence défense irrégulière faite au tiré de payer assimilée à une émission de chèque sans provision (Cass. crim., 1er juin 1977, préc.).

Dans un arrêt de principe du 14 mars 1980 (Ch. mixte : *Bull. crim.* n. 89 ; *Gaz. Pal.* 8 mai 1980, concl. avocat général Robin), la Cour de cassation cessa de faire prévaloir l'exception de jeu de l'article 1965 du Code civil sur la réglementation des jeux (L. 15 juin 1907, Arr. 23 déc. 1959) et déclare recevable l'action en remboursement des établissements de jeux bénéficiaires de chèques dits de casino. La solution semblait contestable mais nette... (*adde*, Cass. crim., 15 juin 1981 : *Bull. crim.* n. 204. — 18 janv. 1984 préc. ; sur l'ensemble V. Meyer, *Jeu et exemple de jeu* : *JCP* 84, éd. G, I, 3141). Et pourtant, la 1re Chambre civile, sans méconnaître la position de principe adoptée en chambre mixte le 14 mars 1980, a réduit notablement par trois arrêts la portée de cette solution. En effet, après avoir rappelé que l'article 1965 du Code civil ne pouvait être invoqué contre les casinos dont l'activité était licite, les arrêts précités observent « sauf s'il est établi que la dette se rapporte à des prêts consentis par le casino pour alimenter le jeu » (V. Cass. civ. 1re, 18 janv. 1984 : *Bull. civ.* I, n. 26. — 31 janv. 1984 : *D.* 1984, J, 40, note Diener. — 20 juill. 1988 : *D.* 1989, IR, 227, somm. comm. 88. *Adde* M.-P. Lucas de Leyssac, art. cité, n. 314 et s. ; Putman, *op. cit.*, n, 213).

297. — La *mauvaise foi* du porteur paralyse aussi son action civile. Cette mauvaise foi n'est pas la simple connaissance de l'irrégularité du titre, mais implique que le porteur ait agi sciemment au détriment des intérêts du tireur (Derrida, *Rép. crim.* Dalloz, *Vo Chèque*, n. 99). L'exemple type est celui de la personne qui a accepté en connaissance de cause un chèque sans provision, falsifié ou contrefait. La victime n'invoque-t-elle pas sa propre turpitude appelant l'application à son encontre de l'adage *Nemo auditur proprium turpitudinem allegans ?* La victime s'est mise en quelque sorte « hors la loi du chèque : réclamer ensuite l'application du droit du chèque n'est-ce pas souffler le chaud et le froid ? » (Larguier, *op. cit.*, p. 118).

La Chambre criminelle avait d'abord en l'occurrence distingué. L'action en remboursement était irrecevable mais pas l'action en dommages-intérêts. Puis la Cour de cassation a refusé toute distinction et repousse les deux sortes d'action si le demandeur a reçu le chèque de mauvaise foi (V. en ce sens Cass. crim., 27 mars 1968 : *Bull. crim.* n. 105 ; *D.* 1968, J, 523 et la note Vouin. — 26 juin 1969 : *Bull. crim.* n. 214 ; *Gaz. Pal.* 1969, 2, 177 ; *Rev. sc. crim.* 1969, 885 ; *adde*, *supra*, n. 295). La Chambre criminelle réaffirme cette position sous l'empire de la réforme de 1975 à propos d'un chèque de garantie postdaté, qui avait fait l'objet d'une opposition ultérieure du tireur (Cass. crim., 28 juin 1982 : *RTD com.* 1983, p. 95, obs. Cabrillac et Teyssié). Elle exige comme dans sa décision de 1968, « un concert frauduleux ». La solution donnée à propos d'un chèque de garantie est généralisable (V. obs. critiques Bouzat : *RTD com.* 1983, p. 285 ; et Doucet : *Gaz. Pal.* 13 janv. 1982, p. 15).

Les deux actions (en remboursement et en réparation du préjudice) sont en tout cas distinctes. Elles peuvent être dissociées et portées l'une au civil, l'autre au pénal. Le juge pénal peut admettre l'une et repousser l'autre (Cass. crim., 14 mars 1957 : *JCP* 57, II, 10068).

La règle *Le criminel tient le civil en l'état* trouve ici une application classique (Cass., 2 mars 1971 : *D.* 1974, J, 234, note Sortais).

297-1. — *Position particulière du banquier.* — Le banquier est, par profession, quotidiennement endossataire de chèques. Il peut avoir pris ces titres à l'escompte ou avec un simple mandat d'encaissement. Dans ce dernier cas, il fait fréquemment une avance au client remettant sur le recouvrement. Quels sont ses droits si le chèque se révèle sans provision ?

Dans le cas où le banquier mandataire n'a fait aucune avance, il n'a pas qualité pour se constituer partie civile. Il ne subit du reste aucun dommage. Mais *quid* s'il a reçu par un endos en blanc le chèque et porté le montant au crédit du client ? On connaît les difficultés de qualification juridique de cette situation (V. *supra*, n. 206 ; Cass. com., 22 juin 1964 :

Bull. civ. III, n. 279 ; de Juglart et Ippolito, 1er vol. ; 2e éd., *Effets de commerce*, n. 325, n. 3 ; *RTD com.* 1975, p. 333). Si le banquier se constitue en pareil cas partie civile, il se considère *ipso facto* comme propriétaire puisque le bénéficiaire d'un endos de procuration ne peut agir (Cass. com., 4 juill. 1961 : *JCP* 62, II, 12646. — Montpellier, 5 fév. 1970 : *JCP* 70, II, 16442 ; *supra*, n. 208).

Il pourrait aussi, en cas d'insolvabilité du tireur, demander une indemnisation au client remettant qui a reçu de lui la valeur du chèque sans provision (Cass. com., 28 mai 1974 : *RTD com.* 1974, p. 147 ; *Bull. civ.* 1974, IV, n. 171 ; 30 janv. 1996 : *Rev. droit bancaire*, mars-avril 1996, p. 53, obs. Crédot et Gérard ; *D.* 1996, IR, 58 ; *RTD com.*, 1996, p. 302, obs. Cabrillac). C'est le remboursement d'une avance effectuée au titre d'un contrat d'escompte de chèque que l'usage et la jurisprudence considèrent aujourd'hui, sur la base de l'article 38 du décret-loi de 1935, comme parfaitement licite (V. l'arrêt de Ch. com., 15 juin 1976 : revue *Banque* 1977, p. 230. — Paris, 17 fév. 1982 : *D.* 1983, IR, 41).

Il est de plus en plus courant que le banquier chargé d'encaisser un chèque fasse les fonds immédiatement à son client remettant. Deux formules, juridiquement assez différentes, sont utilisables à cette fin : l'escompte ou l'avance sur mandat (*supra*, n. 206).

Certains clients bénéficiaires de telles avances ont, quand le chèque s'est révélé sans provision, tenté d'échapper, totalement ou partiellement, au recours du banquier en invoquant une faute de ce dernier. L'avance ou l'escompte ne saurait cependant être *a priori* tenu pour fautif de la part du banquier. Le banquier escompteur n'a pas à prendre l'initiative de s'assurer *a priori* de l'existence de la provision (V. Paris, 17 fév. 1982, préc.). Il en serait autrement en cas de circonstances anormales jetant un doute sur le chèque. Le rythme de l'escompte de chèque s'accommode mal de pareille investigation préalable systématique (V. cependant une évolution jurisprudentielle évoquée par J. Vézian, thèse citée, n. 158. — Cass. com., 15 janv. 1975 : *RTD com.* 1975, p. 332. — Aix, 31 juill. 1976 : *RTD com.* 1976, p. 162 ; mais pour une non-responsabilité *a priori* du banquier, V. Cass. com., 15 juin 1976 : revue *Banque* 1977, p. 230 ; *JCP* 77, II, 18691, obs. Bousquet ; *Bull. civ.* IV, n. 203).

Le banquier peut, en l'occurrence, recourir aussi contre le tireur. L'émetteur imprudent a pu se faire voler un titre de chèque qui sera parvenu à un porteur de bonne foi (V. le cas complexe offert par Paris, 18 juin 1974 : *RTD com.* 1975, 148).

La Chambre commerciale a admis le recours cambiaire d'un banquier escompteur contre le tireur. Ce dernier avait fait preuve d'une certaine imprudence en laissant des chèques en blanc signés qui lui avaient été dérobés. Il avait fait cependant une opposition régulière, mais le voleur, s'étant fait escompter le chèque par son banquier, avait encaissé la « valeur » du chèque. Le banquier escompteur, endossataire d'un chèque signé par l'émetteur, s'est vu reconnaître un recours cambiaire contre le tireur. Alors qu'aucune faute ou faute lourde n'était relevée dans son acquisition du titre par voie d'escompte.

La morale pratique est qu'une opposition ne protège pas toujours le titulaire d'un chéquier dépossédé contre la présentation d'un chèque par un porteur de bonne foi (Cass. com., 15 juin 1976, préc.).

La solution est à combiner avec l'effet immédiat de l'opposition du tireur (Cass. com., 20 juin 1977, préc., V. *supra*, n. 242).

298. — Le procédé le plus courant sera néanmoins la contre-passation du chèque. Cette contre-passation est possible soit qu'il y ait eu escompte (Paris, 15 mars 1975 : *JCP* 75, IV, 317 ; *D.* 1975, somm. 113), soit qu'il y ait eu avance sur encaissement (Cass. com., 11 mars 1970 : *JCP* 70, II, 16490 ; *RTD com.* 1970, p. 756). La Cour subordonne la contre-passation non pas à l'existence d'un recours cambiaire, mais à un « droit à remboursement », résultant d'autres relations (droit au paiement du titre en l'occurrence). Si la contre-passation du banquier repose sur un recours cambiaire, il doit avoir rempli toutes les conditions pour conserver ce recours (protêt...). La contre-passation obéit au régime classique. Les effets diffèrent, en ce qui concerne la conservation du chèque par le banquier, selon que la contre-passation est opérée avant ou après redressement judiciaire.

Des difficultés pourraient survenir en cas de remboursement simplifié du banquier par voie de contre-passation, si le remettant invoquait une faute du banquier qui l'aurait empêché d'obtenir paiement du chèque (Cass. com., 5 déc. 1955 : *JCP* 56, II, 9134. — *Adde*, 29 oct. 1973 : *Bull. civ.* IV, n. 295 ; *RTD com.* 1974, p. 311, obs. Cabrillac et Rives-Lange).

Dans l'hypothèse où le banquier a dû régler comme tiré un chèque sans provision, il dispose, par voie de subrogation, des droits de recours du bénéficiaire (*supra*, n. 293).

Rappelons enfin que si le banquier a *payé à découvert* un chèque sans provision, il a un recours fondé sur l'ouverture de crédit ainsi consentie. S'il a *payé par erreur* un chèque alors qu'il n'y avait pas, en fait, provision, le banquier a aussi une action en répétition contre l'émetteur (Paris, 21 mai 1971 : revue *Banque* 1972, p. 408 ; *RTD com.* 1972, p. 429 ; comp. Paris, 6 mai 1983 : *D.* 1984, IR, 70).

3. — Remboursement ordonné d'office par le tribunal (D.-L., art. 71, al. 2 modifié par L. 1972 et 1975)

299. — La victime « bénéficiaire » d'un chèque impayé par suite de l'insuffisance ou de l'absence de provision, pouvait, depuis 1972, se dispenser d'une constitution de partie civile lourde et coûteuse (D.-L., art. 71, al. 2).

Le tribunal répressif pouvait, en effet, ordonner d'office au profit du *bénéficiaire* le remboursement du chèque par le tireur, sauf bien entendu à examiner auparavant la licéité et la moralité de la cause de la créance (*supra*, n. 293. — Cass. crim., 12 fév. 1975 : *D.* 1975, IR, 115). Cette possibilité, malgré la dépénalisation, peut se retrouver dans les délits pénaux maintenus en 1991.

Cette mesure n'appartient pas, comme la constitution de partie civile, à tout porteur, mais au seul *bénéficiaire*. Le chèque ne doit pas avoir été endossé, sauf pour encaissement. Ainsi donc, un banquier escompteur ou tout autre endossataire ne pourraient profiter de ce procédé judiciaire simplifié (Circ. Chancellerie, préc., n. 133). On ne veut pas que le tribunal ait, en pareil cas, à vérifier des endos et s'expose à des erreurs sur l'ayant droit. L'original du chèque doit figurer au dossier.

Le tribunal est libre d'ordonner ce remboursement à condition que le chèque — condition difficile à réaliser — figure en original au dossier et que la preuve du règlement ne résulte pas de la procédure. Ce qui paraît évident. En l'absence de constitution de partie civile, le tribunal ne paraît pas obligé de répondre à une simple demande de remboursement d'office (en ce sens, Cabrillac, *op. cit.*, n. 142).

Un pouvoir de contrôle de la cause de la créance appartient, en effet, au tribunal qui doit avoir dans son dossier des éléments suffisants d'appréciation.

Le cas échéant, le tribunal peut, depuis 1975, accorder des intérêts légaux à compter du jour de la présentation et les « frais résultant du non-paiement ». Cette dernière formule est imprécise.

Le bénéficiaire reçoit, enfin, sur sa demande, un *titre exécutoire* (D.-L. 1935, art. 71), qui lui facilitera d'éventuelles saisies, s'il n'y a pas eu, par exemple, protêt.

CHAPITRE VII

FISCALITÉ DU CHÈQUE

A. — RÉGIME FISCAL INTERNE

300. — *Dispense de timbrage.* Le législateur a traditionnellement attaché à ce titre, comme aux virements, divers avantages fiscaux pour diffuser l'usage de cette monnaie scripturale. Longtemps, on a considéré que l'Etat pouvait plus aisément surveiller les paiements par chèques. Mais la faculté d'endosser les chèques a permis un développement de nombreuses fraudes fiscales. Le Trésor est victime de l'utilisation des chèques au porteur dont l'encaissement ne laisse pas de trace des endossataires. En novembre 1976, M. Marette avait proposé au Parlement la suppression de ces chèques au porteur en soulignant qu'« il n'y aurait pas de lutte sérieuse contre la fraude (fiscale) tant que la législation des chèques ne serait pas modifiée ». L'endos par un bénéficiaire (riche) à un endossataire de complaisance (pauvre) moyennant commission permet de nombreuses dissimulations fiscales de revenus... En vue de déjouer certaines fraudes fiscales et de renforcer la sécurité du chèque contre les risques de perte ou de vol, le législateur (L. 29 déc. 1979 modifiée art. 85, D.-L. 1935, art. 65-1 ; D. 29 mars 1979) a prévu que les banques ou établissements assimilés pourraient remettre à leurs clients des formules de chèques prébarrées et endossables seulement à un banquier, à une caisse d'épargne ou à un établissement assimilé, le biffage de ces mentions étant interdit. Seules ces formules prébarrées et non endossables échappent à une taxe (droit de timbre par titre délivré) (L. n. 82-1126, 29 déc. 1982, loi de finances pour 1983, art. 22-VII). Le droit de timbre prévu à l'article 916-A du CGI est passé à 5 F à compter du 15 janvier 1987 (L. n. 86-1317, 30 déc. 1986, art. 305-II). Le banquier tiré ne peut prendre cette taxe à sa charge (V. sanction dans l'art. 1765 du CGI). Le client peut obtenir donc des formules ordinaires, mais en payant la taxe précitée. En outre, l'Administration peut à tout moment se faire délivrer l'identité des clients qui ont demandé de telles formules et le numéro de celles-ci. La menace de contrôle fiscal renforcé sera sans doute assez dissuasive (V. Gavalda, « Le chèque prébarré et non endossable » : *D.* 1979, chron. 31). Il est, toutefois, à noter que le tireur garde la possibilité, malgré la clause restreignant l'endossement, de tirer le chèque au porteur ou en blanc et de le remettre au bénéficiaire de son choix (Cass. com., 12 nov. 1996 : *D.* 1996, IR, 257).

On rappellera que les chèques sont dispensés de droit de timbre et de droit d'enregistrement même en cas d'assignation ou de protêt (D. 15 janv. 1973).

La loi de 1865 (art. 7) et la loi du 23 août 1871 (art. 20) avaient déjà exonéré de timbre ce titre. La loi du 22 mars 1924 (art. 8) avait exceptionnellement soumis certains chèques à ce timbrage, mais depuis le décret-loi du 30 octobre 1935, tous les chèques en sont exempts. L'exonération s'étend aux *acquits* de chèque, même par acte séparé (CGI, art. 1289).

Exceptionnellement, les chèques tirés hors de France peuvent y être assujettis (CGI, art. 913). Les chèques tirés hors de France mais payables ou circulant en France sont soumis au droit fiscal français (CGI, art. 915).

Les *chèques de voyage* sont, bien qu'ils ne constituent pas « *juridico sensu* » des chèques, également exemptés de timbre (Instr. enreg. n. 5103). Par disposition législative expresse, les *chèques restaurant* ne sont pas davantage soumis à timbrage (CGI, art. 902-3-6°).

La quittance réglée par chèque est, par extension, exempte de timbre (CGI, art. 922-2-4°) sous réserve de mentionner la date, le numéro de chèque et le nom du tiré. Il en va de même des accusés de réception ou reçus de chèques à encaisser ou négocier.

En revanche, le chèque récépissé (dit encore chèque reçu) n'échappe pas à cette taxation fiscale.

301. — *Sanctions fiscales.* Certaines irrégularités dans la création des chèques sont punies d'amendes fiscales. Leur nombre a diminué (Cabrillac, *Le droit pénal du chèque*, n. 109 et s.). Le défaut ou l'insuffisance de provision n'est plus, depuis le 1er janvier 1976, sanctionné par une amende fiscale si le tireur est de bonne foi. L'article 1840 M-2 est, en effet, abrogé. On citera encore l'amende de 6 % avec minimum de 5 F du montant d'un chèque émis sans indiquer le lieu ou la (vraie) date d'émission (CGI, art. 1840-M-I). Il en est de même en cas de tirage sur une personne non habilitée (D.-L. 1935, art. 64). La délivrance de formules de chèques sans nom expose aussi à une amende (CGI, art. 1840 M).

Le manquement à l'obligation de régler par chèque barré ou par virement certaines opérations (visées à l'art. 1er de la L. 22 oct. 1940 ; comp. Cass-. com., 24 janv. 1973 : *Bull. civ.* IV, n. 18, p. 15) expose à une amende fiscale de 5 % des « sommes indûment réglées en numéraire » (L. 1940, art. 3, modifié par l'art. 93 de la L. 26 sept. 1948). La mauvaise rédaction du mode de calcul de l'amende proportionnée aux « espèces » irrégulièrement versées semble exclure l'amende pour celui qui aurait « irrégulièrement » payé par chèque ordinaire. L'amende incombe pour moitié au débiteur et au créancier. Ils sont cependant solidairement tenus du tout envers l'Administration. On précisera que le « débiteur » est ici le *solvens* (mandataire ou commissionnaire par exemple). Sur l'obligation pour les non-commerçants de règler par chèque barré ou virement les sommes supérieures à 150 000 F et sur la sanction, V. L. de finances du 29 décembre 1989, article 107.

Le contentieux de l'amende appartient aux juridictions administratives (Trib. conflits, 22 oct. 1979).

Protêt des chèques. — Le protêt doit être enregistré dans un délai d'un mois à compter de sa date, s'il concerne des chèques d'un montant égal ou supérieur à 3 500 F (L. 1975, art. 13-III). Depuis le 1er janvier 1976, les protêts de chèque sont dispensés de la présentation matérielle à la formalité de l'enregistrement. Les droits afférents à ces protêts sont désormais payables sur état

(D. 15 janv. 1973, art. 1er ; CGI, art. 384 *quinquies*, annexe III ; V. l'Instruction administrative du 31 déc. 1975 : *BO* 7 A-3-75, sur le régime des protêts vis-à-vis de l'enregistrement).

Depuis le 1er janvier 1976, les protêts sont frappés d'un droit fixe de 70 F d'enregistrement frappant les actes d'huissier. Voir cependant la dispense prévue par l'article 12 : L. n. 77-1468 du 30 décembre 1977. Le titre exécutoire est gratuit. Mais la notification du certificat par l'huissier est soumise à droit d'enregistrement.

Bien entendu, les émoluments de l'huissier sont dus selon les modalités du décret n. 67-16 du 5 janvier 1967, modifié par le décret n. 85-299 du 5 mars 1985.

Chèque et règlement des impôts et taxes. — Les divers impôts et taxes peuvent être payés par chèque. On ne reviendra pas ici sur la question très pratique de la fixation de la date du règlement ainsi opéré (*supra*, n. 217 ; *BODGI* n. 13-N-3-81°).

Par un arrêt du 24 novembre 1986 (revue *Banque* 1987, p. 420), le Conseil d'Etat s'est prononcé sur l'imposition des revenus payés par chèque. Il a été jugé, bien que le tireur du chèque ne soit libéré qu'après encaissement du titre, que le montant du chèque est réputé disponible lors de la remise de ce chèque au bénéficiaire et, de ce fait, constitue un élément imposable dès la remise, sauf si le bénéficiaire prouve qu'il n'en a pas reçu la contre-valeur.

B. — RÉGIME FISCAL INTERNATIONAL DES CHÈQUES

302. — En application de l'article 913 du Code général des impôts, les chèques tirés hors de France et circulant en France étaient soumis au droit de timbre lorsqu'ils n'étaient pas souscrits conformément à la législation unifiant le droit en matière de chèque (Convention de Genève de 1931). Ces chèques sont, comme ceux émis en France, dispensés du droit de timbre depuis l'abrogation de l'article 913 par la loi n. 96-1183 du 30 décembre 1996.

De ce fait sont sans application en France, les dispositions de la Convention de Genève du 19 mars 1931 posant le principe que la validité d'un chèque ne peut être suspendue au respect des règles fiscales sur le timbre. En revanche, les états peuvent suspendre les effets du titre jusqu'à l'accomplissement des formalités de timbrage. L'ancien article 1840 T *bis* du Code général des impôts consacrait une telle solution.

CHAPITRE VIII

DROIT INTERNATIONAL DU CHÈQUE

303. — *Généralités.* Le chèque, instrument de paiement, circule peu. A la différence de la traite, instrument servant de support aux crédits internationaux, le chèque donne lieu à peu de conflits de lois. Les virements internationaux sont préférés au chèque pour les règlements des opérations de commerce extérieur. La réglementation des changes a longtemps freiné, au demeurant, ce type de paiement dans l'ordre international. La jurisprudence est, en ce domaine, peu abondante.

La moins grande divergence des législations nationales sur le chèque n'avait pas empêché de préparer, dès le XIXe siècle, une certaine harmonisation dans ce domaine.

Lors de la Convention de Genève, il a paru utile, en parallèle aux trois conventions de 1930, d'élaborer en 1931 trois conventions sur le chèque. La Loi uniforme a laissé place à des réserves importantes (annexes) qui impliquaient la survivance de conflits de lois (les réserves portent sur 22 articles sur 57 ; Loussouarn et Bredin, *Droit commercial international*, n. 487, p. 571). Sans prétendre les régler tous, la Convention de Genève du 19 mars 1931 a été « destinée à régler certains conflits de lois en matière de chèque » (promulguée en France par D. 21 oct. 1936). Cette convention ne concerne pas les conflits de lois fiscales ou pénales sur le chèque qui relèvent du droit commun (*J.-Cl. Dr. int.*, fasc. 403, par Léauté).

Les deux conventions (sur l'uniformisation de la loi matérielle et sur le règlement des conflits) harmonisent assez bien le droit du chèque entre les Etats signataires, sous réserve des différences d'interprétation des jurisprudences nationales.

Les systèmes anglo-saxons restent cependant étrangers à cette uniformisation. La jurisprudence hésite, du reste, sur le domaine d'application de la Convention de Genève sur les conflits de lois. Si elle s'impose dans les rapports entre deux Etats adhérents, *quid* en cas de conflit entre un ressortissant d'un Etat signataire et celui d'un ou de plusieurs pays non signataires (V. pour l'extension, Paris, 28 mars 1952 : *Gaz. Pal.* 1952, 1, 423 ; *JDI* 1952, 880. — Trib. com. Seine, 18 juin 1956 : *Gaz. Pal.* 1956, 2, 60 ; *Rev. crit. DIP* 1957, 295, note M. B. ; adde : *Rev. crit. DIP* 1976, 84, note Lise Moret) ?

L'article 9-2° permet aux Etats d'écarter en pareil cas l'application de ces règles. La France n'a pas apporté sur ce point de dérogation. La Convention a donc pour notre pays une généralité d'application, sans que le juge ait le pouvoir, dans un procès, d'exclure *proprio motu* cette compétence (en ce sens,

Paris, Ch. mises acc., 28 mai 1952 : *RTD com.* 1952, p. 605. — *Adde*, Trib. corr. Seine, 18 juin 1956 : *Rev. crit. DIP* 1957, 293. — Cass. crim., 20 oct. 1959 : *D.* 1960, J, 300, note Paul Lagarde. — Besançon, 24 mai 1973 ; Cabrillac, *Le chèque et le virement*, n. 331). On ne manquera pas de lire sur ce problème du régime international des instruments de paiement ou de crédit la recommandation CE n. 97-489 de la Commission du 30 juillet 1997.

Orientation bibliographique

Voir bibliographie générale du chèque. *Adde : Rép. dr. int.* Dalloz (rééd. 1968), *V° Chèque* par LOUSSOUARN et BREDIN et *V° Chèque* (pénal) par DECOCQ et LEVASSEUR. — SCHAPIRA, *Le chèque, Conflits de lois* : *J.-Cl. Banque et Bourse*, fasc. 27. — CABRILLAC, *Le chèque et le virement*, 5e éd., n. 331 et s. — SAFA, « Incidence de la provision du chèque en droit interne et en droit international » : *RTD com.* 1985, p. 427.

A. — CRÉATION DU CHÈQUE INTERNATIONAL

304. — La capacité de toute personne de s'engager en signant un chèque dépend de sa loi nationale (Convention, art. 2). Toutefois, si cette loi donnait compétence à une autre loi, cette dernière serait applicable.

Si la personne déclarée incapable par la loi compétente a donné sa signature sur le territoire d'un pays où elle aurait été tenue pour capable, elle est néanmoins valablement tenue (Convention, art. 2, al. 2).

La Convention réserve la possibilité (art. 2, al. 3) pour chaque Etat de ne pas reconnaître la validité d'une signature reposant sur l'alinéa 2 de l'article 2. La France n'a pas usé de cette faculté. Il paraît bien difficile d'admettre que chaque juge est *in specie* libre de décider ainsi (V., dans ce sens, Loussouarn et Bredin, *op. cit.*, n. 492).

Très logiquement, la loi du lieu de paiement du chèque détermine les personnes habilitées à être « tiré ». Certains pays comme la France n'autorisent que les banques ou certains établissements à remplir cette fonction. La solution marque l'attraction de la loi de l'entreprise bancaire (*Rép. dr. int.* Dalloz, *V° Banque* par Gavalda). Elle est la seule « praticable »... Un tempérament est apporté ici par l'alinéa 2 de l'article 3. Si le jeu de cette loi rendait nul comme chèque le titre, les obligations de signatures apposées dans d'autres pays dont la loi ne contiendrait pas la même interdiction resteraient valables.

Conditions relatives au titre. — La forme est régie *a priori* par la loi du pays où l'engagement est souscrit (art. 4), mais l'observation de la loi du lieu de paiement suffit (art. 4, al. 1). L'exigence d'un écrit s'y rattache. La langue du titre, la rédaction des montants, la forme manuscrite ou imprimée des signatures, la liste des mentions, les suppléances font partie, selon la doctrine dominante, des questions de forme (Loussouarn et Bredin, *op. cit.*, n. 496).

La possibilité et les formes du *barrement* relèvent de la loi du pays où le chèque est payable (art. 7, § 5. — Paris, 15e ch. 21 janv. 1997, *Société Générale et autres* c. *Vergnenegre*, inédit ; Trib. com. Bruxelles, 26 oct. 1994, *Sté Elysée Gestion* c. *Banque Bruxelles Lambert*, inédit).

La loi du pays où le chèque est payable (*lex solutionis*) détermine, en outre, selon l'article 7, si le chèque peut être *accepté, certifié, confirmé* ou *visé* et les conséquences de ces mentions. Elle règle surtout l'existence et la nature des droits du porteur sur la *provision* (art. 7-6°). Cette dernière notion est le plus grand commun diviseur des législations nationales en la matière.

Dans le silence de la Convention, la loi d'autonomie règle le consentement et la cause en la matière.

305. — *Provision*. La provision dont l'existence et la nature divisent les systèmes est donc rattachée (art. 7, al. 6) en principe sur le plan civil à la loi du pays où le chèque est payable (V. sur les difficultés de détermination de cette loi, note L. Moret : *Rev. crit. DIP* 1976, 83 ; V. *infra*, n. 307). Cette loi définit les droits spéciaux du porteur sur la provision (révocation, opposition, mainlevée, Paris, 23 nov. 1961 : *D.* 1962, J, 22).

La Convention ne se préoccupe cependant pas d'un des problèmes pratiques majeurs en l'occurrence : *la répression des chèques sans provision*. Cette matière n'est réglée, on le sait, ni par la Loi uniforme, ni par la Convention sur les conflits de lois. L'incidence de la définition civile, régie par la Convention, est inévitable. *Grosso modo*, la jurisprudence française, considérant qu'il s'agit d'un délit complexe, admet la compétence pénale française, dès lors qu'un *élément essentiel du délit* a eu lieu sur le territoire français (Trib. gr. inst. Paris, 1re Ch. corr., 28 avril 1987 : *D.* 1988, somm. comm. 49, obs. Cabrillac). La solution est conforme à l'article 113-2 du nouveau Code pénal. Il est parfois délicat de définir ce qui constitue un « élément essentiel » [V. les observations de Levasseur et Decocq : *Rép. dr. int.* Dalloz, *V° Chèque* (droit pénal), n. 12 et s. — Dijon, 4 janv. 1907 : *JDI* 1907, 1079. — Cass. crim., 28 janv. 1960 : *Bull. crim.* 1960, n. 55. — Trib. corr. Thonon, 27 mars 1958 : *JCP* 58, II, 10628 ; *RTD com.* 1959, p. 557, obs. Loussouarn]. Cette compétence juridictionnelle ne préjuge pas de la compétence législative. Il y a lieu de considérer la loi compétente pour déterminer l'exigence et la nature de la provision (loi du lieu du paiement). Le juge doit se référer à cette législation qui n'exige peut-être pas une provision préalable et disponible, comme le droit français (V. cependant Cass. crim., 20 oct. 1959 : *D.* 1960, J, 302, note Lagarde. — *Contra*, V. Trib. gr. inst., 1re Ch. corr., 28 avril 1987, préc. et critiques Cabrillac).

L'incrimination de la loi française implique la violation de règles applicables selon le droit international privé à l'acte reproché. L'irrégularité de l'acte doit être établie au regard de ce droit matériel (Cass. crim., 20 oct. 1959, préc.).

Le tirage d'un chèque de l'étranger sur la France expose donc à des poursuites pénales son émetteur s'il est sans provision (Trib. corr. Seine, 18 juin 1956 : *Gaz. Pal.* 1956, 2, 60 ; *Rev. crit. DIP* 1957, 296, note H. B. — Cass. crim., 28 janv. 1960, préc.). Peu importe que la législation du pays d'émission ne sanctionne pas pénalement le tirage de chèque sans provision.

Pour juger de la licéité d'une défense de payer un chèque — qui est, dans certains pays, réprimée pénalement — on doit se référer à la loi du lieu de paiement. La détermination préalable de cette loi peut faire difficulté (V. Besançon, Ch. corr., 24 mai 1973 : *Rev. crit. DIP* 1976, 82 ; *JCP* 73, II, 17569). Dans le silence du titre, ce sera le lieu du principal établissement du tiré.

D'une manière topique, la Chambre criminelle (12 janv. 1956 : *Bull. crim.*, n. 50, p. 91, rejetant un pourvoi contre un arrêt de la cour d'appel de Paris, Ch. mises acc., 30 juill. 1952) a considéré comme sans conséquence pénale l'opposition pratiquée par un tireur sur un chèque tiré de France sur New York, au motif que ce chèque était présenté plus d'un an après l'émission. La loi américaine immobilise alors la provision au profit du tireur en l'attente d'une autorisation spéciale de ce dernier qui est libre de la refuser.

Dans une autre espèce, cette position a été maintenue. Un Suisse avait réglé un garagiste français par remise d'un chèque payable à sa banque à Lausanne. Relevant ultérieurement une mauvaise exécution des réparations, le tireur avait fait défense au tiré de payer. Défense valable en Suisse mais assimilée en France au délit d'émission de chèque sans provision. La compétence du droit suisse (*lex loci solutionis*) pour apprécier la régularité de l'opposition écartait, dès lors, une incrimination pénale française (Besançon, 24 mai 1973, préc.).

Pour que des faits qualifiés « délit » par la loi pénale française soient réprimés comme tels, il faut que ceux-ci se soient passés en France, peu importe la nationalité respective des auteurs et des victimes.

C'est ainsi que l'opposition à paiement de chèques tirés sur une banque suisse et payables en Suisse, remis par un tireur français, ne peut être réprimée ni par un tribunal suisse (le droit helvétique ne reconnaissant pas ce délit pénal) ni par un tribunal français puisque les éléments matériels du délit se sont produits en territoire étranger (CA Paris, 9e Ch. A, 24 oct. 1989 : *Gaz. Pal.* 15 déc. 1990, obs. P. Marchi ; *D.* 1991, somm. comm. 218, obs. Cabrillac) dès lors que le fait reproché n'est pas puni par la législation du pays où il a été commis.

En bref, la loi pénale française n'est applicable que si le titre est irrégulier au regard de la loi désignée par la Convention de Genève (Trib. corr. Seine, 13 oct. 1965 : *Gaz. Pal.* 1966, 1, 108 ; *Rev. crit. DIP* 1966, p. 449, note Decocq ; *RTD com.* 1966, p. 1101, note Loussouarn).

En dehors de l'absence de provision, le tirage de chèque par un résident sur une banque française au profit d'un non-résident sans autorisation administrative a été jugé délectueux à raison de la contravention à la réglementation des changes (V. Cass. crim., 29 oct. 1979 : *JCP* 80, II, éd. G, 19472, note J.-P. Chaumeton). La libéralisation du régime des changes depuis 1989 écarte l'exigence de cette autorisation.

B. — Circulation du chèque international

306. — L'*endos* et l'*aval* sont assimilés à des conditions de forme relevant en principe du lieu de l'apposition, avec les mêmes tempéraments. « La loi du pays sur le territoire duquel les obligations résultant du chèque ont été souscrites règle les effets de ces obligations. » On conçoit l'intérêt d'indiquer le lieu d'apposition de ces signatures d'endos ou d'aval en pareil cas. Les délais de l'exercice de l'action en recours sont déterminés pour tous les signataires par la loi du lieu de création du titre (art. 6).

Les divers garants peuvent donc relever de plusieurs lois de rattachement.

C. — PAIEMENT DU CHÈQUE INTERNATIONAL

307. — La *lex loci solutionis* est compétente, on l'a vu, pour définir la provision. Le tiré — même s'il est un banquier — pourrait difficilement connaître les lois de multiples pays des signataires ou du tireur. La désignation de la *lex solutionis* — qui correspond souvent à la loi de la banque où est tenu le compte — est très simplificatrice.

La même loi a compétence (art. 7) pour décider de la révocabilité (Paris, 28 mars 1952 : *Gaz. Pal.* 1952, 1, 422. — Trib. corr. Seine, 18 mars 1956 : *Rev. crit. DIP* 1957, p. 293, révocabilité d'un chèque émis d'Israël sur la France. — Cass. crim., 20 oct. 1959 : *D.* 1960, J, 300. — Trib. corr. Seine, 13 oct. 1965 : *RTD com.* 1966, p. 1101, note Loussouarn) de l'ordre du tireur ou de son droit à faire *opposition* (art. 7-7° ; V. sur l'application de l'art. 32 du D.-L. 1935, pour régir la mainlevée d'un chèque international tiré sur la France, Paris, 23 nov. 1961 : *D.* 1962, somm. 22 ; *adde*, note au *D.* 1935, D. 467. — Besançon, 24 mai 1973 : *Rev. crit. DIP* 1976, p. 79, Lise Moret). Elle régit aussi la procédure à suivre en cas de vol ou de perte du titre du chèque (art. 7-8°).

En somme, tous les problèmes relatifs à la provision sont centralisés (Paris, Ch. mises acc., 28 mars 1952, préc.). Les diverses modalités du paiement relèvent de la même loi du lieu de paiement : ***barrement, délai de paiement*** et de ***présentation*** (Cass. crim., 20 oct. 1959, préc.), ***paiement partiel*** (art. 7-4°), ***protêt*** (art. 7-9°) et tous autres actes de conservation des droits (art. 8).

Dans le silence de la Convention, la liberté de recevoir ou non un chèque en paiement relève des lois de police et de sûreté du pays où le paiement est effectué. La loi du 22 novembre 1940 joue par exemple pour les paiements sur le territoire français (Lagarde et Jauffret, t. II, *op. cit.*, n. 1732).

Les directives analysées s'appliquent à trois situations possibles : le tirage d'un chèque de France payable à l'étranger, le tirage à l'étranger sur la France, voire le tirage de l'étranger sur l'étranger. Dans ce dernier schéma, la compétence législative française implique une circulation sur notre territoire (engagement d'un endosseur, par exemple).

Le droit international commun retrouverait compétence si la Convention ne réglait pas expressément le cas litigieux.

307-1. — *Adde infra* nos observations succinctes sur l'Euro n. 367. D'ores et déjà, il est prudent de considérer que l'introduction de l'Euro va être, malgré bien des objections, rapide. Le praticien doit être averti et informé (V. récemment règlement CE n. 103/97 du Conseil, 17 juin 1997 : *JOCE* n. L 162, 19 juin 1997, p. 1 et résolution CE, 7 juill. 1997, V. *RD bancaire et bourse* oct. 1997, p. 212).

CHAPITRE IX

CHÈQUES DE TYPE SPÉCIAL

308. — Un nombre croissant de titres reçoivent dans la pratique l'intitulé « chèque ». Aucune confusion n'est possible avec le chèque, défini et réglé par le décret-loi du 30 octobre 1935, pour certains d'entre eux (chèque-cadeau, chèque-sourire, chèque-vacances...). On regrettera pourtant la prolifération de titres abusivement qualifiés chèques, comme les « pharma chèques »... Certains autres titres se rapprochent en partie du chèque *stricto sensu* et sont même, selon la loi, soumis à diverses dispositions applicables au chèque. Il en est ainsi pour le chèque postal (chap. X).

Enfin, une dernière catégorie est d'une nature juridique originale et ne mérite pas, malgré certaines apparences, la qualification de chèque. Il en est ainsi pour le *chèque de voyage* ou *traveller's cheque* malgré certaines discussions, et pour le *chèque restaurant* (n. 310). La spécificité des chèques-vacances, soumis à une réglementation spéciale, est encore plus évidente.

A. — CHÈQUE À PORTER EN COMPTE

309. — En fait, la plupart des chèques (même non barrés) sont encaissés par l'intermédiaire des banques. Le produit de l'encaissement est porté en compte à la disposition du bénéficiaire. Mais il est possible de rendre obligatoire ce mode de paiement du chèque et d'interdire son paiement en espèces. Une mention transversale « à porter en compte » est apposée à cette fin au recto du titre.

La Convention de Genève (art. 39 de la Loi uniforme) valide le chèque à porter en compte (parfois qualifié de chèque de virement). Mais la France a exercé sur ce point son droit de réserve (art. 18 de l'annexe II). Il est donc prévu à l'article 39 du décret-loi de 1935 qu'un tel chèque, émis valablement à l'étranger, serait soumis, s'il était payable en France, au régime du chèque barré.

Mais est-il possible de créer en France un tel type de chèque ? Certains auteurs le pensent. Convenons que la formule serait fort utile actuellement eu égard aux nombreux vols ou pertes de chèques. Mais le projet de loi qui introduisait en France la Loi uniforme rejetait dans son exposé des motifs l'opportunité d'introduire cette formule. On doit donc — *de lege lata* — considérer la formule comme exclue en droit positif (en ce sens, Percerou et Bouteron, n. 121 ; *contra*, Vasseur et Marin, *op. cit.*, n. 354, p. 277, n. 5).

B. — CHÈQUE OU TITRE RESTAURANT

Orientation bibliographique

CABRILLAC et RIVES-LANGE, *Droit social*, fév. 1970, p. 91 et s. et des mêmes auteurs : *Rép. com.* Dalloz, *V*[is] *Titres restaurant.*

310. — Le terme « chèque » n'est vraiment pas approprié en l'occurrence. Mieux vaut le qualifier de « titre restaurant ». C'est un instrument de paiement très original, qui n'a même pas la nature d'effet de commerce.

Les chefs d'entreprise versent parfois sous cette forme à leurs salariés leur participation totale ou partielle à l'indemnité de repas. Ces titres sont reçus en règlement par les restaurateurs affiliés. Le législateur a minutieusement prévu le régime de ces titres sans du reste utiliser le terme chèque (Ord. n. 67-830, 27 sept. 1967, D. n. 67-1165 et Arr. 22 déc. 1967 ; *adde* D. n. 77-1243, 8 nov. 1977 modifiant le D. n. 67-1165. — *Adde* D. n. 88-1196, 29 déc. 1988). De nombreux avantages fiscaux et sociaux s'attachent à cette formule. Les titres sont exonérés de droit de timbre.

L'employeur déduit sa contribution de l'assiette des cotisations de Sécurité sociale, de retraite complémentaire et d'Assedic. Le salarié déduit à son tour fiscalement de ses revenus cette rémunération.

Il est manifeste que le titre restaurant n'est pas un chèque. Il ne permet pas de retirer des fonds et n'est pas négociable. Il n'est délivré qu'à des personnes nettement déterminées (salarié de l'entreprise émettrice). Un employeur ne pourrait mettre en place une tarification différente des titres restaurants selon la distance séparant le lieu de résidence des salariés du lieu de travail [Rép. min. : *JO* déb. Ass. nat. (CR et Q), 20 juill. 1985, 4128].

La notion de *provision* est tout à fait spécifique de ce titre. Autrement dit, on ne peut combler les lacunes éventuelles du régime par appel au droit du chèque (V. D. 1967 modifié par D. 1977, art. 9).

Tout employeur peut y recourir directement ou par l'intermédiaire du comité d'entreprise (Ord., art. 19). L'émission est souvent assurée par une institution spécialisée qui les cédera, pour leur valeur et moyennant commission, à l'employeur désireux d'utiliser le système. Les banques et centres de chèques postaux ne peuvent procéder à ce type d'émission. Mais l'employeur ou l'organisme spécialisé d'émission doivent déposer les fonds adéquats à un « compte bancaire ou postal spécial de titres restaurant » ouvert auprès d'une banque ou d'un centre de chèques postaux. Ces établissements doivent remettre au titulaire du compte une attestation d'ouverture en triple exemplaire. Les fonds déposés à ces comptes sont la « provision » desdits titres (Cabrillac et Rives-Lange, art. cité, n. 23). L'article 9 du décret n. 67-1165 (modifié par le D. n. 77-1243) précise les modalités d'alimentation de ces comptes selon la qualité de l'émetteur.

Pour assurer un minimum de contrôle de cette formule, le titulaire d'un compte dit de « titres restaurant » doit remettre certains documents au directeur des impôts (Contributions directes) dont il relève et à une commission spéciale (D. 22 déc. 1967 modifié, art. 15). Cette commission spéciale, comprenant des représentants des organisations professionnelles et des syndicats d'employeurs et de salariés ainsi que des organisations professionnelles et des syndicats de restaurateurs, reçoit tous les mois un relevé des mouvements de fonds affectant les comptes de titres restaurant, sauf les paiements aux restaurateurs ou assimilés (*adde* la liste des autres fonctions de cet organisme, *in* art. 15).

Le restaurateur affilié se voit transmettre la propriété de cette « provision » quand il reçoit (régulièrement) le titre (sur les droits éventuels du salarié, V. Cabrillac et Rives-Lange, n. 25). La vie du titre est courte (un à trois mois).

Le titre n'est utilisable que par des salariés de l'entreprise émettrice, mais le restaurateur n'a pas lors du règlement à vérifier cette qualité. En principe, le titre est pourtant personnel et incessible.

Les restaurateurs (répondant à la définition de l'arrêté précité du 22 déc. 1967, *adde* D. n. 77-1243, art. 11) sont libres d'accepter ou de refuser ces titres, sauf bien sûr s'ils ont adhéré à un réseau pour accroître leur clientèle. Certaines entreprises ou organismes peuvent être assimilés, dans les conditions de l'article 11 du décret 1967 modifié, à un restaurateur sur avis de la commission spéciale.

Les restaurateurs ou organismes assimilés présentent les titres restaurant, reçus par eux des utilisateurs, au remboursement auprès des banques ou centres de chèques postaux qui tiennent les comptes titres. Ce paiement doit être effectué au plus tard dans les vingt et un jours de la réception du titre.

L'inobservation des conditions d'émission ou d'utilisation de ces instruments est pénalement réprimée (D. 1967 modifié, art. 14).

Cette monnaie papier née en Grande-Bretagne a été introduite en France vers 1960. Une série de tickets de la même lignée s'introduit peu à peu : tickets alimentation, essence, cadeau, vêtement, garderie d'enfants, transports (?)... Le volume des titres restaurants a été de 15 milliards en 1990. Le freinage à une telle expansion vient sans doute de la législation française qui interdit les placements à risques pour ce type d'activités. La filiale spécialisée d'ACCOR développe aussi la formule à l'échelle internationale.

C. — CHÈQUE DE VOYAGE

Orientation bibliographique

DESPAX, « Les travellers's cheques » : *RTD com.* 1957, p. 323. — J.-L. Rives-Lange, « Le chèque de voyage en droit français », *in Études de droit français contemporain*, Travaux de l'Institut de droit comparé de Paris, III, 1966. — HAMEL, LAGARDE et JAUFFRET, *Traité*, t. II, n. 1762 et s. — M. CABRILLAC, *Le chèque et le virement*, 5e éd., n. 348 et s.

311. — Les banques multiplient les services rendus à leur clientèle. Elles ont, depuis 1950, mis à sa disposition un nouveau titre de règlement, inspiré des méthodes anglo-saxonnes, le *chèque de voyage* ou *traveller's cheque*. Ce titre, émis par une banque, est tiré sur ses agences ou sur les agences de ses correspondants, liés à elle par une convention. Le client peut donc ainsi toucher des fonds dans toutes les villes françaises ou étrangères où la banque a des guichets ou des correspondants. Le service de mise à la disposition de fonds à l'endroit utile au client voyageur se double d'un *service de change*. Cette activité, dominée par quelques « grands », est fort lucrative. L'acquéreur de ces chèques ne les utilisera, en effet, parfois que quelques mois après. Or, l'établissement émetteur a reçu aussitôt les fonds qu'il peut placer. Cette trésorerie gratuite constitue le *float*. Il circule actuellement 30 milliards de dollars de travellers par an.

La nature juridique exacte de ces titres est fort discutée en l'absence de législation spéciale. Ils s'apparentent, en effet, à des chèques et/ou à des billets de banque, sans pouvoir s'identifier complètement à ces instruments. Le législateur français n'a prévu aucun régime pour ces titres de plus en plus répandus.

L'apparence extérieure les rapprocherait des chèques, bien qu'ils correspondent à des sommes forfaitaires (coupures numérotées en chiffres ronds). Ils n'émanent pas d'un Etat mais d'organismes bancaires. Mais le chèque de voyage se différencie surtout, en droit, du chèque, de plusieurs manières. Il contient, en effet, non un ordre ou mandat de payer donné à un tiré, mais un engagement du banquier émetteur de payer — sous certaines conditions — le porteur légitime du titre.

Ce chèque libellé en dollars ou en francs, acheté en pack ou en vrac, est utilisable dans le monde entier (V. Laurence Boccarx, *Le Figaro* 9 juin 1995).

Nature juridique. — La question avait été soumise aux tribunaux à propos de la falsification ou plutôt de la contrefaçon de travellers's cheques. Fallait-il appliquer les textes répressifs du décret-loi du 30 octobre 1935 sur la contrefaçon des chèques ? La Cour de cassation a considéré, à cet égard, que ces titres n'étaient pas des chèques, mais elle a appliqué au contrefacteur, selon la théorie de la peine justifiée, les mêmes peines prévues pour le délit de faux (V. Cass. crim., 29 mars 1955 : revue *Banque* 1956, p. 41 ; *RTD com.* 1956, 91. — 20 janv. 1960 : *D.* 1961, J, 56, note Despax ; *S.* 1961, I, 75 ; *Gaz. Pal.* 1960, 1, 276 ; *JCP* 60, II, 11518. — 16 mars 1965 : *JCP* 65, II, 57. — V. *contra*, Amiens, 9 janv. 1956 : *JCP* 56, II, 9187).

312. — La juridiction suprême a eu l'occasion de rejeter aussi l'autre assimilation parfois proposée. Elle a refusé de qualifier ces titres de *billets de banque* comme le soutenait une personne pour échapper à une poursuite pour détention de titres de créances sur l'étranger (Despax, *op. cit.*, n. 32 ; J.-L. Rives-Lange, *op. cit.*, n. 18 et s.) sur la base de la réglementation des changes (Cass. crim., 16 janv. 1963 : *D.* 1963, J, 517, note Despax ; revue *Banque* 1964, p. 115, obs. X. Marin. — Paris, 27 nov. 1991 : *D.* 1992, somm. comm. 339, obs. Cabrillac ; *D.* 1993, J, 70, note D. Martin). Car alors les billets pouvaient, eux, ne pas être mis en dépôt chez un intermédiaire...

Ce double refus de la Cour de cassation d'identifier le traveller's cheque à un chèque ou à un billet de banque ne facilite guère la qualification. La Cour de cassation déclare seulement que le titre comporte un engagement de payer du banquier. S'agirait-il d'un *billet à ordre* ? L'avantage d'une telle qualification serait de ramener ce titre à un statut légal identifié. L'identification du tireur et du tiré, l'absence de provision rapprochent sans doute le traveller's cheque de ce genre de titre. Mais la variété des modèles rend, à vrai dire, contestable pareille qualification et beaucoup de modèles ne remplissent pas toutes les conditions de validité d'un titre au régime minutieux. Au surplus, la finalité du billet à ordre n'est pas celle du chèque de voyage : un instrument de paiement et de transport de fonds. Lagarde et Jauffret (*op. cit.*, n. 1763) proposent de ramener ce titre à la lettre de crédit circulaire, mais ce titre n'est pas davantage réglé par la loi... Il faut admettre que ce titre, forgé par la pratique, peut être aménagé selon le droit des obligations. Plusieurs variétés sont d'ailleurs en circulation. Le modèle de l'*American Express* apparaît (55 % du marché) comme l'un des plus classiques et des plus sophistiqués (V., sur la qualification de lettre de crédit à ordre, Despax et Rives-Lange). Certaines banques, regroupées au sein du système Eurochèque s'efforcent d'obtenir une part de ce marché en concurrence avec Visa...

Fiscalement, les chèques de voyage, même s'ils ne comportent pas toutes les mentions du chèque, sont dispensés de timbre (Instr. enreg. n. 5103).

313. — *Régime juridique.* Le statut juridique de ce titre est pour l'instant contractuel. Ce chèque est nominatif. Il implique deux signatures. L'une apposée à l'agence délivrant ces titres de crédit, l'autre lors de la transaction. Le bénéficiaire doit, lors de la remise des formules, les signer sur un emplacement spécial en présence de l'émetteur. Il lui faudra à nouveau signer en présence du payeur qui vérifiera la conformité des signatures. L'émission des chèques de voyage est réservée, en France, aux établissements de crédit puisque ces titres sont des instruments de paiement (L. 24 janv. 1984, art. 4 et 10).

Le titre est généralement à ordre et endossable. La sécurité de la circulation est assez grande. Le papier est d'une contexture difficile à imiter et le contrôle des signatures assez efficace. En cas de vol ou de perte, le titulaire doit avertir au plus vite l'un des guichets de l'émetteur. Dès qu'il a notifié sa dépossession, il échappe à la responsabilité éventuelle découlant de l'utilisation frauduleuse des chèques de voyage. Une assurance de groupe couvre, sous réserve d'un forfait restant à la charge du client, la responsabilité de ce dernier pendant cette période. Le titulaire dépossédé pourra obtenir remboursement du prix d'achat des chèques sous déduction de la rémunération de l'émetteur.

A défaut d'opposition, le preneur perdrait son droit à remboursement ou remplacement de titre.

Le titre est, sauf clause contraire, endossable. Il y a lieu d'appliquer, en l'occurrence, le droit commun des titres à ordre, dont le droit français admet traditionnellement la validité (*Rép. civ.* Dalloz, *V° Titres à ordre* ; Lescot et Roblot, *Les effets de commerce*, t. II, n. 2, p. 272).

Le principe de l'inopposabilité des exceptions jouera donc. Le contrat passé entre la banque émettrice et le touriste est inopposable au tiers porteur de bonne foi. M. Rives-Lange souligne justement que la *loi du titre* l'emporte au profit des tiers porteurs. La pratique mesure mal les conséquences virtuelles de ce principe juridiquement normal (art. cit., n. 26).

La durée du titre sera celle indiquée sur le document. A défaut, la prescription décennale de droit commun paraît s'imposer (C. com., art. 189 *bis* ; V. *infra*, n. 315).

L'émetteur sera libéré s'il a payé le présentateur sans faute (vérification de conformité des signatures). On ne peut appliquer les règles du droit civil où seul le paiement au véritable créancier est libératoire. Le paiement par un organisme, non lié par convention avec l'émetteur, s'analyserait en un *escompte*. On sait que l'escompte peut porter sur d'autres titres de créance que des effets de commerce ou chèques. Le titre est enfin payable dans tous les guichets du réseau, dont la liste est remise au titulaire.

314. — *Perte ou vol.* L'un des buts du recours à ce type de titres par les voyageurs est d'éviter ce genre de risque. En cas de vol ou de perte, le titulaire dépossédé est-il couvert après opposition ? Certains émetteurs l'admettent dans leur contrat, mais d'autres — notamment les émetteurs français — tentent d'éviter leur responsabilité même après opposition formulée par le client. La licéité de cette clause (analysée comme clause de non-responsabilité ou d'aménagement du contenu des obligations de l'émetteur) apparaît certaine (en ce sens, Rives-Lange, n. 32) mais son opportunité est fort contestable ! On notera que, comme toute clause de non-responsabilité, elle ne couvre que les fautes légères du banquier. Ajoutons que la clause ne figurant pas sur le titre ne liera pas les tiers porteurs (en ce sens, Rives-Lange, n. 32).

La jurisprudence reste rare dans ce domaine (V. cependant Trib. com. Paris, réf., 24 juill. 1985 : *Gaz. Pal.* 1986, 1, somm. 19, note Doucet ; *RTD com.* 1986, p. 272. — Comp. Paris, 27 nov. 1991 : *D.* 1992, somm. comm. 339, obs. Cabrillac ; *D.* 1993, J, 70). Le voyageur étranger qui a acheté des travellers's cheques à l'étranger et se les fait voler à Paris est fondé à obtenir du correspondant du banquier émetteur qui a vendu le titre le versement de la contrepartie en francs français des dollars US qui lui avaient été débités. Si le porteur dépossédé a fait sa déclaration en temps utile, il a droit au remboursement.

Quid, enfin, en cas de falsification ou de contrefaçon des chèques de voyage ? Pénalement, le faussaire encourt les peines du faux (C. pén., art. 150 et 151), mais la banque émettrice est-elle tenue ? Qui supportera le risque du faux ? Les auteurs (Despax, *op. cit.*, n. 42 ; Rives-Lange n. 34) proposent la transposition des règles admises en matière de lettres de crédit.

315. — *Prescription.* Les règles du chèque ne s'appliquent pas, eu égard à la nature juridique de ce titre. Sauf convention particulière (en pratique rare) des parties, il faut appliquer le droit commun. Pour cet acte mixte, ce sera la prescription décennale (C. com., art. 189 *bis*, modifié par L. 3 janv. 1977 ; V. revue *Banque* 1977, p. 363, *Courrier des lecteurs*). On peut douter de l'opposabilité au tiers porteur d'un délai de validité fixé dans le contrat d'émission sauf s'il est mentionné sur le titre (V. cependant pour l'opposabilité Cabrillac, *op. cit.*, n. 355). En pratique, la date d'émission est rarement mentionnée sur le titre, ce qui fait obstacle au jeu de la prescription.

D. — CHÈQUES-VACANCES

316. — En parallèle aux titres restaurant le gouvernement a organisé pour le développement du tourisme populaire un système facultatif d'aide aux salariés les plus défavorisés (Ord. n. 82-283, 26 mars 1982). Le système est supporté par l'employeur et par l'Etat (Ph. Gosley : *Rép. com.* Dalloz, *V[is] Chèques restaurant*).

Il s'agit d'un titre de paiement pour régler les dépenses de vacances auprès de prestataires de services agréés (*Rép. com.* Dalloz, *V[o] Chèques vacances*, par Gosley).

Cet instrument de paiement est nominatif. Le décret du 16 août 1982 précise les mentions qu'il doit porter. Il est réservé à une catégorie bien précise de bénéficiaires salariés, ayant un plafond de ressources assez bas tel que précisé par la réglementation.

Les employeurs (ou certains organismes à caractère social), qui agissent volontairement, sont de simples distributeurs de ces instruments, dont l'émission appartient à l'Agence nationale pour les chèques de vacances (67, rue Marthe, 92110 Clichy). Les salariés qualifiés doivent pour bénéficier de ce système épargner et faire des versements mensuels préalables, complétés par des versements de l'employeur et du comité d'entreprise.

Des durées de validité sont prévues pour ces titres et leur remboursement aux prestataires ou exceptionnellement aux salariés (Ord. 1982, art. 4, al. 5).

Les titres sont utilisables pour régler des dépenses de repas, hébergement, transport, loisirs aux collectivités publiques ou aux prestataires de services agréés (D. 16 août 1982, art. 20 à 22). Certaines réductions peuvent être attachées à ce type de règlement.

Ce titre spécifique, étroitement réglementé sous peine de sanctions pénales, a une fonction sociale précise. Son évidente utilité (les intérêts fiscaux et sociaux légitimement attachés à ce titre montrent son opportunité, V. Gosley, art. cité, n. 60 et s.) n'en fait pas néanmoins un instrument de paiement, susceptible d'être qualifié de « chèque » au sens du décret-loi du 30 octobre 1935. Il n'en a quasiment aucun des caractères. Ce n'est pas un effet de commerce. Il ne peut servir à des règlements banalisés et n'est donc pas un instrument de paiement général susceptible d'être reçu par les particuliers ou les entrepreneurs. Sa validité limitée au territoire national suffit à montrer son absence de rapports avec le « chèque » de la Convention de Genève de 1931.

317. — Sans porter d'autre jugement de valeur au fond sur l'institution de cette aide sociale, on regrettera d'emblée l'intitulé donné parfois à ce nouvel instrument.

A part la Suisse qui, avec le chèque Reka créé en 1939, offre les mêmes services, aucun autre pays européen ne possède cette forme d'aide aux vacances. Une réflexion globale pourrait être envisagée dans le cadre de la CEE. Si à partir de 1999 la monnaie s'uniformise, et si la convergence d'une politique commune sociale permet de l'envisager, il est vraisemblable que, parmi les questions qui vont alors se poser, celle de l'aide aux vacances par l'aide à la personne soit légitime.

E. — CARTE DE GARANTIE DE CHÈQUE

318. — Pour faciliter la circulation des chèques, certaines banques délivrent des cartes de garantie de chèques. Elles garantissent, jusqu'à un certain plafond autorisé, le paiement des chèques. Il y a là une variété de cartes de crédit lancé en Grande-Bretagne. Le client titulaire mentionne, au dos du chèque qu'il remet en paiement, le numéro de sa carte de chèque. Ce système n'équivaut pas à une acceptation des chèques que la Convention de Genève interdit (D.-L. 30 oct. 1935, art. 4). La garantie est extérieure au chèque. Les retraits peuvent avoir lieu soit au guichet qui tient le compte, soit auprès d'autres guichets.

Une solution de principe a été adoptée dans une hypothèse assez banale, mais intéressante en pratique. Il s'agit de la perte dans des circonstances fautives pour le titulaire de son carnet de chèque et de sa carte de garantie. L'usurpateur avait grâce à ces deux documents pu se faire payer des chèques de dépannage à l'étranger. Le client est condamné à supporter les retraits frauduleux (Cass. com., 23 juin 1987 : *Bull. civ.* IV, n. 154).

319. — Une des applications intéressantes des cartes de garantie concerne l'eurochèque (*RTD eur.* 1986, p. 722 ; question écrite de Patterson et réponse de fond de Cockfield au nom de la Commission, 30 avril 1986 ; *adde* décision Commission du 10 déc. 1984). En 1968, un système de paiement eurochèque a été créé dans la CEE à l'initiative d'organismes financiers privés européens. Les établissements émetteurs délivrent des cartes de garantie des titres de chèque admis dans ce système. Les établissements adhérents payent à leurs guichets les chèques garantis. L'utilisation, la présentation et la compensation de ces eurochèques a dû depuis mai 1981 faire l'objet d'accords, que la Commission de la CEE a exemptés temporairement de l'interdiction communautaire des ententes (*JOCE* n. C 281, 18 oct. 1983, 2 ; V. *supra*, n. 172). En contrepartie, la clientèle doit être clairement informée des frais et charges de ce titre.

La personne qui aurait dérobé une telle carte ou l'aurait trouvée commettrait le délit d'escroquerie si elle émettait un chèque en utilisant ce titre de garantie (Paris, 3 mars 1972 : *Gaz. Pal.* 1972, 2, 721 ; *RTD com.* 1972, p. 1028 ; mais V. la relaxe du chef d'escroquerie d'un titulaire ayant retiré sans provision des fonds du guichet où son compte était tenu, Douai, 10 mars 1976 : revue *Banque* 1976, p. 799 ; *RTD com.* 1976, p. 584 ; mais V. Paris, 3 mars 1972 ; Rives-Lange et Contamine-Raynaud, *op. cit.*, n. 267). En cas d'utilisation d'une intercarte annulée par la banque, le délit d'escroquerie semble réalisé (Trib. corr. Paris, 16 oct. 1974 : revue *Banque* 1974, p. 324). L'Intercarte des banques populaires est l'une des premières expériences françaises de cette formule, dont le développement serait souhaitable (V. Stoufflet, *Les cartes de crédit en France*, rapport au VIIIe Congrès international de droit comparé, n. 40). Le titulaire doit conserver séparément sa carte et son chéquier (Cass. com., 23 juin 1987 : *Gaz. Pal.* 12 déc. 1987, pan. jur. 259).

Prohibition concertée de la carte eurochèque pour un usage en France ? Une difficulté existait touchant l'émission à l'avenir des cartes d'eurochèques par les banques adhérentes du GIE des cartes bancaires CB créé par le protocole du 31 juillet 1984. On sait que certains établissements de crédit (banques populaires, Crédit mutuel) adhèrent au service dit Eurochèques, répandu dans divers pays d'Europe (notamment RFA et Benelux).

L'admission des banques populaires à l'origine fut soumise à la condition de cesser d'émettre des cartes Eurochèques. Il en fut de même pour le réseau mutualiste. Y avait-il là une prohibition concertée relevant de l'article 50 de l'ordonnance du 30 juin 1945 ? Le Conseil de la concurrence a enjoint, dans sa décision n. 88 D. 37 du 11 octobre 1988, de supprimer la stipulation du protocole du GIE qui interdisait à ses adhérents l'émission de cartes eurochèques pour une garantie en France (*Avis du Conseil de la concurrence : Lamy* 1988, n. 335, obs. C. Gavalda).

La réalisation du Marché commun des instruments de paiement s'accommoderait mal de ce type de restriction. Une décision de la Commission des Communautés européennes du 19 décembre 1988 n. 89/95/CEE (*JOCE* 8 fév. 1989) L. 36 est intervenue en ce domaine.

Cette décision concerne la compatibilité au regard des règles de la concurrence de directives pour la production de l'eurochèque uniforme et pour la diffusion de l'eurochèque uniforme et de la carte eurochèque uniforme établies par les groupements bancaires nationaux qui composent l'assemblée eurochèque (*JCP* 89, éd. E, 18230 ; *adde* accord CEE 25 mars 1992 prévoyant la même commission pour les paiements par eurochèque que pour des règlements par carte ordinaire.

F. — CHÈQUES EMPLOI SERVICE

319-1. — Ce titre est juridiquement un véritable chèque, permettant d'effectuer un paiement pour des prestations de services particulières. Il vise à la promotion des petits boulots (Cabrillac *dixit*). Il a été créé par la loi n. 93-1313 du 20 décembre 1993 (*adde* D. n. 94-974, 10 nov. 1994 et arrêté de la même date) (prorogée par D. 29 déc. 1995). Après une expérience heureuse, la loi du 29 janvier 1996 (*adde* D. 29 mars 1996 ; C. trav., art. L. 129-2 ; D. 2 mai 1996 ; Arr. 13 sept. 1996) a pérennisé le système en étendant son domaine. Ce titre est destiné à simplifier le règlement des services domestiques ou familiaux occasionnels rendus au domicile ou dans une résidence secondaire (ménage, repassage, jardinage, garde...) ; mais pas pour des travaux professionnels. Le système est facultatif. Le chèque vaut contrat de travail et bulletin de paye. Il peut être utilisé pour les déclarations à l'URSSAF, qui calcule les dus. En la forme, le chèque service ressemble à un chèque classique. Mais un volet social est à remplir mentionnant le prix de l'heure de travail. Il est adressé au Centre national de traitement du CES, dépendant de l'URSSAF, qui prélève après avis la cotisation sociale sur le compte du tireur. 330 000 personnes auraient en 1995 choisi cette formule. Le succès du système a incliné le législateur en 1996 à exclure le cantonnement aux emplois n'excédant pas huit heures par semaine ou quatre semaines par an (V. Dupichot et Guével, *op. cit.*, n. 670. — Gavalda : *Juris PTT* n. 38, 1994).

Parmi les avantages respectifs pour l'employeur et le salarié, plusieurs ont déjà été signalés.

L'allégement du formalisme est sensible. Aucun contrat de travail en forme n'est à rédiger pour ce type de prestations, si l'on choisit ce système. Le chèque fait office de contrat de travail. La dispense du calcul de cotisations, qui est épargné à l'employeur, devrait l'inciter à ne plus « embaucher au noir », alors surtout qu'il obtiendra de surcroît une déduction fiscale au titre des emplois familiaux, attrayante et non négligeable. Cette déduction pourra se monter à 13 000 francs pour l'année 1994 et jusqu'à 45 000 francs pour 1995.

L'employé de maison y trouvera aussi son intérêt. Sa situation est régularisée sans complications. Il bénéficie de l'assurance maladie, des droits à retraite, de la couverture des accidents de travail et de celle sur le chômage. Le chèque emploi-service (volet social) tient lieu de contrat de travail. Il évite donc les sanctions pouvant frapper celui qui emploie un travailleur sans déclaration (amende et surtout responsabilité civile trop souvent oubliée). Le salarié reçoit de l'URSSAF l'attestation de salaire lui permettant d'obtenir d'éventuelles prestations sociales.

Notons encore qu'un employeur peut utiliser ce procédé pour plusieurs salariés, répondant bien entendu aux conditions d'utilisation du chèque emploi service (V. schéma ci-après).

V. sur le chèque emploi service : Dupichot et Guevel, *Les effets de commerce*, 3e éd., n. 670 et s. ; Zilbermann, « le chèque emploi service : un an d'expérience » : *Bull. Dares*, n. 502, 22 décembre 1995.

Deux minutes pour apprendre à se servir du chèque emploi service

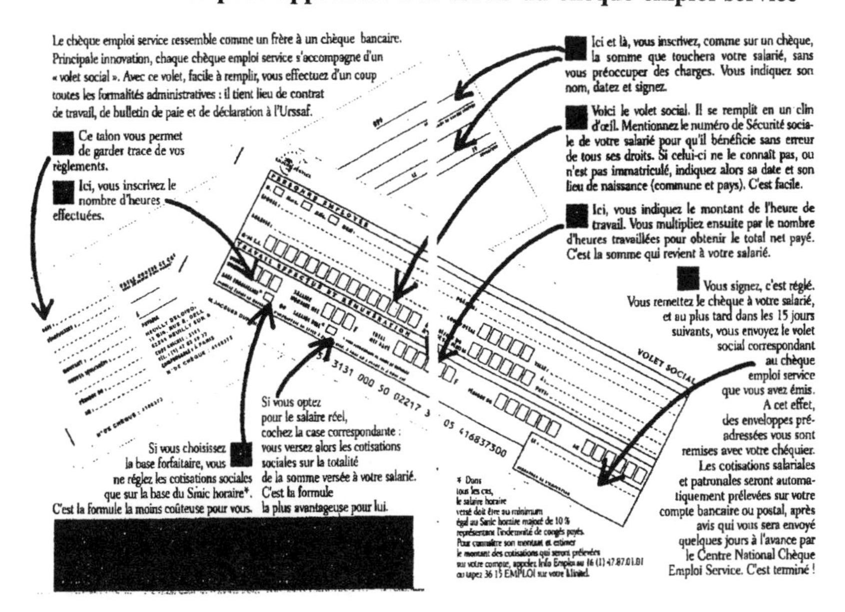

CHAPITRE X

CHÈQUE POSTAL

320. — Le chèque postal remplit, comme instrument de paiement, une fonction équivalente à celle du chèque bancaire. En droit strict, il ne constitue pas un « chèque » au sens du décret-loi du 30 octobre 1935, bien qu'il soit soumis par des dispositions législatives ou réglementaires expresses à plusieurs règles — notamment pénale (art. L. 104, al. 2 et 3, C. P et T, modifié par L. 3 janv. 1975 ; V. C. P et T, art. L. 98 à L. 109 et D. 12 mars 1962) — du droit du chèque.

Selon une définition neutre, « le chèque postal est un ordre écrit et signé donné par un titulaire de débiter son compte d'une somme à verser à lui-même ou à un tiers, ou à inscrire au crédit d'un autre compte postal ».

Ce titre sert par vocation à faire fonctionner le compte courant postal du titulaire. Des retraits à des DAB postaux sont maintenant possibles grâce à la carte 24/24 et par utilisation de la carte bancaire.

Le chèque postal français (1918) est d'origine plus récente que le chèque bancaire (1865). Une des premières expériences fut celle de la Caisse d'épargne postale de Vienne en 1883. Elle fut, malgré les réticences de certains milieux économiques, introduite peu à peu dans divers pays, Suisse (1905), Japon (1906), Allemagne (1909), etc.

En France, ce service était considéré par l'opinion comme relevant de l'initiative privée. La pénurie de monnaie métallique et des moyens de règlement classiques fit durant la Première Guerre mondiale admettre la création du service des chèques postaux (L. 7 janv. 1918). L'institution pouvait, pensait-on, habituer le public à la manipulation ultérieure d'instruments plus perfectionnés... mais plus dangereux.

Sous la pression des utilisateurs, le chèque postal, instrument pour transférer des fonds, se transforma vite en un véritable titre de paiement. Un rapprochement ininterrompu s'ensuivit, accentué par la loi du 28 novembre 1955, celle du 3 janvier 1979, celle du 30 décembre 1991 et ses décrets d'application.

On dénombrait en 1983 7,5 millions de titulaires de CCP. Le service des chèques postaux était depuis 1923, date de création du budget annexe des PTT, géré directement par l'Etat par l'intermédiaire d'une administration relevant directement d'un ministère. Dans ce cadre, la Cour de cassation avait considéré qu'un tel service n'effectuait pas des actes de commerce (Cass. com., 20 oct. 1981 : *D.* 1982, IR, 121). Cette jurisprudence paraît désormais remise en question en raison du nouveau statut de La Poste, issu de la loi du 2 juillet 1990. Depuis le 1er janvier 1991, les chèques postaux sont gérés par un exploitant public, « La poste », définie comme une personne morale de droit public, dotée de l'autonomie financière et de la personnalité juridique. A cet égard, on s'accorde à lui reconnaître la qualité d'un établissement public industriel et commercial : elle est en effet inscrite au registre du commerce.

Les textes. — Les règles essentielles se trouvent dans le Code des postes et télécommunications (D. 12 mars 1992), aux articles L. 98 à L. 110, R. 52-10 et R. 52-11 et D. 488 à D. 522. Les lois des 3 janvier 1972, 3 janvier 1975, 2 juillet 1990, ainsi que la loi sur le chèque du 31 décembre 1990 ont apporté plusieurs modifications aux dispositions figurant au Code des P et T. Elles contiennent certaines dispositions non insérées dans le Code mais applicables au chèque postal (*adde* D. n. 75-903, 3 oct. 1975 et Arr. du même jour). Un décret n. 84-288 du 17 avril 1984 a autorisé les découverts en comptes courants (C. P et T, art. D. 506-1). Voir plus récemment loi n. 85-695 du 11 juillet 1985 rapprochant encore le chèque postal du chèque bancaire, notamment par création des certificats de non-paiement (*adde* L. n. 90-568, 2 juill. 1990 ; D. 22 mai 1992). L'article L 104 du Code des P et T précise les dispositions pénales applicables aux chèques postaux. Les liaisons du service des chèques postaux avec la Banque de France s'alignent sur celles régissant les chèques bancaires. Les Centres de chèques postaux participent comme les banques à la police des chèques. Ce service gère aujourd'hui 8,5 millions de comptes représentant 140 milliards de fonds en dépôt (hors les dépôts des comptables publics), soit 11 % du marché.

Les mêmes faveurs législatives sont accordées aussi bien aux chèques postaux qu'aux chèques bancaires. Ils sont exempts de timbrage. Les correspondances avec les C.C.P. ne sont plus, hélas, faites en franchise postale (D. 521). Mais une faible taxe annuelle est perçue sur les titulaires de comptes. Problème à revoir...

Certains découverts sont consentis aux titulaires dans des limites assouplies en 1984. La loi n. 78-22 du 10 janvier 1978 (Scrivener) ne paraît pas s'appliquer à ces découverts.

Il faut surtout souligner la réadaptation des services financiers de la Poste aux exigences d'un système concurrentiel. La loi n. 90-568 du 2 juillet 1990 contient les nouveaux statuts (V. Christian Courtois, *Jures PTT : Rev. dr. des PTT*, numéro spécial 1990). On sait que le Service des CCP reste en dehors du système bancaire de la loi du 24 janvier 1984 sur les établissements de crédit. La directive CEE n. 89-646 du 15 décembre 1989 exclut de son domaine les offices de chèques postaux.

On se permettra de regretter les blocages des groupes bancaires à l'entrée des CCP et de la Poste sur le marché financier et bancaire. La liberté de concurrence paraît à l'approche de l'Euro un « must » ?

La gestion des CCP est en tout cas confiée à la Poste, exploitant public. Cette mission est rappelée à l'article 2 de la loi du 2 juillet 1990.

Orientation bibliographique

BONNEVILLE, *Rép. com.* Dalloz, *V° Chèque postal*, éd. 1996. — DELAISI, *Comptes de banque et comptes courants postaux*, 1933. — BOUCHACOURT, *Aspects économiques et financiers des chèques postaux*, 1951. — E. BERTHIER, *Les aspects spécifiques du droit des comptes et chèques postaux*, thèse,

Montpellier, 1969. — BLANCKERT, thèse, Lille, 1966. — CABRILLAC, *Le chèque et le virement*, 1967. — DUPICHOT et GUEVEL, *Traité de droit commercial*, t. II, précité, 1996, n. 677 et s. — LAGARDE et JAUFFRET, t. II, n. 1746 et s. — MARQUIS, *Contribution à l'étude des chèques postaux*, 1954. — MEURISSE, « L'émission des chèques postaux sans provision » : *JCP* 61, I, 1601 *ter*. — TARABEUX, « Le décret du 12 mars 1962 a-t-il modifié la responsabilité des P et T ? » : *JCP* 63, I, 1762. — VASSEUR et MARIN, *Le chèque*, n. 381 et s. — VINEL : *Rép. com.* Dalloz, *V° Chèque postal*, 1977. — GRANIER, « Le monopole postal à l'épreuve de l'informatique » : *JCP* 87, éd. G, I, 3286. — V. surtout, *La responsabilité en matière de chèques postaux : Cahier n. 8* de la direction de l'enseignement supérieur administratif P et T, nov. 1986, avec la collaboration de C. Gavalda. *JCP*, fasc. 400 « Instruments postaux de règlement », 1997, 8, par Dominique Laffont ; *Cahiers juridiques de La Poste* : « La réforme », t. 1 à 4, 1992/95, éd. Université de La Poste à Orléans ; *CJEG*, nov. 1991, p. 349, Yves Galmot : « La Poste et France Télécom entre service public et entreprise publique » ; *AJDA* 1990, n. 10, p. 667, Jacques Chevallier : « La mutation des postes et télécommunications » ; *Juris PTT* 1992, n. 27, p. 6 ; Bertrand Tormen : les chèques postaux et la loi du 30 décembre 1991.

A. — VARIÉTÉS DE CHÈQUE POSTAL

321. — Le client reçoit un seul modèle de formules (D. 12 mars 1965 modifié 501), mais il peut les utiliser de plusieurs façons. Les formules sont délivrées gratuitement.

Les *chèques dits de retrait* sont payables en numéraire au bénéficiaire lui-même. Les *chèques d'assignation* sont payables à un tiers bénéficiaire (éventuellement à son domicile). Le chèque peut être enfin payé au *porteur* (art. L. 100, al. 5). Il peut aussi être rédigé en blanc sans nom de bénéficiaire (art. L. 100, al. 5). Ce chèque peut être transformé en chèque nominatif ou en chèque au porteur.

Le *chèque de virement* — barré ou non — permet un règlement en monnaie scripturale de compte courant à compte courant. Ce dernier type de chèque est utilisable de deux façons. L'émetteur peut adresser lui-même au bénéficiaire le titre, soit le faire parvenir directement au Centre de chèques postaux. Dans ce second cas, on pourrait au plan pénal considérer qu'il n'y avait pas « émission » et qu'il s'agit non d'un chèque mais d'un ordre de virement. Cette interprétation libérale semble avoir été finalement adoptée par la Chambre criminelle (*infra*, n. 330 ; V. Cass. crim., 17 juin 1971 : *D.* 1971, J, 542 : *RTD com.* 1971, p. 1054 ; Larguier, *op. cit.*, p. 121). Cette analyse de la nature juridique du chèque de virement a diverses conséquences. Le bénéficiaire n'acquiert par exemple pas la propriété de la provision dès l'émission (*adde* n. 330). Un rapprochement global de ces diverses variétés de chèques postaux paraît plus logique.

L'Administration offre encore aux usagers un *chèque postal de voyage*, créé en 1951, et un *postchèque* qui leur permet de retirer des devises dans les bureaux de poste étrangers qui ont signé des accords avec notre pays.

On signalera l'existence de lettres-chèques depuis 1976. Le bénéficiaire reçoit un document comportant une lettre et un chèque postal. Le délai de validité est de deux mois à compter de l'émission (C. P et T, art. D. 512 — Trib. gr. inst. Nanterre, 18 mars 1996 : *Rev. Juris PTT*, n. 68).

Certaines facilités s'inspirent du système Intercarte. Depuis mai 1971, une *carte de paiement de chèques* permet, en émettant un chèque correspondant, d'obtenir dans tous les bureaux (20 000) jusqu'à 3 000 F.

Un *chèque dit multiple* permet au titulaire d'assigner, au moyen d'un seul titre, des paiements ou virements au profit d'un ou plusieurs bénéficiaires (art. D. 502).

D'autres services sont rendus par les CCP. Un ordre de virement permanent peut aussi être souscrit au profit d'un bénéficiaire, pour régler par exemple des mensualités (art. 508 D).

On soulignera encore que La Poste participe au chèque emploi-service (L. n. 93-1313, 20 déc. 1993 : V. C. Gavalda, « Distribution d'un titre nouveau par les PTT, le chèque emploi-service » : *Juris PTT* 1994, n. 38, p. 24). De même, La Poste offre aussi des retraits au moyen de chèques de dépannage ou des services de retrait modernisés et accélérés grâce à l'informatique (V. *Bull. de La Poste* 1994, DOC. SF, n. 43).

L'administration des postes ne pouvait rester étrangère aux nouveaux modes de transfert de fonds. Depuis 1977 (Instr. 7 avril 1977), elle a officialisé un réseau de DAB, et créé une carte CCP 24/24 devenue en 1984 Carte 24/24. Depuis novembre 1985, les P et T ont adhéré au SNPC et offrent à leurs usagers la Carte bleue (C. P et T, art. L. 107-1, D. 507-1 et D. 508. V. *Cahiers juridiques Postes* 1986, Droit des PTT, n. 8). Cette carte connaît un légitime succès. On peut penser que les PTT seront parmi les plus dynamiques.

B. — CRÉATION DU CHÈQUE POSTAL

322. — Les centres de chèques postaux sont au regard du droit pénal répressif et préventif assimilés en tant que « tiré » à des « banquiers », soumis aux dispositions du décret n. 75-903 (V. en ce sens, D. 1975, art. 1).

Ils peuvent donc refuser l'ouverture d'un compte postal et la délivrance de chéquiers. Cependant les CCP doivent comme les banques « motiver » les refus. Le problème de cette réforme de la loi de 1991 appelle les réserves que nous avons émises à propos du refus de délivrer des chèques bancaires. L'interdiction judiciaire ou bancaire d'une personne empêche les Centres de chèques postaux de lui remettre autre chose que des chèques certifiés ou des chèques dits de banque.

Sur les formules officielles, seules utilisables (L. 100), le tireur doit porter toutes les mentions habituelles du chèque (nom, date et lieu d'émission). La somme est en principe à libeller en lettres et en chiffres. En cas de contradiction, l'inscription littéraire prévaudrait. La Poste peut autoriser à ne faire figurer que les sommes en lettres ou en chiffres par un procédé mécanique sûr (D. 503). Le chèque postal est *à vue*. S'il est sans indication de bénéficiaire, il vaut chèque au porteur.

Bien que le texte ne le précise pas, la signature du tireur doit être manuscrite. Il est précisé qu'un chèque entaché d'altérations est rejetable (D. 505). En clair, cela va des mentions incomplètes ou illisibles.

Au fond, le tireur doit avoir la capacité d'émettre un chèque bancaire et être agréé par La Poste.

Ce chèque doit avoir une provision, au sens donné par le droit positif du chèque à cette notion. La provision doit être *préalable*, *disponible* et le rester (argument art. L. 104). Les droits du bénéficiaire d'un chèque sur la provision sont les mêmes que ceux du porteur d'un chèque bancaire. Un arrêt de la 1re Chambre civile de la Cour de cassation du 20 avril 1983 précise que les fonds versés à un compte courant postal constituent une créance du titulaire contre le centre de chèques postaux et que cette créance fait partie du patrimoine du titulaire et peut donc être saisie par les créanciers. En l'espèce, il s'agissait d'un agent général d'assurances qui versait sur un compte les primes versées par ses clients et que la compagnie estimait n'être « qu'en transit » dans son compte personnel (*D.* 1984, IR, 78 ; *Bull. civ.* I, n. 127, p. 110). Ajoutons que les chèques postaux ne sont pas endossables.

Les falsifications ou contrefaçons de chèque postal sont punies dans les termes de l'article 67 du décret-loi de 1935.

Certification. — Une garantie possible est la certification. Le nouveau régime pénal du chèque qui laisse les interdits disposer de chèques certifiés devrait en développer l'usage. La certification, qui doit être donnée dans les conditions minutieuses (C. P et T, art. L. 106, al. 2), a une portée supérieure à celle de la certification bancaire. Car la provision est en pareil cas bloquée jusqu'à l'expiration du délai de validité du titre, soit *un an*.

323. — *Délai de validité* (C. P et T, art. D. 512). Comme le chèque bancaire, le chèque postal a une limite de validité. Un décret n. 84-288 du 17 avril 1984, inséré dans l'article D. 512 du Code des P et T l'avait porté à un an. Une loi du 11 juillet 1985 (art. 25) a prévu le même délai pour les chèques bancaires. Le point de départ n'est pas le même. Le délai court à l'expiration du délai de présentation pour le chèque bancaire, tandis qu'il « court de la date d'émission ou jusqu'à la date à laquelle le titre parvient au centre de chèques tireur du compte à débiter ou est présenté au paiement, au guichet d'un bureau de poste » (V. Trib. gr. inst., réf., Troyes, 21 sept. 1983). La nature de ce délai est discutée. S'agit-il d'un délai préfixe non susceptible d'interruption ou de suspension (V. *Cahier n. 8* préc.). Le titre périmé est nul et de nul effet (C. P et T, D. 512, al. 2). Le tireur pourrait disposer de la provision ; le titre est renvoyé au tireur ou au présentateur. On signalera que les réclamations relatives aux opérations sur comptes courants postaux sont admises dans les délais de prescription du droit commun (art. L. 107, al. 4, réd. L. n. 90-568, 2 juill. 1990, art. 41 : *D.* 1990, 297).

Le titre périmé serait éventuellement récupérable (Vasseur et Marin, *op. cit.*, n. 388, n. 1. — Cass. com., 30 nov. 1966 : *Gaz. Pal.* 1967, 1, 103) sous une autre qualification juridique. Il ne vaudrait pas à soi seul titre civil de créance. V. cependant *contra* pour le chèque bancaire (Cass. civ. 1re, 8 juill. 1986 : *RTD com.* 1987, p. 84, obs. Cabrillac et Teyssié. — V. Trib. inst. Vincennes, 22 août 1996 : *Rev. Juris PTT*, n. 48, 1997).

324. — *Barrement.* L'article L. 105 prévoit la possibilité d'un barrement (spécial). Matériellement, ce barrement s'opère comme pour un chèque barré. Un nom de banquier est inscrit entre les barres. Seul le banquier désigné pourra être payé, mais il peut désigner un autre banquier mandataire pour encaisser. Le chèque est aussi payable par virement au CCP du bénéficiaire.

La loi du 29 décembre 1978 sur la délivrance de formules prébarrées s'applique aux chèques postaux. Toutefois le tireur bénéficiaire d'un chèque prébarré peut se faire régler en espèces directement (C. P et T, art. L. 105).

Le chèque postal peut être émis comme chèque de garantie. Il est alors soumis au droit général des chèques de ce type (V. Trib. inst. Rouen, 27 sept. 1996 : *Rev. Juris PTT*, n. 48, 2 mars 1997).

C. — Circulation du chèque postal

325. — Le chèque postal ne comporte pas la clause à ordre et n'est pas endossable (comp. D.-L. 30 oct. 1935, art. 13 ; C. P et T, art. L. 104).

Il peut, s'il est au porteur ou en blanc, se transmettre par tradition.

Un chèque postal établi à l'ordre du bénéficiaire ne saurait être escompté par un banquier, eu égard à sa non-négociabilité sous cette forme. Voir en ce sens, mais avec une motivation générale contestable, Lyon, 9 mars 1976 : *D.* 1977, IR, 191. En l'espèce le chèque avait, selon la Cour, été pris à l'encaissement. Ce qui justifiait la solution. Mais tout titre de créance de somme d'argent sur un tiers peut en principe, contrairement aux affirmations de la Cour, faire l'objet d'un escompte (Gavalda et Stoufflet, *op. cit.*, n. 453). Il serait escomptable, en revanche, s'il était libellé en blanc ou au porteur (*infra*, n. 330).

Les banquiers se chargent cependant de l'encaissement des chèques postaux dont leurs clients sont très souvent bénéficiaires. Les centres de chèques postaux sont du reste adhérents des chambres de compensation. Ils engageraient leur responsabilité professionnelle en cas de négligence en tant que mandataires salariés ou du moins intéressés. Le banquier qui se charge de l'encaissement d'un chèque postal émis par un tiers doit revêtir le titre de la mention « bénéficiaire » pour éviter qu'il soit retourné au tireur. Il a en pareil cas aussi une *obligation de conseil* (Cass. com., 4 oct. 1967 : *D.* 1968, J, 139. — Rouen, 12 mars 1969 : *JCP* 69, II, 16074, Gavalda. — Trib. gr. inst. Seine, 19 avril 1966 : revue *Banque* 1966, p. 503). Le banquier peut en ce cas faire une avance en compte sur l'encaissement de chèque postal.

Le règlement par chèque postal. — Le paiement sous cette forme est possible dans les cas où la loi du 22 octobre 1940 exige un paiement par virement ou par chèque barré (Rép. min. quest. écr. *JO* déb. Ass. nat. 14 avril 1976). L'article 148 B du Code de commerce permet aussi de s'acquitter ainsi d'une lettre de change avec les assouplissements indispensables (Ripert et Roblot, *op. cit.*, t. II, n. 2082).

La remise d'un chèque postal n'a cependant, pas plus que celle d'un chèque bancaire, d'effet novatoire. Seul l'encaissement effectif du titre vaudra paiement libératoire (Cass. com., 10 juin 1963 : *RTD com.* 1964, p. 123).

Le paiement sera censé réalisé à la date et au lieu où il a été procédé au règlement. La règle joue sans difficultés pour les chèques postaux au porteur ou nominatifs. En cas de règlement par chèque de virement, le problème se pose différemment de celui des virements entre banques indépendantes. La Poste est en quelque sorte un banquier unique, décidant du virement entre les divers centres postaux. Le paiement serait alors effectué au lieu où le Centre de chèques postaux du tireur débite sur son ordre le CCP. Certaines décisions ont pourtant considéré que le lieu du paiement était le lieu où le débiteur avait donné l'ordre à son centre de virer (Cass. civ., 16 juin 1931 : *D.* 1931, 410. — *Adde* en ce sens, Vasseur et Marin, *Le chèque*, n. 389).

Celui qui remet en règlement un chèque postal à un bénéficiaire doit justifier de son identité en produisant une pièce d'identité portant sa photographie (art. L. 101-1). Le chèque postal peut aussi être utilisé en tant qu'ordre de virement (C. P et T, art. D. 501 et D. 502). Selon beaucoup d'auteurs (V. Dupichot et Guével, *op. cit.*, n. 683) l'opération est à analyser comme un virement et non comme un règlement par chèque.

Timbre de quittance. — Le règlement par chèque ou virement postal est exempt de droit, sous réserve d'indiquer la date et le numéro du chèque et du CCP (CGI, art. 922-4°). Les quittances de sommes ainsi réglées sont donc exemptes de timbre comme les chèques.

D. — PAIEMENT DU CHÈQUE POSTAL

326. — Le chèque postal est toujours payable à vue (L. 100), sans possibilité de clause contraire. Un chèque postdaté serait payable à vue. Le présentateur doit justifier de son identité (L. 101-1), comme en matière de chèque bancaire, sauf pour un chèque au porteur (D. 504).

Paiement partiel. — Le Centre de chèques postaux doit payer le chèque dans la mesure où il y a provision. Le bénéficiaire qui n'a reçu qu'un paiement partiel peut exiger la délivrance d'un *certificat de non-paiement* (art. D. ex. art. abrogé en 1992, 509 ; V. *infra*, n. 328).

327. — *Non-paiement.* En cas d'absence ou d'insuffisance de provision, le centre a les mêmes devoirs d'enregistrement et de déclaration à la Banque de France qu'une banque tirée. Il devra déclencher une procédure d'injonction analogue à celle suivie en matière de chèque. Faute de régularisation (ou si l'incident n'est pas régularisable), le client sera frappé d'interdiction *bancaire* (*supra*, n. 257), avec les mêmes conséquences qu'en matière de chèques bancaires (art. L. 104, C. P et T renvoyant à l'art. 73, D.-L. 1935).

Cette interdiction pourra s'accompagner de poursuites pénales (*infra*, n. 330) sous réserve des dépénalisations de 1991.

La victime peut porter plainte au pénal et exercer son action civile en remboursement et en dommages-intérêts soit devant la juridiction pénale (en liaison avec l'action publique), soit devant la juridiction civile ou commerciale.

En cas « d'insuffisance accidentelle de provision » d'un petit compte, un découvert de 5 000 F peut être accordé à partir d'octobre 1983 (V. déjà sur des facilités momentanées, Rép. min. à M. Bignon : *JO* déb. Ass. nat. 25 fév. 1978). V. C. P et T, art. L. 101, D. 500 et D. 506.

La Poste, dans son nouveau statut de 1990 précité, offre des « facilités de trésorerie incluant des découverts temporaires dans les conditions fixées par le contrat de plan » (art. 10 du cahier des charges de La Poste : D. n. 90-1214, 29 déc. 1990). La Poste propose à cet égard, dans la convention de compte signée avec le client, les modalités de ce découvert.

328. — *Constatation de non-paiement et publicité.* Si le défaut de paiement n'est pas justifié par une opposition régulière (*infra*, n. 329), le Centre doit établir un *certificat de non-paiement*, art. L. 102 et D. 509, al. 2, abrogé par D. 22 mai 1992, art. 45). Il n'y a pas lieu à protêt en matière de chèque postal (art. D. 509). Ces dispositions sont désormais, on le sait, applicables aux chèques bancaires depuis le 1er février 1986 (*supra*, n. 235 ; L. n. 85-695, 11 juill. 1985). Le titre est renvoyé ou rendu à la personne qui l'a transmis ou présenté au paiement si celle-ci l'a expressément demandé au verso. Sinon le titre est remis à l'émetteur. Le chef de Centre doit délivrer aussitôt au bénéficiaire impayé ce certificat, daté et signé par lui, en indiquant les causes du non-paiement (art. D. 509) (V. *supra*). S'il y a eu paiement partiel, il indique le montant réglé (C. P et T, art. L. 101). Ledit certificat est transmis à l'intéressé dans les quatre jours de la réception du titre. Il permet au bénéficiaire d'exercer un recours contre le tireur.

Trois copies du certificat sont aussi adressées au greffier du tribunal de commerce (ou du tribunal de grande instance) dans le ressort duquel est situé le domicile de l'émetteur (D. 510, art. L. 103, al. 3).

Cette publicité se prolongera par l'information donnée à la Banque de France en cas d'injonction non suivie de régularisation. Le Fichier central des chèques impayés ainsi avisé pourra répercuter tous renseignements aux organismes affiliés (D. 3 oct. 1975, art. 25 et s.).

La victime peut demander le remboursement du titre et des dommages-intérêts à l'émetteur devant la juridiction répressive dans les mêmes conditions que pour un chèque bancaire (C. P et T, art. L. 104, renvoyant à D.-L. 30 oct. 1935, art. 71). La dépénalisation de l'émission de chèque sans provision concerne *a priori*, le chèque postal Les garanties légales de la loi de 1975 (D.-L. 1935, art. 73, 73-1°) sont applicables. La voie civile lui est aussi ouverte.

329. — *Opposition.* Pour faciliter la circulation de ces titres, l'article L. 106-1 n'admet l'opposition du tireur qu'en cas de perte ou de vol, ou en cas de règlement judiciaire ou de liquidation de biens du porteur. En dehors de ces cas, le juge des référés lèverait l'opposition d'intention frauduleuse (V. sur un rejet, Trib. inst. Rouen, 27 sept. 1996 : *Rev. Juris PTT,* n. 48, 1997). La réclamation du bénéficiaire d'un chèque postal contre le Centre dont le refus serait fondé non sur une opposition mais sur la péremption du titre relève en revanche du juge administratif (Colmar, 3e Ch., 11 oct. 1984, inédit).

Pour la défense des clients, un arrêté du 18 juin 1990 (D. 1990, L. 286) a autorisé un système automatisé.

Art. 1er. — Les centres de chèques postaux peuvent communiquer à la société Quadratic les informations relatives aux défenses de payer émises sur les comptes chèques postaux afin de permettre aux bénéficiaires de chèques postaux de s'assurer auprès de cette société que les chèques qui leur sont remis en paiement ne font pas l'objet d'une opposition pour perte ou vol.

Art. 2. — Ces informations, extraites du traitement automatisé d'informations nominatives relatif à la gestion des défenses de payer, enregistré auprès de la CNIL sous le numéro 1881 K, figurent sur les déclarations de perte ou de vol établies par les titulaires de comptes chèques postaux (V. Arr. 25 janv. 1990 sur la vidéoposte).

Responsabilité du Centre tiré. L'appartenance au service public justifie une appréciation propre des obligations du tiré. L'article L. 108, alinéa 3, du Code des P et T, pose le principe que « le titulaire d'un compte courant postal est seul responsable des conséquences résultant de l'emploi abusif, de la perte ou de la disparition des formules de chèques qui lui ont été remises par l'Administration des P et T ». Il en va de même en cas de faux virement ou de faux paiement provenant d'indications inexactes.

La juridiction administrative était compétente pour toutes les affaires concernant les chèques postaux dont elle avait été saisie avant le 1er janvier 1991 (art. 47 de la loi du 2 juill. 1990). Depuis en application de cette même loi (art. 25), la compétence a été transférée aux juridictions judiciaires, civiles et même dans certains cas commerciales (V. *JCP*, fasc. 400, n. 124 et s.). Dans le cadre de l'ancien statut de La Poste et de la compétence de la juridiction administrative, les juges de cette dernière n'hésitaient à pondérer la faute de l'administration postale (V. par exemple, Cons. d'Etat, 16 juin 1937 : *Rec. Cons. d'Ét.*, p. 598. — 18 avril 1958 : *Rec. Cons. d'Ét.*, p. 217 ; *Gaz. Pal.* 1958, 2, 435. — Trib. adm. Marseille, 23 déc. 1966, inédit. — Cons. d'Etat, 26 mars 1965 : *Rec. Cons. d'Ét.*, p. 210 ; *JCP* 65, II, 14179. — Trib. adm. Dijon, 6 janv. 1977, inédit. — Trib. adm. Paris, 13 juill. 1977, inédit, discordance du nom du bénéficiaire et du nom du titulaire du passeport présenté comme pièce d'identité). Le retard à effectuer un virement n'est pas imputable à l'Administration (Cons. d'Etat, 3 mai 1950 : *Rec. Cons. d'Ét.*, p. 251). L'exonération générale de l'Administration pour retard repose sur l'article L. 107, al. 3, du Code des P et T.

L'intervention de préposés infidèles du client ne laisse aucune responsabilité à la charge de l'Administration (Cons. d'Etat, 24 oct. 1956 : *Rec. Cons. d'Ét.*, p. 386. — 24 avril 1963 : *Dr. adm.* mai 1963, n. 180. — Trib. adm. Marseille, 23 déc. 1966 : *Rec. Cons. d'Ét.*, p. 819). Précisons que l'Administration ne serait en général pas responsable des retards (L. 113, al. 3) et qu'aucune réclamation n'est admise pour les opérations ayant plus d'un an de date (L. 107, al. 4 ; Trib. adm. Châlons-sur-Marne, 7 oct. 1969 ; sur une difficulté d'application de l'article 107, V. Trib. adm. Montpellier, 10 oct. 1980, inédit).

S'agissant d'une responsabilité administrative, il y a en principe compétence de la juridiction administrative et responsabilité atténuée de la Poste.

La jurisprudence administrative ne retient la responsabilité des Centres de chèques postaux que s'il y a eu paiement d'un titre malgré une imitation grossière de signature : V. un refus de condamnation par Trib. adm. Châlons-sur-Marne, 7 oct. 1969. — Trib. adm. Lille, 10 déc. 1954 : *D.* 1955, J, 43 ; *Gaz. Pal.* 1955, 1, 73. — Trib. adm. Paris, 13 fév. 1973, mais V. Cons. d'Etat, 26 mars 1965 : *JCP* 65, II, 14719 ; *Revue des P et T de France*, 1965, n. 4 ; revue *Banque* 1965, p. 501, obs. X. Marin ; et Cons. d'Etat, 31 oct. 1980 : *D.* 1981, IR, 170, obs. Moderne (non-conformité flagrante du spécimen de signature). Cette responsabilité est atténuée de moitié par la faute du client qui avait laissé dans sa voiture (fermée pourtant à clé) son chéquier et sa carte d'identité. V. plus libéral, Cons. d'Etat, 13 juin 1984 : jurisp.

P et T 21985, n. 2, p. 11, note Bossoutrop. En clair, la seule différence des signatures ne suffit pas à caractériser la faute lourde du CCP. Elle doit encore être manifeste. Un certain rapprochement s'opère avec l'obligation bancaire de contrôle de conformité.

Le fait du requérant ou de tiers peut aussi exonérer en tout ou en partie le centre de chèques postaux : V. retrait frauduleux par un préposé du titulaire. Cons. d'Etat, 24 avril 1963. — Trib. adm. Marseille, 23 déc. 1966 : *Rec. Cons. d'Ét.*, p. 819. — 28 avril 1965 : *Revue des P et T de France*, 1965, n. 4. — 31 oct. 1980, préc. ; *adde* l'absence de responsabilité en cas de chèques postaux dérobés par une concubine du titulaire, Trib. adm. Paris, 15 mars 1976 : *Revue des P et T*, 1976, n. 6. Le retard à avertir l'Administration du vol des formules de chèques peut atténuer la responsabilité de l'Administration (V. cependant Trib. adm. Orléans, 1er oct. 1985, inédit).

Le transfert de compétence aura-t-il des influences notables sur la responsabilité de l'exploitant public, La Poste, dans le cadre de son nouveau statut ? Les textes régissant, dans le Code des postes et télécommunications (partie législative), la responsabilité liée aux chèques postaux, en tant que titres, n'ont guère été modifiés par la loi du 2 juillet 1990, tout juste a-t-on remplacé les termes « administration de la poste » par « La Poste ». Il est à penser que les solutions ci-dessus rappelées de la jurisprudence administrative seront en principe adoptées à leur tour par les juges judiciaires, s'agissant de textes analogues. En revanche, pour les litiges qui ne relèvent pas d'une disposition dudit Code, les juges judiciaires seront normalement conduits à appliquer les solutions du décret-loi de 1935 sur les chèques ou celles du Code de commerce (V. *JCP*, fasc. 400, 1997, 8, n. 135 et s.).

Protection civile de la victime. — Le bénéficiaire impayé ne peut faire dresser protêt (D. 509). Mais il bénéficiera d'une protection équivalente à celle offerte à la victime par la loi du 3 janvier 1975. La signification du certificat au tireur vaut *commandements de payer*. Depuis la loi du 11 juillet 1985, le système du certificat est analogue pour le chèque postal ou bancaire (C. P et T, art. L. 104, al. 1).

329-1. — *Saisies des comptes postaux et règlement des chèques postaux*. Les saisies sur compte courant postal sont admises comme dans le cas des comptes bancaires (l'art. D. 522 du Code susvisé a été abrogé). Selon le décret n. 63-977 du 31 juillet 1993 relatif aux saisies et cessions notifiées aux comptables publics et aux centres de chèques postaux ou de la Caisse nationale d'épargne, les règles applicables aux procédures civiles d'exécution leur sont applicables sous réserve des dispositions de l'article R. 52-11 du Code des P et T ; les actes de saisie-conservatoire ou de saisie-attribution doivent être signifiés au centre de chèques postaux détenteur du compte en cause.

Selon la jurisprudence administrative antérieure au nouveau statut, le refus de paiement en cas de saisie n'était pas une faute de service (Trib. adm. Bordeaux, 15 oct. 1981 : *Gaz. Pal.* 23 sept. 1982, 23, obs. G. Gravelier ; Comp. Cass. civ. 1re, 10 fév. 1987 : *Bull. civ.* I, n. 48).

330. — *Protection pénale*. Le dispositif de répression pénale est étendu de plein droit aux chèques postaux (art. L. 104, al. 2 et 3 ; V. modifications apportées par L. n. 85-695 du 11 juill. 1985 ; D.-L. 30 oct. 1935, art. 65-I° à 65-4°, 71, 73, 73-I° et 73-2°). La question reste cependant à débattre. La surveillance plus stricte de l'Administration postale, qui adresse selon une périodicité très rapprochée des relevés de comptes à sa clientèle, explique le faible nombre (relatif) d'incidents (*JO* déb. Ass. nat. 6 déc. 1974, 7552).

L'insuffisance ou l'absence de provision appellerait la poursuite de l'émetteur qui agit avec « l'intention de porter atteinte aux droits d'autrui » (D.-L. 1935, art. 66). Aucune distinction n'était faite parmi les chèques postaux de virement entre ceux remis au bénéficiaire et ceux adressés directement au Centre de chèques postaux. Ce titre n'était pas un simple ordre de virement. Le débat est dépassé avec la dépénalisation de la loi du 30 décembre 1991.

Relations des banques et des centres de chèques postaux (V. sur l'ensemble du problème, Barnicaud : revue *Banque* 1970, p. 774). Les clients sont souvent titulaires d'un compte bancaire et d'un CCP. Ce qui entraîne des transferts scripturaux entre ces deux comptes et éventuellement des incidents. Les règlements entre centres de chèques postaux et banques s'effectuent par l'intermédiaire des Chambres de compensation (sur la compétence en cas de contentieux des tribunaux judiciaires, V. Paris, 3e Ch. A, 12 nov. 1979 : *JCP* 81, éd. CI, 13506, n. 9 et sur la compétence du Trib. gr. inst. à l'exclusion du Trib. com., V. Cass. com., 20 oct. 1981 ; *Gaz. Pal.* 1982, 1, 113).

La prise des chèques postaux à l'encaissement par une banque emporte l'obligation accessoire d'information et de conseil du client sur certaines règles des chèques postaux (V. Cass. com., 4 oct. 1967 : *D.* 1968, J, 139. — Amiens, 24 fév. 1969 : *JCP* 69, II, 16074, note Gavalda. — Trib. gr. inst. Seine, 19 avril 1966 : revue *Banque* 1966, p. 503) voire l'obligation de certaines initiatives.

Dans la pratique, le titulaire d'un CCP voulant alimenter son compte bancaire établit souvent un chèque postal de virement au nom de sa banque et « spécifie » dans le volet correspondance que le montant ainsi viré sera porté à son propre compte. Dans une affaire un peu plus complexe, la cour de Paris (*Journ. Agréées* 1971, 13 ; *RTD com.* 1971, p. 412, obs. Cabrillac et Rives-Lange) a estimé engagée la responsabilité du banquier qui avait exécuté cet *ordre de versement* non authentifié, en l'espèce, par la signature du donneur d'ordre. Car si, au départ, le chèque postal forme un tout avec signature, le volet détachable a ensuite sa vie propre. Mieux vaut recommander de signer spécialement l'ordre (mandat) figurant sur le volet.

Rien n'empêche un banquier de prendre à l'escompte un chèque postal au porteur ou en blanc comme il peut le faire pour tout titre, y compris une créance ordinaire, mais pourrait-il *escompter* un chèque postal établi au nom d'un bénéficiaire déterminé, car ce titre n'est pas endossable (V. en ce sens Lyon 9 mars 1976, précité) ? La non-négociabilité ne suffit pas, semble-t-il, à exclure la possibilité d'un escompte.

Si le banquier reçoit de son client un chèque postal en blanc, sans instructions spéciales, il peut en inscrire aussitôt le montant au crédit du compte du client. Ce faisant, il escompte ledit chèque et peut y apposer un cachet à son nom (Paris, 28 mai 1974 : *RTD com.* 1975, p. 154 ; *Journ. agréés* 1974, 297). Faute de paiement du tiré, la banque escompteuse a un recours contre le tireur (C. P et T, art. L. 102).

Cet escompte de chèque postal ne deviendrait irrégulier que si le banquier (ou son préposé) savait lors de l'acquisition que le chèque n'était pas approvisionné (Cass. com., 2 mars 1971 : *D.* 1974, 234, note J. Sortais).

331. — *Nature juridique.* A l'origine, la doctrine refusait à ce titre la qualification de chèque (V. Cabrillac, *op. cit.*, n. 339). Le décret-loi du 30 octobre 1935 devait marquer la différenciation de ce titre et du chèque bancaire (art. 2). Mais l'application expresse du droit pénal du chèque au chèque postal a fait perdre son acuité à une discussion assez théorique. La cour de Lyon a eu l'occasion d'affirmer pour la première fois qu'un tel chèque n'était pas un « effet de commerce » (V. Lyon, 9 mars 1976, préc.). L'absence de théorie générale française des effets de commerce enlève de l'intérêt à cette qualification (négative).

Il ne conviendrait pas — sauf renvoi formel comme en matière pénale — d'appliquer les règles du décret-loi de 1935 au chèque postal, mais certaines transpositions seraient possibles par voie d'interprétation logique, en cas de « lacunes » à combler. Les fonctions économiques du chèque postal ne cessent de se rapprocher de celles du chèque bancaire. Ces titres suivent tous deux désormais le chemin de l'ordinateur de compensation de la Banque de France.

Politique législative. — L'excellente qualité du service des chèques postaux n'est guère encouragée par la rémunération symbolique des avoirs des CCP mis à la disposition du Trésor. Les P et T subissent, quel que soit leur dynamisme, un déficit chronique en ne recevant que de faibles intérêts. Le problème a une dimension politique et économique dépassant l'opinion juridique. La vivacité des discussions récentes (1990) sur l'attribution aux P et T de certaines fonctions bancaires confirme ce point de vue. L'ancien système de l'article R. 92 du Code des P et T, sur la rémunération des fonds collectés par les CCP était quelque peu décourageant. L'affirmation dans l'article 16 de la loi du 2 juillet 1990 que les fonds du CCP déposés au Trésor feront l'objet d'une « juste rémunération » est réconfortante... La baisse du taux d'intérêt des livrets A n'est pas encourageante... A suivre...

On signalera que les caisses d'épargne et de prévoyance ont été admises au début de 1978 (D. n. 78-39, 12 janv. 1978 complété par Arr. 23 janv. 1978) à remettre des chéquiers à leurs déposants (Chèques-Écureuil).

CONCLUSION

332. — L'avenir en France du chèque reste difficile à pronostiquer. Il dépend des progrès de la dématérialisation des échanges interbancaires de chèque et de l'évolution des autres modes de paiement, comme les cartes. La place des cartes plastiques classiques devient bien moins modeste. L'assimilation au chèque des cartes de crédit ou de paiement dans un cas où le règlement par chèque est obligatoire (L. 29 déc. 1983, art. 90) est tout de même significative. L'apparition à côté des cartes « bancaires » de cartes spécialisées émises par les grandes surfaces (Carrefour, Casino, Fnac...) confère à la monnaie plastique une part désormais non négligeable dans les systèmes de paiement. Une variété plus moderne — la monnaie électronique introduite en février 1979 à Bourg-en-Bresse — ne va pas rester longtemps expérimentale.

La profession bancaire avait paru s'orienter plutôt vers l'amélioration des conditions de circulation des instruments traditionnels que vers la promotion de nouveaux instruments. Le coût croissant (quinze milliards de francs) de gestion du chèque papier et les difficultés de taxation de cet instrument (1987) semblent désormais au contraire l'orienter vers la carte.

La monnaie électronique aurait l'avantage de s'affranchir de papier et de toute intervention humaine. L'accélération des transferts serait aussi intéressante. La banque directe est déjà introduite (G. Sabatier, *Le PME*, PUF, Coll. « Que Sais-je ? », n. 2370).

L'amélioration du chèque qui semblait devoir dominer encore longtemps le marché reste une voie positive.

La prépondérance de la monnaie scripturale sur la monnaie fiduciaire s'est en tout cas d'ores et déjà affirmée. L'ouverture de comptes bancaires par 93 % des ménages a vulgarisé l'usage de chèque. La progression statistique du chèque, quoique ralentie, en fait toujours un moyen de paiement dominant.

L'automatisation des circuits échanges interbancaires, qui a permis de traiter en 1990 plus de 1 777 millions d'opérations (virement, avis de prélèvement), bénéficie moins au chèque (V. les tableaux publiés dans l'ouvrage *Le chèque* de la Direction de la communication du ministère de l'Économie française, 1992, p. 191 et s.). C'est un facteur de faiblesse du développement de ce titre [tableau du (LIMP de la Banque de France 1989, Compte rendu de la Banque de France pour 1990, p. 77 ; V. *supra*, n. 233)].

Un progrès essentiel serait réalisé avec le non-échange des chèques. Le banquier présentateur conserverait les formules papier et ne transmettrait à l'établissement payeur que les caractéristiques de la valeur (numéro CMC 7 ;

codes bancaires, coordonnées du tireur ; montant du titre...). La *non-circulation interne* du chèque au sein du réseau ou de l'établissement éviterait les actuels circuits de papier, avec une incompressible intervention manuelle. A partir du point de rétention du titre, l'information suivrait sous forme électronique (supports magnétiques, télétransmission).

La création d'images de chèque, c'est-à-dire d'enregistrements informatiques comprenant les caractéristiques du chèque, reprises dans la ligne d'écriture magnétique peut être plus ou moins exploitée.

Le stade le plus perfectionné serait le « non-échange » du titre papier entre banque présentatrice et banque tirée. L'établissement présentateur conserverait le titre et ne transmettrait que l'image. Selon la Banque de France, deux expériences de ce genre ont eu lieu en 1982 dans les centres régionaux d'échange d'images-chèques (CREIC) de Rennes et de Strasbourg. Ce peut être la voie d'un renouveau du chèque (V. Perdrix, *La procédure d'échange de chèques hors rayon* : revue *Banque* 1986, 53).

Ces réaménagements comme la monnaie électronique impliqueront de lourds investissements. Ce qui posera à nouveau le problème des rémunérations bancaires. Le coût de l'automatisation devra être répercuté sur les utilisateurs. Les banques ne souhaitent pas subir avec les nouveaux instruments les inconvénients de la gratuité actuelle (1997) du chèque. Dans la ligne d'une politique de vérité des prix des services bancaires, une tarification des chèques automatisés et de la monnaie électronique est inéluctable. Cette tarification va toutefois de pair avec le problème de la rémunération des comptes à vue. Moussu : revue *Banque* 1984, p. 570. — Cabrillac, « Monétique et droit du paiement » *in Mélanges en l'honneur de M. de Juglart*, 1985. — Froment, « L'innovation dans les paiements » : revue *Banque* 1987, p. 342. — *Rapport du Conseil national du crédit*, année 1983, Paris, 1984, p. 339 à 364. — Vivant, « La monnaie électronique » : *Les Petites affiches*, n. 111, 15 sept. 1986. — Ullmo, « La facturation des chèques » : revue *Banque* 1987, p. 550.

TROISIÈME PARTIE

CARTES DE PAIEMENT ET/OU DE CRÉDIT

CHAPITRE I

GÉNÉRALITÉS

333. — Les cartes de paiement ne représentaient naguère qu'une part relativement modeste, mais croissante, des moyens de paiement (en 1989, 12,3 % du nombre des transactions ; V. *infra*, le tableau pour 1996) (V. rapport CNCT Banque de France 1996, p. 415 ; le pourcentage est de 24,9 de paiement par carte en 1996 !). L'évolution technologique (pistes, microprocesseurs incorporés, dites puces ; jeton électronique...) laisse augurer d'un développement prochain, rapide, voire accéléré. L'attrait le plus populaire est certes le retrait d'espèces dans les guichets automatiques de banque (GAB) ou les distributeurs automatiques de billets (DAB) au moyen des cartes de paiement, mais le paiement des commerçants en France (et à l'étranger) ainsi que l'achat sur place de devises voire de chèques de voyage sont de plus en plus appréciés des utilisateurs. Le retrait de devises dans les DAB est une possibilité supplémentaire. La bancarisation à 93 % des Français rendra de plus en plus familier cet instrument de règlement et/ou de crédit. Faut-il ajouter la pression évidente des établissements bancaires qui, devant les difficultés de tarification des chèques et le coût de traitement de cet instrument papier, sont *a priori* très favorables à la carte ? On se permettra cependant personnellement de douter que l'utilisation de la carte fera disparaître d'ici à cinq ans l'essentiel des paiements en espèces et entraînera la quasi disparition du chèque (V. sondage cité par D. Ferman : revue *Banque* 1991, p. 347). Il est superflu d'insister sur un service actuellement (1997) connu de tous les usagers français ou étrangers. La statistique suffit à établir la vulgarisation au bon sens des cartes.

L'avance de la France en matière de carte électronique pourrait entraîner la généralisation prochaine de ce procédé. Nous partageons l'opinion du sous-gouverneur de la BDF sur l'avenir du chèque même si ces cartes ne sont pas dotées encore de toutes les fonctions qui peuvent leur être intégrées. Déjà l'expression « monnaie électronique » s'est imposée. Pour l'instant, on soulignera au-delà des problèmes juridiques — assez limités — posés par les cartes, la concurrence entre cartes banalisées (type carte bancaire, Visa, *Diners Club*...) et cartes dites spécialisées (Pass, Kangourou, Accord, etc.).

On notera que dans la compétition entre chèque et carte bancaire (46,9 % en 1996), le nombre des transactions par carte progresse nettement (68 % d'augmentation en 1986). La réunion du réseau Carte Bleue et carte Crédit agricole explique sans doute en partie ce phénomène. Il y avait en France, en 1996, 27,2 millions de porteurs de cartes bancaires, et le nombre des opérations atteint 2,850 milliards par an. 10 000 distributeurs de billets sont en service.

Le nombre des chèques émis en France avait pour la première fois légèrement diminué en 1987 après une stabilisation en 1986. Les cartes de paiement prennent en partie le relais du chèque surtout pour les particuliers. En 1987, le nombre des opérations du GIE a augmenté de 50 % (900 millions contre 600 millions en 1986). Ce phénomène s'explique par divers facteurs, autres que la réserve croissante des banques envers le chèque non payant. Outre la multiplication des cartes privatives, on citera l'augmentation du nombre des porteurs de cartes (16,5 millions fin 1987 ; en 1989 : 18,7 millions), le nombre des commerçants acceptant la carte (450 000 en 1988), l'amélioration de la fiabilité du DAB. Les Français ont retiré 192 milliards de francs auprès des 13 000 « automates bancaires ». Le crédit gratuit obtenu par le débit fin de mois n'est pas non plus à mettre comme facteur mutatif.

Les banques observent toutefois que le coût de gestion des cartes, pourtant payantes, n'est pas couvert par les tarifs actuels...

L'année 1988 est apparue en tout cas comme celle de la génération des cartes bancaires (revue *Banque* 1989, n. 493, avril 1989).

Au-delà des cartes bancaires *lato sensu*, la cartomania se développe de manière quasi exponentielle, sous des formes multiples. Il suffira d'évoquer les télécartes produites à 100 millions d'exemplaires (*Science et vie économique*, nov. 1990).

— *Avantages de ce titre*. L'apparition des cartes de crédit est « relativement récente » en France (*Diners Club* : 1954). Il n'en circulait en 1972 qu'un million et demi.

Les intérêts des protagonistes, émetteurs (établissement de crédit), commerçants et utilisateurs (particuliers ou entreprises) sont, dans l'ensemble, convergents malgré le coût du prélèvement, souvent dénoncé par les commerçants adhérents au système. Ceux-ci y trouvent un avantage publicitaire non négligeable et une sécurité appréciable. La mise en circulation de cartes spécialisées a l'avantage supplémentaire de « fidéliser » les clients. Ces derniers, outre les facilités de retrait qu'offrent les cartes de paiement, trouvent dans la carte un « passeport de solvabilité » (Michel Cabrillac), pour un coût réduit. La carte devient parfois un cadeau publicitaire. Ainsi Volvo offre à ses clients acheteurs d'une voiture neuve la carte *Diners Club International*...

Avec la carte de crédit, le client obtient accessoirement un moyen de paiement différé. Fiscalement et juridiquement, la trace non contestable de ces règlements peut être utile. Une assurance de groupe supprime, sauf une légère franchise, les risques de perte ou de vol inhérents aux espèces. Enfin, quelques avantages annexes sont attachés à certaines cartes (assurance sur la vie en cas de paiement de transport avec la carte *American Express*, réductions dans certains hôtels, assurance de certains risques...).

Il reste vivement conseillé aux titulaires de cartes de souscrire une assurance contre la perte ou le vol de type QUIETIS. Le conseil n'est pas seulement universitaire !

Au-delà de ces intérêts privés pour les utilisateurs, on peut relever une incitation à la consommation génératrice d'inflation (?)... Mais la mutation d'une société industrialisée et informatisée va dans le sens d'une généralisation de la monnaie scripturale (aujourd'hui plastique, demain sans doute électronique). Le porte-monnaie électronique sera là en 1998.

Le gouvernement étudie la possibilité de généraliser l'utilisation de la carte dans les administrations.

Les restrictions internationales à l'usage de ces cartes, peu conformes à la liberté des mouvements des capitaux, au moins dans le Marché commun, ont été en 1990 complètement supprimées (V. déjà G. Daveras, « Les restrictions à l'utilisation des cartes de crédit, atteintes aux principes de droit français » :

Gaz. Pal. 1984, 2, D. 489. — V. Recommandation CE n. 97-489 de la commission du 30 juillet 1997 ; D. 1997, L. 320).

334. — L'officialisation des cartes résulte désormais de la loi bancaire n. 84-46 du 24 janvier 1984 (art. 1) qui fait de leur émission une « opération de banque ». D'après l'article 4 de cette loi la gestion de « tous les instruments qui, quel que soit le support ou le procédé technique utilisé, permettent à toute personne de transférer des fonds » relève de l'activité bancaire. Les cartes entrent assurément dans cette catégorie.

L'assimilation du paiement par carte de paiement ou de crédit au paiement par chèque barré ou virement dans les cas où la loi du 22 octobre 1940 impose ce mode de règlement officialise aussi cet instrument de paiement (L. 23 déc. 1989).

Une personne ou entreprise n'ayant pas le statut d'établissement de crédit qui émettrait des cartes de paiement commettrait le délit d'exercice illégal de la profession bancaire prévu à l'article 75 de la loi du 24 janvier 1984.

Toutefois, en application de l'article 12-5° de cette loi, une entreprise non agréée comme établissement de crédit peut « émettre des bons et cartes délivrées pour l'achat auprès d'elle d'un bien ou d'un service déterminé ». La formule est vague. Couvre-t-elle les cartes émises *par un distributeur* et permettant d'acquérir à crédit des biens ou services vendus par lui ? Une réponse affirmative s'impose puisque le texte ne subordonne pas la dérogation à un paiement immédiat. L'usage de la carte n'aurait, d'ailleurs, que peu d'utilité si le client devait payer sans délai. L'intitulé de la loi n. 91-1382 du 30 décembre 1991 couvre désormais ce type de titres qui accède pleinement à la qualité ou dignité de titre bancaire. Cette intégration dans le décret-loi de 1935 clarifie l'identité juridique des cartes.

La recommandation de la Commission européenne n. 97-485 du 30 juillet 1997 (*JOCE* n. L. 208, 2 août 1997, p. 52) consacre l'importance de cet instrument. Elle a pour objet la protection des utilisateurs.

Orientation bibliographique

• Généralités

J.-P. BUYLE, « La carte de paiement électronique » : *Rev. de la Banque* (Belge) 1988, 15 ; *adde* du même auteur : *RD bancaire et bourse* 1988, p. 44 et s. — BERTRAND et LE CLECH, *La pratique du droit des cartes*, 1987. — M. CABRILLAC, « Monétique et droit de paiement » *in Mélanges de Juglart*, 1985, p. 83 et s. — Y. CHAPUT, « La loi de 1991 relative aux chèques et aux cartes de paiement » : *D.* 1992, Chron., 101. — E. FROMENT, « L'innovation val dans les paiements » : revue *Banque* 1987, 342. — LEBÈGUE, « L'utilisation des nouveaux moyens de paiement » : revue *Banque* 1984, p. 557. — A. MOUSSU, « Les nouveaux moyens de paiement » : revue *Banque* 1984, p. 570. — VASSEUR, « Le paiement électronique » : *JCP* 85, I, 14641. — P. CHABRIER, *Les cartes de crédit*, 1968. — M. SCHLOSSER, G. TARDY, *Les cartes de crédit*, 1971. — J. STOUFFLET, *Les cartes de crédit en France* : Rapport au VIIIe Congrès international de droit comparé, Pescara, 1970. — RIPERT et ROBLOT, *Traité* précité, t. II, n. 2449 et II. — RIVES-LANGE et CONTAMINE-RAYNAUD,

Précis de droit bancaire, 6e éd., 1995, n. 334 et s., Dalloz, n. 283 et s. — *Varii Autores* sous la direction de C. GAVALDA, *La carte de paiement*, Économica, 1980. — GAVALDA, Encyclopédie *Dr. commercial*, Dalloz, *V° Carte*. — BELLANGER, *Banque* n. spécial année 1978 : revue *Banque* 1982, p. 289. — M.-D. BOSLY, « L'émission de chèques sans provision et les cartes de crédit » (Belgique) : *Rev. sc. pén. et crim.* 1973, 157. — BOURGOIGNIE et GOYENS, *Transfert électronique de fonds et protection des consommateurs*, Centre du droit de la consommation, Louvain, 1990. — F. J. « Réflexion sur les cartes bancaires » : *Bancatique* 1985, 398. — LA FOURNIÈRE, « Les chèques cartes » » : revue *Banque* fév. 1977. — GASSIN : *ALD* 1989, 5. — C. TREYSSÈDRE, « Les implications de l'informatique sur le droit des cartes » : *Rev. jur. Ouest* 1990, n. 6, p. 13. — J. LARGUIER, « L'abus de distributeur de billet par le titulaire d'un compte insuffisamment approvisionné ne peut-il être pénalement incriminé ? » : *JCP* 82, 1, 3061. — LEBÈGUE, « L'utilisation des nouveaux moyens de paiement dans la vie quotidienne » : revue *Banque* 1984, 557. — PEROCHON et BONHOMME, *Entreprises en difficulté. Instruments de paiement*, 3e éd., LGDJ 1997 ; PUTMAN, *Droit des affaires, TIV*, 1995, *Moyens de paiement et de crédit*. — J. SASSOON, « La puce sur une carte comme moyen de paiement » : *Bancatique* n. 3 déc. 1984, p. 145. — A. LUCAS DE-LEYSSAC, « Aspects actuels des cartes de paiement et/ou de crédit » : *JCP* 86, éd. E, spécial *Entretiens de Nanterre*. Cf. Louis LUCAS DE LEYSSAC.

• Thèses

L. MANACHOWITZ, *Les cartes bancaires : irrégularités et fraudes*, thèse dactyl. Lyon, 1985. — M.-G. POISSON, *Les cartes de paiement émises sous l'égide d'un fournisseur*, thèse dactyl. Paris X, 1985.

• Pratique

Numéro spécial revue *Banque* HS n. 24. — *50 millions de consommateurs*, déc. 1986. — D. FERMAN, *La France superpuissance monétique*, 1991, p. 342 et s. — *Bulletin Institut du commerce et de la consommation*, ICC, n. 25 juill. 1990 ; fév. 1987 spéc. p. 14 et 11. — WRIGHT, « Fraude et sécurité dans l'utilisation des chèques et des cartes bancaires par les particuliers en France » : revue *Banque* 1983, p. 1483. — PERRIOT-MANHONNA-ROUCHY et BELLANGER, « Monétique : Les cartes bancaires et les cartes privatives » : *Journal des caisses d'épargne* n. spécial, déc. 1984 ; *17e Congrès national des huissiers de justice* : 25-26-27 sept. 1986, sous la direction de J.-P. FAGET. *Les nouveaux moyens de paiement*, Économica Investir, 1986. — M. LÉGER, « Les transferts électroniques de fonds, la monnaie électronique » : *Rev. fr. compt.* 1985, n. 157, p. 10. — R. LE CANNU, « Le vol d'une carte bleue » : *Les Petites affiches* 1986, n. 157. — M.-D. POISSON, *Corporate Wire Transfert and the French System*. Sagittaire, Mémoire Cambridge juin 1987, n. 28, p. 289. — G. DEYGAS, « Les enjeux du paiement électronique » : *Bancatique* juin 1987, n. 28, p. 289. — R. TRIMQUET, « Paiement par carte : aspects juridiques de la fraude » : *Bancatique* 1984, n. 3, p. 163. — J.-C. MARCHAND, « Cartes de paiement. Le vrai départ » : *Bancatique* 1984, n. 2, p. 72. — H. NORA, « Carte à mémoire : Les enjeux technologiques » : *Bancatique* 1987, n. 26, p. 12. — J. HUET, « Droit de l'informatique : Panorama sur les cartes magnétiques » ;

Cahiers de droit de l'entreprise 1986, n. 5 : « Les cartes de paiement ; payer sans argent : un droit nouveau ». — E. VAN HOOVEN, « La carte de chèque » : *Bancatique Betried* n. 9, sept. 1967. — J. PESANT, « Les cartes de crédit et le système de l'eurochèque » : *Journal des caisses d'épargne* 1973, 334. — S. RIGAUDIE, « La carte à mémoire » : *La vie judiciaire* 1985, n. 2048. — D. MARTRES, « La carte à mémoire, instrument au service de la politique monétaire » : *Europargne* oct. 1983. — M. BAYE, J.-P. HUBERT, « La carte à microcircuit » : revue *Banque* 1982, p. 491. — M. BERLIET, « La carte à microcircuit en France » : *Bancatique* 1984, n. 1, p. 11. — P. BECK, *Carte de paiement, carte de crédit, eurochèque* : Institut de colloque T. 38, 1986. — H. S. SCOTT, « Corporate Wire, Transfers and the Uniform new payments code » : *Columbia law review*, 7 nov. 1983, n. 7, vol. 83. — J.-P. BUYLE, « Commission des communautés européennes interopérabilité des cartes de paiement » : *RD bancaire et bourse* 1987, n. 3, p. 104. — J. A. BLACKWELL, « Credit cards » : *Journal of Institute of Bankers* 1972, 226. — D. MARTIN, « Analyse juridique du règlement par carte de paiement » : *D.* 1987, chron. 51. — M. VASSEUR, « Les aspects juridiques des nouveaux moyens de paiement » : revue *Banque* 1982, 557. — J.-C. GERMAIN, *Les avatars de la carte de chèques* : revue *Banque* 1969, p. 743 ; *Bank-credit-Card and check credit plans, A federal reserve system report* 1968. — M. BAYLE, L. DOUVEGHEANT, *La carte bancaire* (mémoire DEA Université de Clermont-Ferrand I, 1986) ; « La carte bancaire, rôle actuel et perspectives d'avenir » : revue *Banque* 1977, p. 150. — Aldo-Angelo DOLMETTA, *La carta di credito*, Giuffré, Milano, 1982. — Ph. LECLERC, « La carte bancaire, arme de 2e catégorie ? » : *Bancatique* 1986, 234 ; « Cartes à microcircuits : expériences et réalités » : *Bancatique* 1986, 483. — J. LIABAERT, « La carte de banque : nature de l'engagement du banquier envers les porteurs de chèque dits garantis » : revue *Banque* 1969, p. 755 ; « La carte de chèque de la banque » 1970, p. 534. — J. LEVY-MORELLE, « Carte de chèques, cartes de crédit et cartes magnétiques » *in Les sûretés issues de la pratique*, Bruxelles 1983. — W. JEANDIDIER, « Les truquages et usages frauduleux de cartes magnétiques » : *JCP* 86, I, 3229. — K. PLEYER, « Materiell rechtliche und beweisfragen bei der Nutzung von ec. Geldausgabe automaten » *in Mélanges pour G. Baumgärtel*, Éd. Heyman, 1991, Cologne. — Giuseppe RESTUCCIA, *La carta di credito como nuovo mezzo di pagamento*, Giuffré, éd. Milano, 1988. — *Adde*, Conseil national du crédit, 1986, rapport du groupe de travail sur les nouveaux moyens de paiement ; Comité consultatif du CNC, nouveaux travaux sur les cartes de paiement, oct. 1990. — *Adde*, LAMY *Droit du financement*, éd. 1998, n. 2196 et s.

Bien entendu, on se référera au rapport du Conseil national du crédit et du titre, 1996. V. surtout la partie IV, p. 393 à 430. *Adde* aussi la revue *Cartes bancaires Info* publication CB, n. 1, oct. 1995 à n. 4, mars 1997, qui contient d'irremplaçables informations.

En droit comparé franco-allemand, V. Dominique WINDLING, *La loi applicable au paiement électronique*, mémoire DEA, Strasbourg, 1986. — Andreas HOLBE, *L'émission et l'utilisation des cartes de crédit et les opérations qui en découlent en France et en Allemagne*, Paris I, 1994-95.

334-1. — Un bilan succinct, inspiré du rapport du Conseil national du crédit et du titre CNCT, de 1996, mérite attention au plan statistique. On notera le taux d'automatisation relativement croissant des instruments de paiement en France (58,7 % au lieu de 56,8 %). L'effort reste faible. Sans autre commentaire.

Le « chèque » connaît encore une légère hausse (+ 1,54 %). On notera que 3,92 milliards de chèques ont été utilisés dans notre pays en 1996 ! Il est triste que 971 millions de chèques aient été rejetés en chambre de compensation.

Le paiement par carte a progressé. En clair, cet instrument détenu par 27 millions de porteurs a permis de régler 2,1 milliards de francs chez 546 000 commerçants pour un montant de 956 milliards de francs. Les efforts du Trésor pour faire régler par CB la vignette et les timbres fiscaux sont significatifs.

Les Cartes Bancaires "CB" en 1996

27,2 millions de cartes
2,850 milliards d'opérations
956 milliards de FF de chiffre d'affaires

L'ANNÉE 1996 RESTERA MARQUÉE PAR DES TAUX DE PROGRESSION IMPORTANTS : 11,4 % DE CARTES "CB" EN PLUS, 10,2 % DE PAIEMENTS ET DE RETRAITS SUPPLÉMENTAIRES, UN CHIFFRE D'AFFAIRES GLOBAL EN AUGMENTATION DE 9,6 %.

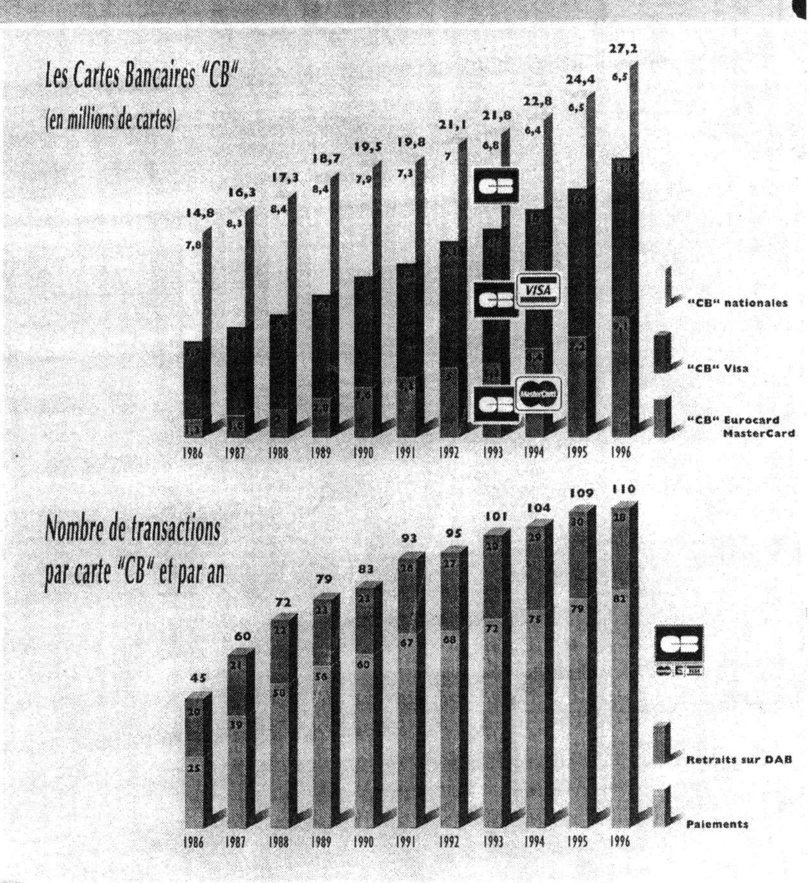

Extrait de la Revue Carte bancaire INFO de mars 1997.

ANNEXE 1

RÉPARTITION DES ÉCHANGES INTERBANCAIRES OFFICIELS ENTRE LES PRINCIPAUX INSTRUMENTS

Nombre d'opérations échangées (en milliers)

	1991	1992	1993	1994	1995	1996
Chèques	3 811 794	3 864 098	3 916 109	3 909 812	3 863 845	3 922 232
Virements (1)	875 168	938 185	992 042	1 060 543	1 114 921	1 183 876
Effets de commerce papier	17 799	9 530	6 015	1 936	-	-
LCR et effets de commerce dématérialisés	130 358	134 857	132 629	138 537	129 272	129 262
Avis de prélèvement (2)	628 363	678 471	713 988	792 593	850 270	927 562
Titres interbancaires de paiement	17 157	43 699	67 122	78 347	91 087	114 388
Télépaiement (1)(3)	-	-	-	-	195	193
Paiements par cartes	1 327 706	144 2487	1 564 462	1 672 404	1 866 803	2 084 284
Sous-total	6 808 345	7 111 327	7 392 367	7 654 172	7 916 393	8 362 897
Retraits aux DAB et GAB	283 477	321 512	358 865	401 198	443 984	482 586
Total	7 091 822	7 432 839	7 751 232	8 055 370	8 360 377	8 845 483

Pourcentage du nombre d'opérations échangées

	1991	1992	1993	1994	1995	1996
Chèques	56,0	54,3	53,0	51,1	48,8	46,9
Virements (1)	12,8	13,2	13,4	13,8	14,1	14,2
Effets de commerce papier	0,3	0,1	0,1	NS	-	-
LCR et effets de commerce dématérialisés	1,9	1,9	1,8	1,8	1,6	1,5
Avis de prélèvement (2)	9,2	9,6	9,6	10,4	10,7	11,1
Titres interbancaires de paiement	0,3	0,6	0,9	1,0	1,2	1,4
Télépaiement (1)(3)	-	-	-	-	NS	NS
Paiements par cartes	19,5	20,3	21,2	21,9	23,6	24,9
Total	100,00	100,00	100,00	100,00	100,00	100,00

Sources :
— Chambre de compensation des banquiers de Paris
— Chambres de compensation de province
— Ordinateur de compensation (virements, avis de prélèvement, TIP, LCR, transactions par cartes)
— Système interbancaire de télécompensation (à partir de 1991)
— Centres régionaux d'échange d'images-chèques
— Banque de France (virements du Trésor et virements interbancaires — autres que de trésorerie — remis hors compensation)
— Groupement des cartes bancaires, Groupement carte bleue, Centre d'échanges de données et d'informations du Crédit agricole mutuel (CEDICAM) (transactions de paiement par cartes bancaires)

(1) A compter de 1995, les chiffres du SIT incluent les VSOT et les instruments de télépaiement.
(2) A l'exclusion des avis de prélèvement présentés sur support papier à la Banque de France (en nombre négligeable) jusqu'au 5 mai 1994.
(3) Télévirements référencés (TVR) et titres électroniques de paiement (TEP).

CHAPITRE II

TYPOLOGIE DES CARTES DE CRÉDIT UTILISÉES EN FRANCE

335. — La classification la plus rationnelle est celle qui s'attache à la qualité de l'émetteur. Les premières cartes ne furent pas émises, on le sait, par des banques. C'est le *Diners Club* qui les introduisit en 1954. Les fonctions diverses des cartes permettent une autre classification (paiement, crédit, garantie). Elles se combinent parfois.

• Les cartes furent en premier lieu et sont encore émises par des *entreprises commerciales*. La plupart sont de véritables cartes de crédit. Elles permettent d'user en permanence d'un certain volume de crédit, parfois gratuit, à l'occasion de certaines opérations de promotion... Les cartes ont cependant une utilisation limitée aux succursales et agences de la firme émettrice. (*Cartes spécialisées ou privatives.*)

Elles sont délivrées par des grands magasins (Cofinoga/Nouvelles Galeries ; BHV/Printemps...), des exploitants d'hypermarchés ou grandes surfaces (Casino, Auchan, Mammouth, Fnac, Samaritaine, Galeries Lafayette, Printemps, France Loisirs...), des sociétés de distribution de carburants ; des firmes de vente par correspondance (la Redoute avec la carte Kangourou ; les Trois Suisses avec la carte 4 étoiles). Voir *Banque-stratégie*, n. supplémentaire de revue *Banque* n. 441, juill.-août 1984. De nombreuses chaînes de franchise lancent leur carte : Rodier, Descamps, Nicolas... Ces établissements émettent désormais par un établissement de crédit dont ils ont le contrôle en 1997.

Enfin, on notera l'apparition des cartes *privatives* dans le secteur de l'assurance, forme du phénomène dit de « bancassurance ».

Ces cartes sont émises par le distributeur ou par une filiale spécialisée ayant le statut d'établissement de crédit. L'exemple type est celui de Cetelem, émetteur de la carte Aurore. La liste est « ouverte ».

Leur nature de carte de paiement avait été mise en doute au motif que leur fonction de règlement ne s'exerce que de manière indirecte puisqu'elle implique le débit d'un compte tenu par une banque ou un Centre de chèques postaux (D. Martin, « Analyse juridique des règlements par carte de paiement » : *D.* 1987, chron. 51). Cette conception restrictive est discutable même si la particularité soulignée est réelle. De telles cartes sont des instruments de transfert de fonds au sens de l'article 4 de la loi bancaire de 1984 bien que les fonds transférés soient détenus par un tiers distinct de l'émetteur et elles servent à réaliser des paiements. Les cartes privatives émises, au début, en réaction contre les commissions jugées excessives des banques sont devenues un instrument de mercatique assorti parfois de services variés (parking gratuit...).

• *Des établissements spécialisés* ont aussi (*Diners Club*, 1949, *American Express*, 1958) émis des cartes de paiement et/ou de crédit permettant l'obtention auprès des fournisseurs diversifiés de biens ou de services variés. Ces cartes sont parfois qualifiées de cartes universelles.

• Enfin, les banques (Crédit lyonnais, Société générale, Groupe CIC, CCF, BNP...) ont introduit la « carte bleue », nationale puis internationale (Carte bleue, Visa, 1984).

Les impératifs de la concurrence ont incliné ces banques à se constituer en groupement d'intérêt économique : Carte bancaire (accord du 31 juill. 1984). La création de ce pool a suscité la crainte très justifiée de la part des commerçants d'une politique d'entente, imposant l'uniformité des tarifs. Cette accusation de « cartel », dénoncée à la commission de la concurrence (plainte retirée, V. Rép. min. : *JO* déb. Ass. nat. 25 nov. 1985, 5410) a conduit le groupement le 27 septembre 1985 à la mise au point d'un nouveau système de tarification. Ce système a suscité un vif contentieux à propos de la commission interbancaire de paiement (Paris, 1re Ch., section concurrence, 26 avril 1990 : *JCP* 90, éd. E, 15817, note Bouteiller). L'interbancarité ultérieure entre Carte bleue et Carte Crédit agricole a accéléré considérablement l'utilisation de cet instrument.

Une gamme commune de quatre cartes adaptées aux divers besoins de la clientèle est ainsi disponible. L'imagination des praticiens multiplie les modèles de carte, sans mettre en question cependant leur nature juridique. Elle les assortit de « gâteries » multiples... ; carte de retrait interbancaire ; carte nationale de paiement ; carte internationale de paiement.

Outre la classification selon les émetteurs, on peut classer les nombreux types de carte selon leurs fonctions, étant entendu que certaines cumulent plusieurs fonctions.

— **Les cartes de retrait** auprès des DAB ou GAB sont les plus simples et offrent un service minimum. Elles ne sont pas exemptes de questions juridiques (usage abusif, valeur de la signature informatique ; V. Montpellier, 1re Ch., 9 avril 1987, aff. *Crédicas* : *JCP* 88, éd. E, 15134, note Martine Boizard. — Cass. civ. 1re, 8 nov. 1989 : *D.* 1990, J, 165, note C. Gavalda). Les P et T, comme les établissements de crédit offrent ce type de carte. Les DAB, habituellement implantés sur la façade des banques, peuvent aussi être installés ailleurs (gares, aéroports...).

— **Les cartes de paiement**, *dites parfois accréditives*, font intervenir soit deux, soit trois partenaires (émetteur, fournisseur agréé, porteur de la carte). L'adhérent peut retirer des espèces dans les réseaux DAB GAB avec les cartes émises par les banques. Mais il peut aussi régler les fournisseurs liés à l'émetteur. Ces cartes sont banalisées ou spécialisées.

Banalisées, elles sont l'apanage des établissements de crédit qui tiennent le compte du client. La carte est en somme un moyen d'utilisation du compte, une forme de service de caisse.

Elles n'emportent, en principe, pas de crédit. Mais une facilité découle du remboursement qui n'est en pratique pour l'instant encore exigé qu'en fin de mois. Ce décalage, simple commodité non assimilable à un crédit (V. *contra*,

Paris, 25 mai 1970 : *RTD com.* 1970, p. 755), dû à des impératifs techniques, offre un jeu de trésorerie gratuite pour le client que supprimera la carte électronique *on line*. Le débit du compte du client sera alors instantané (Contamine-Raynaud et Rives-Lange, *op. cit.*, n. 284, note 225).

— Apparentées à ces cartes, on signalera les **cartes de garantie de chèques** (*supra*, n. 318) délivrées notamment par les banques populaires et les caisses d'épargne (Rives-Lange et Contamine-Raynaud, *op. cit.*, n. 290). Le modèle le plus courant est Intercarte. Ces cartes équivalent à une sorte de caution. Les cartes de garantie doublent en somme un instrument existant (Ferrier et Cas, *op. cit.*, p. 588).

— **Les cartes de crédit réel** offrent un intérêt plus large. Le porteur peut dans la limite d'un plafond d'encours étaler le remboursement. Ce crédit (*revolving*) est ici volontaire, principal et non accessoire. Ce crédit est utilisable (carte banalisée) auprès de tous les commerçants agréés ou au sein des succursales du fournisseur émetteur (carte spécialisée).

Si la carte comporte l'ouverture par l'émetteur d'un crédit au titulaire de la carte, il devient nécessaire de respecter les formalités de la loi Scrivener du 10 janvier 1978 (C. consom., art. L. 311-8 et s.) sur la protection du consommateur en matière de crédit à la consommation. Dans le système carte bleue, une convention séparée est nécessaire pour obtenir outre la fonction paiement, un service de crédit. Rien n'exclut, on le verra, le fonctionnement du crédit en compte courant ; sous réserve d'observer certaines formalités.

— Il s'ajoute à ces cartes les cartes « internationales » de paiement. On citera la *carte Visa* pour les clients des « cartes bleues » et *Mastercard* pour ceux de la carte verte du Crédit agricole.

335-1. — La loi du 31 décembre 1991 n'a pas retenu certaines suggestions des travaux préparatoires — se référant aux cartes émises par une entreprise en vue de l'acquisition auprès d'elle d'un bien ou d'un service déterminé qui permettraient à leur titulaire de transférer des fonds. Le coup d'arrêt est visible. Les parlementaires ont considéré — à tort ou à raison ?... — cette disposition incompatible avec les règles de la loi bancaire de 1984. Ce texte, qui permet cependant aux entreprises d'émettre des cartes, n'autorise que les établissements de crédit à recevoir du public des fonds à vue et à effectuer des « opérations de banque » *juridico sensu*.

335-2. — Pour achever ce tableau des cartes on signalera celles offrant des avantages divers et des crédits privilégiés ainsi que les offres des hypermarchés. Sera-t-il permis à des juristes classiques de regretter cette fragmentation de la typologie des cartes ?

L'offre des hypermarchés. — Les hypermarchés proposent presque tous leur carte. Contrairement aux cartes privatives des grands magasins qui sont accordées gratuitement, les cartes des hypers sont payantes, 50 francs pour la carte Accord d'Auchan, 40 francs pour la Cofinoga de Géant (Casino), 30 francs pour celle de Continent, par exemple. En général, les distributeurs offrent la première souscription et cette carte n'est payante qu'à partir de la deuxième année. Outre des possibilités de crédit, ces cartes offrent des avantages aux porteurs. Ils bénéficient de caisses réservées et de promotions exclusives sur certains articles.

335-3. — Il nous paraît un peu « abstrait » de disserter (V. Rives-Lange et Contamine-Raynaud, *op. cit.*, n. 336) sur l'utilité des cartes de crédit. Le problème proche n'est plus ce jugement de valeur, actuellement dépassé...

mais les techniques qui vont prendre le relais des cartes. Elles furent une « avancée ». Elles sont aujourd'hui un peu « dépassées » par d'autres techniques... D'autres réflexions s'imposeraient aux juristes. Laissons de côté la démultiplication des cartes et les cartes dites de fidélité multi-usage (*Total* c. *Scholl*). Mais *quid* des pièges du crédit générés par cette détention de multiples cartes ?

Enfin, évoquons la deuxième génération des cartes de crédit dont une carte MPEG tirant parti du nouveau standard 2V port sera l'archétype...

Ce nouvel instrument de paiement et/ou de crédit s'est, sans graves incidents d'acclimatation, implanté pratiquement et longtemps sans le support de la loi. Outre la reconnaissance implicite par la loi bancaire, l'apport légal se limite (V. *infra*) à l'article 22 de la loi n. 85-695 du 11 juillet 1985 déclarant irrévocable l'ordre de paiement donné au moyen d'une carte. L'aménagement des relations des partenaires à des règlements par carte est d'essence contractuelle (V. Rép. min. n. 2937 : *JO* déb. Sénat 15 janv. 1987, 74). Le régime pénal reste, comme avant 1917 pour le chèque, le droit pénal ordinaire précisé par la loi du 30 décembre 1991.

335-4. — *Textes nationaux et communautaires.* — Pendant plusieurs années, aucun régime général n'a été prévu en France pour les cartes. Seule l'émission de ces cartes sera l'objet de règles de principe (L. n. 84-46 du 24 janv. 1984). L'émission et la gestion de ce type de moyen concernent à l'évidence le monopole traditionnel des établissements de crédit (L. 24 janv. 1984, art. 1er et 4). En effet, l'article 4 de la loi bancaire française prévoit qu'il faut considérer comme « moyen de paiement » tous les instruments qui, quel que soit le support ou le procédé technique utilisé permettent à toutes personnes de « transférer des fonds ». L'article 12-5° de la même loi du 24 janvier 1984 a permis cependant à des entreprises d'émettre des cartes pour l'achat de leurs produits ou de leurs prestations de services. Une précision sur certaines utilisations des cartes de crédit fut ensuite apportée par une circulaire du 27 novembre 1986 (*JO* 28 nov.). Une autre forme d'officialisation des cartes avait été la loi du 22 octobre 1940 (art. 3) souvent modifiée en ce sens, rendant obligatoires dans divers cas équivalents les paiements par chèque barré ou règlements par virement ou carte (V. L. n. 88-1149 du 23 déc. 1988, art. 80). L'intervention la plus forte, sans aboutir à un régime spécifique des cartes fut tout de même la loi n. 91-1382 du 30 décembre 1991 (*D.* 1992, 71) sur la sécurité des chèques et cartes de paiement. Aucune définition officielle des cartes n'avait été donnée auparavant. C'est le premier document officiel, définissant en France la notion de carte et comportant diverses dispositions sur le régime juridique de la carte (irrévocabilité de l'ordre de paiement, incrimination des falsifications et de l'utilisation des cartes contrefaites). Un chapitre X *bis* nouveau est introduit dans le décret-loi du 30 octobre 1935, texte de base sur l'unification des chèques, par l'article 2 de la loi du 30 décembre 1991. L'intitulé dudit décret est modifié dans cette perspective (V. aussi art. 57-1 et 57-2 ainsi que l'article 67-1 sur la création et la falsification des cartes). Enfin, on signalera la loi n. 91-650 du 9 juillet 1991 (*D.* 1991, 317) sur la saisie-attribution des comptes bancaires indiquant, à l'article 47, la situation des cartes. Ajoutons que si le nouveau Code pénal ne contient pas d'articles visant *in terminis* les cartes, plusieurs des nouvelles dispositions peuvent concerner cet instrument...

En droit européen on notera la recommandation du 8 décembre 1987 (*JOCE* n. L. 365 du 24 décembre 1987, p. 72) sur l'interopérabilité des cartes et celles du 30 juillet 1997 (*JOCE* 2 août 1997, p. 52) sur la protection des utilisateurs.

335-5. — Ainsi donc, le régime civil des cartes de paiement et de crédit s'est organisé en France selon le droit civil, notamment le mandat, et pénal commun, complété par les usages. Les conventions afférentes aux cartes doivent, bien entendu, respecter aussi la réglementation de la Commission nationale de l'informatique et des libertés.

Les cartes sont potentiellement soumises aux règles fiscales, administratives, douanières (réglementation des changes). Leur pratique doit être conforme à d'éventuelles recommandations de la Commission des clauses abusives et, plus généralement, au droit civil et commercial commun français et communautaire (plus spécialement aux règles sur les ententes et positions dominantes). Le contentieux sur la Commission interbancaire de paiement est significatif de cette soumission au droit (V. sur le conflit du Centre Leclerc et du GIE, accusé de position dominante, pour dénonciation du contrat adhérent, Paris, 30 juin 1988 : *RTD com.* 1989, p. 103).

335-6. — Il vaut la peine de rappeler les dates essentielles de la « monnaie plastique » depuis la création en 1967 du GIE. Une piste magnétique au verso des cartes fut ajoutée en 1972. La carte de paiement devint dès lors carte de retrait. La même année, la carte verte du Crédit agricole fut créée. Elle s'affilia en 1976 à Eurocard tandis que la carte bleue entrait dans le réseau international Visa. Les premiers terminaux (TEP) apparaissent en 1980. L'unification des réseaux bleu et vert se fait en 1984. Le GIE est fondé à cette époque. En novembre 1985 commence l'interbancarité interne qui à partir de 1990 va être suivie progressivement d'une *interbancarité* communautaire.

Le GIE carte bancaire regroupe donc pour l'instant chèques postaux, caisses d'épargne, banques populaires, banques inscrites, Crédit agricole et Crédit mutuel. Cet organisme contrôle le réseau interbancaire par lequel transitent les demandes d'autorisation de paiement.

Ce regroupement s'accompagne de la transformation progressive des cartes de paiement en cartes de paiement et/ou de crédit. Une autre mutation est d'attacher à certaines cartes haut de gamme une ligne de crédit élevée (Visa premier, Carte d'or, American express).

Le renforcement de l'interbancarité de la technologie et le décloisonnement des réseaux est un atout pour l'expansion des cartes en France, freiné aux USA et en Grande-Bretagne par des réseaux juxtaposés et imperméables.

La recommandation CE n. 97-489 de la commission du 30 juillet 1997 (*JOCE* L208, 2 août 1997, p. 52 ; *D.* 1997, L. 320) devrait « décongestionner » ce type de règlement intra communautaire.

Le mot de la fin sur la gamme des types de carte revient à nos collègues Rives-Lange et Contamine-Raynaud (*op. cit.*, p. 335) : « Il nous paraît préférable de parler des diverses fonctions de carte de crédit, plutôt que des différentes sortes de cartes de crédit »...

CHAPITRE III

RÉGIME JURIDIQUE DES CARTES DE PAIEMENT

336. — Une étude juridique de la carte exige de distinguer les rapports qui se nouent entre les diverses parties (émetteur, porteur de la carte, fournisseur) et entre banques.

A. — RELATION ENTRE ÉMETTEUR ET PORTEUR DE LA CARTE

L'émetteur passe une convention avec le client dit parfois « contrat adhérent ». Les formules utilisées en pratique sont proches. Le rapprochement des réseaux carte bleue et carte verte a accentué l'uniformisation des formules (V. J.-P. Camelot, « Un nouveau contrat pour les titulaires de cartes bancaires » : revue *Banque*, 1990, p. 1166).

La convention dite « contrat adhérent » implique une demande, signée du client, d'adhésion à un texte standard dont les clauses ne sont pas, en pratique, discutables. Après examen du dossier (et scoring) l'acceptation de l'émetteur de la carte emporte formation du contrat. Une banque peut refuser sans fournir de motif une carte de paiement ou de crédit, même si le demandeur est titulaire d'un compte. L'*intuitus personae* et la responsabilité de l'émetteur justifient cette faculté de refuser la délivrance d'une carte.

La carte est adressée au client ou mise à sa disposition à un guichet bancaire. Le client reçoit également un écrit indiquant le numéro de code nécessaire à certaines utilisations de la carte, notamment les retraits d'espèces à un DAB et de plus en plus fréquemment chez un commerçant. Un document explicatif est généralement joint auquel on peut reconnaître une valeur contractuelle. La confidentialité du numéro de code est un élément essentiel de ce contrat. Il ne doit même pas être communiqué à un service non spécialisé des banques.

On s'interrogera sur la pratique un peu légère consistant, lors du renouvellement de la carte, à faire apparaître sur l'emballage plastifié dans lequel la nouvelle carte est insérée des modifications au contrat initial. En fait l'emballage est ouvert par l'agent de la banque et non systématiquement remis au client. Cette remarque n'est pas académique.

337. — La carte se présente matériellement sous forme d'une carte plastique de format standardisé de 5,5 x 8,5 cm, portant en relief le nom et le symbole commercial de l'émetteur, ainsi que le nom, prénom et signature *manuscrite* du porteur. Y figure aussi le numéro de la carte, distinct du numéro de code qui doit demeurer confidentiel. La carte est un titre d'identification difficile à falsifier. La lecture des faits divers révèle que la contrefaçon n'est cependant pas exclue.

Aux indications apparentes s'ajoutent des éléments non visibles : pistes magnétiques et microprocesseur portant des informations ou pouvant recueillir des informations (relatives à l'utilisation faite de la carte) susceptibles d'être « lues » par un ordinateur.

La convention est à titre onéreux. Le prix varie selon les services offerts (carte interne, internationale, plafonds divers...). La rémunération de l'émetteur prend la forme d'une commission fixe annuelle.

338. — Les cartes peuvent être délivrées à des personnes physiques ou morales. Le banquier est libre de refuser, sauf abus de droit. Les personnes physiques doivent avoir la capacité de disposer. La banque doit opérer une certaine sélection. Elle est libre de délivrer ou non une carte, eu égard à son éventuelle responsabilité (Paris, 5e Ch., 30 sept. 1988 : *Juris-Data* n. 025502). Elle n'a à la différence des chèques aucun motif à donner de son éventuel refus.

Il incombe à l'émetteur comme pour l'ouverture d'un compte de vérifier que les conditions requises pour la conclusion d'une telle convention et pour l'utilisation d'une carte de paiement ou de crédit sont réunies. La capacité nécessaire est celle requise pour les actes de disposition. L'assistance du curateur a été considérée comme nécessaire à la validité d'un contrat de délivrance d'une Carte Bleue à un majeur en curatelle (Cass. civ. 21 nov. 1984 : *D.* 1985, J, 297, note Lucas de Leyssac ; *Gaz. Pal.* 1985, 2, 473, note Massip ; *RTD com.* 1985, p. 544, obs. Cabrillac et Teyssié ; Gavalda et Stoufflet, chron. dr. bancaire : *JCP* 86, éd. E, 14777, n. 151 ; éd. G, 3265).

La délivrance d'une carte internationale suppose, évidemment, le respect des conditions fixées par la réglementation des relations financières avec l'étranger. Cette réglementation est depuis 1990 devenue extrêmement plus libérale. (V. déjà citée, recommandation CE, n. 97-489 du 30 juillet 1997).

Une carte de crédit ou de paiement peut être délivrée par une banque au titulaire d'un compte joint. Il n'y a pas en pareil cas solidarité pour le remboursement des sommes dues à l'émetteur du fait de l'emploi de la carte, sauf naturellement stipulation d'une telle solidarité (Trib. gr. inst. Bayonne, 5 fév. 1986 : *D.* 1987, IR, 300). Une modification conventionnelle pour pallier ce risque a été insérée dans certains contrats depuis 1984. Le client doit avoir accepté en connaissance de cause une telle modification. A la différence du refus de chèque, aucun motif n'est à fournir par la banque d'un refus.

S'agissant des personnes morales, les cartes leur sont en pratique délivrées pour être utilisées notamment par des salariés pour le règlement de frais de déplacements professionnels (Cass. civ. 1re, 22 mars 1983 : *D.* 1984, IR, 90. — 24 fév. 1987 ; comp. Paris, 14e Ch. C, 14 juin 1990 : *Juris Data* n. 022324). Selon les clauses en usage, le titulaire et l'utilisateur sont liés à titre principal et de manière solidaire et indivisible à raison des utilisations régulières du titre (Cass. civ. 1re, 24 fév. 1987 ; Versailles, 22 janv. 1987 : *D.* 1987, somm. 300).

On s'est interrogé sur la possibilité pour le mandataire du titulaire d'un compte chèque de se faire délivrer une carte de paiement ? La cour d'appel de Versailles (Versailles, 30 juin 1989 : *D.* 1989, IR, 249) a donné une réponse négative (V. *contra* obs. Cabrillac et Teyssié : *RTD com.* 1990, p. 238). L'idée que la carte est un appendice « normal du compte » nous paraît un peu hardie...

Si la carte est assortie d'un crédit, sa délivrance doit être précédée d'une offre conforme à la législation sur le crédit à la consommation (L. consom., art. L. 311-8).

339. — La carte a généralement plusieurs fonctions. Elle sert à des retraits d'espèces, à des distributeurs automatiques et s'analyse en une forme du service de caisse offert par les établissements de crédit et les centres de chèques postaux à leurs clients. La frappe du numéro de code qualifiée parfois de *signature informatique* (comp. Montpellier, 9 avril 1987, *Crédicas*, préc.) concrétise, de convention expresse, l'accord du client pour l'imputation au débit du compte de la somme retirée. Dans un arrêt fort important, la Première Chambre civile de la Cour de cassation a admis le 8 novembre 1989 (*D.* 1990, J, 369, note C. Gavalda ; *JCP* 90, II, éd. G, 21576) que la clause déterminant le procédé de preuve de l'ordre de paiement était, pour les droits dont les parties ont la disposition, une convention relative à la preuve qui est licite. Cet arrêt annonce la reconnaissance de la signature dite magnétique. La commission des clauses abusives a cependant adopté le 23 mars 1990 une recommandation concernant certaines clauses dans les contrats et prévoyant qu'est abusif le fait de « déroger aux règles légales régissant la preuve ». La position nous paraît contestable. Elle est en tout cas juridiquement de portée limitée (comp. recommandation CEE, 17 nov. 1988 : *JOCE* 24 nov. 1988, p. 317).

Un plafond hebdomadaire de retrait est fixé. La carte est utilisable dans les distributeurs du réseau auquel appartient la banque émettrice et dans ceux des établissements qui lui sont liés. L'utilisation par le porteur au-delà de la provision disponible au compte ne constitue pas une infraction pénale mais une simple faute contractuelle (Cass. crim., 24 nov. 1983 : *D.* 1984, IR, 307 ; *D.* 1984, J, 465, note Lucas de Leyssac ; *RTD com.* 1984, p. 326, obs. Cabrillac et Teyssié. V. les critiques de J. Larguier : *JCP* 82, 1, 301 ; B. Sousi-Roubi : *Gaz. Pal.* 1984, 2, 570 ; Corlay : *JCP* 84, I, 3160 ; Ripert et Roblot, t. II, n. 2449 ; comp. Bordeaux, Ch. app. com. 25 mars 1987 : *JCP* 87, éd. E, 16645).

La situation serait différente pour les utilisations par un voleur (*infra*, n. 350).

340. — En dehors de la faculté de retirer des espèces, la banque émettrice s'engage à assurer le règlement des achats de biens ou services effectués par le porteur au moyen de la carte auprès des fournisseurs agréés.

La prestation bancaire est double. D'une part, l'émetteur assure un service de règlement pour le compte du titulaire. D'autre part, à concurrence du plafond fixé, il garantit le fournisseur, ce qui est principalement un avantage pour celui-ci mais en même temps profite au porteur de la carte dont le crédit est renforcé. Le plafond de garantie est généralement limité, pour une carte, à 600 F par jour et par commerçant mais sur demande téléphonique le fournisseur peut obtenir un accord de dépassement.

341. — Le contrat à titre onéreux conclu entre l'émetteur et l'adhérent est à durée déterminée (un an le plus souvent) et il est renouvelable par tacite reconduction. Malgré la clause de tacite reconduction une nouvelle carte doit être remise au client à chaque échéance car les cartes portent la date de leur expiration. Les modalités de cette remise (envoi par lettre recommandée, remise à la banque...) sont précisées contractuellement. Un nouveau code confidentiel est éventuellement adressé par un service « séparé » de la banque émettrice. Il serait possible d'insérer une stipulation d'intérêts dans les conditions générales du contrat carte de crédit (Paris, 14e Ch. C, 14 juin 1990 : *JCP* 91, éd. E, 20359).

Une résiliation unilatérale par l'émetteur est possible en cas de faute du client mais également, compte tenu de l'intense *intuitus personae* de ce type de contrat, si l'émetteur a convenance de retirer la carte. Une stipulation expresse de résiliation unilatérale figure dans les formules usuelles du contrat adhérent. Il y est indiqué que la carte demeure la propriété de l'émetteur qui peut en exiger la restitution à tout moment.

Bien entendu, les droits acquis avant la notification de la résiliation sont maintenus. Les factures payées à l'aide de la carte sont honorées. Les retraits de fonds restent acquis.

L'utilisation de la carte après retrait serait constitutive d'une escroquerie (Trib. corr. Paris, 16 août 1974 : revue *Banque* 1975, p. 324 ; *RTD com.* 1975, p. 157, obs. Cabrillac et Teyssié). Il en serait de même en cas d'emploi après péremption. En cas d'incident des règlements de carte (bleue en l'occurrence), la banque devrait avant de demander l'inscription de l'incident à la Banque de France inviter le client à régulariser (Paris, 8e Ch. B, 19 sept. 1990 : *Juris Data*, n. 023649).

B. — Relation entre émetteur de la carte et fournisseur

342. — Une autre convention, qualifiée en pratique de « contrat fournisseur », lie l'émetteur au fournisseur. Il s'agit d'un contrat d'adhésion qui est conclu en général pour une durée indéterminée, mais est résiliable unilatéralement par chaque partie. Mais, la convention peut être à durée déterminée (un an pour la carte Visa), sauf à être renouvelable par tacite reconduction. Le banquier qui délivre une carte ouvre normalement à son client un compte.

La résiliation fait l'objet de dispositions classiques. On soulignera que la loi du 25 janvier 1985 (art. 38), telle qu'interprétée par la jurisprudence, ne permet plus la résiliation de plein droit en cas de redressement judiciaire. La cession du commerce de l'affilié serait, en revanche, une juste cause de résiliation, sauf acceptation du cessionnaire par la banque.

Il est notable que le banquier du fournisseur n'est pas un simple mandataire du commerçant affilié. Cependant, il a envers ce dernier les mêmes devoirs que le banquier émetteur. Bien entendu, il peut invoquer les clauses du contrat fournisseur, d'après lesquelles « le banquier fournisseur stipule aussi bien pour lui que pour les différents banquiers adhérents à la Convention GIE. La puissance économique de certains distributeurs leur permet de négocier éventuellement les termes de cette convention qui néanmoins reste, dans l'ensemble, standard. Le taux des commissions est, à tout le moins, négociable. La mise en circulation de cartes spécialisées (Fnac, Pass...) a, sans doute, permis à certains fournisseurs d'obtenir une réduction des commissions. Le fournisseur reste, en tout cas, libre d'adhérer à plusieurs réseaux.

Le fournisseur adhérent au système s'oblige à honorer les cartes présentées selon les modalités convenues. Il doit payer des commissions proportionnelles sur les factures réglées par carte. De son côté, le banquier émetteur de la carte s'engage à régler les factures présentées régulièrement par les fournisseurs (sur la possibilité pour l'émetteur de modifier les conditions du contrat adhérent, V. Paris, 15e ch. B, 5 déc. 1997 : *D.* 1998, IR, 18).

Le règlement a pour base une facture que le commerçant établit lors de l'achat. Différents procédés techniques sont en usage à cette fin. Le client, en principe, signait autrefois à la main la facture. Il est invité à frapper sur un clavier son code confidentiel, ce qui permet de détecter les cartes volées. Ce code souvent dénommé « signature électronique » ne suffit-il pas ?

En l'état actuel du droit français il est possible de répondre affirmativement. Jusqu'à concurrence de 5 000 F, le principe de la liberté de la preuve est d'une part applicable (C. civ., art. 1341 ; *D.* 15 juill. 1980 ; V. en ce sens, Montpellier, 9 avril 1987, *Crédicas* : *JCP* 88, II, 20984. — *Contra* Trib. inst. Sète, 9 mai 1984 : *D.* 1985, J, 359, note Bénabent ; *adde* Lucas de Leyssac, art. cit. : *JCP* 86, éd. E, n. spécial *Entretiens de Nanterre*).

D'autre part, la clause du contrat adhérent reconnaissant l'efficacité de la « signature électronique » a été reconnue valable à l'arrêt précité de la 1re Chambre civile (Cass., 8 nov. 1989 : *D.* 1990, J, 369, note Gavalda ; *D.* 1981, somm. comm. 38, obs. Huet ; *JCP* 90, II, 21576). La question a été posée de savoir si la signature en blanc de l'imprimé de débit d'une carte de crédit n'est pas irrégulière. Le procédé n'est pas illicite encore que le risque en soit évident pour le porteur de la carte. L'abus de cette signature constituerait un abus de blanc-seing punissable pénalement (Comp. Rép. min. : *JO* déb. Sénat 17 mai 1984, 796).

Le client reçoit un double de la facture dont l'original est transmis à l'émetteur de la carte, en pratique par l'intermédiaire de la banque du commerçant.

La procédure qui vient d'être décrite reste relativement lourde dans la mesure où elle implique la circulation de documents papier. D'autres processus de traitement permis par la téléinformatique ont donc été progressivement mis en place (Ripert et Roblot, *op. cit.*, t. II, n. 2451).

La banque s'engage à régler le fournisseur jusqu'à concurrence du montant garanti sous réserve qu'il aient été respectées les formalités contractuelles décrites au contrat carte : validité du titre, conformité de la signature tracée sur la facture et de celle figurant sur la carte. Le commerçant qui omettrait de vérifier la conformité de la signature apposée sur un ticket de caisse avec celle figurant sur une carte de crédit commettrait une faute. Un partage de responsabilité avec la banque en résulterait (Cass. civ. 1re, 14 juin 1988 : *Les Petites affiches* 8 fév. 1989. — Paris, 25e ch. B, 27 mars 1998 : *D.* 1998, IR, 116 jugeant que le contrôle de la signature s'impose même lorsqu'un numéro d'autorisation a été obtenu par le commerçant). Le centre de traitement, émanation du GIE, qui ne vérifierait pas les factures serait aussi fautif (Cass. com., 3 mai 1988 : *Les Petites affiches* 28 déc. 1988). L'engagement de la banque est, sous cette réserve, irréversible et irrévocable. On a pu (Rives-Lange et Contamine-Raynaud, *op. cit.*, n. 288 et 293) le comparer à l'obligation qui résulterait d'une lettre de crédit commerciale irrévocable ou d'une garantie à première demande. Le nouvel article 107-1 du Code des PTT (rédaction de la loi n. 90-568, 2 juill. 1990) autorise la « Poste » à accorder sa garantie aux bénéficiaires des paiements effectués par les porteurs de cartes de payement émises par elle.

La frappe du code à quatre chiffres sur une machine *ad hoc* remplace l'apposition de signature sur une facturette depuis 1992 environ.

A concurrence du montant garanti, le banquier paye en vertu d'un engagement personnel et direct. Il ne saurait invoquer le défaut de provision ou l'insolvabilité du client. Aucune exception de ce genre ne peut être soulevée. Il ne peut opposer que le non-respect du contrat fournisseur. En ce cas, il est en droit de contrepasser l'avance consentie au commerçant (V. Cass. com., 30 nov. 1982 : *Bull. civ.* IV, n. 382, p. 319 ; *RTD com.* 1983, p. 450. — 10 juill. 1990 : *JCP* 90, IV, 341). L'extension de garantie est obtenue, au moment du paiement, par une communication au centre d'autorisation. Une autorisation donnée après coup est, toutefois, valable (Paris, 15e ch. A, 7 juin 1995 : *D.* 1995, IR, 162).

Bien entendu, la banque est en droit de refuser de payer dans les cas d'opposition autorisés par la loi du 11 juillet 1985 (vol, perte de la carte, redressement judiciaire ou liquidation judiciaire du bénéficiaire ; V. Credot, « Conditions et effets des oppositions en matière de cartes de paiement » : *Les Petites affiches* n. 111, p. 105). L'extension à l'utilisation frauduleuse de la carte n'a pas été retenue. La « carte à puce » est — pour l'instant — un immense progrès. Jusqu'à quand ? Depuis le 1er janvier 1995, la carte à puce et le terminal électronique s'articulent.

Au-delà du montant garanti, le banquier règle « sous réserve de bonne fin d'encaissement » auprès du porteur de la carte (Cass. com., 30 nov. 1982 : *D.* 1983, IR, 470 ; Ripert et Roblot, *op. cit.*, t. II, n. 2450). Il y a là une avance au fournisseur sous réserve de recours. Le commerçant qui n'aurait toutefois pas obtenu l'autorisation du centre carte bleue perdrait sa garantie éventuelle en cas d'opposition pour perte ou vol de la carte. A défaut il conserve le droit à paiement (Trib. inst. Aubervilliers, 11 mars 1987 : *RD bancaire et bourse* 1987, p. 125).

L'émetteur qui acquitte la facture est subrogé dans les droits du fournisseur sur la base de l'article 1251-3° du Code civil. Une stipulation du contrat confirme, en pratique, cette subrogation légale.

343. — Les factures sont généralement remises par le fournisseur à son banquier qui les présente à son confrère émetteur. Le banquier du fournisseur a envers celui-ci des devoirs identiques à ceux du banquier émetteur. Il bénéficie des clauses du contrat fournisseur (Rives-Lange et Contamine-Raynaud, *op. cit.*, n. 295. — Cass. com., 30 nov. 1982 : *Bull. civ.* IV, n. 382, p. 319 ; *RTD com.* 1983, p. 450, obs. Cabrillac et Rives-Lange).

Souvent, le banquier du fournisseur crédite son client, dès réception des factures, avant d'avoir encaissé effectivement lesdites factures auprès de son confrère (banquier émetteur). Si la bonne fin de l'opération ne peut être mise en doute, il ne saurait revenir sur l'inscription de ce crédit (en ce sens, Cass. com., 30 nov. 1982 : *D.* 1983, IR, 470 ; Sousi-Roubi, rubrique préc., n. 65, mais V. Cass. com., 10 juill. 1990, inédit).

La carte à puce avec signature informatique reconnaît singulièrement ce circuit.

343-1. — Pour clarifier les relations entre les commerçants affiliés et les établissements de crédit, le comité exécutif du Groupement cartes bancaires a adopté une nouvelle version du « contrat commerçant cartes bancaires » (V. le commentaire de ce document par Mme Geneviève Nicolas, « Le nouveau contrat commerçant carte bancaire » : revue *Banque* 1989, p. 1204 et s.). Cette nouvelle rédaction se substitue à celle élaborée en septembre/octobre 1985.

Ce document énonce les conditions de la garantie du GIE : vérification de la validité de la carte ; de la conformité de la signature ; voire de confirmation du numéro confidentiel pour interrogation ; consultation de la liste des cartes en opposition ; demande éventuelle d'autorisation si le montant du règlement dépasse celui de la « garantie de base ». Outre le devoir pour le commerçant de conserver les justificatifs correspondants, il peut procéder à la capture de certaines cartes en présence de certaines irrégularités (V. G. Nicolas, art. préc.).

Parmi les paramètres de la commission prélevée par la banque des commerçants (affiliés), l'un d'eux — la commission interbancaire de paiement dite CIP — a déclenché une fort longue discussion, jalonnée d'une série de décisions.

343-2. — *Commissions à la charge du fournisseur.* La banque du commerçant affilié (fournisseur) verse à celle du porteur de carte pour toutes les transactions internes au GIE cette commission interbancaire. Elle a remplacé l'ancienne commission interchange. Cette commission se répercute sur les fournisseurs. Les commerçants membres du système (type GIE ou autres) supportent mal de devoir régler une commission, fixée à un pourcentage du montant de la vente, qui rémunère celui des services rendus. Son montant est influencé, on l'a dit, par la Commission interbancaire.

343-3. — *Commission interbancaire de paiement.* Ce facteur de calcul de la rémunération par le commerçant affilié a suscité depuis plusieurs années un assez vif contentieux soutenu par le Conseil national du commerce. Cet organisme (CNC) a saisi, en effet, en septembre 1986 la Commission de la concurrence d'une plainte visant plusieurs clauses figurant dans le protocole d'accord passé dans l'acte constitutif et le règlement intérieur du GIE ainsi que dans le contrat d'adhésion des commerçants au système national de paiement par carte (V. Paris, 1re Ch., section concurrence, 26 avril 1990 : *JCP* 90, éd. E, 15817, note Bouteiller ; V. sur les phases antérieures du litige, décis. Cons. const. n. 88, D. 37, 11 oct. 1988 : *JCP* 88, I, 17834 ; *RTD com.* 1988 ; *BOCC* 156 et 1988 ; *RTD com.* 1989, p. 102 ; Lamy, *Recueil des avis du Conseil de la concurrence*, 1988, n. 335, commentaire C. Gavalda).

Cette commission CIP versée par la banque du commerçant à celle du porteur de la carte est la contrepartie des opérations de traitement, des mesures collectives de sécurité et de la garantie du paiement.

L'objet du litige concernait plus précisément la commission dite interbancaire (CIP) définie à l'origine par une grille fixe ; puis ultérieurement prélevée d'après deux taux 0,4 et 0,8 % selon la puissance du groupe commercial affilié. Cette commission interbancaire était considérée comme restrictive de concurrence du fait que le GIE fixait unilatéralement un ou plusieurs taux de commissions, lesquels étaient à régler par les banques des fournisseurs aux banques des porteurs. Étant entendu que les banques des fournisseurs les répercutaient ensuite (en aval) sur leurs affiliés. Le Conseil de la concurrence vit dans ce système de la CIP une pratique restrictive contraire à l'article 10-2 de l'ordonnance du 1er déc. 1986 (ex. art. 50, ord. 30 juin 1945). Sur injonction par le Conseil de la concurrence (décis. préc. n. 88 D. 31), le GIE établit une formule de taux variable qui intégrait le coût du risque lié à la garantie de paiement fournie par le GIE au commerçant ainsi que les mesures de sécurité collective et la charge du traitement de la banque émettrice.

Les commissions litigieuses auraient été discriminatoires et pratiquées par un GIE en « situation de monopole ».

Au terme d'une période d'application de l'injonction du Conseil de la concurrence, cette autorité administrative estima que les nouveaux taux de commission fixés par la GIE ne répondaient pas à ses exigences et elle en a, en conséquence, ordonné la modification (Décis. n. 88 D 15, 3 mai 1989 : *JCP* 89, I, 18547). Sur recours contre cette décision, la cour de Paris prononça une annulation pour non-respect des droits de la défense, mais elle évoqua l'affaire. Elle jugea, au plan des principes, que la prise en compte de la fraude sur la base d'un taux de fraude n'était pas, en soi, contraire à l'injonction du 11 octobre 1988 et critiquable. Pas davantage la perception au titre de la commission interbancaire d'un montant fixe ne heurtait la même injonction (Paris 1re ch., Sect. conc. 16 nov. 1989, *BOCCRF* 18 nov. 1989, 283 ; *RTD com.* 1990, p. 311, obs. Bouzat. — *Adde* Lucas de Leyssac, *RD bancaire et bourse* janv.-fév. 1991, p. 1 et s.).

Cet arrêt, toutefois, n'épuisait pas le contentieux sur la CIP. La Cour ne se prononçait pas sur les modalités de calcul d'une commission reposant sur un taux général, avant d'obtenir des paramètres plus précis (éléments constitutifs, méthode de progression par paliers). Une étude était, à cet égard, demandée au directeur de la DGCCRF sur les taux de fraude constatés entre le 1er mai et le 31 juillet 1989 et sur les taux de commission en découlant.

Au vu de ce constat, la Cour s'est prononcée au fond dans un arrêt du 26 avril 1990 (*JCP* 90, éd. E, II, 15817, obs. Bouteiller ; *D.* 1990, IR, 133). Elle a estimé que les modalités mises au point par les banques n'étaient pas encore adéquates et que le taux de commission unique — acceptable — doit s'appuyer sur des *critères objectifs*, individualisés, permettant de mesurer son coût relatif et son impact sur la concurrence. L'objectivité requise consiste à faire apparaître les différentes composantes de la commission pour assurer sa transparence, condition d'une réelle concurrence dans le secteur considéré. En bref, la progressivité des cotisations en fonction des efforts de réduction de la fraude n'était pas respectée et elle devait l'être dans le nouveau barème du GIE. Une restriction de concurrence existait à laquelle le GIE devait porter remède car la commission interbancaire est prise en compte par la banque pour la fixation des cotisations des commerçants. S'appuyant sur un rapport du Conseil de la concurrence, la Cour précise que le taux moyen de fraude enregistré varie d'une banque à l'autre de 0 à 5,2 %, alors que le taux de la commission se situe dans des limites très étroites (de 0,50 à 0,66 %). Ce mécanisme ne saurait, selon l'arrêt, être racheté sur le fondement de l'article 10-2° de l'Ordonnance du 1er décembre 1986 (progrès économique). La motivation sur ce point de l'arrêt peut ne pas emporter une pleine conviction. La commission interbancaire ne pouvait échapper dans cette perspective à une incrimination que par une exemption individuelle (ancien art. 51, ord. 30 juin 1945 et actuel art. 10.2°, ord. 1986). La base de prélèvement uniforme fixée par le GIE ne fut pas considérée comme justifiant un tel rachat.

Au terme de cette procédure, les parties (GIE/CNC) furent invitées à négocier. Et, le nouveau mode de calcul mis au point par le GIE a été examiné à l'automne 1990.

Au plan macro économique, la discussion reste complexe, sensible... et délicate. Le poids du coût de gestion des cartes explique la réticence bancaire. Mais il est équitable de tenir compte dans le calcul de la commission interbancaire des efforts de lutte des commerçants concernés contre la fraude. En pratique, les plus gros efforts sont faits par les grandes surfaces. Le débat reprend à cet égard avec une autre dimension.

Il est moins évident que cette position ait une influence retardatrice sur la mise en place des cartes à puce (à microprocesseur incorporé) décidée le 6 avril 1990.

La cour d'appel de Paris ne s'était toutefois pas reconnue compétente dans cette affaire pour prononcer des sanctions pécuniaires. Le Conseil de la concurrence était seul, selon elle, *in specie* qualifié d'après l'article 11 de l'ordonnance du 1er décembre 1986 pour infliger de telles amendes.

Cette autorité administrative indépendante a effectivement infligé par décision du 30 octobre 1990 une amende de six millions de francs aux banquiers membres du GIE cartes bancaires, pour n'avoir pas modifié, pour la période allant du 1er mai 1989 au 30 avril 1990, dans le délai fixé, ou en tout cas, n'avoir qu'imparfaitement modifié le montant des cotisations.

En ne se soumettant pas dans le délai imparti aux critères de transparence édictés par le Conseil de la concurrence, le GIE se serait mis « hors la loi ». Cet alignement différé est lourdement taxé. La nouvelle grille de tarification du GIE a reçu en mai 1990 le « feu vert » (décis. n. 90 D. 41, 30 oct. 1990 : *BOCCRF* 9 nov. 1990).

C. — Relation entre fournisseur et titulaire de la carte

344. — C'est le troisième rapport engendré par l'usage d'une carte. Le fournisseur et le porteur de la carte sont liés par un contrat de vente ou de prestation de services. Leurs relations sont néanmoins modifiées par les engagements du commerçant agréé. Ce dernier ne peut refuser un règlement par carte, conforme à toutes les exigences du contrat fournisseur. La base juridique de ce devoir est une stipulation pour autrui créant un droit à l'encontre du fournisseur (Contamine-Raynaud et Rives-Lange, *op. cit.*, n. 345).

A l'amiable et pour éviter la commission prévue, il arrive en pratique qu'il consente un rabais au client qui renonce à régler par carte. On glisse alors du droit à la sociologie...

De facto, la réaction du banquier averti de ces pratiques pourrait être le retrait d'agrément.

Le commerçant doit vérifier la validité de la carte et la conformité de la signature (Cass. civ. 1re, 14 juin 1988 : *D.* 1989, somm. comm. 330. — Cass. com., 10 juin 1997 : *D. affaires* 1997, 962).

L'apposition sur la vitrine d'un vendeur de son adhésion à un réseau CB lui crée un devoir normal de recevoir un règlement par carte de son client.

345. — *Caractère irrévocable du paiement* (L. n. 85-695, 11 juill. 1985, art. 22). Le client acheteur qui a réglé par carte pourrait-il se repentir et, en cas de différend avec le commerçant vendeur (non-conformité entre produit acquis et produit livré), se rétracter et empêcher l'émetteur de régler ? Une opposition est-elle envisageable ?

La question autrefois discutée est tranchée par l'article 22 de la loi du 11 juillet 1985 : « L'ordre de paiement donné au moyen d'une carte de paiement est irrévocable. Il ne peut être fait opposition qu'en cas de perte ou de vol de la carte, de redressement ou liquidation judiciaires du bénéficiaire ». L'alignement est clair du régime de la carte sur celui du chèque. La simplification du terme « bénéficiaire » (commerçant, titulaire de la carte ?) reste tout de même ambiguë (sur la preuve de l'opposition, V. Cass. com., 23 juin 1987 : *RD bancaire et bourse* 1987, 126).

346. — Touchant le lieu et le moment du paiement par carte, on notera que la signature de la facture, dite « facturette », accompagnée de la présentation de la carte n'éteint pas la créance. Ce procédé était, avant 1992, le plus répandu. Il n'y a pas plus novation qu'en cas de remise d'un chèque (C. civ., art. 1273). Le fournisseur affilié a cependant l'obligation de présenter la facture à l'émetteur. Seul le règlement effectif du fournisseur par l'émetteur suivi du remboursement du banquier libère définitivement le titulaire (acheteur).

Selon une argumentation juridique plus serrée de MM. Ferrier et Cas (*op. cit.*, n. 589) : « Si l'on estime qu'il existe entre le fournisseur et l'émetteur une subrogation, la créance a été transmise à l'émetteur et le titulaire de la carte est libéré quand l'émetteur a payé le fournisseur. Si l'on estime que, par le jeu d'une délégation, l'émetteur a une créance distincte contre le titulaire de la carte, ce dernier n'est libéré que lorsqu'il paye l'émetteur » (comp. Jeantin, *op. cit.*, n. 207).

On soulignera enfin que la banque émettrice reste étrangère à tout différend qui naîtrait entre le commerçant et le client. Cette circonstance ne saurait justifier le refus au titulaire de la carte de rembourser les paiements faits par le banquier (Aix-en-Provence, 18 juin 1984 : *D.* 1986, IR, 330). Le régime d'opposition en cas de perte ou vol de la carte confirme cette position (art. 22, L. 11 juill. 1985 : *D.* 1987, chron. 51 ; Vasseur : *JCP* 85, éd. G, I, 3206).

346-1. — *Règlement par carte de commandes par Minitel ou téléphone.* De la frappe du code confidentiel reconnue comme équivalent à la signature, il faut rapprocher une facilité offerte par voie de Minitel qui suscite plus d'hésitation. Le procédé est pourtant utilisé depuis plusieurs années par certains établissements de vente par correspondance ou par téléphone. Le client se borne à l'appui de sa commande par Minitel à indiquer non pas son numéro de code confidentiel, mais son numéro de carte. Certains contrats — porteur, carte bancaire — portent que le titulaire autorise irrévocablement l'établissement émetteur à débiter le compte du titulaire au simple vu des enregistrements ou des relevés transmis par le commerçant, ce « même en l'absence de factures signées par le titulaire de la carte » (V. rapport CNC, Groupe de travail sur les aspects juridiques des nouveaux moyens de paiement, juill. 1986, p. 63). Dangereux par les diverses fraudes aisément imaginables en cas de commande par Minitel, la formule est encore plus discutable en cas de commande par téléphone, voire Internet. L'avenir est cependant à coup sûr à ce mode de règlement.

Pour l'instant, le contentieux est rare (Redoute, Trois Suisses) par suite de la politique des commerçants. Ces derniers assument, de convention expresse, l'entière responsabilité des conséquences préjudiciables directes ou indirectes d'un débit erroné (V. rapport préc.).

Le problème juridique est délicat et les suggestions du Groupe de travail du CNC paraissent encore assez floues... Il est certain que la connaissance du lieu et de l'adresse de livraison des biens ainsi commandés limite *de facto* le risque. Le problème juridique reste pour autant entier. Il se posait pour la commande de billets de la SNCF. Une solution technique (recours à une carte de crédit à puce et à un lecteur de carte Lecam connecté au Minitel) semble une voie raisonnable de sécurité (V. Anne Kahn, « Pour payer en Minitel en toute sécurité » : *Le Monde*, 21 fév. 1990).

346-2. — Dans la perspective plus générale de l'informatisation croissante des établissements de crédit, il vaut la peine de signaler ici la protection qui résulte pour les banques de la loi du 5 janvier 1988 qui concerne bien entendu les diverses entreprises, mais sera particulièrement utile dans le secteur bancaire où la confidentialité est un impératif essentiel. Ce texte pénal spécifique réprime pénalement (V. modification des articles 462-2 à 462-9 du Code pénal) l'accès frauduleux à l'information, la manipulation de celle-ci et les altérations de traitements informatisés (STAD). Ainsi la loi du 5 janvier 1988 assure-t-elle une protection à trois niveaux : protection des systèmes, des données et des documents informatisés, dont elle ne donne pas cependant de définition. Une des préoccupations du législateur — non exclusive — a été la fraude en matière de cartes magnétiques, bancaires de paiement et/ou de crédit (V. Alterman et A. Bloch, « La fraude informatique » : *Gaz. Pal.* 3 sept. 1988 ; H. Croze : *JCP* 88, I, 333 ; J. Gossin, « La protection pénale d'une nouvelle universalité de fait en droit français » ; Les SFAD : *ALD* 1989, p. 6 et s. ; Devere, « Les infractions en matière informatique » : *J-Cl. Pénal*, art. 462-2 à 462-9... ; M.-P. Lucas de Leyssac : *Rev. dr. inf. et télécom.* fév. 1988, p. 18 ; *adde* sur l'ensemble Corinne Vandensbussher, *Secret des affaires et informatique*, thèse Paris I, 1990, n. 290 et s. ; R. Gassin : *ALD* 1989, 5).

Le sujet est capital. Il concerne autant les rapports nationaux que les relations intracommunautaires et internationales. Globalisation économique et informatisation seront les deux grands axes. Il vaut la peine pour l'instant de reproduire « l'importante » recommandation de la commission CE n. 97-489 du 30 juillet 1997. Ce texte n'a qu'une valeur d'orientation pour l'instant, mais il ne s'applique pas qu'aux seuls règlements par carte — quitte à évoquer à nouveau le sujet à l'occasion du marché européen et des règlements.

Le sujet abordé est l'un des plus sensibles suspens.

346-3. — L'exposé des motifs de la recommandation européenne du 30 juillet 1997 mérite d'être reproduite. Recommandation CE n. 97-489 de la Commission du 30 juillet

1997 concernant les opérations effectuées au moyen d'instruments de paiement électronique, en particulier la relation entre émetteur et titulaire (*JOCE* n. L. 208, 2 août 1997, p. 52).

Vu le traité instituant la Communauté européenne, et notamment son article 155 deuxième tiret ; Considérant que l'un des principaux objectifs de la Communauté est d'assurer le bon fonctionnement du marché intérieur, dont les systèmes de paiement sont un élément essentiel ; que, par leur nombre et leur valeur, les transactions effectuées au moyen d'instruments de paiement électronique forment une part croissante des paiements intérieurs et transfrontaliers ; que, compte tenu du contexte actuel d'innovation rapide et de progrès technologique, on s'attend à une accélération notable de cette tendance, conséquence de commerces, de marchés et de communautés commerciales multiples créées par le commerce électronique ; Considérant qu'il est essentiel que les particuliers et les entreprises puissent utiliser des instruments de paiement électronique dans toute la Communauté ; que la présente recommandation entend faire suite aux progrès accomplis dans l'achèvement du marché intérieur, notamment dans le contexte de la libéralisation des mouvements de capitaux, et contribuera également à la réalisation de l'union économique et monétaire ; Considérant que la présente recommandation couvre les opérations effectuées au moyen d'instruments de paiement électronique ; que, aux fins de la présente recommandation, cette catégorie d'instruments inclut les instruments permettant l'accès (à distance) au compte d'un titulaire, en particulier les *cartes de paiement* et les applications de banque à domicile et par téléphone ; que les transactions par carte de paiement comprennent les paiements électroniques et non électroniques réalisés au moyen d'une carte de paiement, y compris les opérations pour lesquelles une signature est requise et une facture est délivrée ; que, aux fins de la présente recommandation, les instruments de paiement électronique incluent également les instruments de monnaie électronique rechargeables prenant la forme de cartes prépayées ou de jetons électroniques stockés sur une mémoire d'ordinateur de réseau ; que les produits de monnaie électronique rechargeables, de par leurs caractéristiques, notamment le lien potentiel avec le compte du titulaire, sont ceux pour lesquels les besoins de protection du client sont les plus forts ; que la présente recommandation, en ce qui concerne les moyens de paiement électronique, se limite donc à couvrir les produits rechargeables ; Considérant que la présente recommandation entend contribuer à l'avènement de la société de l'information, en particulier du commerce électronique, en suscitant une plus grande confiance de la clientèle envers ces instruments et leur plus large acceptation par les commerçants ; que, à cette fin, la Commission considérera également la possibilité de mettre à jour la recommandation 87-598-CEE de la Commission afin d'établir un cadre clair concernant la relation entre acquéreurs et accepteurs en matière d'instruments de paiement électronique ; que, pour atteindre les objectifs susmentionnés, la présente recommandation définit des exigences d'information minimales auxquelles devront satisfaire les conditions appliquées aux transactions réalisées par le biais d'instruments de paiement électronique, ainsi que les règles minimales à respecter au niveau de la définition des obligations et responsabilités respectives des parties concernées ; que les conditions précitées doivent être stipulées par écrit, le cas échéant par voie électronique, et maintenir un juste équilibre entre les intérêts respectifs des parties concernées ; que, conformément à la directive 93-13-CEE du Conseil, du 5 avril 1993, concernant les clauses abusives dans les contrats conclus avec les consommateurs, de telles conditions contractuelles doivent notamment être rédigées de façon claire et compréhensible ; Considérant que, dans un souci de transparence accrue, la présente recommandation recommande les exigences minimales nécessaires pour assurer un niveau adéquat d'information de la clientèle, tant au moment de la conclusion d'un contrat que postérieurement aux opérations effectuées au moyen d'un instrument de paiement, les informations requises devant aussi porter sur les frais facturés et les taux de change et d'intérêt pratiqués ; que, dans le but d'informer le titulaire sur la manière de calculer le taux d'intérêt, il y a lieu de faire référence à la directive 87-102-CEE du Conseil, du 22 décembre 1986, relative au rapprochement des dispositions législatives, réglementaires et administratives des Etats membres en matière de crédit à la consommation, modifiée par la directive 90-88-CEE ; Considérant que la présente recommandation contient un certain nombre d'exigences minimales concernant les obligations et responsabilités respectives des parties concernées ; que les informations fournies au titulaire doivent clairement définir l'étendue des obligations du client en sa qualité de titulaire d'un instrument de paiement électronique qui lui permet d'effectuer des paiements en faveur de tiers et de réaliser aussi certaines opérations financières pour son propre compte ; Considérant que, pour améliorer les possibilités de recours de la clientèle, la présente recommandation invite les Etats membres à mettre en place des procédures adéquates et efficaces pour le règlement des différends éventuels entre titulaires et émetteurs ; que la Commission a publié, le 14 février 1996, un plan d'action sur l'accès des consommateurs à la justice et le règlement des litiges de consommation dans le marché unique ; que ce plan d'action inclut des initiatives spécifiques visant à promouvoir les procédures extrajudiciaires ; qu'il propose des critères objectifs pour assurer la fiabilité de ces procédures (annexe II) et préconise l'emploi des formulaires de réclamation standardisés (annexe III) ; Considérant que l'objectif de la présente recommandation est d'assurer un degré élevé de protection des consommateurs dans l'utilisation des instruments de paiement électronique ; Considérant qu'il est essentiel que les opérations effectuées au moyen d'instruments de paiement électronique fassent l'objet d'un enregistrement afin d'en garder la trace et de pouvoir rectifier les erreurs éventuelles ; que la charge de la preuve, lorsqu'il s'agit d'établir qu'une transaction a été dûment enregistrée et inscrite dans les comptes et n'a pas été affectée par un incident technique ou tout autre dysfonctionnement, doit incomber à l'émetteur ; Considérant que, sans préjudice des droits éventuellement accordés au titulaire par le droit national, les instructions de paiement données par le titulaire dans les opérations qu'il réalise au moyen d'un instrument de paiement électronique doivent être irrévocables, à l'exception de celles dont le montant n'est pas connu au moment où l'instruction est donnée ; Considérant qu'il convient de définir des règles qui, sans jamais exonérer le client des obligations qui sont les siennes en cas de perte ou de vol d'instruments de paiement électronique, précisent la responsabilité de l'émetteur en cas de non-exécution ou d'exécution déficiente des instructions de paiement d'un client et en cas d'opérations qui n'ont pas été autorisées par ce dernier ; Considérant que la Commission entend suivre attentivement la mise en œuvre de la présente recommandation et que, dans le cas où elle jugerait les résultats insatisfaisants, elle proposera une législation contraignante appropriée couvrant les questions traitées dans la présente recommandation.

Adde Caprioli, « Commerce électronique. Sécurité et confiance. Signature électronique et autorité de certification » : *JCP* 88, éd. G, I, 123. — Numéro spécial *Revue du groupement Carte bancaire*, n. 5, janvier 1998.

CHAPITRE IV

RESPONSABILITÉ CIVILE ET PÉNALE RÉSULTANT D'UNE UTILISATION INCORRECTE DES CARTES

347. — C'est le point juridique sensible de ce nouveau moyen de paiement. En pratique, la question se pose soit en cas d'utilisation incorrecte par le titulaire lui-même, soit en cas d'utilisation indue par un tiers (voleur, inventeur...).

La parade la plus raisonnable est de contracter une police d'assurance style QUIETIS.

A. — UTILISATION ABUSIVE PAR LE TITULAIRE

348. — Le titulaire de la carte peut l'utiliser abusivement en retirant des espèces au-delà de la provision disponible à son compte. Ce comportement est-il pénalement punissable ? En droit positif la question est réglée. Si la carte est en cours de validité, il n'y a pas de faute pénale. Le dépassement constitue seulement une faute civile et le banquier peut retirer la carte et mettre en jeu la responsabilité civile du client.

La qualification de vol a été écartée par la jurisprudence, Cass. crim., 24 nov. 1983 : *Bull. crim.*, n. 315 ; *D.* 1984, J, 465, note Lucas de Leyssac. La Banque de France a accepté de gérer une banque de données dans laquelle sont centralisés les retraits des cartes bancaires pour usage abusif. Cette centralisation a été approuvée par la Commission nationale de l'informatique et des libertés (délibération du 7 avril 1987). Les renseignements ne sont ordinairement communiqués qu'aux établissements de crédit émetteurs de cartes. Le système fonctionne depuis le 1er août 1987. La question de la répression pénale ne présente plus d'intérêt que *de lege ferenda*. La qualification d'abus de confiance ou d'escroquerie ne saurait davantage être retenue (obs. Gavalda et Stoufflet : *JCP* 86, éd. E, 4777, n. 148, éd. G, 3265). L'arrêt de la cour d'appel de Lyon du 20 avril 1982 qualifiant de vol des retraits irréguliers avec une carte 24/24 des chèques postaux (*D.* 1982, J, 938) et le jugement du tribunal correctionnel de Troyes du 27 avril 1976 (*D.* 1977, J, 122) marquent qu'il existait cependant chez les juges du fond un courant favorable à la répression pénale.

Pour un exemple de mise en jeu de la *responsabilité civile* du porteur de la carte qui a dépassé le crédit dont il disposait, V. Paris, 25 mars 1970 : *RTD com.* 1970, p. 754 ; *RTD civ.* 1970, p. 577.

349. — Plus délicat reste le problème des abus d'utilisation de la carte pour des paiements. L'usage d'une carte annulée ou périmée peut constituer une escroquerie à l'égard du commerçant fournisseur qui n'aurait pas été averti par la banque... Le titulaire, mis en demeure de restituer un titre annulé ou périmé qui s'y refuserait, s'expose à une poursuite sous le chef d'inculpation d'abus de confiance (en ce sens, Trib. gr. inst. Créteil, Ch. corr., 15 janv. 1985 : *D.* 1985, IR, 344), s'il continue à utiliser ce titre indûment dont la banque a la propriété.

La loi n. 91-1382 du 31 décembre 1991 a pas mal modifié ce régime (V. D.-L. 1935, art. 65-1 A et B). Il y a une certaine candeur juridique à ignorer cependant que l'imagination des délinquants va toujours de pair avec l'amélioration des systèmes technico-juridiques de sécurité (Balzac *dixit* au XIXe siècle). Les potentialités d'Internet sont une illustration de ces risques, contrepartie des progrès de ce type de règlements (V. Chr. Gavalda, « Banque directe, banque à distance à l'approche de l'an 2000 » : *Mélanges en l'honneur de J.-J. Burst*, 1997, p. 225).

349. — *Sanctions pénales et interdictions* (L. 1991, art. 11 ; D.-L. 1935, art. 67-1). Des sanctions pénales sont prévues pour les fraudes de plus en plus redoutables commises en matière de carte.

La falsification ou contrefaçon de carte, l'usage en connaissance de cause de titres ainsi trafiqués, ainsi que l'acceptation en connaissance de cause de tels titres sont punissables.

Les sanctions sont les mêmes que pour les chèques. Elles sont donc aggravées dans certains cas.

Une *interdiction judiciaire* peut accompagner, comme en matière de chèque la sanction pénale proprement dite. La confiscation et/ou destruction des machines ayant servi à la falsification ou contrefaçon s'effectue sous le même régime que celui appliqué aux chèques falsifiés ou contrefaits.

Selon l'article 131-20 du nouveau Code pénal : « L'interdiction d'utiliser des cartes de paiement comporte pour le condamné injonction d'avoir à restituer au banquier qui les avait délivrées les cartes en sa possession et en celle de ses mandataires.

Lorsque cette interdiction est encourue à titre de peine complémentaire pour un crime ou un délit, elle ne peut excéder une durée de cinq ans. »

B. — UTILISATION ABUSIVE PAR UN TIERS

350. — *Utilisation abusive par un tiers.* Le terme « opposition » en matière de carte de paiement n'a pas disparu et appartient toujours à la terminologie officielle, même depuis 1991.

La perte et le vol des cartes confèrent à cet aspect une importance pratique indéniable (V. Jeandidier, *Les trucages et usages frauduleux de cartes magnétiques* : *JCP* 86, éd. E, 1472).

L'usurpateur (voleur ou inventeur) qui utiliserait la carte pour retirer des fonds d'un DAB serait pénalement coupable d'escroquerie et responsable civilement envers les victimes (banquier, titulaire) de ce détournement (Bordeaux, préc. 25 mars 1987 : *JCP* 87, éd. E, 16645). La qualification de vol est exclue, l'appareil étant programmé de telle sorte qu'il serve des billets sur introduction de la carte ; la remise a été voulue dans ces conditions par le banquier ; elle est volontaire (Comp. Cass. crim., 19 mai 1987 : *Gaz. Pal.* 31 janv. 1988).

Pour se dégager en cas de perte ou de vol de son obligation de rembourser la banque émettrice, le titulaire doit faire *opposition*, mais l'opposition peut être, selon nous, notifiée à un quelconque guichet, compte tenu de l'unicité de la personne morale de l'émetteur. Les contrats type rappellent cette obligation de faire opposition immédiate. Jusque-là, le titulaire reste responsable.

Le titulaire dépossédé de sa carte doit « réagir au plus vite ». *L'obligation de célérité* est aussi un devoir du client. Ce dernier doit notamment avertir à l'échelon national le centre compétent, selon le réseau de carte auquel il appartient.

De toute façon, le titulaire serait responsable en cas d'imprudence caractérisée de sa part, qui aurait contribué au succès de la fraude du tiers usurpateur. Tel serait le cas si le titulaire n'avait pas signé (au verso) la carte usurpée, laissant le voleur imaginer à sa guise une signature pour abuser le fournisseur (Aix-en-Provence, 25 fév. 1980 : *D.* 1981, IR, 506). Tel serait aussi le cas si le titulaire dépossédé s'abstenait trop longtemps de signaler la perte ou le vol et de faire *opposition* régulière (Versailles, 17 janv. 1980 : revue *Banque* 1980, 505 ; *RTD com.* 1980, p. 556 ; *adde*, Paris, 5e Ch., 21 mars 1990 : *Juris-Data*, n. 020536), ou y assimile une signature caricaturale.

350-1. — *Opposition. Généralités.* La loi du 11 juillet 1985 avait pour conforter la sécurité du paiement par carte donné un caractère « irrévocable » à l'ordre de paiement du titulaire. L'article 57-2 du décret-loi du 30 octobre 1935 modifié par la loi de 1991 édicte que l'ordre vu l'engagement de payer au moyen d'une carte est « irrévocable ». L'opposition n'est possible qu'en cas de *perte* ou de *vol* de la carte, de *redressement* judiciaire ou de *liquidation judiciaire du bénéficiaire*. Aucun obstacle ne saurait résulter d'un différend opposant le client et le fournisseur (*adde* Code européen de bonne conduite, 17 nov. 1988, Rives-Lange et Contamine-Raynaud, *op. cit.*, n. 539). La loi de 1991 n'a pas en tout cas aligné le régime des oppositions en matière de carte et de chèque. *L'utilisation frauduleuse de la carte n'est pas visée* (V. toutefois, Orléans, ch. civ., 2 fév. 1994 : *D.* 1998, J, 37, note Lucas de Leyssac). Aucune sanction pénale ne viserait ce cas (Crédot, PA 15 sept. 1986 ; Rives-Lange et Contamine-Raynaud, *op. cit.*, p. 336, note 4). Pour être positif, cette législation consacre la notion très classique d'opposition, avec quelques légères nuances par rapport au chèque. Le droit positif français reste clair.

350-3. — Sous le bénéfice de ces « généralités » sur le devoir du titulaire de la carte de formuler une opposition dans des conditions définies de plus en plus malheureusement par la jurisprudence, examinons les responsabilités respectives du fournisseur affilié (n. 351), du client titulaire (n. 352). Les responsabilités de l'émetteur (n. 354) et du fournisseur méritent une analyse plus spéciale. Ce qui ne signifie pas que ce problème juridique soit mineur.

1. — *Responsabilité du fournisseur*

351. — Le fournisseur devient responsable après réception de la notification de l'opposition par le banquier émetteur. Il doit désormais refuser le règlement par carte (V. la décision typique citée par Cabrillac : *Rép. com.*, Dalloz, *V° Chèque*, n. 42. — Trib. adm. Strasbourg, 10 janv. 1992, *SARL Kamlit* c. *CRCAM d'Alsace*).

Avant cette information, il lui suffit pour rester couvert d'observer les stipulations du contrat et de conserver comme en cas de règlement par chèque, une diligence raisonnable (pas d'analyse graphologique des signatures par exemple...). Mais le fournisseur affilié n'est couvert que dans les limites de son contrat ou de l'autorisation donnée par le Centre d'autorisation.

Bien entendu, le banquier émetteur n'est pas obligé si la carte est périmée ou annulée et si l'autorisation a été portée à la connaissance du fournisseur (pour un cas de carte endommagée et remplacée mais non restituée, V. Cass. com., 10 janv. 1995 : *RD bancaire et bourse* n. 48-1995, p. 79 ; *Bull. civ.* IV, n. 7).

2. — *Responsabilité du titulaire de la carte*

352. — Une délicate question est celle de la connaissance par l'usurpateur de la carte (voleur ou inventeur) du numéro de code permettant d'opérer retrait dans un DAB. La convention adhérent interdit expressément au titulaire de conserver ce numéro avec sa carte. Tenant pour acquise au plan technique l'absence quasi certaine en fait de découverte par pur hasard du numéro confidentiel, faut-il présumer la faute du titulaire (en ce sens Versailles, 17 janv. 1980 : revue *Banque* 1980, p. 505 ; *RTD com.* 1980, p. 586, obs. Cabrillac et Teyssié. — Comp. Paris, 17 oct. 1984 : *D.* 1985, IR, 343) ou interdire à la banque, faute de prouver la négligence ou l'imprudence du porteur dépossédé de débiter en pareil cas son compte de la somme frauduleusement prélevée par le voleur (Paris, 1er déc. 1980 : *D.* 1981, J, 369, note C. Gavalda) ?

Il est conforme aux principes du droit des obligations que la charge de la preuve pèse sur la banque. Celle-ci doit établir en tant que dépositaire de fonds, en application des articles 1239, alinéa 1, et 1937 du Code civil, que les sommes détenues ont été remises au déposant (titulaire du compte sur lequel le retrait de fonds a été imputé) ou à une personne ayant reçu pouvoir de lui. Toutefois, la preuve du défaut de vigilance du porteur de la carte justifiant la mise à sa charge du retrait litigieux, peut se faire par tout moyen.

Le premier arrêt rendu par la Chambre commerciale dans cette situation le 18 avril 1989 (*Bull. civ.* IV, n. 111 ; *RTD com.* 1989, p. 704) n'est pas déterminant, car il se borne à casser pour défaut de réponse aux conclusions de la banque, qui invoquait une faute du client (conservation simultanée de la carte et du numéro confidentiel). L'exclusion par une clause de la responsabilité du banquier laisse ouverte la possibilité de démontrer une faute lourde de sa part. Cette clause n'est-elle pas au demeurant abusive ? La question est délicate et sensible. La cour de Paris a, dans son arrêt (inédit) du 2 mai 1995 (aff. *BNP* c. *Dame B.*) écarté la qualification de clause abusive.

La banque émettrice n'a en tout cas, si les règles objectives d'utilisation de la carte ont été respectées, aucune responsabilité découlant d'une obligation de surveillance ou de contrôle des comptes (Cass. com., 2 déc. 1980 : *Bull. civ.* IV, n. 400 ; *D.* 1981, IR, 352 ; *RTD com.* 1981, 578, obs. Cabrillac et Teyssié).

352-1. — Le régime juridique de *l'opposition* en matière de carte de paiement a été très étudié (V. *Rép. com.* Dalloz, *V° Carte*, 1996, n. 30 et références par Christian Gavalda). Le sujet en vaut la peine. Il faut être très positif et lucide !... La portée pratique de ces incidents ne permet pas des constructions « académiques ». Nous souhaitons que la Cour de cassation soit fidèle à son attitude classique et ne se laisse pas séduire par des « rêveries académiques » ou par des audaces jurisprudentielles isolées (Orléans, Ch. com. 1re section, 2 fév. 1994 : *D.* 1998, J, 37, note Lucas de Leyssac). Il paraît donc utile de réitérer au besoin une analyse classique et raisonnable de l'opposition en matière de carte. Le mot n'est pas à rayer de la terminologie française officielle (V. Encyclopédie Dalloz *Droit commercial*, *V° Carte*, par Ch. Gavalda, n. 30).

Ces propos sont certes un peu répétitifs... Mais, l'impact sur les relations quotidiennes des particuliers et des entreprises de ces règlements justifie de telles explications non métaphysiques mais claires et distinctes, sous réserve d'une conclusion un peu désabusée... suggérant de prendre une assurance.

352-2. — Il n'est pas exagéré de souligner les dangers de perte ou de vol de sa carte pour un titulaire. C'est le risque de la vie quotidienne. Les ennuis commencent ensuite, faute d'avoir contracté une assurance. Le contrat adhérent impose — c'est à discuter — au client des obligations peut-être excessives. Il reste normal et fondamental d'imposer au client une obligation de célérité de déclaration d'un tel incident, et de lui rappeler son devoir d'éviter toute facilité pour l'usurpation (voleur ou inventeur) d'avoir connaissance du numéro à quatre chiffres attaché à chaque carte. Faut-il dire que les émetteurs doivent faire gérer par un service « à part » l'attribution de ces numéros et qu'en aucun cas — *même aux services de police* — le titulaire ne doit indiquer ce numéro confidentiel, clé de la sécurité des cartes.

Le client qui a égaré sans en savoir la cause sa carte (vol ou perte) doit, on l'a dit, aussitôt informer l'émetteur et/ou le service national (V. *supra*) de sécurité des cartes. Une opposition téléphonique nous paraît suffire (comp. Paris, 29 mars 1986 : *D.* 1986, IR, 327. — *Contra*, CA Paris, 1er déc. 1980 : *D.* 1981, 369, note Chron. Gavalda).

Il y a lieu *grosso modo* de distinguer *avant* ou *après* opposition.

352-3. — a) *Avant* opposition régulière qui ne doit du reste pas « traîner » (sur son devoir de célérité : Cass. com., 1er mars 1994 : *JCP* 94, éd. E, II, n. 581, note Ch. Gavalda), le client reste responsable (sauf à bénéficier d'une assurance). La Cour de cassation avait considéré qu'il y avait sinon une *présomption de fait* de sa faute (avoir communiqué son numéro confidentiel), du moins une éventuelle *présomption conventionnelle*.

b) *Après* opposition régulière du client, sauf *fraude* et oubli de sa part, la banque qui en a les moyens techniques doit bloquer le paiement aux usurpateurs. Elle est donc désormais responsable. Il y a une obligation de résultat de bloquer les paiements (Cass. com., 8 oct. 1991, *Memadou* : *JCP* 92, éd. E, II, 254, note Ch. Gavalda ; Encyclopédie Dalloz *Droit commercial, V° Carte*, n. 31).

c) Cette analyse *avant* ou *après* opposition n'est pas, hélas, la clé universelle des conflits de ce type. Il y a de très délirantes hypothèses de *partage de responsabilité* (V. Cass. com., 10 janv. 1995 : *D.* 1995, IR, 41 ; *RD bancaire et bourse* 1995, n. 48 ; *Bull. civ.* IV, n. 7 ; *RTD com.* 1995, p. 458, note Cabrillac).

353. — L'opposition faite à un guichet quelconque de l'émetteur a, selon nous, un effet immédiat (comp. Cass. com., 20 juin 1977 : *RTD com.* 1977, p. 338. — 2 déc. 1980 : *Bull. civ.* 1980, IV, n. 400, p. 321). Le contrat adhérent précise les formes de cette opposition (Cass. com., 23 juin 1987 : *RD bancaire et bourse* 1987, 126, obs. Credot et Gérard).

En l'absence d'opposition, le banquier émetteur est ainsi responsable si, informé du décès du titulaire d'une carte, il paie des achats effectués après la date du décès. Les héritiers ne sauraient en ce cas être recherchés (Trib. inst. Toulon, 15 janv. 1981 : *RTD com.* 1981, p. 335).

Compte tenu du risque couru par le porteur en cas d'utilisation frauduleuse de la carte entre le moment de sa perte ou de son vol et le moment où le titulaire s'aperçoit de cette disparition et peut régulièrement faire opposition, les banques, sous la pression peut-être des unions de consommateurs, ont contracté une assurance de groupe. Sauf faute prouvée de négligence du titulaire (numéro du code laissé avec la carte égarée) comportant violation des stipulations contractuelles (Versailles, 17 janv. 1980 : revue *Banque* 1980, p. 586 ; *RTD com.* 1980, p. 505, obs. M. Cabrillac et J.-L. Rives-Lange), ce dernier ne répond de l'usage frauduleux de la carte que sous réserve d'une franchise tolérable... Cette solution de mutualisme est raisonnable et a sans doute *apaisé* un contentieux latent.

Aucune franchise n'existe au cas de retrait d'espèces avec la carte usurpée, sous réserve d'une controverse jurisprudentielle sur une présomption de négligence du porteur, soupçonné d'avoir laissé son numéro confidentiel avec la carte égarée.

La justification de cette présomption repose sur la soi-disant infaillibilité technologique du DAB, un décryptage étant en dehors de cette négligence quasi impossible (V. en ce sens Paris, 29 mars 1985 et Pau, 17 oct. 1986. — *Contra* Paris, 1er déc. 1980 : *D.* 1981, J, note Gavalda. — Comp. jugement Trib. inst. Nuremberg, 15 oct. 1986 : *Neue Juristiche Wochenschrift* 1986, 660, et récemment la position sévère à l'égard de la banque du tribunal d'instance de Dijon du 15 juin 1990 : *RD bancaire et bourse* janv.-fév. 1991, p. 20. — Comp. recommandation de la Commission européenne, 17 nov. 1988, art. 8-2 : V. *infra*, n. 360).

Des situations plus complexes peuvent justifier une responsabilité partagée du client et du banquier. Tel serait le cas où le client aurait communiqué dans son opposition un numéro de carte erroné, mais où le banquier, malgré cette déclaration de vol laisse continuer à débiter le compte par carte (Paris, 21 mars 1990 : *D.* 1990, IR, 89 ; *Juris-Data*, n. 020536).

3. — Responsabilité du groupement carte bancaire

354. — Transcendant l'imputabilité du préjudice aux trois éventuels responsables en cas d'emploi frauduleux des cartes, on notera enfin la responsabilité possible de cet organisme. Le groupement, GIE depuis 1984, a en effet, une mission de contrôle et serait responsable s'il transmettait par exemple des factures dépourvues de signature du titulaire de la carte (Cass. com. 3 mai 1988, préc. : *Bull. civ.* IV, n. 143, p. 101). Le banquier émetteur ayant débité le compte du titulaire serait lui-même responsable (Paris, 21 déc. 1985 : *D.* 1985, IR, 344 ; Sousi-Roubi, *op. cit.*, n. 85).

Le GIE, constitué le 30 mars 1984, assume dans le secteur des cartes un rôle de régulation qui lui a valu (V. *supra*, n. 335-1) d'être accusé d'imposer certaines pratiques restrictives (*Leclerc*, Paris, 30 juin 1988 : *Les Petites affiches* 5 oct. 1988 ; *RTD com.* 1989, p. 103, obs. Cabrillac et Teyssié. — *Adde*, Paris, 26 avril 1990, préc. ; Cons. concurrence, 30 oct. 1990...), notamment en matière de commission interbancaire. On a signalé la mise au point par le GIE d'un « contrat commerçant-cartes bancaires » (*supra*, n. 343 ; Geneviève Nicolas, art. cité : revue *Banque* 1989, p. 1204 et s.). Cet organisme destiné à promouvoir ce nouvel instrument assume dans le cadre des activités entrant dans son objet « la représentation collective de ses membres ». Ce qui ne méconnaît pas le régime applicable selon l'ordonnance du 23 septembre 1967 sur les GIE à ce type de groupement. Dès lors, le Groupement des cartes bancaires CB paraît avoir qualité pour se constituer partie civile devant la juridiction pénale dans une affaire de fabrication de fausse carte. Si la recevabilité de sa demande comme victime directe n'était pas discutable, sa qualité à agir comme représentant de ses membres était discutée (V. irrecevabilité affirmée par Trib. gr. inst. Paris, 27 janv. 1987 et Paris, 14 déc. 1987). Instruit de ces difficultés, le GIE s'était fait délivrer, sur la base de statuts rénovés, des mandats *ad litem* exprès. La cour d'appel de Paris, 9e Ch. A, lui a à bon droit reconnu qualité pour agir en pareil cas (28 fév. 1989 : *Gaz. Pal.* 22 juin 1989, obs. J. Marchi).

La contrepartie de l'adhésion des commerçants au réseau est le respect de la « règle du jeu » du GIE. Autre chose est la contestation de la régularité des commissions au regard du droit de la concurrence (V. *supra*, n. 343).

Le procédé utilisé par les centres Leclerc pour contourner le système français au coût jugé anormal a été condamné (Paris, 30 juin 1988 : *RTD com.* 1989, p. 103, obs. Cabrillac et Teyssié ; *Juris-Data*, n. 023974). Les « facturettes » établies par l'un des centres étaient à cette fin encaissées directement grâce à un prélèvement d'office sur un compte (dit Pact) ouvert au client. La réaction contre le coût exorbitant ou prétendu tel des cartes était à mener, on l'a vu, sur un terrain plus orthodoxe. Il n'était pas correct pour Leclerc de se doter de son propre serveur informatique en court-circuitant les systèmes des commissions de compensation (V. Pascal Riché : *La Tribune* 9 déc. 1987 ; et au plan juridique les observations de nos collègues MM. Cabrillac et Teyssié, sous Paris, 30 juin 1988 : *RTD com.* 1989, p. 103). La Chambre commerciale de la Cour de cassation a rejeté le 27 février 1990 le pourvoi contre l'arrêt précité (*D.* 1991, somm. comm. 38).

CHAPITRE V

PORTE-MONNAIE ÉLECTRONIQUE

355. — Le porte-monnaie électronique constitue le développement le plus récent en matière de carte de crédit. Il présente une évidente similitude avec certaines cartes en usage mais qui ne sont utilisables que pour l'acquisition d'un service déterminé, telles les cartes téléphoniques. Le porte-monnaie électronique a vocation à servir pour tout paiement comptant. Mais il a en commun avec la carte téléphonique d'être prépayé. Schématiquement, le porteur de la carte échange auprès de sa banque une somme de monnaie classique contre l'équivalent en « monnaie électronique » à hauteur de laquelle la puce incorporée dans la carte sera chargée. L'opération peut se faire par utilisation d'une carte de paiement ou de crédit du type carte bancaire. Après épuisement, le porte-monnaie électronique est rechargeable.

D'un point de vue comptable, le porte-monnaie électronique est crédité en argent liquide par le débit du compte bancaire du porteur avant qu'un bien ou un service soit acquis. Le porteur a, d'une certaine manière, payé avant de consommer. La carte sert aux paiements de contact de montant limité. Les utilisations donnent lieu à un enregistrement électronique par le commerçant dans des conditions proches de celles pratiquées en cas de paiement par carte à puce. Le compte du commerçant est ensuite crédité par la banque émettrice de la carte (V. R. Renaudin, *Porte-monnaie électronique et monétique*, thèse Paris I, 1996).

Ce type de carte est déjà en usage dans plusieurs pays étrangers, elle est en voie d'implantation en France. Son émission est réservée aux établissements de crédit qui, selon la loi bancaire du 24 janvier 1984, disposent d'un monopole pour la mise à la disposition de la clientèle et la gestion d'instruments de paiement.

355-1. — Le mécanisme du paiement réalisé au moyen d'un porte-monnaie électronique est susceptible de plusieurs analyses juridiques. On peut y voir un virement bancaire (mouvement électronique de fonds) dans la mesure où le porteur a déposé auprès de sa banque, au moment du chargement de la carte, une certaine somme d'argent et est devenu de ce fait créancier de la banque. Lors de la transaction chez le commerçant adhérent au système, un premier mouvement de fonds de monnaie s'opère par le débit de la carte et le crédit du terminal du commerçant. Puis la banque émettrice créditera le compte du commerçant. Le commerçant sera définitivement réglé à ce moment, ce qui libèrera le client. Le virement a été déclanché électroniquement par la carte du porteur (donneur d'ordre) lors de la transaction commerciale. Le transfert de fonds résulte d'un message électronique contenant le numéro d'identification de la carte, la somme payée et l'identification du compte du commerçant. On retrouve les éléments d'un virement.

355-2. — Si l'opération de paiement effectuée au moyen d'un porte-monnaie électronique est assimilable à un virement, elle peut aussi être rapprochée d'une cession de créance, ce qui est, d'ailleurs, une analyse parfois proposée pour le virement bancaire. Le porteur de la carte, titulaire d'une créance sur la banque émettrice, la céderait au commerçant. Les formalités de l'article 1690 n'auraient pas à être accomplies puisque la créance est incorporée dans un titre. Cette analyse en une cession de créance de l'usage d'un porte-feuille électronique est assez artificielle. La carte n'est pas un titre de créance au porteur comme le serait un chèque au porteur, mais la constatation de l'existence d'une somme de monnaie disponible.

355-3. — Le porte-monnaie électronique est une carte de paiement au sens de l'article 57-1 du décret-loi du 30 octobre 1935. Elle permet, en effet, à son titulaire « de transférer des fonds ». Les règles légales relatives aux cartes de paiement lui sont applicables et, notamment, le principe d'irrévocabilité de l'ordre de paiement consacré par l'article 57-2 du décret-loi (V. *supra*, n. 345).

Une question délicate est celle de savoir si l'utilisateur de la carte est définitivement libéré ou si le commerçant dispose contre lui d'un recours en cas de défaillance de l'émetteur. La question est essentiellement théorique, d'une part parce qu'une telle défaillance est peu vraisemblable et, d'autre part, parce que, s'agissant d'une opération au comptant, le client est difficilement identifiable par le commerçant. Au plan des principes, la question est délicate. On peut soutenir qu'en acceptant un règlement au moyen d'une carte prépayée, le commerçant a renoncé à exercer un recours contre son client.

CHAPITRE VI

DÉVELOPPEMENT D'UN DROIT COMMUNAUTAIRE DES PAIEMENTS ÉLECTRONIQUES

356. — La mutation des instruments de paiement et de crédit en cours a ses exigences dans l'espace de la CEE (comp. « Systèmes de paiement dans onze pays développés », *in Banque des règlements internationaux*, Banque de France, avril 1989). La nouvelle monnaie (cartes plastiques, monnaie électronique) ne peut rester soumise à une législation éclatée dans les quinze Etats membres en attendant et en espérant une plus large ouverture de l'UE. La libération des mouvements de capitaux et des services bancaires et financiers appelle et implique un minimum d'harmonisation, qui converge avec le souci de protection des consommateurs, utilisateurs des cartes.

Le *Livre blanc* de 1985, rédigé par la Commission de la CEE à l'occasion du sommet de Milan, qui a été la source de l'Acte unique signé les 14 et 18 février 1986 (points 122 et 123) comportait déjà l'engagement d'élaborer dans ce secteur des propositions visant à favoriser la conclusion d'accords entre les banques, les consommateurs, les producteurs et les commerçants.

Dans la même perspective, la Commission avait remis le 12 février 1987 au Conseil des ministres une communication « Un atout pour l'Europe : les cartes de paiement », incluant d'importantes orientations en ce domaine (normalisation, conformité aux règles de concurrence et de libre prestation, contrôle des émetteurs de carte et protection des données ; défense des consommateurs et protection simultanée des commerçants...).

Il était révélateur qu'en 1988, deux pays seulement de la CEE (France et Danemark ; Loi danoise, n. 284, 6 juin 1984 ; V. réponses de la Commission CEE à un parlementaire européen : *JOCE* 7 nov. 1988, n. C. 283, p. 2) possédaient une réglementation en matière des cartes de crédit.

La CEE a d'abord adopté en cette matière une recommandation du 8 décembre 1987, portant Code européen de « bonne conduite ». Cette première norme communautaire concerne essentiellement les relations entre émetteurs de cartes et commerçants.

Corollaire et complément logique, la Commission, abandonnant l'idée initiale d'une directive, a ensuite élaboré une seconde recommandation sur les problèmes de protection des consommateurs porteurs des cartes (17 nov. 1988 : *JOCE* 24 nov. 1988, n. L. 317, p. 55).

L'européanisation des cartes est illustrée par l'annonce (mai 1991) du lancement d'une carte de débit européenne par Euro-Mastercard international.

La matière est-elle arrivée à « maturité » ? On lira à cet égard la recommandation CE n. 97-489 de la Commission UE du 30 juillet 1997 (D. 1997, L. 320).

Orientation bibliographique

SCHAUSS et X. THUNIS, « Quelques réflexions à propos du Code européen de bonne conduite en matière de paiement électronique » : *Dr. informatique et télécom.* 1988, Cahier n. 1, p. 54 ; commentaire au *Bulletin de l'OCBF* n. 480 et 482. — La remarquable chronique de M. Robert TRINQUET, « Relations entre organismes financiers et consommateurs dans un système de paiement étendu à l'ensemble de la communauté » : revue *Banque* 1989, p. 423 et s. — SOUSI-ROUBI, *RD bancaire et bourse* 1989, mai-juin, p. 87. — Conseil national du crédit, Aspects européens et internationaux des cartes de paiement, mars 1988. — Ch. KNOBBOUT-BETHLEM, « La recommandation européenne du 17 novembre 1988 : les systèmes de paiement » : *Rev. europ. dr. de la consommation*, 1990, 241 et s.

357. — *Code européen de bonne conduite en matière électronique : recommandation CEE du 8 décembre 1987* (*JOCE* n. L. 1365-172, 24 déc. 1987). Ce premier volet qui a, comme finalement le second, la forme juridique d'une simple recommandation n'en a pas moins une force, en fait, non négligeable. Certes, la recommandation du 17 novembre 1988 (compromis ?) a, même en droit, une incidence plus contraignante... A base de « moral suassion » la Commission a, en effet, édicté un délai de douze mois pour la mise en œuvre (amiable ?) de ce texte. A défaut et à l'expiration de ce délai, la Commission se réserve si l'expérience n'est pas satisfaisante de prendre toutes mesures appropriées.

En ce qui concerne le Code, la Commission se borne à tracer un cadre général dans lequel les institutions financières et les entreprises sont appelées à collaborer. Le Code se rapproche des recommandations du Conseil européen sur les systèmes de paiement.

Le domaine couvert par la recommandation est large. La terminologie « commerçant-prestataires de services » recouvre les diverses catégories d'entreprises (commerçants, artisans, professions libérales...) s'affiliant à des émetteurs de cartes.

Il est, en revanche, à souligner que cette recommandation ne vise que l'usage de cartes de paiement électroniques. En clair, le champ d'application est plus étroit que celui de la recommandation suivante du 17 novembre 1988, qui couvre tous les types de cartes plastiques ou électroniques.

La finalité est d'ouvrir et de développer ce mode de règlement à l'échelle de la CEE. Cet objectif doit passer par une interopérabilité maximale, sans heurter les règles fondamentales de libre concurrence intracommunautaire.

L'*interopérabilité* est le présupposé logique de la diffusion intracommunautaire des cartes. L'objectif est clair : le réseau doit permettre l'utilisation de n'importe quelle carte délivrée par une institution membre dans les terminaux des autres établissements financiers et auprès de tous les « commerçants » (*lato sensu*) liés à ces émetteurs ? Une même machine devra être apte à traiter, l'ensemble des cartes (des réseaux Visa, Master-Eurocard, Eurochèque, American Express ; Diners Club, etc.). L'adoption d'un terminal unique polyvalent dans les divers réseaux réalisera cet impératif.

La réalisation effective de cette adaptation est souhaitée par la Commission pour fin 1992.

Les obstacles ne sont sans doute pas principalement technologiques. La vive concurrence entre réseaux peut générer des facteurs de retardement (V. rapport CNC 1988, p. 53).

Une fois de plus, la mise en place de mécanismes communautaires doit satisfaire à la règle fondamentale de loyale et libre concurrence intra-communautaire.

Une égalité de traitement des « commerçants » affiliés doit, selon la recommandation, être respectée. Les réseaux doivent être sans discrimination de taille ouverts à tous. Ce problème du refus d'accès est connu du droit français. Le refus d'accès ne saurait être non motivé et discrétionnaire et, *a fortiori*, abusif. Cette non-discrimination est à respecter touchant l'éventuelle installation sur le marché d'autres réseaux d'émission.

Le caractère confidentiel des données recueillies dans ce type d'opération sera à respecter.

Au demeurant, les émetteurs ne devraient pas *a priori* exiger des affiliés pour des services analogues des rémunérations comportant une différence injustifiée.

Il va pourtant de soi qu'une juste évaluation peut légitimer des différences de tarification.

Dans le souci d'une saine concurrence, la recommandation préconise la suppression de toute clause d'exclusivité, prohibant pour les commerçants l'affiliation à plusieurs réseaux. La suggestion va dans le sens d'une concurrence souhaitable... et profitable au second degré aux consommateurs, c'est-à-dire aux clients des commerçants affiliés.

La recommandation de 1987 contenait diverses règles sur les rapports de ces derniers avec les porteurs. On va retrouver ces dispositions dans la recommandation du 17 novembre 1988.

358. — *Recommandation du 17 novembre 1988 sur les relations des émetteurs et des commerçants* (*JOCE* n. L. 317, 24 nov. 1988). — On ne revient pas sur le choix de la forme plus souple d'une recommandation. L'incitation adressée aux émetteurs à adapter leurs contrats avec les porteurs de carte est assez précise et devrait être suivie d'effets. Une concertation entre les deux partenaires sera nécessaire. Elle s'effectue en France dans le cadre du Comité consultatif des usagers (art. 59 L. bancaire, 24 janv. 1984) qui n'a peut-être pas toujours le dynamisme juridique souhaitable ?...

Le champ d'application est plus ouvert que celui de la recommandation précédente. Si les paiements électroniques par carte sont d'abord visés, notamment ceux effectués aux points de vente, le texte concerne aussi les paiements par cartes non électroniques y compris ceux qui donnent lieu à signature et à remise d'une facture. Les cartes dites accréditives (American Express, Diners Club) ou privatives (spécialisées) devraient y être soumises. En revanche (V. R. Trinquet, art. cité, p. 426) les paiements effectués contre présentation d'une carte de garantie de chèque (Eurochèque) ne semblent pas concernés. La recommandation couvre, enfin, les paiements électroniques effectués par un consommateur sans utiliser de carte (banque à domicile).

359. — *Formation du contrat émetteur porteur*. L'exigence d'un écrit, créant une variété de contrat solennel, paraît raisonnable. La nécessité d'une demande préalable de carte par le futur client peut éviter des abus de mercatique connus. Les modalités et délais des débits sont à indiquer. Ce qui n'est pas négligeable pour la protection du consommateur.

La modification du contrat (§ 3.5), impliquera un accord des parties. Mais la convention sera censée modifiée si le client, après vérification de cette modification, continue à faire usage de la carte. Les suggestions du CNC sur ce point paraissent peu convaincantes. La multiplication formelle des modalités ne protège qu'artificiellement, selon nous, le consommateur. L'exemple du droit français de la consommation est de plus en plus souvent décevant...

360. — *Contenu de la convention*. L'aménagement recommandé des obligations respectives des parties vise à un équilibre des intérêts.

L'obligation de vigilance du porteur pour une sécurité accrue du système va dans le bon sens (§ 4.1 a, etc.). Le devoir de ne pas conserver ensemble le dispositif de paiement et le numéro de code est une salutaire précaution. Le vif contentieux existant en France à ce sujet est édifiant. A qui incombera les frais de la notification de l'information ? Le texte est muet.

L'obligation de notifier la perte ou le vol (devoir d'alerte) s'étend à l'enregistrement au compte du client d'opérations non autorisées, irrégulières ou erronées. Mais, le devoir s'impose en pareil cas « sans délai excessif ».

La contrepartie est, on le verra, que le porteur est, après notification (§ 4.2), à l'abri d'une réclamation de dommages-intérêts.

L'émetteur a, de son côté, divers devoirs. Il ne doit en aucun cas communiquer le code d'accès du client (§ 4.3) ; il est tenu d'organiser un système de réception des notifications par les utilisateurs. La recommandation insiste sur la disponibilité nuit et jour (sauf pour les cartes dites privatives ou spécialisées).

Plus utile encore pour la protection des utilisateurs, la recommandation invite les émetteurs en cas d'incident notifié — et même en cas de fraude ou « d'extrême négligence » (V. Trib. inst. Dijon, 15 juin 1990 inédit : *RD bancaire et bourse* janv.-fév. 1991, p. 20), à prendre toutes mesures pour paralyser l'usage ultérieur de la carte ou du moyen d'accès au système de paiement (§ 8.4). La réticence devant cette sage suggestion du CNC français n'emporte pas notre adhésion. Les moyens informatiques dont disposent les émetteurs justifient leur devoir de blocage et de neutralisation des cartes qui ne devraient pas se limiter à une « obligation de moyens ».

Dans le sens d'une sécurité accrue, on approuvera le souhait d'une conservation des enregistrements d'opérations et la délivrance obligatoire en cas de demande du client d'un « reçu »... sauf à suggérer au client de ne pas « oublier » si souvent ce ticket... et de ne pas le jeter au pied des DAB.

361. — Parmi les incidents classiques, l'annulation d'un ordre donné fait l'objet d'une obligation reprise du Code de bonne conduite : l'irrévocabilité de l'ordre donné par cartes sauf en cas de perte ou de vol de cet instrument. Un différend avec le bénéficiaire du règlement n'autorise pas la révocation de l'ordre. Cette irréversibilité joue à partir de l'émission de l'ordre.

La solution se rapproche de celle bien connue du droit français (D.-L. 30 oct. 1935, art. 57-2). Mais *quid* en cas de redressement judiciaire ou de liquidation du donneur d'ordre ?

Transcendant ces devoirs précis, la recommandation souligne que le porteur conserve une obligation générale de prudence et de diligence et doit s'abstenir de toute fraude. Cette dernière exigence est surabondante. Mais, après tout, il est bon de le rappeler *in terminis*.

362. — La recommandation n'a pas abordé la question du statut des émetteurs. On sait que la France est le seul pays où cette faculté est réservée aux établissements de crédit.

Bien entendu — et la disposition est, en pratique, essentielle — les Etats membres sont invités à se communiquer les données afférentes aux clients. Cette coopération étant aussi utile au plan civil que pénal pour la sécurité de ce type de règlement.

Les législations nationales sont à adapter en conséquence.

363. — La recommandation préconise enfin certaines sanctions. Elle ne pouvait prévoir que les principes de réparation civile.

Les sanctions répressives (contrefaçon) ressortissaient, en effet, en principe du droit pénal national et ne pouvaient être abordées au plan communautaire (Régis de Gouttes, « Vers un espace judiciaire pénal paneuropéen ? » : *D.* 1991, chron. 154). La question devrait être réglée par voie de traités à peine de voir la fraude (contrefaçon et falsification) se localiser dans les pays de la CEE à régime pénal plus laxiste...

Touchant les modalités de répartition des responsabilités encourues en cas de vol, de perte ou de duplication des cartes, la recommandation est assez précise. Elle distingue en pareil cas selon que l'incident s'est produit avant ou après la notification de la perte, du vol ou de la copie de la carte ou du dispositif d'accès au système de paiement (§ 4.2 et 8).

Après cette notification, le client n'est plus responsable qu'en cas de fraude ou de « négligence extrême ». Pour les pertes antérieures, le client ne répond — sauf les exceptions précitées — qu'à concurrence de 150 Écus.

L'Administration française interrogée par un parlementaire sur le régime juridique futur des cartes de paiement a formulé la réponse officielle suivante :

« L'orientation générale de la commission à l'égard des cartes de paiement électroniques avait été indiquée dans son document de janvier 1987, qui soulignait l'intérêt de cette innovation technologique, invitait les milieux bancaires à réaliser l'interopérabilité des nouveaux moyens de paiement et à promouvoir une coopération transfrontalière sur les normes techniques. En décembre 1987, la commission a publié un premier « code de conduite » régissant les relations entre émetteurs de cartes de paiement et commerçants qui placent un terminal dans leurs établissements. Dans un second temps, la Commission a cherché à établir des règles minimales de protection des consommateurs, valables pour l'ensemble de la Communauté. Le but était d'obtenir des émetteurs des cartes qu'ils intègrent les dispositions que la commission estimait indispensables, dont notamment : établir par écrit des conditions générales complètes et équitables, rédigées de façon claire et intelligible, dans la ou les langues du pays dans lequel elles sont proposées ; assumer la charge de la preuve, d'une façon spécifique à ce secteur, lorsqu'il y a désaccord avec le porteur ; porter la responsabilité des conséquences du mauvais fonctionnement ou des défectuosités des cartes qu'ils émettent ; cette responsabilité peut dans certaines circonstances être supportée conjointement par l'émetteur et par une ou plusieurs personnes, un commerçant et/ou un monteur d'équipement informatique par exemple ; donner à leurs clients la possibilité de les avertir vingt-quatre heures sur vingt-quatre de la perte, du vol ou de la reproduction de la carte. La responsabilité des titulaires en cas de vol ou perte de leur carte ne devait pas dépasser l'équivalent de 150 Écus, sauf s'ils ont fait preuve d'une « négligence extrême » ou s'ils ont agi frauduleusement. Après avoir envisagé d'adopter une directive sur ce sujet, la Commission s'y est limitée à adopter le 17 novembre 1988 une « recommandation » adressée à toutes les parties intéressées. Elle y invite en particulier les banques et autres émetteurs de carte de paiement à inclure, dans leurs contrats avec les clients, un certain nombre de dispositions qu'elle estime nécessaires. Elle se réservait de dresser un bilan au bout de douze mois. Si elle devait, en particulier, constater que sa recommandation n'avait pas eu d'effet, elle envisageait de réviser sa position et de proposer des normes contraignantes, sous formes de directive ou de règlement du Conseil. Aucun bilan n'est connu à ce jour ».

364. — Malgré sa portée « plus morale » (au sens de persuasive) que contraignante, on doit signaler le Code de conduite des banques européennes, complétant ou plutôt prolongeant la recommandation du 17 novembre 1988. La Fédération bancaire de la Communauté européenne, le Groupement européen des caisses d'épargne et celui des banques coopératives de la Communauté européenne promulgue quinze règles de base visant à assurer l'équilibre entre les intérêts des parties concernées lors des retraits aux guichets automatiques de banques et des paiements électroniques aux terminaux de vente (V. *Act. communautaires*, Joly, mai 1990).

365. — Indirectement liée au régime des cartes des paiements et/ou de crédit dans la CEE, on signalera, sans en approfondir le contenu, la directive n. 87-102 du Conseil du 22 décembre 1986 relative au rapprochement des dispositions, législatives, réglementaires et administratives des Etats membres en matière de crédit à la consommation (*JOCE*, n. L. 42, 12 fév. 1987), complétée par la directive n. 90/88 adoptée par le Conseil des ministres le 22 février 1990. Ce texte comporte une définition des contrats de crédit à la consommation, dont les montants se situent entre 200 et 20 000 Écus (comp. D. français n. 88.293, 25 mars 1988 relatif au nouveau plafond visé en application de L. 10 janv. 1978).

Cette directive concerne aussi le mode de calcul du TEG et introduit une méthode de calcul unique : la méthode dite équivalente. Une liste des éléments exclus (dont les perceptions forfaitaires) du calcul du TEG est édictée.

Une révision de cette directive d'ici fin 1996 est prévue. D'ici là, les pays dépourvus de législation sur le TEG devront utiliser la méthode équivalente. L'Allemagne et la France pourront conserver provisoirement leurs méthodes. Six mois avant l'expiration du délai précité, un rapport sera à établir par la Commission sur l'exécution de cette directive. Au plus tard le 1er janvier 1993, il n'y aura qu'une seule méthode de calcul dans la CEE.

366. — Au-delà des cartes de plus en plus sophistiquées du secteur de la finance les cartes se développent, on l'a signalé, dans des secteurs variés : téléphone, télécommunication, accès aux usines, aux autoroutes (Sanef), aux aires de stationnement, à la RATP (Icfir ; gestion hospitalière...).

Le constat du droit positif des moyens de paiement dressé dans cet ouvrage débouche sur de vastes perspectives. La monnaie électronique dont la carte « à puce » est l'illustration, n'est sans doute qu'un des procédés futurs de règlement (Denis Ferman, art. préc. : revue *Banque* 1991, p. 342). L'utilisation combinée du Minitel ou des terminaux et de cette carte laisse entrevoir la diffusion des règlements à domicile, sans papier... ou presque (V. F. Gallouedec-Guenys, *et varii autores*, *Une société sans papier ?*, La Documentation française, 1990).

Le juriste de droit positif ne pouvait même dans l'édition 1997 de ce volume que s'en tenir au système des paiements existant actuellement (*adde* dans le tome III, l'étude du virement). La futurologie reste précieuse en ce domaine. Divers centres ou organismes (Association française des paiements à distance, AFPAD) s'en préoccupent. Le télépaiement est aujourd'hui une formule banalisée. La réflexion juridique sur cette technologie ne devrait pas être son aspect mineur (V. sur les aspects technologiques, rapport CNC 1988 sur les cartes à micro-circuit, télétransactions et nouveaux services ; *adde*, Ch. Gavalda, « Banque directe, banque à distance à l'approche de l'an 2000 » : *Mélanges J.-J. Burst*, Litec.

A la vitesse de l'évolution télématique, les pronostics risquent de paraître vite très « vieillots ». La deuxième génération des cartes de crédit est déjà là. Rester muet sur cette mutation serait obsolète. Bornons-nous donc à évoquer de nouveau la carte MPEG qui va tirer parti du nouveau standard 2V Port. Cet « outil » sera utilisable dans peu de temps sur les portables. Le monde va vite. Les juristes essayent de le rattraper.

CONCLUSION

OBSERVATIONS SUCCINCTES SUR L'EURO

367. — Un grand maître (J. Niboyet) disait, naguère, qu'à une question délicate, il faut consacrer 3 pages... ou 1 000 pages. En se tenant plus près de la limite basse, que de la limite haute, il semble opportun, à titre de conclusion de l'ouvrage, de s'interroger sur l'incidence qu'aura la mise en place de la monnaie européenne sur les relations financières et, tout spécialement, sur les opérations de banque dont les techniques étudiées dans l'ouvrage constituent les instruments privilégiés, qu'il s'agisse des crédits ou des paiements ou transferts de fonds.

Selon le calendrier établi et qui, à la date de publication du livre, semble devoir être respecté, l'euro (appellation que portera désormais l'ÉCU, unité monétaire européenne) sera créé le 1er janvier 1999. A compter de cette date, il commencera à circuler sous forme de monnaie scripturale, tandis que les monnaies nationales des Etats adhérents demeureront comme monnaie fiduciaire et comme monnaie scripturale, mais en tant que subdivisions de l'euro par rapport auquel leur valeur aura été définitivement fixée. Le 1er janvier 2002, les monnaies nationales des pays adhérents disparaîtront totalement et définitivement. Si un Etat devait, un jour, se détacher du système monétaire européen, il lui faudrait créer une nouvelle monnaie ou... adhérer à un autre système monétaire existant. Seul aura valeur libératoire et circulera l'euro, émis par la Banque centrale européenne.

A priori, cette novation monétaire n'affectera pas de manière sensible les instruments de paiement et de crédit en usage : effet de commerce, chèque, virement, cartes de paiement... Simplement, à compter du 1er janvier 2002, ils ne pourront plus être libellés en monnaie d'un pays adhérent. Les effets de commerce et les chèques ne peuvent être créés que dans la monnaie d'un Etat, ce que ne sera plus le franc français, le mark allemand... Pour les instruments ayant une base purement contractuelle comme la carte de paiement ou le virement, une unité monétaire à laquelle l'euro a été substitué ne pourrait valoir qu'en tant que monnaie de compte, mais on voit mal sur quelle base se ferait, 6 mois ou 6 ans... après le 1er janvier 2002 la conversion dans la monnaie de paiement euro, sinon selon le taux de conversion choisi lors de la création de l'unité monétaire européenne. Quel intérêt offrirait, dans ces conditions, l'usage d'une ancienne monnaie nationale ?

La vraie nouveauté pourrait être ailleurs. La création de l'euro donnera, à coup sûr, une impulsion décisive à la constitution du marché unique des services bancaires. La deuxième directive de coordination bancaire du 15 décembre 1989 a levé les obstacles réglementaires qui freinaient le développement de l'offre transfrontalière en la matière. Restaient les entraves monétaires. Le coût et la lenteur de l'encaissement d'un chèque tiré sur un guichet de banque établi dans un autre Etat membre ont été souvent dénoncés, de même que les tarifs pratiqués pour des transferts internationaux de fonds effectués pour des montants se situant au niveau des opérations des consommateurs. Une directive a d'ailleurs été prise sur ce dernier point qui tend à instituer une plus grande transparence (Direct. 97/5, 27 janv. 1997 concernant les virements transfrontaliers).

L'euro ne réglera pas par magie ce genre de difficulté mais, d'une part, l'adoption d'une monnaie commune supprimera les frais de change ; d'autre part, en facilitant les opérations bancaires transfrontalières, il les banalisera et stimulera la concurrence.

Mais encore faudra-t-il que soient mis sur pied dans un cadre européen les moyens techniques de règlements interbancaires rapides, sûrs et efficaces. La lenteur des encaissements de chèques sur l'étranger a, clairement, pour cause l'absence d'un système international de compensation comparable aux chambres de compensation existant dans chaque pays. Les émetteurs de cartes de crédit ont, à cet égard, réussi à créer des systèmes rapides et efficaces de règlements internationaux. Le dispositif à créer sous l'égide de la Banque centrale européenne pour répondre au défi de la monnaie européenne et du marché unique des services bancaires, est d'une tout autre ampleur. Il ne sera probablement pas sans incidence sur le statut juridique des instruments de paiement et de transfert de fonds qui ont été étudiés dans le présent volume. Pourra-t-on sans difficulté traiter dans un système européen unique de compensation des chèques ou des virements ou des avis de prélèvement soumis à des règles légales ou contractuelles différentes quant aux délais de rejet, aux recours ouverts, aux sanctions... ? (V. Passage à l'euro des systèmes et des moyens de paiement, *Actualité bancaire*, n. 373, 6 mai 1998).

On ne saurait, enfin, passer sous silence les difficultés, temporaires mais redoutables, que rencontreront les banques durant la période intermédiaire (1998-2002), alors que circuleront simultanément en forme scripturale l'euro et les monnaies nationales des pays adhérents. Le même client pourra être titulaire de comptes en euro et en francs français. Il pourra émettre des chèques, accepter des lettres de change dans les deux monnaies. Des questions d'imputation pourront se poser, sans compter les erreurs que ne manqueront pas de commettre les clients et, sans doute, parfois, les banquiers eux-mêmes...

INDEX ALPHABÉTIQUE

(Les chiffres renvoient aux numéros des alinéas)

D

E

M

N

O

TABLE DES MATIÈRES

PREMIÈRE PARTIE

EFFETS DE COMMERCE

DEUXIÈME PARTIE

CHÈQUE

TROISIÈME PARTIE

CARTES DE PAIEMENT ET/OU DE CRÉDIT

Composé et Imprimé en France. JOUVE, 18, rue St-Denis, 75001 PARIS
N° 255125S. Dépôt légal : Juillet 1998